D1200520

Viele Welten leben
Zur Lebenssituation von Mädchen und
jungen Frauen mit Migrationshintergrund

Ursula Boos-Nünning
Yasemin Karakaşoğlu

Viele Welten leben

Zur Lebenssituation
von Mädchen und jungen Frauen
mit Migrationshintergrund

Waxmann Münster / New York
München / Berlin

Bibliografische Informationen Der Deutschen Bibliothek
Die Deutsche Bibliothek verzeichnet diese Publikation in
der Deutschen Nationalbibliografie; detaillierte bibliografische
Daten sind im Internet über http://dnb.ddb.de abrufbar.

Die Untersuchung wurde mit Mitteln des Bundesministeriums
für Familie, Senioren, Frauen und Jugend gefördert.

Die Veröffentlichung wurde durch einen Druckkostenzuschuss
der Universität Duisburg/Essen unterstützt.

ISBN 3-8309-1496-2
© Waxmann Verlag GmbH, Münster 2005

http://www.waxmann.com
E-Mail: info@waxmann.com

Titelfoto: © ImagePoint.biz
Umschlaggestaltung: Christian Averbeck, Münster
Satz: Stoddart Satz- und Layoutservice, Münster
Druck: Druckerei Runge, Cloppenburg

Gedruckt auf alterungsbeständigem Papier, DIN 6738
Alle Rechte vorbehalten
Printed in Germany

Inhalt

Anhang

Vorwort

Die Studie „Viele Welten leben" beruht auf einer Mehrthemenuntersuchung bei 950 Mädchen und jungen Frauen mit griechischem, italienischem, jugoslawischem und türkischem Migrationshintergrund und Aussiedlerfamilien aus der GUS. Sie wurde vom Bundesministerium für Familie, Senioren, Frauen und Jugend finanziell gefördert.

Ein solches Projekt ist nicht durchführbar ohne ein Forscherinnenteam, das aus Personen besteht, die interkulturelle und mehrsprachige Kompetenzen mitbringen. Milenka Grbić, Bożena Krüger und Livia Novi waren als wissenschaftliche Mitarbeiterinnen an den nationalitätenspezifischen Literaturrecherchen, der Instrumentenentwicklung, den Erhebungen und an der Interpretation der Daten beteiligt. In der Erhebungsphase wurden sie von der studentischen Mitarbeiterin Olga Zervas unterstützt. Zeitweilig als Projektmitarbeiterinnen waren Svenja Ottens (Phase der Instrumentenkonstruktion) und Gaby Strassburger (Erhebungsphase) involviert. Für die statistischen Auswertungen war Monika Pavetić zuständig.

Bei der Zusammenstellung der nicht nationalitätenspezifischen Literatur und bei der technischen Aufbereitung der Tabellen halfen die studentischen Mitarbeiterinnen Sonja Bandorski und Semra Uzun-Önder. Expertisen zum Diskussionsstand wurden von Charitini Iordanidou (griechische Mädchen), Yvonne Rieker (italienische Mädchen), Milenka Grbić (jugoslawische Mädchen), Safiye Jalil (türkische Mädchen) und Bożena Krüger (Mädchen aus Aussiedlerfamilien) verfasst. Nermin Kılıçaslan war mit ihren dreisprachigen Kompetenzen mehr als nur eine Projektsekretariatskraft.

Wichtige Unterstützung fanden wir bei den Mitgliedern des wissenschaftlichen Beirates, die alle Phasen des Projektes mit sachkundiger und konstruktiver Kritik begleitet haben. Angela Icken (Bundesministerium für Familie, Senioren, Frauen und Jugend) stand uns stets als kompetente und unbürokratisch helfende Ansprechpartnerin zur Verfügung.

Ohne die zweisprachigen Interviewerinnen, die in der nicht immer einfachen Feldarbeit mit großem Engagement mitgewirkt haben, und ohne das Vertrauen der interviewten Mädchen und jungen Frauen, die uns einen Einblick in ihre Lebenswelt gewährt haben und sich selbst schwierigen Fragen wie Sexualität und Diskriminierungserfahrungen gestellt haben, hätten wir die der vorliegenden Studie zugrunde liegende Befragung nicht durchführen können. Jeder Einzelnen von ihnen gilt unser besonderer Dank.

Ursula Boos-Nünning
Yasemin Karakaşoğlu

Teil 1
Inhalte und Methoden der Untersuchung

1. Mädchen und junge Frauen mit Migrationshintergrund als Thema der Forschung

1.1 Mädchen und junge Frauen in der Migrationsforschung

Spätestens seit dem 10. Kinder- und Jugendbericht der Bundesregierung (BMFSFJ 1998, S. 11), der erstmalig eine breitere Öffentlichkeit darauf hinwies, dass „bei mehr als einem Viertel der Kinder entweder Vater oder Mutter oder beide Eltern in anderen kulturellen Zusammenhängen aufgewachsen sind als in traditionell deutschen", ist deutlich geworden, dass der Anteil Jugendlicher aus Zuwanderungsfamilien weitaus höher ist, als ihn die Zahlen der amtlichen Statistiken zu „ausländischen Kindern" ausweisen.[1] Neuere Untersuchungen, die das Kriterium der Zuwanderung mindestens eines Elternteils zugrunde legen, bestätigen empirisch noch höhere Anteile als diese frühen Schätzungen.[2] Sie kommen übereinstimmend zu dem Ergebnis, dass Jugendliche mit Migrationshintergrund ein Drittel der jugendlichen Population Deutschlands insgesamt ausmachen. In den Stadtstaaten Westdeutschlands kommen sie bei den 15-Jährigen (Deutsches PISA-Konsortium 2002) sogar auf bis zu 40 Prozent. Vor diesem Hintergrund ist es unverständlich, wenn selbst in aktuellen sozialwissenschaftlichen Studien und Abhandlungen zu Jugendlichen in Deutschland diese Gruppe von Jugendlichen häufig immer noch völlig unberücksichtigt bleibt.[3] Aktuelle Handbücher wie z.B. „Jugend im 20. Jahrhundert" (Sander/Vollbrecht 2000) vernachlässigen diese Gruppe ebenso wie die 14. Shell-Jugendstudie (Deutsche Shell 2002), die damit nicht dem Vorbild ihrer Vorläuferin aus dem Jahr 2000 folgt.

---

[1] Nach Daten des Statistischen Bundesamtes beträgt der Anteil „ausländischer Schüler und Schülerinnen", d.h. derjenigen, die eine ausländische Staatsangehörigkeit besitzen, an der Gesamtschülerschaft 9,8 Prozent (http://www.destatis.de/basis/d/biwiku/schultab9.htm, abgerufen am 15.04.2004). Die amtliche Statistik der Stadt Köln weist für die 18- bis 25-Jährigen 25,6 Prozent Ausländer, jedoch 34,7 Prozent Personen mit Migrationshintergrund aus.

[2] Dies sind die Schülerleistungsstudien PISA 2000, zit. Deutsches PISA-Konsortium (2001, 2003) und IGLU, zit. Bos et al. (2003) sowie der Kindersurvey von Zinnecker et al. (2002). PISA (2000) ermittelt z.B. für Bremen einen jugendlichen Migrantenanteil in der Altersstufe der 15-Jährigen von 41 Prozent.

[3] Untersuchungen zu psychischen oder psychiatrischen Fragen arbeiten allerdings schon von einem früheren Zeitpunkt an mit verschiedenen Herkunftsgruppen und/oder der Berücksichtigung deutscher Parallelgruppen. Siehe dazu z.B. die Untersuchungen von Poustka (1984); Schlüter-Müller (1992); Schepker (1995) und in neuerer Zeit von Siefen/Brähler (1996) und Freitag (2000) sowie die Untersuchung zum Selbstbild türkischer, griechischer und deutscher Jugendlicher von Weber (1989).

Nur vereinzelt ist lückenhafte Einbeziehung von Kindern und Jugendlichen mit Migrationshintergrund in die jugendsoziologische Diskussion auszumachen: Die bundesweite Shell-Jugendstudie 2000 bezog erstmalig italienische und türkische Jugendliche im Alter zwischen 15 und 24 Jahren explizit ein und wertete die meisten Daten herkunftsbezogen und teilweise auch geschlechtsspezifisch differenziert aus. Einzelne Themen wie die politische Beteiligung bleiben jedoch ohne nachvollziehbare Begründung aus diesem Vergleich ausgeklammert und werden nur für deutsche Jugendliche ausgewiesen. Im gleichen Jahr wurde der „Integrationssurvey" des Bundesinstituts für Bevölkerungsforschung (von Below 2003) als Repräsentativbefragung bei deutschen, italienischen und türkischen Befragten im Alter zwischen 18 und 30 Jahren durchgeführt. Die Studie befasst sich schwerpunktmäßig mit der schulischen, beruflichen, sozialen, sprachlichen und identifikativen Integration der Befragten und differenziert die Daten nach Herkunft und Staatsbürgerschaft sowie in Teilaspekten nach Geschlecht aus. Der DJI-Ausländersurvey (Weidacher 2000b) bei 18- bis 25-Jährigen befasste sich anhand eines Vergleichs von türkischen, griechischen, italienischen und deutschen (ost- und westdeutschen) Jugendlichen schwerpunktmäßig mit deren politischen Orientierungen. Die Daten differenzieren in allen Aspekten nach Herkunftsgruppen und in vielen, jedoch nicht allen Punkten auch nach Geschlecht. Der NRW-Kindersurvey (Zinnecker et al. 2002, S. 73ff., S. 137f.) bei 10- bis 18-Jährigen bezieht zwar auch „ausländische" Kinder mit ein, nimmt dabei jedoch keine Differenzierung nach Herkunftsgruppen und Geschlecht vor, und weist die Gruppe der „Ausländer" nur in einzelnen Aspekten wie bei dem Thema Glauben, Sprachkompetenzen und interethnische Kontakte sowie Meinungen über die jeweils andere Gruppe getrennt aus. Die auf den Raum Nürnberg begrenzte Regionalstudie EFFNATIS[4] (Heckmann et al. 2000), die Integrationsindikatoren bei 16- bis 25-Jährigen untersucht, bezieht neben den deutschen auch türkische Jugendliche als größter Zuwanderungsgruppe nicht-deutscher Herkunft sowie die seit dem Bürgerkrieg im ehemaligen Jugoslawien schwierig zu untersuchende Gruppe der Jugendlichen mit ehemals jugoslawischem Migrationshintergrund ein. Auch sie ist beschränkt auf ein enges Themenspektrum. Eine einzige Repräsentativerhebung, die bereits Mitte der 90er Jahre des vergangenen Jahrhunderts veröffentlicht wurde, befasst sich ausschließlich mit Mädchen und jungen Frauen verschiedener nationaler Herkünfte, beruht aber auf älteren Erhebungsdaten. Es handelt sich um die Untersuchung des Bundesinstituts für Berufsbildung (BIBB) zur Bildungs- und Lebenssituation von Mädchen und jungen Frauen griechischer, italienischer, jugoslawischer, portugiesischer, spanischer und türkischer Herkunft im Alter von 15 bis 30 Jahren (Granato/Meissner 1994). Auch die umfangreiche Literatur und die zahlreichen Studien zur Lebensführung junger Frauen (siehe dazu die sekundäranalytische Auswertung auf der Basis einer umfangreichen Literatursichtung von Cornelißen et al. 2002) hält sich sowohl in den Darstellungen mit allgemeinen Inhalten wie auch in den spezifischen Themenbereichen hinsichtlich unserer Zielgruppe eher bedeckt. Angaben zu ihr finden sich – meist unter der Pauschalbezeichnung „Ausländer" bzw. „Ausländerinnen" – nur punktuell als Vergleichskategorie zu den deutschen jungen Männern und Frauen, die deutlich im Zentrum

---

4   EFFNATIS bedeutet „Effectiveness of National Integration Strategies Towards Second Generation Migrant Youth in a Comparative European Perspective". Es handelt sich hierbei um eine (unveröffentlichte) Studie des Europäischen Forums für Migrationsstudien, Bamberg.

der Darstellung stehen. Bei den Themen Schule und Ausbildung, Familie, Freizeit, bürgerschaftliches Engagement und in den restlichen zwei Themenblöcken (Gesundheit und Kriminalität) fehlt der Einbezug von Vergleichsdaten aus der Gruppe der Migrantinnen und Migranten völlig.

Im Mittelpunkt der Auseinandersetzung mit weiblicher Adoleszenz steht die Untersuchung der Vielfalt weiblicher Lebensentwürfe, der sie (einengenden) Geschlechtsstereotypen und der Entwicklung geschlechtsbezogener Identität (Faulstich-Wieland 1999, S. 47ff.). Bislang erfolgt die diesbezügliche Diskussion weitgehend losgelöst von einer Reflexion über die „Kulturgebundenheit" dieses Diskurses (siehe z.B. bei Flaake/King 2003 oder Flaake 2001) oder Kategorien werden unreflektiert auf die Forschung zu Frauen und Mädchen mit Migrationshintergrund übertragen.[5]

In der deutschen Migrationsforschung blieben die Frauen lange Zeit unberücksichtigt. Dies mag damit zusammenhängen, dass die Form der Migration, die das Bild Deutschlands als Aufnahmeland geprägt hat, die Arbeitskräftewanderung war. Sie wurde überwiegend als Wanderung von Männern verstanden, die als im produzierenden Gewerbe Tätige den Topos vom „ausländischen Arbeiter" prägten. Während die umfangreiche migrationssoziologische Literatur sich mit den Erfahrungen und Zielvorstellungen des ausländischen Arbeiters befasste, wurde die Lebenssituation von ausländischen Frauen vor dem Hintergrund ihrer nahezu ausschließlichen Wahrnehmung als Nicht-Erwerbstätige einseitig aus der Perspektive der durch das männliche Familienoberhaupt begrenzten, in die Isolation der Häuser verbannten und von Identitätskrisen bedrohten Frau betrachtet. Die Situation von Mädchen und jungen Frauen wurde von der Wissenschaft noch später entdeckt.[6] Die Diskussion um die spezifischen Belange der damals „ausländisch" genannten Mädchen begann mit der Veröffentlichung der Diplomarbeit von Weische-Alexa (1977) über das Freizeitverhalten junger Türkinnen und der im darauf folgenden Jahr erschienenen populärwissenschaftlichen Darstellung von Baumgartner-Karabak/Landesberger (1978), deren Titel auf die Richtung der Diskussion der nächsten Jahre verweist: „Die verkauften Bräute: Türkische Frauen zwischen Kreuzberg und Anatolien." In einem Aufsatz von Cornelia Mansfeld (1979) wird die Situation der Mädchen ausländischer Herkunft zum ersten Mal als „zwischen den Kulturen" charakterisiert. Wenig später heißt es in der Beschreibung eines Fachkongresses zu dem Thema „Ausländische Kinder in der Bundesrepublik": „Ausländische Mädchen – Opfer des Kulturkonfliktes" (Informationsdienst zur Ausländerarbeit, 1/1980). Mit der Verschiebung des Blickwinkels von den Müttern zu den Töchtern vollzieht sich eine inhaltliche Umorientierung und das Interesse führt weg von den Problemen der Frauen hin zu den Konflikten der Mädchen. In den meisten Fällen konzentrieren sich die Arbeiten auf Mädchen und Frauen mit türkischem Migrationshintergrund, die stellvertretend für „die Migrantin" stehen sollen.[7]

---

5   Zur Kritik an der sich darin äußernden „Dominanzkultur" siehe Rommelspacher (1995); vgl. hierzu auch Lutz (1994); Herwartz-Emden wies ebenfalls darauf hin, „dass gegenwärtig eine Theorie der Adoleszenz unter der Bedingung von Einwanderung und Migration nicht zur Verfügung steht" (Herwartz-Emden 1997a, S. 903); siehe auch Nestvogel (2002).

6   Siehe dazu die Zusammenstellung der Literatur bei Schulz (1992), Gieseke/Kuhs (1999) und die Sekundärauswertung bei Huth-Hildebrandt (2002).

7   Huth-Hildebrandt (2002, S. 55), die in ihrer Literaturstudie „Das Bild der Migrantin" die zu Migrantinnen in Deutschland erschienene Literatur bis 2000 auswertet und klassifiziert,

So bestimmte das Bild des vom Vater abhängigen, in Konflikt zwischen heimatlichen und deutschen Normen lebenden Mädchens ausländischer Herkunft lange Zeit die Diskussion. Dieses Stereotyp wurde durch eine Vielzahl von Arbeiten verbreitet. Genannt werden soll hier nur die 1989 erstmals veröffentlichte Studie von König „Tschador, Ehre und Kulturkonflikt. Veränderungsprozesse türkischer Frauen und Mädchen durch die Emigration und ihre soziokulturellen Folgen", die von denjenigen – meist kritiklos – rezipiert wird, die der Kulturkonfliktthese folgen wollen. Lange Zeit fanden die diesen Ansatz kritisierenden Beiträge weitaus weniger Aufmerksamkeit.[8] Vereinzelt und in jüngster Zeit verstärkt gibt es allerdings Versuche, die Untersuchung „weiblicher Adoleszenz" unter Verwendung qualitativer Forschungsmethoden auf die Mädchen und jungen Frauen mit Migrationshintergrund auszuweiten und ihre diesbezüglichen Entwicklungen nicht vor dem Hintergrund des Defizitansatzes, sondern einer spezifische Ressourcen bereitstellenden Ausprägung weiblicher Adoleszenz unter Migrationsbedingungen zu betrachten (vgl. dazu Kürşat-Ahlers 1986; in jüngerer Zeit siehe Rohr 2001a, 2001b). Einen Schritt weiter, nämlich über den Rahmen einer einseitig frauenspezifischen Betrachtung des Migrationsgeschehens in Deutschland hinaus, geht der Ansatz, „Gender als transkulturelle Konstruktion" zu betrachten (Schlehe 2000, S. 7). Mit ihm wird versucht, der Kategorie „Geschlecht" auf globaler Ebene nachzuspüren (Hess/Lenz 2001, S. 30). Eine zentrale Feststellung ist, dass „die kulturelle Konstruktion ‚Geschlecht' als sozioökonomische Strukturkategorie, wenn auch zunehmend gebrochen und überlagert, weiterhin höchst wirksam als soziale Platzanweiserin zu fungieren" scheint, auch wenn sie sich zunehmend ausdifferenziere. „Kulturell fluider" werde bei gleichzeitiger Verfestigung hierarchischer Geschlechterverhältnisse „auf neuem ethnisiertem Niveau" aktiviert. Es sei Aufgabe der Forschung zu zeigen, „wie die AkteurInnen mit diesen Ambivalenzen und Widersprüchen umgehen und sie in verschiedenen sozialen Situationen aushandeln" (ebenda).

Auch wenn die Lebenssituation von Kindern und Jugendlichen und die spezifische Lage sowie die Orientierungen der jungen Frauen mit Migrationshintergrund seit dem Jahr 2000[9] quantitativ und qualitativ deutlich stärker in den Blick gekom-

---

kommt zu dem Ergebnis: „Auch in den neunziger Jahren blieben *Frauen aus der Türkei* diejenigen, um die sich die Debatte hauptsächlich gedreht hat." 101 Titeln über Frauen aus der Türkei stehen für diesen Zeitraum zwei Texte zu Jugoslawinnen, vier über Italienerinnen, ein Text zu griechischen Frauen und zwei Texte zu spanischen Frauen sowie zwei zu Asiatinnen gegenüber. Daneben gibt es Untersuchungen, die, ohne nach Herkunftsgruppen zu differenzieren, Ergebnisse zur Forschung über „Migrantinnen" präsentieren. Ein Beispiel hierfür ist die quantitative Untersuchung zur Nutzung von Hilfen zur Erziehung durch junge Migrantinnen von Finkel (1998).

8   Kritisch mit diesem Bild setzen sich beispielhaft Elke Esser (1982), Eberding (1998), Hebenstreit (1986), Lutz (1991), Schmidt-Koddenberg (1989), Schulz (1992), Boos-Nünning (1994), Prodolliet (1999) und Huth-Hildebrandt (2002) auseinander.

9   Eine Zusammenfassung des Forschungsstandes leistet die für das Ministerium für Frauen, Jugend, Familie und Gesundheit des Landes Nordrhein-Westfalen erstellte Expertise „Multikultiviert oder doppelt benachteiligt" (siehe Boos-Nünning/Otyakmaz 2000). Der in der Expertise erarbeitete Forschungsstand lag dem Antrag für das Projekt zugrunde. An dem Antrag war Berrin Ö. Otyakmaz maßgeblich beteiligt. Auffällig ist die zeitgleich erfolgte, besondere Berücksichtigung des Themas Zuwanderung im familienpolitischen Bereich. Der sechste Familienbericht der Bundesregierung (Sachverständigenkommission 6. Familienbericht 2000) widmete sich ausschließlich „Familien ausländischer Herkunft", der Bericht der Unabhängigen Kommission Zuwanderung erschien 2001 und auch der Elfte Kinder- und Jugendbericht der Bundesregierung (BMFSFJ 2002) bezog selbstverständlich

men ist als zuvor und diesbezüglich in vielen Aspekten des pluralen, jugendlichen Lebens in Deutschland differenzierte Kenntnisse gewonnen werden konnten, bleiben doch zahlreiche Lücken im empirisch fundierten Wissen über die Lebenssituation und die Lebensorientierung(en) von Kindern und Jugendlichen mit Migrationshintergrund; vor allem fehlt es immer noch in erheblichem Maße an geschlechtsspezifischen Differenzierungen. Dies und die Auslagerung der wissenschaftlichen Beschäftigung mit der Lebenssituation von Mädchen und jungen Frauen mit Migrationshintergrund in meist auf der Ebene von Diplomarbeiten und Dissertationen mit begrenzten Mitteln durchgeführte Untersuchungen lassen die empirische Basis zur Darstellung weiblicher Lebenswelten unter den Bedingungen der Migration als besonders schmal erscheinen.

Es lassen sich somit drei Grundtendenzen in der Literatur hinsichtlich der uns interessierenden Gruppe von Mädchen und jungen Frauen mit Migrationshintergrund ausmachen: In der Jugendforschung werden Jugendliche mit Migrationshintergrund kaum berücksichtigt, die Frauenforschung ignoriert bislang die Migrantinnen weitgehend und die Migrationforschung vernachlässigt die Differenzierung nach dem Gender-Aspekt.

1.2 Überblick über die fünf Herkunftsgruppen

Den wenigen, bereits genannten quantitativen Untersuchungen, die ausschließlich oder unter anderem auch Migrationsjugendliche miteinbeziehen, steht eine – in den letzten Jahren stetig steigende – Vielzahl von Monographien auf der Basis qualitativ erhobener empirischer Daten zu einzelnen Migrantinnengruppen gegenüber. Die Studien sind meist auf ein enges Themenspektrum begrenzt und geben aufgrund der unterschiedlichen Erhebungsmethoden und der Konzentration auf die Gruppe der Migrantinnen mit türkischem Hintergrund ebenfalls nur lückenhaft Auskunft über die Lebenssituation und Lebensorientierungen unserer Zielgruppen.[10] Der folgende, auf die neuere Literatur (vorwiegend ab 1990) konzentrierte Blick zu einzelnen Migrantinnengruppen macht gruppenspezifische Schwerpunktsetzungen deutlich. Er verweist auf zentrale Ergebnisse der Forschung und auf bestehende Forschungslücken.

1.2.1 Mädchen und junge Frauen aus Aussiedlerfamilien

Studien über Aussiedlerinnen konzentrierten sich lange Zeit auf die Erwachsenen[11] und verweilten zu einem erheblichen Teil in Beschreibungen der Lebenssituation im Herkunftsland, der Wanderungsgeschichte und der Untersuchung der Aufnahme-

---

Kinder und Jugendliche mit Migrationshintergrund in alle Bereiche mit ein. Siehe auch die Befunde aus themenspezifischen Untersuchungen in den thematischen Kapiteln des Teil II unserer Untersuchung.

10 Der Diskussionsstand kann im Rahmen dieses Überblickes nicht wiedergegeben werden, es sei hier verwiesen auf die Sekundäranalyse von Huth-Hildebrandt (2002), die die zu Migrantinnen erschienene deutschsprachige Literatur der 50er bis 90er Jahre kategorisiert. Eine Bibliographie nach Themenbereichen findet sich bei Gieseke/Kuhs (1999), nach Erscheinungsjahren bei Schulz (1992).

11 Im Jahr 2001 waren allerdings 33 Prozent der zugewanderten Aussiedler und Aussiedlerinnen jünger als 20 Jahre (vgl. Seiderer/Mies-van Engelshoven 2002, S. 6).

situation in Deutschland[12] und berücksichtigten frauenspezifische Fragen kaum. Allerdings gab es schon sehr früh einzelne Studien, die sich der Lebenssituation (Kossolapow 1987) oder den psychischen Befindlichkeiten (Branik 1982) der Jugendlichen widmeten. In neuerer Zeit wurden Untersuchungen speziell bei Frauen mit Aussiedlerhintergrund durchgeführt (Westphal 1997, 1999; Herwartz-Emden/ Westphal 2002), teilweise im Vergleich mit anderen Zugewanderten oder deutschen Frauen (Herwartz-Emden 1995a, b). Über Jugendliche aus Aussiedlerfamilien stellen mehrere Untersuchungen quantitativ erhobene Daten zur Verfügung[13] (siehe Schmitt-Rodermund 1997; Dietz/Roll 1998; Silbereisen/Lantermann/Schmitt-Rodermund 1999 und Strobl/Kühnel 2000).

Untersuchungen zu Aussiedlern und Aussiedlerinnen berücksichtigen in der Gruppe der 15- bis 21-Jährigen nur in wenigen Punkten geschlechtsspezifische Aspekte (Geschlechterrollenverständnis, Peer-Orientierung, Freizeitverhalten, Gesundheit). Spezielle Studien zu weiblichen Lebensentwürfen wiederum konzentrieren sich vor allem auf die erwachsenen Frauen und deren Orientierungen zwischen Beruf und Familie sowie deren Erziehungsziele und -praktiken (Westphal 1997). Zu den für unseren Untersuchungszusammenhang relevanten Ergebnissen gehört die Erkenntnis, dass Aussiedlerjugendliche öfter in sozial minderprivilegierten Verhältnissen aufwachsen als deutsche Jugendliche und in einer ähnlichen kleinräumigen Wohnsegregation wie Jugendliche ausländischer Herkunft (Fuchs 1999, S. 91). Zusammengefasst charakterisieren Herwartz-Emden und Westphal (2002, S. 259) die Lebenssituation jugendlicher Aussiedler damit, „dass sie die staatsbürgerliche Zugehörigkeit rechtlich abgesichert wissen, dass es ihnen aber an der sozialen und kulturellen Integration mangelt". Dem Hinweis auf die kulturellen Faktoren halten Strobl/Kühnel (2000, S. 185) entgegen, „dass weniger kulturelle Unterschiede als vielmehr unzureichende Teilhabechancen als entscheidendes Hemmnis für eine gelingende Eingliederung in die Aufnahmegesellschaft" verantwortlich gemacht werden können.

Auch in ihrer stärkeren Familienorientierung unterscheiden sie sich von einheimischen Deutschen (Herwartz-Emden/Westphal 2002). In jüngster Zeit wurde (auch) die sprachliche Sozialisation der Aussiedlerjugendlichen untersucht (Meng 2001).[14] Eine Forschungslücke stellt die Untersuchung von Schullaufbahnen von Aussiedlerjugendlichen dar (Fricke 1998, Berliner Landesinstitut für Schule und Medien 2002), obwohl belegt ist, dass gerade hier besonders hohe Anpassungsleistungen von den Jugendlichen gefordert werden (Herwartz-Emden/Westphal 2002, S. 233). Da ihre Herkunft nur in einigen Bundesländern und dort auch nur in den ersten zwei Jahren nach der Einreise in die Schulstatistiken eingeht, kann über den weiteren Verbleib und die Entwicklung von Schullaufbahnen bei Aussiedlerjugendlichen, hier insbesondere der Mädchen und jungen Frauen, keine Aussage getroffen werden, obwohl die Schule wohl einer der wichtigsten Integrationsorte für junge Zugewanderte darstellen dürfte. Zumindest kurz nach ihrer Einreise haben Aussiedlerjugendliche die gleichen Benachteiligungen im Bildungssystem wie der

---

12 Siehe dazu die Beschreibung des Forschungsstandes in Mammey/Schiener (1998, S. 18-21).
13 Die qualitative Erhebung von Meister (1997) gilt jugendlichen Aussiedlern aus Polen und bleibt unberücksichtigt.
14 Dabei handelt es sich um eine Erhebung mittels qualitativer Verfahren, die sich nicht ausschließlich auf Jugendliche richtet.

Durchschnitt der Kinder aus Arbeitsmigrationsfamilien. Sie sind überrepräsentiert an Hauptschulen und unterrepräsentiert an Gymnasien, wobei hier, wie in allen anderen Populationen auch, Mädchen besser abschneiden als Jungen derselben nationalen Herkunft (Seiderer/Mies-van Engelshoven 2002, S. 11).

Es muss festgestellt werden, dass es speziell über Mädchen und junge Frauen aus Aussiedlerfamilien nur wenige spezifische Daten gibt. Sie konzentrieren sich auf Vorstellungen von Ehe und Familie, die sich geschlechtsspezifisch unterscheiden. Mädchen sind weniger traditionalistisch ausgerichtet als Jungen (Strobl/Kühnel 2000, S. 183). In den diesbezüglichen Orientierungen unterscheiden sie sich aber auch deutlich von denjenigen einheimischer deutscher Jugendlicher insofern, als sie vordergründig zwar traditionaleren Rollenbildern zu folgen scheinen, bei näherer Betrachtung jedoch Elemente traditionaler mit Elementen moderner Rollenbilder verbinden (siehe Herwartz-Emden/Westphal 2002, S. 254ff.). Zu den wenigen geschlechtsspezifisch differenzierten Erkenntnissen gehört – nicht nach Altersgruppen differenziert –, dass Aussiedlerinnen ein geringeres Selbstvertrauen haben, als „Ausländerinnen" und einheimische Deutsche und dass erwachsene Aussiedlerinnen stärker als ihre männlichen Altersgenossen unter Gesundheitsproblemen (oft psychosomatischer Art) leiden (Strobl/Kühnel 2000, S. 187). Religion spielt, insbesondere bei älteren (Spät-)Aussiedlern und Aussiedlerinnen, die evangelisch-freikirchlichen Gemeinden angehören, eine wichtige Rolle, da sie diese als wichtigen Bestandteil ihrer Minderheitenidentität als Deutsche betrachten (vgl. hierzu insbesondere Löneke 2000 aber auch Dietz/Roll 1998, S. 43).

1.2.2 Mädchen und junge Frauen mit griechischem Migrationshintergrund

Seit Beginn der 70er Jahre wurde eine nicht geringe Zahl von Untersuchungen über die Sozialisation in griechischen Migrationsfamilien und über die Kinder und Jugendlichen veröffentlicht.[15] Die meisten Studien beruhten auf geringen Befragtenzahlen und waren lokal eng begrenzt. Wenige Erhebungen beschäftigen sich speziell mit der Lage und den Orientierungen von Mädchen; Galanis (1984) widmet sich den Erziehungsvorstellungen und Diallina (1984) den psychischen Belastungen. Andere Untersuchungen differenzieren nach Geschlecht und belegen unterschiedliche Rollen in der Familie wie auch in der sozialen Kontrolle (Lajios/Kiotsoukis 1984).

Ein wichtiges Thema stellt die Bildungssituation dar, auch unter dem Aspekt des Besuchs der griechischen Schule, sowie die Erziehungsvorstellungen in den Familien. Diese Schwerpunkte setzen sich bis in Studien jüngeren Datums fort. Eine kontinuierliche Fortschreibung der Forschung über Jugendliche griechischer Herkunft, die in den 80er und 90er Jahren begonnen wurde, findet jedoch nicht statt.[16]

---

15 Siehe die Übersicht über die Literatur bis ca. 1988 bei Boos-Nünning/Grube/Reich (1990) und den Überblick über Fragen der griechischen Zuwanderung insgesamt bis 2001 bei Dietzel-Papakyriakou/Leist (2001) in der annotierten Bibliographie „40 Jahre griechische Migration in Schriften deutscher Sprache".

16 Eine Reihe von Untersuchungen richtete sich jedoch auf die jüngere Gruppe der Kinder, z.B. Zografou (1981). Diamantopoulos (1987) untersuchte die Freizeitgestaltung griechischer Kinder (im Alter von 11-14 Jahren) unter dem Einfluss des besuchten Schultyps und des Geschlechts. Er stellt fest, dass die Freizeit der Mädchen eingeschränkt ist, eine

Daher beziehen sich auch in jüngster Zeit durchgeführte Untersuchungen in vielen Punkten auf veraltete, nicht selten über zwanzig Jahre zurückliegende Ergebnisse. Auch kann nur vereinzelt auf quantitative Erhebungen zurückgegriffen werden. Ein Beispiel ist die Untersuchung von Schultze (1990) über die Lebenssituation 15- bis 24-jähriger Griechen und Griechinnen in Nordrhein-Westfalen. Ein neueres Beispiel stellt die Befragung von Panayotidis (2001) bei griechischen Haushaltsvorständen in Bremen ohne Berücksichtigung jugendspezifischer Daten dar. Mit der Lebens- und Berufsbildungssituation von griechischen Jugendlichen auf der Basis einer quantitativen Untersuchung befasste sich Dagmar Beer-Kern (1994).

Zur familialen Situation von Jugendlichen mit griechischem Migrationshintergrund erschienen in jüngster Zeit drei Studien (Goudiras 1997; Tilkeridoy 1998; Baros 2001), die hier kurz betrachtet werden sollen, auch wenn sie im überwiegenden Teil ihrer Analysen nicht geschlechtsspezifisch differenzieren. Baros (2001, S. 135) stellt in seinem Überblick über den Forschungsstand, der sich jedoch nahezu ausschließlich auf Studien der 70er und 80er Jahre bezieht, fest, dass ein Strukturwandel innerhalb der griechischen Familien zu verzeichnen sei, der „eher den Bereich der innerfamiliären Autoritätsstruktur als die Rollenverteilung innerhalb der Familie" beträfe. Konflikte zwischen Jugendlichen und ihren Eltern ergäben sich überwiegend aus dem bei Jugendlichen stärker ausgeprägten Verbleibwunsch in der Bundesrepublik und der Rückkehrorientierung der Eltern nach Griechenland (ebenda, S. 141).

Konflikte wurden – so sei angemerkt – schon in früheren Untersuchungen festgestellt. Nach Schultze (1990, S. 103) stellen die Bereiche Ausgeizeit, Freundeskreis und Rückkehr nach Griechenland besondere Konfliktpotentiale zwischen Mädchen und ihren Eltern dar. Mädchen müssten sich also stärker mit Kontrollbestrebungen der Eltern auseinandersetzen als Jungen (vgl. auch Stüwe 1998, S. 126). Es gäbe Hinweise darauf, dass sich die zweite Generation von Griechen und Griechinnen bereits seit längerem deutlich von traditionellen Vorstellungen der Elterngeneration hinsichtlich Ehe und Familie distanziert, und hier alternative Lebensmodelle entwirft, wie z.B. das Eingehen außerehelicher Beziehungen und eine stärkere Betonung des Aspektes der Selbstverwirklichung (Tilkeridoy 1998, S. 51). Auch der DJI-Ausländersurvey stellt fest, dass egalitäre Rollenvorstellungen zwischen Mann und Frau unter griechischen Jugendlichen weit verbreitet sind (Weidacher 2000b, S. 184). Dies gehe jedoch – gerade bei Mädchen und jungen Frauen – auch mit vermehrten Spannungen im Elternhaus wegen divergierender Wertvorstellungen einher (Tilkeridoy 1998, S. 49). Ein gegenteiliges Bild zeichnet Goudiras (1997, S. 140) in seinem Vergleich zweier Stichproben in Deutschland und in Griechenland hinsichtlich der Wertorientierungen und Verhaltensnormen griechischer Jugendlicher. Er kann in seinem Sample keinen Wunsch nach neuen Formen des Zusammenlebens feststellen.

Alle Untersuchungen bestätigen die hohen Bildungsansprüche der griechischen Eltern (z.B. Damanakis 1987; Kanavakis 1989; Pantazis 1989; Schultze 1990). Das Angebot griechischer Schulen in Deutschland (seit 1981) wird in hohem Maße auch heute von Griechen genutzt. Ca. 20 Prozent der griechischen Schulkinder besuchen heute die griechische Schule (Dietzel-Papakyriakou/Leist 2001, S. 30). Dieses Fak-

---

Abhängigkeit von der Familie aufweist und sie auf ihre zukünftige Rolle in der Familie vorbereiten soll.

tum wird von den Autoren unterschiedlich bewertet. Baros (2001) etwa verweist darauf, dass der Besuch einer griechischen Schule nicht immer mit den Bildungsvorstellungen der Jugendlichen selbst einhergehe. Die Palette der Berufswünsche der griechischen Mädchen und junger Frauen sei eingegrenzt. Das liege daran, dass die Mädchen ihre Berufswünsche an den Vorstellungen der Familie, an gesellschaftlichen Geschlechtsrollenbildern und an den Angeboten des geschlechtsspezifisch segmentierten Ausbildungs- und Arbeitsmarktes orientierten (Apelidou et al. 1993, S. 63). Hinsichtlich psychosomatischer Beschwerden junger Griechinnen liegen neben der frühen Untersuchung von Diallina (1984) Forschungsergebnisse vor, die zeigen, dass griechische Mädchen in Deutschland nicht mehr belastet sind als griechische Mädchen in Griechenland (Peponis 1994; Siefen/Brähler 1996).

Was die Einstellung zur Religion anbelangt, so stellt diese keinen Schwerpunkt der Forschung über Griechen und Griechinnen dar, auch wenn in Repräsentativumfragen wiederholt festgestellt wird, dass die Bindung zur Religion ein wichtiges Element der Generationenbindung sei und dies Jugendliche mit griechischem Hintergrund von deutschen Jugendlichen deutlich unterscheide. Gegenüber deutschen Jugendlichen erweisen sich griechische Jugendliche als stärker an die Religion gebunden, die als Autorität gilt und respektiert wird. Dabei ist eine Tendenz abnehmender Religiosität bei zunehmender Bildung zu beobachten (Weidacher 2000b, S. 125f.).

Als wichtigen Sozialisationsfaktor der griechischen Jugendlichen führen auch die neueren Untersuchungen den weit verbreiteten Wunsch der Eltern auf, ihren Kindern eine enge Orientierung an die griechische Kultur zu vermitteln. Angst vor kultureller Entwurzelung und Germanisierung seien verbreitet (Pantazis 2002). Die Jugendlichen selbst, so Tilkeridoy (1998, S. 58), versuchen Tradition und Moderne in ihre Ich-Identität zu integrieren.

1.2.3 Mädchen und junge Frauen mit italienischem Migrationshintergrund

Italiener und Italienerinnen als erste Gruppe, die als Wanderarbeiter und Wanderarbeiterinnen nach Deutschland kamen, wurden schon seit Beginn der 70er Jahre in qualitativen und quantitativen Untersuchungen berücksichtigt.[17] In einzelnen frühen Arbeiten findet auch die spezifische Rolle der Mädchen und jungen Frauen Beachtung, insbesondere hinsichtlich der Erziehungsvorstellungen der Eltern und der Bildung.

In ihrer Untersuchung mittels qualitativer Methoden stellt Apitzsch (1990b, S. 319-344) Bildungsbiographien jugendlicher Migranten und Migrantinnen italienischer Herkunft als Dokumente widersprüchlicher Modernisierungsprozesse dar und befasst sich in einem Kapitel „Emanzipation und Berufsorientierung der Töchter" spezifisch mit der Genderthematik. Sie hebt die Dialektik der Familienorientierung und die Bedeutung des Berufs bei den jungen Italienerinnen hervor (ebenda, S. 210). Auf die herausragende Stellung der Familie und die besonders enge Familienbindung, ausgedrückt im „Familialismus" macht Lanfranchi (1995) in seiner Unter-

---

17 Siehe die Übersicht über Untersuchungen bei Jugendlichen und Familien bei Jäger (1990, S. 69-71).

suchung über Transformationsprozesse in traditionalen Familienwelten als Voraussetzung für den Bildungserfolg von italienischen Migrantenkindern aufmerksam (ebenda, S. 78ff; vgl. hierzu auch Ziegler 1994, S. 38ff.).

In den 90er Jahren sind eine Reihe von Untersuchungen veröffentlicht worden, die sich mit der Minderheitenbildung italienischer Migranten und Migrantinnen befasst haben (z.B. Schaefer/Tränhardt 1998). In der letzten Zeit wird für italienische Lebensformen in der Migration nicht mehr der Begriff „Zwischenwelten" (z.B. Morone 1993) sondern der der „Transnationalität" verwendet (z.B. Martini 2001). Damit soll ausgedrückt werden, dass Italiener und Italienerinnen „in beiden Kulturen leben", womit von dem in der Zwischenwelt-These unterstellten Identitätskonflikt Abstand genommen wird. Mit der Frage nach der Identitätsbildung junger Italiener und Italienerinnen im multi- bzw. transkulturellen Raum und wie dieser Prozess unterstützt werden könnte, beschäftigt sich die qualitativ-empirische Untersuchung von Portera (1995, 1998), die jedoch nicht geschlechtsspezifisch differenziert. Die Untersuchung verweist auf den negativen Einfluss von Diskriminierungserfahrungen und Benachteiligungen bei der Entwicklung von Ich-Identität sowie auf die in der Migrationssituation von den Jugendlichen entwickelten spezifischen Bewältigungsstrategien.

Neuere Daten bieten die quantitativen Untersuchungen der Shell-Jugendstudie (Deutsche Shell 2000) sowie der DJI-Ausländersurvey (Weidacher 2000b). In diesen Untersuchungen wurden Themen behandelt, die bis zu diesem Zeitpunkt in der Erforschung über italienische Migranten und Migrantinnen vernachlässigt worden waren wie die Bedeutung der Religion oder Fragen zu Sprachkenntnissen und zum Sprachgebrauch.

Einen Forschungsschwerpunkt bei Jugendlichen mit italienischem Hintergrund stellt die Bildungssituation dar (Cavalli-Wordel 1989; Granato 1994; Ziegler 1994; Lanfranchi 1995; Schaefer/Thränhardt 1998; Hunger/Thränhardt 2001; Haug 2002b), allerdings wird auch hier in den meisten Untersuchungen nicht oder wenig auf die Situation der Mädchen und jungen Frauen eingegangen. Im Bildungsbereich, so die Untersuchungen einhellig, sind die Schüler und Schülerinnen mit italienischem Migrationshintergrund im Verlauf ihrer gesamten Migrationsgeschichte nicht nur im Vergleich zu den deutschen Gleichaltrigen, sondern auch im Vergleich zu anderen Nationalitäten benachteiligt. Dies scheint in krassem Gegensatz zu ihrem öffentlichen Ansehen als besonders erfolgreich integrierte Migrationsgruppe zu stehen. Hier wurden und werden oft nationalitätenspezifische Erklärungsmodelle (z.B. geringe Wertschätzung schulischer Ausbildung bei den Eltern, Distanz zu staatlichen Institutionen, Pendelmigration) herangezogen. Neuere Untersuchungen zum Zusammenhang zwischen Pendeln und Bildungsbenachteiligung stellen keinen Zusammenhang fest (Diehl 2002). Eine andere Erklärung für das besonders schlechte Abschneiden von Italienern und Italienerinnen im deutschen Schulsystem bietet der statistisch nachweisbare Zusammenhang zwischen der Konzentration der italienischen Population in einigen Bundesländern und den dort vorhandenen Förderkonzepten (Thränhardt 1998).

Hinsichtlich des Wohnens ist zu vermerken, dass Italiener und Italienerinnen den höchsten Anteil von Wohneigentümern aufweisen (Thränhardt 1999, S. 31-32). Es kann nur vermutet werden, dass dies mit der Aufenthaltsdauer und der größeren Tendenz zur selbständigen Erwerbstätigkeit bei Italienern und Italienerinnen zusammenhängt.

Alle Untersuchungen kommen zu dem Schluss, dass Italiener und Italienerinnen besonders gut soziokulturell integriert sind; sie haben besonders häufig Kontakte zu Deutschen, wohnen in überwiegend von Deutschen bewohnten Wohngebieten und weisen einen hohen Anteil von deutsch-italienischen Eheschließungen auf (Granato 1994; Tränhardt 1998; Deutsche Shell 2000; Weidacher 2000b).

Über die religiösen Orientierungen, das Freizeitverhalten und Kontakte zu Deutschen etc. liegen Daten der italienischen Jugendlichen in der Shell-Studie (Deutsche Shell 2000) und dem DJI-Ausländersurvey (Weidacher 2000) vor, die im Vergleich eine mittlere Position der italienischen Jugendlichen zwischen den deutschen und den türkischen deutlich machen. Allerdings werden diese (vor allem in der Shell-Studie) nicht durchgängig nach möglichen Zusammenhängen zwischen dem Geschlecht, sozialem Status und weiteren Sozialdaten analysiert. Forschungslücken existieren vor allem zu den Themen Sprache, Sexualität und Körperbewusstsein, Selbstbild und psychische Zufriedenheit und der Inanspruchnahme von Hilfsangeboten.

1.2.4 Mädchen und junge Frauen mit jugoslawischem Migrationshintergrund

Stellt sich die Forschungslage im Hinblick auf die Aussiedlerinnen sowie die Mädchen und jungen Frauen mit italienischem und griechischem Hintergrund bereits als lückenhaft dar, so gibt es über Migrantinnen aus dem Gebiet des ehemaligen Jugoslawien so gut wie keine neueren Untersuchungen. Kennzeichnend ist, dass kaum Monographien existieren.[18] Darüber hinaus finden sich Kurzdarstellungen in Zeitschriften und Sammelbänden, die sich vor allem auf Untersuchungen beziehen, die in den 70er und 80er Jahren durchgeführt wurden. Über die aktuelle Lebenssituation von Migrantinnen und Migranten mit jugoslawischem Migrationhintergrund sind daher kaum Aussagen möglich. Lediglich zur speziellen Gruppe der jugoslawischen Flüchtlinge existieren einige Studien, die sich schwerpunktmäßig dem Aspekt der psychosozialen Versorgung der traumageschädigten weiblichen Flüchtlinge aus dem ehemaligen Jugoslawien (Vucelic 2002; Fischer 1997; Medica mondiale e.V./Fröse/Volpp-Teuscher 1999) bzw. der aufenthaltsrechtlichen Situation von Vergewaltigungsopfern (Laubenthal 1999) widmen.

Die ältere Literatur konzentriert sich auf nur wenige Themen wie die berufstätigen Frauen der ersten Generation (Brčic et al. 1989; Morokvašić 1987a, b) und das Familienleben (Previšić 1988; Pusić 1983a, b). Ein weiterer Schwerpunkt – jedoch nicht geschlechtsspezifisch differenziert – ist die schulische Bildung und der Aspekt der Zweisprachigkeit (Bedeković 1983; Stölting 1980; Stojanovic 1983). Wenige Autoren befassen sich mit der sozialen Lage (Hüser 1983) und mit ethnischem Selbstbewusstsein (Mihelič 1984). Einen Überblick über die Lebenssituation der Personen aus dem ehemaligen Jugoslawien in Deutschland geben Belošević/Stanisavljević (1995), orientiert am Stand Anfang der 90er Jahre. Einer der wenigen neueren Beiträge zu der Herkunftsgruppe aus dem ehemaligen Jugoslawien über die

---

18 Eine der wenigen Arbeiten über jugoslawische Frauen der ersten Generation wurde von Morokvašić (1987a) verfasst.

psychosoziale Beratung von Arbeitsmigranten (Pavković 1993) berücksichtigt weder den Aspekt der Altersgruppe noch denjenigen der Geschlechtszugehörigkeit.

Im Falle der Mädchen und jungen Frauen mit Migrationshintergrund aus dem ehemaligen Jugoslawien muss noch stärker als bei den anderen Herkunftsgruppen auf die Literatur zurückgegriffen werden, die „Jugoslawinnen" als eine von vielen untersuchten Gruppen einbezieht. Beispiele hierfür sind die Untersuchung von Granato/Meissner (1994), die Repräsentativbefragungen des BMA (1996, 2002) und EFFNATIS (Heckmann et al. 2000). Insgesamt kann die schlechte Literaturlage zu jungen Frauen jugoslawischer Herkunft nicht verwundern. Morokvašić führt hierzu aus, dass diese Gruppe offenbar nicht geeignet erschien, die üblichen „Gastarbeiter-Probleme" zu erkunden, da sie als problemlos, integrationswillig und -fähig sowie von der einheimischen Bevölkerung gut akzeptiert gilt (Morokvašić 1987a, S. 15). Eine Untersuchung dieser Gruppe stellt sich zudem heute als schwierig dar, weil die kriegsbedingte Zuwanderung in den Jahren 1993-1995 zu einer großen sozialen und ethno-religiösen Heterogenität der Zuwanderinnen beigetragen hat. Junge Jugoslawinnen aus Arbeitsmigrationsfamilien verfügten Anfang der 90er Jahre über bessere schulische Voraussetzungen als ihre türkischen oder italienischen Altersgleichen (Granato/Meissner 1994, S. 39). Sie wiesen im Vergleich zu anderen Nationalitäten auch deutlich mehr Realschulabschlüsse und Abschlüsse berufsbildender Schulen auf. Die Heterogenität schlägt sich nieder in einem Rückgang der Schulerfolge seit Mitte der 90er Jahre, der geringen Aufenthaltsdauer und der schlechteren finanziellen Situation der unter „Jugoslawen" aufgeführten Bevölkerungsgruppe durch die zeitweise hohe Zahl an Flüchtlingen. So gaben in der Repräsentativuntersuchung '95 (BMA 1996) 61 Prozent der jungen Frauen unter 25 Jahren an, erst in den Jahren 1993 bis 1995 eingereist zu sein.

Was das Wohnumfeld anbelangt, so schlägt sich auch hier die jüngste Migrationsgeschichte der Bevölkerungsgruppe aus dem ehemaligen Jugoslawien nieder. Sie weist besonders hohe Anteile auf, die in Sozialwohnungen leben. Granato/Meissner (1994, S. 10) stellen – auch unter Bezugnahme auf Morokvašićs (1987a) Untersuchungen bei jugoslawischen Arbeitsmigrantinnen der ersten Generation – fest, dass bereits in der so genannten „ersten Generation" der Anteil der Frauen, die nicht im Rahmen des Familiennachzugs, sondern als Arbeitsmigrantinnen nach Deutschland einwanderten, im Vergleich zu anderen Arbeitsmigrationsgruppen besonders hoch war. 1980 waren 70 Prozent der Jugoslawinnen in Deutschland erwerbstätig.

Junge Frauen aus dem ehemaligen Jugoslawien schließen ebenso wie junge Männer dieser Herkunftsgruppe deutlich öfter Freundschaften mit Deutschen (36,8%) als etwa die Vergleichsgruppe der Türken und Türkinnen (22,3%) (Heckmann et al. 2000, S. 48). Dem gegenüber wird in Gesamtdarstellungen (Belošević/ Stanisavljević 1995, S. 281) darauf hingewiesen, dass Werte wie Kollektivismus und Solidarität, ausgedrückt in einer engen Beziehung zwischen Kernfamilie und weiterer Verwandtschaft, bis heute fortbestehen und Einfluss auf die Geschlechterbeziehungen haben, in denen dem Mann ein größerer Handlungsspielraum zugestanden wird als der Frau (ebenda). In der Generation der Jugendlichen scheint sich allerdings ein egalitäres Verständnis vom Verhältnis der Geschlechter zueinander durchzusetzen. 91 Prozent der Jugendlichen mit jugoslawischem Hintergrund akzeptieren eine Ehe ohne Trauschein (Heckmann et al. 2000, S. 39).

1.2.5 Mädchen und junge Frauen mit türkischem Migrationshintergrund

Zu den Mädchen mit türkischem Hintergrund[19] existiert im Gegensatz zu den bisher genannten ethnischen Gruppen eine Fülle an Untersuchungen.[20] Hier muss jedoch einschränkend bemerkt werden, dass diese aufgrund ihres jeweils sehr unterschiedlichen Fokus und Designs nur sehr bedingt vergleichbar sind. Neben den genannten quantitativen Studien, die türkische Jugendliche, teilweise nach Geschlecht differenzierend, einbeziehen, gibt es auch Studien, die sich ausschließlich auf die türkische Herkunftsgruppe beschränken. 1997 führte die Ausländerbeauftragte des Berliner Senats eine auf Berlin bezogene quantitative Befragung bei 1.000 türkischen Jugendlichen im Alter von 16 bis 25 Jahren durch, die nach Geschlecht differenzierende Daten enthält. Diese verdeutlicht zum Beispiel, dass 38 Prozent der männlichen, aber nur 8 Prozent der weiblichen Jugendlichen in einem Verein organisiert sind. Sprachverhalten und sprachliche Kompetenzen werden in der Regel nicht geschlechtsspezifisch untersucht (Toprak 2000). Daneben ist auf die Repräsentativbefragungen des Zentrums für Türkeistudien bei Türken und Türkinnen in Nordrhein-Westfalen hinzuweisen, die anhand von Sozialdaten aber auch der Einstellung zur Religion Informationen über den Stand der Integration geben möchten (zuletzt 2001).

Viele der in den 90er Jahren durchgeführten Studien zu Mädchen mit türkischem Migrationshintergrund bringen Ergebnisse, die dem weit verbreiteten, stereotypen Bild türkischer Mädchen in der Literatur widersprechen, das sie zu unselbständigen Opfern patriarchaler Familienstrukturen macht, die psychisch an den sich widersprechenden Anforderungen der Außenwelt (z.B. Emanzipation) und des Elternhauses (Unterordnung) zerbrechen.[21] Titel, die das diesem Bild zugrunde liegende statische Kulturverständnis reproduzieren, werden aber immer noch verwendet, auch wenn sich dahinter durchaus differenzierte Beiträge verbergen (als Beispiel: Ehlers/ Bentner/Kowalcyk 1997). Studien zur Bildungsorientierung betonen die hohen Bildungsaspirationen dieser Gruppe (Gültekin 2003; Rosen 1997; Hummrich 2002; Ofner 2003; Weber 2003). Auch die Shell-Jugendstudie (Deutsche Shell 2000) und der DJI-Ausländersurvey (Weidacher 2000b) beweisen in vielen Punkten, dass dieses Bild unzutreffend ist. Ebenso wie bei griechischen und italienischen Mädchen zeigen sich deutliche Tendenzen zu Selbständigkeit, Auseinandersetzung mit den traditionellen Vorstellungen der Eltern, Entwicklung einer „eigenen" Moderne. Neuere Untersuchungen konzentrieren sich darüber hinaus auf spezifische Phänomene, wie auf die hohe Bedeutung des transnationalen Heiratmarktes Türkei für Türken und Türkinnen in Deutschland. Neben individuellen Präferenzen und einem begrenzten innerethnischen Heiratsmarkt in Deutschland scheinen soziale

---

19 Aus gegebenem Anlass konzentrieren wir uns bei der Darstellung nur auf die Literatur zu Mädchen und Frauen, da die türkische Herkunftsgruppe die am meisten erforschte Zuwanderer- und Zuwandererinnengruppe in Deutschland ist und eine weitergehende Literaturschau den Rahmen der Darstellung sprengen würde. Auf Untersuchungen zu der Gruppe der kurdischen Jugendlichen, die zu 80 bis 90 Prozent aus der Türkei stammen, soll hier nur hingewiesen werden (Schmidt 2000).
20 Siehe die bereits in der Betrachtung des generellen Forschungsstandes zu Migrantinnen erwähnten Untersuchungen, wie die annotierte Bibliographie von Boos-Nünning/Grube/ Reich (1990), in der auf S. 467-491 bis 1984 erschienene Arbeiten besprochen werden.
21 Vgl. die Analyse der Sekundärliteratur bei Huth-Hildebrandt (2002, S. 63-68).

Netzwerke der zweiten Migrationsgeneration auch in das Herkunftsland der Eltern hinein eine wesentliche Rolle bei der Partnerwahl zu spielen (Straßburger 2000). Ein weiterer Themenschwerpunkt sind die Erziehungsvorstellungen in türkischen Familien, die meist nach Geschlecht differenziert werden (Alamdar-Niemann 1992; Nauck/Diefenbach 1997b; Nauck/Kohlmann/Diefenbach 1997; Heitmeyer/Müller/ Schröder 1997; Nauck/Diefenbach/Petri 1998).

Eines der in neuerer Zeit wichtigsten Themen in Veröffentlichungen zu dieser Gruppe stellt der Bereich der Religion, besser der Religiosität, dar. Hier sind in den letzten Jahren eine Reihe von qualitativ-empirischen Untersuchungen veröffentlicht worden. Es handelt sich dabei schwerpunktmäßig um Untersuchungen über gut ausgebildete Musliminnen (überwiegend) türkischer Herkunft (z.B. Karakaşoğlu-Aydın 2000a; Nökel 2002; Klinkhammer 2000; Swietlik 2000). Als eine der wenigen quantitativ-empirischen Untersuchungen, die Daten zur Religiosität von türkischen Schülern und Schülerinnen vorlegt (nicht immer geschlechtsspezifisch differenziert), kann die Untersuchung von Heitmeyer/Müller/Schröder (1997) benannt werden. Daten zur Religiosität junger türkischer Muslime und Musliminnen enthält darüber hinaus die Shell-Jugendstudie (Deutsche Shell 2000), hier teilweise nach Geschlecht differenziert. Darüber hinaus sei verwiesen auf die quantitative Untersuchung bei Gemeindemitgliedern sowie Schülern und Schülerinnen von Alacacıoğlu (2002), die ebenfalls geschlechtsspezifische Daten ausweist. Den Studien gemein ist die Erkenntnis, das jugendliche Muslime und Musliminnen auf der Suche nach einer authentischen Lebensführung in der Moderne offenbar bewusst auf den Islam zurückgreifen. Die betonte Zugehörigkeit zum Islam ermöglicht es ihnen, in einem gemeinsamen Erlebnisbereich mit den Eltern zu verbleiben. Gleichzeitig vermittelt ihnen die selbständige Aneignung von Wissensinhalten und Riten den Status von Experten oder Expertinnen, mit Hilfe dessen sie gegenüber der Elterngeneration eine Art „sanfte Emanzipation" durchsetzen können, ohne in eine offene Konfrontation zu geraten. Kennzeichnend ist die Gegenüberstellung von dem „wahren Islam", dessen Inhalte man sich nahezu wissenschaftlich aneignen kann und dem „traditionalistischen Islam", der eine unhinterfragte Übernahme eines rigiden Wertekanons fordere. Eine solche unhinterfragte Übernahme wird als mit den Anforderungen an das autonom und rational handelnde Individuum in der Moderne nicht kompatibel empfunden.

Während das Thema „Sexualität und Körperbewusstsein" hinsichtlich der anderen Herkunftsgruppen so gut wie gar nicht berücksichtigt wird, gibt es in diesem Bereich über die Mädchen und jungen Frauen eine Reihe von Veröffentlichungen, die nicht zuletzt im Zusammenhang mit ihrer gegenüber der Mehrheitsgesellschaft differenten religiösen Herkunft in Verbindung stehen (Aktaş 2000; Gümen 1995; Haller 1994; Mıhçıyazgan 1993; Popp 1996b; Renz 2000; Renz 2002; Salman 1999; Borde 2000; Marburger 1999).

Vor allem der Bereich der Nutzung von Angeboten der Jugendhilfe jedoch ist – wie für andere ethnische Gruppen – auch hinsichtlich der Gruppe der jungen Türkinnen so gut wie gar nicht untersucht worden (Ausnahmen: Pfänder/Turhan 1990; Beinzger/Kallert/Kolmer 1995).

Ein nach Geschlechtern differenzierender Vergleich zwischen den Herkunftsgruppen auf der Basis bisher vorliegender Untersuchungen ist nicht möglich, weil nur im begrenzten Umfang vergleichbares Datenmaterial zur Verfügung steht. An diesem Sachverhalt haben die in jüngster Zeit veröffentlichten Jugendstudien, die für einen Teil der von uns befragten Herkunftsgruppen und für einen begrenzten Bereich von Themen quantitative Aussagen bereitstellen, nichts Wesentliches geändert.

1.3 Die Untersuchung „Viele Welten leben"

Dieses Forschungsdesiderat greift die hier vorgelegte Untersuchung „Lebenssituation von Mädchen und jungen Frauen aus Zuwandererfamilien" auf. Es handelt es sich hierbei um eine Mehrthemenbefragung, die Aufschluss über die Bedingungen und Voraussetzungen sowie die Bewältigungsformen von jugend-, frauen- und (ethno-) bzw. minderheitenspezifischen Aspekten ihrer Lebenswelt(en) gibt. Ziel der vorgelegten Untersuchung ist es, den in Wissenschaft (vor allem Pädagogik, Soziologie und Psychologie) und Praxis (Schule, Berufsberatung und Jugendhilfe) tätigen Interessierten über das bisher Bekannte hinausgehende, differenzierte Kenntnisse über Lebenssituationen, Lebensorientierungen sowie die persönlichen, familiären und institutionellen Ressourcen und Hindernisse in der Lebensgestaltung von Mädchen aus Aussiedlerfamilien sowie mit griechischem, italienischem, ehemals jugoslawischem und türkischem Migrationshintergrund zu vermitteln.

Wir sind uns bewusst, dass sich hinter dem pauschalisierenden Begriff „Mädchen mit Migrationshintergrund" eine große Pluralität familiärer Wanderungsgeschichten verbirgt. Die Familien sind als Asylbewerber und Flüchtlinge, als „klassische" Arbeitsmigranten und -migrantinnen aus Anwerbeländern oder als neue Arbeitsmigranten und Arbeitsmigrantinnen im Rahmen der internationalen Mobilität aus EU-Staaten oder als (Spät-)Aussiedler und (Spät-)Aussiedlerinnen[22] eingewandert. Vom Wanderungsgrund ist der Aufenthalts- und soziale Status der Familie abhängig und nicht zuletzt der Zugang zu Ressourcen staatlicher Förderung. Der Begriff „Mädchen mit Migrationshintergrund", der in dieser Studie für die Gruppe von Mädchen und jungen Frauen der genannten nationalen Herkünfte verwendet wird, ist daher ein Konstrukt. Im vorliegenden Zusammenhang dient er lediglich als heuristisches Instrument, das es uns ermöglicht, die aufgrund ihres ethnischen, religiösen, aufenthaltrechtlichen und sozialen Hintergrundes äußerst heterogene Gruppe im Zentrum dieser Studie begrifflich fassbar und damit auch beschreibbar zu machen. In unserer Definition bezeichnet „Mädchen mit Migrationshintergrund" die Mädchen und jungen Frauen aus türkischen, griechischen, italienischen und ehemals

---

22 Hier soll auf die Problematik des Begriffs Aussiedler hingewiesen werden: „Der Begriff ‚Aussiedler' bezeichnet (...) einen Sonderfall innerhalb der bundesrepublikanischen Einwanderungsspektrums. Er grenzt die so Benannten einerseits von den Ausländern und anderseits auch von den ‚einheimischen' Deutschen ab. Aussiedler werden in einer Grauzone dazwischen, also zwischen ‚Deutschsein' und ‚Fremdsein', positioniert. Mit diesem ‚Zwischen'-Status sehen sich Neuankömmlinge konfrontiert, wenn sie durch ihre Ankunft in Deutschland Aussiedler werden" (Graudenz/Römhild 1996, S. 29). In unserer Studie wird der Begriff „Aussiedler und Aussiedlerinnen" nicht im juristischen Sinne benutzt, sondern bezieht sich – der besseren Handhabbarkeit in Formulierungen halber – auch auf die Gruppe der „Spätaussiedler und -aussiedlerinnen", zu der die von uns interviewten Mädchen und jungen Frauen aus den Gebieten der ehemaligen Sowjetunion mehrheitlich gehören.

jugoslawischen[23] Familien, von denen beide Elternteile im Ausland geboren sind. Mädchen aus deutsch-ausländischen Elternhäusern werden nicht einbezogen, da bei ihnen andere rechtliche und soziale Voraussetzungen für eine Eingliederung in die deutsche Gesellschaft vorliegen. Ebenso wurde keine Vergleichsgruppe von deutschen Mädchen untersucht, da der Fragebogen in seinen überwiegenden Fragen auf die spezifischen Lebensumstände und -erfahrungen eingeht, die eng verknüpft sind mit der familiären Migrationserfahrung. Wo es sich aufgrund der nicht migrations-, sondern mädchen- oder jugendspezifischen Fragen (Freizeitgestaltung, Schullaufbahn, Erziehungsvorstellungen, Verhältnis zu den Eltern, Vorstellungen vom Lebenspartner etc.) anbot, wurden die Items so formuliert, dass ein Vergleich mit deutschen Befragten der Shell-Jugendstudie möglich ist; dieser ging in die Interpretation der Ergebnisse ein. Wir sind uns der Gefahr der Stereotypisierung und Ethnisierung, die mit einem auf die ausgewählten (nationalen) Gruppen focussierten Blick auf „Mädchen und junge Frauen mit Migrationshintergrund" verbunden ist. Auch wenn Ergebnisse immer auch mit Bezug auf die nationalen Herkünfte der Mädchen – im Sinne der nationalen Herkunft der Familie – dargestellt und interpretiert werden, so ermöglicht die Einbeziehung von Faktoren wie dem Bildungsstatus, dem sozialen Status der Familie, der Ethnizität, Religiosität etc. doch gleichzeitig eine Loslösung von der Kategorisierung nach nationaler Herkunft und die Erweiterung des Blicks auf möglicherweise wirksamere Einflussfaktoren auf Orientierungen und Einstellungen.

Die Untersuchung gliedert sich in drei Teile. *Teil 1* enthält einen Überblick über den Forschungsstand sowie eine Darstellung der Methode der Untersuchung. *Teil 2* umfasst den Kernbereich der Studie. In folgenden elf, auch unabhängig voneinander zu lesenden Themenkomplexen werden die Ergebnisse der Untersuchung präsentiert:

- Die Beschäftigung mit den Migrationsbiographien in *Kapitel 1*, die sowohl persönliche als auch gruppenspezifische Merkmale und Schicksale widerspiegeln, soll den Blick für gleiche und unterschiedliche Rahmenbedingungen der Zuwanderung und der Migrationserfahrungen schärfen.
- Die Wohnsituation, der soziale Status und das räumliche Umfeld der Mädchen und jungen Frauen markieren zentrale Rahmenbedingungen des Aufwachsens. Sie werden in *Kapitel 2* untersucht. Vor dem Hintergrund der wissenschaftlichen und politischen Auseinandersetzung mit dem Phänomen der ethnischen Koloniebildung oder Gettoisierung enthält der Gesichtspunkt des Lebens im (überwiegend) deutschen oder im ethnischen Umfeld sowie die Zufriedenheit mit den jeweiligen sozialräumlichen Bedingungen besondere Bedeutung.
- Von großer Relevanz ist ferner, wie die Mädchen und jungen Frauen sich mit den Traditionen ihrer Herkunftsfamilien auseinander setzen, wie sie zu den elterlichen Erziehungsvorstellungen stehen, welche Traditionen sie eher

---

23 Zum Zeitpunkt der Zuwanderung der Arbeitsmigranten und Arbeitsmigrantinnen war Jugoslawien in Form eines Bundesstaates organisiert und die aus ihm stammenden Menschen werden in Untersuchungen als „Jugoslawen" meist ohne weitere Differenzierung bezeichnet. Es erwies sich als nicht durchführbar, die Untersuchungsgruppe wie geplant zu beschränken, daher wird der sicher nicht unproblematische Begriff „jugoslawischer Migrationshintergrund" gewählt. Anders in der EFFNATIS-Untersuchung (Heckmann et al. 2000) und den Repräsentativuntersuchungen des BMA (1996, 2002), die parallel zu „Jugoslawen" die Bezeichnung „ehemalige Jugoslawen" bzw. „Ex-Jugoslawen" verwenden.

bewahren oder eher abstreifen wollen sowie ob und wenn ja in welchen Bereichen sie die Familie als Hilfe bzw. als Belastung erleben. All dies wird in *Kapitel 3* behandelt.

- Im Freizeitbereich, einem der beiden Themenschwerpunkte des *Kapitel 4*, interessieren neben den Freizeitbeschäftigungen und den sozialräumlichen Bedingungen zur Gestaltung der Freizeit auch die Freizeitwünsche sowie Bindungen an Freundschaften bzw. Freundschaftskreise. Insbesondere wird dargestellt, ob und unter welchen Konstellationen inner- oder interethnische Kontakte und Freundschaften dominieren und welchen Stellenwert sie für die Lebenszufriedenheit der befragten Mädchen und jungen Frauen haben.

- Nicht erst seit den Veröffentlichungen der Ergebnisse der PISA-Studie richtet sich der Blick von Öffentlichkeit und Bildungspolitik auf die schulischen Erfolge oder Misserfolge der Jugendlichen mit Migrationshintergrund. Dies geschieht zumeist ohne geschlechtsspezifische Differenzierungen. Fragen nach dem Verlauf der Bildungsbiographie, dem Einfluss von unterstützenden und behindernden Faktoren im schulischen und beruflichen Bereich aus Sicht der Mädchen und jungen Frauen, die Gegenstand von *Kapitel 5* sind, sollen die Diskussion erweitern helfen.

- Die öffentliche Diskussion um die deutschen Sprachkompetenzen der Zugewanderten blendet die Ressource Zwei- oder Mehrsprachigkeit, über die viele Migrantinnen verfügen, weitgehend aus. *Kapitel 6* befasst sich vor diesem Hintergrund mit dem Spracherwerb und der Sprachpraxis der mehrheitlich multilingualen Mädchen und jungen Frauen. Ressourcen, aber auch Probleme werden über Fragen zur sprachlichen Selbsteinschätzung in den beherrschten Sprachen und dem Ort, an dem die Sprache(n) erworben wurde(n), erfasst. Problematisiert wird außerdem der Anteil, den der Zeitpunkt der Zuwanderung, der Besuch des muttersprachlichen Ergänzungsunterrichts und das sprachliche Milieu im sozialen Umfeld an dem Grad der Sprachkompetenzen sowohl in der deutschen wie auch in der/den Herkunftssprache(n) haben.

- Der Themenbereich Geschlechterrollen und Partnerschaftsmodelle in *Kapitel 7* stellt in Bezug auf die Mädchen und jungen Frauen mit Migrationshintergrund einen in der Wahrnehmung der Öffentlichkeit besonders häufig mit Stereotypen besetzten Bereich dar. Daher sind hier die diesbezüglichen Vorstellungen der Mädchen von besonderem Interesse: Orientieren sie sich an einem partnerschaftlichen oder eher an einem traditionellen Geschlechterrollenbild, welche Eigenschaften wünschen sie sich bei ihrem Partner, wie sollen die Kinder erzogen werden, genauso oder ganz anders als sie selbst?

- Ähnlich wie bei den Geschlechterrollen verbinden sich auch beim Thema Körperlichkeit und Sexualität bestimmte Bilder mit den diesbezüglichen Lebensbedingungen und -orientierungen von Mädchen und jungen Frauen mit Migrationshintergrund. Im Blickpunkt der Öffentlichkeit stehen hier insbesondere Mädchen mit muslimischer Religion, von denen angenommen wird, dass sie ein spezifisch „orientalisches" Körperbewusstsein und Verhältnis zur Sexualität haben. Damit werden häufig besondere Einschränkungen, denen die Mädchen seitens der Familien unterworfen sind, assoziiert. Lassen sich bei einzelnen Gruppen tatsächlich andere Körperbilder und ein eingeschränktes Verhältnis zur körperlichen Lust ausmachen? Welche Rolle spielen Religion, sozialer Status und Bildung dabei? Auf diese Fragen gibt *Kapitel 8* Antwort.

- Eine zentrale Kategorie der Untersuchung, die eine Differenzierung nach nationaler Herkunft in das Zentrum der Analyse stellt, ist die (mögliche) Orientierung an dem ethnischen Herkunftskontext der Familie. Dies wird anhand vieler Einzelfragen wie dem Wohlfühlen und der Zukunftsplanung bezogen auf Deutschland oder das Herkunftsland (der Familie), der ethnischen Herkunft des Wunschpartners oder dem Interesse an der deutschen Staatsbürgerschaft in *Kapitel 9* untersucht. Darüber hinaus befasst sich das Kapitel mit der psychischen Befindlichkeit, die in der Literatur häufig in engem Zusammenhang mit der ethno-kulturellen Persönlichkeitsentwicklung gesehen wird. Einen Schwerpunkt in diesem Bereich stellen Rassismuserfahrungen und ihr Zusammenhang mit dem psychischen Wohlbefinden oder der ethnischen Orientierung dar.
- Religiosität als eine Wertorientierung, in der sich Migrationsjugendliche nicht nur von deutschen Altersgleichen, sondern auch untereinander deutlich unterscheiden, wird in *Kapitel 10* anhand ihres Bedeutungsgehalts für die Lebensführung, der Stärke der Bindung an die je spezifische Religion und auch der Frage, ob sie als Ressource oder Hemmnis zur persönlichen Entfaltung als Frau empfunden wird, untersucht. Dabei werden erstmalig ebenso Differenzierungen zwischen verschiedenen Religionsgruppenangehörigen des gleichen nationalen Hintergrunds wie auch zwischen gleichen Religionsgruppen verschiedener nationaler Hintergründe vorgenommen.
- Zuletzt wird in *Kapitel 11* beschrieben, was es mit der „Inanspruchnahmebarriere" beim Zugang zu organisierter Freizeit und bei Hilfen in Krisen auf sich hat, welche Ansprüche, wenn überhaupt, Mädchen und junge Frauen mit Migrationshintergrund an entsprechende Angebote stellen, die sie zu nutzen bereit sind und wie schwierig es ist, hier die entsprechenden Zugänge zu ermöglichen.

Im abschließenden Teil 3 werden Folgerungen für Politik und Pädagogik angesprochen.[24]

---

24 Das der Konstruktion des Fragebogens zugrunde liegende Modell der Integration (siehe dazu Esser 1999; Heckmann et al. 2000) in seinen Dimensionen struktureller Integration (nach Esser: Platzierung) erfasst durch Wohnsituation und Bildung; sozialer Integration (Interaktion), erfasst durch Freunde und Freundinnen, Einbindung in Peer-Groups, Nutzung von außerhäusigen Freizeitangeboten; kulturelle Integration (Kulturation), erfasst durch Familie und Partnerschaft, interethnische Eheschließung, Sprachkompetenz und Sprachgebrauch, Bedeutung von Religion; Ethnizität (Identifikation) erfasst durch Staatsangehörigkeit, Zugehörigkeitsgefühl u.a. soll in einem nächsten Schritt angewandt werden.

2. Methode der Untersuchung und methodische Einzelfragen

Methodologische und methodische Fragen der Migrationsforschung[25] werden immer wieder aufgegriffen, sei es unter dem Gesichtspunkt der methodischen Ansätze allgemein und der Intentionen von Wissenschaftlern und Wissenschaftlerinnen für Untersuchungen (Treibel 1988; Bender-Zymanski/Hesse 1987), sei es unter spezifischen methodischen Aspekten wie der Datenerhebung (Hoffmeyer-Zlotnik 1985; Hunnius/Kuchenbuch 1985), des Interviewer- und Befragtenverhaltens (Dworschak 1985; Reinecke 1991; Blohm/Diehl 2001) oder der Sprachen (Schöneberg 1985), der Sprachwahl (Morgenroth 1997) und der Auswertung von Daten (Nauck/Diefenbach 1997a). Besondere Aufmerksamkeit finden auch Fragen der Stichprobe und des Zugangs zu den Befragten (Salentin/Wilkening 2003; Deutsche Shell 2002).

Die Anwendung des methodischen Arsenals der empirischen Sozialforschung auf die Gruppe der Migranten und Migrantinnen bedarf besonderer Überlegungen in allen Phasen von Untersuchungen. Die sich bei der Untersuchung der Lebenssituation und der Orientierungen von Mädchen und jungen Frauen mit Migrationshintergrund ergebenden spezifischen Fragen und Probleme und deren Lösungen sollen daher im Folgenden ausführlicher als üblich dargestellt werden.

2.1 Entwicklung des Erhebungsinstrumentes

Die Untersuchung hatte – von der Auftraggeberin vorgegeben – ein breites Themenspektrum zu erfassen (siehe dazu die elf Kapitel des zweiten Teils). Zusätzlich sollte in allen Bereichen die Lebenssituation der Mädchen und jungen Frauen auf der einen Seite und deren Einstellungen oder Bewertungen dazu auf der anderen Seite erhoben werden. Bei der Fragebogenkonstruktion wurde darauf geachtet, aus der Vielzahl von Themen und Unterthemen einen handhabbaren Fragebogen zu entwickeln.

Der vollstandardisierte Fragebogen, der in seiner Endfassung 138 Fragen mit einem erheblichen Teil von Fragebatterien enthält, wurde in einem Pretest bei 49 Mädchen und jungen Frauen[26] in Bezug auf Verständlichkeit und Schwierigkeit der Fragen, Ermittlung uneindeutiger Items und ungenügender Antwortvarianten, Dramaturgie des Fragebogens, Korrektheit der Filterführung und Interviewerinnenanleitungen und nicht zuletzt im Hinblick auf die Erhebungsdauer geprüft.

Der Fragebogen für den Pretest wurde nicht in die jeweiligen Herkunftssprachen der zu untersuchenden Gruppen übersetzt. Um Verständnisprobleme aufgrund mangelnder deutscher Sprachkenntnisse der Befragten zu vermeiden, wurden die bilingualen Projektmitarbeiterinnen als Interviewerinnen eingesetzt, die – falls not-

---

25 Siehe dazu die methodischen Beiträge von Hoffmeyer-Zlotnik (1985), Steiger (1985), Hunnius/Kuchenbuch (1985), Dworschak (1985) und Schöneberg (1985). Auf qualitative Methoden bezieht sich der Sammelband von Hoffmeyer-Zlotnik (1986), der hier unberücksichtigt bleibt. Zur Verknüpfung von qualitativen und quantitativen methodischen Schritten siehe Herwartz-Emden (1997c).

26 Es wurden neun Italienerinnen, 14 Türkinnen, neun Griechinnen, sieben Jugoslawinnen (und zwar drei Mädchen bosnischer und vier serbischer Herkunft) sowie 10 Aussiedlerinnen aus der ehemaligen Sowjetunion befragt, die über Kontakte der Projektmitarbeiterinnen zu ethnischen Gruppen und Organisationen, zu Schulen oder anderen Bildungseinrichtungen gewonnen wurden.

wendig – für die jeweilige Herkunftssprache übersetzen konnten. Darüber hinaus konnten die Schwierigkeiten in den Frage- und Itemformulierungen erkannt werden. Besonderes Augenmerk wurde auf die (letzte) Überprüfung der funktionalen Äquivalenz der Fragen und Items gelegt.

Der Fragebogen wurde im Hinblick auf die Verständlichkeit der Fragen und Vollständigkeit der Antwortvorgaben überprüft und verbessert.[27] Frage- oder Antwortvorgaben, die sich nicht als kulturneutral und für Interviewte eines der einbezogenen Hintergründe als irrelevant oder missverständlich erwiesen, wurden adäquater formuliert oder aus dem Fragebogen herausgenommen. So wurde bei der Instrumentenkonstruktion darauf geachtet, dass der Fragebogen für Befragte mit unterschiedlichem Hintergrund gleichermaßen zutreffend war. Deshalb ist beispielsweise von „Herkunftsland", „Herkunftssprache" oder „Herkunftsgruppe" die Rede. Die herkunftsspezifischen Ergänzungen bzw. Ersetzungen wie etwa „Griechenland", „griechisch", „Griechen" wurden dann von den Interviewerinnen in der Befragungssituation vor Ort vorgenommen.

Ein Teil der Fragen und Items wurde aus Fragebögen schon durchgeführter Untersuchungen[28] übernommen. Dieses geschah, um die Ergebnisse einander gegenüberstellen zu können und um die Möglichkeit zu eröffnen, in einzelnen Themenbereichen einen Vergleich zu deutschen Mädchen herzustellen.[29] Auch ein Teil der übernommenen Itembatterien musste für die Zielgruppe verändert werden, da der Pretest zeigte, dass bei den Interviewten Verständnisprobleme auftraten. Eines der größten Probleme stellte die Länge des Fragebogens dar. Kürzungen durch das Weglassen von ganzen Fragebereichen waren nicht möglich und auch nicht gewünscht. So wurden Teilaspekte in den Themen weggelassen, die überproportional im Fragebogen vertreten waren. Die Skalenfragen wurden durch Weglassen von Einzelitems[30] auf der Grundlage von Korrelations- und Itemanalysen gekürzt.

Der durch den Pretest in der Dramaturgie und in der Formulierung einzelner Fragen sowie Items deutlich veränderte Fragebogen erhebt 28 Themen in folgender Reihenfolge: 1. Personendaten, 2. Migrationsgeschichte, 3. Verhältnis zu den Eltern, 4. Sprache, 5. Kritische Lebensereignisse, 6. Kindergarten, 7. Schule, 8. Ausbildung, 9. Beruf, 10. Selbstkontrolle, 11. Kontrollüberzeugungen, 12. Finanzen, 13. Wohnen, 14. Stadtteil, 15. Lebenspläne, 16. Familiengründung, 17. Partnerwahl, 18. Partnerschaft, 19. Soziale Identität, 20. Zugehörigkeit, 21. Integrationsverständnis, 22. Religiöse Orientierungen, 23. Freizeit, 24. Psychisches und physisches Wohlbefinden, 25. Hilfsangebote, 26. Körper, 27. Sexualität und 28. Weitere Daten zur Person und zum Elternhaus.

---

27 Zum Teil waren die vorher verwendeten Formulierungen zu abstrakt, die Sätze zu kompliziert oder die Antwortkategorien nicht eindeutig. Bei einigen Fragen war das Spektrum der Antwortvorgaben unvollständig und vorkommende Lebenssituationen oder Einstellungen blieben unberücksichtigt.

28 Es handelt sich um die Studien von Brettschneider/Brandl-Bredenbeck (1997), Heitmeyer/Müller/Schröder (1997), ZUMA (ALLBUS 1980-1998), Heckmann et al. (2000), Strobl/Kühnel (2000), Weidacher (2000b), Zentrum für Türkeistudien (2000), Straßburger (2001a), Deutsche Shell (2002).

29 Dieser Vergleich erfolgt hier nicht; er soll später vorgenommen werden.

30 Herausgenommen wurden Items, die sich als mehrdeutig erwiesen, deren Antwortverteilungen stark schief waren und die auf der gleichen oder ähnlichen Bedeutungsebene lagen wie andere.

Im Verlauf des Interviews wurden also zuerst die Fragen gestellt, die die biographische Entwicklung der Befragten betreffen und überwiegend retrospektiven
Charakter haben. Zukunftsbezogene Fragestellungen wurden erst zu einem späteren
Zeitpunkt eingeführt. „Religiöse Orientierungen" und „Hilfsangebote" wurden
weiter hinten platziert, die Fragen zur „Sexualität" wurden ans Ende des Fragebogens gestellt, weil ihre Beantwortung einen relativ hohen Grad an Vertrautheit
voraussetzt und zudem möglicherweise Widerstände hätte hervorrufen können, die
den weiteren Verlauf des Interviews beeinträchtigt hätten. Die Reihenfolge der
Fragebereiche wurde auch unter der Berücksichtigung der Belastbarkeit der
Mädchen festgelegt: Fragebatterien, die problematische Themen enthielten bzw.
deren Beantwortung als schwieriger angesehen wurde, sollten möglichst solche mit
weniger problematischen Inhalten folgen.

Der so gekürzte und überarbeitete Fragebogen wurde Experten und Expertinnen
verschiedener Disziplinen vorgelegt, von denen Anregungen kamen und Ände-
rungsvorschläge unterbreitet wurden.[31] Anschließend wurde der Fragebogen in die
Herkunftssprachen der Familien der Mädchen übersetzt.[32]

2.2 Die Auswahl der befragten Mädchen und jungen Frauen

2.2.1 Problem der Definition der Grundgesamtheit

Der Begriff „Mädchen und junge Frauen mit Migrationshintergrund", der in der
vorliegenden Studie für die Gruppe von jungen Frauen verwendet wird, bezieht sich
auf eine Gruppe, die nicht den Befragtengruppen vieler Statistiken und Untersuchungen entspricht. Die amtliche Statistiken z.B. des Statistischen Bundesamtes
und der statistischen Landesämter[33] und die Veröffentlichungen der Schulstatistik[34]

---

31 Neben den Mitgliedern des Beirates stellte uns Mona Granato (BIBB) ihren Sachverstand
    im Bereich „Schule" und „Übergang Schule und Beruf" zur Verfügung. Die Fachstelle
    Mädchenarbeit NRW (FUMA e.V.), Cäcilia Debbing, unterstützte uns mit sachverständi-
    ger Kritik hinsichtlich der Bereiche Freizeitverhalten, Körperbewusstsein, Kontrollüber-
    zeugungen, Lebensplanung und Kenntnis und Nutzung von Jugendhilfeeinrichtungen.
    Renate Klees, von der Universität Duisburg-Essen und Leiterin des Meduse Projektes, gab
    Hinweise zur Verbesserung des Bereiches Lebensplanung sowie Nutzung von Jugend-
    hilfeangeboten. Tipps für Verbesserungsvorschläge erhielten wir in dem Bereich Körper-
    bewusstsein und Sexualität durch Meral Renz vom Lore-Agnes-Haus/AWO-Essen. Frau
    Sauer vom Zentrum für Türkeistudien stellte uns freundlicher Weise den Fragebogen zur
    telefonischen Repräsentativbefragung der türkischen Wohnbevölkerung in Nordrhein-
    Westfalen zur Verfügung. Gabriele Bellenberg von der Universität Bochum half uns bei
    der Fragenkonstruktion im Bereich Schule und Ausbildung. Berrin Özlem Otyakmaz von
    der Universität Duisburg/Essen, die den Projektantrag mitentwickelt hat, war uns bei der
    Entwicklung des Fragebogens insgesamt eine wichtige Gesprächspartnerin.
32 Die Übersetzungen wurden durch fachkundige Übersetzer und Übersetzerinnen vorgenom-
    men und von den Projektmitarbeiterinnen unter teilweiser Rückübersetzung geprüft. Die
    Qualität der Übersetzung wurde auch hinsichtlich funktionaler Äquivalente kontrolliert.
    Für die Mädchen mit jugoslawischem Hintergrund wurden die Fragebögen in das Serbo-
    kroatische übersetzt.
33 So beruht z.B. der Migrationsbericht der Integrationsbeauftragten im Auftrag der Bundes-
    regierung (siehe Beauftragte der Bundesregierung für Migration, Flüchtlinge und Integra-
    tion 2004) auf den Daten der amtlichen Statistik.
34 So z.B. Statistische Veröffentlichungen der Kultusministerkonferenz (2002).

legen Ausländer und Ausländerinnen zugrunde und damit Menschen ohne deutschen Pass. Damit bleiben drei zahlenmäßig große, unterschiedliche Gruppen ausgeklammert: Die Gruppe der Aussiedler und Aussiedlerinnen, deren Mitglieder überwiegend die deutsche Staatsangehörigkeit besitzen, die Gruppe der eingebürgerten Arbeitsmigranten und Arbeitsmigrantinnen sowie Flüchtlinge und deren Kinder und Kindeskinder und die Gruppe der Kinder aus binationalen Ehen. Ein Teil davon hat die deutsche Staatsangehörigkeit bei Beibehaltung der früheren erworben (doppelte Staatsangehörigkeit). Die Zahl der „Ausländer und Ausländerinnen" und der Personen mit Migrationshintergrund weicht beträchtlich voneinander ab. Die Stadt Köln (2003, S. 7), deren amtliche Statistik zwischen den beiden Gruppen differenziert, weist für 2002 bei den 18- bis 25-Jährigen 25,6 Prozent „Ausländer" und 34,7 Prozent „Personen ausländischer Herkunft" aus. Die Verwendung der juristischen Kategorie „mit ausländischem Pass" in sozialwissenschaftlichen Erhebungen wird zunehmend in Frage gestellt, da eingebürgerte Zugewanderte eine günstigere sozioökonomische Platzierung aufweisen (Salentin/Wikening 2003).[35] In zukünftigen Erhebungen werden zusätzliche Differenzierungen angebracht sein[36]. Auf jeden Fall muss in Untersuchungen zum jetzigen Zeitpunkt der Tatsache Rechnung getragen werden, dass neben den Jugendlichen mit ausländischem Pass eine erhebliche Zahl von eingebürgerten jungen Menschen mit Migrationshintergrund in Deutschland lebt.[37]

Um aussagefähige Daten zu erhalten war es uns wichtig, bei der Auswahl der Interviewtengruppe die innere Heterogenität der verschiedenen Herkunftsgruppen hinsichtlich der sozialen und ethno-religiösen Persönlichkeitsmerkmale möglichst gering zu halten, um für die statistische Analyse ausreichend große Vergleichsgruppen zu erhalten. Die Zusammensetzung der untersuchten Gruppe von Mädchen und jungen Frauen mit Migrationshintergrund ermöglicht es nun, verallgemeinernde Aussagen zu treffen für die Gruppe der ledigen, kinderlosen 15- bis 21-jährigen jungen Frauen mit griechischem, italienischem, türkischem, ehemals jugoslawischem (überwiegend serbischem und bosnischem) Hintergrund und für Mädchen und junge Frauen aus Aussiedlerfamilien aus der ehemaligen Sowjetunion.

Bei der Abgrenzung der Zielgruppe (Grundgesamtheit) kamen in unserer Untersuchung vier Begrenzungen und Einschränkungen aus pragmatischen Gründen hinzu: Die Herkunftsgruppe wurde erstens auf fünf Nationalitäten beschränkt und nur Mädchen und junge Frauen aus Aussiedlerfamilien und mit griechischem, italienischem, (ehemals) jugoslawischem und türkischem Hintergrund einbezogen.[38]

---

35   Salentin und Wilkening (2003, S. 279f.) meinen, die Vermutung liege nahe, dass die Herkunft weniger als die Staatsangehörigkeit das Zusammenleben bestimme, da mit deutscher Staatsangehörigkeit der Aufenthalt auf Dauer angelegt sei. Die soziale Kategorisierung und die damit verbundene Diskriminierung beruhe jedoch nicht auf der Staatsangehörigkeit, sondern auf der Herkunft.

36   So scheint es uns nicht akzeptabel, wenn Kinder von Eingebürgerten und aus binationalen Ehen, weil sie einen „ausländischen" Namen tragen oder weil ihre Eltern gewandert sind, „Migrationshintergrund" zugewiesen bekommen. Hinzukommen müsste ein weiteres Merkmal wie ethnische Selbstverortung oder in der Familie gesprochene Sprachen.

37   Zu den Schwierigkeiten der Bestimmung der „Zugewanderten mit deutscher Staatsangehörigkeit" siehe Salentin/Wikening (2003, S. 282f.).

38   Die problematische Bezeichnung „ehemalig jugoslawisch" wurde gewählt, da, obwohl bei der Stichprobenziehung über die Einwohnermelderegister nur aus der bosnisch-herzegowinischen und der serbischen Nationalität Befragte rekrutiert werden sollten, auch

Diese Einschränkung erfolgte aus zwei forschungspraktischen Erwägungen: Da wir die Auffassung vertreten, dass die Orientierungen migrationskultur- (nicht heimat-kultur-)spezifisch variieren können und wir diesbezügliche Unterschiede untersuchen wollten, war die Zahl der Herkunftsgruppen zu begrenzen. Des Weiteren macht das in der Untersuchung umgesetzte Prinzip der freien Sprachwahl in den Interviews eine Beschränkung auf eine überschaubare Anzahl von zu berücksichtigenden Sprachen notwendig. Bei den Mädchen und jungen Frauen aus Arbeitsmigrationsfamilien wurden die vier zahlenmäßig in Deutschland am stärksten vertretenen Gruppen ausgewählt. Die Auswahl der Mädchen aus Aussiedlerfamilien wurde auf diejenigen aus den Gebieten der ehemaligen Sowjetunion beschränkt. Weitere Binnendifferenzierungen, wie nach der Zugehörigkeit zu verschiedenen religiösen oder ethnischen Gruppierungen (z.B. Alevitinnen oder Sunnitinnen bei Mädchen türkischer Herkunft) wurden in der Befragung zwar berücksichtigt, aber nicht zu Auswahlkriterien gemacht.

Bei der „jugoslawischen" Herkunftsgruppe stellte die gewünschte herkunfts-bezogene Homogenisierung ein besonderes Problem dar. Wir entschieden uns für die Begrenzung auf Mädchen und junge Frauen, die zum Zeitpunkt der Befragung die bosnische oder jugoslawische Staatsangehörigkeit besaßen bzw. sich auf diese Herkunft beriefen. Über die Staatsangehörigkeit lässt sich jedoch keine Eingrenzung auf bestimmte Ethnien vornehmen, da auch Mädchen aus ex-jugoslawisch gemisch-ten Ehen (z.B. kroatisch-serbisch, bosnisch-serbisch, kroatisch-bosnisch etc.) sowie ethnisch einer anderen als der beiden ausgewählten Gruppen zugehörige Personen im Besitz einer der beiden Staatsangehörigkeiten sein können. Die gewünschte Begrenzung auf die Ethnien der „Serbinnen" und „Bosnierinnen" hätte eine Prüfung der ethnischen Zugehörigkeit erfordert, für die es keine objektiven Kriterien gibt, abgesehen von dem unerwünschten Effekt der Fremdethnisierung, der dadurch aus-gelöst worden wäre. Aus Gründen der Vergleichbarkeit mit den anderen drei Her-kunftsgruppen war zunächst erwünscht, dass die Mädchen und jungen Frauen aus Arbeitsmigrationsfamilien stammen. Diese Einschränkung erwies sich als nicht durchsetzbar, da im Zuge der Balkankriege der neunziger Jahre auch Familien-angehörige von Arbeitsmigranten und Arbeitsmigrantinnen in die Bundesrepublik flüchteten und später auf der Grundlage der Familienzusammenführung in Deutsch-land blieben. Wir entschieden uns, Personen mit einer solchen Migrationsbiographie im Sample zu belassen, auch wenn sie weder der serbischen noch der bosnischen ethnischen Gruppe zuzuordnen waren oder sich selbst zugeordnet hatten.

Über die so eingegrenzten Gruppen hinaus gehörten zweitens Personen, deren Familie aus dem Herkunftsland nach Deutschland geflüchtet war oder in Deutsch-land Asyl beantragt hatte, nicht zur Befragtengruppe. Mädchen, die aus einem deutsch-ausländischen Elternhaus stammen, sollten drittens wegen anderen sozio-kulturellen Voraussetzungen (z.B. was den Kontakt zu Mitgliedern der Mehrheits-gesellschaft anbelangt, der bei ihnen bereits durch verwandtschaftliche Beziehungen gegeben ist) nicht einbezogen werden.[39] Die Untersuchung wurde viertens auf ledige

---

Personen anderer nationaler Herkünfte, die in Besitz der ausgewählten Staatsangehörig-keiten waren, in die Auswahl gelangten.

39 Deutsch-ausländisch meint hier eine Partnerschaft, in der einer der beiden Partner autoch-toner Deutsche(r), der/die andere Nicht-Deutsche(r) ist, gemessen an der Nationalität bei seiner/ihrer Geburt. Wir sind uns bewusst, dass diese Definition im Verlauf der Migra-tionsgenerationen an Relevanz verlieren wird, da mit der zunehmenden Geburt von

Frauen begrenzt, da es sich bei den verheirateten in der einbezogenen Altersgruppe lediglich um eine relativ kleine – für viele Berechnungen zu kleine – Gruppe gehandelt hätte.

Die notwendige und sinnvolle Erweiterung der Grundgesamtheit auf Mädchen und junge Frauen mit Aussiedler- (GUS), griechischem, italienischem, (ehemals) jugoslawischem (genauer jugoslawischem und bosnischem) und türkischem Hintergrund hat Konsequenzen für die Stichprobenziehung. Die Einwohnermeldeämter weisen nur Personen mit Ausländerstatus – wie von uns gewünscht nach Geschlecht und Alter differenziert – aus. Es ist nicht möglich, auf dieser Basis einen Adressenpool der erweiterten Zielgruppe „mit Migrationhintergrund" zu erhalten. Es stehen auch keine anderen Verfahren zur Verfügung, die Grundgesamtheit zur Stichprobengewinnung zu definieren[40] und verfügbar zu halten.

Die Verengung der Grundgesamtheit auf nicht verheiratete Mädchen und auf solche, die keinen Flüchtlingsfamilien angehören, schuf das Problem, dass Mädchen mit diesen Merkmalen nicht aus den Personenstichproben, die durch die Meldeämter zur Verfügung gestellt wurden, ausgeschlossen werden konnten. Sie konnten erst in der Feldphase ermittelt und aus der Untersuchungsgruppe ausgeschlossen werden, was die Feldarbeit besonders aufwendig gestaltete.

Um die erweiterte Zielgruppe zu erreichen, wurde eine Kombination von Stichprobenziehungen über die Einwohnermeldeämter[41] (entlang der Kategorie Staatsangehörigkeit) mit dem Schneeballsystem gewählt. Die Aussiedlerinnen als Personen mit deutscher Staatsangehörigkeit konnten nur über das Schneeballsystem erreicht werden. 80 Prozent der Interviewpartnerinnen ausländischer Herkunft sollten anhand einer Stichprobe aus den Adressen der Einwohnermeldeämter gewonnen, 20 Prozent sollten nach dem Schneeballprinzip ermittelt werden, wobei gezielt nach eingebürgerten Angehörigen der jeweiligen Herkunftsgruppe gesucht werden sollte. Die Aussiedlerinnen mussten vollständig mithilfe des Schneeballverfahrens gefunden werden. Durch verschiedene Institutionen wurden Kontakte zu möglichen Interviewpartnerinnen aufgenommen, über die dann wiederum weitere Interviewpartnerinnen rekrutiert wurden. Bei diesen Institutionen handelt es sich um Schulen, Bildungsstätten, Jugendgemeinschaftswerke, soziale Organisationen, Jugendgruppen, Kirchen und Selbstorganisationen von Aussiedlern und Aussiedlerinnen, zu denen der Kontakt überwiegend über die BAG JAW hergestellt wurde.

Von den sechs Einwohnermeldeämtern[42], in deren Zuständigkeitsbereich Interviews mit Personen ausländischer Herkunft durchgeführt werden sollten, wurden die

---

Menschen aus Migrantenfamilien in Deutschland, die seit 2000 auch automatisch die deutsche Staatsbürgerschaft erhalten, unsere Differenzierung nichts mehr über ethnische oder kulturelle Hintergründe aussagen wird.

40 Das Verfahren, eine Zufallsstichprobe namensorientiert aus Telefonbüchern zu ziehen, wie es Salentin (1999, 2002; siehe auch Salentin/Wilkening 2003, S. 282) vorschlägt, ignoriert die u.E. nicht unerhebliche Zahl der nicht in das Telefonbuch Eingetragenen. So hat eine Untersuchung über die Telefon- und Identifizierungsdichte türkischer Migranten und Migrantinnen in Mannheim gezeigt, dass beide Größen in der Zielpopulation deutlich niedriger liegen als bei Deutschen (Granato 1999). Eine Telefonauswahl lässt ferner keine geschlechts- und altersdifferenzierte Auswahl zu. Zudem ist die Gruppe der Aussiedlerfamilien aus den GUS nicht nach dem Namen zu erschließen.

41 Das Auswahlverfahren über die Einwohnermelderegister hat zudem zur Folge, dass die Grundgesamtheit auf gemeldete Personen (erster Wohnsitz) begrenzt war. Somit waren nicht gemeldete Ausländerinnen ausgeschlossen.

42 Frankfurt am Main, Mannheim, Völklingen, Berlin, Duisburg/Essen, Kreis Unna.

Adressen der einzelnen Herkunftsgruppen angefordert. Es sollten insgesamt 955 auswertbare Interviews realisiert werden, und zwar 200 bei den Aussiedlerinnen, 180 bei den Griechinnen, Italienerinnen und Jugoslawinnen und 215 bei den Türkinnen. Die Personen sollten von den Einwohnermeldeämtern nach folgenden Kategorien ausgewählt werden: nicht verheiratete Frauen, die am 30.09.2001 zwischen 15 und einschließlich 21 Jahre alt und mit Hauptwohnsitz in Deutschland gemeldet waren. Zusätzlich wurden Informationen über das Geburtsjahr und die Staatsangehörigkeit der einzelnen Personen angefordert.[43] Außerdem wurden sämtliche zugänglichen Adressen von Selbstorganisationen und Anlaufstellen für verschiedene Migrantengruppen der relevanten Nationalitäten in den Untersuchungsregionen recherchiert und in einer Adressendatei zusammengestellt. Diese diente als Vorbereitung für die Erhebung auf Basis des Schneeballsystems.

2.2.2 Die Wahl der Befragungsorte

Die Untersuchung soll Daten zur Lebenssituation und zu den Orientierungen liefern, die ein Gesamtbild der Mädchen und jungen Frauen der fünf Herkunftsgruppen in Deutschland darstellen. Die Stichprobe sollte nicht auf einen geographisch engen Raum oder auf ein Bundesland beschränkt sein, sondern ein möglichst großes Länderspektrum umfassen. Die Befragungsorte durften aber nicht zu weit streuen, da sonst eine Erhebung durch persönliche Interviews nicht möglich gewesen wäre. Daher entschieden wir uns für eine Klumpenstichprobe, in der die Erhebungsorte gezielt, aber nach bestimmten Kriterien ausgewählt wurden. Es sollten Großstädte und ländliche Regionen einbezogen werden und ein relativ breites Spektrum an Bundesländern, vor allem auch ostdeutsche Länder, vertreten sein.

Erhebungsorte waren drei Großstädte bzw. Regionen mit mehr als 500.000 Einwohnern und Einwohnerinnen (Frankfurt am Main, Berlin und Duisburg/Essen), drei Städte zwischen 100.000 und 500.000 Einwohnern und Einwohnerinnen (Dresden, Mannheim, Chemnitz) sowie drei kleinere Städte bzw. Landkreise (Völklingen, Kreis Unna und der Kreis Recklinghausen). Die Erhebung fand in den Bundesländern Sachsen, Berlin, Hessen, Nordrhein-Westfalen, Baden-Württemberg und dem Saarland statt.

Die Entscheidung über die Verteilung der Interviews auf die einzelnen Erhebungsorte und über die Zahl der Befragten der verschiedenen Herkunftsgruppen in den jeweiligen Orten erfolgte nach mehreren Kriterien. Ein Ausgangspunkt war die Verteilung der ausländischen Wohnbevölkerung auf unterschiedliche Siedlungsräume. So leben 20 Prozent in ländlichen Kreisen und Mittelstädten, 22 Prozent in Großstädten mit 100.000 bis 500.000 Einwohnern und 58 Prozent in Großstädten mit mehr als 500.000 Einwohnern.

---

43 Da es nach dem Berliner Meldegesetz nicht zulässig ist, Angaben über das Alter und die Staatsangehörigkeit mitzuteilen, wurden in Berlin Teilstichproben angefordert, die sich nach den fünf Nationalitäten und drei Altersgruppen (15-16, 17-18, 19-21 Jahre) unterschieden.

Tabelle 2.1: Verteilung der Befragten mit Arbeitsmigrationshintergrund nach Siedlungskategorie

Siedlungskategorie	Erhebungsort	Anzahl der Befragten	Verteilung je Siedlungskategorie
Großstadt > 500.000	Frankfurt	118	474 (63%)
	Berlin	172	
	Duisburg/Essen	184	
Stadt 100.000-500.000	Mannheim	157	157 (21%)
Ländliche Kreise, kleine und mittlere Städte	Völklingen	39	119 (16%)
	Kreis Unna	80	

Die Verteilung der Interviews nach den verschiedenen Herkunftsgruppen beruht auf den Bevölkerungszahlen der Erhebungsorte. Bevölkerungsgruppen, die an dem jeweiligen Ort überdurchschnittlich stark vertreten waren (wie z.B. italienische Staatsangehörige in Völklingen oder griechische Staatsangehörige in Berlin) sind auch in der Stichprobe stärker repräsentiert. Aussiedlerinnen sollten zu gleichen Teilen in West- und in Ostdeutschland befragt werden. Erhebungsorte waren Dresden und Chemnitz sowie die Kreise Unna und Recklinghausen.

Tabelle 2.2: Verteilung der Interviews nach Befragungsorten und nationalem Hintergrund (in Prozent)

	Migrationshintergrund					Gesamt
	Aussiedl.	griech.	ital.	jugosl.	türk.	
Gesamt	(200)	(182)	(183)	(172)	(213)	100 (950)
Dresden	35	-	-	-	-	7 (69)
Chemnitz	15	-	-	-	-	3 (30)
Frankfurt	-	17	16	16	14	12 (118)
Mannheim	-	13	19	28	22	17 (157)
Völklingen	-	-	10	-	9	4 (39)
Berlin	-	33	26	18	16	18 (172)
Duisburg/Essen	-	31	18	27	24	20 (184)
Kreis Recklinghausen	25	-	-	-	-	5 (51)
Kreis Unna	25	6	11	11	15	14 (130)

In der Untersuchung wurde durch Festlegung der Städte und Landbezirke sowie der Zahl der Befragten nach nationalem Hintergrund innerhalb der Regionen eine bewusste Auswahl getroffen, um sowohl Aussagen über Ost- und Westdeutschland als auch über städtische und ländliche Regionen treffen zu können. Daher entspricht die regionale Verteilung der Herkunftsgruppen in der Stichprobe nicht der Verteilung der Mädchen und jungen Frauen mit Migrationshintergrund, wie sie gegeben wäre, wenn eine reine Zufallsstichprobe gezogen worden wäre.

Tabelle 2.3:   Regionale Verteilung der Befragten (in Prozent)

| | Migrationshintergrund | | | | | Gesamt |
	Aussiedl.	griech.	ital.	jugosl.	türk.	
Gesamt	(200)	(182)	(183)	(172)	(213)	100 (950)
Ländliche Region – West	51	6	21	11	24	23 (220)
Städtische Region – West	-	94	79	89	76	67 (631)
Städtische Region – Ost	49	-	-	-	-	10 (99)

C = .64   p = .00

2.2.3   Die realisierte Stichprobe

Bei der Erhebung erfolgte die Kontaktaufnahme zu den Interviewpartnerinnen zunächst aufgrund der von den Einwohnermeldeämtern gezogenen Stichproben. Den Interviewerinnen wurden 1,5 mal so viele Adressen zur Verfügung gestellt, wie Interviews durchgeführt werden sollten, mit der Maßgabe, nur unter genau definierten Bedingungen nach Rücksprache mit der Projektleitung auf die Ersatzadressen zurückzugreifen (vgl. Schnell 1997; Granato 1999).

Die Interviewerinnen meldeten sich telefonisch an. Adressatinnen, die nicht im Telefonverzeichnis aufgeführt waren, wurden in der Wohnung aufgesucht. Eine Adressatin wurde erst dann von der Liste genommen und durch eine neue ersetzt, wenn sich ihre Adresse als falsch herausstellte, die Adressatin wiederholt nicht zuhause angetroffen wurde oder sie das Interview verweigert hatte.

Die Schwierigkeiten, aus den Adressen der Meldämter 80 Prozent der Befragten zu gewinnen, waren beachtlich. Das Ziel musste aufgegeben werden, da
1. es eine große Zahl ungültiger Adressen gab (nicht unter der Adresse wohnhaft),
2. ein Teil der Adressatinnen zwar in Deutschland gemeldet war, aber nicht hier lebte,
3. ein Teil der Adressatinnen nicht der nationalen oder ethnischen Zielgruppe der Untersuchung entsprach,
4. ein Teil der Adressatinnen verheiratet war und deswegen nicht zur Zielgruppe zählte,
5. unter den Adressatinnen Geschwisterkinder waren, von denen jeweils nur eine der Schwestern in die Befragung einbezogen wurde.

Diese Faktoren waren in den unterschiedlichen Herkunftsgruppen, aber auch an den einzelnen Befragungsorten unterschiedlich relevant. Das Problem nicht mehr gültiger Adressen (1) machte sich in erster Linie in der italienischen und in der jugoslawisch-bosnischen Gruppe bemerkbar. Das Problem, dass Adressatinnen in Deutschland gemeldet waren, aber im Herkunftsland lebten (2), war in der griechischen und in der jugoslawisch-bosnischen Gruppe verstärkt anzutreffen. Ein Teil der griechischen Migrantinnen war zum Studium oder aus anderen Gründen vorübergehend nach Griechenland zurückgekehrt, blieb aber weiterhin in Deutschland gemeldet. Ein nicht unerheblicher Teil der Adressatinnen mit jugoslawischer oder bosnischer Staatsangehörigkeit war ins Herkunftsland zurückgekehrt, ohne sich beim Meldeamt abzumelden. Das Problem, dass ein größerer Teil der Adressatinnen nicht der Zielgruppe der Befragung entsprach (3), betraf insbesondere muslimische Griechinnen, die der ethnisch-religiösen Minderheit der „West-Trazierinnen" angehörten und die in Duisburg und Berlin konzentriert leben. Darüber hinaus stießen wir bei den Adressatinnen mit jugoslawischer Staatsangehörigkeit in Mannheim/Ludwigshafen, Duisburg/Essen und in Berlin auf einen sehr hohen Anteil von Kosovo-Albanerinnen. Sie hatten größtenteils einen Flüchtlingsstatus, so dass sie nicht der Zielgruppe der Befragung entsprachen. Zudem hätten viele von ihnen weder auf Deutsch noch auf Serbokroatisch interviewt werden können.

Die Zahl der Adressatinnen, die nach der Stichprobenziehung geheiratet hatten und deshalb nicht mehr zur Zielgruppe der Untersuchung gehörten (4), war vor allem in der Altersgruppe der 19- bis 21-Jährigen mit türkischer oder jugoslawisch-bosnischer Staatsangehörigkeit groß. Dabei stellte sich in Mannheim das besondere Problem, dass dort aus meldetechnischen Gründen nur Adressen ohne Unterscheidung von Ledigen und Verheirateten zur Verfügung gestellt werden konnten. Daher war ein relativ hoher Anteil von Frauen in der Stichprobe enthalten, die bereits zum Zeitpunkt der Stichprobenziehung verheiratet waren.

Die Problematik, dass die von den Einwohnermeldeämtern zur Verfügung gestellte Stichprobe auch eine größere Zahl von Schwestern enthielt (5), war vor allem bei den Communities relevant, in denen die Stichprobenauswahl einen erheblichen Teil der Grundgesamtheit ausschöpfte. Das war besonders häufig bei jugoslawischen und bosnischen, in einzelnen Städten (z.B. Duisburg) aber auch bei griechischen und italienischen Adressatinnen der Fall.

Der deutlich schwierigeren Erreichbarkeit der Zugewanderten im Vergleich zu Deutschen wird in jüngster Zeit in der methodischen Literatur Aufmerksamkeit gewidmet. Es wird ein doppelt so hoher Anteil von Nichterreichbaren bei den ausländischen Befragten registriert. Als Grund werden neben einem höheren Anteil an Schichtarbeit längerfristige Aufenthalte im Herkunftsland vermutet, wobei angenommen wird, dass dieses vor allem für die älteren Migranten und Migrantinnen gilt (so Blohm/Diehl 2001). Nach den Erfahrungen beim Erreichen der gemeldeten Mädchen und jungen Frauen muss von einer ebenfalls hohen Quote Nichterreichbarer in der jüngeren Population ausgegangen werden, deren Gründe in einem lockeren Umgang mit den Melderegeln und im zeitweiligen Aufenthalt im Herkunftsland der Eltern zu vermuten sind. Geringer, aber nicht unbedeutend war die Zahl der Mädchen und jungen Frauen, die nach einer Adressenvorgabe durch das Meldeamt erreicht wurden, die aber die Teilnahme an der Erhebung verweigerten. Mädchen und junge Frauen mit italienischem Hintergrund in Frankfurt, Berlin und Völklingen, mit türkischem Hintergrund in Mannheim und Unna verweigerten in größerer Zahl die Mitwirkung.[44]

---

44 In früheren Untersuchungen wird festgestellt, dass Migranten und Migrantinnen hoch kooperationsbereit seien, d.h. es gab wenig Verweigerungen, auch wenn gleichzeitig erfahren wird, dass mit ausschließlich deutschsprachigen Fragebögen und Interviewern und Interviewerinnen ein Teil der Zugewanderten nicht erreichbar und somit nicht befra-

Die an der geplanten Stichprobengröße fehlenden Befragungen wurden in diesen Städten mittels einer bewussten Auswahl (Auswahl nach dem Schneeballsystem) ergänzt. Hinzu kamen die Befragten mit deutscher Staatsangehörigkeit, die – wie vorne ausgeführt – nur nach dem Schneeballverfahren gefunden werden konnten. Dazu zählt die gesamte Auswahl der Mädchen und jungen Frauen aus Aussiedlerfamilien. Bei der Suche von Interviewten wurde von den Adressen ausgegangen, die das Meldeamt zur Verfügung gestellt hatte. Diese Personen wurden nach dem Interview gefragt, ob sie gegebenenfalls weitere Kontakte vermitteln könnten (vgl. Schnell/Hill/Esser 1999; Biernacki/Waldorf 1981; Gabler 1992). Die Befragten verteilen sich nach der Art der Stichprobe wie folgt:

Tabelle 2.4: Verteilung der Befragten nach Migrationshintergrund (in Prozent)

	Migrationshintergrund					Gesamt
	Aussiedl.	griech.	ital.	jugosl.	türk.	
Gesamt	(200)	(182)	(183)	(172)	(213)	100 (950)
Adresse über das Meldeamt	-	80	82	70	70	60
Schneeballsystem (mit nicht-deutscher Staatsangehörigkeit)	2	19	17	26	15	15
Schneeballsystem (mit deutscher Staatsangehörigkeit)	98	1	1	4	15	25

C = .66   p = .00

Nach der Auflistung ist zwar die Soll-Zahl der Mädchen mit griechischem und italienischem Hintergrund über die Adressen der Meldeämter erreicht worden, aber – anders als geplant – konnten auch mit Hilfe des Schneeballsystems kaum Personen mit deutscher Staatsangehörigkeit gefunden werden. Bei den Mädchen mit türkischem und jugoslawischem Hintergrund wurde die Soll-Zahl der nach Meldeamtsadressen zu Befragende unterschritten, hingegen konnten über das Schneeballsystem mehr (jugoslawischer Hintergrund) oder sogar deutlich mehr (türkischer Hintergrund) Personen mit deutscher Staatsangehörigkeit erreicht werden.[45]

Es wurden 967 ledige Mädchen und junge Frauen im Alter von 15 bis 21 Jahren in sieben deutschen Städten und zwei Landkreisen befragt. Allerdings wurden nur die Angaben von 950 Befragten berücksichtigt, da 17 Personen aus einem deutsch-ausländischen Elternhaus stammten. In der Stichprobe sind nun mehr 182 Befragte griechischer, 183 italienischer, 172 jugoslawischer (v.a. bosnischer und serbischer) Herkunft vertreten, sowie 213 Befragte türkischer Herkunft und 200 Aussiedlerinnen, die aus der ehemaligen Sowjetunion stammen.

---

gungsfähig ist (so Koch 1997, S. 113). Wir haben allerdings den Eindruck gewonnen, dass die Befragungsbereitschaft zurückgegangen ist und dass in einigen ethnischen Communities inzwischen Untersuchungen ablehnend begegnet wird.

45 Siehe dazu die Ausführungen im Teil 2.5 „Zur Aussagefähigkeit der Daten".

2.3 Die Datenerhebung

2.3.1 Prinzip der freien Sprachwahl

Die Phase der Datenerhebung dauerte von November 2001 bis März 2002. Die Interviews fanden sowohl bei den Befragten zuhause als auch an unterschiedlichen öffentlichen Plätzen statt. Im Durchschnitt dauerten die Interviews 90 Minuten, wobei die Hälfte der Interviews zwischen 70 und 100 Minuten in Anspruch nahm und ein Viertel in weniger als 70 Minuten durchgeführt wurde.

Es ist unsere Überzeugung, dass Interviews bei Themen wie der familiären Situation, Partnerschaft, dem psychischen und physischen Wohlbefinden und religiöser Zusammenhänge nicht mit der Beschränkung auf die deutsche Sprache durchgeführt werden können. Auch der in der Migrationsforschung nachgewiesene Zusammenhang zwischen emotionaler Befindlichkeit und Sprache (vgl. Bommes 1993) spricht dafür, dass den Interviewpartnerinnen die Wahl der Sprache überlassen sein muss.[46] Der Pretest machte überdies deutlich, dass ein Teil der jungen Frauen aller nationaler Hintergründe – mit Unterschieden nach der Länge des Aufenthalts und nach dem Umfang von Kontakten mit der sie umgebenden Gesellschaft – über zu wenig Deutschkenntnisse verfügten, um ein Interview von mehr als einstündiger Dauer in einem breiten Themenspektrum in deutscher Sprache durchzuhalten. Die Bildungsinländerinnen waren zwar der deutschen Sprache mächtig, aber dennoch wechselte oder mischte ein Teil von ihnen die Sprachen während des Interviews oder bediente sich themenbezogen einer der beiden Sprachen.

Knapp die Hälfte der Befragungen erfolgte ausschließlich in der deutschen Sprache. In fast der Hälfte der Interviews (48%) wurde jedoch auf die Herkunftssprache zurückgegriffen, bei 18 Prozent nur bei Verständnisproblemen, während 22 Prozent der Interviews in wechselnden Sprachen und acht Prozent ausschließlich in der Herkunftssprache durchgeführt wurden. Ganz auf Deutsch wurden 73 Prozent der Mädchen und jungen Frauen mit jugoslawischem, 65 Prozent mit italienischem und 56 Prozent mit türkischem, aber nur 39 Prozent mit griechischem und 34 Prozent mit Aussiedlerhintergrund befragt. Nur bei den letzten beiden Gruppen (mit griechischem Hintergrund: 10%, Aussiedlerinnen: 29%) gab es eine größere Gruppe mit einem Interview ausschließlich in der Herkunftssprache.

2.3.2 Organisation der Befragung, Interviewerinnenrekrutierung, -einsatz und -kontrolle

Die Sprachen und kulturellen Hintergründe der einbezogenen Interviewten und – wie beschrieben – der Interviewerinnen fanden ihre Entsprechung in dem Mitarbeiterinnenteam, in dem zum Zeitpunkt der Erhebung alle fünf Sprachen repräsen-

---

46 Boos-Nünning (1986, S. 57) betont, vor dem Hintergrund eigener positiver Erfahrungen mit der freien Sprachwahl in qualitativen Interviews mit türkischen Migranten, „dass die Möglichkeit der Sprachwahl einen wesentlichen Punkt bei der Durchführung qualitativer Interviews (wahrscheinlich auch bei quantitativen Erhebungen) darstellt." Selbst bei bilingual kompetenten Sprechern der zweiten Generation sei dieses Verfahren sinnvoll, da „spezifische Deutungsmuster und Interpretationen eng an die jeweilige Sprache gebunden sind."

tiert waren. In der Erhebungsphase waren jeweils Projektmitarbeiterinnen als Supervisorinnen vor Ort tätig. Ihre Aufgabe bestand darin, im Vorfeld die Interviewerinnen zu rekrutieren und zu schulen, während der Erhebungsphase den Einsatz der Interviewerinnen zu koordinieren, den Rücklauf zu kontrollieren, stichprobenartige Überprüfungen der Interviews durchzuführen, als Ansprechpartnerinnen zur Verfügung zu stehen und weitere Interviewpartnerinnen im Schneeballverfahren ausfindig zu machen.

Vor dem Hintergrund der Erfahrungen anderer Forschungsprojekte wurde das für diese Erhebung angestrebte Interviewerinnenprofil folgendermaßen umrissen und verwirklicht:

1. Im Hinblick auf die Gruppe der zu befragenden Personen – Mädchen und junge Frauen im Alter zwischen 15 und 21 Jahren – sollten nur weibliche Personen eingesetzt werden. Sie sollten möglichst nicht älter als 35 Jahre sein, um in der Interviewsituation eine Mutter-Tochter-Konstellation zu vermeiden. Über die Hälfte der Interviewerinnen war jünger als 26, nur ein Zehntel älter als 35 Jahre.

2. Unerlässliche Voraussetzung war die Zweisprachigkeit, d.h. die Beherrschung der deutschen und einer der jeweiligen Herkunftssprachen der Interviewpartnerinnen. Hintergrund dieser Entscheidung waren problematische Felderfahrungen bei der Befragung von Jugendlichen ausländischer Herkunft in anderen Forschungsprojekten (Fritzsche 2000a, S. 365), in denen die fehlende Bilingualität der Interviewer und Interviewerinnen offensichtlich mit Schwierigkeiten im Zugang zu den Befragungspersonen und Akzeptanz bei diesen verbunden war. Um solche Probleme zu vermeiden, wurde ein konsequent mehrsprachiges Untersuchungsdesign entwickelt. Dabei wurden den Interviewerinnen sämtliche Erhebungsmaterialien in einer deutschen und in einer in die Herkunftssprache übersetzten Version zur Verfügung gestellt. Von dieser Voraussetzung wurde in keinem Fall abgesehen.

3. Es sollten Interviewerinnen mit unterschiedlichem Berufs- bzw. Ausbildungsstatus rekrutiert werden, um durch diese Heterogenität mögliche Einflüsse auf die Befragungssituation auszugleichen. Diese Vorstellung konnte nur teilweise verwirklicht werden: Die meisten Interviewerinnen waren Studentinnen unterschiedlicher Fachrichtungen (57%) oder Berufstätige.

4. Bevorzugt wurden Personen eingesetzt, die bereits über Vorerfahrungen mit quantitativen Befragungen verfügten und mit der Rolle einer Interviewerin vertraut waren.

5. Es sollte sich um Personen handeln, die sich in den jeweiligen Befragungsorten sehr gut auskennen und über ein breites Netzwerk verfügen. Sie sollten einerseits ihre Ortskenntnis für die Erhebung nutzen und andererseits auf ihre persönlichen Ressourcen bei der oftmals mit Schwierigkeiten verbundenen Suche nach den Adressantinnen der Befragung zurückgreifen können.

Um mit diesen Merkmalen ausgestattete Personen zu finden, wurden vielfältige Rekrutierungsmethoden eingesetzt (vgl. Stouthamer-Loeber/Kammen 1995). Das Auffinden geeigneter Interviewerinnen erfolgte:

- durch Nachfrage und Aushänge bei Universitäten und Fachhochschulen vor Ort (v.a. Sozial-, Erziehungs- und Sprachwissenschaften, Sozialpädagogik, Vereine ausländischer Studierender),

- durch die Anfrage bei Ausländerbeauftragten, Wohlfahrtsverbänden und sozialen Einrichtungen, die Dienstleistungen für Personen ausländischer Herkunft bzw. für Aussiedler anbieten und über einen guten Zugang zu den ethnischen Communities verfügen,
- durch persönliche Kontakte der Teammitglieder zu einzelnen Communities und durch die gezielte Ansprache ethnischer Selbstorganisationen,
- durch Vermittlung der Arbeitsämter,
- durch Vermittlung der Beiratsmitglieder,
- und schließlich durch die persönliche Vermittlung durch Interviewerinnen, die bereits rekrutiert worden waren.

Für die Rekrutierung der Interviewerinnen war die Mitarbeiterin zuständig, die als Supervisorin für die Erhebung am jeweiligen Befragungsort eingesetzt wurde. Bei den meist telefonischen Rekrutierungsgesprächen wurde die Zweisprachigkeit der Interessentinnen überprüft und danach gefragt, ob sie bereits über Erfahrungen mit Interviewsituationen verfügen und welche Tätigkeit sie derzeit ausüben.

Es wurde versucht, eine so große Anzahl von Interviewerinnen zu finden, dass auf jede Interviewerin ca. 6 bis 7 Interviews entfallen. Dies sollte eine möglichst schnelle Durchführung der Erhebung an den einzelnen Befragungsorten gewährleisten und systematische Verzerrungen durch die Person der Interviewerin vermeiden helfen. Von insgesamt 200 rekrutierten Personen wurden 187 geschult. Die Interviewerinnenschulungen wurden jeweils vor Ort durchgeführt. Letztendlich wurden 169 Personen als Interviewerin eingesetzt. Dabei wurden bei den Befragten ausländischer Herkunft von einer Interviewerin durchschnittlich 5,3 Interviews und bei den Aussiedlerinnen durchschnittlich 7,7 Interviews durchgeführt.

Von allen Supervisorinnen wurden stichprobenartige Kontrollanrufe bei den Befragten getätigt, um zu überprüfen, ob die Interviews tatsächlich vollständig und in der notwendigen Qualität durchgeführt wurden. Um Kontrollen ausführen zu können und dennoch die Anonymität der in den Fragebögen gemachten Angaben zu garantieren, wurden die Interviewerinnen aufgefordert, Namen und Telefonnummern ihrer Interviewpartnerinnen auf einem gesonderten Blatt zu vermerken. Bei den Kontrollanrufen wurden die Interviewpartnerinnen gefragt, wie ihnen das Interview gefallen habe, welche Fragen ihnen besonders gut und welche weniger gut gefallen hätten und wie lange das Interview ungefähr gedauert habe. Diese Anrufe zeigten, dass die Befragung insgesamt auf eine positive Reaktion stieß. Die Hälfte der Interviews pro eingesetzter Interviewerin wurde kontrolliert. Anhand der Kontrollanrufe wurden sechs Fälschungen ermittelt. Die gefälschten Interviews wurden ersetzt.

2.4 Anmerkungen zur Datenanalyse

Nach der Datenbereinigung (Prüfung auf Vollständigkeit, Konsistenz bei Filterfragen usw.) erfolgte die Auswertung des Datensatzes nach den fünf Herkunftsgruppen. In jedem Auswertungsbereich (siehe die elf Kapitel in Teil 2) wurden zunächst die Einzelantworten auf die Fragen und Items zu den verschiedenen Themenbereichen dargestellt. Erst in einem zweiten Auswertungsschritt wurden komplexere Instrumente entwickelt. Aus zwei Gründen wurden zunächst die Einzelauswertungen referiert: Erstens reduziert das Zusammenziehen der ursprünglichen Fragen zu komplexen Instrumenten wie Indices oder Skalen die Informationen. Außerdem geht dadurch die Anschaulichkeit des Ursprungsmaterials verloren. Zweitens wird ein Vergleich mit anderen Untersuchungen zum gleichen Thema bei der Verwendung von Skalen unmöglich gemacht, da jede Erhebung bisher ihre eigenen – neuen – Instrumente entwickelte. Nur auf der Grundlage der einzelnen Aussagen lassen sich Vergleiche mit anderen vorliegenden Untersuchungen anstellen.

Für die Signifikanzprüfung wird grundsätzlich ein Testniveau von maximal $\alpha = .05$ festgelegt. Als Maß für die Stärke des Zusammenhangs wird im Falle von Signifikanz Pearson's Kontingenzkoeffizient C herangezogen.[47]

In einem zweiten Auswertungsschritt werden für die zentralen Erhebungsbereiche Indices oder Skalen entwickelt. Mittels einer explorativ eingesetzten Faktorenanalyse[48] werden die Items eines thematischen Fragebereiches oder einer Fragebatterie im Hinblick auf ihre faktorielle Struktur geordnet. Die jeweils einem Faktor zugeordneten Items werden itemanalytisch geprüft. Innerhalb der Itemanalyse fungieren Cronbach's Alpha und der Trennschärfekoeffizient als Selektionskriterien. In die endgültige Skala werden nur Items aufgenommen, die eine hohe Korrelation mit der Gesamtskala aufweisen. Ein Reliabilitätskoeffizient $\geq .60$ spricht dabei für eine ausreichende Messgenauigkeit der Skala. Zudem geben die Interkorrelationen der Items Aufschluss über den Homogenitätsgrad der Skala. Jene Items, die zu niedrig (Pearson's $r \leq .20$) mit den übrigen Items korrelieren, werden ausgesondert. Die einzelnen Items der Skala werden anschließend additiv in einem ungewichteten Index zusammengefasst, der nach sachlogischen Kriterien drei- oder fünfstufig klassiert ist. Eine Übersicht zu den entwickelten Messinstrumenten befindet sich im Anhang. Mittels der Korrelationsanalyse wird nicht nur der Homogenitätsgrad der Items einer Skala untersucht, sondern auch mögliche Zusammenhänge zwischen den Items des Fragebogens und den Indices. Dabei wird der Produkt-Moment-Korrelationskoeffizient (Pearson's r) zur Bewertung der Stärke und Richtung der statistischen Beziehung herangezogen. Auch hier wird bei der Signifikanzprüfung ein Testniveau von maximal $\alpha = .05$ festgelegt.

Die bisherige Auswertung stellt die Herausarbeitung von Ähnlichkeiten und Unterschieden der Mädchen mit unterschiedlichem nationalen Migrationshintergrund in den Mittelpunkt. Nur in einzelnen Punkten und noch nicht systematisch werden Zusammenhänge zwischen Variablen der elf Bereiche themenübergreifend aufgezeigt. In einem zweiten Auswertungsschritt sollen die Zusammenhänge auf der Grundlage von Kausalhypothesen geprüft werden.

---

47 Pearson's Kontingenzkoeffizient C wird als Maß für Mehrfeldertafeln bei nominalem Skalenniveau trotz Interpretationsschwierigkeiten bei unterschiedlicher Felderzahl verwandt. Bei intervallskalierten Daten wird der Produkt-Moment-Korrelationskoeffizient r angegeben; bei Vierfeldertafeln Phi.

48 Um die faktorielle Struktur der Items zu untersuchen, wird die Hauptkomponentenanalyse angewandt und Korrelationen zwischen den Faktoren zugelassen (Varimaxrotation). Die Faktorladungsstruktur soll so aussehen, dass entweder eine einfaktorielle Lösung oder eine Einfachstruktur resultiert. Dabei wird ein Item mit einer Faktorladung $\geq .40$ einem Faktor eindeutig zugeordnet. Die Items, die mit mehr als einem Faktor ähnlich hoch korrelieren oder keinem Faktor zugewiesen werden können, werden aus der Skala eliminiert.

2.5 Zur Aussagefähigkeit der Daten

Die Adressen der befragten 950 Mädchen und Frauen wurden auf zwei Wegen ermittelt: 565, das sind 60 Prozent, über die Meldeämter und 385, das sind 40 Prozent, über das Schneeballsystem. Bezogen auf die Arbeitsmigrationsfamilien wurden 80 Prozent der Mädchen und jungen Frauen mit griechischem, 82 Prozent mit italienischem, 70 Prozent mit jugoslawischem und türkischem Hintergrund mittels amtlicher Meldung ausgewählt. Allerdings musste aus den vorne geschilderten Gründen vielfach auf Ersatzadressen zurückgegriffen werden. In vielen Untersuchungen wird eine ähnliche Erfahrung mit besonders hohen Ausfällen bei zugewanderten Gruppen gemacht.[49] Zudem gab es einige Städte, in denen der Zugang zu einem Teil der Mädchen und jungen Frauen mit türkischem oder italienischem Migrationshintergrund versperrt war. Es darf angenommen werden, dass hier die Familien oder die ethnischen Communities den Zugang verwehrten. Wir haben in unserer Erhebung versucht, derartige Fälle zu minimieren, indem wir zweisprachige Interviewerinnen, zumeist Angehörige derselben Herkunftsgruppe (Griechinnen, Türkinnen, Italienerinnen, Angehörige aus Staaten des ehemaligen Jugoslawien) im Feld eingesetzt haben, dennoch war das Problem hoher Verweigerungsraten in einigen Regionen verstärkt anzutreffen.

In der sozialwissenschaftlichen Literatur zum Thema Integration werden bei Zuwanderern und Zuwanderinnen mit türkischem und italienischem Hintergrund Abschottungsprozesse beschrieben, die den Zugang von Forschern und Forscherinnen erschweren. Bei Italienern und Italienerinnen wird dieses Verhalten auf die be-

---

49 Eine plastische Beschreibung von den Schwierigkeiten gibt Straßburger (2003, S. 83f.): „Um Interviewpartner und -partnerinnen zu finden, habe ich unterschiedliche Möglichkeiten (u.a. Heirats- und Geburtsanzeigen im Gemeindeblatt; persönliche Empfehlungen; Nachfrage in türkischen Betrieben) genutzt. Den wichtigsten Ausgangspunkt stellte aber der Zugang zu Daten der kommunalen Ausländerbehörde Mittelstadts dar. Auf der Basis der dort verzeichneten Angaben konnten Personen ausgewählt und gezielt angesprochen werden, die die grundlegenden Samplekriterien (Zugehörigkeit zur zweiten Migrantengeneration und Eheschließung) erfüllten.

Die Schwierigkeit bestand oft darin, die gewünschten Personen auch tatsächlich zu erreichen. Viel waren unter der Adresse ihrer Eltern gemeldet, wohnten aber mittlerweile nicht mehr dort. Die Telephonanschlüsse waren oft unter dem Namen eines Vormieters verzeichnet oder hatten eine Geheimnummer. Häufig ging ich deshalb unangemeldet zu einer Adresse, in der Hoffnung, dort jemanden anzutreffen, der mir weiterhelfen würde. Bei der Suche nach Interviewpartnern und -partnerinnen erwiesen sich meine Türkischkenntnisse, ein Studienjahr in Ankara und die Erfahrungen mit Feldforschung in einer türkischen Migrantenkolonie als förderlich. Sowohl am Telephon als auch an der Haustür hatte ich es in vielen Fällen mit Personen zu tun, denen ich mein – ohnehin ziemlich außergewöhnliches Anliegen – auf Deutsch wohl nicht plausibel hätte machen können. Auch meine ich, daß die Bereitschaft, mir zu helfen, wesentlich davon abhing, daß ich durch das jahrelange Sprachstudium eine gewisse Vorleistung erbracht hatte. Alles in allem habe ich versucht, mit ca. 35 Personen Kontakt aufzunehmen, wobei ich elf Personen weder persönlich, noch telephonisch oder brieflich erreichen konnte. In fünf Fällen erhielt ich eine persönliche Absage von der Person, die ich interviewen wollte. Dreimal gaben die Eltern die Auskunft, daß sie zu ihrem Sohn keinen Kontakt mehr haben. In zwei Fällen stellte sich heraus, daß die Person, mit der ich sprechen wollte, die Samplekriterien doch nicht erfüllte." In der auf Mannheim beschränkten Untersuchung von Blohm/Diehl (2001, S. 232) betrugen die Ausfälle trotz eines langen Erhebungszeitraumes und trotz aller erdenklichen Mühen 30 Prozent, davon waren 15,5 Prozent nicht erreichbar (falsche Adresse, verzogen usw.), 9 Prozent nicht befragbar und 16 Prozent nicht kooperativ.

sondere Distanz gegenüber staatlichen Institutionen bzw. gegenüber Personen, die im Namen von staatlichen Institutionen Einblicke in den familiären Bereich gewinnen wollen, zurückgeführt und die „Ketten- und Pendelmigration" als eine mögliche Ursache diskutiert. Bei Türken und Türkinnen wird hingegen auf die Herausbildung eines eigenständigen ethnischen Segments hingewiesen. In beiden Fällen handelt es sich um Tendenzen ethnischer Schließung.

Wegen dieser Ausfälle kann unsere Stichprobe im statistischen Sinne nicht als repräsentativ gelten. Auch der komplizierte Aufbau, die systematische Wahl der Regionen, in denen die Erhebungen stattgefunden haben, die Schichtung nach nationaler Herkunft und die bedingte Zufallsauswahl in den Orten sowie die Ergänzungen durch nach dem Schneeballsystem ermittelte Befragte, wird Modellen einfacher Repräsentativität nicht gerecht. Im Sinne der Stichprobentheorie gibt es kaum repräsentative Jugendstudien.[50] Wie in vielen Untersuchungen bei Jugendlichen mit Migrationshintergrund ist unsere Stichprobe in allen nationalen Gruppen zu Gunsten der besser Gebildeten und zu Lasten der weniger Gebildeten verschoben:

Tabelle 2.5: Bildungsniveau (in Prozent)[51]

| | Migrationshintergrund | | | | | Gesamt |
	Aussiedl.	griech.	ital.	jugosl.	türk.	
Gesamt	(200)	(182)	(183)	(172)	(213)	100 (950)
niedrig	21	10	21	16	20	18 (167)
mittelmäßig	47	42	38	37	35	40 (378)
hoch	32	48	41	47	45	42 (405)

C = .15   p = .01

Es ist belegt, dass der Bildungsstatus eingebürgerter Zugewanderter deutlich besser ist als der von Personen mit ausländischem Pass. Nach der Gegenüberstellung von Salentin/Wilkening (2003, S. 289) verfügen deutlich weniger der einbezogenen jungen Menschen mit türkischem, italienischem und jugoslawischem/kroatischem Hintergrund über keinen Schulabschluss und deutlich mehr haben ein Abitur. Den Daten des Sozioökonomischen Panels (SOEP) zufolge, übertrifft die Bildungsbeteiligung der Eingebürgerten sogar die der Autochthonen (ebenda, S. 290). In unserer Stichprobe ist das Bildungsniveau der Mädchen und jungen Frauen (ohne Aussiedlerinnen), die mittels Schneeballsystem in die Erhebung einbezogen wurden, höher als das der aus den Meldedateien Ermittelten. In der ersten Gruppe haben 12 Prozent ein niedriges und 55 Prozent ein hohes Bildungsniveau, in der zweiten Gruppe sind es 18 Prozent bzw. 42 Prozent (p = .01). Die Unterschiede nach sozialer Schicht und nach ethnischem Wohnmilieu sind nicht signifikant. Die Bildungsbeteiligung – gemessen am Bildungsniveau – der Eingebürgerten unterscheidet sich nicht von dem der Mädchen und jungen Frauen mit ausländischem Pass.

Im Hinblick auf den Anteil von Personen mit ausländischem Pass im Verhältnis zu den Eingebürgerten entsprechen unsere Daten in etwa denen des Statistischen Bundesamtes, hier allerdings für die Zuwanderer und Zuwanderinnen der ent-

---

50 Quotenstichproben sind im statistischen Sinne nicht repräsentativ.
51 Zur Konstruktion der Variable s. Kapitel 5.

sprechenden nationalen Hintergründe insgesamt: Ende 2001 machten die Eingebürgerten in der amtlichen Statistik bei den Personen mit griechischem Hintergrund
2,4 Prozent (in unserer Stichprobe 2,2%), mit italienischem Hintergrund 3,2 Prozent
(1,6%), mit jugoslawischem Hintergrund 6,8 Prozent (Republik Jugoslawien) und
13,1 Prozent (Bosnien Herzegowina) (7,8%) und mit türkischem Hintergrund 20,5
Prozent (22,1%) aus (nach Salentin/Wilkening 2003, S. 286).[52]

Dennoch darf nicht ohne weiteres Repräsentativität im statistischen Sinne und
damit Verallgemeinerungsfähigkeit unterstellt werden. Es bleibt die Frage, warum
eine so komplizierte Stichprobenkonstruktion mit einem darauf beruhenden äußerst
aufwendigen Erhebungsverfahren angewandt wurde. Die Schwierigkeiten räumlich
konzentrierter, bewusster Auswahlverfahren, die Untersuchungen häufig zugrunde
liegen und die dann über den Erfahrungsbereich hinaus verallgemeinert werden,
liegen weniger in ihrer statistischen Unzulänglichkeit als vielmehr in der Tatsache,
dass nicht widerlegt werden kann, dass systematische Verzerrungen auftreten.
Solche Verzerrungen sind bei der von uns gewählten Stichprobenform bis auf den
genannten Punkt für die Zielgruppe nicht wahrscheinlich, so dass man davon ausgehen kann, dass die Ergebnisse aussagefähig sind. Vor allem sind Aussagen über
die Unterschiede zwischen den nationalen Herkunftsgruppen möglich.

---

52   Die amtliche Statistik der Stadt Köln (2003, S. 14), die zwischen „Ausländern" und „Ein-
     gebürgerten" nach (ehemaliger) Staatsangehörigkeit differenzieren, ermittelt bei den
     Griechen 0,1 Prozent, bei den Italienern 0,9 Prozent, bei den (ehemaligen) Jugoslawen drei
     Prozent (Bosnien-Herzegowina 5,1%, Jugoslawien 2%), bei den Türken 18 Prozent
     (eigene Berechnungen) Eingebürgerte.

Teil 2
Ergebnisse der Untersuchung

1. Woher und warum sie kamen: Verschiedenheit in den Migrationsbiographien

Eine Untersuchung zu jungen Migrantinnen, die entweder zusammen mit der Familie eingereist sind oder bei denen zumindest ein Eltern- oder bereits ein Groß-elternteil nach Deutschland eingereist ist, kann nicht darauf verzichten, einen Blick auf die spezifischen Gründe, Bedingungen und Formen der Migration aus den Ländern nach Deutschland zu werfen, aus denen die Familien stammen. Erkennt-nisse zu den Lebenssituationen und -orientierungen sind vielfach nur vor dem Hintergrund der spezifischen Migrationserfahrungen und Aufnahmebedingungen zu verstehen, die die verschiedenen Migrantinnengruppen vorgefunden haben. So sehr sich einzelne Lebensgeschichten von Mädchen und jungen Frauen mit türkischem, griechischem, italienischem oder jugoslawischem Migrationshintergrund sowie junger Aussiedlerinnen auch im Detail unterscheiden, so sehr können sie geprägt sein von herkunftsspezifischen Migrationsprozessen und Migrationsbiographien.

1.1 Migration in die Bundesrepublik Deutschland: Entwicklungen, Tendenzen, politischer Umgang

Auf dauerhaften Verbleib ausgerichtete Zuwanderung ist für die Bundesrepublik kein Phänomen, mit dem sie sich erst befassen muss, seitdem ehemalige Arbeits-migranten und Arbeitsmigrantinnen ihren Aufenthalt in Deutschland auf unbe-stimmte Zeit ausgeweitet haben.[53] Als direkte Folge des Zweiten Weltkrieges sah sich die junge Bundesrepublik mit der Herausforderung konfrontiert, hundert-tausende von Flüchtlingen, Vertriebenen und Aus- und Übersiedler aufzunehmen und Bedingungen für ihre Integration in die neue Heimat zu schaffen. Nach Ende der Vertreibungen blieb die Gruppe der Aussiedler und Aussiedlerinnen aus Ost-europa ein ständiger Faktor der Zuwanderung, wenn auch bis 1988 in einer nied-rigen, von der Aufnahmegesellschaft kaum wahrgenommenen Größenordnung, was sich nach dem Auseinanderbrechen des Ostblocks nach 1990 drastisch ändern sollte. Dies ist der eine Strang der Zuwanderung, der im Zusammenhang mit unserer Untersuchung im Folgenden vertieft betrachtet werden soll.

Den zweiten Strang bildet die wirtschaftlich gewollte Zuwanderung aus-ländischer Arbeitskräfte – zu Beginn der Arbeitsmigration als Gastarbeiter bezeich-net – die nach Ende der offiziellen Anwerbung eine Eigendynamik entwickelt und maßgeblich das Gesicht Deutschlands als Einwanderungsland geprägt hat. Bedingt

---

53 Dieser Teil folgt in Teilen Boos-Nünning/Schwarz (2004).

durch das Mitte der 50er Jahre einsetzende Wirtschaftswachstum und den nachlassenden Zustrom von Flüchtlingen und Übersiedlern und Übersiedlerinnen aus den ostdeutschen Gebieten, 1961 verschärft durch den Mauerbau, kam es in der expandierenden Industrie Nachkriegsdeutschlands zunehmend zu Engpässen bei den Arbeitskräften. Unterstützt wurde diese Entwicklung durch die Einführung der Wehrpflicht, die Verlängerung von Ausbildungs- und Studienzeiten und die Senkung der Wochenarbeitszeit. Eine Lösung wurde in der (zeitlich begrenzten) Anwerbung von Arbeitsmigranten und Arbeitsmigrantinnen aus den Mittelmeeranrainerländern gesucht. Seit 1955 kamen sie aufgrund von Anwerbeverträgen in die Bundesrepublik Deutschland, von unseren Gruppen zunächst die Arbeitskräfte aus Italien, dann aus Griechenland, dem ehemaligen Jugoslawien und schließlich aus der Türkei. Sie reisten ein, um (zunächst) für einen berechenbaren, relativ kurzen Zeitraum – drei, fünf oder höchstens sieben Jahre – eine Arbeit aufzunehmen und dann in ihr Heimatland zurückzukehren. Ein erheblicher Teil von ihnen hat dieses auch verwirklicht, ein ebenfalls großer Teil ist in Deutschland geblieben, hat den Ehepartner, die Ehepartnerin oder die Familie nachgeholt oder hier eine Familie gegründet, teilweise auch die deutsche Staatsangehörigkeit angenommen.

Die Politik gegenüber den „Gastarbeitern" gestaltete sich als ein Auf und Ab widersprüchlicher und nicht getroffener Entscheidungen. Damals existierten drei Kontraktarbeitssysteme, von denen noch zwei Formen bis heute fortbestehen: Kleinere Gruppen von Saisonarbeitern und Grenzgängern schlossen und schließen Arbeitsmarktlücken in verschiedenen Industriesektoren bzw. im grenznahen Raum. Ebenfalls kleinere Gruppen so genannter „Gastarbeitnehmer" (nicht zu verwechseln mit den späteren „Gastarbeitern") kamen und kommen zur Vervollständigung ihrer Ausbildung oder Sprachkenntnisse unabhängig von der Arbeitsmarktlage. Das dritte System basierte auf der Anwerbung von Vertragsarbeitnehmern und -arbeitnehmerinnen aus dem Mittelmeerraum, zunächst im Rotationsprinzip. Diese Form der Ausländerbeschäftigung wurde 1973 im Zuge des Anwerbestopps aufgegeben. Bis 1973 wurden mehrere Millionen „Gastarbeiter" angeworben, die zumeist einmal oder gar mehrfach rotierten. 1973 stellten sie mit rund 2,6 Millionen Arbeitern fast 12 Prozent der Erwerbstätigen in der Bundesrepublik Deutschland. Nach dem Anwerbestopp sank diese Quote auf unter zehn Prozent bei gleichzeitiger Zunahme des Ausländeranteils an der Gesamtbevölkerung durch die in diesem Umfang nicht erwartete Familienzusammenführung und -gründung.

Die Forderung nach der Anwerbung „ausländischer Arbeitnehmer" wurde für einzelne Arbeitsmarktsegmente bereits Anfang der fünfziger Jahre durch interessierte Berufsverbände gestellt (z.B. für die baden-württembergische und rheinland-pfälzische Landwirtschaft). 1955 trug die Bundesregierung dieser Diskussion über einen bilateralen Vertrag mit Italien Rechnung. Die Bundesanstalt für Arbeit wurde mit der Umsetzung dieses Abkommens betraut. Ein Interessenausgleich zwischen Arbeitgebern, Gewerkschaften und Bundesregierung ermöglichte den zunächst konfliktfreien Ablauf dieser Anwerbeaktion, zumal andere Alternativen, etwa die Verlängerung der Arbeitszeit, als nicht durchsetzbar eingeschätzt wurden.

Grundlage der Anwerbung waren rein ökonomische Überlegungen. Kritische Anmerkungen (Föhl 1967) über die Auswirkungen dieser Politik wurden nicht ernst genommen. Ziel war der zeitweise Aufenthalt der Gastarbeiter in der BRD, aber expressis verbis nicht etwa der bereits damals diskutierte notwendige demographische Ausgleich für eine alternde deutsche Bevölkerung. Deshalb wurde in dieser Zeit der Satz, die BRD sei kein Einwanderungsland, geboren. Dabei spielte die Angst vor der Entwicklung eines Subproletariats eine wichtige Rolle, die auch durch die Wissenschaft gefördert wurde (Hoffmann-Nowotny 1975; 1976). Entsprechend wurden sozial- und bildungspolitische Konsequenzen gezogen, die mit dem Aufbau einer eigenständigen und damit von den deutschen Beratungseinrichtungen völlig separierten Ausländersozialarbeit sowie einer in erster Linie an Rückkehr orientierter, Schulpolitik (Beschluss der Kultusministerkonferenz aus dem Jahre 1964) die Rotation ermöglichen sollten. Nicht zuletzt die Sorge vor aus Chancenlosigkeit resultierender Radikalisierung und Verwahrlosung diktierte die Einbeziehung in Bildungs- und Sozialmaßnahmen. Die vor allem nach dem Anwerbestopp von 1973 einsetzende Familienzusammenführung wurde aufgrund von humanitären Überlegungen und entsprechenden internationalen Abkommen akzeptiert. Bis heute bleibt der Familiennachzug auf Kinder bis zu 16 Jahren und unter bestimmten Einschränkungen für Aufenthalt und Arbeitserlaubnis auf Ehepartner beschränkt.

Der Anwerbestopp von 1973 war bei Gewerkschaften, Wohlfahrtsverbänden und den Kirchen unumstritten (Albrecht 1976). Er setzte der Rotation weitgehend ein Ende. Zwischen 1962 und 1973 wanderten rund 9,1 Millionen Ausländer und Ausländerinnen zu und im gleichen Zeitraum kehrten 5,9 Millionen zurück oder wanderten in andere Staaten ab. Die Aufenthaltsdauer verlängerte sich kontinuierlich, gleichzeitig stieg die Zahl der Ausländer und Ausländerinnen durch Familienzusammenführung und dadurch die Anforderungen an die Infrastruktur. Auch änderte sich die demographische Zusammensetzung der ausländischen Bevölkerung. Zwischen 1974 und 1980 sank die Zahl der erwachsenen Ausländer und Ausländerinnen bei gleichzeitigem Anstieg der Jugendlichen unter 16 Jahren um 60 Prozent. Die politische Folge war eine ambivalente Integrationsstrategie der sozialliberalen Bundesregierung, die weder auf (etwa ordnungspolitisch durchgesetzte) Rotation noch auf dauerhafte Integration setzte.

1976 wurde eine Bund-Länder-Kommission eingerichtet, die die in den Bundesländern umgesetzten unterschiedlichen Konzepte im Umgang mit der Zuwanderung (Rotationsmodell oder allmähliche Rückführung der Nicht-EG-Ausländer) harmonisieren sollte. Diese legte 1977 die Richtlinien künftiger Politik als Kompromiss aus allen Vorstellungen fest: Negierung eines Einwanderungslandstatus, Beibehaltung des Anwerbestopps, Förderung der Rückkehrbereitschaft, Absicherung der Integration bei gleichzeitiger Konzentration auf die zweite Generation der Zuwanderer. Das Memorandum des ersten Ausländerbeauftragten der Bundesregierung Kühn aus dem Jahre 1979 formulierte dagegen die Notwendigkeit einer Anerkennung der Einwanderungssituation, von Einbürgerungs- und Rechtserleichterungen und des kommunalen Wahlrechts. Mit dem neuen Einbürgerungsgesetz im Jahr 2000 und der aktuellen Diskussion um das von der Bundesregierung vorgelegte Zuwanderungsgesetz, das in einem ersten Durchlauf aufgrund des massiven Widerstandes der Opposition nicht den Bundesrat passieren konnte, wurde jetzt damit begonnen, gut 20 Jahre später, einige der damaligen Forderungen umzusetzen. Unter dem Eindruck der wirtschaftlichen Rezession verabschiedete die Bundesregierung 1983 das „Rückkehrförderungsgesetz", das „Rückkehrhilfen" im Umfang von 10.000 DM pro Familie und zusätzlich 1.500 DM pro Person beinhaltete sowie die Auszahlung der vom Arbeitnehmer in die Rentenversicherung eingezahlten Beiträge. Ziel dieses für einen begrenzten Zeitraum von einem Jahr geltenden Gesetzes war es, Migranten und Migrantinnen aus Nicht-EG-Ländern zur endgültigen Rück-kehr in ihre Heimatländer zu bewegen. Es wurde von ca. 250.000 Personen, über-wiegend türkischer Herkunft, genutzt, trug aber wenig zur Verringerung des aus-ländischen Bevölkerungsanteils an der Gesamtbevölkerung der Bundesrepublik bei. Die in vielen Fällen eher negative Bilanz dieses Schrittes bei den Rückkehrern und Rückkehrerinnen führte bei denjenigen, die in Deutschland geblieben waren, zu einem weiteren Aufschub der Rückkehridee. Auf diese Weise führten beide Maß-nahmen der Bundesregierung, der Anwerbestopp und die Rückkehrförderung, nicht zur beabsichtigten Verringerung des Ausländeranteils an der Bevölkerung, sondern zu einer Verstetigung des Aufenthaltes von Ausländern und Ausländerinnen als bleibendem Bestandteil der Bevölkerung der Bundesrepublik.

Die Geschichte der Ausländerpolitik ist eine Geschichte der Einschränkung von Zuwanderungsrechten für Familienangehörige: Herabsetzung des Nachzugsalters von 18 auf 16 Jahre, Koppelung des Nachzugs an Wohnraum, Erschwernisse bei der Arbeitsaufnahme (§19 Arbeitsförderungsgesetz, AFG), Restriktionen für den Ehe-partner-Nachzug, Verbot des Zuzugs in so genannte belastete Wohngebiete (Boos-Nünning 1990c). Alle Einschränkungen galten oder gelten nur für Ausländer und Ausländerinnen, die von außerhalb der Europäischen Union eingewandert waren und mussten teilweise wieder modifiziert werden. Sie führten zu entsprechenden Konsequenzen. Erstens trugen sie entscheidend zu einer tiefgehenden Verunsiche-rung der Migranten und Migrantinnen bei. Zweitens erweckten sie bei der einheimi-schen Bevölkerung den Eindruck, die Wanderung sei nicht nur steuerbar, sondern nicht mehr gewünschte oder benötigte Personen könnten jederzeit dazu gezwungen werden, Deutschland zu verlassen.

Die zunächst nicht gewünschte dauerhafte Einwanderung der Arbeitsmigranten und Arbeitsmigrantinnen führte also eher zwangsweise zu einer Ideologie der Inte-gration der einzelnen zugewanderten Person bei gleichzeitiger Restriktion gegenüber neuer Immigration. Aber nur hinsichtlich des zweiten Teils der Doppelstrategie, der Verhinderung weiterer Zuwanderung, wurde versucht, konsequente Schritte zu ver-folgen, die aber nur wenig erfolgreich umgesetzt wurden. Die politischen Konse-quenzen aus einer mehr oder weniger geplant verlaufenden Integration wurden nicht gezogen. Die restriktive Zuwanderungspolitik zwang neue Migranten und Migran-tinnen zur Nutzung des einzigen Eingangstors, des Asylrechts, neben der interna-tional vereinbarten Familienzusammenführung und der für deutschstämmige Aus-siedler und Aussiedlerinnen aus Ost- und Südosteuropa reservierten gates of entry.

Die beabsichtigte Verfestigung unterschiedlicher Zuwanderungs- und Integra-tionsmodi für deutschstämmige Aussiedler und Aussiedlerinnen, ausländische Arbeitnehmer und Arbeitnehmerinnen und ausländische Flüchtlinge konnte aller-dings in der Praxis kaum stringent durchgehalten werden. So besteht zum Beispiel in fast allen Bundesländern ein Angebot zum Schulbesuch für Kinder aus Asyl-bewerber-Familien. Auch die Förderung von Zuwanderer-Organisationen über kommunale oder bundesländerspezifische Selbsthilfemodelle weichte im Grunde auf informeller Ebene das Modell der individuellen Integration in die deutsche Gesell-schaft endgültig auf. Hinzu kam ein verwirrendes Nebeneinander von Finanzie-rungsinstrumenten, etwa von Modellprojekten durch Bundesmittel, aus Töpfen der Europäischen Union sowie aus Mitteln der Bundesanstalt für Arbeit, die parallel zu Entwicklungen im alternativ-deutschen Milieu Selbsthilfe und damit einen kleinen Arbeitsmarkt in ethnischen Selbstorganisationen förderten. Seit 1999 öffnen sich die nationalitätenspezifischen Beratungsdienste sowie die Regeldienste – zumindest auf rechtlicher Ebene und in Absichtserklärungen – interkulturell. Seit 2001 sind die ursprünglich nur für jugendliche Aussiedler und Aussiedlerinnen zuständigen Angebote der Jugendgemeinschaftswerke für alle Kinder und Jugendlichen aus Migrationsfamilien zugänglich. Die getrennt nach Ausländern und Ausländerinnen sowie Aussiedlern und Aussiedlerinnen mit deutlich unterschiedlichem Mitteleinsatz zu Gunsten der Aussiedlerpopulation durchgeführten Sprachförderangebote sollen nun zentral koordiniert werden.

Die Öffnung des „Eisernen Vorhangs" Anfang der 90er Jahre hat zu einer radikalen Veränderung und Vergrößerung der Migrationsbewegungen geführt, aber auch die Chancen für einen politischen Grundkonsens durch die Konzentration auf die deutsche Vereinigung und die Abwehr weiterer Zuwanderung eher verringert. Mit dem 1991 in Kraft getretenen neuen Ausländergesetz versuchte die Bundesregierung, die Handlungsfreiheit der Bundesländer wieder einzuschränken. Die Angst vor der großen Zuwanderungswelle hat seitdem erneut zu einer Konzentration auf Verhinderungsstrategien geführt, die allerdings wieder zentralstaatlich geregelt werden mussten. So erklären sich der Asylkompromiss der etablierten Parteien 1993 oder die Einschränkungen für deutschstämmige Übersiedler und Übersiedlerinnen ebenso, wie eher progressive entwicklungspolitische Strategien zur Migrationsregulierung oder die Öffnung kleinerer Einwanderungstore für osteuropäische Immigranten über Werkverträge, Saisonarbeit oder Au-pair durch das aktuell geplante Zuwanderungsgesetz der Bundesregierung. Mit dem 2000 in Kraft getretenen neuen Staatsangehörigkeitsrecht allerdings wurde bereits ein Ansatz geschaffen, das Staatsbürgerverständnis der Bundesrepublik nachhaltig zu verändern. In Deutschland geborene Kinder von Ausländern und Ausländerinnen mit langjährigem, rechtmäßigem Aufenthalt erhalten nun bei Geburt automatisch die deutsche Staatsbürgerschaft zusätzlich zur ausländischen und müssen sich bis zum 23. Lebensjahr für eine der beiden entscheiden. Für hier aufgewachsene Kinder von Ausländern und Ausländerinnen wurde damit die Annahme der deutschen Staatsbürgerschaft bürokratisch und finanziell erleichtert. Hürden wurden hingegen gegenüber der Zuwanderung von Aussiedlerfamilien in Form von zahlenmäßiger Kontingentierung und erforderlichen Nachweisen insbesondere hinsichtlich der deutschen Sprachkenntnisse aufgebaut. Zeitlich parallel wächst die Europäische Union zusammen; Freizügigkeit und Mobilität ihrer Mitglieder nehmen zu.

1.2 Die fünf Herkunftsgruppen: Spezifika der Migration nach Deutschland

1.2.1 Nationale Herkunft der befragten Mädchen und jungen Frauen

Eine Grundvoraussetzung für die Vergleiche zwischen den fünf Herkunftsgruppen ist die Stichprobenkonstruktion (vgl. Teil 1 Kapitel 2). In der vorliegenden Untersuchung sind die Gruppen nicht gemäß ihrem Bevölkerungsanteil vertreten, sondern die Stichprobe ist so angelegt, dass – der besseren Vergleichbarkeit wegen – die fünf Herkunftsgruppen ähnlich stark vertreten sind:

Tabelle 1.1: Nationale Herkunft der Mädchen und jungen Frauen

	absolut	prozentual
Gesamt	950	100
aus Aussiedler und Aussiedlerinnenfamilien	200	21
mit griechischem Migrationshintergrund	182	19
mit italienischem Migrationshintergrund	183	19
mit (ex-)jugoslawischem Migrationshintergrund	172	18
mit türkischem Migrationshintergrund	213	23

Nationaler Migrationshintergrund ist nicht nur damit verbunden, dass die Eltern in einem anderen kulturellen Umfeld aufgewachsen sind, sondern er verweist auf eine teilweise deutlich andere Migrationsbiographie. Der mittlerweile in der Fachliteratur und im öffentlichen Sprachgebrauch eingeführte Begriff „mit Migrationshintergrund" versucht sich von der Festlegung auf die Staatsangehörigkeit zu lösen und auf die Einwanderung der Eltern[54] zu verweisen. Der Zusatz „national", der in unserer Untersuchung teilweise verwendet wird, bezieht sich – im Falle der Mädchen und jungen Frauen mit Herkunft aus den ehemaligen Anwerbeländern – auf das Herkunftsland der Familie, nicht auf deren ethnische Selbstdefinition. Der Überblick über die Zuwanderungsgeschichte dieser fünf Gruppen erschließt – wie angeführt – den Zugang. In einem der Länder, dem ehemaligen Jugoslawien, hat sich das Herkunftsland der Eltern politisch und bewusstseinsmäßig völlig verändert. Der überwiegende Teil der Väter und Mütter wuchs im Vielvölkerstaat Jugoslawien auf; bei der Geburt hatten 97 Prozent die jugoslawische Staatsbürgerschaft. Bei den von uns befragten Töchtern haben 59 (34%) die jugoslawische Staatsbürgerschaft (davon vier zusätzlich die deutsche und eine zusätzlich die serbische), sechs (3%) die serbische, 74 (43%) die bosnische (davon zwei zusätzlich die deutsche und vier zusätzlich die kroatische), 20 (12%) die kroatische, drei (2%) die makedonische und zehn (6%) die deutsche/sonstige Staatsangehörigkeit. Groß ist auch das Spektrum

---

54 In wenigen Jahren wird es notwendig sein, auch die Großeltern einzubeziehen. Dann wird ein zusätzliches Merkmal wie ethnische Selbstverortung oder Familiensprache hinzuzuziehen sein. Hier sei nur darauf hingewiesen, dass „Migrationshintergrund" in aktuellen Studien mit Jugendlichen aus Migrationsfamilien sehr unterschiedlich definiert wird. In der PISA-Studie wird der Begriff „Jugendliche aus Familien mit Migrationsgeschichte" synonym mit „Jugendliche mit Migrationshintergrund" verwendet. Definiert wird Letzterer darüber, dass mindestens ein Elternteil im Ausland geboren wurde (Deutsches PISA-Konsortium 2002, S. 189ff.). Die 13. Shell-Jugendstudie (2000, S. 469) verwendet und definiert den Begriff „Migrationshintergrund" nicht, wertet aber nach dem Geburtsort und dem Einreisejahr der Eltern im Zusammenhang mit der Muttersprache der Jugendlichen aus und kommt so zu „kulturellen Typen" (Fritzsche 2000b, S. 357). Die DJI Studie (Weidacher et al. 2000, S. 273) verwendet den Begriff „Migrationshintergrund" ohne ihn jedoch zu definieren. „Migrationshintergrund" heißt in der Beschreibung der Stichprobe (ebenda) lediglich, dass die Jugendlichen griechischer, italienischer und türkischer Herkunft aus Arbeitsmigrationsfamilien stammen.

der Sprachen: Bosnisch, Kroatisch, Jugoslawisch, Serbokroatisch, Makedonisch, Serbisch und Slowenisch werden genannt.

Im Folgenden sollen Spezifika der Einwanderung aus den genannten Ländern in einer für diese Darstellung notwendig verkürzten Form benannt werden.

1.2.2 Einwanderung aus Italien

Die Einwanderung von Italienern und Italienerinnen nach Deutschland beginnt nicht erst nach dem Zweiten Weltkrieg. Bereits in der frühen Neuzeit kann von italienischer Migration nach Deutschland gesprochen werden (Walz 2002). Eine zahlenmäßig bedeutsame Einwanderung aus Italien hat es jedoch erst zur Zeit des Deutschen Kaiserreichs gegeben (Britschgi-Schimmer 1996; Del Fabbro 1996; Wennemann 1997). Auch in der Zeit des Nationalsozialismus sind zahlreiche italienische Arbeiter und Arbeiterinnen nach Deutschland gekommen, um in der deutschen Industrie und Landwirtschaft tätig zu sein (Bermani et al. 1997). Diese Migrationsbewegungen haben jedoch kaum Spuren hinterlassen, denn die heute in der Bundesrepublik Deutschland lebende italienische Community ist fast ausschließlich auf die Mitte der 50er Jahre einsetzende Arbeitsmigration zurückzuführen.

Diese geht auf das erste „Abkommen zur Anwerbung ausländischer Arbeitskräfte" zurück, das die Bundesregierung 1955 abschloss. Damit waren die Italiener und Italienerinnen die erste große Migrationsgruppe, die zur Arbeitsaufnahme für eine begrenzte Zeit in das Nachkriegsdeutschland gekommen ist. Fünf Jahre lang waren sie die einzigen „Gastarbeiter" in Deutschland; erst 1960 folgten Spanier und Spanierinnen sowie Griechen und Griechinnen, 1961 Türken und Türkinnen dem Ruf der deutschen Arbeitgeber und Arbeitgeberinnen.

Ab 1961 war es den italienischen Arbeitnehmern und Arbeitnehmerinnen aufgrund der Freizügigkeit innerhalb der EWG möglich, in die Bundesrepublik einzureisen und erst nach der Anreise eine Arbeitsstelle zu suchen und anzunehmen. Infolge der Freizügigkeit kam es sowohl zu verstärkter Familienzusammenführung als auch zu temporärer Rückwanderung. Lediglich die wirtschaftliche Rezession von 1966/67 ließ die Zahlen der italienischen Arbeitsmigranten und Arbeitsmigrantinnen sinken. Bereits ab Ende der 60er Jahre jedoch entwickelten sich die Lebensformen italienischer Migranten und Migrantinnen in der Bundesrepublik in zwei unterschiedliche Richtungen: Einerseits ist eine zunehmende Niederlassung mit der Bildung ethnischer Communities und einer ethnischen Ökonomie zu beobachten, andererseits pendelt eine nicht geringe Zahl von Italienern und Italienerinnen zwischen den zwei Ländern mit mehr oder weniger langen Aufenthalten im jeweiligen Land.

Das Pendelverhalten der italienischen Arbeitsmigrationsfamilien wurde von der Migrationsforschung meist negativ bewertet (siehe Breitenbach 1982). Die Aufrechterhaltung einer starken „Heimatorientierung" führe zu einer „Orientierungslosigkeit", diese wiederum erschwere die Eingliederung in die deutsche Gesellschaft (Jäger 1990, S. 67). Noch 1993 war die Rede von „Zwischenwelten" (Morone 1993; siehe auch Giordano 1995), in denen italienische Migrationsfamilien lebten. Inzwischen wird jedoch auch der Begriff der „Transnationalität" für die Analyse italienischer Migrationsformen verwendet (Martini 2001). Damit wird der Sachverhalt, dass italienische Familien „in beiden Kulturen leben" neu definiert und bewertet. Obwohl der Wanderungssaldo weiterhin negativ war, blieb die Größe der italienischen Bevölkerung in der Bundesrepublik konstant. Dies ist auf den Anstieg der in Deutschland Geborenen italienischer Herkunft zurückzuführen, der als weiterer Indikator für eine Verfestigung der Einwanderungssituation zu betrachten ist. 1988 und in den darauf folgenden Jahren wurde der Wanderungssaldo zwischen Italien und der Bundesrepublik wiederum positiv.[55] Der Hauptgrund dieses Zuwachses lag in der „(...) zunehmenden Bedeutung der ethnischen Nischenökonomie in Deutschland und der damit verbundenen Anwerbung von Beschäftigten aus dem Heimatland" (Haug 2002b, S. 140). Dies bedeutet, dass die transnationalen Beziehungen als Ressource für die Migrationsentscheidung von Personen genutzt wurden, die mit dieser Migration unterschiedliche berufliche und biographische Absichten verknüpften (Martini 2001, S. 147-161).

Aufgrund der Niederlassungsfreiheit für EG-Ausländer war es den Italienern und Italienerinnen früher als anderen Herkunftsgruppen erlaubt, Geschäfte, Restaurants und andere Firmen zu gründen, während Nicht-EG-Ausländer sich erst nach achtjährigem Aufenthalt in Deutschland selbständig machen durften. Hinzu kam und kommt eine starke Orientierung an einer selbständigen Erwerbstätigkeit bei Personen italienischer Herkunft. Schon 1974 gab es daher 12.000 Italiener und Italienerinnen, die sich in Deutschland ihre eigene Existenz aufgebaut hatten. Auch heute noch haben die italienischen Selbständigen mit rund 36.000 Betrieben einen Vorsprung vor allen anderen Nationalitäten. Oberflächlich betrachtet haben sie sich mit einem ausgeprägten Netz an Kleingewerben im Gaststätten-, Lebensmittel- und Handelsbereich schon seit Jahrzehnten in das Alltagsbild der Bundesrepublik Deutschland integriert.

Sei es aufgrund der langen Aufenthaltsdauer, aufgrund der Urlaubsreisen so vieler Deutscher nach Italien oder aufgrund der großen Zahl italienischer Eisdielen und Pizzerien: Italiener und Italienerinnen, Kinder italienischer Herkunft, ein Stück italienische Lebensart wird in Deutschland als dazugehörig empfunden und ruft überwiegend positive Reaktionen hervor.[56] Vor diesem Hintergrund ist verständlich, dass auch die Situation der jungen Frauen und Mädchen italienischer Herkunft kaum thematisiert wird, da sie nicht als problematisch angesehen wird. In der Fachliteratur wie auch in der pädagogischen Arbeit vor Ort wird diese Gruppe kaum berücksichtigt. Junge Italiener und Italienerinnen zeigen nach allen Untersuchungen und hinsichtlich der meisten Indikatoren eine weitaus stärkere soziale Integration in die deutsche Gesellschaft als alle anderen Nationalitäten, unter anderem gemessen an der Zahl deutsch-italienischer Ehen und den Freizeitkontakten mit Deutschen (Granato 1995, S. 42f.). Im Widerspruch dazu stehen die Zahlen, die belegen, dass Kinder mit italienischer Staatsangehörigkeit in der Schule und beim Übergang von der Schule in den Beruf im Nationalitätenvergleich besonders schlecht abschneiden und vor allem in den Sonderschulen überrepräsentiert sind. Ein weiteres Kennzeichen im Vergleich zu anderen Migrationspopulationen ist der niedrige Selbstorganisationsgrad der italienischen Bevölkerung in Deutschland. Dieser wird darauf

---

55 Bereits Ende der 80er Jahren war der Wanderungssaldo zwischen Italien und Deutschland positiv, 1995 erreichte er mit +14.500 seinen Höhepunkt, um in den folgenden Jahren wieder in den negativen Bereich zu sinken: 2000 –8.680.

56 Allerdings gibt es zu der Frage der (wechselseitigen) Zuschreibungen auch weniger positive Aussagen (siehe Mazza Moneta 2000).

zurückgeführt, dass in der italienischen Bevölkerung traditionell ein Misstrauen gegenüber außerfamiliären Allianzen bestehe.

Die demographische Struktur der Population italienischer Herkunft zeigt nach fast 50-jähriger Migrationsgeschichte eine tendenzielle Angleichung an die Mehrheitsgesellschaft.

1.2.3 Einwanderung aus Griechenland

Die Auswanderung aus Griechenland richtete sich seit Mitte des 19. Jahrhunderts überwiegend auf Ziele in Übersee. Im Unterschied zu Italien galt dieses noch bis zum Ende der 50er Jahre des 20. Jahrhunderts. Erst mit der Unterzeichnung von bilateralen Anwerbevereinbarungen mit europäischen Nachbarländern in den 60er Jahren änderte sich dieser Trend zu Gunsten einer Zunahme innereuropäischer Wanderungen. Die Bundesrepublik wurde ab 1960, dem Jahr des Abschlusses des offiziellen Anwerbeabkommens zwischen beiden Regierungen, Hauptzielgebiet der griechischen Migration innerhalb Europas. Vor Unterzeichnung des Abkommens kamen zwar griechische Migranten und Migrantinnen als Studierende, Selbständige oder Diplomaten in die Bundesrepublik, ihre Zahl blieb jedoch bis 1960 sehr gering. Deswegen kann davon ausgegangen werden, dass die Geschichte der griechischen Arbeitsmigration in die Bundesrepublik, im Unterschied zu der italienischen und der türkischen, ohne Vorlauf erst ab 1960 mit der Anwerbevereinbarung beginnt (Stavrinoudi 1992, S. 9). Der rapide Anstieg der Zuwandererzahlen wurde nur durch den Einbruch der Konjunktur 1966/67 kurzzeitig unterbrochen. Im darauffolgenden Jahr war der Wanderungssaldo wiederum positiv. Während vor 1968 die Zuzüge und die Fortzüge der Arbeitskräfte zahlenmäßig ausgewogen waren, zeigte sich ab 1968 eine zunehmende Verweildauer der griechischen Arbeitsmigranten und -migrantinnen (Geck 1979, S. 29). In dieser ersten Phase der griechischen Arbeitsmigration war der Frauenanteil höher als bei allen anderen Anwerbeländern.[57] Dies ging vor allem auf den Wunsch des deutschen Vertragspartners zurück, für spezielle Tätigkeiten in der Textilindustrie und Feinmechanik vor allem Frauen anzuwerben.

Die Zeit nach dem Anwerbestopp bis in die späten 80er Jahre hinein ist von hoher Rückwanderung gekennzeichnet, die sowohl auf den Anwerbestopp als auch auf das Ende der Militärjunta in Griechenland (1974) zurückzuführen ist. Im Unterschied zu anderen Herkunftsgruppen überwog die Tendenz nach Griechenland zurückzugehen gegenüber der Option, die Familie nach Deutschland nachwandern zu lassen. Dadurch verringerte sich die Zahl der griechischen Population in der Bundesrepublik um fast die Hälfte. Nach 1988 erfolgte wieder eine Zunahme der Zuzüge aus Griechenland, die auf zwei Faktoren zurückzuführen ist: Zum einen galt die innereuropäische Freizügigkeit nunmehr auch für griechische Arbeitskräfte, zum anderen hatten sich intensive transnationale Beziehungen zwischen der sich in den Jahren davor formierten griechischen Community und dem Herkunftsland entwickelt. Diese Entwicklungen führten erneut zu einem positiven Wanderungssaldo.[58]

---

57 In der Zeitspanne 1961-1972 kamen von den insgesamt 423.531 angeworbenen Frauen 141.833 (33,4%) aus Griechenland. Eigene Berechnung aus Mattes (1999).

58 1988 belief sich der Wanderungssaldo auf +20.200, 1996 gingen jedoch die Zahlen auf – 1.231 zurück und blieben in den folgenden Jahren im negativen Bereich.

Drei Besonderheiten der griechischen Einwanderung sind hervorzuheben. Personen mit griechischem Migrationshintergrund haben erstens stärker als manche anderen Nationalitäten (vor allem stärker als die mit italienischem und jugoslawischem Hintergrund) eine eigene Infrastruktur in der Einwanderungsgesellschaft aufgebaut. Es handelt sich dabei um die griechische Einwandererkolonie als – bezogen auf das gesamte Leben außerhalb des Arbeitsbereiches – relativ eigenständiges soziokulturelles und ökonomisches System. Zur Einwandererkolonie zählen nationale und religiöse Vereine und Gruppierungen. Sie bieten Räume, „in denen sich die Gruppe austauscht, manchmal auch die Heimat verherrlicht, Zukunftspläne macht, von einem besseren Leben träumt, konkrete Utopien entwickelt. Die einzelnen Individuen können sich zunächst einmal als gleichberechtigte Mitglieder in solchen Zusammenschlüssen bewegen; ihre Stellung in der Gruppe wird nicht von vornherein durch ihr ‚Ausländersein' festgelegt, sondern durch die Auseinandersetzung auf verschiedenen Ebenen innerhalb der Gruppe erkämpft, bzw. auch durch andere Qualifikationen, die die einzelnen Mitglieder haben, erworben" (Kalpaka 1986, S. 30). Die Bedeutung der griechischen Kolonie spiegelt sich in dem Begriff wider, den Personen mit griechischem Hintergrund dabei benutzen, sowohl unter sich als auch in den Satzungen ihrer Vereine: „Hellinki Paroikia". Paroikia heißt Niederlassung, Kolonie; das Verb dazu: paroiko, bedeutet daneben wohnen, nicht vollberechtigter Fremder sein (ebenda, S. 148f.). Die kulturelle Orientierung am Herkunftsland wird durch die starke Präsenz der griechisch-orthodoxen Kirche in den Gemeinden verstärkt.

Stärker als bei allen anderen zugewanderten Nationalitäten wird zweitens bei den griechischen Migranten und Migrantinnen von einer verfestigten Vorstellung einer Rückkehr ins Herkunftsland gesprochen und zwar auch bei den Jugendlichen. Alle Untersuchungen, die sich mit diesem Thema befassen, ermitteln, dass auch heute bei jungen Menschen mit griechischem Hintergrund noch ein – zwar gegenüber der Elterngeneration geringerer, aber gegenüber anderen Nationalitätengruppen stärkerer – Wunsch nach „Rückkehr" in das Herkunftsland der Familie besteht.

Ein Produkt dieser starken Gemeindebildung in Kombination mit einem besonders hohen Stellenwert von formaler Bildung und einer starken Rückkehrorientierung in dieser Population sind drittens die griechischen Privatschulen. Schon mit Beginn der Wanderung Anfang der 60er Jahre wurde die Forderung nach griechischen Schulen laut und in einzelnen Bundesländern wurden solche Schulen in unterschiedlicher Rechtsform eingeführt. Nach und nach sind in den meisten Bundesländern griechische Schulen eingerichtet worden. Seither gibt es in vielen Bundesländern griechische Schulen in Form der sechsjährigen Volksschule, dem dreijährigen Gymnasium und dem dreijährigen Lyzeum als gymnasialer Oberstufe.

Familien und Jugendliche mit griechischem Hintergrund fallen in der Bundesrepublik Deutschland nicht auf. Sie werden kaum wahrgenommen, weder als Problemgruppe (hier konzentrieren sich die Wahrnehmungen auf die Gruppe der türkischen Zuwanderer und Zuwanderinnen sowie Asylbewerber und Asylbewerberinnen) noch als positive Gruppe. Eine Untersuchung ordnet sie der Gruppe der „unauffälligen" Fremden zu und betont mehrfach die geringe Prägnanz des ethnischen Stereotyps dieser Gruppe bei der deutschen Bevölkerung (Marinescu/Kiefl 1987, S. 45). Die Arbeitsmigration aus Griechenland nach Deutschland so wie auch der Tourismus nach Griechenland hat an dieser Wahrnehmung lange Zeit nichts geändert.

1.2.4 Einwanderung aus der Türkei

Schon vor dem Zweiten Weltkrieg gab es enge Beziehungen zwischen der Türkei und Deutschland, zu erinnern ist hier vor allem an die Deutsche Militärhilfe für das Osmanische Reich und an die „Waffenbrüderschaft" im Ersten Weltkrieg. Nach dem Zweiten Weltkrieg lag jedoch der Schwerpunkt der Beziehungen im Wirtschafts- und Handelsbereich. Darunter ist auch die Anwerbung durch direkte Benennung von Facharbeitern für die deutsche Industrie bereits Mitte der 50er Jahre zu erwähnen.[59] Von einer Migration von Arbeitskräften aus der Türkei in großem Umfang kann jedoch erst nach 1961 gesprochen werden, dem Jahr, in dem die türkische Regierung und die Bundesrepublik Deutschland ein bilaterales Anwerbeabkommen schlossen. Dieses war gleichzeitig das Jahr, in dem es aufgrund der ersten demokratischen Verfassung der jungen Türkei türkischen Staatsbürgern möglich war, ohne Erlaubnis von Behörden ins Ausland zu reisen. Die Anwerbevereinbarungen sahen vor, die Beschäftigung der Arbeitskräfte auf zwei Jahre zu begrenzen. Die Möglichkeit der Familienzusammenführung wurde – anders als bei den zuvor abgeschlossenen Verträgen mit Italien und Griechenland – nicht erwähnt (Jamin 1998, S. 75). Die deutsche Regierung stand einer Anwerbevereinbarung mit der Türkei zwar eher distanziert gegenüber, diese wurde aber vor allem auf Drängen des Auswärtigen Amtes angesichts der wachsenden deutsch-türkischen Wirtschaftsbeziehungen abgeschlossen. Die deutsche Arbeitsverwaltung war ihrerseits, auch im Zuge der in den Jahren zuvor gemachten guten Erfahrungen mit türkischen Facharbeitern, an der Vermittlung von ausgebildeten Arbeitskräften interessiert. Auch die türkische Regierung begrüßte die Anwerbung, da sie sich durch die beruflichen Erfahrungen der Arbeitskräfte in der Bundesrepublik eine Art Fortbildung erhoffte, die nach Rückkehr der Arbeitskräfte der türkischen Wirtschaft zugute kommen würde. Außerdem war sie an einer Entlastung des einheimischen industriellen Arbeitsmarktes interessiert, auf den die landflüchtige Bevölkerung in immer größerer Zahl drängte.

Beide Vertragspartner betrachteten die türkische Arbeitsmigration in die Bundesrepublik als zeitlich befristete Maßnahme. Im Unterschied zu den italienischen und griechischen Arbeitsmigranten und Arbeitsmigrantinnen zeichnete sich jedoch schon relativ früh ein längerer Verbleib der Arbeitnehmer und Arbeitnehmerinnen aus der Türkei ab, da weder die deutschen Arbeitgeber und Arbeitgeberinnen noch die türkischen Arbeitnehmer und Arbeitnehmerinnen Interesse hatten, am Rotationsprinzip festzuhalten. Erstere begrüßten den längerfristigen Einsatz bereits eingearbeiteter Arbeitskräfte und Letztere wollten länger bleiben, da sich ihre Sparziele im zunächst vorgesehenen Zeitraum nicht erreichen ließen.

In den Jahren vor dem Anwerbestopp kam es zu einem sprunghaften Zuwachs der türkischen Arbeitsmigranten und Arbeitsmigrantinnen.[60] Die Rezession von 1966/67 blieb für die türkischen Arbeitenden im Vergleich zu denjenigen aus Italien und Griechenland eher unbedeutend. Die hohe Zahl der in der Türkei wartenden Anwärter und Anwärterinnen auf einen Arbeitsplatz im Ausland hielt die in der Bundesrepublik

---

59 Diese Form der Anwerbung war eine gängige Praxis, die es den deutschen Unternehmern erlaubte, ohne die Einschaltung des Arbeitsamtes, zuverlässige, anderen Arbeitern und Arbeiterinnen bereits persönlich bekannte Arbeitskräfte anzuwerben. Diese Form bestand weiterhin auch nach dem Abschluss der Anwerbevereinbarungen (siehe von Oswald 2002).

60 Die Zahl der türkischen Migranten und Migrantinnen stieg von 6.800 im Jahr 1961 auf 910.500 im Jahr 1973 mit einer Wachstumsquote von 133 Prozent.

arbeitenden türkischen Arbeiter und Arbeiterinnen davon ab, zurückzukehren. Bestimmend war die Angst, dass dann eine erneute Einreise nach Deutschland nicht mehr möglich wäre. Der Anwerbestopp bedeutete demnach vor allem für die türkischen Arbeitnehmer und Arbeitnehmerinnen, dass sie sich auf einen langfristigen Aufenthalt in Deutschland einrichteten und ihre Familien nachholten. Aufgrund des Zuzugs von Familienangehörigen ging die türkische Population in Deutschland – im Vergleich zu der griechischen und italienischen – nur geringfügig zurück. Sie stieg dann stetig bis 1984, dem Jahr der Rückkehrförderungsmaßnahmen der Bundesregierung, an. In dieser Zeit bildeten sich in vielen deutschen Städten ethnische Communities mit oftmals politischem und/oder religiösem Hintergrund. In ihnen spiegelte sich das politische und religiöse Mosaik der Türkei, die Anfang der 70er und 80er Jahre zwei Militärputsche erlebt hatte. Damit einher ging eine Politisierung der in Deutschland lebenden türkischen Bevölkerung, die sich vereinzelt in gewaltsamen Aktionen politisch- und/oder religiös-extremistischer Vereinigungen äußerte. Diese Auseinandersetzungen prägen das Bild von den türkischen Selbstorganisationen im Bewusstsein der deutschen Öffentlichkeit als Orte des ethnischen Rückzugs bis heute. Hinzu kam der familienzuzugsbedingte Auszug aus den firmeneigenen Wohnheimen in die Wohngebiete der Städte. Im Zuge der in angespannten Konjunkturzeiten zunehmenden Wahrnehmung von Ausländern und Ausländerinnen als Konkurrenten und Konkurrentinnen auf dem Arbeitsmarkt kam es zu einer wachsenden Ausländerfeindlichkeit, die sich vor allem auf die Türken und Türkinnen konzentrierte. Sie rückten sowohl in der Öffentlichkeit als auch innerhalb der Parteien in die Mitte der Diskussion um die Ausländerpolitik Ende der 70er und Anfang der 80er Jahre (Herbert 2001, S. 253). Die Haltung der Regierung gegenüber dem „Türken-Problem" drückte sich im Entwurf des 1983 verabschiedeten „Rückkehrförderungsgesetzes" aus.

Die Angst vor einer Überfremdung des Landes durch die kulturell und religiös aufgrund ihrer Zugehörigkeit zum Islam als besonders „fremdartig" angesehene türkische Population ging einher mit der Vorstellung, dass „Tausende von Türken in der Türkei auf gepackten Koffern säßen", um nach Deutschland einzureisen. Diese Ängste sind bis heute eine Konstante und bestimmen die Wahrnehmung von Menschen türkischer Herkunft (siehe Schröder et al. 2000). Die seitdem anhaltende Zunahme der türkischen Bevölkerung in Deutschland resultiert aus Geburten, dem anhaltenden Familiennachzug, aber auch aus der Asylzuwanderung (vor allem aus den kurdischen Gebieten in den 90er Jahren) (Bade 2000, S. 322). Ein wichtiger Faktor sind die transnationalen Beziehungen zwischen den in Deutschland lebenden Menschen mit türkischem Hintergrund und der Türkei, die vor allem bezogen auf die in Deutschland aufgewachsene zweite Generation ihren Ausdruck in der Heiratsmigration findet. Dabei kommt der überwiegende Teil der Heiratsmigranten und -migrantinnen aus der Türkei nach Deutschland, aber auch eine umgekehrte Bewegung findet statt.

Neben der italienischen Population in Deutschland stellen junge Menschen türkischer Herkunft im Hinblick auf den Schulerfolg und beim Übergang von der Schule in den Beruf eine besonders benachteiligte Gruppe dar. Ihre Situation als sozial benachteiligte Gruppe stigmatisiert diese nach den Aussiedlern größte Migrantengruppe in Deutschland nachhaltig. Kennzeichnend für diese Migranten- und Migrantinnenpopulation ist darüber hinaus ihre ethnische Vielfalt, die sich in der Existenz von über 40 ethnischen Gruppen unter der Nationalitätenbezeichnung Türken in Deutschland ausdrückt (Zentrum für Türkeistudien 1998).

1.2.5 Einwanderung aus dem ehemaligen Jugoslawien

Bereits im 19. Jahrhundert war Deutschland Zielwanderungsgebiet von Kaufleuten aus den Balkangebieten gewesen. Aber auch nach Ende des Zweiten Weltkrieges, ab Mitte der 50er Jahre, kamen Arbeitsmigranten und Arbeitsmigrantinnen aus der Sozialistischen Republik Jugoslawien nach Deutschland. Sie wurden in ihrem Herkunftsland als „Republikflüchtlinge" bezeichnet und mussten oft illegal auswandern.

Erst 1965 mit der langsamen Einführung von marktwirtschaftlichen Elementen in die jugoslawische Wirtschaft wurde der Arbeitsmigration eine legale Basis verschafft, die dann zur Vereinbarung des bilateralen Anwerbeabkommens mit der Bundesrepublik Deutschland im Jahr 1968 führte. Die Arbeitsmigration aus Jugoslawien erreichte Anfang der 70er Jahre ihren Höhepunkt.[61] Wie bei der griechischen Anwerbung, war der deutsche Vertragspartner im Fall Jugoslawiens besonders an der Vermittlung von Frauen interessiert. Die Nachfrage im Textil- und Bekleidungsgewerbe sowie in der Nahrungs- und Genussmittelindustrie nach weiblichen Arbeitskräften war besonders hoch. Aber auch im Dienstleistungsgewerbe (Reinigungsgewerbe, Pflegesektor, Gastronomie) zeichnete sich ein Mangel an weiblichen Arbeitskräften ab. Diesem Wunsch konnte die jugoslawische Arbeitsvermittlung (Mattes 1999), nicht zuletzt aufgrund des hohen Anteils an gut ausgebildeten weiblichen Arbeitskräften, unter denen in Jugoslawien eine relativ hohe Arbeitslosigkeit herrschte (Morokvašić 1987b, S. 66), nachkommen.

Der Anwerbestopp löste zwar eine Welle von Rückwanderungen aus, gleichzeitig aber entschieden sich viele jugoslawische Migranten und Migrantinnen in Deutschland zu bleiben. Damit wurde aus der jugoslawischen Community ab Mitte der 70er Jahre die zweitgrößte ausländische Population hinter derjenigen der türkischen Migranten und Migrantinnen. Als Nichtangehörige der EWG bedeutete der Anwerbestopp auch für Jugoslawen und Jugoslawinnen, dass sie nach einer Rückkehr in ihr Herkunftsland nicht mehr nach Deutschland hätten zurückkehren können.

Mit dem Ausbruch der Balkankriege in den 90er Jahren als Folge des Zusammenbruchs des Ostblocks erfuhr die jugoslawische Bevölkerungsgruppe in Deutschland tiefe Umbrüche. Diese betrafen vor allem den Anstieg der Bevölkerungszahl und die Segmentierung der jugoslawischen Minderheit in die verschiedenen, teilweise verfeindeten Nationalitäten und ethnischen Gruppen der Kroaten, Serben, Bosnier, Kosovo-Albaner, Montenegriner und Slowenen. Zwischen 1991 und 1995 kamen circa 700.000 Staatsbürger des ehemaligen Jugoslawien vor allem aus Kroatien und Bosnien-Herzegowina als Flüchtlinge nach Deutschland. Diese Flüchtlinge wurden nach 1997 zum größten Teil repatriiert. Mit der Verlagerung des Krieges in den Kosovo 1998 stieg die Anzahl der Flüchtlinge in der Bundesrepublik erneut an. Auch sie kehrten ein Jahr später zum größten Teil zurück.

Deutschland wurde zum Zielland vieler Flüchtlinge aus dem ehemaligen Jugoslawien, nicht zuletzt aufgrund der transnationalen Beziehungen zwischen den hier lebenden Arbeitsmigranten und Arbeitsmigrantinnen und ihren Herkunftsorten. So kam es dazu, dass ein Teil der Flüchtlinge auf rechtlicher Basis der Familienzusammenführung in Deutschland geblieben ist (Bade 2000, S. 428-439). Bis heute wird jedoch die rechtliche Situation der Menschen aus dem ehemaligen Jugoslawien

---

61 1973 kurz vor dem Anwerbestopp wohnten 707.588 jugoslawische Migranten und Migrantinnen in der Bundesrepublik.

in Deutschland durch eine hohe Heterogenität der Aufenthaltstitel bestimmt, was sich auch auf ihre unterschiedlichen Integrationsmöglichkeiten in die deutsche Gesellschaft auswirkt.

Die Zuwanderung der Flüchtlinge und der langfristige Verbleib eines Teils von ihnen in Deutschland hat sich auf die ehemals als vorbildlich geltenden Integrationsindikatoren der jugoslawischen Minderheit (gute berufliche Einbindung auch in höherwertige Beschäftigungsverhältnisse, innerhalb der ausländischen Bevölkerung besonders erfolgreiche Schullaufbahnen, hoher Anteil an weiblichen Erwerbstätigen, große Zahl an Eheschließungen mit Deutschen etc.) statistisch betrachtet insgesamt deutlich ausgewirkt. Die Aufenthaltsdauer ist gesunken, die Schul- und Beschäftigungssituation insgesamt ist stärker durch Benachteiligungen gekennzeichnet. Innerhalb der verschiedenen ethnischen Communities aus dem ehemaligen Jugoslawien hat sich eine Hierarchie nach dem Grad der Integration herausgebildet, bei der die Kroaten und Kroatinnen sowie Slowenen und Sloweninnen besonders gut, die Bosnier und Bosnierinnen, die Makedonier und Makedonierinnen sowie die Kosovo-Albaner und Albanerinnen besonders schlecht abschneiden. Die Bevölkerung aus Gebieten des ehemaligen Jugoslawien in Deutschland zerfällt damit in die sozial und rechtlich deutlich benachteiligte Gruppe der neuzugewanderten Flüchtlinge und die gesellschaftlich gut etablierte Gruppe der langansässigen ehemaligen Arbeitsmigrationsfamilien. Aussagen über Menschen aus dem ehemaligen Jugoslawien in Deutschland müssen daher die ethnisch-kulturellen, sozioökonomischen und politischen Differenzierungen innerhalb einer ehemals als „Jugoslawen und Jugoslawinnen" bezeichneten pluralen Bevölkerungsgruppe berücksichtigen.

1.2.6 Aussiedler und Aussiedlerinnen aus der Gemeinschaft Unabhängiger Staaten (GUS)

Um die besondere Situation der Spätaussiedler und Spätaussiedlerinnen verstehen zu können, ist es notwendig, die Entstehung der deutschstämmigen ethnischen Minderheiten in Russland bzw. der ehemaligen Sowjetunion zu berücksichtigen. Die Einwanderung der Deutschen nach Russland fand in mehreren Wellen statt. Bereits im 16. Jahrhundert kamen unter Iwan dem Schrecklichen deutsche Handwerker und Kaufleute nach Russland, um den Aufbau Moskaus zu unterstützen. Ende des 17. und Anfang des 18. Jahrhunderts wurden unter Peter dem Großen vor allem Fachkräfte aus Verwaltungsgebieten und technischen Berufen sowie Wissenschaftler und Soldaten angeworben. Der größte Zustrom deutscher Einwanderer und Einwanderinnen nach Russland erfolgte jedoch nach 1764. Er wurde durch das Manifest der deutschstämmigen Zarin Katharina II. ausgelöst, in dem die Zarin den Einwanderern und Einwanderinnen zahlreiche Privilegien wie eine zeitlich begrenzte Steuerfreiheit, zinslose Darlehen für Bauvorhaben und Anschaffungen, Religionsfreiheit, Übereignung von Land sowie Selbstverwaltung von Dörfern gewährte. Einen besonderen Anreiz bot die Entbindung vom Militärdienst für die Gruppe der Mennoniten, da ihnen der Glaube den Dienst an der Waffe verbietet.

In den ersten Jahren kamen vor allem Bauern aus Hessen und Württemberg nach Russland, dann folgten Zuwanderer und Zuwanderinnen aus der Pfalz, Rheinhessen, dem Elsass und Baden. In den nächsten Jahrzehnten entstanden deutsche Siedlungen in den Wolgagebieten, im Schwarzmeergebiet und in der Nähe von Sankt Petersburg. Zwischen 1763 und 1862 wurden über 3.000 deutsche Kolonien im europäischen Teil Russlands sowie im Kaukasus und in Sibirien gegründet, die durch kulturelle und konfessionelle Homogenität charakterisiert waren. Ende des 19. Jahrhunderts stieg die Zahl der Mitglieder der deutschen Minderheit in Russland auf 1,8 Millionen an. Im Jahre 1871 wurde die Befreiung vom Militärdienst für Deutsche durch Alexander II. aufgehoben. Dies löste die Auswanderung vieler Mennoniten und Mennonitinnen nach Amerika aus.

Der Ausbruch des Ersten Weltkrieges führte zur Aufhebung wesentlicher Rechte der Russlanddeutschen. Es kam zum Verbot des Gebrauchs der deutschen Sprache in der Öffentlichkeit, dem Versammlungsverbot, dem Verbot der Herausgabe von deutschen Zeitungen, der Schließung der deutschen Schulen sowie einer Reihe von Umsiedlungswellen, die vor allem die 200.000 Deutschen in Wolhynien betraf. Sie wurden enteignet und nach Sibirien deportiert. Eine weitere Umsiedelung wurde durch den Ausbruch der Revolution verhindert.

1917 wurde von der Sowjetregierung die Gleichberechtigung aller auf ihrem Staatsgebiet lebenden Völker proklamiert. Dadurch beschleunigte sich die Autonomiebewegung der Deutschen. Nach dem Sowjetkongress der deutschen Kolonien wurden 1918 die Wolgagebiete im Sinne einer Arbeitskommune für autonom erklärt. Im Jahre 1924 wurde die Autonome Sozialistische Sowjetrepublik der Wolgadeutschen gegründet. Die Orte erhielten ihre ehemaligen deutschen Namen zurück. Außer in der Wolgarepublik wurde Deutsch in 16 weiteren nationalen Bezirken als Amts- und Unterrichtsprache eingeführt, da den nationalen Minderheiten Bildungsautonomie einschließlich der Entscheidung über die Unterrichtssprache zugebilligt wurde. Es wurden fünf Hochschulen, elf technische Fachhochschulen, mehrere Zeitungs- und Zeitschriftenverlage sowie ein deutsches Nationaltheater gegründet.

Nach dem Einfall deutscher Truppen in die Sowjetunion wurde 1941 die deutsche Bevölkerung kollektiv deportiert. In den Deportationsgebieten wie Sibirien und Kasachstan durften Deutsche die Sondersiedlungen nicht verlassen. Obwohl 1955 die über die deutsche Minderheit verhängten Einschränkungen von der sowjetischen Regierung aufgehoben wurden, konnten die Russlanddeutschen nicht in ihre ursprünglichen Siedlungsgebiete zurückkehren. Die öffentliche Ausübung der Religion blieb verboten; die deutsche Sprache wurde aus Angst vor Repressalien nicht kultiviert. Ende der 60er Jahre, in einer Entspannungsphase der politischen Kontakte zwischen der Sowjetunion und der Bundesrepublik, stieg die Zahl der Ausreisewilligen.

Im 1953 verabschiedeten Bundesvertriebenengesetz wurde die Anerkennung der Deutschstämmigen aus Ost- und Südosteuropa als deutsche Staatsbürger und Staatsbürgerinnen festgelegt.[62] Auf der Grundlage dieses Gesetzes sind zwischen 1950 und 2002 4,3 Millionen Aussiedler und Aussiedlerinnen in die Bundesrepublik gekommen. Hinter dieser Zahl verbergen sich verschiedene Wellen der Zuwanderung, die gekennzeichnet sind durch eine stark schwankende Zahl von Personen aus unterschiedlichen Herkunftsregionen. Während bis 1989 die meisten Aussiedler und Aussiedlerinnen aus Polen kamen, stieg ab 1990 die Zahl derjenigen aus der ehemaligen Sowjetunion (insbesondere aus Sibirien, Kasachstan und der Ukraine) stetig an

---

62 Definition von Aussiedlern nach Paragraph 1 BVFG.

(Baaden 1997, S. 59).[63] Dies hing einerseits mit der veränderten politischen Situation in der GUS zusammen, die die bis dahin restriktive Ausreisepolitik der ehemaligen Sowjetunion aufhob, sowie andererseits mit der zunehmenden Wirtschaftskrise in Mitgliedsstaaten der GUS und den damit einhergehenden eingeschränkten Zukunftsperspektiven. Hinzu kamen wachsende ethnische Spannungen in den neu entstandenen Nationalstaaten, die sich auch in Animositäten gegenüber Deutschstämmigen äußerten. Die Ausreisebestrebungen wurden durch die Unsicherheit darüber, ob die Bundesrepublik ihre Aussiedlerpolitik kurzfristig ändern und schärfere Einreisebestimmungen erlassen würde, verstärkt. Auf das Ansteigen der Ausreiseanträge auf bis zu 400.000 pro Jahr und den wachsenden Unmut innerhalb der deutschen Bevölkerung gegenüber dieser Zuwanderungsgruppe reagierte die Bundesregierung 1993 mit der Verabschiedung des Kriegsfolgenbereinigungsgesetzes, in dem der neue Status des „Spätaussiedlers" gesetzlich verankert wurde. Dieses Gesetz schränkt den Personenkreis der Anspruchsberechtigten deutlich ein und der Zuzug wurde kontingentiert: In der Folge wurden die Voraussetzungen der deutschen Volkszugehörigkeit für die Aufnahme als Spätaussiedler u.a. auf ausreichende Kenntnisse in der deutschen Sprache erweitert. Die Sprachkenntnisse müssen durch Sprachtests in den Aussiedlungsgebieten nachgewiesen werden. Die Einführung des Gesetzes ging einher mit einer deutlich restriktiveren Aussiedlerpolitik. So wurde zum Beispiel die Familienzusammenführung von bereits ausgereisten Aussiedlern und Aussiedlerinnen erschwert, die Anerkennung als Spätaussiedler und Spätaussiedlerinnen auf die bis zum 31.12.1992 Geborenen eingeschränkt. Auch wurden die über einen eigenen Garantiefonds der Bundesregierung finanzierten Eingliederungshilfen für Spätaussiedler in Deutschland massiv zurückgenommen, etwa durch die Kürzung der Sprachkurse von 18 auf sechs Monate. All diese Maßnahmen führten zu einem deutlichen Rückgang der Anträge, aber auch zu einer Verschlechterung der Startbedingungen im neuen Land.

Die in den 80er Jahren von der Öffentlichkeit wahrgenommene gelungene Integration der Aussiedler und Aussiedlerinnen wich in den 90er Jahren ihrer zunehmenden öffentlichen Wahrnehmung als schwierige Zuwanderergruppe. Verschiedene Faktoren waren daran beteiligt. Zum einen ist die veränderte Aussiedlerpolitik zu benennen, die die Zugewanderten nicht mehr „unsichtbar" machte, indem sie ihre Eingliederung massiv unterstützte. Zum anderen hat sich die ethnische und demographische Zusammensetzung der Spätaussiedler in den 90er Jahren deutlich verändert. Es handelt sich nunmehr um überwiegend jüngere Altersgruppen mit anderen Anforderungen an Integrationshilfen, darunter viele russische bzw. binationale (russisch-deutsche, ukrainisch-deutsche, kasachisch-deutsche etc.) Angehörige von Deutschstämmigen, die kaum deutsche Sprachkenntnisse mitbringen. In der Folge nahmen soziale Probleme (schulische und berufliche Eingliederung, Chancen auf dem Wohnungsmarkt etc.) zu.

---

63 1950-1987 kamen 62 Prozent aller Aussiedler und Aussiedlerinnen aus Polen, während in der Zeit zwischen 1988 und 1998 ihr Anteil auf 26 Prozent zurückging. Proportional ist der Anteil der Aussiedler und Aussiedlerinnen aus den GUS-Staaten gestiegen. Waren es 1950-1987 noch 8 Prozent, stieg ihr Anteil in dem Jahrzehnt 1988-1998 auf 64 Prozent (Bade/Oltmer 1999, S. 21).

Den Abschluss der Übersicht über die Besonderheiten der Migrationsverläufe der fünf Herkunftsgruppen soll eine zahlenmäßige Übersicht zum Befragungszeitpunkt bieten:

Tabelle 1.2:   Demographische Daten nach Migrationshintergrund am 31.12.2001

	Migrationshintergrund			
	griech.	ital.	jugosl.	türk.
Gesamt	362.539	616.282	1.085.765[64]	1.974.938
länger als 25 Jahre in BRD	44 (158.900)	41 (253.200)	30 (321.300)	27 (537.700)
in Deutschland geboren	27 (96.381)	28 (174.414)	19 (210.386)	36 (707.109)

Quelle: Statistisches Bundesamt, in: Beauftragte der Bundesregierung für Ausländerfragen (2002)

Von 1990 bis 2001 zogen insgesamt 1.822.033 Aussiedlerinnen und Aussiedler aus den Gebieten der ehemaligen Sowjetunion in die Bundesrepublik Deutschland zu (vgl. Beauftragte der Bundesregierung für Migration, Flüchtlinge und Integration 2004, S. 33).

1.3   Migrationsbiographien

1.3.1   Einreisealter

Das Einreisealter und die diesem Kriterium zugesprochenen Chancen für eine Integration des Kindes und der Jugendlichen in die deutsche Gesellschaft hat seit Mitte der 70er Jahre die politische und teilweise auch die wissenschaftliche Diskussion beherrscht. Mit der Forderung nach einer möglichst frühen Einreise war die Vorstellung verbunden, dass, wenn die ausländischen Kinder die deutsche Schule voll durchlaufen würden, nicht nur die schulische Integration erleichtert würde, sondern auch der Eintritt ins Erwerbsleben. Auf den ersten Blick leuchtet diese These ein; sie schien darüber hinaus durch empirische Untersuchungen abgesichert zu sein. Diese belegten, dass ausländische Schüler und Schülerinnen, die in der Bundesrepublik Deutschland geboren waren und damit die Chance zum Kindergartenbesuch und zum vollständigen Durchlaufen der deutschen Schule hatten, im Hinblick auf den Schul- und Berufserfolg erfolgreicher waren als Seiteneinsteiger und Seiteneinsteigerinnen (Esser 1989).

Bei genauerer Prüfung ließ sich diese These jedoch nicht beibehalten. Die Untersuchungen, die den Bildungserfolg der früh eingereisten Kinder scheinbar bestätigten, haben die Schulabschlüsse als Belege für schulischen Erfolg bewertet, nicht aber die tatsächlichen Fertigkeiten. Schon damals wurde ferner kritisiert, dass das Einreisealter als einziger Faktor für den schulischen Erfolg herangezogen wurde und andere Faktoren wie Schulorganisation (z.B. Schulbesuch mit deutschen Kindern oder in

---

64   627.523 aus Jugoslawien (Serbien und Montenegro), 159.042 aus Bosnien-Herzegowina, 223.819 aus Kroatien, 55.986 aus Makedonien und 19.395 aus Slowenien.

nationalen Klassen), Leben im Getto oder in einem ethnisch gemischten Wohngebiet, Kontakte mit Deutschen, kulturelles Kapital der Familie, Sprachgebrauch in der Familie, Arbeitsbedingungen der Eltern und Informiertheit der Eltern vernachlässigt wurden. Hinzu kommen weitere spezifische schulische Faktoren, die nur schwer zu messen sind, wie das Engagement der Lehrer und Lehrerinnen und die Offenheit einer Schule für kulturelle Vielfalt.[65] Als negativ für den Schulerfolg wurde auch das Pendeln zwischen Deutschland und dem Herkunftsland herausgestellt.

Das frühere oder spätere Einreisealter wurde darüber hinaus mit der Identität oder der psychischen Stabilität in Verbindung gebracht. Während Schrader/Nikles/ Griese (1976) eine Belastung der spät eingereisten Kinder und Jugendlichen durch die Rolle des Fremden, psychische Probleme der im Schulalter Eingereisten und Sozialisation des als Kleinkind in Deutschland aufgewachsenen Kindes als Migrant oder Migrantin ausmachten, bestreiten andere Autoren und Autorinnen die empirische Gültigkeit dieses Modells (Wilpert 1980).

Abgesehen davon, dass für die gegenwärtige Schüler- und Schülerinnengeneration festgestellt werden kann, dass der Seiteneinstieg nur noch ein Phänomen ist, das bei spätausgesiedelten Jugendlichen häufiger vorkommt, weisen neuere wissenschaftliche Untersuchungen, die das Einreisealter und das Pendelverhalten einzelner Ethnien berücksichtigen, keinen relevanten Einfluss auf den Schulerfolg nach, der sich alleine auf den Sachverhalt des späten Einreisealters oder Pendelns zurückführen ließe (Diehl 2002, S. 181; Haug 2002b, S. 129).

Wie nach den Migrationshintergründen zu erwarten, ist der überwiegende Teil der von uns befragten Mädchen und jungen Frauen in Deutschland geboren – mit Unterschieden nach nationaler Herkunft. Die folgende Tabelle gibt biographisch orientierte Zuwanderungskategorien wieder, die sich an Fragen der Eingliederung in die Schule orientieren:

Tabelle 1.3:   Migrationsbiographien der Mädchen und jungen Frauen (in Prozent)

| | Migrationshintergrund | | | | | Gesamt |
	Aussiedl.	griech.	ital.	jugosl.	türk.	
Gesamt	(200)	(182)	(183)	(172)	(213)	100 (950)
seit Geburt ununterbrochen in der BRD gelebt	-	52	76	46	83	52 (492)
spätestens seit Ende des 6. Lj. in der BRD gelebt	5	15	11	10	9	10 (95)
seit 7. bis einschl. 12. Lj. in der BRD gelebt	42	11	7	32	3	18 (176)
seit 13. Lj. in der BRD gelebt	53	10	3	6	2	15 (142)
gependelt	-	12	3	6	3	5 (45)

C = .61   p = .00

---

65   Einer der wenigen Versuche, mit quantitativen Methoden den Einfluss von interkulturellen Ansätzen in der Schule zu messen, wird von Werner (2001) unternommen. Vgl. auch Engin (2003).

Der weitaus größte Teil der Mädchen mit türkischem und italienischem Hintergrund wurde in Deutschland geboren. Dies gilt ebenfalls für etwa die Hälfte der Mädchen mit jugoslawischem und griechischem Hintergrund. Im Schulalter sind vor allem Mädchen aus Aussiedlerfamilien eingewandert und davon ein erheblicher Teil nach dem 13. Lebensjahr. Bedeutsam ist der relativ hohe Anteil von Mädchen aus dem ehemaligen Jugoslawien (siehe die Schilderung der Zuwanderungsprozesse in diesem Kapitel) in dieser Kategorie. Relativ unbedeutend sind die Anteile an Pendlerinnen mit Ausnahme bei den Mädchen und jungen Frauen mit griechischem Hintergrund.

1.3.2 Einreisegründe und Aufenthaltsstatus

Die in die Untersuchung einbezogenen Mädchen und jungen Frauen sind, so war die Stichprobe bewusst eingegrenzt worden, nicht eigenständig nach Deutschland eingewandert, sondern sind ihren Eltern gefolgt bzw. als Tochter in Migrationsfamilien geboren worden. In der folgenden Tabelle spiegeln sich die Vorgaben der Stichprobenziehung. So ist der Anteil an Flüchtlingen und Asylberechtigten in allen Herkunftsgruppen verschwindend gering. Lediglich bei den Befragten mit Herkunft aus dem ehemaligen Jugoslawien ließ sich dieser Wanderungsgrund für eine größere Minderheit nicht ausschließen, da – wie im vorhergehenden Abschnitt bereits geschildert – Angehörige von Arbeitsmigranten und Arbeitsmigrantinnen oder auch bereits in das Herkunftsland zurückgekehrte Arbeitsmigrationsfamilien über den Weg von Flucht und Asyl (wieder) nach Deutschland eingereist sind. Die Gründe, aus denen die Eltern der Mädchen und jungen Frauen das Herkunftsland verließen, waren:

Tabelle 1.4:   Grund der Einreise nach Deutschland (in Prozent)

| | Migrationshintergrund | | | | | Gesamt |
	Aussiedl.	griech.	ital.	jugosl.	türk.	
Gesamt	(200)	(182)	(183)	(172)	(213)	100 (950)
Anwerbung als Arbeitnehmer	-	52	74	51	80	51 (484)
Flucht/Asyl	-	1	-	25	2	5 (51)
Aussiedlung	100	-	-	-	-	21 (200)
sonstige Gründe[66]	-	47	26	24	18	23 (215)

C = .74   p = .00

Die Einreisegründe erklären die hohe Zahl von Mädchen mit jugoslawischem Hintergrund, die nach dem siebten Lebensjahr eingereist sind. Sie sind auch im Zusammenhang mit dem Rechtsstatus der Mädchen zu sehen: Weitaus die meisten Mädchen ohne deutsche Staatsangehörigkeit (511 = 75%) haben eine unbefristete Aufenthaltserlaubnis. Nur bei den Mädchen mit jugoslawischem Hintergrund gibt es

---

66 Unter sonstige Gründe fallen Heirat, Studium mit geringen Fallzahlen und nicht spezifizierte sonstige Gründe mit hoher Fallzahl.

eine größere Zahl (48 = 30%), die einen unsicheren Aufenthaltsstatus besitzt (Befugnis, Duldung u.a.).

Tabelle 1.5: Aufenthaltsstatus (in Prozent)

| | Migrationshintergrund | | | | | Gesamt |
	Aussiedl.	griech.	ital.	jugosl.	türk.	
Gesamt	(200)	(182)	(183)	(172)	(213)	100 (950)
deutsche Staatsangehörigkeit	100[67]	2	2	7	22	28 (267)
unbefristete Aufenthaltserlaubnis/Aufenthaltsberechigung[68]	-	76	81	56	67	55 (524)
Befristete Aufenthaltserlaubnis	-	14	10	7	7	8 (71)
zweckgebundener Aufenthaltsstatus	-	-	-	23	1	4 (39)
sonstiger Status/ weiß nicht	-	8	7	7	3	5 (49)

C = .69   p = .00

1.3.3 Unterschiedliche Migrationsbiographien

Bei den fünf Gruppen mit den verschiedenen nationalen Migrationshintergründen sind demnach Unterschiede in den Einreisegründen, in dem Aufenthaltsstatus und in den Migrationsbiographien zu registrieren.

Die Mädchen aus Aussiedlerfamilien sind überwiegend nach dem siebten Lebensjahr im Rahmen der Spätaussiedlung nach Deutschland eingereist, verfügen aber nahezu alle über die deutsche Staatsangehörigkeit. Auf eine spezifische Frage geben sie zum überwiegenden Teil (58%) an, dass sie nicht an der Entscheidung, nach Deutschland auszureisen, mitgewirkt haben. Daran mitgewirkt haben 23 Prozent.[69] Dennoch wollten die meisten (68%) nach Deutschland ziehen; nur 12 Prozent wollten nicht ausreisen. Die Mädchen kamen überwiegend (95%) als Seiteneinsteigerinnen in das deutsche Schulsystem.

Bei den *Mädchen mit griechischem Migrationshintergrund* ist ein größerer Anteil als in allen anderen Gruppen gependelt (12%). Sie haben deutlich weniger als andere Gruppen mit Arbeitsmigrationshintergrund ununterbrochen in Deutschland gelebt. Unter ihnen gibt es daraus folgend eine relativ große Zahl an Seiteneinsteigerinnen (21%). Die meisten Mädchen und jungen Frauen haben eine unbe-

---

67   Davon sind drei Personen Spätaussiedlerinnen.
68   13 Personen (1%) haben eine Aufenthaltsberechtigung.
69   In ihrer Befragung von jugendlichen Spätaussiedlern und -aussiedlerinnen ermittelte Roll (1997), dass 37 Prozent ihrer Befragten am Ausreiseentschluss der Familie nicht mitgewirkt hätten, die Mehrzahl der Befragten (70%) jedoch den Entschluss positiv unterstützt hätte (Roll 1997, S. 45).

fristete Aufenthaltserlaubnis, aber kaum eine besitzt die deutsche Staatsangehörigkeit (2%).

Mädchen mit italienischem Hintergrund haben meistens (77%) ununterbrochen in Deutschland gelebt oder (seltener: 11%) sind bis zu ihrem sechsten Lebensjahr eingereist. Pendlerinnen sind mit nur drei Prozent der Befragten entgegen den Vorannahmen über das starke Pendelverhalten italienischer Familien nur gering vertreten. Sie besitzen zum größten Teil eine unbefristete Aufenthaltserlaubnis, kaum eine ist deutsche Staatsangehörige (2%).

Die *Mädchen mit türkischem Migrationshintergrund* haben zum größten Teil (83%) ununterbrochen in Deutschland gelebt. Weder eine Einreise nach Ende des sechsten Lebensjahres noch Pendeln sind häufige Muster; sie leben hier überwiegend mit einer unbefristeten Aufenthaltserlaubnis (65%); sie besitzen – im Vergleich zu den übrigen von uns befragten Herkunftsgruppen – häufiger die deutsche Staatsangehörigkeit (22%).

In der Gruppe der *Mädchen und jungen Frauen mit jugoslawischem Hintergrund* spiegelt sich die bereits beschriebene Zweiteilung dieser Zuwanderungsgruppe wider. Den größeren Teil machen die Töchter von Arbeitsmigranten und Arbeitsmigrantinnen aus (46%), die überwiegend ununterbrochen in Deutschland gelebt haben. Sie haben wie Töchter aus anderen Arbeitsmigrationsfamilien eine unbefristete Aufenthaltserlaubnis. Daneben gibt es Mädchen und junge Frauen aus Flüchtlingsfamilien (25%), die überwiegend erst nach dem siebten Lebensjahr eingereist sind und häufig über einen ungesicherten Aufenthaltsstatus verfügen. Acht Prozent der Mädchen und jungen Frauen mit jugoslawischem Hintergrund besitzen die deutsche Staatsangehörigkeit.

2. Wie sie leben: Soziale Bedingungen und räumliches Umfeld

Die Wohnbedingungen, das Wohnumfeld sowie die materielle Grundlage der Familien und ihr sozialer Status bilden soziale Rahmenbedingungen des Aufwachsens der Mädchen und jungen Frauen mit Migrationshintergrund. Die sozialen Faktoren können die Einstellungen und Orientierungen prägen; daher ist es notwendig, sie differenziert zu erfassen. Sie verweisen aber darüber hinaus auf eine für die Diskussion um die Zuwanderung und die Lage der Zugewanderten weit wichtigere Frage um die Bedeutung von sozialen Faktoren im Verhältnis zu ethnischen Faktoren, die in unserer Untersuchung durch den nationalen Hintergrund, aber auch durch das kulturelle und sprachliche Milieu in den Familien und im Freundeskreis ermittelt werden.[70]

Die Frage, ob soziale oder ethnische Faktoren die Ursachen für Benachteiligung oder für geringe Integration in die deutsche Gesellschaft sind, interessiert seit Beginn der Zuwanderung und wird vor allem beim Scheitern an der Schule und beim Übergang in die berufliche Ausbildung thematisiert. Diejenigen, die von einer Benachteiligung aufgrund sozialer Faktoren ausgehen, machen insbesondere den geringen sozialen Status der Migrationsfamilien für das schlechte Abschneiden der Kinder und Jugendlichen im Bildungssystem verantwortlich. In der neueren Diskussion wird von der sozialen Lage der einzelnen Familie weg auf das Chancen reduzierende soziale Umfeld verwiesen. Diejenigen, die ethnische Faktoren in den Mittelpunkt stellen, stellen spezifische kulturelle Werte und Überzeugungssysteme oder das familiäre Milieu oder aber auch ethnisch bedingte Diskriminierung durch deutsche Einrichtungen (z.B. die Schule) in den Vordergrund.

Selbst im Bildungsbereich gibt es nur wenige Untersuchungen, die den spezifischen Einfluss ethnischer im Vergleich zu sozialen Variablen prüfen.[71] Deren Ergebnisse könnten dafür sprechen, dass kulturelle Faktoren wie die im Elternhaus gesprochene Sprache oder die Schullaufbahn der Kinder (insbesondere Pendeln, späte Einreise) Einfluss auf die Benachteiligung haben. Sie lassen aber ebenso den Schluss zu, dass kulturelle Eigenheiten als sichtbare Zeichen der Andersartigkeit auffallen und somit für die oft unterschwelligen Diskriminierungen zentrale Bedeutung erlangen, welche in schulischen Benachteiligungen von Minderheiten enden.

In diesem Teil geht es um die sozialen Rahmenbedingungen, die bei Mädchen und jungen Frauen unserer Altersgruppe weitgehend durch die Herkunftsfamilie bestimmt werden. Sie werden ermittelt durch die Wohnbedingungen und das räumliche Umfeld einschließlich der Infrastruktur und der ethnischen Zusammensetzung sowie durch die finanziellen Ressourcen und den sozialen Status der Familie. Neben der abgebildeten sozialen Lage, die durch eine Vielzahl von Indikatoren erfasst wird, wird auch ihre Bewertung durch die Mädchen und jungen Frauen einbezogen.

---

70 Siehe hierzu vor allem Kapitel 3 und 6.
71 So Alba et al. 1994 für den Schulerfolg; Granato 2002 für den Übergang in die berufliche Ausbildung, siehe auch Deutsches PISA-Konsortium 2001, S. 374ff.

2.1 Wohnungsgröße und Wohnqualität

2.1.1 Wohnen als Aspekt der Lebensbedingungen von Migrationsfamilien

Die Darstellung der Wohnsituation hat Eingang in viele Berichte über die soziale Lage von Migranten und Migrantinnen gefunden.[72] Diese Berichte dienen oft als Basis für die politische Diskussion. Sie basieren auf Untersuchungen, die die objektiven Rahmenbedingungen des Wohnens von Migranten und Migrantinnen, wie z.B. Wohnungsausstattung und Wohnversorgung ermitteln.

Untersuchungen über ausländische Haushalte stellen übereinstimmend fest, dass diese im Durchschnitt größer und kinderreicher sind als deutsche. Auch deswegen verfügen ausländische Haushalte im Durchschnitt nur über einen Raum je Person (Deutsche 1,8 Räume pro Person) (BMFSFJ 2000, S. 153f.). Haushalte mit Kindern (Hock/Holz/Wüstendörfer 2000a, 2000b)[73] wohnen schlechter als Haushalte ohne Kinder, sowohl im Hinblick auf die Wohnfläche pro Person, auf die Ausstattung der Wohnung als auch auf die Qualität des Wohnumfeldes. Je mehr Kinder zu einem Haushalt gehören, desto ungünstiger wird die Wohnsituation. Zu den oftmals zu kleinen Wohnungen kommen bauliche Mängel, schlechte Ausstattung und ein ungünstiges Wohnumfeld hinzu. Ausländische Haushalte bezahlen früher wie heute für vergleichbare Wohnungen höhere Mieten als deutsche (BMFSFJ 2000, S. 143). Sie haben nur einen begrenzten Zugang zum Wohnungsmarkt, da sie als unbeliebte Mietergruppe gelten (BMA 1996, S. 247; Unabhängige Kommission „Zuwanderung" 2001, S. 230; Zwick 2003, S. 4). Ähnliche Wohnverhältnisse wie für ausländische sind auch für Aussiedlerhaushalte belegt (Fuchs 1999, S. 99). Der Wunsch nach Eigentum kann – gerade in dieser Zuwanderungsgruppe – erst nach Jahren realisiert werden (ebenda, S. 96). Die von Dietz/Roll (1998, S. 89) befragten jugendlichen Aussiedler und Aussiedlerinnen gaben zu 31 Prozent an, in Sozialwohnungen zu leben (im Vergleich zu 3% der befragten einheimischen Jugendlichen). Allerdings verbessert sich der Lebensstandard der Familien insgesamt mit zunehmender Aufenthaltsdauer (Fuchs 1999, S. 98; Beauftragte der Bundesregierung für Ausländerfragen 2002, S. 316); Gleiches gilt auch für die Arbeitsmigranten und Arbeitsmigrantinnen.

Die aktuelle Situation stellt sich – im Vergleich zur Wohnsituation der Arbeitsmigranten und Arbeitsmigrantinnen in den 60er und 70er Jahren des 20. Jahrhunderts – als Verbesserung dar, wenn auch für einzelne Migrationsgruppen sehr unterschiedlich ausgeprägt. Die Größe der Wohnungen lag 1968 deutlich unter dem damaligen deutschen Standard: In Ein- oder Zwei-Raum-Wohnungen (einschließlich Küche) lebten Familien mit drei oder vier Personen. Dennoch waren damals 55 Prozent der Befragten mit ihrer Wohnsituation voll zufrieden. Dieses ist vor dem Hintergrund zu bewerten, dass damals der Aufenthalt in Deutschland von den Arbeitsmigranten und -migrantinnen als vorübergehend betrachtet und die Wohnverhältnisse als Provisorium angesehen wurden. Auch 1972 waren die drei Räume

---

72 Siehe dazu MAGS NRW 1992a, 1992b; BMFSFJ 2000, S. 160ff.; Beauftragte der Bundesregierung für Ausländerfragen 2002, S. 322ff.; Unabhängige Kommission „Zuwanderung" 2001, S. 29ff.

73 Siehe auch Bundesministerium für Arbeit und Sozialordnung (BMA) 2001; BMFSFJ 2002, S. 143.

bzw. 50 qm, über die Migrantenfamilien durchschnittlich verfügten, im Allgemeinen durch drei Personen belegt. Den ausländischen Arbeitnehmern standen pro Person 16 qm zur Verfügung (zum Vergleich: den Einheimischen 24 qm) (Boos-Nünning 1998a, S. 346). Seit Mitte der 80er Jahre hat sich die Situation der Familien mit Migrationshintergrund im Wohnbereich wie auch in allen anderen Lebensbereichen ausdifferenziert. Nach wie vor gibt es Familien, die unter relativ deprivierten Bedingungen leben. Daneben verfügt eine wachsende Zahl von Familien über „gute" oder „sehr gute" Wohnverhältnisse. Der Bericht der Beauftragten der Bundesregierung für Ausländerfragen (2002, S. 323) stellt ebenso wie der Bericht der Unabhängigen Kommission „Zuwanderung" (2001, S. 230) fest, dass der Anteil ausländischer Wohneigentümer gestiegen ist und dass sich allgemein die Wohnsituation der ausländischen Bevölkerung in den letzten Jahren verbessert hat, obwohl immer noch Benachteiligung auf dem Wohnungsmarkt und große Unterschiede zwischen deutschen und ausländischen Haushalten zu verzeichnen sind (vgl. auch BMFSFJ 2000, S. 154 sowie Zwick 2003, S. 3). Die Benachteiligung auf dem Wohnungsmarkt hat nicht nur eine schlechtere Ausstattung im Sinne von kleineren Wohnungen zu Folge, sondern bewirkt auch eine Konzentration in bestimmten Wohngebieten mit niedrigeren Mieten. Ausländische Familien verfügen durchschnittlich über ein geringeres Einkommen als deutsche, weshalb sie in der Konkurrenz um begehrten Wohnraum häufig unterliegen (Unabhängige Kommission „Zuwanderung" 2001, S. 230).

Schwierigkeiten bei der Wohnungssuche sind auch heute noch vorhanden. Zurzeit benennen 30 Prozent der Türken, Italiener und Griechen, aber 40 Prozent der Jugoslawen diesbezügliche Probleme (BMA 2002). Die Gründe haben sich gegenüber früheren Befragungen verschoben. Über 70 Prozent der Personen aus den vier Befragtengruppen mit Schwierigkeiten geben an, die Wohnungen seien zu teuer und 40 bis 50 Prozent nennen als Problem eine lange Zeit der Suche. In engem Zusammenhang damit steht, dass etwa 40 Prozent angeben, es gebe zu wenige Wohnungen. Hier spiegelt sich die allgemein schwierige Lage auf dem Wohnungsmarkt, die sich für Migranten und Migrantinnen und hier noch einmal besonders für einzelne Nationalitäten in besonderem Maße bemerkbar macht (BMA 2002, S. 46, 96). Nur bei der Gruppe der Türken wird geringfügig stärker als in früheren Befragungen wahrgenommen, dass Vermieter und Vermieterinnen Familien mit Kindern ablehnen. Wenn aber nur die Angaben von Familien mit mehreren Kindern einbezogen werden (Haushalte mit fünf Kindern und mehr), tritt der (antizipierte) Ablehnungsgrund „Kinder" gleichrangig neben den Ablehnungsgrund „Ausländer" (BMA 1996). Während eine ausländerablehnende Haltung von Personen mit italienischem und griechischem Hintergrund inzwischen weniger als noch 1995 als Ursache der Probleme bei der Wohnungssuche gesehen wird, hat sich dieser Grund bei denjenigen mit türkischem und jugoslawischem Hintergrund gegenüber 1995 im Jahr 2001 verschärft.

Hinsichtlich der Wohnungsversorgung der Aussiedler und Aussiedlerinnen sind besondere Umstände zu berücksichtigen. Diese sind nicht nur von den Rahmenbedingungen in Deutschland, sondern insbesondere auch von den Entscheidungen der Sozialadministration abhängig (Fuchs 1999, S. 102). Das Wohnortzuweisungsgesetz, das noch bis 2009 gültig ist, sieht vor, dass in Deutschland eintreffende Spätaussiedler, die auf Eingliederungs- und Sozialhilfe angewiesen sind, für maximal drei Jahre einem bestimmten Wohnort zugewiesen werden. Die Sozialleistungen sind an diesen Wohnort gebunden. Erst wenn Wohnung und Arbeit an einem anderen Ort nachgewiesen werden können, ist innerhalb dieses Zeitraumes ein Umzug möglich. Auch aus anderen Gründen hat sich die Wohnsituation der Aussiedler und Aussiedlerinnen vor allem in den 90er Jahren verschlechtert (Fuchs 1999, S. 92ff.). Maßgebend sind die Streichung der bevorzugten Vergabe von Sozialwohnungen, die Erhöhung der Einkommensgrenzen zur Erlangung eines Wohnberechtigungsscheins und die seit 1990 längeren Aufenthaltszeiten in Wohnheimen. Allerdings verbessert sich der Wohnstandard der Aussiedlerfamilien mit zunehmender Aufenthaltsdauer deutlich. Die Zahl der durchschnittlichen Zimmer pro Person betrug nach einem halben Jahr 0,4, nach vier Jahren 0,8 Räume (Fuchs 1999, S. 98). Der Beschreibung kann entnommen werden, dass ein nicht unerheblicher Teil der Jugendlichen mit Migrationshintergrund, so auch der Mädchen und jungen Frauen, hinsichtlich der Wohnung eingeschränkter lebt als der Durchschnitt deutscher Jugendlicher. Diese benachteiligte Wohnsituation spiegelt sich auch in den Antworten unserer Befragten wider.

2.1.2 Wohnungsausstattung und Wohnqualität

Bei der Einordnung der Wohnbedingungen muss berücksichtigt werden, dass fast alle Mädchen und jungen Frauen (89%) bei ihren Eltern wohnen. Vier Prozent leben allein bzw. mit dem Partner zusammen und zwei Prozent in einer Wohngemeinschaft, Letztere sind fast ausschließlich Befragte der Altersgruppe der 19- bis 21-Jährigen. Die herkunftsspezifische Auswertung ergibt, dass die Aussiedlerinnen mit elf Prozent am häufigsten, Mädchen und junge Frauen türkischer Herkunft mit einem Prozent am seltensten mit ihrem Partner leben. Alleine leben sechs Prozent der Aussiedlerinnen, aber nur zwei Prozent der Befragten türkischer und italienischer Herkunft.

Die Mädchen und jungen Frauen wohnen zum überwiegendem Teil (84%) in gemieteten Wohnungen. 15 Prozent aller Befragten wohnen im Wohnungseigentum (der Familie), davon die Hälfte in einem Einfamilienhaus; die Familien mit italienischem Hintergrund (23%) am häufigsten, die mit griechischem Hintergrund (11%) und Aussiedlerfamilien (10%) am seltensten. Für letztere kann erklärend angeführt werden, dass sie die jüngste Zuwanderergruppe mit relativ geringeren Aufenthaltszeiten darstellen.

Ein erheblicher Teil der Mädchen und jungen Frauen (42%) wohnt in einem Wohnhaus mit mehr als sieben Parteien zur Miete, und zwar 62 Prozent der Mädchen aus Aussiedlerfamilien, aber nur 31 Prozent der Mädchen mit italienischem Hintergrund. Der hohe Anteil an Aussiedlerinnen, die in einem Wohnhaus mit mehr als sieben Parteien wohnen, kann darauf zurückgeführt werden, dass es sich hierbei vielfach um Sozialwohnungen handelt. In dieser Sparte haben die Kommunen und genossenschaftliche Wohnungsbauträger große Kontingente für Aussiedler und Aussiedlerinnen reserviert (Fuchs 1999, S. 91).

Eine Gegenüberstellung der Zahl der Räume und der Haushaltsgröße macht deutlich, dass die Mädchen und jungen Frauen durchschnittlich in Haushalten mit einer Wohndichte von 0,9 Räumen pro Person leben. Die Verteilung nach Herkunftsgruppen belegt, dass die Familien italienischer Herkunft mit durchschnittlich einem Zimmer pro Person über mehr Raum verfügen als alle übrigen Herkunftsgruppen. Sie leben häufiger in größeren Haushalten, haben aber auch häufiger mehrräumige Wohnungen. Die Befragten türkischer Herkunft haben den geringsten Durchschnittswert von 0,8 Räumen pro Person. Dies ist erklärbar durch den geringeren Anteil von großen Wohnungen bei einem verhältnismäßig hohen Anteil von Haushalten mit vier bis sechs Personen (68%) und mit dem höchsten Anteil von Haushalten mit mehr als sechs Personen (10%).

Als wichtig für die Entwicklung der Individualität von Jugendlichen oder jungen Erwachsenen gilt heute allgemein die Verfügbarkeit über ein eigenes Zimmer oder – im frühen Erwachsenenalter – über eine eigene Wohnung. Mädchen mit türkischem Hintergrund verfügen deutlich seltener über ein eigenes Zimmer als alle Übrigen.

Tabelle 2.1:   Verfügung über ein eigenes Zimmer (in Prozent)

| | Migrationshintergrund | | | | | Gesamt | |
	Aussiedl.	griech.	ital.	jugosl.	türk.		
Gesamt	(200)	(182)	(183)	(172)	(213)	100	(950)
kein eigenes Zimmer	26	27	33	28	52	34	(320)
eigene(s) Zimmer/Wohnung	74	73	67	72	48	66	(630)

C = .21   p = .00

Die Hälfte der Mädchen mit türkischem Hintergrund, aber etwa zwei Drittel der restlichen Befragten haben ein eigenes Zimmer.[74] Von den Mädchen, die über kein eigenes Zimmer verfügen, äußern auf Nachfragen nahezu 69 Prozent den Wunsch danach. Dies könnte dafür sprechen, dass die Tatsache, kein eigenes Zimmer zu besitzen, von den weiblichen Jugendlichen selbst als Defizit wahrgenommen wird. Die Unterschiede nach nationaler Herkunft sind nicht signifikant. Zwei Drittel der Mädchen und jungen Frauen ohne Unterschiede nach nationaler Herkunft sind allerdings mit ihrer derzeitigen Wohnsituation zufrieden.

Allerdings verfügt ein Teil der Mädchen und jungen Frauen ohne ein eigenes Zimmer oder eigene Wohnung über einen getrennten eigenen Bereich (20%). Weder ein Zimmer noch einen eigenen Bereich haben 14 Prozent der Mädchen und jungen Frauen insbesondere mit italienischem (21%) und türkischem (17%) Hintergrund.

Aus den Variablen Raum pro Person, Eigentum oder Miete, Größe des Hauses und eigenes Zimmer bzw. eigener Bereich wurde ein Index „Wohnqualität"[75] gebildet, nach dem sich die Mädchen und jungen Frauen nach Herkunftsgruppen wie folgt verteilen:

---

74 Goudiras (1997, S. 141) stellt hinsichtlich der von ihm befragten männlichen und weiblichen jungen Erwachsenen mit griechischer Herkunft im Alter von 18 bis 24 Jahren fest, dass diese zu 35 Prozent in Deutschland und zu 48 Prozent in Griechenland über ein eigenes Zimmer verfügen.

75 Siehe hierzu die Beschreibung des Index „Wohnqualität" im Anhang.

Tabelle 2.2: Wohnqualität (in Prozent)

| | Migrationshintergrund | | | | | Gesamt |
	Aussiedl.	griech.	ital.	jugosl.	türk.	
Gesamt	(200)	(182)	(183)	(172)	(213)	100 (950)
sehr gut	19	36	45	33	24	31 (292)
gut	46	26	20	27	18	27 (260)
mittelmäßig	16	17	13	15	18	16 (151)
schlecht	12	11	9	9	24	13 (127)
sehr schlecht	7	10	13	16	16	13 (120)

C = .30   p = .00

In hoher Wohnqualität wohnen und leben eröffnet Entwicklungsmöglichkeiten und schafft Wohlbefinden. Daher ist nicht unwesentlich, dass die Rahmenbedingungen für die verschiedenen Herkunftsgruppen sehr unterschiedlich sind. Viele Mädchen mit italienischem Hintergrund haben „sehr gute" Wohnbedingungen oder zumindest „gute"; ihnen folgen die Mädchen mit griechischem und jugoslawischem Hintergrund. Allerdings lebt auch in diesen Gruppen ein Viertel bis ein Fünftel unter „schlechten" Wohnbedingungen. Nur wenige Mädchen aus Aussiedlerfamilien wohnen „sehr gut", aber viele „gut" und wenige „sehr schlecht". Deutlich schlechter gestellt sind Mädchen mit türkischem Hintergrund. Hier sind es etwa gleich viele mit „guten" wie mit „schlechten" Wohnverhältnissen. Der Hintergrund ist, dass in dieser Gruppe weniger Wohneigentum vorhanden ist, sich mehr Personen eine Wohnung teilen und die Mädchen seltener über ein eigenes Zimmer verfügen.

2.2   Räumliches Umfeld

2.2.1   Räumliches Umfeld und soziale Integration

Während zu Beginn der Thematisierung um Wohnen und Wohnumgebung von Zuwanderern und Zuwanderinnen die Wohnungsqualität (Räume und Ausstattung) im Mittelpunkt stand, hat sich schon seit den 80er Jahren das Interesse auf das Wohnumfeld gerichtet. Bereits in den 80er Jahren wurde erkannt, dass es einen engen Zusammenhang zwischen Wohnumfeld und der sozialen Integration gibt (Eichener 1988 S. 28ff.). Je negativer die Rahmenbedingungen in der eigenen Wohngegend sind, desto mehr verringert sich die Wahrscheinlichkeit zur sozialen Teilhabe an der Gesellschaft. Mit negativen Rahmenbedingungen im räumlichen Umfeld sind Wohnmerkmale gemeint wie schlechte Bausubstanz, geringeres Infrastrukturniveau, darunter auch schlecht ausgestattete Schulen, ein hoher Anteil von Haushalten, die Sozialhilfe beziehen und von Arbeitslosen sowie eine hohe Kriminalitätsrate. Diese Wohngebiete werden als „Problemgebiete" oder „soziale Brennpunkte" bezeichnet (Friedrichs/Blasius 2000, S. 26). Die Bewohner und Bewohnerinnen werden durch ihre Wohngegend stigmatisiert und sind einem höheren Risiko ausgesetzt, aus Teilbereichen der Gesellschaft ausgeschlossen zu werden. Bremer (2000, S. 30ff.) führt dazu aus, dass eine „schlechte Adresse" dafür sorgen kann, dass kaum Chancen auf einen Arbeitsplatz bestehen. Zudem sinkt in Stadtteilen mit hohem Anteil von Arbeitslosen die Wahrscheinlichkeit, auf informellem Wege Informationen über Arbeit zu erhalten. Im ungünstigsten Fall kommt es nicht nur zu einer Addition der Marginalisierungen, sondern zu einem Zirkelschluss, in dem sich die Marginalisierungen gegenseitig verstärken.

Zudem wird das räumliche Umfeld als wesentliches Element für Segregation, Desintegration bzw. Integration diskutiert. In diesem Zusammenhang werden oft das Leben in sozialen Brennpunkten und interethnische Konflikte in den Mittelpunkt gestellt (Heitmeyer/Dollase/Backes 1998; Anhut/Heitmeyer 2000).

Häufig sind gerade die Wohngebiete mit einem hohen Bevölkerungsanteil an Menschen mit Migrationshintergrund von sozialräumlichen Defiziten bestimmt und werden von Familien und damit auch von Kindern und Jugendlichen bewohnt, deren Leben durch soziale Benachteiligung geprägt ist. Diese ethnisch weitgehend homogenen oder durch Zuwandererpopulation bestimmten „Gettos" liegen in der Regel in solchen Stadtteilen oder kleinräumigen Zonen in Stadtvierteln, die infrastrukturell benachteiligt sind (Münchmeier 2000, S. 229). Städtestudien[76], die die kleinräumige Konzentration bestimmter ethnischer Gruppen und sozialer Schichten in spezifischen Stadtteilen nachweisen, vermitteln einen realitätsgerechteren Eindruck von diesen Wohn- und Lebensverhältnissen als Darstellungen zur allgemeinen Lebenssituation, die von Durchschnittswerten ausgehen. Die räumlich-ethnische Konzentration, verbunden mit Armutslagen und damit ihrer Mischung aus hohen Anteilen von Arbeitslosen und Sozialhilfeempfängern und Sozialhilfeempfängerinnen, wird in einigen Städten Deutschlands beobachtet. Vor allem bei Familien mit türkischem Migrationshintergrund wird das Leben in kleinräumigen Gettos mit hoher Konzentration einer Ethnie problematisiert. Neuere Jugendstudien belegen Unterschiede nach nationalem Hintergrund. So gibt nach der Shell-Jugendstudie (ebenda, S. 230) die weitaus überwiegende Mehrheit der deutschen (94%) und der italienischen Jugendlichen (71%) an, dass sie in einem Wohnumfeld mit deutschen Nachbarn leben. Dieses gilt nur für 44 Prozent der Jugendlichen[77] mit türkischem Hintergrund.

Auch andere Nationalitäten sind in ethnischen Communities organisiert, wenn auch weniger sichtbar. Wegen der Sichtbarkeit gerät die türkische Community ins Blickfeld. Sie fällt auf, weil es sich bei Personen mit türkischem Hintergrund um die zahlenmäßig größte nicht-deutsche Zuwanderergruppe handelt.[78] Da sie teils aus Mangel an anderen Möglichkeiten, teils weil sie die Nähe zu Landsleuten suchen, räumlich in bestimmten Stadtteilen und hier wiederum in bestimmten Zonen oder Straßenzügen konzentriert wohnen und leben, bestimmen sie dort das Straßenbild.

76　Die Beschreibung und Analyse der Situation der Zugewanderten und Einheimischen in den Städten oder in den Stadtteilen bekommt in den letzten Jahren besonderes Gewicht, siehe dazu für Koblenz: Baum 1996, 1997; für Dortmund: Krummacher/Waltz 1996; für Köln: Eckert/Kißler 1997; Bukow et al. 2001; für Hamburg: Alisch/Dangenschat 1998; für Frankfurt: Weltz 1996; für Berlin: Häußermann/Kapphan 2002; für Wuppertal: Schröder et al. 2000.

77　Der DJI-Ausländersurvey (Weidacher 2000b) enthält zur Wohnsituation lediglich die Angabe, ob die befragten jungen Erwachsenen bei den Eltern wohnen, alleine, verheiratet oder unverheiratet mit Partner (vgl. Pupeter 2000, S. 54).

78　Die aus ethnischer Milieubildung resultierenden Optionen und Probleme bei Aussiedlerfamilien aus den GUS, die die größte Gruppe bilden, werden bisher in Fachkreisen diskutiert, finden aber keine öffentliche Thematisierung.

Wichtig ist im Blick zu behalten, dass ein nicht unerheblicher Teil der Familien nicht freiwillig im ethnischen Milieu lebt, sondern sich ursprünglich und teilweise auch heute noch dort angesiedelt hat, weil er auf dem freien Wohnungsmarkt keinen Wohnraum erhielt oder erhält bzw. weil ursprünglich die Wohnung durch die Kommune zugewiesen wurde (Baum 1997, S. 2; siehe Boos-Nünning 2000a).

Das Aufwachsen von Kindern und Jugendlichen mit Migrationshintergrund in diesen Stadtgebieten ist ambivalent zu beurteilen. Es gibt negative und positive Aspekte. Das „Getto" bietet überwiegend ein stadtplanerisch vernachlässigtes, anregungsarmes Wohnumfeld, dessen Bezüge zu der Mehrheitsgesellschaft nahezu ausschließlich über die Bildungsinstitutionen hergestellt werden. Wegen der daraus erwachsenden Nachteile und Gefahren werden „Gettos" häufig einseitig charakterisiert als Orte der Verhinderung von Integration, als Verursacher von Spannungen zwischen Deutschen und Zugewanderten, als Quelle bzw. Ausgangspunkt von Kriminalität und politischer bzw. religiöser Radikalisierung, als Stätten sozialer Verelendung, in denen sich Krisensymptome wie ein hoher Anteil von Arbeitslosen, soziale Unterprivilegierung und gestörte Familienverhältnisse konzentrieren. Auch die Sekundärfolgen der Ballungsgebiete werden negativ herausgestellt: der hohe Anteil von Kindern mit Migrationshintergrund in den Kindergärten und in den Schulen, die Optik des Stadtteils oder der Straßenzüge und darüber ihre Bestimmung als „Türkenviertel", hervorgerufen durch türkische Geschäfte, Kaffeehäuser und durch das Aussehen der Personen. Die ländlichen, manchmal feudalen Strukturen der Herkunftsländer würden – so vermerken kritische Stimmen – reproduziert, die dort herrschenden Orientierungen blieben teilweise aufrechterhalten oder verfestigten sich sogar.

Die ebenfalls vorhandenen positiven Funktionen des Lebens im ethnischen Wohnviertel werden weitaus seltener thematisiert. Segregierte Gebiete wie auch die ethnischen Communities helfen Menschen mit Migrationshintergrund, sich vertraute Räume zu schaffen, die eine Grundlage für nationale, ethnische und kulturelle Zusammenschlüsse darstellen können. Diese bieten Schutz gegen Marginalisierung und Diskriminierung. Das „Getto" gibt den Menschen mit Migrationshintergrund als Gruppe die Kraft und dem Einzelnen die Möglichkeit, sich dem ständig vorhandenen Assimilierungsdruck der deutschen Gesellschaft zu entziehen oder ihm zumindest etwas entgegenzusetzen. Der hohe Anteil an Zugewanderten einer Nationalität und Sprache erleichtert die Selbstorganisation und kann auch als Ressource zur Selbstentfaltung empfunden und genutzt werden (z.B. in Form von Aktivitäten im Rahmen der ethnischen Ökonomie, vgl. hierzu Pott 2001, S. 70; Elwert 1982; Heckmann 1998). Bei einer unsicheren Lebensperspektive bieten diese Wohngebiete so eine Möglichkeit zur Identifikation und zur emotionalen Stabilisierung.

Für die in Deutschland aufwachsenden Kinder und Enkel der Zugewanderten ist aus dieser Perspektive die ethnische Community vor allem der Raum, in dem sie die Traditionen ihrer Eltern ernst genommen sehen, der Raum der herkunftsbezogenen Bildung und (Sekundär-) Sozialisation, darüber hinaus ein soziales Auffangnetz bei misslingender Integration und ein Forum der Beratung und der Verbindung mit den Gleichaltrigen. Die durch die Mitbewohner und Mitbewohnerinnen ausgeübte soziale Kontrolle erlaubt zumindest den jüngeren Kindern Freiheiten, die vielleicht in anderen Wohnumfeldern nicht gegeben wären (wie der Aufenthalt außerhalb der oft beengten Wohnungen, das Spielen auf der Straße etc.). Im Verlauf der Pubertät, in der auch Lebensformen Gleichaltriger aus der Mehrheitsgesellschaft verstärkt

wahrgenommen werden und über Institutionen und Medien der Mehrheitsgesellschaft als Norm und damit „normal" vermittelt werden, könnte es jedoch – so wird
vermutet – insbesondere bei den Mädchen zu Konflikten mit dem ethnisch-homo-
genen Wohnumfeld kommen. Die teilweise in der Kindheit Freiraum schaffende,
soziale Kontrollfunktion des Wohnumfeldes könnte so in der Pubertät als Belastung
erlebt werden.

2.2.2 Infrastruktur im Wohnumfeld: Angebot, Nutzung und Wünsche

Stadtteile und Regionen, in denen überwiegend Familien mit Migrationshintergrund
leben, gehören insbesondere im Hinblick auf die Infrastruktur zu den benachteiligten
Räumen. Kulturelle und sportliche Einrichtungen, aber auch Grün- und gestaltete
Freiflächen sowie Kaufhäuser sind unterschiedlich über die Stadt verteilt. In unserer
Untersuchung wird hinsichtlich einer Vielzahl von Möglichkeiten zur Lebensgestaltung und von Einrichtungen gefragt, ob diese aus der Sicht der Mädchen und
jungen Frauen vorhanden sind, ob sie genutzt und ob mehr davon gewünscht
werden. Hiermit wird ermittelt, wie die Mädchen und jungen Frauen ihr Wohnviertel und damit ihr soziales Umfeld wahrnehmen.

Die befragten Mädchen und junge Frauen möchten – das zeigen die Antworten –
in ihrem engeren Wohnumfeld und für sie erreichbar Parks und Fußgängerzonen, in
denen sie kostenfrei Kontakte pflegen und bummeln können. Sie möchten Cafés,
Kaufhäuser, Kinos besuchen und eventuell auch Einrichtungen für organisierte
(Freizeit-)Beschäftigungen. Vieles bietet das Wohnumfeld, einiges wird genutzt und
manches (zusätzlich) gewünscht, wie folgende Tabelle zeigt:

Tabelle 2.3: Einrichtungen und Möglichkeiten in der Wohngegend (in Prozent)

N = 950	ist vorhanden	ich nutze sie	ich wünsche mir (mehr) davon
Kino	47*	40*	34*
Kaufhäuser	67*	62*	38
Cafés, Kneipen, McDonalds u.ä.	82*	63*	34
Diskothek	38	17*	34*
Fußgängerzone	81*	64*	15
Grünanlagen, Parks	89	47*	18
spezielle Angebote für Mädchen	28*	5	28
kulturelle Vereine	41*	13	30
Jugendeinrichtungen	69*	11*	19
Sportmöglichkeiten	74	23	24
religiöse Angebote	57*	19*	12*

* Signifikante Unterschiede nach nationaler Herkunft p ≤ .05.

Gut versorgt (d.h. von mehr als zwei Drittel als vorhanden wahrgenommen) sehen sich die Mädchen und jungen Frauen mit Grünanlagen, Cafés und Kneipen, Fußgängerzonen, Sportstätten, Jugendeinrichtungen, Kaufhäusern und religiösen Angeboten. Schlecht versorgt (d.h. mit weniger als 50%) sehen sie sich mit Kinos, kulturellen Vereinen, Diskotheken und speziellen Angeboten für Mädchen. Genutzt werden vom überwiegenden Teil informelle Treffpunkte, aber kaum organisierte Angebote.

Die Zufriedenheit oder Unzufriedenheit mit dem regionalen Angebot an Freizeitmöglichkeiten lässt sich an einer Gegenüberstellung von vorhandenen Optionen und Wünschen aufzeigen:

Tabelle 2.4: Zufriedenheit mit der Infrastruktur in der Wohngegend (in Prozent)

N = 950	zufrieden			unzufrieden		
	vorhanden und wünsche nicht mehr	nicht vorhanden und wünsche nicht mehr	Summe	vorhanden und wünsche mehr	nicht vorhanden und wünsche mehr	Summe
Kino*	42	24	66	5	29	34
Kaufhäuser*	46	16	62	21	17	38
Cafés, Kneipen, McDonalds u.ä.*	60	6	66	22	12	34
Diskothek*	30	36	66	8	26	34
Fußgängerzone*	72	13	85	9	6	15
Grünanlagen, Parks	76	6	82	13	5	18
spezielle Angebote für Mädchen*	24	48	72	4	24	28
kulturelle Vereine*	35	35	70	6	24	30
Jugendeinrichtungen*	61	20	81	8	11	19
Sportmöglichkeiten	63	13	76	11	13	24
religiöse Angebote*	54	34	88	3	9	12

* Signifikante Unterschiede nach nationaler Herkunft p ≤ .05.

Der überwiegende Teil der Mädchen – zwischen 62 und 88 Prozent – ist mit den Angeboten im Wohnumfeld zufrieden. Als nicht ausreichend wird das Angebot an Cafés, Kaufhäusern, Kinos und Diskotheken bewertet, gefolgt von kulturellen Zentren und speziellen Mädchenangeboten. Das Fehlen von mädchenspezifischen Angeboten wird allerdings nur von etwa einem Drittel bemängelt.[79]

---

79 In Kapitel 11 wird näher auf die möglichen Gründe für die geringe Inanspruchnahme und Akzeptanz mädchenspezifischer Angebote, auch im Vergleich mit anderen Angeboten der Kinder- und Jugendhilfe eingegangen.

Nur in Bezug auf die Sportangebote und Grünanlagen sind die vorhandenen Möglichkeiten und die Wünsche der Mädchen und jungen Frauen aller nationalen Herkünfte nahezu gleich; in allen anderen Bereichen der Infrastruktur bestehen Unterschiede.

Herkunftsspezifisch lassen sich einige prägnante Ergebnisse hervorheben:

- Mädchen mit türkischem Hintergrund leben mehr als die übrigen in einer Wohngegend ohne Kino (62% gegenüber 55% bis 42% bei den übrigen) mit dem häufigeren Wunsch nach mehr Möglichkeiten zum Besuch desselben (41% gegenüber 25% bis 38%).
- Mädchen mit griechischem Hintergrund leben nach eigener Einschätzung weniger in einer Wohngegend mit einem Angebot an Kaufhäusern, Fußgängerzonen und Cafés als die übrigen. Sie vermissen diese aber auch nicht stärker als die übrigen. Sie sind in den Wohnvierteln aller Mädchen und jungen Frauen in gleichem Maße vorhanden, sie werden aber von Mädchen mit türkischem Hintergrund deutlich weniger (9% gegenüber 16% bis 25% der übrigen) genutzt, aber auch deutlich weniger vermisst (84% gegenüber 51% bis 70% bei den übrigen).
- Jugendeinrichtungen und Mädchentreffs werden am häufigsten von Mädchen mit italienischem und türkischem Hintergrund in der Region wahrgenommen. Genutzt werden sie jedoch am häufigsten von Mädchen und jungen Frauen mit Aussiedlerhintergrund (16%).
- Spezifische religiöse Angebote (Kirchen, Moscheen) nehmen die Mädchen mit italienischem (72%) und türkischem Migrationshintergrund (70%) wahr. Sie werden von der letzteren Gruppe überdurchschnittlich häufig (31%) genutzt. Zusammen mit den Mädchen griechischer und jugoslawischer Herkunft wünschen sich Mädchen mit türkischem Migrationshintergrund darüber hinaus auch häufiger ein größeres religiöses Angebot (16% bis 19%).

2.2.3 Wohnmilieu als ethnische Zusammensetzung des Wohnumfeldes[80]

Wie beschrieben, gilt eine besondere Aufmerksamkeit der Frage, ob Jugendliche mit Migrationshintergrund in einem von Deutschen dominierten oder in einem ethnisch homogenen Umfeld aufwachsen und leben und welchen Einfluss das Umfeld auf Lebensbedingungen und Orientierungen besitzt.

Das ethnische Wohnumfeld wird in unserer Untersuchung durch die Frage nach der ethnischen Zusammensetzung im Wohnhaus auf der einen und nach der ethnischen Zusammensetzung in der Wohngegend auf der anderen Seite erfasst.[81] Bewohner und Bewohnerinnen von Mehrfamilienhäusern werden gefragt, mit welchen Familien – differenziert nach ethnischer Zugehörigkeit – sie zusammenleben:

---

80 Hier soll lediglich ein erster Überblick über die Situation gegeben werden. Auf den Aspekt der Ethnizität wird in dem diesbezüglichen Schwerpunktkapitel (Kapitel 9) – auch im Zusammenhang mit ethnischem Wohnmilieu – vertieft eingegangen.
81 Beide Fragen wurden aus der Shell-Jugendstudie übernommen (Deutsche Shell, 2000).

Tabelle 2.5:   Ethnische Zusammensetzung im Wohnhaus (in Prozent)

| | Migrationshintergrund | | | | | Gesamt |
	Aussiedl.	griech.	ital.	jugosl.	türk.	
Gesamt	(176)	(161)	(150)	(152)	(181)	100 (820*)
Wohnhaus mit überwiegend Familien gleicher ethnischer Herkunft	7	4	13	3	24	10 (85)
Wohnhaus überwiegend mit Zuwanderer- familien	17	26	27	26	24	24 (194)
Wohnhaus mit deutschen und Zuwandererfamilien	29	20	23	27	20	24 (197)
Wohnhaus mit über- wiegend deutschen Familien	47	50	37	44	32	42 (344)

C = .27   p = .00
* Die 820 Fälle beziehen sich auf die Mädchen und jungen Frauen, die in Mehrfamilienhäusern wohnen. Bei den restlichen 130 Fälle handelt es sich um Mädchen und junge Frauen, die in einem Einfamilienhaus wohnen.

42 Prozent wohnen überwiegend mit deutschen Familien in einem Haus zusammen, diese Angabe stimmt mit einer Befragung von Zinnecker et al. (2002, S. 76) unter Kindern und Jugendlichen im Alter zwischen 13 und 18 Jahren mit Migrations- hintergrund überein. Dort gaben 45 Prozent der nicht nach Geschlecht differenzier- ten Befragten an, im Wohnhaus mit Deutschen zusammen zu leben. 24 Prozent unserer Befragten nennen ein deutsch/zuwanderergemischtes Milieu, ebenso viele leben in einem zuwanderungsbestimmten Haus, was bedeutet, überwiegend Nach- barn aus unterschiedlichen Ländern zu haben. Mit zehn Prozent sind die Anteile der Mädchen und jungen Frauen gering, die in einem Wohnhaus mit ethnisch homo- genem Kontext leben.

Aussagekräftiger werden die Zahlen, wenn eine Differenzierung nach nationaler Herkunft erfolgt. Ein Viertel der Mädchen türkischer Herkunft wohnt im Haus überwiegend mit Familien aus der Türkei zusammen, mehr als doppelt so viele wie in der nächststarken, überwiegend herkunftshomogen wohnenden Gruppe der Mädchen mit italienischem Hintergrund. Die Mädchen mit türkischem und italieni- schem Hintergrund wohnen auch weniger als andere in einem Haus mit über- wiegend deutschen Familien.

Ein anderer Aspekt greift auf, ob die Zugewanderten in Regionen leben, die auch oder sogar überwiegend von Deutschen oder auch oder überwiegend von Zuge- wanderten bewohnt werden. Im Gegensatz etwa zu den USA[82] ist es in Deutschland

---

82   Wacquant (1998, S. 198) kritisiert die aktuelle Tendenz in den USA, den Begriff des Gettos in „verwässernder Weise" für alle Großstadtgebiete zu verwenden, in denen die Bevölkerung unterhalb einer gewissen Armutsgrenze lebt. Er plädiert auf ethnische Merkmale des Gettos abzustellen und damit auf die ursprüngliche Definition des Begriffs zurückzukommen: „Anders gesagt ist das Ghetto eine ethnisch-rassische Formation, welche innerhalb von Raum und gruppenspezifischen Institutionen alle vier wesentlichen

eher selten, dass eine gesamte Wohngegend sich zu einem in sich homogenen ethnischen Getto entwickelt hat, in dem ausschließlich eine ethnische Gruppe lebt; hingegen kommen kleinräumige Konzentrationen von „Ausländern", durchaus auch ethnisch homogener Wohnbevölkerung von einzelnen Herkunftsgruppen, und „Aussiedlern" in einzelnen Stadtteilen vor, meist mit einem kleinen Anteil von einheimischen deutschen Bewohnern.

In unserer Befragung stellt sich die ethnische Zusammensetzung der Wohngegend, in der die Mädchen und jungen Frauen leben, nach ihren Angaben wie folgt dar:

Tabelle 2.6: Ethnische Zusammensetzung der Wohngegend (in Prozent)

| | Migrationshintergrund | | | | | Gesamt |
	Aussiedl.	griech.	ital.	jugosl.	türk.	
Gesamt	(200)	(182)	(183)	(172)	(213)	100 (950)
überwiegend Deutsche	43	34	37	41	27	36 (342)
genauso viele Deutsche wie Zuwanderer	44	30	33	39	38	37 (354)
überwiegend Zuwanderer	13	36	30	20	35	27 (254)

C =.23   p = .00

Es sind nicht allein die Mädchen mit türkischem Hintergrund, die im Vergleich der Herkunftsgruppen deutlich häufiger (35%) in einer Wohngegend mit überwiegend Migrationsbevölkerung leben. Die Mädchen griechischer Herkunft erreichen sogar einen geringfügig höheren Wert und die Befragten italienischer Herkunft liegen (mit 30%) nur geringfügig darunter. In einer durch deutsche Nachbarn bestimmten Wohnumgebung leben etwa ein Drittel der Mädchen und jungen Frauen, diejenigen aus Aussiedlerfamilien und aus dem ehemaligen Jugoslawien etwas häufiger, die mit türkischem Hintergrund deutlich seltener.

Aus den beiden Variablen, „ethnische Zusammensetzung im Wohnhaus" und „ethnische Zusammensetzung der Wohngegend", wurde der Index „Wohnmilieu"[83] gebildet, dem zufolge die befragten Mädchen wie folgt leben (und wohnen):

Tabelle 2.7: Wohnmilieu (Index) (in Prozent)

| | Migrationshintergrund | | | | | Gesamt |
	Aussiedl.	griech.	ital.	jugosl.	türk.	
Gesamt	(200)	(182)	(183)	(172)	(213)	100 (950)
deutsches Umfeld	28	29	27	29	17	26 (244)
gemischtes Umfeld	63	56	57	57	61	59 (561)
Zuwanderungsmilieu	5	13	12	13	11	11 (102)
ethnisches Milieu	4	2	4	1	11	4 (43)

C = .22   p = .00

,Grundformen' rassischer Vorherrschaft in sich vereint und festlegt, nämlich in Form von Vorurteilen, Diskriminierung, Segregation und ausgrenzender Gewalt".
83 Zur Instrumentenkonstruktion siehe Anhang.

Es zeigt sich, dass weder ein überwiegend deutsches noch ein ethnisches oder Zuwanderungsmilieu für eine der fünf Herkunftsgruppen alltagsbestimmend ist.[84] Lediglich knapp ein Drittel der Mädchen mit italienischem, griechischem, jugoslawischem und Aussiedler-Hintergrund lebt im räumlichen Umfeld überwiegend mit Deutschen zusammen. Dieses gilt sogar nur für 17 Prozent der Mädchen mit türkischem Hintergrund. Der überwiegende Teil, nämlich knapp 57 Prozent (italienischer und jugoslawischer Herkunft) bis 63 Prozent (Aussiedlerinnen) lebt in einem Wohnumfeld, in dem fast gleichgewichtige Anteile von Migranten und Migrantinnen, Aussiedlern und Aussiedlerinnen und Deutschen zusammen leben. Ein überwiegend von Zuwanderern und Zuwanderinnen geprägtes Wohnmilieu haben Mädchen türkischer Herkunft mit 22 Prozent häufiger, Mädchen aus Aussiedlerfamilien mit neun Prozent seltener als die übrigen. Hinsichtlich der Mädchen aus Aussiedlerfamilien muss berücksichtigt werden, dass die Hälfte der Befragten in ostdeutschen Städten (Dresden und Chemnitz) befragt worden ist, in denen aufgrund des geringen Anteils an Migranten und Migrantinnen an der Bevölkerung die Möglichkeit reduziert ist, in einem überwiegend von Zuwanderern und Zuwanderinnen bewohnten Stadtgebiet zu leben. Mädchen aus Aussiedlerfamilien in den städtischen Regionen Ostdeutschlands leben zu etwa einem Drittel in einem deutschen, zu zwei Dritteln (69%) in einem gemischten Umfeld.

Ethnisches Milieu und Zuwanderungsmilieu haben sich auch in den ländlichen Regionen Westdeutschlands etabliert:

Tabelle 2.8:   Wohnmilieu und Region (in Prozent)

	Migrationshintergrund			Gesamt
	Ländliche Region – West	Städtische Region – West	Städtische Region – Ost	
Gesamt	220	631	99	100 (950)
deutsches Umfeld	24	25	31	26 (244)
gemischtes Umfeld	61	57	69	59 (561)
Zuwanderungs- milieu	7	14	-	11 (102)
ethnisches Milieu	8	4	-	5 (43)

C = .18   p = .00

Die Ergebnisse folgen denen der Shell-Jugendstudie (Münchmeier 2000, S. 228ff.), die ebenfalls deutliche Differenzen zwischen der türkischen und der italienischen Befragtengruppe hinsichtlich des ethnischen Wohnmilieus feststellte. In unserer Untersuchung zeigt sich, dass Mädchen türkischer Herkunft seltener in einem deutschen Umfeld und häufiger in einem ethnischen Milieu leben. Mehr als ein

---

84 Im jüngsten Jugendsurvey wurde nicht direkt nach der Zusammensetzung von Wohnhaus oder Wohnstraße gefragt, wohl aber nach der Begegnung von Einheimischen und Zugewanderten im Wohnhaus und der Wohnstraße. Es zeigt sich, dass in Deutschland aufgewachsene Kinder von Zugewanderten (eine Differenzierung nach Herkunftsgruppen bietet die Untersuchung nicht) Deutschen zu 45 Prozent im Wohnhaus und zu 47 Prozent in der Wohnstraße begegnen (Zinnecker et al. 2002, S. 76).

Fünftel von ihnen lebt in einem von Zuwanderungspopulationen geprägten Umfeld. Dieses gilt für diejenigen, die in einer ländlichen Region wohnen ebenso wie für diejenigen in einer städtischen Region.

Zukünftig wird zumindest in den westdeutschen Großstädten das Leben in ethnisch gemischten Wohnvierteln den Alltag der städtischen Bevölkerung bestimmen. Dies lässt sich anhand der Statistik der Stadt Köln prognostizieren. Die amtlichen Statistiken weisen hier seit Neuestem nicht nur den Ausländeranteil, sondern zusätzlich auch denjenigen Anteil an der Bevölkerung mit Migrationshintergrund aus, der die deutsche Staatsangehörigkeit besitzt; beide Gruppen zusammen ergeben den Migrantenanteil. Demnach hat die Stadt Köln gegenwärtig einen Migrantenanteil an der Bevölkerung von 25 Prozent. Wegen der jungen Altersstruktur der Migrantenbevölkerung und des seit dem 01.01.2000 gültigen Staatsangehörigkeitsrechts ist der Anteil an Personen mit Migrationshintergrund unter den Jugendlichen in Köln auf 40 Prozent angestiegen.[85] Es zeichnet sich in den Großstädten eine langsame Verschiebung der Bevölkerungszusammensetzung zu Gunsten der Migranten und Migrantinnen ab. Nach diesen Zahlen ist ein überwiegend deutsches Umfeld in den Großstädten Westdeutschlands kaum noch vorstellbar, es sei denn, eine Gettoisierung nach US-Vorbild setze sich durch.

2.2.4   Einstellungen zum Wohnumfeld

Auch wer objektiv schlecht und segregiert wohnt, kann sich im eigenen Wohnumfeld dennoch wohl fühlen und daraus Ressourcen für sein Leben gewinnen. Dieser Aspekt ist bereits im Zusammenhang mit der Bildung ethnischer Kolonien unter dem Gesichtspunkt der positiven Seiten von ethnischer Segregation diskutiert worden. In den 80er Jahren hat Elwert (1982) die Funktion von Binnenintegration benannt und sie im Zusammenhang mit Selbstbewusstsein, kultureller Identität und Handlungsfähigkeit analysiert. Er verwies auf die positive Wirkung von ethnischen Kolonien bei den Neuankömmlingen und für die Bildung von pressure-groups, die bestimmte Interessen formulieren und vertreten können (Elwert 1982, S. 721ff.).

In unserer Untersuchung befassen sich drei Fragen mit der allgemeinen Einschätzung und Bewertung der Wohnsituation. Die ersten zwei Fragen richten sich auf die Wohngegend: „Ich fühle mich in unserer Gegend wohl" und „Ich würde lieber in einer anderen Gegend wohnen". Das dritte Item fragt nach der Zufriedenheit mit der Wohnsituation allgemein. Weitere Fragen richten sich auf die Bewertung des Zusammenlebens zwischen Deutschen und Zugewanderten in der Wohngegend und die Wahrnehmung von Problemen mit Alkohol, Drogen und Gewalt.

Die Wohngegend wird von dem größeren Teil der Mädchen positiv bewertet: 73 Prozent fühlen sich in der Gegend wohl und nur zehn Prozent fühlen sich nicht wohl. Vergleichbar ist das Antwortverhalten auf ein weiteres Statement: 56 Prozent geben an, nicht woanders wohnen zu wollen, während 27 Prozent lieber woanders wohnen würden. Bei beiden Fragen liegt der Anteil der mittleren Antwortkategorie (teils-teils) bei 17 Prozent. Unterschiede nach nationaler Herkunft bestehen nicht. Von den Mädchen und jungen Frauen, die sich in ihrer Wohngegend wohl fühlen,

---

85   Siehe dazu Stadt Köln 2003.

leben 45 Prozent überwiegend mit Deutschen zusammen, 35 Prozent in gemischten Wohngegenden und 20 Prozent überwiegend mit Zuwandererfamilien. Die Verteilung bei denjenigen, die sich nicht wohl fühlen, ist genau entgegengesetzt. Hier wird der größte Anteil (56%) von denen gebildet, die in einer Wohngegend überwiegend bzw. fast nur mit Migranten und Migrantinnen wohnen, während den kleinsten Anteil (33%) diejenigen bilden, die in einer Wohngegend überwiegend oder fast nur mit Deutschen wohnen. Das Leben in Regionen überwiegend oder ausschließlich mit Zugewanderten führt demnach zu einer deutlich negativeren Bewertung der Wohnsituation.

Bei grundsätzlich hoher Zufriedenheit aller Mädchen und jungen Frauen in den verschiedenen Wohnsituationen ist die Zufriedenheit unter den Bewohnerinnen von Mehrfamilienhäusern etwas größer, die eine überwiegend deutsche oder eine aus Migranten und Migrantinnen sowie Deutschen zu gleichen Teilen bestehende Nachbarschaft haben, gegenüber denjenigen, die mit vielen Zuwanderern und Zuwanderinnen in der Nachbarschaft leben. Die gleiche Tendenz zeigt sich in der Zufriedenheit mit der Wohnsituation, wenn die ethnische Zusammensetzung der Wohngegend betrachtet wird. Auch hier steigt die Zufriedenheit mit steigendem Anteil an deutschen Familien im Wohnumfeld.

Tabelle 2.9:   Zufriedenheit mit der Wohnsituation (in Prozent)

Zufriedenheit mit der Wohnsituation				
N = 820	voll/eher	teils-teils	weniger/gar nicht	Gesamt
Mehrfamilienhausbewohner				
mit überwiegend Familien gleicher ethnischer Herkunft	74	21	5	100 (85)
mit überwiegend Zuwandererfamilien	63	20	17	100 (194)
mit gleichermaßen Deutschen und Zuwandererfamilien	70	22	8	100 (197)
mit überwiegend deutschen Familien	80	14	6	100 (344)
N = 950	**Ethnische Zusammensetzung in der Wohngegend**			
überwiegend Zuwandererfamilien	59	24	17	100 (254)
Deutsche und Zuwandererfamilien	76	16	8	100 (354)
überwiegend deutsche Familien	80	14	6	100 (342)

Entsprechend sinkt der Anteil derjenigen, die sich eine andere Wohngegend wünschen, mit der höheren Zahl von Deutschen im Hause wie auch in der Wohngegend:

Tabelle 2.10:   Wunsch nach anderer Wohngegend (in Prozent)

N = 820	voll/eher	teils-teils	weniger/gar nicht	Gesamt
Wunsch nach anderer Wohngegend vorhanden				
Ethnische Zusammensetzung im Mehrfamilienhaus				
überwiegend mit Familien gleicher ethnischer Herkunft	28	16	56	100 (85)
überwiegend mit Zuwandererfamilien	37	20	43	100 (194)
gleichermaßen Deutschen und Zuwandererfamilien	27	18	55	100 (197)
überwiegend mit deutschen Familien	20	16	64	100 (344)
N = 950 **Ethnische Zusammensetzung in der Wohngegend**				
überwiegend Zuwandererfamilien	37	18	45	100 (254)
Deutsche und Zuwandererfamilien	27	19	54	100 (354)
überwiegend deutsche Familien	18	15	67	100 (342)

Dieser Befund stimmt mit anderen Umfragen bei Migranten und Migrantinnen hinsichtlich ihrer Einstellungen zum Zusammenleben mit Deutschen in der Nachbarschaft überein. Böltken (2000) stellt in seiner Untersuchung zum Zusammenleben von Ausländern und Deutschen im Wohngebiet fest, dass für drei Viertel derjenigen seiner Befragten (nicht differenziert nach Alter oder Geschlecht), die ihre Lebensperspektive auf Dauer in Deutschland sehen – und dies gilt für die überwiegende Mehrzahl unserer Befragten ebenfalls –, die angestrebte Form das Zusammenleben diejenige mit Deutschen in der Nachbarschaft darstellt (Böltken 2000, S. 186). Andere Ergebnisse ermittelt die letzte Repräsentativumfrage des BMA (2002), in der weniger differenziert gefragt wurde. Sie ergab, dass es zwei Drittel aller befragten Nationalitäten (Türken, Griechen, Italiener, ehemals. Jugoslawen) egal ist, ob sie mit Ausländern oder Deutschen im Wohnviertel zusammenleben. In allen Gruppen hat der Anteil derjenigen, die lieber mit Ausländern zusammenleben wollen, von 1980 bis 2001 geringfügig (3-5%) bei der Gruppe der Türken jedoch um beachtliche 15 Prozent zugenommen (BMA 2002, S. 46, 87). Bezogen auf die Gruppe der türkischen Befragten werten die Autoren die Ergebnisse als Tendenz zur Gettoisierung. Bei den von uns befragten Mädchen und jungen Frauen sind solche Vorstellungen weniger vertreten, von ihnen wird vielmehr eine gemischte Nachbarschaft aus Deutschen und Migranten oder das Leben in einem deutschen Umfeld bevorzugt.

Vertiefende Fragen machen deutlich, dass von den Mädchen und jungen Frauen das Zusammenleben zwischen Deutschen und Zugewanderten in ihrer Wohngegend allgemein als positiv und konfliktfrei eingestuft wird:

Tabelle 2.11: Deutsche und Zugewanderte in der Wohngegend (in Prozent)

N = 950	Einverstanden				
	voll	eher	teils-teils	weniger	gar nicht
in unserer Gegend ist der Kontakt zwischen Deutschen und ‚Ausländern' gut	20	34	32	11	3
in unserer Gegend gibt es häufig Konflikte zwischen Deutschen und ‚Ausländern' bzw. Aussiedlern	3	5	13	32	47

Weitere Fragen ergeben, dass 12 Prozent häufig Probleme mit Drogen, Alkohol und Gewalt im Wohnviertel wahrnehmen (4% „voll" und 8% „eher"); 72 Prozent sehen solche nicht (44% „gar nicht" und 28% „weniger").

Unterschiede nach nationaler Herkunft sind sowohl in den Kontakten als auch in der Einschätzung des Wohnumfeldes vorhanden, wie folgende Tabelle verdeutlicht:

Tabelle 2.12: Soziale Situation im Wohnumfeld (in Prozent)

	Migrationshintergrund					Gesamt
	Aussiedl.	griech.	ital.	jugosl.	türk.	
Gesamt	(200)	(182)	(183)	(172)	(213)	(950)
	ja / nein	ja / nein	ja / nein	ja / nein	ja / nein	ja / nein[86]
Kontakte zwischen Deutschen und ‚Aus-ländern'/Aussiedlern	42 / 19	59 / 12	63 / 8	55 / 14	54 / 17	54 / 14
keine Probleme mit Drogen, Alkohol und Gewalt	80 / 5	70 / 15	70 / 10	75 / 12	67 / 17	72 / 12

Mädchen mit italienischem Hintergrund bewerten die Kontakte zwischen Deutschen und Zugewanderten besonders häufig positiv und besonders selten negativ; vor allem Mädchen aus Aussiedlerfamilien schätzen die Kontakte weniger positiv ein: Knapp ein Fünftel von ihnen bezeichnet die Kontakte als nicht gut. Von über einem Viertel der Mädchen aller nationalen Herkünfte wird das Wohnviertel als unproble-matisch beschrieben, was Drogen, Alkohol und Gewalt anbetrifft, aber zwischen fünf Prozent (Mädchen aus Aussiedlerfamilien) und 17 Prozent (Mädchen mit türki-schem Hintergrund) nehmen es als stark problematisch wahr.[87]

---

86 Die Kategorie „Ja" setzt sich aus den beiden Antwortkategorien „trifft voll zu" und „trifft eher zu" zusammen. Die beiden Antwortkategorien „trifft weniger zu" und „trifft gar nicht zu" werden in der Kategorie „Nein" zusammengefasst. Die Kategorie „trifft teils zu" blieb unberücksichtigt.

87 Dabei muss offen bleiben, ob Mädchen und junge Frauen mit türkischem Migrations-hintergrund in problembelasternderen Wohnvierteln leben oder ob ihre Bewertungskriterien anders sind, d.h., dass sie sensibler auf Probleme reagieren.

Die aus den fünf Bewertungsangaben gebildete Skala (zur Instrumentenkonstruktion siehe Anhang) legt offen, dass nur eine kleinere Zahl von Mädchen (23%) eine negative, hingegen eine deutlich größere Zahl (53%) eine positive Einstellung zu ihrem Wohnumfeld hat. Unterschiede nach nationalem Hintergrund bestehen nicht.

Tabelle 2.13: Zusammenhänge Einstellungen zum Wohnumfeld (r)

Zusammenhänge	Produktmoment r
mit dem Wohnmilieu (Index)	-.26
mit der Wohnqualität (Index)	-.12
mit dem Bedürfnis nach mehr organisierten Freizeitangeboten	-.04 ns
mit dem Bedürfnis nach mehr freien Angeboten im Stadtteil	-.03 ns

N = 950

Die Einstellung zum Wohnumfeld wird umso negativer, je mehr sich dieses zu einem Zuwanderungs- oder einem ethnischen Milieu hinbewegt. Die positive oder negative Einstellung hängt deutlich weniger mit der Einschätzung der Wohnqualität und überhaupt nicht mit Bedürfnissen nach organisierten oder freien Angeboten im Stadtteil zusammen.

2.3 Aspekte der Lebenssituation der Familie: Sozialer Status und finanzielle Ressourcen

2.3.1 Bedeutung des sozialen Status in Migrationsfamilien

Lange vor Beginn der Zuwanderung von Kindern und Jugendlichen nach Deutschland wird die Rolle der sozialen Situierung der Familie auf der einen und dem Schulerfolg auf der anderen Seite in ihrem jeweiligen Einfluss auf die Lebenschancen und die Orientierungen der nachwachsenden Generation thematisiert. Damals wie heute wird ein enger Zusammenhang zwischen dem sozialen Status der Familie und dem Bildungsabschluss der Kinder wie auch zwischen Bildungsniveau und Berufsperspektiven und darüber die Möglichkeit zu sozialem Ansehen und Einkommen gesehen. Aber nicht nur in den Bildungschancen, sondern auch in vielen anderen Lebensbereichen ist die soziale Herkunft eine wichtige Erklärungsgröße.

Der soziale Status bzw. die soziale Schicht wird häufig vereinfacht über die Berufstätigkeit erfasst, obgleich stets auch auf die Notwendigkeit des Einbezugs anderer Indikatoren wie Schulbildung und Einkommen hingewiesen wird. Es sind theoretisch fundierte Modelle zur Messung des sozialen Status entwickelt worden. In einem Teil der Untersuchungen wurde aus diesen Variablen ein Index zur Messung der sozialen Schicht gebildet. Unter Einfluss der Überlegungen von Bourdieu (1983) wurde der Begriff um das soziale und kulturelle Kapital der Familien erweitert. Darunter werden die sozialen und kulturellen Ressourcen verstanden, die die Handlungsmöglichkeiten von Personen erweitern und darüber den sozialen Status positiv beeinflussen können. Bildungserfolg und die sozialen

Chancen der Jugendlichen hängen demnach vom sozialen Kapital ihrer Familien ab; dieses resultiert aus dem Aufwachsen in einem Netzwerk sozialer Beziehungen, das die Übernahme sozial anerkannter Einstellungen und Werte fördert. Normalerweise (so Deutsches PISA-Konsortium 2001, S. 330) wird das soziale Kapital in der Familie gebildet, in der Verwandtschaft und in Nachbarschaftsgruppen, in ethnischen und/oder religiösen Gruppen, aber auch in Betrieben und politischen Parteien. „Durch die Struktur der sozialen Beziehungen in diesen Gemeinschaften wird ein Netz aus wechselseitigen Erwartungen und Verpflichtungen erzeugt, das Vertrauen bildet und Zusammenarbeit ermöglicht. In diesem Netz werden Informationen ausgetauscht, Normen gebildet und Normverletzungen geahndet" (ebenda).

Zum kulturellen Kapital zählen die Ressourcen, die eine Partizipation an (institutionalisierten) Formen von Macht erlauben wie Bildungszertifikate oder Titel, aber auch verinnerlichte Wahrnehmungs-, Denk- und Handlungsmuster. Der Nachweis einer privilegierten Bildungsgeschichte stellt ein kulturelles Kapital dar, das sich in Sozialstatus tauschen lässt; vermittelte Wertorientierungen, Einstellungen und Kompetenzen bilden die Voraussetzungen zur Teilhabe an der (dominanten) bürgerlichen Kultur (so Deutsches PISA-Konsortium 2001, S. 330).[88]

Wie dargestellt bilden Daten zur beruflichen Stellung des Vaters oder beider Eltern das am häufigsten berücksichtigte Merkmal der Familie zur Messung des sozialen Status und damit der sozialen Herkunft der Jugendlichen. Für die Berufsgruppen liegen international akzeptierte Klassifikationen vor, die es ermöglichen, Berufsrangskalen zu bilden. Die Grundlage der Einstufung bieten Berufsprestigeränge der einzelnen Berufe. Neben den hier geschilderten Kriterien sprechen manche Autoren davon, dass die ausländischen Arbeiter und Arbeiterinnen eine Schicht unterhalb des Schichtungssystems der deutschen Gesellschaft bilden. Demnach müssten deutsche Kinder aus sozial deprivierten oder sogar randständigen Gruppen mit den ausländischen Schülern und Schülerinnen verglichen werden.

Es ist allerdings nicht klar, ob die ausländischen Arbeiter und Arbeiterinnen ohne weiteres der Unterschicht zugeordnet werden können. Nach objektiven Kriterien wie Schulbildung, Berufsprestige, Einkommen und Lebensumstände scheint eine solche Zuordnung in der Schichtungsskala der Bundesrepublik für einen erheblichen Teil gegeben. Nach der subjektiven Zurechnung, die sich unter Umständen ganz oder teilweise an den Bedingungen des Heimatlandes orientiert, können sich ganz andere Einstufungen mit davon abhängiger Mentalität ergeben.

2.3.2 Sozialer Status der Herkunftsfamilie als soziales Kapital

In unserer Untersuchung wird der soziale Status der Herkunftsfamilie mit zwei klassischen Indikatoren erfasst.[89] Es handelt sich um den höchsten erreichten Bildungs-

---

88 Es ist unserer Ansicht nach mehr als problematisch, wenn, wie in der Pisa-Studie, Ausreisealter und die (Familien) Herkunftssprache als fehlendes kulturelles Kapital bewertet werden (so Deutsches PISA-Konsortium 2001, S. 332). Auch die Fragen nach der kulturellen Praxis in der Familie, die ausschließlich darauf abzielen „Nähe" zur deutschen Kultur zu erheben, lassen sich unschwer als ethnozentrisch bewerten (ebenda, S. 333).

89 Die in Deutsches PISA-Konsortium (2001, S. 323ff.) und anderen Untersuchungen den Lebensverhältnissen oder dem sozialen und kulturellen Kapital zugewiesenen weiteren Indikatoren wie Wohnungseigentum, gesprochene Sprache werden an anderer Stelle diskutiert.

abschluss des Vaters und der Mutter sowie deren beruflicher Stellung, ebenfalls getrennt erhoben nach derjenigen des Vaters und der Mutter. Zu berücksichtigen ist, dass es sich hierbei um die Angaben der Befragten handelt, das heißt, die Daten geben den Kenntnisstand der Mädchen und jungen Frauen wieder.

Das Bildungsniveau der Eltern, ermittelt durch die Dauer der Schulzeit und durch den höchsten erreichten Schulabschluss[90], ist überwiegend im niedrigen oder mittleren Bereich angesiedelt. Die Dauer der Schulzeit wurde erfragt, um bei der Einstufung der genannten Abschlüsse ein weiteres Maß für die Kategorisierung zu erhalten, mit der eine annähernde Vergleichbarkeit der Abschlüsse aus den fünf Herkunftsländern mit äußerst unterschiedlichen Bildungssystemen möglich ist. Fragen nach der ökonomischen Situation der Familie und nach Wohlstandsgütern wurden nicht gestellt.

Tabelle 2.14: Bildungsniveau des Vaters (in Prozent)

	Migrationshintergrund					Gesamt	
	Aussiedl.	griech.	ital.	jugosl.	türk.		
Gesamt	(163)	(151)	(150)	(140)	(183)	100	(787*)
niedriges	2	47	39	16	49	31	(245)
mittleres	62	28	55	64	31	47	(373)
gehobenes	7	14	5	7	11	9	(70)
hohes	29	11	1	13	9	13	(99)

C = .44   p = .00
* Wegen zahlreicher fehlender Angaben ist die Ausgangsbasis geringer.

Tabelle 2.15: Bildungsniveau der Mutter (in Prozent)

	Migrationshintergrund					Gesamt	
	Aussiedl.	griech.	ital.	jugosl.	türk.		
Gesamt	(181)	(161)	(162)	(145)	(186)	100	(835*)
niedriges	2	38	38	23	71	35	(294)
mittleres	57	42	51	62	22	46	(382)
gehobenes	7	11	6	7	6	7	(61)
hohes	34	9	5	8	1	12	(98)

C = .50   p = .00
* Wegen zahlreicher fehlender Angaben ist die Ausgangsbasis geringer.

---

90 Anhand der Daten wurden folgende Bildungsniveaus gebildet: niedriges Bildungsniveau (keinen Schulabschluss/Grundschulabschluss), mittleres Bildungsniveau (Mittelschulabschluss/Berufliche Fachschule), gehobenes Bildungsniveau (Fachabitur/Abitur), hohes Bildungsniveau (Fachhochschulabschluss/Universitätsabschluss).

Das Bildungsniveau der Väter und Mütter ist im mittleren bis niedrigen Bereich angesiedelt, mit deutlichen Unterschieden je nach nationalem Hintergrund. Das Bildungsniveau in den Aussiedlerfamilien ist auffällig höher als in allen übrigen. Die Mütter mit türkischem Hintergrund weisen besonders geringe Bildungsvoraussetzungen auf, nahezu drei Viertel haben höchstens einen Grundschulabschluss, der zu dem Zeitpunkt, als sie die Schule besuchten, einen fünfjährigen Schulbesuch erfordert(e).

Die berufliche Stellung der Väter verweist – mit einem hohen Anteil von „sonstigen" und „fehlender Angabe" – ebenfalls auf deutlich unterschiedliche Profile der verschiedenen Herkunftsgruppen. Während die Väter türkischer Herkunft zu 47 Prozent als an- bzw. ungelernte Arbeiter tätig sind, gefolgt von den Vätern italienischer Herkunft mit 30 Prozent, ist ein relativ hoher Anteil der italienischen (24%) und griechischen (33%) Väter als Selbständiger oder Gewerbetreibender tätig.

Tabelle 2.16: Berufliche Stellung des Vaters (in Prozent)

| | Migrationshintergrund | | | | | Gesamt |
	Aussiedl.	griech.	ital.	jugosl.	türk.	
Gesamt	(200)	(182)	(183)	(172)	(213)	100 (950)
an- und ungelernter Arbeiter	21	21	30	13	47	27 (256)
einfacher Angestellter	15	15	11	17	5	12 (117)
Facharbeiter	10	7	10	19	14	12 (115)
Angestellter mit Fachqualifikation	14	6	9	13	4	9 (87)
Selbständiger, Gewerbetreibender, Freiberufler, Beamter[91]	2	33	24	9	13	16 (150)
Sonstiges	17	10	9	17	12	13 (125)
weiß nicht, keine Angabe	21	8	7	12	5	11 (100)

C = .45   p = .00

Eine Tätigkeit, die fachliche Qualifikationen voraussetzt, üben über 40 Prozent der Väter mit griechischem (46%), italienischem (43%) und jugoslawischem (41%) aus. Deutlich seltener haben die Väter der Mädchen und jungen Frauen mit türkischem Hintergrund einen qualifizierten Beruf (31%). Trotz besseren schulischen Niveaus finden sich qualifizierte Berufe am seltensten bei Aussiedlern aus der GUS (26%).

Auch bei den Müttern sind die herkunftsspezifischen Unterschiede hinsichtlich ihrer beruflichen Einbindung und der Stellung im Beruf groß. Zwar geben 25 Prozent der Mädchen und jungen Frauen an, dass die Mutter schon immer Hausfrau gewesen sei, aber auch hier bestehen erhebliche Unterschiede bei den verschiedenen

---

91 Für ein Prozent der griechischen Väter wird Beamter genannt, bei allen anderen null Prozent.

Migrantinnengruppen. Während 46 Prozent der Mütter mit türkischem Hintergrund Hausfrauen sind/waren sind es bei den Befragten mit griechischem Hintergrund lediglich zehn Prozent und bei den Aussiedlerinnen 12 Prozent. Ein besonders hoher Anteil an selbständigen Gewerbetreibenden/ Freiberuflerinnen und Beamtinnen findet sich mit 29 Prozent bei den Müttern mit griechischem Hintergrund.

Tabelle 2.17: Berufliche Stellung der Mutter (in Prozent)

| | Migrationshintergrund | | | | | Gesamt | |
	Aussiedl.	griech.	ital.	jugosl.	türk.		
Gesamt	(200)	(182)	(183)	(172)	(213)	100	(950)
an- und ungelernte Arbeiterin	19	20	21	17	29	22	(206)
einfache Angestellte	18	21	15	15	6	15	(141)
Facharbeiterin	5	3	3	6	2	4	(37)
Angestellte mit Fachqualifikation	11	8	4	8	4	7	(65)
Selbständige, Ge-werbetreibende, Frei-beruflerin, Beamtin[92]	2	29	17	7	6	12	(112)
Hausfrau	12	10	28	29	46	25	(242)
Sonstiges	22	4	9	13	5	11	(101)
weiß nicht, keine Angabe	11	5	3	5	2	5	(46)

C = .47   p = .00

Mädchen und junge Frauen griechischer Herkunft wachsen besonders häufig in einem Elternhaus auf, in dem die Mutter (19%) oder der Vater (27%) oder auch beide (11%) selbständig erwerbstätig sind. In der türkischen Herkunftsgruppe prägt hingegen die Tätigkeit als an- bzw. ungelernter Arbeiter oder Arbeiterin die berufliche Stellung von Vater oder Mutter, wobei der überwiegende Teil der Mütter als Hausfrau tätig ist. Die italienische Herkunftsgruppe ist dadurch gekennzeichnet, dass die Väter entweder als an- oder ungelernte Arbeiter oder als selbständige Gewerbetreibende bzw. Freiberufler tätig sind, während die Mütter ebenfalls überwiegend an- oder ungelernte Arbeiterinnen oder aber Hausfrauen sind. Die Mädchen und jungen Frauen mit türkischem Hintergrund leben weit aus häufiger als alle übrigen in Arbeiterfamilien.

Aus den Variablen Schulzeit und getrennt davon Schulabschluss des Vaters und der Mutter sowie der beruflichen Stellung des Vaters und der Mutter wurde der Index „Sozialer Status der Herkunftsfamilie" gebildet (siehe Instrumentenkonstruktion im Anhang), der als Indikator für die soziale Lage eines der zentralen

---

92 Beamtin wird ausschließlich von vier Prozent der Mädchen mit griechischem Migrationshintergrund genannt. Bei den übrigen nationalen Herkünften kommt diese Berufsgruppe nicht vor.

Unterscheidungsmerkmale darstellt.[93] Nach diesem Index unterscheiden sich die Familien wie folgt:

Tabelle 2.18: Sozialer Status der Herkunftsfamilie (Index) (in Prozent)

| | Migrationshintergrund | | | | | Gesamt | |
	Aussiedl.	griech.	ital.	jugosl.	türk.		
Gesamt	(200)	(182)	(183)	(172)	(213)	100	(950)
sehr niedrig	24	41	62	45	68	48	(458)
niedrig	24	17	18	20	13	18	(174)
mittelmäßig	15	13	10	11	10	12	(112)
hoch	21	15	7	11	6	12	(114)
sehr hoch	16	14	3	13	3	10	(92)

$C = .34 \quad p = .00$

Die Ergebnisse zeigen das aus der Literatur bekannte Muster: Migrationsfamilien sind insgesamt häufig im unteren sozialen Bereich zu finden, ca. zwei Drittel besitzen einen niedrigen sozialen Status, weniger als ein Viertel einen hohen. Mädchen mit italienischem sowie türkischem Migrationshintergrund kommen mit jeweils 80 Prozent häufiger als die übrigen Gruppen aus Familien mit niedrigem und mit jeweils neun bzw. zehn Prozent deutlich seltener aus Familien mit hohem sozialem Status.

2.3.3 Finanzielle Ressourcen der Mädchen und jungen Frauen

Die finanzielle Lage von Zuwanderern und Zuwanderinnen in Deutschland ist in engem Zusammenhang mit dem sozialen Status zu sehen. Kontinuierlich wird in Berichten über die Einkommenssituation von ausländischen Arbeitnehmern und Arbeitnehmerinnen festgestellt, dass sich die Schere im Einkommen zwischen deutschen und nicht-deutschen Arbeitnehmern und Arbeitnehmerinnen weiter vergrößert hat (Bericht der Beauftragten der Bundesregierung für Ausländerfragen 2002, S. 315). Zudem sind Zugewanderte besonders häufig von relativer Armut betroffen, die sich vor allem auf die Lebenssituation und -chancen der Kinder und Jugendlichen negativ auswirkt (BMFSFJ 2002, S. 141). Auch nach dem erstem Armuts- und Reichtumsbericht der Bundesregierung (BMA 2001) sind ausländische Haushalte in wesentlich stärkerer Zahl als deutsche Haushalte von Armut und Niedrigeinkommen betroffen. Hinsichtlich der in Deutschland geborenen Migrationsgeneration stellt der Bericht der Ausländerbeauftragten des Bundes fest, dass in der zweiten Hälfte der 90ér Jahre „eine größere Ungleichheit" auffalle: „Der Anteil der Wohlhabenden hat zwar zugenommen, zugleich ist aber auch der Anteil der Niedrigeinkommensbezieher gestiegen" (Beauftragte der Bundesregierung für Ausländerfragen

---

93 Für die Indexbildung wurden die sechs genannten Variablen zunächst dichotomisiert. Dabei wurden die Antwortkategorien „keine Angabe", „weiß nicht", „Sonstiges" sowie „sie war immer Hausfrau" dem niedrigeren Punktwert 1 zugeordnet.

2002, S. 316). Für jugendliche Aussiedler und Aussiedlerinnen ermitteln Dietz/Roll (1998, S. 87), dass die von ihnen Befragten häufiger als einheimische Jugendliche Sozialhilfe erhalten (10% gegenüber 1%). In diesem Punkt spiegelt sich die Situation der Familien insgesamt wider. Ein beachtlicher Teil der Aussiedlerfamilien ist auf Sozialhilfe angewiesen (vgl. auch Dietz 1999, S. 166ff.). Darüber hinaus können Aussiedlerjugendliche weniger als Einheimische auf weitere Finanzquellen wie Gelegenheitstätigkeiten etc. zurückgreifen (Dietz/Roll 1998 S. 88).

Wie vorne begründet, wurde davon abgesehen, nach dem Einkommen und dem Vermögen der Eltern zu fragen, vielmehr wurde die finanzielle Situation der Mädchen und jungen Frauen erhoben. Da ein erheblicher Teil der Mädchen und jungen Frauen eine Schule besucht und zu Hause wohnt, wurde nicht nur das Einkommen aus eigener Erwerbstätigkeit allein berücksichtigt, sondern darüber hinaus die finanzielle Unterstützung durch die Familie. In der Zusammenschau wird der Lebensunterhalt wie folgt finanziert:

Tabelle 2.19: Wichtigste Quelle zur Finanzierung des Lebensunterhalts (in Prozent)

| | Migrationshintergrund | | | | | Gesamt | |
	Aussiedl.	griech.	ital.	jugosl.	türk.		
Gesamt	(200)	(182)	(183)	(172)	(213)	100	(950)
eigene Erwerbs-tätigkeit	13	21	21	18	29	20	(194)
Eltern und gemein-same Familienkasse	67	74	77	70	62	70	(665)
Sonstiges (Partner, Sozialleistungen, BAföG, Sonstiges)	20	5	2	12	9	10	(91)

C = .24   p = .00

70 Prozent der Mädchen werden hauptsächlich in und durch die Familie finanziert. Mädchen aus Aussiedlerfamilien erhalten, wie angesichts der eingangs geschilderten Situation der Familie zu erwarten war, häufiger als andere Leistungen aus staatlichen Kassen. Mädchen mit türkischem Hintergrund finanzieren sich häufiger als andere durch eigene Erwerbstätigkeit, sie werden deutlich seltener hauptsächlich durch die Eltern unterhalten, was auf ein durchschnittlich niedrigeres Familieneinkommen hinweist.

Eine Gegenüberstellung nach Altersgruppen zeigt erwartungsgemäß, dass die 15- bis 16-Jährigen mit 37 Prozent und die 17- bis 18-Jährigen mit 35 Prozent häufiger von den Eltern finanziert werden, während die Älteren (19- bis 21-Jährigen) zu 72 Prozent auf Einkommen aus eigener Erwerbstätigkeit zurückgreifen (vgl. ähnliche Ergebnisse in Fritzsche 2000a, S. 375f.).

Durch regelmäßiges (28%) oder unregelmäßiges Jobben (19%) bessert ein Teil der Befragten sein verfügbares Geld auf. 53 Prozent der Befragten gehen keinem Nebenjob nach. Taschengeld erhalten 51 Prozent der Mädchen regelmäßig und 38 Prozent ab und zu. Mädchen mit griechischem (67%) und türkischem Hintergrund (54%) bekommen häufiger regelmäßig Taschengeld als die anderen Gruppen. Dabei muss berücksichtigt werden, dass die Mädchen aus Aussiedlerfamilien wegen des

Sozialtransfers weniger auf Familienleistungen angewiesen sind, aber auch weniger auf diese zurückgreifen können. Strobl/Kühnel (2000, S. 120f.) stellen aufgrund der Angaben der Befragten zu der Summe der finanziellen Mittel, die ihnen im Monat zur Verfügung stehen, fest, „dass die Gruppe der jungen Aussiedler finanziell schlechter gestellt ist als die Vergleichgruppe der einheimischen Deutschen."

Nach den Ergebnissen der Untersuchung sind die Mädchen mit ihrer finanziellen Situation eher zufrieden als unzufrieden: 47 Prozent geben an, dass es ihnen finanziell „sehr gut" bzw. „gut", 40 Prozent dass es ihnen finanziell „mittelmäßig" und 13 Prozent, dass es ihnen „nicht gut" bzw. „überhaupt nicht gut" gehe. Am besten bewerten Mädchen mit griechischer (58%) und italienischer (54%) Herkunft ihre Situation, am schlechtesten stufen diese die Mädchen aus Aussiedlerfamilien und Befragte jugoslawischer Herkunft ein, von denen jeweils 19 Prozent sagen, dass es ihnen finanziell „nicht" bzw. „überhaupt nicht gut" gehe, gefolgt von 12 Prozent der Mädchen mit türkischem Hintergrund, die diese Einschätzung geben.

2.4 Räumliches Umfeld und soziale Ungleichheit

Nur ein Viertel der Mädchen und jungen Frauen mit Migrationshintergrund leben nach unseren Untersuchungsergebnissen in einem durch deutsche Nachbarn bestimmten Umfeld; 15 Prozent wohnen im zuwanderungsbestimmten oder ethnischen Milieu. Wie zu erwarten, hat der soziale Status der Familie Einfluss sowohl auf das Wohnungsumfeld als auch auf die Wohnqualität. Vom sozialen Status der Familie ist es (mit) abhängig, in welchem Wohnmilieu die Mädchen und jungen Frauen leben:

Tabelle 2.20: Wohnmilieu und sozialer Status (in Prozent)

	sozialer Status der Herkunftsfamilie					
	sehr niedrig	niedrig	mittel	hoch	sehr hoch	Gesamt
Gesamt	(458)	(174)	(112)	(114)	(92)	100 (950)
deutsches Umfeld	19	23	32	32	44	26 (244)
gemischtes Umfeld	60	62	62	59	46	59 (561)
Zuwanderungsmilieu	14	10	4	8	9	11 (102)
ethnisches Milieu	7	5	2	1	1	4 (43)

C = .22   p = .00

Wie auch in anderen Städtestudien festgestellt, wohnen und leben im Zuwanderungsmilieu und im ethnischen Milieu deutlich mehr Zuwandererfamilien mit niedrigem sozialen Status (Korrelation Wohnmilieu und sozialer Status C = .22, p = .00). Die weitaus geringere Zahl mit hohem und sehr hohem Status (22% der Befragten) wohnt häufiger in einem deutschen Umfeld, seltener im Zuwanderungs- und kaum im ethnischen Milieu. Von dem Wohnmilieu her betrachtet, wohnt im deutschen Umfeld anteilmäßig eine größere Zahl von Familien mit höherem Status, aber auch Familien mit niedrigem. Im gemischten Umfeld und im Zuwanderungsmilieu verschieben sich die Anteile zu Gunsten des niedrigen sozialen Status bei immer noch erheblichen Anteilen von Familien mit hohem sozialen Status. Im ethnischen Milieu hingegen leben kaum Zuwandererfamilien mit hohem sozialen Status.

Im ethnischen Milieu sind häufiger (81%) als in den anderen Milieus (51% bis 59%) religiöse Angebote, kulturelle Zentren (63% gegenüber 35% bis 43%) und spezielle Angebote für Mädchen und junge Frauen (51% gegenüber 26% bis 35%) vorhanden. Sie werden auch stärker genutzt, allerdings stets nur von einer Minderheit von unter einem Viertel derjenigen, die im ethnisch homogenen Milieu leben. Die verbesserte Angebotsstruktur führt nicht zu einer positiven Bewertung, vielmehr – wie nach den Einzelauswertungen zu erwarten – steigt auch auf der Grundlage der Indexbildungen mit höherem Anteil von deutschen Bewohnern die Zufriedenheit mit dem Wohnumfeld.

Tabelle 2.21: Einstellung zum Wohnumfeld und Wohnmilieu (Index) (in Prozent)

	Wohnmilieu				Gesamt
	deutsches Umfeld	gemischtes Umfeld	Zuwanderungs- milieu	ethnisches Milieu	
Gesamt	(244)	(561)	(102)	(43)	100 (950)
sehr negativ	4	10	22	14	10 (93)
eher negativ	9	14	17	11	13 (120)
teils-teils	14	27	30	33	24 (231)
eher positiv	35	28	24	35	30 (284)
sehr positiv	38	21	7	7	23 (222)

C = .29   p = .00

Das Fehlen des Gender-Aspektes in Form einer geschlechtersensiblen Raumforschung bzw. einer raumbezogenen Geschlechterforschung wird seit längerem beklagt (siehe dazu Klein 2002, S. 87ff.; Karakaşoğlu/Waltz 2002), der Zusammenhang zwischen sozialem Status, ethnisches bzw. Zuwanderungsmilieu und die Minderausstattung in den Stadtteilen, in denen diese Gruppe überdurchschnittlich häufig lebt und Geschlecht, wird kaum thematisiert. Nach unserer Untersuchung nehmen die Mädchen und jungen Frauen, die im ethnischen oder Zuwanderungsmilieu aufwachsen, keine Minderausstattung wahr. Aber sie bewerten ihr Wohnumfeld deutlich negativer.

Die Konzentration sozial deprivierter Statusgruppen bewirkt mehr als räumliche Trennung. „Sie entfernt Frauen real und symbolisch von und aus der Stadt und Öffentlichkeit, beschneidet ihre Wohnmöglichkeiten und damit auch die Chancen der Veränderung ihres gesellschaftlichen Status" (Frank 1997, S. 336f.). Mädchen und junge Frauen mit Migrationshintergrund, die in Familien mit niedrigem sozialen Status und darüber hinaus im segregierten ethnischen oder Zuwanderungsmilieus aufwachsen, bewerten ihr Wohnumfeld deutlich negativer.

In der Diskussion um die geschlechtsspezifischen Ungleichheiten wird auf die geringe Freiraumverfügung von Mädchen und Frauen verwiesen, etwa im Freizeitbereich und hier untersucht bei den Sport- und Bewegungsräumen. Mädchen halten sich seltener im öffentlichen Raum auf als Jungen. Diejenigen, die sich draußen aufhalten, entfernen sich in der Regel weniger weit von der elterlichen Wohnung; sie unterliegen in stärkerem Maße der elterlichen Kontrolle (so für deutsche Mädchen: Spitthöver 2000, S. 218).

Neuere Untersuchungen bestätigen das bekannte Bild, dass in einer Großstadt die Stadtteile und Stadtbezirke mit dem niedrigsten Sozialindex – also mit den Einwohnern der niedrigsten durchschnittlichen Schichtzugehörigkeit – zugleich die Regionen mit den ungünstigsten Wohnbedingungen und der schlechtesten Infrastruktur für Kinder und Jugendliche sind (Klein 2002, S. 100). In diesen Stadtteilen leben überproportional viele Familien mit Migrationshintergrund.

3.   Familienbande: Rolle und Bedeutung der Familie

Seit Beginn der Zuwanderung werden die Familienstruktur sowie die familialen Bindungen und Erziehungsvorstellungen als wichtige Unterschiede zwischen deutschen Mädchen und Mädchen mit Migrationshintergrund diskutiert. Stets wird darüber hinaus die besondere Bedeutung der Familie für Kinder und Jugendliche der Zuwanderergruppen aus den Mittelmeeranrainer-Ländern betont (vgl. Boos-Nünning 1994). Auch heute noch wird den familiären Strukturen und den in den Familien tradierten Vorstellungen ein wesentlicher Grund für Distanz oder Nähe zur deutschen Gesellschaft zugeschrieben. Von Seiten der Politik und der in der Praxis tätigen Pädagogen und Pädagoginnen wird nicht selten ein stärkeres Engagement der Eltern in Bildungsfragen und eine Orientierung an den Werten der deutschen Gesellschaft gefordert, um den Kindern und Jugendlichen die Integration zu erleichtern.

Diese Alltagsdeutungen sind durch ein stereotypes Bild von Migrationsfamilien bestimmt, das seinen Ursprung in frühen Studien zu den eingewanderten (damals: Gastarbeiter- oder ausländischen) Familien hat. Sie wurden in der frühen ausländerpädagogischen Literatur vor allem unter den die Integration behindernden Gesichtspunkten betrachtet. Es wurde nicht gefragt ob, sondern dargestellt auf welche Weise sie die Eingliederung der nachfolgenden Generation in die deutsche Gesellschaft aufgrund des Festhaltens an traditionellen Orientierungen be- oder verhinderten. Viele Thesen, die die Alltagsdeutungen bestimmen, sind empirisch nicht belegt, manche sogar widerlegt, wie z.B. die These von der patriarchischen Familienstruktur in der früheren Untersuchung von Nauck (1985a).[94]

Das folgende Zitat fasst das Bild, das von der ausländischen, insbesondere türkischen Familie zu Beginn gezeichnet wurde, prägnant zusammen. Eine Auswertung der Literatur bis Mitte der 70er Jahre führt zu folgendem Ergebnis (Boos-Nünning 1976, S. 96f.): „Alle Untersuchungen und Darstellungen betonen die an Autorität ausgerichteten patriarchalischen Strukturen der ausländischen Arbeiterfamilien, die für die vorindustrielle, agrarisch geprägte Lebensordnung typisch, für die Industriestaaten jedoch dysfunktional ist. Die ausländischen Eltern, vor allem die Väter, fordern, in manchen Fragen geschlechtsspezifisch differenziert, ein – gemessen an den deutschen Eltern – erhöhtes Maß an Gehorsam und Autorität." Verantwortlich gemacht wurde damals, nahezu ausschließlich bezogen auf türkische Familien, die vorindustrielle Struktur der Herkunftsländer und der Islam (z.B. bei Renner 1975), wenn auch immer wieder festgestellt wurde, dass es ähnliche Muster auch bei süditalienischen oder griechischen Migrationsfamilien gab und gibt. Diese Fokussierung auf den Islam hat dazu beigetragen, dass sich in den letzten 20 Jahren der Blickwinkel der Forschung auf die türkische Familie als Prototyp der Migrationsfamilie verengt hat (vgl. die Literaturanalyse bei Huth-Hildenbrandt 2002).[95]

---

94 Zur Kritik der Thesen zur Migrationsfamilie siehe Boos-Nünning 1994.
95 Die meisten Untersuchungen und Analysen richten sich auf türkische Familien; dieser Nationalität wird auch in der öffentlichen Diskussion die meiste Zeit und das meiste Interesse gewidmet. Nicht zu übersehen sind zwei verhängnisvolle Auswirkungen: Die Konzentration auf türkische Familien bedeutet die Ignorierung der Probleme aller anderen Nationalitäten und ethnischen Gruppen in und mit der deutschen Gesellschaft, und sie hat darüber hinaus die Stigmatisierung der türkischen Familie als „die" Problemfamilie hervorgerufen oder zumindest verstärkt.

Werden die Aussagen mit kritischer Distanz betrachtet, so wird deutlich, dass folgende Bilder transportiert werden:

- Das Bild, dass die patriarchalisch autoritäre Familienstruktur der (türkischen) Migrationsfamilie eine Integration der Kinder in die deutsche Gesellschaft verhindere.
- Das Bild, dass die Erziehungsvorstellungen der eingewanderten Eltern nicht mit den deutschen Erziehungszielen und Normen in Einklang zu bringen seien.
- Das Bild, dass in Migrationsfamilien das Verhältnis zwischen den Generationen wegen der unterschiedlichen Sozialisation grundlegend gestört sei.
- Das Bild, dass vor allem die Durchsetzung rigider, geschlechtsspezifischer Normen in den Familien zu einer grundsätzlichen Benachteiligung der Mädchen, Frauen, Töchter und Schwestern führe.

Diese Grundgedanken entsprechen den meisten Veröffentlichungen zur damaligen Zeit und prägen das Bild von der (türkischen) Migrationsfamilie und ihrer (integrationsbehindernden) Sozialisationsleistung – zumindest in der Öffentlichkeit – bis heute.[96] Die Verallgemeinerungen und ethnozentrischen Bewertungen wirken nicht nur nach, sondern werden teilweise durch die Darstellung ausländischer, wiederum insbesondere türkischer Familien in den Massenmedien verstärkt. Nicht selten werden familiale Muster in den Migrationsfamilien den Anforderungen in Industriegesellschaften im Hinblick auf die Persönlichkeitsbildung gegenübergestellt. Es wird ausgeführt, dass neue Werte wie persönliche Autonomie, Selbstverwirklichung, Gleichberechtigung und Emanzipation mit dem Rückgriff auf alte Orientierungen streiten würden. Das Konzept der Selbstfindung sei in der Mehrheitsgesellschaft vorrangig, während in den Migrationsfamilien weiterhin andere Autoritätssysteme existierten. Vor diesem Hintergrund ist nachvollziehbar, warum „die elterlichen Erziehungspraktiken (...) in der Literatur oft im Zusammenhang mit der Einstellung der Eltern gegenüber der deutschen Gesellschaft thematisiert" werden (Baros 2001, S. 138). Da mit der Erziehung Werte und Normen transportiert werden, kommt diesem Bereich eine Schlüsselfunktion für die Integration in die Aufnahmegesellschaft zu.

3.1 Familiale Struktur und familiale Erziehung

3.1.1 Wandel der Familien unter Migrationsbedingungen

Vor dem Hindergrund des Sachverhalts, dass der Migrationsfamilie eine so große Bedeutung zugewiesen wird, ist es erstaunlich, dass trotz der kaum mehr übersehbaren Zahl von Büchern und Aufsätzen über „ausländische Familien in Deutschland"[97] das empirische Wissen über die Veränderungen der Familienstrukturen und

---

96 Auch der sechste Familienbericht der Bundesregierung, der sich erstmalig ausschließlich den „Familien ausländischer Herkunft in Deutschland" gewidmet hat, konnte bislang an der öffentlichen Wirksamkeit von etablierten Klischeevorstellungen über Familien mit Migrationshintergrund kaum etwas ändern, obwohl er einen umfassenden Überblick über den aktuellen Forschungsstand mit differenzierten Sichtweisen gibt (BMFSFJ 2000).

97 Siehe dazu Kapitel 7 der von Boos-Nünning in Zusammenarbeit mit Grube und Reich 1990 herausgegebenen annotierten Bibliographie: „Die türkische Migration in deutschsprachigen Büchern 1961-1984", in der zum Themenbereich Sozialisation und Familie

der familialen Orientierungen unter den Bedingungen von grenzüberschreitenden Wanderungen lange Zeit gering blieb.

Die erst in neuester Zeit erfolgte Einbeziehung der Jugendlichen mit Migrationshintergrund in die allgemeinen Jugendstudien (Deutsche Shell 2000; Weidacher 2000b), in Untersuchungen zu familiären Beziehungen und Orientierungen bei Jugendlichen mit Migrationshintergrund (Hänze/Lantermann 1999) und mehr noch durch spezifische Untersuchungen zu Migrationsfamilien (siehe vor allem die Untersuchungen von Nauck 1994, 2000 und Herwartz-Emden 2000; Herwartz-Emden/Westphal 2000a, b) wurde die empirische Basis erweitert und die Möglichkeit eröffnet, zu belegen, wie wenig das eindimensionale Bild der Alltagsdeutungen den Realitäten in Migrationsfamilien entspricht. Schon seit Mitte der 80er Jahre werden Differenzierungen vorgestellt. Es wurde dargestellt, dass selbst die Familien, die im Herkunftsland im Durchschnitt stärker als deutsche Familien patriarchalisch ausgerichtet waren, sich durch die Wanderung und die daraus resultierenden Bedingungen im Hinblick auf die Verteilung von Entscheidungsmacht, die Aufgabenverteilung und den Typ der Familienstruktur verändert haben. Nauck (1985a) ermittelt auf der Grundlage einer Befragung von 215 türkischen Ehefrauen und -männern mit mindestens einem Kind unter 16 Jahren im Haushalt, dass die Entscheidungs- und Handlungsautonomie der Ehefrau vom Haushalt über die Kinderpflege und die sozialen Beziehungen bis hin zur Erwerbstätigkeit deutlich zu- und die des Ehemannes deutlich abnimmt. Je größer die Autonomie des Ehemannes im außerfamilialen Bereich, desto größer ist seine Entscheidungs- und Handlungsautonomie auch im innerfamilialen Bereich. Dies widerspricht der These von der geschlechtsspezifischen Komplementarität von Aufgabenbereichen. Festgestellt wurde auch eine auffällig große Variabilität der türkischen Familie in der Verteilung von Entscheidungsmacht und Aufgabenallokation. Dabei überwiegen in allen Handlungsfällen kooperative Entscheidungen, die Aufgabenerfüllung erfolgt hingegen autonom. Nauck (1985a, S. 453f.) führt aus, dass allein die Beschreibung der Ergebnisse das stereotype Bild von der „autoritär-patriarchalischen" türkischen Familie korrigieren müsse.[98] Auswirkungen auf die Familienstruktur hat nach dieser Untersuchung nicht die Dauer der Familienfragmentierung, sondern die Verweildauer (insbesondere der Frau) in der Aufnahmegesellschaft und die Reihenfolge der Einreise (ebenda, S. 456f.). Eine große Rolle spielt der Herkunftskontext der Ehefrau. Nur geringfügige Effekte haben die Kontextbedingungen der Herkunftsgesellschaft, wie die Kontakte zu Angehörigen der eigenen Ethnie und die Nähe von ethnischen

---

allein bis 1984 65 Bücher besprochen wurden. Darüber hinaus ist zu verweisen auf die frühen Untersuchungen mit quantitativen Methoden von Renner (1975); Schrader/ Nikles/ Griese (1976) (auch Holtbrügge (1975)); Wilpert (1980); Neumann (1981), sowie auf die Studien in neuerer Zeit von Nauck/Özel (1986); Nauck/Kohlmann (1998); Nauck/Kohlmann/Diefenbach (1997); Nauck (2000), sowie auf die mit qualitativen Methoden durchgeführten Studien von Renner (1986); Yakut et al. (1986), Neumann (1989), Pfluger-Schindlbeck (1989); Baros (2001) und Herwartz-Emden/Westphal (2002).

98 „Bei aller Komplementarität der Aufgabenbereiche und der hohen Autonomie in der Aufgabenerfüllung bleibt jedoch festzuhalten, dass in über 70% der türkischen Migrantenfamilien synkratische Entscheidungsmuster überwiegen. In dieser Hinsicht unterscheiden sie sich nicht grundsätzlich von den Familien der deutschen Aufnahmegesellschaft (...) Ein wesentlicher Unterschied ist jedoch darin zu sehen, dass in den türkischen Migrantenfamilien der Typ einer synkratisch-kooperativen Organisation des Familienhaushalts weitgehend fehlt, der seinerseits als normatives Muster in der deutschen Aufnahmegesellschaft eine sehr breite Akzeptanz besitzt." (Nauck 1985a, S. 452).

Einrichtungen. Große Bedeutung haben Motivation und Kognition der beteiligten Personen, insbesondere die Eingliederungsbereitschaft (ebenda, S. 464).

Nach dieser und anderen späteren Untersuchungen (vgl. auch ähnliche Ergebnisse bei Kohlmann 2000) lässt sich also eine Veränderung der Familienstruktur gegenüber derjenigen in den Herkunftsländern feststellen, was aber keine lineare Anpassung an die deutsche Familienstruktur bedeutet. Außerdem wird eine starke Ausdifferenzierung und dadurch bedingte Variabilität innerhalb der Zuwanderungsfamilien ermittelt. Untersuchungen zu anderen Herkunftsgruppen, zum Beispiel zu Migranten und Migrantinnen mit griechischem Hintergrund, stellen ähnliche Entwicklungen fest (Goudiras 1997; Baros 2001).

Vergleichende Untersuchungen aus jüngerer Zeit stellen herkunftsgruppenspezifische Ausprägungen von Familienstruktur und familialer Erziehung fest, die angesichts früherer Stereotypen überraschende Linien aufweisen. In der Rezeption der Ergebnisse von Nauck (1998) kommt der sechste Familienbericht der Bundesregierung – im Vergleich zu der „deutschen Familie" – zu folgender Erkenntnis: „Die größte Ähnlichkeit zu deutschen Familien hinsichtlich der Werte haben die italienischen und griechischen Familien. (...) türkische Familien zeichnen sich dadurch aus, dass ökonomisch-utilitaristische Erwartungen an intergenerative Beziehungen eine deutlich größere Bedeutung haben als in deutschen, italienischen und griechischen Familien. Dies ist jedoch nicht mit einer verminderten Bedeutung psychologisch-emotionaler Werte verbunden. Die Generationenbeziehungen haben vielmehr einen multifunktionalen Charakter, statt (wie in deutschen Familien) auf ihre emotionale Dimension spezialisiert zu sein. (...) Aussiedlerfamilien (...) mit der vergleichsweise starken Betonung von Nützlichkeitserwägungen in den Generationenbeziehungen platzieren sich zwischen den griechischen und italienischen Familien einerseits und den (...) türkischen andererseits" (BMFSFJ 2000, S. 98).

Hinsichtlich herkunftsspezifischer Unterschiede ermitteln die Autoren Folgendes: „Griechische Kinder sind mit größerer Wahrscheinlichkeit in Deutschland geboren, haben eine jüngere Mutter, Eltern mit höherer Bildung, weniger Geschwister im Haushalt und wachsen mit größerer Wahrscheinlichkeit in einem die Assimilation begünstigenden kulturellen Klima im Elternhaus auf als Kinder anderer Nationalitäten." Dies würde auch ihren hohen Bildungserfolg erklären. Hingegen seien „Kinder türkischer Nationalität mit größerer Wahrscheinlichkeit in der Herkunftsgesellschaft geboren oder später eingereist, hätten eine ältere Mutter, Eltern mit einer niedrigen Bildung und geringeren Deutschkenntnissen, mehr Geschwister im Haushalt und wachsen mit größerer Wahrscheinlichkeit in einem die Kultur der Herkunftsgesellschaft bewahrenden Elternhaus auf als Kinder aus Migrantenfamilien anderer Nationalitäten".

Einige Untersuchungen machen auf den Wandel im Erziehungsverhalten von Migrationsfamilien aufmerksam, der sich im Zuge der Veränderung der Familienstruktur durch Migration zeige.[99] So sei als Resultat der Migration mit der Ein-

---

99 Vgl. auch die Untersuchung von Pfluger-Schindlbeck (1989, S. 287ff.), die mit qualitativen Methoden vier alevitische Familien aus der Türkei intensiv untersucht und die Erziehung in der Migration mit derjenigen im Dorf vergleicht. Auf der Basis teilnehmender Beobachtungen stellt sie fest, dass die nach (West-)Berlin eingewanderten Familien Veränderungen unterworfen sind, derer sie sich selbst nicht bewusst sind, so dass diese in Interviews nicht nachzuzeichnen seien. Diese betreffen vor allem die Rangordnung der Geschwister. Die im Dorf gültige Trennung nach Geschlecht und

bindung der Frauen in die Arbeitswelt außerhalb des Hauses und dem Wegfallen der verwandtschaftlichen Unterstützungssysteme bei der Betreuung der Kinder eine Verkleinerung der Familie festzustellen und damit eine stärkere Einbindung der Väter in die Kindererziehung und -betreuung (Gümen/Herwartz-Emden/Westphal 2000, S. 207-231). Während zum Beispiel in früheren Untersuchungen zu Griechen deren rigideres Erziehungsverhalten gegenüber Töchtern hervorgehoben wurde (z.B. Hotamanidis 1974; Ligouras 1981), stellen neuere Untersuchungen ein differenziertes Bild dar. Vor allem jüngere Eltern weichen von dem geschilderten Muster ab und beurteilen traditionelle, geschlechtsspezifische Erziehungsmuster kritisch (Pantazis 1989; Baros 2001, S. 139). Ein Wandel in griechischen Familien sei jedoch eher im Bereich der innerfamilialen Autoritätsstrukturen zu Gunsten einer steigenden Autorität der Frauen erfolgt, dies habe wenig an den geschlechtsspezifischen Rollenstrukturen geändert (Baros 2001, S. 135).

Hinsichtlich der jüngst zugewanderten Gruppe der Aussiedler und Aussiedlerinnen bewegt sich die Forschung zu den Erziehungszielen in ähnlichen Bahnen wie bezüglich der Arbeitsmigranten und Arbeitsmigrantinnen. Dietz beschreibt Aussiedlerfamilien als Familien mit patriarchalischen Strukturen, in denen die Rollenverteilung zwischen Männern und Frauen traditionell geprägt sei (vgl. Dietz 1997, S. 67). Das Erziehungskonzept der Aussiedlereltern wird als moralisch und emotional beschrieben, Selbständigkeit der Kinder werde weniger angestrebt als üblicher Weise in einheimischen deutschen Familien. Aussiedlermütter werden als doppelorientiert beschrieben, das heißt, sie üben einen Beruf aus und übernehmen gleichzeitig die Verantwortung für die Familie (Erziehung der Kinder, Haushaltsführung). Die Erwartungen gegenüber den Töchtern beschreibt Dietz als dem traditionellen weiblichen Rollenverständnis entsprechend, d.h. sie sollen Mithilfe im Haushalt leisten und ihre jüngeren Geschwister betreuen. Dieses Bild wird von Herwartz-Emden und Westphal (2000a, S. 100) auf der Grundlage ihrer Untersuchung dahingehend kritisiert, dass die hiesige bundesdeutsche Migrationsforschung tendenziell den Aussiedlerfamilien „eine eher traditionell-kollektivistische Erziehungseinstellung" zuschreibt, in der „Autorität – und vornehmlich die väterliche – als die vorherrschende Leitvorstellung für Erziehungspraktiken erscheint". Dabei werden die westdeutschen Erziehungspraktiken zum Maßstab genommen und als vorbildlich dargestellt. Zu den am meisten erwähnten Charakteristika der westdeutschen Partnerschafts- und Erziehungsvorstellungen gehören: Partnerschaftlichkeit, auf Geschlechtergleichheit bedachte Erziehung, Eigenständigkeit und Förderung der Selbständigkeit. Die Erziehungsstile der Aussiedlereltern sollten jedoch, ebenso wie die der nicht-deutschen Familien, nicht als homogen betrachtet werden, da deren Variationen von vielen Faktoren abhängig sind, unter anderem dem Bildungsstatus der Eltern, der Ausprägung familiärer Religiosität oder des ländlichen bzw. städtischen Lebensraumes im Herkunftsland: „Das Erziehungsverhalten der Eltern in Einwandererfamilien enthält sowohl autoritär-bestimmende wie auch zärtlichbehütende Elemente und ist nur im Kontext der Minoritätenlebenslage erklärbar.

Alter wird in Deutschland durch eine Trennung nach Generationen ersetzt. Darüber hinaus wird die Rolle der Mutter für die Erziehung der Tochter gestärkt (S. 289f.). Weitere Veränderungen beträfen die Individualisierung der Werte, die damit ihren autonomen und unveränderlichen Status verlören.

Dies gilt auch für Aussiedler und Aussiedlerinnen: Vom FAFRA[100]-Forschungsteam befragte Aussiedlerinnen (...) stimmen einer so genannten ‚kontrollierenden' Erziehungseinstellung (unter der autoritär-bestimmende Verhaltensweisen mit erfasst sind) stark zu, befürworten aber zugleich den eher dem westlichen Kontext zuzuordnenden Stil der Permissivität (Nachgiebigkeit). Das Ergebnis verweist einerseits auf die ständig geforderte Auseinandersetzung um die in der aktuellen Einwanderungssituation der Aussiedler erforderlichen Erziehungshandlungen mit dem aus dem Herkunftskontext bekannten Erziehungsverhalten. Andererseits knüpft diese Auseinandersetzung an bekannte Strategien ihrer Minoritätenlebenslage in der Herkunftsgesellschaft der ehemaligen Sowjetunion an, nämlich im Hinblick auf die Integration des Kindes Kompromisse eingehen zu müssen und kreative Strategien der Anpassung zu entwickeln" (Herwartz-Emden 1997b, S. 5).

Viele Veränderungen in den Familien spielen sich zumeist unerkannt durch die Außenwelt ab. Daher muss das nach außen präsentierte Bild nicht zwangsläufig mit internen Strukturen kompatibel sein. Migration verändert aber Familienstrukturen[101], insbesondere im Hinblick auf die Aufgabenteilung zwischen Mann und Frau und die Entscheidungsmacht in der Familie. Diese Veränderungen wurden im letzten Familienbericht der Bundesregierung (BMFSFJ 2000) in der Form berücksichtigt, dass die Situation ausländischer Familien aus einer Innenperspektive in ihrer Dynamik betrachtet wurde, um Aussagen über die Rolle der Frauen innerhalb der Familie zu ermöglichen. Ausgangspunkt war der Sachverhalt, dass die aktive Beteiligung der Frauen am Eingliederungsprozess zu wenig beachtet worden ist, obgleich es in entscheidendem Maße von den Ressourcen und Handlungskompetenzen der Frauen abhängt, in welche Richtung und mit welcher Intensität die Eingliederung der Migranten und Migrantinnen in die Gesellschaft vollzogen wird. In Bezug auf die Aufgabenverteilung und Entscheidungskompetenz z.B. zeigt sich zunächst, dass weniger Variabilität zwischen den jeweiligen Herkunftsnationalitäten (wie auch der deutschen) besteht als es die vielfältigen Annahmen über die kulturelle Prägung der Geschlechterrolle nahe legen (BMFSFJ 2000, S. 93). So sind bei den ausländischen Familien Einkaufen und Putzen durchgängig „weibliche", die Erledigung von „Behördengängen" hingegen „männliche" Tätigkeiten, während wichtige Entscheidungen innerhalb der Familie zu einem großen Teil gemeinsam getroffen werden. Erst in zweiter Linie stellen sich Unterschiede ein, die mit der jeweiligen Kultur in Zusammenhang zu stehen scheinen. In italienischen und griechischen Familien z.B. gibt es eine stärkere Polarisierung bei der Aufgabenverteilung als in türkischen und vietnamesischen Familien. Darüber hinaus sind – gemessen an Griechen und Italienern – in der Untersuchung von Nauck (2000, S. 374) in türkischen Familien die geringsten Präferenzen für verschiedene Geschlechterrollen und für männliche Nachkommen festgestellt worden. Dieses empirische Ergebnis widerlegt bereits beschriebene verbreitete Stereotype.

---

100 FAFRA=Forschungsprojekt „Familienorientierung, Frauenbild, Bildungs- und Berufsvorstellungen von eingewanderten und einheimischen Frauen in interkulturell-vergleichender Perspektive." Das Projekt wurde von 1991-1997 an der Universität Osnabrück unter Leitung von Prof. Dr. Leonie Herwartz-Emden mit Mitteln der DFG im Forschungsschwerpunkt „Folgen der Arbeitsmigration für Bildung und Erziehung" (FABER) durchgeführt.

101 Siehe dazu die Untersuchungsergebnisse von Herwartz-Emden 2000; Herwartz-Emden/ Westphal 2000a, b; Kohlmann 2000; Birsl/Ottens/Sturhan 1999; Nauck 1997a und 2000).

Außerdem scheint sich in türkischen Migrationsfamilien ein Wandel in den Geschlechterrollen anzudeuten, der anderen Mustern folgt als in westlichen Industriegesellschaften üblich. Egalitäre Vorstellungen werden für Frauen und Mädchen nicht verknüpft mit Individualismus und Selbständigkeit. Sie äußern sich vielmehr in gleichen Erwartungen an Söhne und Töchter hinsichtlich des Bildungserfolgs und der Unterstützung der Eltern. Die Ergebnisse lassen sich erweitern und ergänzen durch eine Untersuchung von Gümen/Herwartz-Emden/Westphal (2000, S. 230), in der festgestellt wird, dass die Verwirklichung eines Familien- und Berufslebens für Aussiedlerinnen stärker als für Frauen aus der Türkei und für diese wiederum stärker als für die befragten westdeutschen Frauen zum selbstverständlichen weiblichen Lebenskonzept gehört. Die Frage von Beruf und Familie stellt sich also für diese beiden Zuwanderinnengruppen – anders als in der bundesdeutschen feministischen Diskussion – nicht als Dilemma-Situation, als Entweder-oder-Entscheidung, sondern als miteinander zu vereinbarende Lebensziele dar. Die Phase der aktiven Mutterschaft wird als mit einer Berufstätigkeit viel besser vereinbar gesehen. Die Ergebnisse bestätigen auch vorherige Forschungsresultate zur hohen Aus- und Bildungsmotivation von Frauen aus der Türkei hinsichtlich ihrer Töchter.[102] Berufs- und Bildungseinstellungen stehen bei ihnen in engerem Zusammenhang mit der „Zukunftssicherung der Kinder" als bei westdeutschen Frauen oder Aussiedlerinnen (ebenda, S. 311). Sowohl türkische Männer als auch Frauen haben höhere Bildungserwartungen an ihre Kinder als italienische oder griechische Eltern (Nauck 2000, S. 375).

Nauck/Özel weisen auf Veränderungen in den (antizipierten) Erziehungspraktiken im Verlauf des Wanderungsprozesses hin und belegen, dass sich die Erziehungsstile im Zusammenhang mit der Beherrschung der deutschen Sprache, dem Lebenskomfort und den privaten Kontakten zu Deutschen sowie der Partizipation an deutschen Institutionen verändern. Beeinflusst werden die Vorstellungen darüber hinaus durch die individuelle Bildung der Eltern. Bei einem Vergleich der Erziehungsvorstellungen der Mütter und Väter getrennt nach Söhnen und Töchtern (Nauck/Özel 1986, S. 304) zeigt der Dyaden-Vergleich, dass die Mutter-Kind-Beziehungen sehr viel „stabiler" als die Vater-Kind-Beziehungen sind und weniger durch Bildungs- und Assimilationsprozesse modifiziert werden. Von genereller Bedeutung für die Migrations- und Familiensoziologie ist schließlich der Befund, dass die Veränderungen der Eltern-Kind-Beziehungen am wenigsten von der strukturellen Platzierung in der Aufnahmegesellschaft beeinflusst sind. Die Untersuchung zeigt, dass die Zusammenhänge mit dem Individual- und Familieneinkommen sowie mit dem erworbenen Berufsprestige noch schwächer sind als mit dem verwendeten Indikator des Besitzes von langlebigen Konsumgütern und der Wohnungsausstattung. Vielmehr seien die Veränderungen vornehmlich auf die Vermehrung individueller Alternativen aufgrund kognitiver Kompetenzen (Bildung; Sprache) und sozialer Kontakte (Freunde; Partizipation), nicht jedoch auf ökonomische Ressourcen zurückführbar (ebenda).

Die Untersuchungen korrigieren zum einen Auffassungen, die davon ausgehen, dass die Erziehungsvorstellungen der türkischen Eltern ebenso wie die familiale Rollenstruktur in Abhängigkeit von der Sozialisation und der Struktur der Familie im Herkunftsland gesehen werden müssen, zum anderen belegen sie, dass auch im

---

102 Zu den Geschlechterrollenorientierungen der Mädchen und jungen Frauen vor dem Hintergrund der Einstellungen ihrer Müttergeneration siehe detaillierter Kapitel 7.

Hinblick auf die Erziehungsziele von einer Ausdifferenzierung und großen Variabilität auszugehen ist.

Unsere Untersuchung erlaubt einige dieser Thesen aus der Perspektive der Mädchen und jungen Frauen mit verschiedenen nationalen Hintergründen vergleichend zu prüfen. Dabei soll die (äußere) Familienstruktur nach der Größe der Familie und dem Rang des Mädchens innerhalb der Familie, nach der Lebensform und den Wünschen des Mädchens in Bezug auf die künftigen Formen wie auch familiale Ressourcen und Belastungen, Erziehungsnormen in der Familie und familiale Traditionen betrachtet werden.

3.1.2 Familienstruktur: Familiengröße und Stellung in der Geschwisterreihe

Die Familiengröße bestimmt durch die Zahl der Kinder und die Stellung des Kindes innerhalb der Geschwisterreihe werden in Untersuchungen als Rahmenbedingungen familiärer Orientierungen verstanden und insbesondere im Zusammenhang mit Bildungsansprüchen und -erfolgen thematisiert.

Nimmt man die durchschnittliche Familiengröße in Deutschland als Maßstab, dann wachsen die von uns befragten Mädchen und jungen Frauen mit Migrationshintergrund überwiegend in vergleichsweise kinderreichen Familien auf. Während in der deutschen Bevölkerung die Ein-Kind-Familie 50 Prozent der Haushalte mit Kindern ausmacht und die Zwei-Kind-Familie 38 Prozent, also 88 Prozent der Kinder in Ein- bis Zwei-Kinder-Familien aufwachsen, stellt sich in unserer Stichprobe ein anderes Bild dar.[103] Der überwiegende Teil der Mädchen und jungen Frauen (71%) wächst in einer Zwei- (41%) bis Drei-Kind-Familie (30%) auf. Eher selten (5%) wachsen die Mädchen und jungen Frauen als Einzelkind auf. Eine größere Minderheit von 13 Prozent wächst in einer Familie mit vier Kindern auf. In elf Prozent der Fälle hat die Familie des Mädchens fünf und mehr (bis elf) Kinder. Bei der Kinderzahl in der Familie gibt es allerdings Unterschiede nach nationaler Herkunft.

Tabelle 3.1: Kinderzahl der Familie (in Prozent)

| | Migrationshintergrund | | | | | Gesamt |
	Aussiedl.	griech.	ital.	jugosl.	türk.	
Gesamt	(200)	(182)	(183)	(172)	(213)	100 (950)
1-Kind-Familie	8	5	5	4	3	5 (49)
2-Kinder-Familie	54	51	46	42	16	41 (393)
3-Kinder-Familie	28	32	32	32	26	30 (282)
4-Kinder-Familie	6	8	12	12	25	13 (121)
5-Kinder-Familie und mehr	4	4	5	10	30	11 (105)

C = .40   p = .00

---

103 Zu den deutschen Familien siehe Bellenberg 2001, S. 22.

Die Familien mit türkischem Migrationshintergrund sind deutlich kinderreicher. Immerhin 30 Prozent der Mädchen aus dieser Gruppe sind in einer Familie mit fünf und mehr Kindern aufgewachsen; bei allen anderen Gruppen sind dies zehn (Mädchen mit Herkunft aus dem ehemaligen Jugoslawien) bis vier Prozent (Aussiedlerinnen).

Die Stellung in der Geschwisterreihe wurde danach differenziert, ob es sich bei den Mädchen und jungen Frauen um die Erstgeborene (36%), um ein mittleres Kind (26%) oder um die Letztgeborene (33%) handelt. Fünf Prozent wachsen als Einzelkind auf.

Von denjenigen, die Geschwister haben, haben 31 Prozent keine Schwester und 29 Prozent keinen Bruder. Die Rolle der älteren Schwester und/oder des älteren Bruders ist bei etwa zwei Drittel der Mädchen besetzt. Jüngere Geschwister haben 59 Prozent der Mädchen.

Die Kenntnis der Stellung innerhalb der Geschwisterreihe kann Aufschluss über die zu erwartende Hilfe von älteren Geschwistern bei Hausaufgaben, Berufsentscheidungen etc. oder deren Vorbildfunktion geben, sowie über möglicherweise zu leistende Hilfestellungen gegenüber jüngeren Geschwistern.

Weitaus die meisten Befragten, nämlich zwischen 82 Prozent der Mädchen aus Aussiedlerfamilien bis zu 95 Prozent aus Familien mit italienischem und türkischem Hintergrund, leben bei den Eltern. Nur bei den Mädchen aus Aussiedlerfamilien wohnt eine etwas größere Zahl mit dem Partner zusammen. Dieses Bild ist vor allem auf die befragte Altersgruppe der 15- bis 21-Jährigen zurückzuführen.

3.1.3 Familiale Erziehung der Mädchen und jungen Frauen

Vor dem Hintergrund der zuvor geschilderten Diskussion um die abweichenden Erziehungsziele in Migrationsfamilien werden drei Fragebereiche erfasst: die Durchsetzungsstrategien der Mädchen, die in der Familie erfahrenen Erziehungsgrundsätze und die familiale religiöse Erziehung.

Durchsetzungsstrategien

Mädchen können unterschiedliche Muster entwickeln, ihre von den Eltern nicht befürworteten Wünsche bei diesen doch durchzusetzen. Aus acht möglichen Handlungsweisen wurden drei Muster mittels einer Faktorenanalyse ermittelt:
- sich mit der Person bzw. mit der Situation auseinanderzusetzen (individualistische Durchsetzungsstrategien).
- die Eltern zu überzeugen oder den Vater „herumzukriegen" (Überredung des Vaters oder der Eltern).
- sich mit Hilfe Dritter, der Freundinnen oder der Mutter durchzusetzen (Einschaltung Dritter).

Am häufigsten und mit deutlichem Abstand vor allen anderen Strategien wird die Überzeugung der Eltern als Möglichkeit genannt, die eigenen Wünsche durchzusetzen; mehr als ein Viertel der Mädchen und jungen Frauen nutzen sie. Am wenigsten werden nicht erlaubte Dinge heimlich gemacht; nur sechs Prozent nennen ein solches Verhalten.

Tabelle 3.2: Durchsetzungsstrategien (in Prozent)

Verhalten angewandt						
	voll	eher	teils-teils	weniger	gar nicht	arith. Mittel**
Individualistische Durchsetzungsmuster						
mache, was ich will* N = 949[1]	7	10	21	33	29	3,7
mache, was Eltern wollen* N = 949[1]	4	11	39	33	13	3,4
mache es heimlich* N = 949[1]	4	9	18	27	42	4,0
streite und setzte mich durch* N = 949[1]	16	20	26	23	15	3,0
Überredung Vater/Eltern						
kriege den Vater herum N = 908[2]	19	16	19	23	23	3,2
überzeuge die Eltern* N = 949[1]	52	24	16	5	3	1,9
Einschaltung Dritter						
Einschaltung der Mutter* N = 908[2]	15	24	24	20	17	3,0
berate mich mit Freunden oder anderen Leuten N = 949[1]	10	20	30	23	17	3,2

* Signifikante Unterschiede nach nationaler Herkunft p ≤ .05.
** Das arithmetische Mittel kann einen Wert zwischen 1 „voll" und 5 „gar nicht" annehmen.
1) N = 949, da beide Elternteile einer Befragten verstorben sind.
2) N = 908, da bei 40 Mädchen und jungen Frauen der Vater irrelevant ist und in 2 Fällen beide Elternteile verstorben sind.

Bei grundsätzlich gleichen Mustern – bei allen steht das Überzeugen der Eltern an erster Stelle – gibt es in den Strategien deutliche Unterschiede nach nationalem Migrationshintergrund:

Tabelle 3.3:   Durchsetzungsstrategien nach nationalem Migrationshintergrund
(in Prozent)

voll/eher bzw. weniger/ gar nicht angewandt	Migrationshintergrund					
	Aussiedl.	griech.	ital.	jugosl.	türk.	Gesamt
Individualistische Durchsetzungsmuster						
mache, was ich will* N = 949 [1)]	25	19	10	19	12	17 (161)
mache, was Eltern wollen (weniger/gar nicht)* N = 949[1)]	56	52	40	48	33	46 (432)
mache es heimlich* N = 949[1)]	22	9	8	16	9	13 (120)
streite und setzte mich durch* N = 949[1)]	47	36	36	33	26	36 (337)
Überredung Vater/Eltern						
kriege den Vater herum N = 908[2)]	32	39	29	31	40	35 (314)
überzeuge die Eltern* N = 949[1)]	78	78	78	73	71	75 (716)
Einschaltung Dritter						
Einschaltung der Mutter* N = 908[2)]	38	40	42	38	39	39 (356)
berate mich mit Freunden oder anderen Leuten N = 949[1)]	31	32	27	30	23	30 (282)

* Signifikante Unterschiede nach nationaler Herkunft $p \leq .05$.
1) N = 949, da beide Elternteile einer Befragten verstorben sind.
2) N = 908, da bei 40 Mädchen und jungen Frauen der Vater irrelevant ist und in 2 Fällen beide Elternteile verstorben sind.

Die mit Abstand defensivsten Strategien weisen die Mädchen mit türkischem Migrationshintergrund auf. Mehr von ihnen machen, was die Eltern wollen und mehr stellen ihre eigenen Wünsche eher zurück, wenn sie die Eltern nicht überzeugen können. Den Gegenpol bilden die Mädchen aus Aussiedlerfamilien, deren Bereitschaft zur Durchsetzung ihrer Wünsche und Bedürfnisse mittels individualistischer Strategien besonders ausgeprägt ist.

Aus den vier Statements zu „Individualistischen Durchsetzungsstrategien" wurde ein Index gebildet werden, der fünf Ausprägungen aufweist.[104] An der folgenden Tabelle zu diesem Index wird verdeutlicht, wie sich die individualistischen Durchsetzungsmuster auf die Herkunftsgruppen verteilen:

---

104 Allerdings ist der Alphakoeffizient mit $\alpha = .59$ nicht hoch (siehe Instrumentenkonstruktion im Anhang).

Tabelle 3.4: Individualistische Durchsetzungsmuster (Index) (in Prozent)

| | Migrationshintergrund | | | | | Gesamt | |
	Aussiedl.	griech.	ital.	jugosl.	türk.		
Gesamt	(200)	(182)	(183)	(172)	(213)	100	(950)
sehr stark	10	5	2	6	1	5	(45)
eher stark	22	12	12	17	9	14	(134)
mittelmäßig	36	33	34	25	28	31	(298)
eher gering	21	36	39	38	41	35	(332)
sehr gering	11	14	13	14	21	15	(141)

C = .26   p = .00

Der Index macht die Tendenz deutlich, die sich bereits in Einzelauswertungen abzeichnete. Tatsächlich werden individualistische Durchsetzungsmuster am stärksten von jungen Aussiedlerinnen vertreten, gefolgt von Mädchen und jungen Frauen jugoslawischer Herkunft. Weniger ausgeprägt sind diese bei den Befragten italienischer und griechischer Herkunft und am wenigsten angewandt werden sie von den Mädchen und jungen Frauen mit türkischem Migrationshintergrund. Die Verwendung individualistischer Durchsetzungsmuster hängt nicht vom ethnischen Wohnmilieu und nur eingeschränkt vom sozialen Status der Herkunftsfamilie ab.

Elterliche Erziehungsgrundsätze

Der zweite Themenkomplex geht auf die Bilder und Erwartungen ein, die die Mädchen im Hinblick auf ihre Person in der elterlichen Erziehung wahrnehmen. Die Faktorenanalyse ermittelt die Dimensionen (zur Instrumentenkonstruktion siehe Anhang) verständnisvolle Erziehung, hohes Anspruchsniveau, besorgte Grundhaltung und zwei Items zur materiell ausgerichteten Erziehung.

Die Angaben verteilen sich wie folgt:

Tabelle 3.5:   Verhältnis zwischen Mädchen und Eltern (in Prozent)

N = 949[1]	voll	eher	teils-teils	weniger	gar nicht	arith. Mittel**
Aussagen treffen zu						
Verständnisvolle Erziehung						
Eltern versuchen mich immer zu verstehen*	26	31	29	11	3	2,4
fühle mich von Eltern am besten verstanden*	21	19	37	17	6	2,7
Eltern lassen mich tun, was ich für wichtig halte	17	25	38	17	3	2,7
Hohes Anspruchniveau						
Eltern setzen große Hoffnungen in mich	55	30	13	2	-	1,6
Zusammenhalt ist stärker als in anderen Familien*	33	31	26	8	2	2,2
Eltern sind stolz auf mich*	35	36	23	5	1	2,0
auf meine Schulnoten wird geachtet	45	28	15	9	3	2,0
Eltern kommen an erster Stelle*	55	25	14	4	2	1,8
Besorgte Grundhaltung						
Eltern machen sich Sorgen, was aus mir wird*	30	21	15	22	12	2,7
Eltern sagen immer, ich mache nichts richtig*	5	7	20	35	33	3,8
Eltern meckern dauernd an mir herum	8	9	27	40	16	3,5
Eltern machen sich viele Sorgen um mich*	62	19	10	7	2	1,7
Materiell ausgerichtete Erziehung						
bekomme von Eltern alles, was ich will*	14	23	41	17	5	2,8
haben genug Geld, um unsere Wünsche zu erfüllen*	23	28	32	13	4	2,5

* Signifikante Unterschiede nach nationaler Herkunft $p \leq .05$.
** Das arithmetische Mittel kann einen Wert zwischen 1 „voll" und 5 „gar nicht" annehmen.
1) N = 949, da beide Elternteile einer Befragten verstorben sind.

Etwa die Hälfte der Mädchen und jungen Frauen stimmt der Aussage zu, die auf eine verständnisvolle Erziehung hinweisen, immerhin 40 Prozent fühlen sich von den Eltern am besten verstanden, 23 Prozent nicht.

Die meisten Mädchen fühlen sich von ihren Eltern angenommen: Mehr als 80 Prozent („voll" und „eher" einverstanden) sagen, dass ihre Eltern Hoffnungen in sie setzen und sich um sie sorgen; mehr als zwei Drittel, dass die Eltern stolz auf sie sind. Die Eltern haben eine dominante Bedeutung. Sie stehen bei 80 Prozent an erster Stelle.

Die Untersuchungsergebnisse zeichnen ein differenziertes Bild von dem Klima, in dem die Mädchen ihre familiale Erziehung erfahren: Hohes Verständnis ist gepaart mit hohen Leistungsanforderungen, aber auch mit dem Setzen von Grenzen. Negative Formulierungen wie „Meine Eltern meckern dauernd an mir herum" werden überwiegend zurückgewiesen (von 56 Prozent). Die Sorgen der Eltern um die eigene Person (81%) („voll" und „eher" einverstanden) und um die Zukunft des Mädchens (51%) („voll" und „eher" einverstanden) werden als stark eingeschätzt.

In den meisten Erziehungsfragen lassen sich herkunftsspezifische Unterschiede ermitteln, die besonders deutlich werden, wenn ausschließlich – wie in der folgenden Tabelle – die Kategorie „trifft voll zu" berücksichtigt wird.

Im Herkunftsgruppenvergleich haben die Befragten italienischer Herkunft besonders stark das Gefühl, dass die Eltern immer versuchen, sie zu verstehen (31%). Aber de facto am besten verstanden fühlen sich mit 29 Prozent die Mädchen und jungen Frauen griechischer Herkunft. Sie sind es auch, deren Eltern sie im Vergleich zu den anderen Gruppen am meisten tun lassen, was sie für wichtig halten (22%). In allen Gruppen erhalten die Statements „Meine Eltern setzen große Hoffnungen in mich" und „Eltern kommen an erster Stelle" sehr hohe Zustimmungen von knapp 50 bis über 60 Prozent. Dies bestätigt die in der Literatur festgestellte Kohäsion in der Familie und das hohe Anspruchsniveau der Eltern an die Mädchen. Besonders anspruchsvoll empfinden Mädchen jugoslawischer (61%) und türkischer (59%) Herkunft ihre Eltern, im Vergleich dazu deutlich weniger Mädchen italienischer Herkunft (48%). Den hohen Stellenwert der Eltern in ihrem Leben betonen vor allem Mädchen türkischer Herkunft (64%), gefolgt von Mädchen griechischer Herkunft (58%). Ebenfalls hohe Zustimmungswerte (54% bis 67%) erhalten die Items, die die Sorge der Eltern um die Mädchen und jungen Frauen zum Ausdruck bringen. Materiell fühlen sich alle Herkunftsgruppen nicht besonders gut ausgestattet. Mädchen türkischer Herkunft bekommen im Vergleich am häufigsten von ihren Eltern, was sie wollen (20%), während Mädchen griechischer und italienischer Herkunft genug Geld bekommen, um sich ihre Wünsche zu erfüllen.

In vielen Bereichen werden die Erziehungsvorstellungen der Eltern von den Mädchen aus Aussiedlerfamilien als prekärer wahrgenommen als von den übrigen Befragten. So haben sie häufiger als die übrigen Befragtengruppen den Eindruck ihre Eltern sagten immer, sie machten nichts richtig. Während bei ihnen im Vergleich zu den anderen die Eltern seltener an erster Stelle kommen, stellen sie einen geringen Familienzusammenhalt fest und geben deutlich seltener an, dass die Eltern stolz auf sie sind. Materiell werden ihre Wünsche seitens der Eltern seltener erfüllt. Dies ist vor dem Hintergrund zu sehen, dass sie in der Familie auch seltener genug Geld haben, um sich ihre Wünsche zu erfüllen. Aus den Daten lassen sich drei Skalen berechnen (siehe Instrumentenkonstruktion im Anhang): hohes elterliches Anspruchsniveau, verständnisvolle (familiäre) Erziehung und besorgte familiäre Erziehung.

Tabelle 3.6:   Verhältnis zwischen Mädchen und Eltern (trifft voll zu) (in Prozent)

	Migrationshintergrund					
	Aussiedl.	griech.	ital.	jugosl.	türk.	Gesamt
Gesamt	(200)	(182)	(183)	(172)	(212)	(949**)
Verständnisvolle Erziehung						
Eltern versuchen mich immer zu verstehen*	24	28	31	26	19	26 (242)
fühle mich von Eltern am besten verstanden*	20	29	21	19	18	21 (202)
Eltern lassen mich tun, was ich für wichtig halte	17	22	16	14	15	17 (158)
Hohes Anspruchsniveau						
Eltern setzen große Hoffnungen in mich	50	56	48	61	59	55 (518)
Zusammenhalt ist stärker als in anderen Familien*	14	41	37	38	38	33 (315)
Eltern sind stolz auf mich*	14	45	38	42	37	35 (329)
auf meine Schulnoten wird geachtet	42	49	33	53	47	45 (423)
Eltern kommen an erster Stelle*	46	58	54	51	64	55 (518)
Besorgte Grundhaltung						
Eltern machen sich Sorgen was aus mir wird*	38	28	28	27	27	30 (282)
Eltern sagen immer, ich mache nichts richtig*	8	3	5	4	6	5 (48)
Eltern meckern dauernd an mir herum	11	7	8	7	8	8 (76)
Eltern machen sich viele Sorgen um mich*	66	62	67	63	54	62 (589)
Materiell ausgerichtete Erziehung						
bekomme von Eltern alles, was ich will*	8	18	12	12	20	14 (134)
haben genug Geld um unsere Wünsche zu erfüllen*	10	32	30	20	25	23 (220)

* Signifikante Unterschiede nach nationaler Herkunft p ≤ .05.
** N = 949, da beide Elternteile einer Befragten verstorben sind.

Wie im Folgenden gezeigt wird, hat der überwiegende Teil der Mädchen und jungen Frauen ein Elternhaus erlebt, das ein hohes Anspruchsniveau ihnen gegenüber besitzt (Hoffnung in die Person setzen, stolz auf sie sein, auf die Schulnoten achten), gleichzeitig aber auch unterstützende Elemente bietet (Zusammenhalt in der Familie, Bedeutung der Eltern für das Mädchen). Hoffnungen und Ansprüche verbinden sich mit Kohäsion in der Familie. Mädchen und junge Frauen mit türkischem, jugoslawischem und griechischem Hintergrund haben deutlich höhere Werte als diejenigen mit italienischem Hintergrund. Am wenigsten findet sich dieses Erziehungsmuster im Elternhaus der jungen Aussiedlerinnen, wenn auch hier die Mädchen und jungen Frauen in einem Elternhaus mit hohem Anspruchsniveau überwiegen.

Tabelle 3.7: Erziehung im Elternhaus: Anspruchsniveau (Index) (in Prozent)

	Migrationshintergrund					Gesamt	
	Aussiedl.	griech.	ital.	jugosl.	türk.		
Gesamt	(200)	(182)	(183)	(172)	(213)	100	(950)
sehr hoch	15	37	26	35	36	30	(281)
hoch	37	36	36	35	33	35	(335)
mittel	30	19	28	22	22	24	(231)
niedrig	14	8	8	6	5	8	(78)
sehr niedrig	4	-	2	2	4	3	(25)

$C = .22$ $p = .00$

Wie erwähnt, haben die Mädchen aus Aussiedlerfamilien seltener (15%) sehr hohe und häufiger niedrige oder sehr niedrige Werte (18%) als die Gesamtgruppe (30% bzw. 11%). Ebenfalls niedrig sind die Anteile der Mädchen mit italienischem Hintergrund (26%), die ein hohes Anspruchsniveau in der Familie wahrnehmen.

In allen Herkunftsgruppen wird die Erziehung eher verständnisvoll als streng wahrgenommen. Die Unterschiede nach Migrationshintergrund sind zwar signifikant, aber nicht sehr prägnant. Mädchen mit griechischem Hintergrund sind häufiger bei denjenigen zu finden, die sich verständnisvoll erzogen sehen, gefolgt von den Mädchen mit italienischem Hintergrund. In der Gruppe derjenigen, die ihre Erziehung als wenig oder nicht verständnisvoll bewertet, sind die Mädchen und jungen Frauen aus Aussiedlerfamilien und mit türkischem sowie jugoslawischem Hintergrund (jeweils 18%) häufiger vertreten als die übrigen (10 bis 14%). Dabei muss berücksichtigt werden, dass sich nach den Ergebnissen der Faktorenanalyse Besorgtheit mit Elementen destruktiver Erziehung verbindet, ausgedrückt durch Items wie „Eltern meckern dauernd an mir herum", „muss mir immer anhören, dass ich nichts richtig mache".

Tabelle 3.8: Erziehung im Elternhaus: Verständnisvolle Erziehung (Index) (in Prozent)

| | Migrationshintergrund | | | | | Gesamt |
	Aussiedl.	griech.	ital.	jugosl.	türk.	
Gesamt	(200)	(182)	(183)	(172)	(213)	100 (950)
sehr verständnisvoll	20	29	21	23	20	22 (212)
verständnisvoll	36	33	41	28	30	34 (320)
teilweise verständnisvoll	26	24	28	31	32	28 (268)
wenig verständnisvoll	15	11	9	13	11	12 (111)
nicht verständnisvoll	3	3	1	5	7	4 (39)

C = .17   p = .04

In den meisten Fällen wird die Erziehung durch die Eltern als verständnisvoll und eher als nicht besorgt beschrieben.

Mit 45 Prozent „eher oder gar nicht besorgter Erziehung" – einem Wert, der im Herkunftsgruppenvergleich nur noch von den Mädchen griechischer Herkunft (47%) übertroffen wird – entspricht ein großer Teil der Familien türkischer Herkunft nicht dem eingangs geschilderten Bild in der Literatur, das türkische Mädchen als überbehütet und mit wenig Freiräumen versehen beschreibt.

Tabelle 3.9: Erziehung im Elternhaus: Besorgte Erziehung (Index) (in Prozent)

| | Migrationshintergrund | | | | | Gesamt |
	Aussiedl.	griech.	ital.	jugosl.	türk.	
Gesamt	(200)	(182)	(183)	(172)	(213)	100 (950)
sehr besorgte Erziehung	8	4	7	5	4	6 (53)
eher besorgte Erziehung	33	17	13	19	19	20 (194)
teilweise besorgte Erziehung	35	32	40	36	32	35 (331)
eher nicht besorgte Erziehung	21	30	26	28	28	26 (252)
nicht besorgte Erziehung	3	17	14	12	17	13 (120)

C = .24   p = .00

Die drei Grundmuster elterlichen Erziehungsverhaltens[105] aus der Sicht der Mädchen und jungen Frauen weisen kaum einen Zusammenhang mit dem sozialen Status der Familie[106] und dem Wohnmilieu[107] auf. Hingegen hängen die Erziehungsmuster

---

105 Die Summenverteilung der drei Indices weist folgende Interkorrelationen auf: Anspruchsniveau/Besorgte Erziehung r = -.08; Anspruchsniveau/Verständnisvolle Erziehung r = .38; Besorgte Erziehung/Verständnisvolle Erziehung r = -.45.
106 Nur die Werte des Index „Verständnisvolle Erziehung" korreliert mit dem Sozialstatus auf dem 5-Prozent-Niveau signifikant (r = -.07).
107 Die Werte des Index „Besorgte Erziehung" korrelieren mit dem Wohnmilieu (r = - .08).

„Besorgte Erziehung" und „Verständnisvolle Erziehung" mit dem Alter der Mädchen und jungen Frauen zusammen: Mit steigendem Alter wird die Erziehung als besorgter (r = .22) und weniger verständnisvoll (r = - .09) bewertet.

Die sich aus den Indices ergebenden häufigsten Erziehungsmuster und deren Verteilung auf die Herkunftsgruppen finden ihre Entsprechung in der Einschätzung der elterlichen Erziehung durch die Mädchen und jungen Frauen. So fühlt sich der weitaus größte Teil der Mädchen aller Herkunftsgruppen „streng, aber liebevoll" erzogen. Auffällig ist der geringe Anteil wiederum aller, die sich als „streng" oder „zu streng" erzogen fühlen. Bemerkenswert ist der mit ca. einem Drittel relativ große Teil, der die Erziehung als „locker" bezeichnet. In dieser Gruppe sind die Mädchen mit jugoslawischem Hintergrund und die aus Aussiedlerfamilien seltener vertreten:

Tabelle 3.10: Beurteilung der elterlichen Erziehung (in Prozent)

| | Migrationshintergrund | | | | | Gesamt | |
	Aussiedl.	griech.	ital.	jugosl.	türk.		
Gesamt	(200)	(182)	(183)	(172)	(213)	100	(950)
zu streng	-	-	-	2	1	1	(6)
streng	10	3	6	12	6	7	(67)
streng, aber liebevoll	62	61	61	58	53	59	(557)
locker	27	32	31	25	38	31	(295)
zu locker	1	4	2	3	2	2	(25)

C = .19   p = .01

Was die herkunftsspezifischen Unterschiede anbelangt, so folgt das Ergebnis den Tendenzen aus der Shell-Jugendstudie 2000, in der lediglich ein Vergleich zwischen deutschen, italienischen und türkischen Jugendlichen nach Geschlecht vorgenommen wurde. Allerdings enthielt die Skala dort vier – nicht wie in unserer Befragung fünf – Ausprägungen (sehr streng, streng, gütig-milde, zu milde). Wir entschieden uns für eine zeitgemäßere Formulierung und die Einführung einer mittleren Kategorie „streng, aber liebevoll", die in unserer Untersuchung auch am häufigsten zur Beschreibung des elterlichen Erziehungsverhaltens gewählt wurde. Dementsprechend fallen die Ergebnisse der Shell-Jugendstudie stärker zu Gunsten der Kategorie „sehr streng" oder „streng" aus. Während dort bei deutschen und italienischen Jungen und Mädchen die Erziehung der Eltern in fast gleicher Weise (Jungen etwas stärker als Mädchen) als „streng" (4% bei deutschen, 8% bei italienischen Befragten) bzw. „sehr streng" (ca. 30% bei deutschen und italienischen Befragten) beschrieben wurde, zeigt sich bei den türkischen Jugendlichen eine deutlich stärkere Einschätzung der elterlichen Erziehung als „streng" bzw. „sehr streng", zu 57 Prozent bewerten die Mädchen die Erziehung als „streng" bzw. „sehr streng" gegenüber 55 Prozent der türkischen Jungen (Fuchs-Heinritz 2000a, S. 61).

Vor dem Hintergrund der Diskussion um die unterschiedliche Wertigkeit von Mädchen und Jungen in traditionalen Gesellschaften und der Zuweisung des Attributes „Traditionalität" zu Migrationsfamilien haben wir ein Item formuliert, das die Einschätzung der Mädchen und jungen Frauen hinsichtlich der unterschiedlichen Behandlung von weiblichen und männlichen Kindern in der Familie erhebt.

Lediglich den Mädchen, die einen Bruder haben, wurde die Frage nach geschlechtsspezifischen Unterschieden im familialen Umgang gestellt:

Tabelle 3.11: Geschlechtsspezifische Erziehung in der Familie (in Prozent)

Ich werde...	Migrationshintergrund					
	Aussiedl.	griech.	ital.	jugosl.	türk.	Gesamt
Gesamt	(112)	(115)	(109)	(116)	(170)	100 (622*)
als Mädchen besser behandelt als ein Junge	15	11	5	12	13	11 (71)
als Mädchen genauso gut behandelt wie ein Junge	79	82	75	70	71	75 (466)
als Mädchen schlechter behandelt als ein Junge	6	7	20	18	16	14 (85)

C = .18   p = .01
* N = 622, da in 328 Fällen kein Bruder vorhanden ist.

Der weitaus größte Teil der Mädchen und junge Frauen fühlt sich in der Familie gleich behandelt. Eine nicht unbedeutende Gruppe fühlt sich besser, eine geringfügig größere Zahl schlechter behandelt als ein Junge. Schlechter behandelt sehen sich Mädchen mit italienischem (20%), gefolgt von denen mit jugoslawischem (18%) und türkischem (16%) Hintergrund. Diese drei Gruppen bringen dieses deutlich häufiger zum Ausdruck als die Aussiedlerinnen und Befragte mit griechischem Hintergrund.

Die Untersuchungsergebnisse bestätigen die bereits in früheren Untersuchungen festgestellte Variabilität der Erziehungsvorstellungen in allen Migrationsfamilien nun auch aus Sicht der Mädchen. Grundsätzlich ist das Spektrum auch in türkischen Migrationsfamilien groß. Allerdings unterscheiden sich die Mädchen mit türkischem Migrationshintergrund von den anderen Gruppen: Sie sind weniger rebellisch und wenden weniger individualistische Muster der Durchsetzung an. Sie fühlen sich andererseits aber auch – verglichen mit Mädchen italienischer und jugoslawischer Herkunft – in der Familie als Mädchen weniger häufig schlecht behandelt und häufiger frei (locker) erzogen.

Darüber hinaus bestätigen die Antworten der Mädchen und jungen Frauen über ihre Zufriedenheit mit der familialen Erziehung und der Behandlung in der Familie ebenfalls Befunde früherer Untersuchungen zum Erziehungsverhalten in Migrationsfamilien von Nauck, der in seinem Vergleich intergenerativer Transmissionsprozesse bei Migrantenfamilien griechischer, italienischer, türkischer und vietnamesischer Herkunft zu dem Schluss kommt, dass in diesen eine so hohe Integration und Interaktionsdichte ermittelt werde, die segregative intergenerative Beziehungen zwischen Eltern und Kindern ausschließe. Die hohe gemeinsame Orientierung zwischen den Generationen, so schließt er, vermöge Sozialisationsleistungen, die sonst von einem kulturell homogeneren kulturellen Milieu (mit) übernommen werden, zu substituieren (Nauck 2000, S. 387f.). Aus dieser Perspektive stellt die Familie eine wichtige Ressource für die Sozialisation der Mädchen und jungen Frauen dar.

Religiöse Erziehung

Die Thematisierung der Religion und der religiösen Orientierungen von Zuwanderern und ihren Familien lässt im Kontext der famialen Sozialisation nach dem Stellenwert der religiösen Erziehung fragen. Dieser Bereich wird durch zwei unterschiedliche Fragekomplexe erfasst[108], zum einen durch die Frage nach der Bewertung der eigenen religiösen Erziehung und zum anderen durch die Frage, ob die Religion in die Privatsphäre des einzelnen Familienmitglieds verwiesen wird oder nicht.

Tabelle 3.12: Bewertung der religiösen Erziehung und des religiösen Klimas in der Familie[109] (in Prozent)

Stimme	voll zu	eher zu	teilweise zu	weniger zu	gar nicht zu	arith. Mittel**
meine Eltern haben mich religiös erzogen*	25	21	25	14	15	2,7
finde gut, wie Eltern mich in religiöser Hinsicht erzogen haben*	47	25	17	6	5	2,0
in unserer Familie ist Glauben Privatsache jedes Einzelnen*	25	17	20	17	21	2,9

* Signifikante Unterschiede nach nationaler Herkunft p ≤ .05.
** Das arithmetisches Mittel kann einen Wert zwischen 1 „ganz" und 5 „gar nicht" annehmen.
N = 950

Die meisten Mädchen stufen ihre Erziehung als religiös und die religiöse Erziehung der Eltern als positiv ein. Der religiöse Glaube wird in etwa ebenso vielen Familen als Privatsache des einzelnen Mädchens und der jungen Frau behandelt (42%) wie dieses nicht der Fall ist (38%). In allen drei Aussagen bestehen Unterschiede nach Migrationshintergrund:

---

108 Zu religiöser Erziehung als Bestandteil religiöser Orientierungen der Mädchen und ihrer Familien siehe detaillierter Kapitel 10.
109 Zwei Items („wäre lieber religiöser erzogen worden" und „wäre lieber weniger religiös erzogen worden") wurden wegen der Uneindeutigkeit der Aussage aus der Auswertung herausgenommen.

Tabelle 3.13: Bewertung der religiösen Erziehung (in Prozent)

Zustimmung	Migrationhintergrund					
	Aussiedl.	griech.	ital.	jugosl.	türk.	Gesamt
Gesamt	(200)	(182)	(183)	(172)	(213)	100 (950)
Meine Eltern haben mich religiös erzogen*						
voll/eher	15	62	57	44	57	47 (443)
weniger/gar nicht	63	14	13	29	23	29 (274)
Finde gut, wie Eltern mich in religiöser Hinsicht erzogen haben*						
voll/eher	50	82	79	73	76	72 (683)
weniger/gar nicht	29	5	6	7	8	11 (105)
In unserer Familie ist Glauben Privatsache jedes Einzelnen*						
voll/eher	68	27	41	39	32	42 (395)
weniger/gar nicht	18	49	33	40	51	38 (363)

* Signifikante Unterschiede nach nationaler Herkunft $p \leq .05$.

Mädchen aus Aussiedlerfamilien fühlen sich deutlich weniger religiös erzogen als alle übrigen, sie sind aber auch mit der familialen religiösen Erziehung weniger einverstanden. In ihren Familien wird Religion am häufigsten als Privatsache verstanden. Mädchen mit griechischem Hintergrund geben im Vergleich zu allen anderen Gruppen am zahlreichsten an, religiös erzogen worden zu sein und diese Erziehung auch gut zu finden. Sie stimmen am wenigsten der Aussage zu, dass der Glaube in der Familie Privatsache sei. Mädchen mit türkischem Hintergrund folgen den Antwortmustern der übrigen Mädchen. Über die Hälfte sieht sich als religiös erzogen an und etwa drei Viertel bewertet die elterliche Erziehung positiv. Dieses sind ebenso viele wie bei den Befragten jugoslawischer und italienischer Herkunft. Der Glaube ist in türkischen Familien – wie auch in griechischen – weniger Privatsache als in den übrigen. Die sich hier abzeichnende stärkere religiöse Erziehung in griechischen Migrationsfamilien wird auch in der Literatur als Kennzeichen der griechischen Migranten und Migrantinnen in Deutschland hervorgehoben (Goudiras 1997, S. 180). Sie wird in Verbindung gebracht mit dem Versuch der Elterngeneration, über griechisch-orthodoxe Normen kulturelle Traditionen an die nächste Generation zu übermitteln.

Aus drei Statements wurde der Index „Religiöse Erziehung in der Familie" gebildet (siehe Instrumentenkonstruktion im Anhang). Die Verteilung der Indexwerte auf die Herkunftsgruppen macht die herkunftsgruppenspezifischen Unterschiede noch deutlicher:

Tabelle 3.14: Religiöse Erziehung in der Familie (Index) (in Prozent)

| | Migrationshintergrund | | | | | Gesamt | |
	Aussiedl.	griech.	ital.	jugosl.	türk.		
Gesamt	(200)	(182)	(183)	(172)	(213)	100	(950)
stark	3	38	28	27	32	25	(240)
mittel	30	48	53	42	47	44	(420)
schwach	67	14	19	31	21	31	(290)

C = .40   p = .00

Eine mittlere religiöse Erziehung ist kennzeichnend für die Praxis in allen Familien der ehemaligen Arbeitsmigranten und -migrantinnen, eine schwache in Familien der Aussiedler und Aussiedlerinnen. Erneut zeigt sich, dass mehr Mädchen mit griechischem (38%) und türkischem (32%) Hintergrund die religiöse Erziehung in der Familie als stark wahrnehmen als die übrigen Gruppen.

Die religiöse Erziehung bildet den Bereich, in dem sich Migrationsfamilien am ehesten wertkonservativ darstellen, wobei auch hier, wie sich am Antwortverhalten der Mädchen und jungen Frauen unserer Untersuchung ablesen lässt, herkunftsspezifische Unterschiede zu verzeichnen sind.

3.2   Bewahrung oder Ablehnung familialer Traditionen

3.2.1   Familialismus und Individualismus in Migrationsfamilien

Gesellschaften werden nach solchen unterschieden, die Individualismus pflegen und individualisierte Persönlichkeiten hervorbringen und solchen, die Kollektivismus fördern. „Individualismus beschreibt Gesellschaften, in denen die Bindungen zwischen den Individuen locker sind: man erwartet von jedem, dass er für sich selbst und seine unmittelbare Familie sorgt. Sein Gegenstück, der Kollektivismus beschreibt Gesellschaften, in denen der Mensch von Geburt an in starke, geschlossene Wir-Gruppen integriert ist, die ihn ein Leben lang schützen und dafür bedingungslose Loyalität verlangen" (Hofstede 1993, S. 67).

Insbesondere die Herkunftsgesellschaften der Arbeitsmigranten und Arbeitsmigrantinnen, neuerdings auch die der Aussiedler und Aussiedlerinnen, werden als kollektivistisch angesehen. Das Maß an Individualismus einer Kultur wird als zusammenhängend mit dem Grad der Industrialisierung und Modernisierung der jeweiligen Gesellschaft gesehen, während ein Mehr an Kollektivismus als ein Zeichen einer nicht industrialisierten und stärker traditionell organisierten Gesellschaft angesehen wird. Diese Einteilung von Gesellschaften bzw. Kulturen als kollektivistisch oder individualistisch bleibt jedoch zu oberflächlich.

So lässt sich die Aussage, dass Aussiedlerinnen und Aussiedler prinzipiell kollektivistisch seien, da sie aus autoritär organisierten und industriell wenig entwickelten Gesellschaften stammten, nach den Ergebnissen der Untersuchung von Hänze/Lantermann (1999, S. 170f.) nicht halten: „Je stärker das Leben der Aussiedlerfamilien in ihren Herkunftsländern von der Pflege der deutschen Kultur –

deutscher Sitten und Gebräuche, deutschen Liedgutes, der deutschen Sprache oder der intensiven Kontakte mit anderen Deutschstämmigen geprägt gewesen war, desto kollektivistischer sind ihre Wertorientierungen, mit denen sie nach Deutschland kommen, und umgekehrt: Lebten die Aussiedler früher in einer sozialen Umgebung, in der sie nur mit wenigen Deutschstämmigen Kontakte hatten, weder deutsche Sitten und Gebräuche pflegten, noch die deutsche Sprache im Alltag nutzten, dann sind sie zu Beginn ihres neuen Lebens in der Bundesrepublik Deutschland in stärkerem Maße individualistisch orientiert". In erster Linie prägte nicht eine autoritär organisierte und industriell wenig entwickelte mehrheitliche Gesellschaft den Kollektivismus (und damit ist auch der Wert gemeint, der der Familie und dem Familienleben beigemessen wird) der Aussiedler und Aussiedlerinnen, sondern die „auf Gemeinschaftsleben orientierte Minderheitengesellschaft" (ebenda, S. 145).

Auch bei Arbeitsmigrationsfamilien, die sich durch die Migrationssituation in der Aufnahmegesellschaft in der Minderheit befinden, ist ein stärkerer Zusammenhalt festgestellt worden. So ist bei türkischen Migrationsfamilien der familiale Zusammenhalt höher als in nicht migrierten Familien in der Türkei (Nauck 1997b, S. 342). Dasselbe formuliert Goudiras (1997, S. 189) für griechische Familien in Deutschland: „Eine solidarische Bindung besteht im höheren Grad zwischen den Familienmitgliedern im Migrationsland als im Herkunftsland. Die Familie gilt als Gegenpol zu den widrigen Lebens- und Arbeitsbedingungen und zugleich als affektiver Hort gegen die erfahrene Feindlichkeit in der sozialen Umwelt."

Der Zusammenhalt von Familien mit Migrationshintergrund und eine höhere Übereinstimmung in Werten und Haltungen sind also nicht in erster Linie aus der Herkunftskultur zu erklären, sondern vor allem als ein von den Migrationsbedingungen beeinflusster Entwicklungsprozess zu sehen. Nauck wendet das dichotome Gegensatzpaar Individualismus und Kollektivismus in Abgrenzung zur interkulturell vergleichenden Psychologie, die den Gegensatz auf alle Handlungsmuster von Kulturen bezieht, nur auf den engeren Kreis von Familie, Verwandten und Freunden an. Er stellt fest, dass Arbeitsmigrationsfamilien türkischer Herkunft im Gegensatz zu nicht migrierten Familien in der Türkei viel stärker an der Kernfamilie orientiert sind als an Verwandten und Freunden (Nauck 1997b, S. 341). Dieses Phänomen wird infolgedessen nicht als Kollektivismus sondern als Familialismus bezeichnet.[110]

Der Begriff „Familie" umfasst nach deutschem Verständnis Eltern und Kinder; eventuell noch die Großeltern. In den vielen Einwandererfamilien wird es meist weiter gefasst. Einbezogen werden in türkischen wie auch in griechischen und italienischen Familien – aber auch in Aussiedlerfamilien, die oftmals im größeren Familienverband einwandern – nicht nur das Ehepaar und seine minderjährigen Kinder, sondern auch Eltern, Geschwister, Tanten, Onkel und Paten. Das Zusammengehörigkeitsgefühl bleibt auch dann erhalten, wenn die Familie sich – was meistens der Fall ist – zur Kleinfamilie entwickelt hat, oftmals über große geographische Entfernungen hinweg. Familialismus heißt aber mehr. Jugendliche ausländischer Herkunft aller Nationalitäten werden stärker als deutsche Gleichaltrige in ein Verpflichtungsgefüge zu Gunsten der Familie eingebunden; dazu gehört z.B. die Hilfe bei der Sicherung der Existenz der Familie durch Mitarbeit, wenn angestrebte

---

110 Siehe Boos-Nünning 1998b; zu dem Begriff „Familialismus" bezogen auf italienische Frauen und Mädchen siehe auch Apitzsch 1990a, S. 211.

Migrationsziele nicht erreichbar scheinen (z.B. Abzahlung eines Hauses im Herkunfts- oder Aufnahmeland), aber auch die Hilfe für die erweiterte Familie, etwa die Großeltern, die im Herkunftsland leben, oder die Unterstützung der Geschwister. Für Jugendliche kann es selbstverständlich sein, dass sie nach Erreichung der Volljährigkeit so lange in der Herkunftsfamilie leben bis sie eine eigene Familie gründen können. Die Einforderung von Selbständigkeit (z.B. im Hinblick auf Partnerschaft oder Ausgehen) ist – insbesondere, aber nicht ausschließlich bei Mädchen – geringer als bei volljährigen deutschen Jugendlichen.

In Ländern, in denen, wie in Deutschland, die Individualisierung als Merkmal von Moderne verstanden und Individualismus als Gegensatz zum Traditionalismus häufig negativ bewertet wird, erfahren familialistische Orientierungen häufig eine Abwertung. Sie werden als der Integration der Jugendlichen mit Migrationshintergrund hinderlich beschrieben. Familialismus kann aber auch als protektiver Faktor betrachtet werden. Familialistische Orientierungen bewirkten lange Zeit und bewirken bei vielen Jugendlichen noch heute eine psychische Stabilisierung dar (Boos-Nünning/Reich 1986, S. 306ff.; Boos-Nünning 1994). Die oftmals starke familiale Bindung kann in vielen Fällen Stabilität, Schutz und Sicherheit bieten (vgl. auch die Zusammenfassung der Literatur zu griechischen Familien bei Baros 2001, S. 140f.). Herwartz-Emden (2000, S. 19) weist darauf hin, dass „die Familienmitglieder in Migrantenfamilien mehr übereinander wissen und mehr miteinander kommunizieren als vergleichbare deutsche Familien. Die Generationenbeziehungen sind keineswegs nur durch Zerrüttung oder schwerwiegende Konflikte charakterisiert, sondern durch ein hohes Maß an Unterstützung und gegenseitigem Respekt" (vgl. hierzu auch Dietz/Roll 1998).

Daraus kann gefolgert werden, dass die Migrationsfamilie für einen Teil der Kinder und Jugendlichen mit Migrationshintergrund eine wichtige Unterstützung darstellt, auch bei der Verarbeitung schulischer, beruflicher und sozialer Enttäuschungen. Auch traditionell geprägte Familien können aufgrund ihrer hohen Familienkohäsion positiv auf den Integrationsprozess ihrer Kinder einwirken.

3.2.2 Familiale Orientierungen der Mädchen und jungen Frauen

In unserer Untersuchung wurde unter verschiedenen Fragestellungen der Sachverhalt angesprochen, ob und in welcher Stärke die Mädchen sich an familiale Traditionen gebunden fühlen. Dabei ist zu berücksichtigen, dass es sich bei der „Kultur der Eltern" im Falle von Mädchen aus Aussiedlerfamilien zumindest teilweise um Bezüge zur deutschen Kultur – wenn auch als Minderheitenkultur in den Ländern der GUS – handelt, hier somit wahrscheinlich kein Gegensatz zur Kultur der deutschen Mehrheitsgesellschaft gesehen wird.

Zukünftige Lebensform

Ein Merkmal, dass als Ausdruck individualistischer Formen oder der Wahrung familialistischer Traditionen gedeutet werden kann, ist die Vorstellung, zu welchem Zeitpunkt und zu welchem Anlass das Elternhaus verlassen wird. Die Zukunftsvorstellungen in diesem Punkt differenzieren stark nach Migrationshintergrund. Zu den verschiedenen Möglichkeiten, die zukünftige Lebensform zu gestalten, antworten:

Tabelle 3.15: Zukünftig gewünschte Lebensform (stimme voll/stimme eher zu) (in Prozent)

	Migrationshintergrund					Gesamt
	Aussiedl.	griech.	ital.	jugosl.	türk.	
Gesamt	(165)	(163)	(173)	(152)	(202)	100 (855**)
weiter bei Eltern wohnen*	15	19	30	23	37	25 (217)
heiraten und mit Mann in eigener Wohnung leben*	56	47	62	65	68	60 (513)
mit Partner und anderen Familienmitgliedern zusammenleben	9	8	10	12	9	10 (81)
mit Partner wohnen und evtl. heiraten*	62	52	37	45	13	40 (346)
in Wohngemeinschaft leben*	10	22	15	27	24	20 (168)
(einige Zeit) alleine leben*	39	41	24	40	37	36 (310)

* Signifikante Unterschiede nach nationaler Herkunft p ≤ .05.
** Diese Frage war eine Filterfrage, die sich nur auf diejenige befragten Mädchen und jungen Frauen bezog, die zum Zeitpunkt der Befragung noch bei den Eltern oder bei Familienangehörigen lebten, deshalb N = 855.

Viele der Mädchen und jungen Frauen sind auf traditionelle Muster ausgerichtet. Sie wollen heiraten und danach mit ihrem Ehemann zusammenleben. Eine im Vergleich zu deutschen Jugendlichen deutlich geringere Akzeptanz einer vorehelichen Lebensgemeinschaft wird seitens der italienischen und in stärkerem Maße noch seitens der türkischen Jugendlichen auch in der Shell-Jugendstudie festgestellt. Anders als bei deutschen Jugendlichen sprechen sich italienische und noch deutlicher türkische Mädchen stärker gegen eine solche Lebensform aus als Jungen (Fuchs-Heinritz 2000a, S. 65). In unserer Untersuchung fördert der Vergleich von Mädchen und jungen Frauen mit türkischem, italienischem, griechischem und jugoslawischem Hintergrund und den Aussiedlerinnen weitere Unterschiede zwischen den Herkunftsgruppen hervor. So sind die Mädchen und jungen Frauen mit griechischem Hintergrund, aber auch die jungen Aussiedlerinnen deutlich weniger auf traditionelle Muster ausgerichtet und sprechen sich für das Zusammenwohnen mit dem Partner vor der Ehe als die am häufigsten vorgestellte Lebensform aus.

In allen Gruppen gibt es eine zwar kleinere, aber dennoch beachtliche Gruppe, die eine selbständige Lebensführung vor der Ehe wahrnimmt oder für sich plant oder wünscht. Dies sind diejenigen, die sich auch vorstellen können mit einem Partner vor der Ehe zusammenzuleben, in einer Wohngemeinschaft oder alleine wohnen zu wollen. Immerhin mehr als ein Drittel der Mädchen und jungen Frauen, die noch bei ihren Eltern wohnen, kann sich mit der Vorstellung anfreunden, einige Zeit alleine zu leben, ein Fünftel in einer Wohngemeinschaft.

Wenn Dietz/Roll (1998) hinsichtlich der Jugendlichen aus Aussiedlerfamilien – ohne Differenzierung nach Geschlecht – feststellen, „dass die Tendenz unter jungen Aussiedlern für bundesdeutsche Verhältnisse früh zu heiraten, (...) auf die nach wie vor traditionelle Familienorientierung vieler Aussiedler" hinweist (Dietz/Roll 1998, S. 108), so spiegelt sich dies nicht in unseren Daten wider. Es sind mehr Mädchen aus Aussiedlerfamilien sowie mehr Mädchen und junge Frauen griechischer und jugoslawischer Herkunft, die sich eine selbständige Lebensführung wünschen.

Wahrung kultureller Traditionen

Kulturelle Traditionen können, soweit sie über den familialen Kontext vermittelt oder in ihm verstärkt werden, durch Bindungen an Familienmitglieder in der Freizeit, durch Heiratsmuster und durch den Wunsch nach Erhalt der Kultur der Eltern ausgedrückt werden.

Ein mögliches Indiz für die Pflege kultureller Traditionen ist die Teilnahme an Familienfesten. Danach wurde in der Annahme, dass es sich dabei zumindest für diejenigen Mädchen, die wenig Freizeit außer Haus verbringen, um eine wichtige Freizeitbeschäftigung handeln könnte, im Rahmen der Freizeitbetätigungen gefragt. Familienfeste stellen nur für einen Teil der Mädchen eine wichtige Freizeitbeschäftigung dar. 31 Prozent verbringen damit ihre Freizeit „sehr oft" oder „oft", 38 Prozent „manchmal" und 31 Prozent „selten" oder „nie". Mehr Mädchen mit türkischem Hintergrund und aus Aussiedlerfamilien nennen Familienfeste häufig, Mädchen mit italienischem Hintergrund weniger. Dem entspricht, dass vergleichsweise mehr Mädchen mit türkischem Hintergrund ihre Freizeit „meistens" im familialen Raum, häufig mit Geschwistern, verbringen (vgl. Kapitel 4):

Tabelle 3.16: Häufigste Freizeitpartner und -partnerinnen (in Prozent)

	Migrationshintergrund					Gesamt	
	Aussiedl.	griech.	ital.	jugosl.	türk.		
Cousinen oder andere Verwandte* N = 950	8	8	11	9	14	10	(97)
Geschwister* N = 901 [1]	12	15	12	15	23	15	(139)
Eltern N = 950	9	10	12	13	17	12	(118)

* Signifikante Unterschiede nach nationaler Herkunft p ≤ .05.
1) N = 901, da in 49 Fällen keine Geschwister vorhanden sind.

Allerdings gibt es eine nicht unerhebliche Zahl von Mädchen, die nicht an Familienfesten teilnimmt, wie es auch eine erhebliche Zahl gibt, die ihre Freizeit überwiegend nicht mit der Familie verbringt:

Tabelle 3.17: Freizeitaktivitäten (nie/selten) (in Prozent)

| | Migrationshintergrund | | | | | Gesamt |
	Aussiedl.	griech.	ital.	jugosl.	türk.	
Familienfeste* N = 950	28	35	42	34	19	31 (294)
Freizeit mit Cousinen und anderen Ver- wandten* N = 950	44	49	51	45	45	47 (444)
Freizeit mit Ge- schwistern* N = 901[1]	35	33	33	29	26	31 (279)
Freizeit mit Eltern N = 950	35	34	31	33	29	32 (305)

* Signifikante Unterschiede nach nationaler Herkunft p ≤ .05.
1) N = 901, da in 49 Fällen keine Geschwister vorhanden sind.

Es zeigt sich, dass ein ähnlich hoher Anteil von Mädchen und jungen Frauen aller Migrationshintergründe, nämlich knapp ein Drittel, die Freizeit „nie" oder „selten" mit den Eltern oder Geschwistern verbringt. Dies gilt ebenso für das Verbringen der Freizeit mit den Geschwistern. Noch seltener verbringen Mädchen aller Herkunfts- gruppen die Freizeit mit dem erweiterten Verwandtschaftskreis von Cousinen und anderen Verwandten (47%). Außer bei der Teilnahme an Familienfesten als Frei- zeitbeschäftigung folgen die Mädchen und jungen Frauen mit türkischem Hinter- grund dem Muster der anderen Herkunftsgruppen.

Die Bewahrung familialer Traditionen bzw. deren Aufgabe kann auch an den (von den Mädchen antizipierten) Einstellungen der Eltern zur Ehe mit einem deutschen Partner und der Akzeptanz dieser Einstellung durch das Mädchen ermittelt werden.

Tabelle 3.18: Einverständnis von Vater und Mutter mit der Heirat eines Deutschen (in Prozent)

einverstanden	Vater	Mutter	beide Eltern
Gesamt	(885[1])	(923[2])	(660[3])
völlig	15	19	19
größtenteils	13	13	11
teils-teils	26	27	26
weniger	20	20	18
gar nicht	26	21	26

1) Diese Frage war eine Filterfrage, die sich nur auf diejenigen befragten Mädchen und jungen Frauen bezog, die heiraten würden. Darüber hinaus lässt die Frage diejenigen Mädchen und jungen Frauen unberücksichtigt, die keinen Kontakt zum Vater haben. In zwei Fällen sind die Eltern ver- storben, deshalb N = 885. 2) Diese Frage war eine Filterfrage, die sich nur auf diejenigen befragten Mädchen und jungen Frauen bezog, die heiraten würden. Darüber hinaus lässt die Frage diejenigen Mädchen und jungen Frauen unberücksichtigt, die keinen Kontakt zum Vater haben. In zwei Fällen sind die Eltern verstorben, deshalb N = 923. 3) Die Variable ist so konzipiert, dass unter den Kategorien „völlig" bis „gar nicht" diejenigen subsumiert sind, bei denen sowohl der Vater als auch die Mutter identische Meinungen geäußert haben. Es verbleiben demnach 290 unberücksichtigte Fälle, bei denen die Eltern divergente Meinungen vertreten.

Die Einstellung der Mutter auf der einen und die des Vaters auf der anderen Seite wurden zu einer gemeinsamen Einstellung zusammengefasst (zur Instrumentenkonstruktion siehe Anhang).

Durchgängig wird eine eher zögerliche Haltung der Eltern zu einer Eheschließung mit einem einheimischen Deutschen angenommen. Die Hälfte der Befragten meint, die Eltern seien „teilweise" damit einverstanden. Aber die Unterschiede nach nationaler Herkunft sind – wie erwartet – beachtlich. Es gibt weniger Abwehrhaltungen von Eltern mit italienischem Hintergrund, etwas mehr, aber nicht überwiegend bei Aussiedlereltern. Die stärkste Abwehrhaltung wird von den Mädchen mit türkischem Hintergrund antizipiert. Zwei Drittel der Eltern mit türkischem, und 40 Prozent der Eltern mit griechischem Hintergrund sind nach Meinung der Mädchen gegen eine Eheschließung ihrer Töchter mit einem einheimischen Deutschen.

In anderen Untersuchungen, wie der Repräsentativuntersuchung des Bundesministeriums für Arbeit und Sozialordnung (BMA 2002, S. 41) wurden Eltern ausländischer Herkunft zu ihrer Einstellung zur Eheschließung ihrer Tochter mit einem Deutschen befragt. Auf die Frage „Wären Sie damit einverstanden, wenn ihre Tochter einen Deutschen heiraten würde?" konnte mit „ja", „nein" oder „keiner Angabe" geantwortet werden. Während zwischen 82 bis 85 Prozent der jugoslawischen, italienischen und griechischen Eltern sich einverstanden erklärten, waren dies immerhin noch 55 Prozent der türkischen Eltern. Die Ergebnisse deuten darauf hin, dass die Mädchen türkischer, jugoslawischer und griechischer Herkunft eine abwehrende Haltung der Eltern zu dieser Frage antizipieren, als sie von den Eltern selbst vertreten wird. Die Einschätzung zur Wahrscheinlichkeit der Eheschließung mit einem oder einer Deutschen war Ergebnis einer anderen Untersuchung, in der Söhne und Töchter sowie Väter und Mütter mit italienischem, türkischem, griechischem und Aussiedler-Hintergrund befragt wurden (BMFSFJ 2000, S. 85). In allen Gruppen gibt es erhebliche Unterschiede im Antwortverhalten der Eltern und der Kinder, wobei die Eltern die Wahrscheinlichkeit in der Regel als geringer einschätzen als die Kinder. Interessant sind die Befunde zu den türkischen Befragten und den Aussiedlern. Bei der türkischen Gruppe gibt es die größten Unterschiede in der Einschätzung von Eltern und Kindern, wobei die Mütter noch weniger als die Väter glauben, dass ihr Kind „auf jeden Fall" eine oder einen Deutsche(n) heiratet. Die Kinder, insbesondere die Töchter türkischer Herkunft wiederum, hielten dies für in hohem Maße (46%) wahrscheinlich. Bei den Aussiedlern ist die gegenläufige Tendenz festzustellen. Während die Eltern die Heirat mit einem oder einer einheimischen Deutschen nur zu einem geringen Prozentsatz für unwahrscheinlich hielten, waren dies bei den Söhnen und Töchtern der höchste Prozentsatz im Herkunftsgruppenvergleich (14% Söhne, 11% Töchter).

Eine weitere Frage im Bereich Traditionalismus oder Familialismus richtet sich auf die Bereitschaft der Mädchen, auf den Wunsch der Eltern hin einen Mann aus dem Herkunftsland zu heiraten. Ohne auf die Daten zu dieser Frage detaillierter einzugehen, soll hier hervorgehoben werden, dass nur einzelne Mädchen (5 insgesamt) bereit wären, einem derartigen Wunsch ihrer Eltern zu folgen. Das Thema der arrangierten Ehen, in der Öffentlichkeit häufig einseitig unter dem Begriff „Zwangsheirat" abgehandelt, ist Gegenstand an anderer Stelle.[111] Hier soll lediglich ange-

---

111 Siehe hierzu Kapitel 7.

merkt werden, dass dies kein Modus ist, nach dem die von uns befragten Mädchen mit Migrationshintergrund bereit wären, eine Ehe einzugehen. 87 Prozent der befragten Mädchen und jungen Frauen finden ein solches Ehe-Arrangement „eher schlecht" oder „sehr schlecht" und knapp 90 Prozent von ihnen können sich eine auf diesem Weg zustande gekommene Ehe „eher nicht" oder „auf keinen Fall" vorstellen. Im herkunftsspezifischen Vergleich sind es die Befragten türkischer Herkunft, die jeweils zu elf Prozent angeben, dies „gut" oder „sehr gut" zu finden. Ebenso viele können sich dies für sich selbst vorstellen.

Mit Ausnahme der Mädchen und jungen Frauen aus Aussiedlerfamilien sind alle Mädchen und jungen Frauen an den Kulturen der Eltern orientiert. Auf die Frage, ob man von jemandem, der schon lange in Deutschland lebt, erwarten kann, die „Kultur der Eltern" aufzugeben, wird wie folgt geantwortet:

Tabelle 3.19: Aufgabe der Kultur der Eltern (in Prozent)

| | Migrationshintergrund | | | | | Gesamt | |
	Aussiedl.	griech.	ital.	jugosl.	türk.		
Gesamt	(200)	(182)	(183)	(172)	(213)	100	(950)
auf jeden Fall	-	-	2	2	1	1	(10)
eher ja	4	2	-	-	3	2	(21)
Teils-teils	29	6	14	9	11	14	(131)
eher nicht	35	21	30	31	33	30	(286)
auf keinen Fall	32	71	54	58	52	53	(502)

C = .30   p = .00

Deutlich häufiger als Mädchen aus anderen Arbeitsmigrationsfamilien antworten Mädchen mit griechischem Hintergrund traditions- und familiengebunden. Sie lehnen die Aufgabe der eigenen Kultur (es handelt sich hierbei um einen stereotypisierenden Topos, bei dem nicht definiert ist, was mit der „Kultur der Eltern" konkret gemeint ist) am stärksten ab. Mit einer relativ hohen Zustimmung zur „teilweisen" Aufgabe der „Kultur der Eltern" erweisen sich erwartungsgemäß die jungen Aussiedlerinnen als am ehesten assimilationsbereit. Mädchen und junge Frauen mit türkischem Hintergrund sind geringfügig häufiger bereit als diejenigen mit italienischem und jugoslawischem Hintergrund zuzugestehen, dass bei langjährigem Aufenthalt in Deutschland die Kultur der Eltern aufgegeben werden könnte.

3.3   Familiale Hilfen und Belastungen aus Familienverpflichtungen

3.3.1 Familiale Hilfen innerhalb der Migrationsfamilien

Familien mit Migrationshintergrund haben, wie deutsche Familien auch, die Aufgabe der Platzierung ihrer Kinder im Bildungssystem – eine wie Leenen/Grosch/Kreidt (1990, S. 753) ausführen – zumindest für die im Erwachsenenalter Zugewanderten unvertraute Aufgabe. Sie reicht „von der Grundlegung von Basiskompetenzen und -motivationen bis zur Bildungslaufbahnberatung und Biographieplanung, von der Sicherung adäquater Lern- und Arbeitsbedingungen bis zur konkreten schulischen Lernunterstützung" (ebenda).[112] Trotz hoher Bildungsorientierung kommen Eltern bestimmter Migrationsgruppen (insbesondere türkischer, italienischer und jugoslawischer Herkunft) diesen Anforderungen nicht bzw. nur zu einem relativ geringen Teil nach. In Bezug auf die Erziehungsstile und Erwartungen an die Kinder wurde festgestellt, dass insbesondere bei den türkischen Familien „Empathie" und „Leistung" die beiden wesentlichen Komponenten des Erziehungsstils sind, während dies bei griechischen und italienischen Familien nicht in gleicher Weise der Fall ist. Dies spiegelt sich auch in den Bildungsaspirationen wider. Nauck/Diefenbach/Petri (1998, S. 716f.) analysierten auf der Grundlage von SOEP-Daten, dass bei Migrationsfamilien ein Zusammenhang zwischen der Zahl der Kinder im Haushalt und dem Bildungserfolg der Kinder besteht. Dies gilt nicht in gleicher Weise für deutsche Familien.

Eltern mit Migrationshintergrund haben also ein hohes schulisches und berufliches Anspruchsniveau für ihre Kinder.[113] Die Schulbildung soll den Zugang zu Berufen eröffnen, die ein höheres Ansehen haben und einen höheren Status verleihen als sie die Tätigkeit der Eltern besitzt. Die Kinder – so wird seit den 70er Jahren durch Untersuchungen belegt[114] – sollen somit eine soziale Position einnehmen, die die Eltern nicht erreichen konnten. Deren sozialer Aufstieg soll die oftmals deprivierte berufliche Stellung der Eltern kompensieren (vgl. auch Boos-Nünning 1976, S. 74). Leenen/Grosch/Kreidt (1990, S. 757) zitieren in ihrer qualitativen Untersuchung Aussagen von Jugendlichen, die von verpassten Bildungschancen der Eltern in einer Art sprechen, als seien es eigene Erfahrungen. Die Jugendlichen haben den Bildungsauftrag angenommen, bekommen aber – wie im Folgenden zu sehen wird – durch die Eltern oftmals nicht genügend Hilfe bei der Umsetzung des Auftrages.[115]

3.3.2 Familiale Unterstützung der Mädchen und jungen Frauen

Um hier ein genaueres Bild der von den Mädchen und jungen Frauen wahrgenommenen familialen Unterstützung zu erhalten und Hinweise auf mögliche Gründe dafür, warum diese vielfach nicht in der von der Aufnahmegesellschaft erwarteten Form geleistet wird bzw. werden kann, werden Hilfen und Unterstützungsleistungen der Familie oder einzelner Familienmitglieder erfragt.

Auf die Frage, ob es eine Person gebe, mit der über *alle* Sorgen und Nöte gesprochen werden kann, nennen 47 Prozent die Mutter, elf Prozent den Vater, 31 Prozent die Schwester, sieben Prozent den Bruder und 13 Prozent andere Verwandte. Da Mehrfachnennungen möglich waren, konnten sowohl Personen innerhalb wie auch außerhalb der Familie benannt werden.

---

112 Zu den Faktoren, von denen diese Platzierungsleistung abhängig ist, siehe Nauck/Diefenbach/Petri (1998).
113 Vgl. bezüglich der griechischen Jugendlichen Goudiras 1997, S. 232ff.
114 Die Bildungsorientierungen in Form von hohen Bildungs- und Berufszielen ist von Beginn der Zuwanderung an empirisch nachgewiesen z.B. bei Schrader/Nikles/Griese 1976; Yakut et al. 1986, S. 136; in neuerer Zeit bei Nauck 1994 und Nauck/Diefenbach 1997b.
115 Vgl. hierzu auch Ergebnisse qualitativer Untersuchungen von Rosen 1997 und Karakaşoğlu-Aydın 2000c; Hummrich 2002.

Im Vergleich zwischen der Mutter und dem Vater wird – wie zu erwarten – die hervorgehobene Rolle der Mutter deutlich:

Tabelle 3.20:   Eltern als Vertrauenspersonen (in Prozent)

| | Migrationshintergrund | | | | | Gesamt | |
	Aussiedl.	griech.	ital.	jugosl.	türk.		
Gesamt	(200)	(182)	(183)	(172)	(213)	100	(950)
nur Mutter	42	38	44	35	28	37	(352)
nur Vater	1	3	-	1	2	1	(14)
Mutter und Vater	12	9	14	9	5	10	(91)
keinen von beiden	45	50	42	55	65	52	(493)

C = .19   p = .00

Zwar stellt die Mutter erheblich häufiger als der Vater oder als beide Elternteile gemeinsam eine wichtige Ansprechpartnerin und damit Vertrauensperson dar, aber die Hälfte der Mädchen sucht Vertraute nicht in den Eltern. Mädchen und junge Frauen mit italienischem Hintergrund und aus Aussiedlerfamilien geben besonders häufig (58% bzw. 55%), Mädchen mit türkischem Hintergrund besonders selten (35%) an, alle Sorgen und Nöte auch mit den Eltern besprechen zu können.

Etwa die Hälfte der Mädchen und jungen Frauen sucht die Vertraute in der Schwester, sofern es sie in der Familie gibt. Nur bei den Mädchen und jungen Frauen aus Aussiedlerfamilien ist die Zahl mit 38 Prozent geringer. Der Bruder wird kaum als Vertrauter benannt (7 bis 18% bei den Familien, in denen es einen Bruder gibt). Mädchen mit türkischem Hintergrund kompensieren ihr selteneres Vertrauensverhältnis zu der Mutter und den Eltern nicht dadurch, dass die Schwester oder der Bruder an die Stelle tritt; die Schwester wird ähnlich oft wie bei den übrigen Gruppen, der Bruder sogar seltener genannt (7% gegenüber 12% bzw. 13% bei den Mädchen mit italienischem und jugoslawischem und 18% mit griechischem Hintergrund).

Deutlicher noch wird der Stellenwert der Familie, wenn sie im Vergleich zu anderen möglichen Gesprächspartnern und -partnerinnen gesehen wird:

Tabelle 3.21: Vertrauenspersonen (in Prozent)

| | Migrationshintergrund | | | | | Gesamt | |
	Aussiedl.	griech.	ital.	jugosl.	türk.		
Gesamt	(200)	(182)	(183)	(172)	(213)	100	(950)
nur Familienmit-glieder	11	8	5	7	3	7	(64)
Familiemitglieder und fester Partner bzw. Freunde/ Freundinnen	51	58	62	54	59	56	(539)
Familiemitglieder und andere Person(en)	8	6	9	8	6	7	(68)
nur fester Partner bzw. Freunde/Freundinnen	27	25	22	28	26	26	(244)
fester Partner bzw. Freunde/Freundinnen und andere Person(en)	3	3	1	1	1	2	(16)
nur andere Person(en)	-	-	1	1	2	1	(7)
niemanden genannt	-	-	-	1	3	1	(12)

C = .21   p = .03

Ausschließlich bzw. unter anderem mit Familienmitgliedern können 70 Prozent der Mädchen über alles sprechen. Ausschließlich bzw. unter anderem mit den Freunden hingegen sprechen 91 Prozent. Die Familie ist zwar von großer Bedeutung als Instanz, an die sich die jungen Frauen bei dem Bedürfnis nach einem Gespräch wenden, die Freundschaften spielen jedoch eine weitaus größere Rolle. In der Kategorie „nur" wenden sich deutlich mehr Mädchen und junge Frauen nur an den festen Partner bzw. Freunde und Freundinnen (26%) als nur an Familienmitglieder (7%). Die Unterschiede nach nationaler Herkunft sind nicht bedeutsam.

Goudiras (1997, S. 189f.) stellt für griechische Jugendliche fest, dass „eine solidarische Bindung im höheren Grad zwischen den Familienmitgliedern im Migrationsland als im Herkunftsland" besteht, obwohl dies nicht unbedingt Intimität voraussetze. Mit Eltern und Geschwistern reden die Jugendlichen griechischer Herkunft nach seiner Untersuchung nur über familiale und schulische Probleme, während sie Freunde als Gesprächpartner dann bevorzugen, wenn es um persönliche Probleme geht. Auf die Inhalte der Gespräche wurde in unserer Untersuchung nicht eingegangen.

Ein für die Altersgruppe der befragten Mädchen und jungen Frauen wichtiger Bereich familialer Unterstützung stellen Hilfen bei den Hausaufgaben dar. Mitglieder der Familie leisten relativ selten Hilfe bei den Hausaufgaben, wie die folgende Tabelle verdeutlicht:

Tabelle 3.22: Hilfe bei Hausaufgaben durch die Mutter, den Vater oder die Geschwister (in Prozent)

	Migrationshintergrund					
	Aussiedl.	griech.	ital.	jugosl.	türk.	Gesamt
Mutter (N = 910*)						
immer/oft	33	28	18	16	10	21 (187)
selten/nie	35	48	59	65	77	57 (522)
Vater (N = 873*)						
immer/oft	16	16	7	9	11	12 (102)
selten/nie	62	62	80	70	74	70 (609)
Geschwister (N = 867*)						
immer/oft	10	26	26	25	27	23 (199)
selten/nie	68	55	55	47	48	54 (469)

* In diesen Fällen fehlen die Mutter, der Vater oder die Geschwister. Darüber hinaus lässt die Frage die Bildungsausländerinnen unberücksichtigt.

Mütter haben nach Aussage der Töchter aller nationalen Herkünfte bei der Bewältigung der Hausaufgaben deutlich häufiger Unterstützung geleistet bzw. leisten diese als Väter. Sind Geschwister vorhanden, spielen diese – außer bei Mädchen aus Aussiedlerfamilien – eine größere Rolle als die Eltern, insbesondere als der Vater. Bei den Mädchen aus Aussiedlerfamilien ist zu bedenken, dass die Einreise nach Deutschland in der Regel mit der ganzen Familie zur gleichen Zeit stattfand, so dass auch ältere Geschwister gegenüber jüngeren wenig Vorsprung im Umgang mit der deutschen Schule vorweisen können. Auf diese Weise reduzieren sich deren Möglichkeiten der Hausaufgabenhilfe. In der türkischen, jugoslawischen und italienischen Herkunftsgruppe spielen Geschwister sogar eine größere Rolle als die Mutter.

Von den Eltern (Mutter wie Vater) am wenigsten Hilfe erfahren Mädchen mit türkischem Hintergrund; drei Viertel ihrer Mütter und Väter leisten kaum Hilfe. Kaum höher sind die Zahlen bei Mädchen mit italienischem und jugoslawischem Hintergrund. In dieser Gruppe sind die Mütter häufiger beteiligt, die Väter dafür umso weniger. Größer ist die Hilfestellung bei Mädchen mit griechischem Hintergrund und aus Aussiedlerfamilien sowohl durch Mütter als auch durch Väter.

Eine weitere Auswertung, die die Hilfe der Geschwister bei den Hausaufgaben in Beziehung zur Hilfe von anderen Personen aus der Familie setzt, belegt, wie stark Unterstützung durch die Geschwister geleistet wird:

Tabelle 3.23: Hilfe von Familienmitgliedern bei den Hausaufgaben (immer/oft)

	absolut	prozentual
Gesamt	950	100
Mutter, Vater und Geschwister	11	1
nur Mutter und Vater	37	4
nur Mutter	111	12
nur Vater	45	5
nur Geschwister	151	16
nur Mutter und Geschwister	28	3
nur Vater und Geschwister	9	1
niemand aus der Familie	558	58

Wenn Familienmitglieder Unterstützung bei den Hausaufgaben leisten, dann sind es entweder die Geschwister oder die Mutter bzw. die Geschwister und die Mutter sind beteiligt. In den meisten Fällen (58%) kommt jedoch aus dem Familienkreis keinerlei Hilfe. Entfällt die familiäre Hilfe, so stehen oder standen die Mädchen und jungen Frauen größtenteils alleine, wie die folgende Aufschlüsselung belegt:

Tabelle 3.24: Hilfe bei den Hausaufgaben (immer/oft) (in Prozent)

	Migrationshintergrund					Gesamt	
	Aussiedl.	griech.	ital.	jugosl.	türk.		
Gesamt	(200)	(182)	(183)	(172)	(213)	100	(950)
nur Familie	32	25	21	21	24	25	(236)
Familie und Freunde	7	11	13	13	9	10	(98)
Familie und Hausaufgabenhilfe (extern)	2	10	3	1	5	4	(40)
Familie, Freunde und Hausaufgabenhilfe	-	4	3	1	2	2	(18)
nur Freunde	11	4	14	12	8	10	(92)
nur Freunde und Hausaufgabenhilfe (extern)	-	2	1	2	7	3	(26)
nur Hausaufgabenhilfe (extern)	-	4	5	3	6	4	(35)
niemand	48	40	40	47	39	42	(405)

C = .28   p = .00

Bei einem Viertel der Mädchen und jungen Frauen steht nur die Familie als Hilfe zur Verfügung. In 42 Prozent der Nennungen ist die Familie an der Hausaufgabenhilfe zumindest beteiligt. Es folgen Freunde und Freundinnen sowie eine externe

Hausaufgabenhilfe. Immerhin 42 Prozent erfuhren oder erfahren keinerlei Hilfe. Die fehlende Hilfe kann nicht mit Unwillen erklärt werden; der an anderer Stelle bereits genannte hohe Bildungsanspruch der Familien mit Migrationshintergrund spricht gegen eine solche These. Es ist zu vermuten, dass die Möglichkeiten zur Hilfestellung bei einem Teil der Familien fehlen. Dafür spricht, dass die familiale Unterstützung bei den Hausaufgaben entscheidend von dem sozialen Status der Herkunftsfamilie abhängt. Je höher der soziale Status der Familie ist, desto stärker werden die Mädchen und jungen Frauen insbesondere durch die Mutter unterstützt:

Tabelle 3.25:   Familiale Hilfe bei den Hausaufgaben (immer/oft) nach sozialem Status der Familie (in Prozent)

	Sozialer Status (Index)					Gesamt	
	sehr niedrig	niedrig	mittel	hoch	sehr hoch		
Gesamt	(458)	(174)	(112)	(114)	(92)	100	(950)
Mutter und Vater	3	4	5	11	11	5	(48)
nur Mutter	13	13	15	18	22	15	(139)
nur Vater	4	5	10	6	7	6	(54)
keiner von beiden	80	78	70	65	60	74	(709)

$C = .19$ $p = .00$

Die Hilfe der Mutter – und diese ist die wichtigste Person bei der Unterstützung der Tochter – hängt deutlich von deren Schulbildung ab; vor allem Mütter mit gehobenem und hohem Bildungsniveau helfen ihren Töchtern bei den Hausaufgaben:

Tabelle 3.26:   Hilfe der Mutter bei den Hausaufgaben nach Bildungsniveau der Mutter (in Prozent)

	Bildungsniveau der Mutter			
	niedrig	mittel	gehoben/hoch	Gesamt
Gesamt	(294)	(382)	159	100 (835*)
manchmal/selten/nie	91	76	71	80 (669)
immer/oft	9	24	29	20 (166)

$C = .22$ $p = .00$
* 115 Mädchen und junge Frauen machen keine Angaben zur Schulbildung ihrer Mutter.

Allerdings erhielten oder erhalten auch zwei Drittel der Mädchen und jungen Frauen von Müttern mit höherem Bildungsniveau keine konstante Hilfe.

Die Eltern sind auch wichtige Ratgeber für den beruflichen Weg nach der Schule. Auf die Frage, mit wem sie in den letzten beiden Schuljahren darüber gesprochen hätten, was sie nach der Schule beruflich machen wollen, gibt es keine signifikanten Unterschiede nach nationaler Herkunft.[116] Herkunftsgruppen über-

---

116 Die Frage wurde denjenigen nicht gestellt, die noch eine allgemein bildende Schule besuchen.

greifend wird erneut die wichtige Rolle der Mutter festgestellt. Sie ist in stärkerem Maße als der Vater die Ratgeberin der Mädchen für deren beruflichen Weg. 55 Prozent der Mädchen haben sich durch die Mutter in der Frage, was nach der Schule folgen soll, beraten lassen („stark" bzw. „sehr stark"). Der Vater ist in dieser Intensität nur für 36 Prozent Ratgeber.

Gleich nach den Eltern kommt in der Rangfolge des Stellenwerts („stark" bzw. „sehr stark") bei der beruflichen Beratung das weitere familiale und freundschaftliche Umfeld wie Geschwister, Verwandte und Freunde und Freundinnen, gefolgt von den Lehrern und Lehrerinnen. Institutionelle Beratung beim Arbeitsamt oder in der Berufsberatung rangiert erst an unbedeutender fünfter Stelle. Nur für ein Viertel spielt die Berufsberatung eine bedeutende Rolle als Ratgeber, deutlich über die Hälfte verneint dieses.

Tabelle 3.27: Berufsberatung durch Personen und Institutionen (in Prozent)

Berufsberatung					
	sehr stark	stark	mittel	wenig	gar nicht
Vater N = 334[1]	15	21	29	20	15
Mutter N = 350[2]	19	36	23	12	10
Geschwister, Verwandte, Freunde N = 352[3]	12	28	29	16	15
Lehrer N = 352[3]	11	17	33	20	19
Betreuer im Berufspraktikum N = 352[3]	4	7	13	18	58
Arbeitsamt, Berufsberatung N = 352[3]	9	15	19	19	38
Sozialarbeiter, Sozialpädagogen N = 352[3]	2	2	3	7	86
Sonstiges N = 352[3]	2	4	5	3	86

1) Diese Frage war eine Filterfrage, die sich nur auf diejenigen befragten Mädchen und jungen Frauen bezog, die zum Zeitpunkt der Befragung nicht mehr die Schule oder Hochschule/Fachhochschule besuchen. Darüber hinaus lässt die Frage diejenigen Mädchen und jungen Frauen unberücksichtigt, die keinen Kontakt zum Vater haben. In zwei Fällen sind die Eltern verstorben, deshalb N = 334.

2) Diese Frage war eine Filterfrage, die sich nur auf diejenigen befragten Mädchen und jungen Frauen bezog, die zum Zeitpunkt der Befragung nicht mehr die Schule oder Hochschule/Fachhochschule besuchen. In zwei Fällen sind die Eltern verstorben, deshalb N = 350.

3) Diese Frage war eine Filterfrage, die sich nur auf diejenigen befragten Mädchen und jungen Frauen bezog, die zum Zeitpunkt der Befragung nicht mehr die Schule oder Hochschule/Fachhochschule besuchen, deshalb N = 352.

Zwischen der Beratung durch den Vater und durch die Mutter besteht ein enger Zusammenhang (r = .66). Das bedeutet, dass die Mädchen, die mit dem Vater sprechen, auch in stärkerem Maße die Mutter fragen und umgekehrt.

3.3.3 Belastungen aus dem Familienleben

Neben Hilfen und Unterstützungsleistungen können aus dem familiären Bereich auch Belastungen entstehen, vor allem in der Form von Restriktionen seitens der Eltern oder durch fehlende Unterstützung. Die zu diesem Themenbereich gestellten Fragen richten sich jeweils nur an Teilgruppen.

Mädchen und junge Frauen, die nach der Schule nicht berufstätig sind, wurden gefragt, welche Hindernisse sie für diese Situation verantwortlich machen. Da in der Literatur familiale Faktoren wie die Mithilfe im Haushalt oder die Betreuung jüngerer Geschwister als Behinderung der Schulkarriere von Mädchen mit Migrationshintergrund genannt werden, wurde dieser Punkt vertieft. Gründe, wie der Wunsch der Familie, sie als Hilfe im Haushalt behalten zu wollen und sich daher gegen eine aushäusige Erwerbstätigkeit zu entscheiden, werden nur von einzelnen Mädchen genannt. Auch das Aufpassen auf jüngere Geschwister wird nur von einer geringen Zahl der Mädchen und jungen Frauen gefordert und nur von wenigen als Belastung empfunden. Von denjenigen, die jüngere Geschwister haben (N = 543) sagen 38 Prozent, dass sie „nie", 32 Prozent, dass sie „selten" und 30 Prozent, dass sie häufiger diese Aufgabe übernehmen (müssen). Diejenigen, die häufiger die Geschwister betreuen, tun dies zu drei Prozent nur am Wochenende, zu 12 Prozent mehr als einmal in der Woche und zu 15 Prozent jeden Tag. Die Mädchen und jungen Frauen wurden und werden deutlich seltener und weniger zeitaufwändig in Betreuungsaufgaben eingebunden als allgemein angenommen. Eine fehlende Unterstützung durch das Elternhaus beim Übergang von der Schule in den Beruf nimmt nur ein geringer Teil derjenigen Mädchen wahr, die Schwierigkeiten in dieser Phase angegeben haben (N = 141). Aus einem Katalog möglicher Schwierigkeiten, die sie daran hinderten, ihre beruflichen Vorstellungen zu verwirklichen, werden folgende Aspekte genannt:

Tabelle 3.28: Gründe für Schwierigkeiten beim Übergang von der Schule in den Beruf (in Prozent)

N = 141 folgende Gründe treffen zu:	voll/eher	teils-teils	weniger/gar nicht
weil mir und meiner Familie die Kontakte zu Betrieben fehlen	28	11	61
weil meine Eltern sich mit dem deutschen Ausbildungssystem nicht auskennen	22	9	69
weil meine Eltern etwas anderes wollten als ich	10	3	87

Die kleine Fallzahl erlaubt nicht, in den familiären Hindernissen signifikante Unterschiede nach nationaler Herkunft zu ermitteln.

Mädchen mit griechischem und italienischem Hintergrund nehmen bei ihren Eltern weniger Informationsdefizite wahr als die übrigen Mädchen. Signifikante Unterschiede bestehen in der Frage, ob Schwierigkeiten nach der Schule darauf zurückzuführen sind, dass die Eltern sich mit dem deutschen Ausbildungssystem nicht auskennen. Fehlende Kenntnisse des deutschen Ausbildungssystems werden häufiger bei den Familien mit türkischem und jugoslawischem Hintergrund genannt. Auch die Mädchen aus Aussiedlerfamilien registrieren bei ihren Eltern geringere Kenntnisse.

Tabelle 3.29: Schwierigkeiten durch fehlende Kenntnisse vom deutschen Ausbildungssystem (in Prozent)

| | Migrationshintergrund | | | | | Gesamt | |
	Aussiedl.	griech.	ital.	jugosl.	türk.		
Gesamt	(27)	(22)	(23)	(27)	(42)	100	(141)
voll/eher/teils-teils	33	9	17	41	43	31	(44)
weniger/gar nicht	67	91	83	59	57	69	(97)

C = .27   p = .03

Nach dem sozialen Status oder nach der Bildungsbiographie der Eltern, d.h. ob sie ihre Schulabschlüsse in Deutschland oder im Herkunftsland erreicht haben, ergeben sich keine bedeutsamen Unterschiede.[117]

3.3.4 Probleme durch familiale Konstellationen

Störungen in der familialen Situation wurden als Teil der Fragebatterie zu kritischen Lebensereignissen erhoben.[118] Streitigkeiten in der Familie wurden von einem erheblichen Teil der Mädchen erlebt (72%), Arbeitslosigkeit der Eltern (28%) und Scheidung oder Trennung der Eltern (13%) seltener. Bei Streitigkeiten und Arbeitslosigkeit bestehen Unterschiede nach nationaler Herkunft. Streitigkeiten haben zwei Drittel der Mädchen mit italienischem, griechischem und jugoslawischem Hintergrund erlebt, jedoch erheblich mehr, nämlich etwa vier Fünftel der Mädchen mit türkischem Migrationshintergrund und aus Aussiedlerfamilien. Trennung und Scheidung ist hingegen bei Mädchen mit türkischem Hintergrund seltener (9%), bei Mädchen aus Aussiedlerfamilien (19%) häufiger als bei den übrigen (12% bis 13%). Allerdings sind die Unterschiede nicht signifikant (p = .06). Arbeitslosigkeit der Eltern als kritisches Lebensereignis tritt besonders häufig bei Aussiedlerfamilien (46%) und bei Familien aus dem ehemaligen Jugoslawien (30%) auf. Hier darf ein Zusammenhang mit der geringeren Aufenthaltsdauer in Deutschland (z.B. als Flüchtlinge) und der fehlenden Anerkennung von Bildungsabschlüssen oder beruflichen Qualifikationen aus den Herkunftsländern (sowohl bei Aussiedlern und Aussiedlerinnen als auch bei Flüchtlingen) vermutet werden. Arbeitslosigkeit der Eltern als kritisches Lebensereignis wird besonders selten von Mädchen mit italienischem Hintergrund (16%) genannt (Mädchen mit griechischem und türkischem Hintergrund: 23%).

Von den Mädchen, die es erlebt haben, wird bei deutlich geringerer Ausgangszahl (N = 123) die Scheidung oder Trennung der Eltern als „starke" oder „sehr starke" Belastung empfunden, nämlich von 51 Prozent. Streitigkeiten in der Familie

---

117 Weitere Auswertungen hierzu siehe Kapitel 5.
118 Hierzu detaillierter siehe Kapitel 9.

(41% bei N = 688) und Arbeitslosigkeit der Eltern (30% bei N = 265) kommen häufiger vor, werden aber weniger als Belastung wahrgenommen.

3.4 Familiale Kohäsion und Bildungsanforderungen

Deutlicher als manche früheren Untersuchungen korrigiert die Erhebung Alltagsbilder. Die Mädchen und jungen Frauen sind überwiegend mit ihrer Erziehung im Elternhaus zufrieden. Mehr als die Hälfte beurteilt die Erziehung im Elternhaus als verständnisvoll und nicht besorgt oder herabwürdigend. Sie wird von der Mehrheit als „streng, aber liebevoll", von nicht wenigen (nahezu einem Drittel) sogar als „locker", selten als „streng" und kaum als „zu streng" oder „zu locker" eingestuft. Mit der Erziehung im Elternhaus sind hohe schulische Anforderungen verbunden. Individualistische Durchsetzungsstrategien sind eher selten. Weitaus die meisten, die zusammen mit Brüdern aufwachsen, fühlen sich egalitär behandelt. Die Ergebnisse bieten keine Ansatzpunkte, dass die Familienstruktur von den Mädchen und jungen Frauen als autoritär (oder als streng) wahrgenommen wird und dass das Verhältnis zwischen den Generationen gestört ist. Die schulischen und beruflichen Erwartungen, die sich auf die Töchter richten, sind hoch. Alle Aussagen gelten grundsätzlich für die Mädchen und jungen Frauen aller nationalen Herkünfte mit vorne im Einzelnen dargestellten Abstufungen. Was die gegenwärtige und die gewünschte künftige Lebensform anbetrifft, finden sich relativ viele Mädchen und junge Frauen, die traditionell orientiert sind; die Lösung von und aus der Herkunftsfamilie stellt kein verbreitetes Muster dar, kulturelle Traditionen werden als Orientierungen von einer Mehrzahl akzeptiert und – was die Freizeit anbetrifft – von einer bedeutsamen Minderheit gepflegt.

Der in Untersuchungen bestätigte Sachverhalt, dass sich Mädchen mit Migrationshintergrund in der Adoleszenzphase nicht oder seltener als Mädchen der Mehrheitsgesellschaft aus ihrem familialen Kontext lösen, wird in der neueren wissenschaftlichen Diskussion nicht mehr einseitig auf die autoritäre Kontrolle der Eltern zurückgeführt, sondern als eine von den Mädchen und jungen Frauen selbst gewählte Lebensform betrachtet. Hintergrund sind Ergebnisse qualitativer Interviews, die diese Sichtweise belegen. So betonen die von Rohr (2001a, S. 120) befragten Mädchen die enge Bindung vor allem an die Mütter und lehnen ein Adoleszenzmodell ab, das auf der Ablösung von den Eltern und der frühen Hinwendung zum anderen Geschlecht basiert. Rohr schließt aus den Gesprächen als (für sie) überraschendes und verblüffendes Ergebnis, „dass von einer Adoleszenz, so wie wir sie in unserem Kulturkreis kennen und wissenschaftlich definieren, keine Rede sein konnte. Soweit zu erkennen war, schien dies vornehmlich mit einer besonders innigen und durch die Adoleszenz nicht getrübten Beziehung von Mutter und Tochter zusammenzuhängen, einer zärtlichen Bindung, die sich thematisch wie ein roter Faden durch alle Gespräche hindurchzog". Trennungen von der Mutter sind nicht mitgedacht und eine selbständige Lebensführung stellt kein erstrebenswertes Ziel dar. Dieses gilt – nach Rohr (2001a, S. 125) – auch bei enormen Bildungs- und Modernisierungsdifferenzen innerhalb der Familie, auch solche führen nicht zu Distanzierungen der Töchter gegenüber ihren Müttern. Die Töchter sind vielmehr voller Bewunderung und uneingeschränkter Liebe für ihre Mütter. Während im familialen Bereich eine Lösung von der Familie, insbesondere von der Mutter, nicht angestrebt wird, sind die Mädchen im beruflichen Bereich auf Aufstieg ausgerichtet und zeigen starke Individualisierungs- und Verselbständigungstendenzen (ebenda; siehe auch Gültekin 2003, S. 213ff.). Die enge Bindung an die Mutter behindert Vorstellungen von sozialem Aufstieg nicht. Die Entwicklung weiblicher Geschlechtsidentität vollzieht sich bei einem Teil der Mädchen und jungen Frauen im Wesentlichen über die Identifikation mit den Müttern und nicht in Abgrenzung zu ihnen (Rohr 2001a, S. 132). Daher fehlt eine ausgesprochene Jugendphase mit Protesten und Ausbruch. So kommt Rohr zu folgendem Schluss: „Weibliche Lebensentwürfe in der Migration nehmen also bei der Entwicklung beruflicher Perspektiven durchaus Momente einer westlichen Moderne, wie Autonomie, Individualität, Flexibilität und Mobilität auf. Im Bereich der familial geprägten Ausgestaltung von Lebensentwürfen bleibt die Biographie von Migrantinnen hingegen gebunden an kollektive und traditionelle Vorstellungen von Weiblichkeit. Ob sich aber unter diesen Vorzeichen Bildung und Beruf als Einbruchstor einer Adoleszenzentwicklung nach westlichem Muster erweisen werden, ist noch unklar und bedarf noch weitergehender Forschungen" (ebenda, S. 132f.).[119]

Die Betonung der Kohäsion in Migrationsfamilien darf nicht vergessen lassen, dass den hohen Erwartungen an Bildung und Ausbildung kaum Hilfestellungen entsprechen. Nur die Mütter, nicht die Väter sind die Vertrauenspersonen der Töchter. Diese Rolle nimmt jedoch nur etwas mehr als ein Drittel der Mütter wahr. Die Geschwister oder Freunde und Freundinnen, wenn vorhanden auch der feste Freund, werden häufiger angesprochen. Wenn die Mutter ausfällt, steht häufiger kein anderes Familienmitglied zur Verfügung. Nahezu zwei Drittel der Mädchen und jungen Frauen fanden keine Unterstützung durch Familienmitglieder bei den Hausaufgaben, wobei ein niedriges Bildungsniveau der Mutter Hilfe von ihrer Seite verhindert. Ähnliches gilt für Beratung beim Übergang in eine berufliche Ausbildung.

---

119 Zu den spezifischen weiblichen Lebensentwürfen und deren hervorragender Rolle im „Familienprojekt Migration" siehe auch Apitzsch (1996a, 1996b, 1999); Herwartz-Emden/ Westphal (2000a).

4. Nicht nur allein zu Hause: Freizeit und Freundschaften

4.1 Freizeitgestaltung, Freizeiträume und Freizeitwünsche

Mit „Freizeit" wird der von der überwiegend fremdbestimmten Berufs- und Lern-
arbeit entlastete Zeitraum eines Menschen bezeichnet, der nach freiem Ermessen
ausgefüllt werden kann. In der Verwendung und Gestaltung der Freizeit drücken
sich dabei die persönlichen Motive, Ziele und Orientierungen meist in einer besonders spontanen und entspannten Form aus. Die Möglichkeit zur Ausübung einer
Tätigkeit in der Freizeit hängt aber nicht nur von individuellen Motiven, sondern
zusätzlich von Erreichbarkeit, Gelegenheiten, Angeboten und anderen Rahmenbedingungen ab. Anders als Schule und Beruf oder Familie bedeutet Freizeit also
grundsätzlich die Chance zu frei gewählten Kontakten und zu selbst gestalteten
Aktivitäten.

Die Freizeit wird in unserer Untersuchung unter zwei Gesichtspunkten untersucht. Zum einen werden Freizeitbudgets, Freizeitbeschäftigungen und -wünsche
erhoben und gefragt, ob aushäusige Freizeitmuster die Aneignung des Umfeldes
außerhalb der Familie erlauben. Zum anderen wird Freizeit unter dem Aspekt dargestellt, wie die Freundschaftsgruppen zusammengesetzt sind. Der Gesichtspunkt
interethnischer oder ethnienübergreifender Freundschaften außerhalb der Schule[120]
wird dabei als Nähe oder Ferne zur deutschen Gesellschaft interpretiert. Es geht
dabei um die Freundschaftsgruppe, die intra- oder interkulturell zusammengesetzt ist
und um die Sprache(n), in der bzw. denen die Kommunikation mit Freundinnen und
Freunden stattfindet.

Die Freizeit von Mädchen mit Migrationshintergrund wird seit langem als
bedeutsam thematisiert und sie betreffende Gestaltungsmuster werden als Indiz für
die soziale Integration angeführt. Eine der ersten Untersuchungen zu jungen
Türkinnen in Deutschland hat sich mit deren Freizeitverhalten beschäftigt (Weische-
Alexa 1977). Diese, wie auch spätere Untersuchungen und Beschreibungen zeichnen
das Bild von Mädchen, die kaum über Freizeit verfügen, da sie die Geschwister und
den Haushalt versorgen müssen und die ab der Pubertät wegen der Kontrolle durch
die Eltern oder die Brüder Bewegungsräume verlieren (siehe z.B. Göpel-Oelschlae-
gel 1985). Neuere Untersuchungen haben festgestellt, dass Mädchen mit türkischem
Migrationshintergrund nicht selten ihren Spielraum in der Freizeit durch eigenen
Verzicht einschränken und Begrenzungen durch die Eltern nicht notwendigerweise
zu familiären Auseinandersetzungen oder zu Konflikten führen. Gründe für dieses
Verhalten und für die Akzeptanz vorhandener Einschränkungen liegen (so
Pfänder/Turhan 1990, S. 39) im Wissen um die Ängste der Eltern und im Verstehen
ihrer Besorgnisse, in dem Wunsch die Harmonie in der Familie nicht zu gefährden
oder die Eltern nicht zu verletzen. Die Angst vor dem Verlust von Unterstützung,
Liebe oder Solidarität und in manchem Fall die Furcht vor den Konsequenzen von
abweichendem Verhalten spielt ebenfalls eine Rolle.

Eine 1994 veröffentlichte Befragung der Stadt- und Kreisjugendringe sowie der
Kulturämter in Nordrhein-Westfalen ergibt, dass Mädchen und junge Frauen mit

---

120 Ältere und neuere Untersuchungen belegen, dass interethnische Freundschaften im schulischen Kontext keineswegs selbstverständlich waren und sind, siehe die Zusammenfassung
der Untersuchungsergebnisse bis 1975 bei Boos-Nünning 1976, S. 69ff.; Dollase 1994.

Migrationshintergrund an den kulturellen Angeboten nicht entsprechend ihrem Anteil an der jeweiligen Alterspopulation partizipieren. Dieses wird darauf zurückgeführt, dass ein Großteil der ausländischen Mädchen Zuhause bleiben muss (MAGS 1994b, S. 122).[121] Diese und ähnliche Annahmen sollen im Folgenden anhand unserer Daten einer Prüfung unterzogen werden.

4.1.1 Das Freizeitbudget

Wie geschildert wird häufig davon ausgegangen, dass die zur Verfügung stehende Freizeit gerade bei Mädchen mit Migrationshintergrund geringer als bei gleichaltrigen deutschen sei, vor allem weil sie durch häusliche Verpflichtungen besonders belastet seien. Diese Vorannahmen werden durch unsere Daten nicht bestätigt. Die Mädchen und jungen Frauen verfügen über relativ viel freie Zeit: 36 Prozent geben an, dass sie mehr als vier Stunden, 47 Prozent, dass sie zwischen zwei und vier Stunden, 13 Prozent, dass sie zwischen ein und zwei Stunden und vier Prozent, dass sie weniger als eine Stunde Zeit zur Verfügung haben. Während 47 Prozent der Mädchen aus Aussiedlerfamilien die Antwortkategorie mehr als vier Stunden nennen, geben dies 37 Prozent der Befragten mit italienischem, 36 Prozent mit jugoslawischem, 33 Prozent mit türkischem und 29 Prozent mit griechischem Migrationshintergrund an. Jeweils 16 Prozent der Mädchen und jungen Frauen mit griechischem und türkischem Migrationshintergrund haben zwischen ein und zwei Stunden zur Verfügung (13% mit italienischem und 12% mit jugoslawischem Migrationshintergrund und 8% der Aussiedlerinnen). Die Mehrzahl der befragten Mädchen und jungen Frauen aller Herkunftsgruppen bewertet das Ausmaß ihrer Freizeit als (sehr) zufriedenstellend (51% Befragte mit jugoslawischem Migrationshintergrund, jeweils 50% der Aussiedlerinnen und Befragte mit italienischem, 49% mit griechischem und 47% der Befragten mit türkischem Migrationshintergrund).

Frühere Untersuchungen – alle älteren Datums – haben vielfach belegt, dass die jungen Frauen nicht übermäßig mit häuslichen Pflichten belastet sind. So verfügen nach einer Studie zu griechischen Jugendlichen in NRW etwa zwei Dritteln der Befragten über ausreichend Freizeit und geben dieses gleich häufig an wie junge Männer derselben Herkunft (Schultze 1990, S. 65). Bei denjenigen Jugendlichen griechischer Herkunft – ohne Differenzierung nach Geschlecht – die ein griechisches Lyzeum besuchen, wurde in früheren Untersuchungen ein geringeres Freizeitbudget festgestellt als bei denjenigen, die eine deutsche Schule besuchen (Diamantopoulos 1987). Auch eine Untersuchung bei Mädchen mit türkischem Migrationshintergrund belegt, dass anders als gemeinhin angenommen längst nicht alle Mädchen und jungen Frauen durch Hausarbeit übermäßig belastet werden. Zu Gunsten einer guten Schulbildung verzichten die Eltern nicht selten auf Mithilfe im Haushalt (Pfänder/Turhan 1990).

---

121 Zur Frage nach der Nutzung von Jugendeinrichtungen und warum Mädchen mit Migrationshintergrund sie weitgehend meiden siehe Kapitel 11.

4.1.2 Freizeitaktivitäten

Wie verbringen die Mädchen und jungen Frauen nun diese in ihrer Quantität mehrheitlich als zufrieden stellend bewertete freie Zeit? Aus einer Auswahl von 18 vorgegebenen Aktivitäten werden besonders häufig solche genannt, die zu Hause und alleine ausgeübt werden können:

Graphik 4.1: Ausgeübte Freizeitaktivitäten[122]

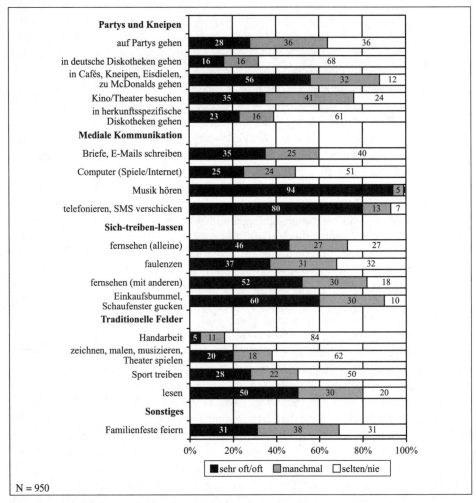

Die überwiegende Zahl der Mädchen und jungen Frauen verbringt ihre Freizeit („sehr oft" und „oft") auch mit Aktivitäten wie „Musik hören" und „Telefonieren und SMS verschicken", schon deutlich weniger mit „Einkaufsbummel/Schaufenster gucken" und „Cafes, Kneipen, McDonalds, Eisdielen o.ä. besuchen". Jede Zweite nennt zu Hause ausgeführte Aktivitäten wie „fernsehen (alleine/mit anderen)" und „lesen", ein Viertel die Nutzung des Internets und von Computerspielen. Aktivere (kreative) Formen der Freizeitgestaltung wie „Sport treiben", „zeichnen, malen,

---

122 Die Reihenfolge der Aktivitäten orientiert sich an fünf mittels einer Faktorenanalyse herausgelösten Dimensionen (siehe Instrumentenkonstruktion im Anhang).

musizieren, Theater spielen" und „Handarbeit" zählen zu den Aktivitäten, mit denen die befragten Mädchen und jungen Frauen ihre Freizeit seltener verbringen.

Bei den Aktivitäten „Musik hören", „Fernsehen (alleine/mit anderen)", „Sport treiben", „Computer spielen" sowie „Handarbeit" und „Zeichnen, Malen, Musizieren, Theater spielen" zeigen sich keine Unterschiede nach nationaler Herkunft. In den anderen 12 Bereichen bestehen signifikante Unterschiede:

Graphik 4.2:   Freizeitaktivitäten (arithmetisches Mittel) **

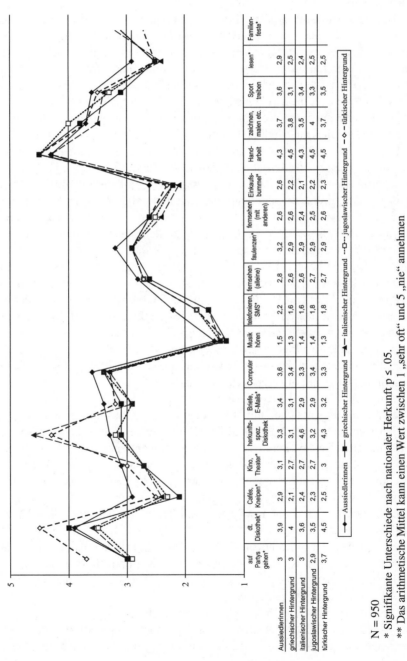

	auf Partys gehen*	dt. Diskothek*	Cafés, Kneipen*	Kino, Theater*	herkunfts-spez. Diskothek*	Briefe, E-Mails*	Computer	Musik hören	telefonieren, SMS*	fernsehen (alleine)	faulenzen*	fernsehen (mit anderen)	Einkaufs-bummel*	Hand-arbeit	zeichnen, malen etc.	Sport treiben	lesen*	Familien-feste*
Aussiedlerinnen	3	3,9	2,9	3,1	3,3	3,4	3,6	1,5	2,2	2,8	3,2	2,6	2,6	4,3	3,7	3,6	2,9	
griechischer Hintergrund	3	4	2,1	2,7	3,1	3,1	3,4	1,3	1,6	2,6	2,9	2,6	2,2	4,5	3,8	3,1	2,5	
italienischer Hintergrund	3	3,6	2,4	2,7	4,6	2,9	3,3	1,4	1,6	2,6	2,9	2,4	2,1	4,3	3,5	3,4	2,4	
jugoslawischer Hintergrund	2,9	3,5	2,3	2,7	3,2	2,9	3,4	1,4	1,8	2,7	2,9	2,5	2,2	4,5	4	3,3	2,5	
türkischer Hintergrund	3,7	4,5	2,5	3	4,3	3,2	3,3	1,3	1,8	2,7	2,9	2,6	2,3	4,5	3,7	3,5	2,5	

N = 950

* Signifikante Unterschiede nach nationaler Herkunft p ≤ .05.

** Das arithmetische Mittel kann einen Wert zwischen 1 „sehr oft" und 5 „nie" annehmen

Legende: ◆ – Aussiedlerinnen   ■ – griechischer Hintergrund   ▲ – italienischer Hintergrund   □ – jugoslawischer Hintergrund   ◇ – türkischer Hintergrund

Die größten Unterschiede bestehen im Besuch von Diskotheken – einer Freizeitgestaltung, die von Mädchen mit türkischem Hintergrund nicht gepflegt wird, gleich, ob es sich um deutsche oder herkunftsspezifische Diskotheken handelt. Mädchen mit griechischem Hintergrund sind besonders aktiv, was den Besuch deutscher und herkunftsspezifischer Diskotheken anbetrifft. Mädchen mit türkischem Hintergrund besuchen deutlich seltener Partys. Mädchen aus Aussiedlerfamilien verbringen ihre Freizeit seltener in Cafés, Kneipen, bei McDonalds, in Eisdielen oder ähnlichem als die übrigen, sie telefonieren und faulenzen weniger, lesen aber auch weniger häufig Bücher, Zeitschriften und Zeitungen.

Ein Ergebnis soll darüber hinaus hervorgehoben werden: Eine Gegenüberstellung des Besuchs einer deutschen und einer herkunftsspezifischen Diskothek zeigt, dass die befragten Mädchen und jungen Frauen mit griechischem sowie jugoslawischem Migrationshintergrund und die Aussiedlerinnen anteilig häufiger eine herkunftsspezifische Diskothek als die übrigen besuchen. Der Besuch der deutschen Diskothek spielt für diese drei Gruppen eine geringere Rolle. Von den Mädchen und jungen Frauen mit italienischem Migrationshintergrund geben 24 Prozent an, eine deutsche Diskothek und lediglich drei Prozent eine herkunftsspezifische Diskothek „sehr oft" bzw. „oft" zu besuchen. Anzunehmen ist, dass italienische Diskotheken oder überwiegend von Menschen italienischer Herkunft besuchte Diskotheken nicht weit verbreitet sind. Mädchen und junge Frauen mit türkischem Hintergrund besuchen in ihrer Freizeit weder deutsche noch herkunftsspezifische Diskotheken.

Eine Reserve gegenüber Diskothekenbesuchen stellen auch Heitmeyer/Müller/Schröder (1997, S. 85) fest. Im Gegensatz zu deutschen Jugendlichen ermitteln sie bei türkischen Jugendlichen geschlechtspezifische Unterschiede im Freizeitverhalten. Mädchen besuchen sehr viel seltener als Jungen eine Diskothek, allerdings nimmt der Diskothekenbesuch bei den Mädchen mit steigendem Alter zu. Während 33 Prozent im Alter von 15 bis 17 Jahren dies in ihrer Freizeit häufig oder gelegentlich machen, sind dies 51 Prozent bei den 18- bis 21-Jährigen. Den geringen Diskothekenbesuch interpretieren die Autoren als Zeichen für „die immer noch sozialisations- und kulturbedingt höchst unterschiedliche Rollenzuschreibung türkischer Jungen und Mädchen, der insbesondere auf die geschlechtsspezifischen Erziehungsvorstellungen der Eltern zurückgeht." (ebenda, S. 68).

Auch die 13. Shell-Jugendstudie (Deutsche Shell 2000) kommt zu ähnlichen Ergebnissen. Jugendliche mit türkischem Migrationshintergrund arbeiten und spielen weniger am Computer und besuchen weniger häufig Diskotheken, Kneipen und Konzerte. Des Weiteren lassen sich geschlechtsspezifische Unterschiede feststellen: Einkaufsbummel und spazieren gehen werden von den weiblichen Befragten als Aktivitäten genannt, während hingegen Sport treiben und sich am Computer beschäftigen eher zu den Beschäftigungen der männlichen Befragten zählen. Bei den Jugendlichen mit türkischem Migrationshintergrund fallen vor allem Unterschiede hinsichtlich der Outdoor-Aktivitäten auf. Diesbezüglich wird festgestellt: „Die Mädchen haben nur einen engen Aktionsradius, sind stärker als die Jungen ans Haus gebunden und gehen vergleichsweise sehr wenigen Freizeitaktivitäten nach, gleichgültig, ob es sich um Sport, um Kneipen-, Diskotheken oder Konzertbesuche handelt" (Fritzsche 2000b, S. 208).

Analog zu unseren Befunden weisen auch die Ergebnisse anderer Untersuchungen zum Freizeitverhalten von Mädchen aus Aussiedlerfamilien auf das im Vergleich zu den hier genannten Migrationsgruppen aber auch zu altersgleichen

Deutschen andere Freizeitverhalten hin. Im Vergleich zu deutschen Jugendlichen zeigt sich, dass der Diskothekenbesuch eine besonders beliebte Freizeitbeschäftigung von ihnen ist. Dietz/Roll (1998, S. 117) nehmen an, dass es sich dabei um Diskotheken handelt, die von Aussiedlern und Aussiedlerinnen geführt und überwiegend von Aussiedlern und Aussiedlerinnen besucht werden, weil „dort häufig russische Musik läuft und die Jugendlichen sich frei fühlen, ihrer Tanzkultur, ihren Umgangsformen und Verhaltensweisen nachzugehen". Strobl/Kühnel (2000) können kein von einheimischen deutschen Jugendlichen zu unterscheidendes Freizeitverhalten ausmachen. Im Hinblick auf geschlechtsspezifische Unterschiede führen Dietz und Roll (1998, S. 198) aus, dass die Mädchen aus Aussiedlerfamilien im Vergleich zu den Jungen und den deutschen Mädchen ähnlich mehr lesen, weniger Sport treiben, weniger motorisierte Aktivitäten pflegen und mehr Zeit in der Familie verbringen. In Bezug auf die Freizeitorte suchen Mädchen häufiger als die deutschen Mädchen Jugendbegegnungsstätten auf (17,1% versus 7,9%) und verbringen ihre Freizeit häufiger auf der Straße (20,2% versus 7,1%). Männliche Aussiedlerjugendliche sind stärker in feste Cliquen eingebunden als dies bei den Mädchen der Fall ist (ebenda, S. 119). Dietz (1997, S. 80) erklärt das spezifische Freizeitverhalten der Jugendlichen aus Aussiedlerfamilien mit deren Erfahrungen aus den Herkunftsländern: „Das ‚Organisieren' der Freizeit ist den jugendlichen Aussiedlern aus ihren Herkunftsländern unbekannt. Spontane gegenseitige Besuche, das alltägliche Beisammensein in einem einfach ausgestatteten Treffpunkt oder auf der Straße war die Regel. Das ‚Draußensein' in der Natur spielte eine große Rolle". In diesem Zusammenhang betont Wehmann (1999, S. 218), dass Aussiedlerjugendliche es bevorzugen, gemeinsam mit Freunden und der Clique ihre Freizeit zu verbringen. Orte wie Kino, Diskotheken, Cafés und Lokale, Jugendzentren und sich in der freien Natur zu treffen werden zwar genannt, die Aktivitäten stehen dabei aber eher im Hintergrund.

Aus den Fragen unserer Untersuchung zu den Freizeitaktivitäten der Mädchen und jungen Frauen mit Migrationshintergrund lassen sich vier Indices bilden (siehe Instrumentenkonstruktion im Anhang), deren Auswertung die Unterschiede nach nationalem Hintergrund noch deutlicher macht. Mädchen mit türkischem Hintergrund verbringen ihre Freizeit deutlich seltener, Mädchen mit griechischem und jugoslawischem Hintergrund dagegen häufiger als die übrigen Mädchen und jungen Frauen im öffentlichen Raum von Partys, Kneipen und Cafés.

Tabelle 4.1: Freizeitgestaltung – Partys und Kneipen (Index) (in Prozent)

| | Migrationshintergrund | | | | | Gesamt |
	Aussiedl.	griech.	ital.	jugosl.	türk.	
Gesamt	(200)	(182)	(183)	(172)	(213)	100 (950)
oft	26	34	21	37	9	25 (235)
manchmal	47	53	50	49	47	49 (467)
selten	27	13	29	14	44	26 (248)

C = .30   p = .00

Mediale Kommunikation in Form von Telefonieren, Briefe oder Emails versenden liegt weniger im Interesse oder in den Möglichkeiten von Mädchen aus Aussiedlerfamilien.

Tabelle 4.2:   Freizeitgestaltung – Mediale Kommunikation (Index) (in Prozent)

| | Migrationshintergrund | | | | | Gesamt | |
	Aussiedl.	griech.	ital.	jugosl.	türk.		
Gesamt	(200)	(182)	(183)	(172)	(213)	100	(950)
oft	16	37	39	36	37	33	(310)
manchmal	43	43	43	42	34	41	(386)
selten	41	20	18	22	29	26	(254)

C = .22   p = .00

„Sich treiben lassen" wird ebenfalls seltener bei Mädchen aus Aussiedlerfamilien als Freizeitverhalten angegeben.

Tabelle 4.3:   Freizeitgestaltung – Sich treiben lassen (Index) (in Prozent)

| | Migrationshintergrund | | | | | Gesamt | |
	Aussiedl.	griech.	ital.	jugosl.	türk.		
Gesamt	(200)	(182)	(183)	(172)	(213)	100	(950)
oft	14	25	24	22	27	22	(212)
manchmal	41	44	48	45	35	42	(402)
selten	45	31	28	33	38	36	(336)

C = .16   p = .00

Im Hinblick auf „Traditionelle Felder" (Handarbeiten, Zeichnen, Malen, Musizieren, Theater spielen, Sport treiben und Lesen) bestehen keine signifikanten Unterschiede. Familienfeste, die einem eigenen Faktor zugeordnet werden und daher nicht in Zusammenhang mit den anderen Tätigkeiten gesehen werden können, nennen hingegen Mädchen und junge Frauen mit türkischem Migrationshintergrund häufiger als alle übrigen.

4.1.3   Freizeiträume

Untersuchungen, die sich mit der Freizeit von Jugendlichen beschäftigen, gehen üblicherweise auch auf die Orte ein, an denen sie verbracht wird. In Bezug auf die Mädchen und jungen Frauen interessiert hier insbesondere, inwiefern sie sich öffentliche Räume als Orte ihrer Freizeitgestaltung aneignen. Auch hinsichtlich deutscher Mädchen ist bekannt, dass sie ihre Freizeit seltener als Jungen in öffentlichen Räumen verbringen. Vor dem Hintergrund des bereits geschilderten Freizeitverhaltens, das für einige der befragten Gruppen deutlich auf den häuslichen Bereich konzentriert ist, interessiert uns hier besonders, ob dieses Freizeitverhalten sich ändert, wenn es um das Treffen mit Freunden und Freundinnen geht. Eignen sich die Mädchen und jungen Frauen im Gruppenzusammenhang stärker öffentliche Räume als Orte der Freizeit an? Um diese Frage zu beantworten, wurde – wie die folgende Tabelle verdeutlicht – differenziert gefragt, an welchen Orten sich die Mädchen und jungen Frauen mit Freunden und Freundinnen treffen.

Tabelle 4.4: Freizeiträume[123] (in Prozent)

N = 950	sehr oft/oft	manchmal	selten/nie	arith. Mittel*
Diskotheken, Kneipen, ...				
Diskothek	32	19	49	3,4
Cafés, Kneipen, McDonalds, Eisdielen	59	24	17	2,4
Kino	25	37	38	3,2
Privater Raum				
bei mir zu Hause	44	33	23	2,7
bei Freundinnen bzw. Freunden	63	28	9	2,3
Jugendtreffs				
Jugendeinrichtungen	7	8	85	4,4
spezielle Einrichtungen für Mädchen und junge Frauen	2	3	95	4,8
Grünanlagen, Parks, auf Spielplätzen	18	25	57	3,6
Draußen				
Schulhof	44	12	44	3,1
Fußgängerzone/Kaufhäuser	30	35	35	3,1
beim Sport	12	14	74	4,1
Kulturelle Zentren				
kulturelle Zentren für die Herkunftsgruppe	11	13	76	4,2
Einrichtungen mit religiösen Angeboten	8	9	83	4,4

* Das arithmetische Mittel kann einen Wert zwischen 1 „sehr oft" und 5 „nie" annehmen.

Die befragten Mädchen und jungen Frauen treffen sich überwiegend im privaten, häuslichen Bereich (bei Freundinnen bzw. Freunden oder im eigenen Zuhause). Außerhalb des häuslichen Bereichs treffen sie sich in Cafés, Kneipen, Eisdielen, McDonalds u.s.w. oder auf dem Schulhof. Andere öffentliche Plätze (Grünanlagen/ Parks/Spielplätze) sowie kommerzielle Angebote (Fußgängerzone/Kaufhäuser/ Diskothek) werden dagegen nur gelegentlich genutzt. Weitaus seltener besuchen die Befragten Jugendeinrichtungen bzw. Einrichtungen speziell für Mädchen und junge

---

123 Geordnet nach einer Faktorenanalyse, siehe Instrumentenkonstruktion im Anhang.

Frauen sowie eigenethnische Einrichtungen wie kulturelle Zentren für die eigene Herkunftsgruppe bzw. Zentren mit religiösen Angeboten.

Unter Berücksichtigung der derzeit ausgeübten Tätigkeit (Schule, Ausbildung, Beruf, arbeitslos, zu Hause etc.) zeigt sich in unserer Untersuchung, dass der Schulhof zentraler Treffpunkt für Schülerinnen ist, während er bei den Auszubildenden deutlich und bei den Berufstätigen völlig seine Bedeutung als Freizeittreff verliert. Für die Mädchen, die sich ohne Schule, Ausbildung, Beruf oder sonstiges zu Hause aufhalten (N = 29) spielen nur der private Raum und deutlich weniger die Cafés usw. eine Rolle. Mit Ausnahme von zwei Bereichen (Treffen in „Fußgängerzone/Kaufhäuser" und „beim Sport") bestehen Unterschiede nach Migrationshintergrund:

Tabelle 4.5:   Freizeiträume (sehr oft/oft besucht) (in Prozent)

	Migrationshintergrund					Gesamt	
	Aussiedl.	griech.	ital.	jugosl.	türk.		
Gesamt	(200)	(182)	(183)	(172)	(213)	100	(950)
Diskotheken, Kneipen, ...							
Diskothek*	48	46	25	38	7	32	(303)
Cafés, Kneipen, McDonalds, Eisdielen*	36	81	61	74	49	59	(562)
Kino*	17	29	26	29	25	25	(237)
Privater Raum							
bei mir zu Hause*	34	40	42	52	53	44	(420)
bei Freundinnen bzw. Freunden*	52	59	69	70	67	63	(601)
Jugendtreffs							
Jugendeinrichtungen*	13	7	7	5	5	7	(69)
spezielle Einrichtungen für Mädchen und junge Frauen*	1	1	1	2	3	2	(14)
Grünanlagen, Parks, auf Spielplätzen*	26	14	14	16	19	18	(170)
Draußen							
Schulhof*	48	49	31	46	47	44	(421)
Fußgängerzone/ Kaufhäuser	23	35	32	27	31	30	(281)
beim Sport	10	14	10	19	10	12	(118)
Kulturelle Zentren							
kulturelle Zentren für die Herkunftsgruppe*	11	18	6	14	5	11	(100)
Einrichtungen mit religiösen Angeboten*	5	6	12	10	8	8	(74)

* Signifikante Unterschiede nach nationaler Herkunft p ≤ .05.

Alle Mädchen und jungen Frauen verbringen ihre Freizeit zu einem erheblichen Teil im privaten Umfeld. Mädchen aus Aussiedlerfamilien besuchen hingegen überdurchschnittlich oft – gemessen an der Gesamtgruppe – Diskotheken, halten sich auf Schulhöfen und Grünanlagen auf und besuchen auch häufiger als alle übrigen Jugendeinrichtungen. Mädchen griechischer Herkunft sind häufiger als alle anderen in Cafés, häufiger als die meisten in Diskotheken, aber auch auf Schulhöfen anzutreffen. Sie sind zudem die Gruppe, die ethnische Zentren am stärksten frequentiert, wenn auch berücksichtigt werden muss, dass nur 18 Prozent einen häufigen Besuch angeben. Eine Erklärung hierfür könnte die große Dichte an organisierten griechischen Gemeinden sein, die hinsichtlich der Jugendkulturarbeit (Angebot von Folkloretanz, Sprach-, Kochkursen etc.), eng mit den griechischen Lyzeen bzw. griechischen Nationalklassen vor Ort zusammenarbeiten (Goudiras 1997, S. 342). Mädchen italienischer Herkunft sind – mit Ausnahme von Mädchen mit türkischem Hintergrund – weniger in Diskotheken zu finden als andere Herkunftsgruppen. Häufiger hingegen als andere (aber nur von 12% genannt) nutzen sie Einrichtungen mit religiösen Angeboten. Mädchen mit jugoslawischem Hintergrund halten sich überdurchschnittlich oft im privaten Raum und in Cafés u.ä. auf sowie in herkunftsspezifischen Zentren (14%). Mädchen mit türkischem Hintergrund bleiben, ebenso wie die mit jugoslawischem Hintergrund, mehr zu Hause als die übrigen, gehen seltener in Kneipen (noch seltener: Mädchen mit jugoslawischem Hintergrund), und bilden die Gruppe, die sich – anders als die übrigen – nahezu völlig von Diskotheken fernhält. Sie sind zudem – wie Mädchen mit italienischem Hintergrund – unterdurchschnittlich in Zentren der Herkunftsgruppe zu finden.[124]

Bei grundsätzlich ähnlichen Raumaneignungen zeichnet sich ein Bild von stärker auf den privaten Raum ausgerichteten Mädchen mit jugoslawischem und türkischem Hintergrund ab. Mädchen aus Aussiedlerfamilien sind stärker auf öffentliche Treffs und weniger auf den privaten Raum ausgerichtet. Für Mädchen und junge Frauen aller nationalen Hintergründe spielen organisierte Angebote nur eine untergeordnete Rolle; dieses gilt auch für den Sport. Spezifische Einrichtungen für Mädchen und Frauen haben so gut wie keine Relevanz.[125]

Die Ergebnisse entsprechen nur teilweise denen anderer Untersuchungen. Die Offenheit Jugendlicher mit griechischem Hintergrund gegenüber Kino-, Café- und Diskothekenbesuchen, wird bestätigt (so Schultze 1990 und Goudiras 1997, S. 341), spielt allerdings eine geringerer Rolle als bei männlichen Jugendlichen derselben Herkunft (Schultze 1990, S. 69f.). Eltern und Verwandte haben hingegen eine wichtige, wenn auch nicht dominante Rolle bei der Freizeitgestaltung, was auf unterschiedliche Erziehungsstile der Eltern zurückgeführt wird, „die es eher den Jungen

---

124 Die Frage nach dem Wunsch nach eigenethnischen infrastrukturellen Einrichtungen ist Bestandteil der Untersuchung von Weidacher (2000b, S. 98). Als Ergebnis zeigt sich, dass der Wunsch nach eigenethnischen Bildungseinrichtungen häufiger genannt wird als der nach Freizeiteinrichtungen (Weidacher 2000b, S. 96). Im Vergleich der ethnischen Gruppen zeigt sich, dass deutlich mehr Befragte mit türkischem Hintergrund als Befragte mit griechischem sowie italienischem Hintergrund sich eigenethnische Einrichtungen wünschen (ebenda). Eine Darstellung aufgeschlüsselt nach Geschlecht macht deutlich, dass Frauen im Vergleich zu Männern ein Interesse für eigenethnische Einrichtungen haben. Anders als die Ergebnisse bei 15- bis 21-jährigen Befragten bei Heitmeyer/Müller/ Schröder bei denen zumindest die Nutzung dieser Orte bei männlichen Jugendlichen stärker ist, als bei weiblichen türkischen Jugendlichen (1997, S. 87).

125 Detaillierter siehe hierzu Kapitel 11.

als den Mädchen gestatten, die Freizeit ohne elterliche Kontrolle zu verbringen" (Schultze 1990, S. 66; gleiche Ergebnisse auch bei Goudiras 1997, S. 368). Die häufig ausgeführten Aktivitäten der befragten Mädchen und jungen Frauen erfassen anteilig in höherem Maße Beschäftigungen, die im Haus ausgeführt werden können wie Musik hören (87%) und Fernsehen (57%) (Schultze 1990, S. 69f.).

4.1.4   Freizeitwünsche

Nachdem das von den Befragten selbst geschilderte Freizeitverhalten betrachtet wurde, soll nun ein Blick auf die Wünsche zur Gestaltung der Freizeit geworfen werden, um zu sehen, inwiefern die Freizeitgestaltung auch den diesbezüglichen Wünschen der Mädchen und jungen Frauen entspricht. Hier hatten die Mädchen und jungen Frauen die Gelegenheit zu den zuvor genannten 18 Freizeitmöglichkeiten anzugeben, ob sie sich wünschen, diese öfter nutzen zu können.

Bei den Wünschen steht der Sport sowie der Kino- oder Theaterbesuch an erster Stelle; sie werden von über 41 Prozent der Mädchen genannt. Zwischen 30 und 34 Prozent möchten mehr lesen, Einkaufsbummel machen und auf Partys gehen.

Graphik 4.3:   Freizeitwünsche

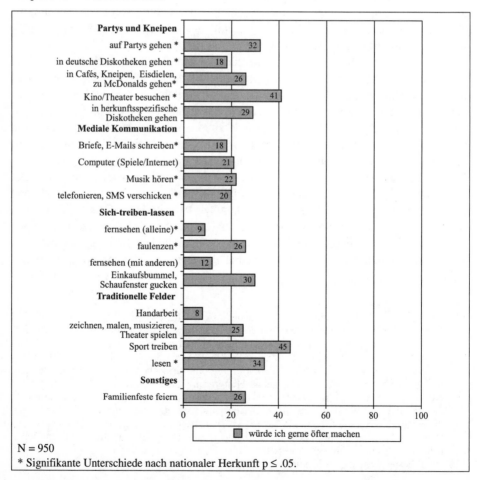

N = 950
* Signifikante Unterschiede nach nationaler Herkunft p ≤ .05.

Es ist erwähnenswert, dass nur in zehn der 18 Tätigkeiten herkunftsspezifische Unterschiede ermittelt werden. Mehr Mädchen aus Aussiedlerfamilien sowie türkischer Herkunft würden die Freizeit öfter mit „Telefonieren, SMS schreiben", „Kino/Theater besuchen" verbringen oder häufiger „in Cafés, Kneipen, McDonalds, Eisdielen gehen". Daneben würden erstere gerne öfter „auf Partys gehen" und „deutsche Diskotheken besuchen". Die Mädchen und jungen Frauen mit türkischem Migrationshintergrund hingegen würden in ihrer Freizeit gerne öfter „lesen".

4.2 Inter- und innerethnische Freundschaften

4.2.1 Der Stellenwert von Freunden und Freundinnen

Freundschaftsgruppen, die Peers, werden als zentrale Orte für die in der Jugendphase typische Suche nach Milieuzugehörigkeit und Lebensorientierung angesehen. Freundschaftsgruppen stellen den Jugendlichen den Lebensraum zur Verfügung, in dem in einer Gruppe von Altersgleichen Erfahrungen und Probleme be- und verarbeitet werden können. „Über die probehafte Entfaltung und Darstellung spezifischer jugendkultureller Stile, die gemeinsame Handlungspraxis und die damit verbundene Aneignung von öffentlichen Sozialräumen konstituiert sich im geschützten Rahmen informeller Gruppen nicht nur ein kollektiver Habitus, sondern auch die persönliche Identität bzw. ein persönlicher Habitus. Diese experimentelle Suche nach Zugehörigkeit und Übereinstimmung sowie nach biografischer Orientierung kann sich durchaus in mehreren, wechselnden und ganz unterschiedlichen Gruppen vollziehen" (Bütow/Nentwig-Gesemann 2002, S. 192).

In einer sich ständig verändernden Vielfalt jugendkultureller Sozialformen und Stile haben die Freundschaftsgruppen unterschiedliche Funktionen für die Jugendlichen. Sie dienen zur „Vermittlung von biografischen Orientierungen sowie von Gemeinschafts- bzw. Solidaritätsgefühlen, Identitätssicherung bzw. Kompensation von Versagenserfahrungen und Desintegration; Familien bzw. Primärgruppenersatz; Bereitstellung von Erlebnisräumen auf der alterstypischen Suche nach Spannung, Action und Grenzüberschreitung; Ausbildung langfristig bedeutsamer Lebensstile" (ebenda, S. 193).

Die große Bedeutung, die Freundschaftsbeziehungen im Jugendalter besitzen, ist durch viele Untersuchungen belegt worden, auch unter Einbeziehung geschlechtsspezifischer Differenzierungen (Kolip 1994). Für beide Geschlechter bedeuten demnach Freundschaften eine Unterstützung bei der Bewältigung von Alltagsproblemen und helfen bei der Entwicklung selbständiger Lebensformen. Die im Jugendalter häufigen Mädchenfreundschaften, vor allem die Beziehung zur besten Freundin kann eine eigene Qualität erreichen. Auch die Freundinnengruppe kann für ihre Mitglieder eine liebevolle, unterstützende und kurzweilige als auch eine kontrollierende und möglicherweise einschränkende Gemeinschaft darstellen (Breitenbach 2000, S. 304). Diese und weitere Erkenntnisse wurden bei der Untersuchung deutscher Jugendlicher und deutscher Mädchen gewonnen. Wenig bekannt ist die quantitative und qualitative Bedeutung von Freundschaften für Jugendliche mit Migrationshintergrund.

4.2.2 Verbringen der Freizeit mit Freunden und Freundinnen

Es wird vorne ausgeführt, dass der private Raum für die Freizeitaktivitäten der Mädchen und jungen Frauen hervorgehobene Bedeutung hat. Häufiger noch als in der eigenen Wohnung oder der Wohnung der Eltern – so zeigt unsere Untersuchung – treffen sich die Mädchen und jungen Frauen bei Freundinnen und Freunden.

Dem entspricht die herausgehobene Rolle der besten Freundin oder in den Fällen, in denen ein fester Freund vorhanden ist, des Freundes, gefolgt von einem Kreis von Freundinnen oder Freundinnen und Freunden für die Gestaltung der Freizeit:

Tabelle 4.6: Personen(-kreise) für Freizeit (in Prozent)

	meistens/häufig	manchmal	selten/nie	arith. Mittel*
beste Freundin N = 950	76	13	11	2,0
Kreis von Freundinnen N = 950	46	26	28	2,8
Kreis von Freundinnen und Freunden N = 950	57	28	15	2,4
fester Freund/Partner N = 392 [1]	80	8	12	1,9
Eltern N = 950	36	32	32	2,9
Geschwister N = 901 [2]	42	27	31	2,8
andere Verwandte N = 950	29	24	47	3,3
Alleine N = 950	17	23	60	3,6

* Das arithmetische Mittel kann einen Wert zwischen 1 „meistens" und 5 „nie" annehmen.
1) In 558 Fällen gibt es keinen festen Freund.
2) In 49 Fällen gibt es keine Geschwister.

Die Bedeutung der Familienmitglieder tritt dagegen zurück, wenn auch etwa ein Drittel und mehr die Freizeit „meistens" oder „häufig" mit Eltern, Geschwistern oder anderen Verwandten verbringt. Die beste Freundin wird von 76 Prozent, von denjenigen mit festem Freund oder Partner wird dieser von 80 Prozent genannt. Immerhin geben 17 Prozent an, die Freizeit „meistens" oder „häufig" alleine zu verbringen.

In vielen Punkten bestehen Unterschiede nach nationalem Hintergrund: Mädchen mit türkischem Hintergrund halten sich deutlich seltener in einer geschlechtsgemischten Gruppe als die übrigen auf, sind etwas mehr an Eltern und Verwandten orientiert und verbringen ihre Freizeit etwas häufiger alleine:

Tabelle 4.7: Personen(-kreise) (meistens/häufig) (in Prozent)

| | Migrationshintergrund | | | | | Gesamt | |
	Aussiedl.	griech.	ital.	jugosl.	türk.		
Gesamt	(200)	(182)	(183)	(172)	(213)	100	(950)
beste Freundin*	66	77	70	89	78	76	(719)
Kreis von Freundinnen*	36	44	44	52	52	46	(434)
Kreis von Freundinnen und Freunden*	63	68	56	65	38	57	(543)
fester Freund/Partner* N = 392[1]	89	83	83	73	64	80	(312)
Eltern	37	32	37	32	43	36	(346)
Geschwister* N = 901[2]	33	44	42	46	45	42	(378)
andere Verwandte*	27	27	28	26	35	29	(275)
alleine*	18	17	15	11	23	17	(161)

1) In 558 Fällen gibt es keinen festen Freund.
2) In 49 Fällen gibt es keine Geschwister.
* Signifikante Unterschiede nach nationaler Herkunft p ≤ .05.

Die Unterschiede zwischen den anderen Herkunftsgruppen sind geringer. Allerdings verbringen die Mädchen und jungen Frauen mit jugoslawischem Hintergrund die Freizeit häufiger mit der besten Freundin, die Mädchen und jungen Frauen aus Aussiedlerfamilien seltener mit einem Kreis von Freundinnen.

4.2.3 Die besten Freundinnen und Freunde

Gemäß der eingangs erwähnten Forschungstradition, die Peerbeziehungen für die Persönlichkeitsentwicklung in der Jugendphase einen hohen Stellenwert beimisst, werden in der vorliegenden Untersuchung zum einen das Vorhandensein von besten Freunden bzw. Freundinnen sowie deren Zahl (bis zu drei) ermittelt. Diese werden unter dem Gesichtspunkt des Geschlechtes, der nationalen Herkunft und des Sprachgebrauches mit ihnen weiter differenziert.

Die überwiegende Zahl der befragten Mädchen und jungen Frauen (90%) hat drei beste Freundinnen bzw. Freunde, fünf Prozent zwei, vier Prozent eine und ein Prozent benennt keine. Damit ist die Einbindung in Peers, einer alterstypischen Vergesellschaftungsform, bei den von uns befragten Mädchen und jungen Frauen selbstverständlicher Teil ihres Lebensalltags. Die Mädchen und jungen Frauen aus Aussiedlerfamilien haben eine geringere Zahl an Freundinnen oder Freunden als die übrigen Herkunftsgruppen:

Tabelle 4.8: Anzahl der besten Freundinnen oder Freunde (in Prozent)

| | Migrationshintergrund | | | | | Gesamt | |
	Aussiedl.	griech.	ital.	jugosl.	türk.		
Gesamt	(200)	(182)	(183)	(172)	(213)	100	(950)
keine Freundinnen/Freunde [1]	2	1	-	-	1	1	(8)
eine/n beste/n Freund/in	8	3	2	3	3	4	(38)
zwei beste Freunde/Freundinnen	12	4	4	2	3	5	(49)
drei beste Freunde/Freundinnen	78	92	94	95	93	90	(855)

C = .22   p = .00

1) Im Folgenden wird diese Kategorie nicht mehr separat aufgeführt. Die 8 Fälle wurden bei den neu konstruierten Variablen „Ethnische Zusammensetzung der engsten Freundinnen bzw. Freunde" und „Kommunikation mit den drei besten Freunden/Freundinnen" der mittleren Kategorie zugeordnet.

Zwischen der Aufenthaltsdauer und der Anzahl der Freundinnen oder Freunde besteht ein signifikanter Zusammenhang. Das heißt: Je länger die Aufenthaltsdauer, desto größer wird der Freundeskreis der Mädchen und jungen Frauen (r = .22). Dieses entspricht den Ergebnissen anderer Untersuchungen (siehe Dietz/Roll 1998, S. 104).

Auf die Frage nach der Bekanntheit der drei besten Freundinnen und Freunde untereinander antworteten 62 Prozent, dass sich alle drei kennen, ein Drittel, das sich nur zwei kennen und sieben Prozent, dass die Freundinnen und Freunde sich untereinander nicht kennen. Daraus lässt sich schließen, dass die meisten Mädchen und jungen Frauen ein Netzwerk von Freundschaften eingebunden sind. Dieses besteht überwiegend aus gleichgeschlechtlichen Freundschaften.

Tabelle 4.9: Freundschaften nach Geschlecht (in Prozent)

	1. Freund/in	2. Freund/in	3. Freund/in
Gesamt	(942)	(904)	(855)
Weiblich	86	79	72
Männlich	14	21	28

Es fällt auf, dass die Anzahl der männlichen Freunde mit der Zahl der Freundinnen und Freunde ansteigt und zwar bei allen befragten Gruppen. Befragte, die nur mit einer Person befreundet sind, geben im Vergleich zu denjenigen mit zwei bzw. drei Personen weniger häufig männliche Freunde an. Am häufigsten haben die Mädchen und jungen Frauen eine beste Freundin, wie auch Heitmeyer/Müller/Schröder (1997, S. 79) feststellten. Sie vermerken bei türkischen Jugendlichen stärkere geschlechtspezifische Unterschiede bei der Cliquenzugehörigkeit als bei deutschen Jugendlichen. Während ca. die Hälfte der türkischen Jungen viel mit der Clique unternimmt, verbringen die türkischen Mädchen ihre Freizeit lieber mit einer einzelnen Freundin.[126]

4.2.4   Freundinnen und Freunde als Ansprechpersonen

Die besten Freundinnen und Freunde gehören zum Kreis der Personen, die von den Mädchen am häufigsten als Ansprech- und damit als Vertrauenspersonen benannt werden. 80 Prozent geben die beste Freundin oder den besten Freund und 52 Prozent die zweitbeste Freundin bzw. Freund als die Person an, mit der sie über alle Sorgen und Nöte sprechen könnten. Erst an dritter Stelle folgt die Mutter mit 47 Prozent der Nennungen.

Im herkunftsspezifischen Vergleich sind Unterschiede erkennbar. Zwar ist die Nennung „erste beste Freundin bzw. erster bester Freund" bei allen Befragungs- gruppen an der Spitze der Vertrauenspersonen zu finden, doch schon bei der zweit- platzierten Nennung gibt es Differenzen. Während Mädchen aus Aussiedlerfamilien hier die Mutter nennen, platzieren die übrigen Befragten „die zweite beste Freundin bzw. den zweiten besten Freund".

Tabelle 4.10:   Vertrauenspersonen (Auswahl) (in Prozent)

	Migrationshintergrund					Gesamt	
	Aussiedl.	griech.	ital.	jugosl.	türk.		
Gesamt	(200)	(182)	(183)	(172)	(213)	100	(950)
Zahl der Ansprechper-sonen (arith. Mittel)	2,7	3,2	3,7	3,2	3,1	3,1	
1. beste/r Freund/in*	67	82	86	83	83	80	(758)
2. beste/r Freund/in*	37	50	66	53	55	52	(493)
3. beste/r Freund/in*	23	41	50	37	45	39	(368)
fester Freund*	34	25	33	20	16	26	(242)
zum Vergleich: Mutter*	54	47	57	44	33	47	(443)

* Signifikante Unterschiede nach nationaler Herkunft p $\leq$ .05.

Die Mädchen und junge Frauen mit italienischem, griechischem und jugosla- wischem Hintergrund nennen die Mutter als die drittwichtigste Ansprechperson gleich hinter den zwei besten Freundinnen und Freunden. Im Gegensatz dazu steht die Mutter bei den Befragten türkischer Herkunft erst hinter den drei besten Freun- dinnen bzw. Freunden und der Schwester.

Die wichtigsten Personen, mit denen die Befragten über alle ihre Probleme sprechen und denen sie sich anvertrauen können, sind also die besten Freundinnen

---

126 Die Ergebnisse der differenzierten Analyse von Ramachers (1996, S. 112) sind nicht ver-
    gleichbar, weil sie sich auf jüngere Jugendliche (7.-10. Klasse Hauptschule) richten und im
    Klassenkontext erhoben wurden. Sie bilden trotz darüber hinaus gehender Fragen die Be-
    ziehungen innerhalb von Klassenstrukturen ab. Dort stellen sie eine auf die eigene Gruppe
    beschränkte Sonderrolle der türkischen Mädchen fest.

oder Freunde. Am deutlichsten zeigt sich dies bei Mädchen und jungen Frauen mit türkischem Migrationshintergrund. Dass bei Aussiedlerinnen die eigene Mutter eine so große Rolle als Vertraute spielt, lässt sich damit begründen, dass deren Freundeskreis (noch) nicht so groß ist wie der aller anderen Gruppen und dass daher eine Konzentration auf die Familie und hier insbesondere auf die Mutter erfolgt. Hinweise für diese Annahme bietet der Mittelwert der Anzahl der Vertrauenspersonen, der bei den Aussiedlerinnen den niedrigsten Wert (2,73) hat.

4.2.5 Inter- oder innerethnische Freundschaften

Ebenfalls noch lückenhaft sind die empirischen Kenntnisse über interethnische Freundschaften, obgleich seit der Veröffentlichung der Untersuchungsergebnisse von Esser (1990b) die Bedeutung von Freundschaften für die Integration von Jugendlichen mit Migrationshintergrund in die deutsche Gesellschaft betont wird. Der Schwerpunkt liegt dabei auf der Frage, ob freundschaftliche Beziehungen zu deutschen Gleichaltrigen die Integration in die deutsche Gesellschaft fördern bzw. ob solche Beziehungen nicht sogar ein Indiz für Integration darstellen können, und umgekehrt, ob ethnische Freundschaften die Isolation verstärken und die Integration verhindern oder als Indiz für misslungene Integration angesehen werden können. Über die gesellschaftlichen Perspektiven hinaus, liegt die Bedeutung interethnischer Freundschaften auch in einer Kompetenzerweiterung für die Jugendlichen mit Migrationshintergrund selbst.

Wegen der Bedeutung, die der Frage der interethnischen Freundschaften gegeben wird, ist es verständlich, dass in Untersuchungen häufig nach der nationalen oder ethnischen Zusammensetzung der Freundes- und Freundinnengruppe gefragt wird. Die Ergebnisse der neueren Untersuchungen weisen in dieselbe Richtung: Es gibt einen Teil von Jugendlichen mit Migrationshintergrund, die häufige Kontakte und auch Freundschaften mit deutschen Jugendlichen pflegt und einen anderen Teil, für den solche Freundschaftsbeziehungen fehlen. Die Zahl der Mädchen und jungen Frauen mit Migrationshintergrund die ihre Freizeit im national homogenen Kontext verbringt, ist größer als die Zahl der jungen Männer mit gleichem nationalen Hintergrund. Neben der Differenzierung nach Geschlecht muss die nach ethnischem Hintergrund berücksichtigt werden.

Nach der Repräsentativuntersuchung 2001 (BMA 2002) haben Frauen tendenziell seltener Freizeitkontakte zu Deutschen als Männer. Dieses wird auf die unterschiedliche Einbindung der Geschlechter in die Arbeitswelt zurückgeführt. Die Befragten (das gilt sowohl für die männlichen als auch für die weiblichen) mit türkischem Migrationshintergrund treffen sich zudem häufiger als die anderen Herkunftsgruppen täglich mit Landsleuten. Befragte mit griechischem, italienischem und jugoslawischem Migrationshintergrund treffen ihre Landsleute hingegen häufiger mehrmals pro Woche, aber seltener täglich (BMA 2002, S. 47). Zwischen sechs Prozent der 15- bis 24-Jährigen mit griechischem Migrationshintergrund und 12 Prozent derselben Altersgruppe mit türkischem Migrationshintergrund geben an, gar keinen Kontakt zu Deutschen zu haben. Für diese Altersgruppe liegen keine geschlechtsdifferenzierende Daten vor. Auch nach der 13. Shell-Jugendstudie konzentrieren sich die Angaben auf die Frage, mit wem unterschiedliche Aktivitäten in der Freizeit unternommen werden, bei den Befragten italienischer und türkischer

Herkunft auf die Antworten „mit Landsleuten" einerseits und „gemischt, je nachdem" andererseits (Münchmeier 2000, S. 235). Deutsche Jugendliche hingegen verbringen die Freizeit überwiegend unter sich. Für (west-)deutsche Jugendliche spielen deutsche Freunde die Hauptrolle, während es für italienische und türkische Jugendliche unerlässlich ist, die Freizeit mit einer gemischten Gruppe zu verbringen. Unterschiede nach Geschlecht stellt er bei Jugendlichen mit türkischem Migrationshintergrund fest: „Stärker als die jungen türkischen Männer sind die jungen Türkinnen darauf verwiesen, ihre Freizeitbeschäftigungen in der Gruppe ihrer Landsleute bzw. ihrer türkischen Freundinnen zu pflegen" (ebenda, S. 237).[127] Hinsichtlich der Jugendlichen italienischer Herkunft wird in der Shell-Jugendstudie (2000) hervorgehoben, dass für sie im Gegensatz zu den Befragten mit türkischem Migrationshintergrund die eigenen Landsleute als Freizeitpartner eine nicht so bedeutsame Rolle einnehmen (ebenda, S. 235). Die in einer früheren Untersuchung von Pfänder/Turhan (1990, S. 41f.) mittels qualitativer Methoden befragten Mädchen türkischer Herkunft verbringen ihre Freizeit ebenfalls in erster Linie mit türkischen Freundinnen in ihrer häuslichen Umgebung.

Für die Gruppe der Aussiedler und Aussiedlerinnen zeichnen die vorhandenen Studien ein einheitliches Bild: Sie bleiben im Freizeitbereich eher unter sich (vgl. Wehmann 1999, S. 207; Dietz 1997, S. 79; Dietz/Roll 1998, S. 79; Strobl/Kühnel 2000, S. 185). Lediglich diejenigen, die keiner Clique angehören, haben häufigere Kontakte zu Deutschen (so Strobl/Kühnel 2000, S. 185).

Der Entstehung von Freundschaften widmet sich die explorative Studie von Reinders (2003, 2004), die verschiedene Theoriestränge verfolgt. Sozialstrukturelle Theorien zielen auf die Gelegenheitsstrukturen ab, die die Entstehung von Freundschaften begünstigen, wie räumliche Nähe sowie die Übereinstimmung von Status und Geschlecht. Sozialpsychologische Theorien verweisen auf individuelle Eigenschaften und Präferenzen und integrierende Ansätze verbinden beide Ebenen. Sie gehen von der Annahme aus, dass Kontakte zwischen Personen durch räumliche Nähe und Statusähnlichkeit wahrscheinlicher werden und dass sich unter diesen Bedingungen durch häufige Treffen und wechselseitige Attraktivität zwischen den Personen Freundschaften entwickeln (ebenda, S. 124). Allerdings wurde die Schaffung von Gleichaltrigenräumen bisher für Mädchen und junge Frauen mit Migrationshintergrund nicht nachgewiesen.[128] Reinders (2003, S. 23f.) kritisiert den hier ebenfalls skizzierten Forschungsstand zu interethnischen Freundschaften in vier Punkten. Zum Ersten, dass Vorannahmen über Differenzen zwischen deutschen und zugewanderten Jugendlichen Gemeinsamkeiten in der Entwicklung und in der Bewältigung von (Identitäts-) Krisen und darauf beruhender Bedeutung der peergroups unberücksichtigt lassen; zum Zweiten das Fehlen inländisch interkulturell vergleichender Theorien, die „die krisenhafte Genese der sozialen Identität in ihren

---

127 Anders Heitmeyer/Müller/Schröder (1997, S. 90), die im Gegensatz zu den Befunden der Shell-Jugendstudie feststellen, dass Mädchen und junge Frauen türkischer Herkunft eher einen gemischtgeschlechtlichen Freundeskreis angeben, als dies die Jungen tun. In der Frage, ob sie ihre Freizeit eher in eigen- oder gemischtethnischen Gruppen verbringen, zeigten sich, so die Autoren, keine geschlechtsspezifischen, sondern altersbedingte Variationen. Vor allem jüngere Jugendliche sind häufiger in gemischtethnischen Gruppen zusammen, als Ältere.

128 Es könnte in einem weiteren Auswertungsschritt untersucht werden, ob – wie der Autor annimmt (Reinders 2004, S. 123) – Generationendistanz interethnische Freundschaften begünstigt.

Gemeinsamkeiten" zu berücksichtigen vermöge; zum Dritten den Mangel an Differenzierungen nach kulturellen und generationalen Bedingungen für Identität bei Jugendlichen und zum Vierten fehlendes Wissen um die Gründe für das Entstehen und um den Verlauf interethnischer Freundschaften, um das Entstehen gemeinsamer jugendkultureller Vorstellungen zu verfolgen. Die von Reinders 2002 (2004, S. 132) durchgeführte explorative Erhebung in der siebten und achten Klasse von Hauptschulen mit mindestens fünf ausländischen und mindestens fünf deutschen Schülern und Schülerinnen pro Klasse weist ebenfalls nach, dass bei deutschen und türkischen Hauptschülern und Hauptschülerinnen intraethnische Freundschaften das dominante Modell sind. Mädchen mit türkischem Hintergrund weisen seltener eine Sozialraumorientierung (d.h. Verbringen der Zeit nach der Schule auf Straßen, Plätzen oder Parks) auf als Jungen und haben weniger interethnische Kontakte (siehe nach 2003, S. 91f., S. 97f.) Interethnische Kontakte führen (so Reinders 2003, S. 12) zu einer Verbesserung der deutschen Sprachkompetenz, fördern die kulturelle Offenheit und lassen Diffamierungsgefahren geringer ausfallen.

Gemäß der Bedeutung, die der Freundschaftsbeziehungen bei der Integration in die deutsche Gesellschaft gegeben wird, nimmt in unserer Untersuchung die Frage danach einen breiten Raum ein. Es wird nach der ethnischen Zusammensetzung des Freundinnen- und Freundeskreises, nach der nationalen Herkunft der besten Freundinnen und Freunde und nach dem Sprachgebrauch in der engeren Freundschaftsgruppe gefragt.

Ethnische Zusammensetzung der Freundinnen- und Freundesgruppe

Was die Zusammensetzung der Freundinnen- oder Freundesgruppe anbetrifft, verbringt mehr als zwei Drittel der Mädchen und jungen Frauen ihre Freizeit „nie" oder „selten" in einer ansonsten nur deutschen Gruppe. 43 Prozent sind „selten" oder „nie" in einer deutsch-zuwanderungsgemischten Gruppe zu finden. Häufiger sind Freizeitaktivitäten in Gruppen, die ausschließlich aus Jugendlichen mit Migrationshintergrund bestehen:

Tabelle 4.11: Verbringen der Freizeit in der Freundinnen- und Freundesgruppe
(in Prozent)

In einer Gruppe ...	meistens/häufig	manchmal	selten/nie	arith. Mittel*
nur mit Deutschen	16	16	68	3,9
mit Deutschen und Zugewanderten	33	24	43	3,2
nur mit Zugewanderten	44	24	32	2,9

* Das arithmetische Mittel kann einen Wert zwischen 1 „meistens" und 5 „nie" annehmen.
N = 950

Den nur aus zugewanderten Jugendlichen bestehenden Gruppen kommt eine deutlich größere Bedeutung zu als deutsch-zuwanderungsgemischten Gruppen und diesen wiederum eine deutlich größere als deutschen Gruppen.

Während die Unterschiede zwischen den Herkunftsgruppen in der Freizeitgestaltung in einer Gruppe nur mit Deutschen nicht signifikant sind, also alle Herkunftsgruppen sich nicht oder kaum in ausschließlich deutschen Freundeskreisen
bewegen, sind die Unterschiede in der Wahl zuwanderungsbezogener oder deutsch-
zuwanderungsgemischter Gruppen groß:

Tabelle 4.12: Zusammensetzung der Freundinnen- und Freundesgruppe (meistens/häufig)
(in Prozent)

| | Migrationshintergrund | | | | | Gesamt | |
	Aussiedl.	griech.	ital.	jugosl.	türk.		
Gesamt	(86)	(84)	(97)	(119)	(81)	93	(878)
nur mit Deutschen	17	14	16	22	12	16	(151)
mit Deutschen und Zugewanderten*	13	32	44	53	27	33	(313)
nur mit Zuge- wanderten	56	38	37	44	42	44	(414)

* Signifikante Unterschiede nach nationaler Herkunft p ≤ .05.

Die Zahl der Mädchen aus Aussiedlerfamilien, die ihre Freizeit überwiegend in
einem migrationsbestimmten Milieu verbringen, ist besonders groß (56%), die sich
in gemischten deutsch-zuwanderungsbestimmten Gruppen bewegen, besonders klein
(13%). Dagegen verbringen mehr Mädchen und junge Frauen italienischer sowie
jugoslawischer Herkunft (44% und 53%) ihre Freizeit in einem aus Migrantinnen
und Migranten sowie Deutschen „gemischten" Freundeskreis.

Ethnische Zugehörigkeit der besten Freundinnen oder Freunde

Für den weiteren Freundeskreis wurde – wie oben dargestellt – die besonders große
Bedeutung zuwandererspezifischer Zusammensetzungen für Mädchen und aus Aussiedlerfamilien aber auch für deutlich über ein Drittel aller übrigen Herkunftsgruppen herausgestellt sowie das Fehlen einer Einbindung in eher aus Deutschen
bestehenden Gruppen für alle nationalen Herkünfte. Die Frage nach den drei besten
Freundinnen oder Freunden erlaubt die zusätzliche Differenzierung nach deutschen,
herkunftsspezifischen oder aus sonstigen Ländern stammenden (migrationsspezifischen) Freundeskreisen.

Tabelle 4.13: Engste Freundschaften nach ethnischer Herkunft (in Prozent)

	1. Freund/in	2. Freund/in	3. Freund/in
Gesamt	(942)	(904)	(855)
Herkunftsland	66	62	60
Deutschland	19	21	24
sonstige Länder	15	17	16

Mädchen und jungen Frauen mit Migrationshintergrund haben mehrheitlich beste Freundinnen und Freunde, die aus der gleichen Herkunftsgruppe stammen wie die Befragten selbst. Mit wachsender Anzahl der Freundinnen und Freunden steigt die Zahl derer etwas an, die deutsche Freundinnen und Freunde nennen. Der Anteil der deutschen Freundinnen oder Freunde bleibt jedoch mit etwa einem Fünftel (bei der/dem ersten Freund/in) bis zu knapp unter einem Viertel (bei der/dem dritten Freund/in) gering. Die Zahl der Freundinnen und Freunde aus anderen als der eigenen Zuwanderungsgruppen bleibt von der ersten (besten) bis zur dritten Freundin relativ konstant und ist noch geringer als der deutscher Freundinnen oder Freunde.

Eine erhebliche Zahl der Befragten hat überwiegend oder ausschließlich Freunde gleicher Herkunft (65%), nur eine Minderheit (15%) überwiegend bis ausschließlich deutsche Freunde. Der herkunftsspezifische Vergleich ermittelt signifikante Unterschiede.[129]

Graphik 4.4:   Ethnische Zusammensetzung der drei engsten Freundinnen oder Freunde

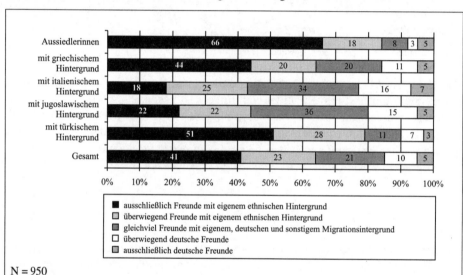

Im Hinblick auf die ethnische Zusammensetzung des Freundeskreises lassen sich zwei Gruppen unterscheiden: Bei der ersten Gruppe handelt es sich um Mädchen und junge Frauen mit einem ethnisch homogenen oder überwiegend homogenen engsten Freundschaftskreis. Dazu gehören 84 Prozent der Mädchen aus Aussiedlerfamilien (66% ausschließlich und 18% überwiegend ethnische Freundschaften), 79 Prozent (51% bzw. 28%) der Mädchen mit türkischem und 64 Prozent (44% bzw. 20%) der Mädchen mit griechischem Hintergrund. Bei der zweiten Gruppe überwiegt der ethnisch heterogene Freundschaftskreis. Zu ihr gehören die Mädchen mit italienischem und jugoslawischem Hintergrund, bei denen bei einem Drittel die Freundschaftskreise multikulturell zusammengesetzt sind. Der Anteil derjenigen, deren engster Freundschaftskreis ausschließlich aus einheimischen Deutschen be-

---

129 Aus den drei Variablen: Nationale Herkunft der ersten, der zweiten und dritten Freundin oder des Freundes wird eine neue Variable „Ethnische Freundschaften" gebildet (siehe Instrumentenkonstruktion im Anhang).

steht, ist bei allen befragten Gruppen sehr niedrig, wobei die Mädchen und jungen Frauen türkischer Herkunft (3%) die niedrigsten und die Befragten italienischer Herkunft (mit 7%) die höchsten Werte erreichen.

Auch andere Untersuchungen ermitteln das Überwiegen innerethnischer Freundschaften (siehe Seifert 1995, S. 127), insbesondere bei Jugendlichen mit türkischem Hintergrund (Heckmann et al. 2000, S. 48; Weidacher 2000b, S. 113). Seifert (1995, S. 127) stellt fest: „... auch für die zweite Generation sind interethnische Kontakte noch nicht selbstverständlich, und insbesondere Türken nennen nur in geringerem Umfang deutsche Bezugspersonen". Die Befragten wurden nach drei Personen gefragt, mit denen sie näher befreundet sind. Demnach schließt jede zweite der Befragten türkischer Herkunft aber nur jede fünfte jugoslawischer Herkunft innerethnische Freundschaften. Im Rahmen der EFFNATIS-Studie wurden 16- bis 26-Jährige türkischer, jugoslawischer und deutscher Herkunft zu ihren zwei besten Freunden bzw. Freundinnen befragt. Heckmann et al. (2000) stellen für türkische Jugendliche fest, „dass sich fast zwei Drittel aller Freundschaften (63,2%) auf türkische Landsleute beziehen" (ebenda, S. 48). Die Befragten jugoslawischer Herkunft haben dagegen häufiger Freundschaften mit Deutschen als türkische Jugendliche (36,8% versus 22,3%) und ihr Freundeskreis kann als herkunftsheterogener beschrieben werden (vgl. Heckmann et al. 2000, S. 48). Es wurden keine geschlechtsspezifischen Unterschiede festgestellt. Weidacher (2000b, S. 113) stellt bei 18- bis 25-jährigen jungen Erwachsenen mit griechischem, italienischem und türkischem Hintergrund und deutschen Jugendlichen fest, dass es Unterschiede hinsichtlich der Struktur des persönlichen Netzes zwischen den drei Befragungsgruppen mit Migrationshintergrund gibt. Demnach haben die Befragten italienischer Herkunft „zu deutlich höheren Anteilen Kontakte zu Deutschen als Griechen und Türken". Auch in der Untersuchung von Reinders (2003, S. 90f.) treffen sich die Jugendlichen türkischer Herkunft deutlich häufiger mit der eigenen ethnischen Gruppe und häufiger mit anderen Zuwanderernationalitäten als mit deutschen Gleichaltrigen. Die Kontakthäufigkeit der Jungen ist in allen Kontaktvarianten signifikant größer als die der Mädchen. Im Verhältnis zu der Häufigkeit der Kontakte pflegen die Mädchen mit türkischem Hintergrund besonders häufig eigenethnische Beziehungen. Auch die Jugendlichen anderer nationaler Herkunft – als Sonstige ausgewiesen – bleiben tendenziell unter sich. Nach der Analyse (2003) unterscheiden sich die ethnischen Netzwerke der Migrationsjugendlichen je nachdem, ob sie die deutsche Staatsangehörigkeit besitzen.[130] Frauen sind allgemein weniger aufgeschlossen gegenüber Angehörigen anderer ethnischer Gruppen (ebenda, S. 729).

Das Ergebnis dieser Untersuchung verfestigt schon vorhandene Erkenntnisse. Nicht nur das Überwiegen innerethnischer Freundschaften, sondern vielmehr das Fehlen von Beziehungen zu deutschen Freundinnen oder Freunden lässt die Distanz zwischen den Zugewanderten und den Angehörigen der Mehrheitsgesellschaft deutlich werden.

Für die Pflege eigenethnischer Freundschaften kann nicht allein oder überwiegend die Orientierung an der eigenen Ethnie verantwortlich gemacht werden, worauf Esser schon 1990 hingewiesen hat: „Letztlich sind offenkundig weniger die kulturellen und nationalen Charakteristika von Bedeutung, als diejenigen, die sich

---

130 In der Gruppe der Jugendlichen mit Migrationshintergrund und deutscher Staatsangehörigkeit sind Kinder aus binationalen Ehen enthalten.

aus der Unterschiedlichkeit in den durch Schule und Berufsbildung vermittelten ,objektiven' Chancen ergeben. Das gilt für Freundschaften wie für (fast) alle anderen wichtigen Dinge" (Esser 1990b, S. 205).[131] Auch für die Gruppe der Jugendlichen mit Aussiedlerhintergrund spielen nach Dietz/Roll (1998, S. 106) biographische Faktoren oder Merkmale der Lebenssituation eine wichtige Rolle. Überdurchschnittlich oft besteht der Freundeskreis aus Aussiedlern und Aussiedlerinnen bei Jugendlichen, die in Übergangswohnheimen oder anderen Wohnheimen wohnen, bei Jugendlichen, die schlecht deutsch sprechen, bei Jugendlichen, die 17 Jahre und jünger sind und bei Jugendlichen, die zwischen 1993 und 1994 nach Deutschland gekommen sind. Nach unserer Erhebung ist die Situation heute komplexer. Es besteht zwar ein Zusammenhang zwischen dem Wohnmilieu und der ethnischen Zusammensetzung der engsten Freundschaftsgruppe, aber auch von denjenigen, die in einem deutschen oder in einem gemischten Wohnumfeld leben, hat ein erheblicher Teil Freundinnen und Freunde ausschließlich oder überwiegend mit eigenem ethnischen Hintergrund:

Tabelle 4.14: Ethnische Freundschaften (in Prozent)

Freunde	Wohnmilieu				
	deutsches Umfeld	gemischtes Umfeld	Zuwanderungs-milieu	ethnisches Umfeld	Gesamt
Gesamt	(244)	(561)	(102)	(43)	100 (950)
ausschließlich mit eigenem ethnischen Hintergrund	39	42	38	54	41 (392)
überwiegend mit eigenem ethnischen Hintergrund	22	23	23	23	23 (217)
gleichviel mit eigenem, deutschem und sonstigem Hintergrund	17	22	29	14	21 (200)
überwiegend Deutsche	14	9	7	9	10 (95)
ausschließlich Deutsche	8	4	3	-	5 (46)

C = .16   p = .03

39 Prozent der Mädchen und jungen Frauen, die in einem deutschen Umfeld wohnen, haben Freundinnen und Freunde ausschließlich aus der Herkunftskultur, nur 22 Prozent schließen Freundschaften ausschließlich (8%) oder überwiegend (14%) mit Deutschen. Wenn auch das Leben im ethnisch homogenen oder im Zuwanderungs-

---

131 Esser (1990b, S. 205) belegt, dass Widerstände gegen die Aufnahme einer interethnischen Freundschaft bei der Gruppe der türkischen Migranten sich verringern, wenn sie eine „normale" deutsche Schulkarriere durchlaufen haben, während hingegen Jugendliche mit türkischem sowie jugoslawischem Migrationshintergrund sich kaum voneinander unterscheiden, wenn sie als Seiteneinsteiger in das deutsche Schulsystem eingegliedert worden sind. Diese These soll durch weitere Auswertungsschritte zu einem späteren Zeitpunkt geprüft werden.

milieu Freundschaften mit Deutschen selten entstehen lässt, führt das Leben im deutschen Umfeld keineswegs notwendigerweise zu freundschaftlichen Beziehungen zwischen Zugewanderten und Deutschen.

Der soziale Status der Familie hat keinen Einfluss auf die ethnische Zusammensetzung der engsten Freunde und Freundinnen, wohl aber das Bildungsniveau der Mädchen und jungen Frauen: Je höher die Schulbildung ist, desto häufiger sind interethnische (deutsch-Herkunftsland, deutsch-andere Zuwanderergruppe) Freundschaften. Von den Mädchen und jungen Frauen mit hohem Bildungsniveau haben aber dennoch 33 Prozent ausschließlich innerethnische Freundschaften (niedriges Bildungsniveau: 51%) und nur eine Minderheit überwiegend oder ausschließlich deutsche Freundschaften (20%). Dies gilt für 13 Prozent derjenigen mit niedrigem Bildungsniveau.

4.2.6   Freundschaften und Sprachgebrauch

Über die ethnische Zusammensetzung hinaus ist es von Interesse, in welchen Sprachen sich die Mädchen und jungen Frauen mit ihren engsten Freunden und Freundinnen unterhalten, denn ethnisch homogene Gruppen müssen nicht zwangsläufig eine Kommunikation in der gemeinsamen Herkunftssprache nach sich ziehen.

Tabelle 4.15:   Kommunikation mit den drei besten Freunden/Freundinnen (in Prozent)

	Migrationshintergrund					Gesamt	
	Aussiedl.	griech.	ital.	jugosl.	türk.		
Gesamt	(200)	(182)	(183)	(172)	(213)	100	(950)
nahezu ausschließlich Deutsch	8	19	47	30	18	24	(228)
Überwiegend Deutsch	8	20	16	30	11	16	(156)
Deutsch und Herkunftssprache in gleicher Weise	42	38	29	33	65	42	(400)
überwiegend Herkunftssprache	12	7	5	5	1	6	(56)
nahezu ausschließlich Herkunftssprache	30	16	3	2	5	12	(110)

C = .46   p = .00

Ein erheblicher Teil (42%) der Mädchen und jungen Frauen kommuniziert mit den besten Freundinnen und Freunden in beiden Sprachen, nahezu ebenso viele (40%) ausschließlich oder überwiegend in Deutsch. Mit weniger als einem Fünftel ist die Zahl derer, die ausschließlich oder überwiegend die Herkunftssprache wählen, deutlich geringer. Zu den Letzteren zählen vor allem Mädchen aus Aussiedlerfamilien und mit griechischem Hintergrund. Allerdings gibt es eine kleine Gruppe von

Mädchen der anderen Herkünfte, die ebenfalls überwiegend in der Herkunftssprache der Eltern im engsten Freundeskreis kommuniziert (zwischen 1% und 5%).

Auch bei Kontakten mit Freundinnen und Freunden aus dem Herkunftsland (N = 392) hat die deutsche Sprache neben der Herkunftssprache Bedeutung: sieben Prozent der Mädchen und jungen Frauen sprechen untereinander ausschließlich oder überwiegend Deutsch, 60 Prozent sowohl Deutsch als auch die Herkunftssprache und 33 Prozent überwiegend oder ausschließlich die Herkunftssprache. Dieses belegt, dass die deutsche Sprache auch bei eigenethnischen Freundschaften großes Gewicht hat. Das gilt auch für Mädchen mit türkischem Hintergrund, wie die folgende Tabelle belegt, die den Zusammenhang zwischen ethnischer Zusammensetzung des engen Freundeskreises und dem Sprachgebrauch nur für diese Gruppe wiedergibt:

Tabelle 4.16: Freundschaftskreis und Sprachgebrauch bei Mädchen mit türkischem Hintergrund (in Prozent)

Ethnische Zusammensetzung der drei besten Freunde/Freundinnen						
Sprach-gebrauch	Ausschließ-lich eigener ethnischer Hintergrund	Überwie-gend eigener ethnischer Hinter-grund	eigener, deutscher und son-stiger Hintergrund	Über-wiegend deutscher Hinter-grund	Ausschließ-lich deutscher Hintergrund	Gesamt
Gesamt	(109)	(60)	(24)	(14)	(6)	100 (213)
nahezu aus-schließlich Deutsch	5	17	46	43	100	18 (38)
Überwiegend Deutsch	5	5	37	43	-	11 (23)
Deutsch und Herkunfts-sprache in gleicher Weise	79	76	17	14	-	65(138)
überwiegend Herkunfts-sprache	1	2	-	-	-	1 (3)
nahezu aus-schließlich Her-kunftssprache	10	-	-	-	-	5 (11)

C = .60   p = .00

Knapp über drei Viertel der Mädchen mit türkischem Hintergrund und mit ausschließlich ethnischen Freundschaften spricht mit den Freundinnen und Freunden in beiden Sprachen; eine Minderheit ausschließlich in Deutsch.

Wie zu erwarten, besteht ein Zusammenhang zwischen der ethnischen Zusammensetzung des Freundeskreises und den Sprachkenntnissen in der deutschen Sprache auf der einen und der Herkunftssprache auf der anderen Seite. Freundschaften mit Deutschen sind häufiger bei guten deutschen Sprachkenntnissen (r =

.30) und unabhängig davon häufiger bei schlechten Sprachkenntnissen in der Herkunftssprache (r = -.22).[132]

4.3 Innerethnische Freundschaften als herkunftsspezifisches Kapital

Mädchen und junge Frauen mit Migrationshintergrund aus allen nationalen Gruppen verbringen ihre Freizeit häufig mit Tätigkeiten, die sie alleine oder zu mehreren im häuslichen Umfeld ausüben können. Der private Raum zu Hause oder bei Freundinnen und Freunden hat die größte Bedeutung. Diskotheken werden zwar von Mädchen mit Aussiedler- und griechischem Hintergrund besucht, von Mädchen mit türkischem Hintergrund aber sehr selten. Jugendeinrichtungen und kulturelle Zentren sind für alle räumlich bedeutungslos. In dem häufiger genutzten privaten und seltener aufgesuchten öffentlichen Raum der Parks und Straßen, Kneipen und Diskos ist es schwieriger, Kontakte zu deutschen Jugendlichen zu gewinnen.

Die Freizeiträume sind andere und die Sozialraumorientierung ist geringer. Dem entspricht, dass die beste Freundin für die Freizeitgestaltung nicht nur wichtiger ist als die Familienmitglieder, sondern auch wichtiger als Freundeskreise, gleich ob sie nur aus Mädchen bestehen oder geschlechtsgemischt zusammengesetzt sind. In diesen privaten Freizeiträumen sind ethnisch gleiche Kontakte häufiger als Freundschaften mit deutschen Jugendlichen.

Kontakte zu Personen der Aufnahmegesellschaft werden – wie vorne ausgeführt – als soziale Integration interpretiert. „Insofern kann ein geringer Grad an ethnischer Homogenität der Beziehungsnetzwerke als gelungene soziale Integration interpretiert werden, während umgekehrt das Fehlen interethnischer Kontakte bei gleichzeitiger Beibehaltung der Kontakte zu Angehörigen der Herkunftsgesellschaft als „ethnische Segmentation" (Esser 2001, S. 19, 40) bzw. als „ethnische Selbstabgrenzung" betrachtet werden kann. Die häufige und erfolgreiche Interaktion mit Angehörigen der Aufnahmegesellschaft ist Teil der sozialen Integration" (Haug 2003, S. 718f.).[133] Haug weist darüber hinaus darauf hin, dass sich Kontakte mit Angehörigen der eigenen ethnischen Gruppe und Kontakte zu anderen Migrationsgruppen sowie zu Deutschen keineswegs ausschließen und dass sie zu beiden Gruppen gleichzeitig gepflegt werden können. Sie schlägt vor, Kontakte zu Deutschen als aufnahmelandspezifisches, Kontakte zu Angehörigen der eigenen ethnischen Gruppe als herkunftslandspezifisches soziales Kapital zu definieren.

Nach den Ergebnissen unserer Untersuchung sind ethnisch homogene Freundschaften (41% der Gesamtgruppe) nicht nur deutlich häufiger als ausschließlich deutsche Freundschaften (5%) sondern auch häufiger als multikulturell zusammengesetzte Freundschaften (21%). Ein deutsches oder deutsch-zuwandererbestimmtes

---

132 Siehe dazu detaillierter Kapitel 6.
133 Wenn Heitmeyer/Müller/Schröder feststellen (1997, S. 90f.), dass 2/3 der von ihnen befragten türkischer Jugendlichen – ohne Differenzierung nach Geschlecht – sich intensiven Kontakten zu deutschen Jugendlichen wünschen, so ist dies ein Hinweis darauf, dass seltene Kontakte zu Deutschen nicht notwendigerweise Rückschlüsse auf die ethnische Präferenz gestatten, sondern andere Faktoren wie z.B. die Gelegenheitsstrukturen berücksichtigt werden sollten. Wenig Kontakt zu altersgleichen Deutschen muss somit kein Indiz für ethnische Abschottung sein.

Wohnmilieu hat zwar Auswirkungen auf die ethnische Zusammensetzung der engsten Freundschaften, aber keineswegs in den Maße, wie es (vielleicht) erwartet werden könnte: Auch das deutsche Umfeld führt in den meisten Fällen nicht zu interethnischen Freundschaften.

Es ist an der Zeit, einen Perspektivenwechsel vorzunehmen und, in Anlehnung an Haug (2003), die positiven Aspekte innerethnischer Freundschaften in den Mittelpunkt zu stellen. Die Gründe, warum Jugendliche mit Migrationshintergrund vor allem innerethnische Kontakte pflegen, lassen sich in Anlehnung an und Erweiterung dessen, was Atabay (2001, S. 68) für Jugendliche mit türkischem Hintergrund formuliert hat (2001, S. 68) folgendermaßen zusammenfassen: Der gemeinsame soziale *und* kulturelle Hintergrund bietet eine Vielzahl von geteilten Themen und Erfahrungen, was das gegenseitige Verständnis erleichtert und günstige Rahmenbedingungen für einen gleichberechtigten Umgang miteinander schafft. Dies wiederum bildet die notwendige Plattform, um individuelle ebenso wie kollektive Strategien für den Umgang mit verschiedenen Ansprüchen der Mehrheits- und Minderheitsumgebung an ihre Integrationsbereitschaft in die jeweiligen gesellschaftlichen Teilsysteme zu entwickeln. Dazu gehört auch die Auseinandersetzung mit Diskriminierungserfahrungen als Angehörige von ethnischen Minderheiten auf der einen und mit der unter Migrationsbedingungen teilweise anders als bei der deutschen Mehrheitsgesellschaft stattfindenden Ablösung der Jugendlichen von der Elterngeneration in der Adoleszenzphase auf der anderen Seite. Die Gruppe der Gleichaltrigen mit gleichem ethnischen Hintergrund kann den Freiraum bereitstellen, in dem es für viele Jugendliche erst möglich wird, sich mit Nähe und Distanz zur Herkunftskultur ebenso wie mit kulturellen Anpassungsanforderungen der Mehrheitsgesellschaft auseinanderzusetzen und hier einen eigenen, selbstbestimmten Weg zu finden. Hier anknüpfend lassen sich innerethnische Freundschaften auch als Ressourcen darstellen, was sich in der Bezeichnung als herkunftslandspezifischen sozialem Kapital andeutet.

5. Bildung, der goldene Armreif: Bildung und Ausbildung

5.1 Bildung von Jugendlichen mit Migrationshintergrund

Fragen zu Bildung und Ausbildung vor allem im Hinblick auf unterstützende Personen und Institutionen nehmen in unserer Untersuchung breiten Raum ein, denn schulische Bildung und Ausbildung stellen in der Lebenswelt von Mädchen und jungen Frauen ihren Alltag bestimmende und strukturierende Elemente dar. Für alle jungen Menschen, unabhängig davon, ob sie einen Migrationshintergrund haben oder nicht, ist die Schule und die anschließende Berufsausbildung das zentrale Mittel ihrer gesellschaftlichen Integration. Hier werden die Weichen für einen erfolgreichen Übergang in die Berufswelt gelegt. In hoch industrialisierten Gesellschaften wie der Bundesrepublik Deutschland entscheidet die Qualität der schulischen und beruflichen Ausbildung über Chancen und Grenzen der beruflichen Eingliederung und des Aufstiegs. Die berufliche Position wiederum entscheidet über Chancen der Gestaltung des eigenen Lebens. Mit einer zunehmenden Verengung des Arbeitsmarktes auch für gut ausgebildete Kräfte mehren sich jedoch auch die Stimmen, die den Einfluss von Schule und Ausbildung auf die Lebenswelten von Kindern und Jugendlichen als beschränkt betrachten. Stattdessen erhielten die Orientierung an Peers und die Herausbildung jugendkultureller Lebensstile für die Jugendlichen eine steigende Relevanz (Reh/Schelle 2000, S. 158).

Was die soziale Integrationsfunktion von Schule – gerade im Hinblick auf die multiethnische Schüler- und Schülerinnenschaft – anbelangt, so gehört der Aspekt der Bildung von Kindern und Jugendlichen mit Migrationshintergrund seit Beginn der Migration zu den zentralen Themenbereichen der Migrationsforschung. Früh schon wurde das schlechte Abschneiden dieser Schüler- und Schülerinnengruppe als gesellschaftliches Problem herausgestellt. Die Daten orientierten sich bis vor Kurzem überwiegend an der Verteilung der Kinder und Jugendlichen mit ausländischem Pass im gegliederten Schulsystem, das heißt an ihrer Überrepräsentation in der Hauptschule und ihrer Unterrepräsentation im Gymnasium, an den hohen Anteilen von Schülern und Schülerinnen in den Sonderschulen für Lernbehinderte und insbesondere an den fehlenden oder weniger qualifizierten Schulabschlüssen.

An dem gegenüber deutschen Schülern und Schülerinnen gemessenen Abstand und damit an der Bildungsbenachteiligung hat sich bis heute nichts geändert, trotz Zunahme besserer Bildungsabschlüsse und vermehrten Zugangs zu Gesamt- und Realschulen. Alle vorliegenden quantitativen Studien belegen die Benachteiligung der Kinder und Jugendlichen mit Migrationshintergrund im Vergleich zu deutschen Kindern und Jugendlichen.[134] Der Anteil der Schüler und Schülerinnen mit Fachhochschulzugang oder Abitur an der Gesamtzahl der Schulabgänger aus allgemein bildenden Schulen liegt bei den Deutschen fast zwei ein halb Mal so hoch wie bei den Schülern und Schülerinnen mit ausländischem Pass und es gibt mehr als doppelt so viele ausländische wie deutsche Abgänger ohne Hauptschulabschluss.

---

134 Siehe dazu die Studien bzw. Auswertungen von Seifert 1992; Alba/Handl/Müller 1994; Lehmann/Gänsfuß/Peek (LAU 5) 1997; Lehmann/Gänsfuß/Peek (LAU 7) 1999; Lehmann/Gänsfuß/Peek (LAU 9) 2001; Büchel/Wagner 1996; Nauck/Diefenbach/Petri 1998; Hunger/Thränhardt 2001; Diefenbach 2002; Deutsches PISA-Konsortium 2003; von Below 2003; Bos et al. 2003; Bos et al. 2004.

Ein Ergebnis aus der Bildungsstatistik bleibt im Zeitverlauf konstant, gleich ob sie sich auf Zufallsstichproben (z.B. von Below 2003, S. 35), die amtliche Schulstatistik oder – wie viele neuere Beiträge – auf das sozioökonomische Panel (SOEP) als Datengrundlage beziehen.[135] Die Bildungserfolge der nationalen Gruppen sind unterschiedlich. Nur auf die von uns berücksichtigten nationalen Herkünfte bezogen schneiden die griechischen Schüler und Schülerinnen besonders gut ab, wobei hier die von ca. 15 bis 20 Prozent genutzte Möglichkeit des Wechselns auf eine griechische Schule in Deutschland berücksichtigt werden muss.[136] Besonders schlecht schneiden die Schüler und Schülerinnen mit italienischem und türkischem Hintergrund ab. Dieses Detail ist in Bezug auf die italienischen Jugendlichen wenig bekannt, wie auch Diefenbach unter Bezug auf die Daten des SOEP feststellt: „Aus der Analyse im Rahmen dieser Expertise ergibt sich allerdings, dass es – entgegen der Überzeugung vieler mit dem Thema Beschäftigten – nicht die türkischen Kinder (allein) sind, die die größten Nachteile haben (…) italienische Kinder (haben) eine noch höhere Wahrscheinlichkeit als türkische Kinder, eine Hauptschule zu besuchen" (Diefenbach 2002, S. 63).[137] Dieser Befund spricht zwar einerseits gegen die unreflektierte Übernahme einer Kulturdifferenztheorie, der zu Folge sogenannte „kulturelle Nähe", definiert über geographische, religiöse und/oder sprachliche Nähe, sich grundsätzlich positiv auf die Integrationsfähigkeit von Angehörigen verschiedener nationaler Herkunftsgruppen in das deutsche Schulsystem auswirken müsste.[138] Bezogen auf die italienischen Kinder sind dagegen Theorien verbreitet, die die negative Bildungsbilanz von italienischen Kindern und Jugendlichen auf eine mangelnde Passung zwischen Schule und Elterhaus, ebenfalls kulturell begründet, zurückführen. In der spezifischen „Abschottung" süditalienischer Familien gegenüber staatlichen Institutionen läge das Hauptproblem des Zugangs zu den Kindern und ihren Familien (vgl. z.B. Ziegler 1994). Die sich hier ausdrückende Variante der Kulturdifferenzhypothese entlastet die Institution Schule von ihrer Verantwortung, sich im Hinblick auf ihre pädagogischen Methoden – auch bezogen auf die Ein-

---

135 Das SOEP bezieht sich auf Befragungen des Haushaltsvorstandes über im Haushalt lebende Kinder und von Jugendlichen ab 17 Jahren über ihre Schulkarriere. Es bestehen Differenzen zu den Zahlen der amtlichen Statistik.

136 In Deutschland gibt es seit Anfang der 80er Jahre ein Netz griechischer Nationalschulen, die den Status von Ersatzschulen haben. Organisatorisch, pädagogisch und inhaltlich sind sie Institutionen des griechischen Schulsystems in stellvertretender Trägerschaft der griechischen Konsulate. Ziel ist es in erster Linie, die Schüler und Schülerinnen auf ein Studium in Griechenland vorzubereiten (vgl. Pantazis 2002, S. 104ff.). Während die Existenz dieser Schulen von einigen als integratioshemmend, da ethnisch segregierend, eingestuft wird (ebenda), betrachten einige andere, wie Hunger/Thränhardt (2001, S. 54f.) den Besuch als Beweis für die hohe Bildungsorientierung der griechischen Bevölkerungsgruppe und ihr starkes Selbsthilfepotential auf diesem Gebiet.

137 Allerdings wird die prekäre Bildungssituation von Kindern mit italienischem Hintergrund schon seit Mitte der 80er Jahre diskutiert, so z.B. die Überrepräsentation in den Sonderschulen für Lernbehinderte (Nuber 1984, Boos-Nünning 1990b), die geringe Quote mit höheren Schulabschlüssen und die hohe Quote mit nicht abgeschlossener Berufsausbildung und ohne Arbeit (Jäger 1990, S. 68).

138 Um Unterschiede im Kompetenzerwerb zwischen den Nationalitäten zu erklären, verweisen auch die PISA-Autoren neben dem Zeitpunkt der Zuwanderung und den Verbleibabsichten in Deutschland auf den „jeweiligen kulturellen und religiösen Lebenszusammenhang" (Deutsches PISA-Konsortium 2001, S. 376), womit eine diesbezügliche Differenz zur Mehrheitsgesellschaft angesprochen wird ohne dass diese in der Studie mit entsprechenden Items erhoben worden wäre.

beziehung von Eltern – auf durch Migration gewandelte Voraussetzungen ein-
zustellen und sucht die Lösung der Probleme bei einem Wandel im Familiensystem
der Zugewanderten.

Bei den Kindern aus Gebieten des ehemaligen Jugoslawien, bei denen unterschieden werden muss zwischen Kroaten, Serben, Slowenen und Bosniern sowie
Montenegrinern, hat sich gegenüber den späten 80er Jahren eine gruppenübergreifend betrachtet insgesamt rückläufige Entwicklung abgezeichnet. Hier machen
sich zweifellos die Effekte des Anteils von Flüchtlingskindern insbesondere aus
Serbien und Bosnien-Herzegowina bemerkbar, die verstärkt seit 1992 als Seiteneinsteiger und Seiteneinsteigerinnen in das Schulsystem kamen. Schüler und Schülerinnen aus Aussiedlerfamilien werden weder in der Schulstatistik noch im SOEP berücksichtigt, ebenso wenig die Kinder und Jugendlichen mit Migrationshintergrund,
die einen deutschen Pass besitzen. Die ethnische Differenzierung setzt sich im Aus-
bildungsbereich und beim Übergang in den Beruf fort. Sowohl zwischen Jugendlichen mit Migrationshintergrund und deutschen Jugendlichen auf der einen als auch
zwischen Jugendlichen verschiedener nationaler Herkünfte auf der anderen Seite bestehen beachtliche Unterschiede (vgl. Diefenbach 2002, S. 34ff.; Suntum/Schlot-
höller 2002).

Vor allem die Veröffentlichung der PISA-Studie (Deutsches PISA-Konsortium
2001, 2002, 2003) und der darauf folgenden Grundschulstudie IGLU (Bos et al.
2003; Bos et al. 2004) hat die Diskussion um die schulischen Fertigkeiten der
Schüler und Schülerinnen mit Migrationshintergrund belebt. Die Untersuchungen
stellen Datenmaterial zur Verfügung, das einen differenzierteren Zugang zu Fragen
nach den Bildungs(miss)erfolgen von Migrantenkindern erlaubt. Die PISA-Studie
hat zwei Vorteile: Sie nimmt erstens nicht die in amtlichen Statistiken üblichen
Kennzahlen wie Verteilung auf das gegliederte Schulsystem und Schulabschluss,
sondern die Kompetenzen im Deutsch-Lesen, in Mathematik und Naturwissenschaften zum Ausgangspunkt. Sie legt ferner nicht den kaum mehr aussagefähigen
Ausländerstatus zugrunde, sondern den Migrationshintergrund, festgemacht an dem
Geburtsort der Eltern und der Verkehrssprache in der Familie (Deutsches PISA-
Konsortium 2001, S. 341). Von den 15-jährigen Teilnehmern und Teilnehmerinnen
der PISA-Studie in den alten Bundesländern haben rund 27 Prozent mindestens ein
Elternteil, das nicht in Deutschland geboren wurde, in 19 Prozent der Migranten-
familien sind beide Elternteile im Ausland geboren.[139] PISA verweist darüber hinaus
auf die quantitative Bedeutung von Kindern aus Aussiedlerfamilien innerhalb der
Gruppe von Kindern mit Migrationshintergrund: Machen Schüler und Schülerinnen
türkischer Nationalität in den KMK-Statistiken 43,4 Prozent der ausländischen
Schülerpopulation aus, gefolgt von 12,9 Prozent der Staatsangehörigen aus Nach-
folgestaaten des ehemaligen Jugoslawien sowie 7,9 Prozent italienischer und 3,7
Prozent griechischer Staatsangehöriger (KMK-Daten von 2000), stellen dagegen
Kinder aus Aussiedlerfamilien in der PISA-Studie mit rund 38 Prozent aller Kinder
mit Migrationshintergrund die größte Zuwanderungsgruppe. In rund 90 Prozent der
Fälle sind die Eltern gemeinsam mit ihren im Herkunftsland geborenen Kindern im
Zeitraum von 1985 bis 1998 nach Deutschland gekommen. Dieser Gruppe folgen

---

139 Zu ähnlichen Anteilen von Migrantenkindern kommt auch die IGLU-Studie (Bos et al.
2003, S. 33). Hier heißt es, mindestens ein Elternteil ist bei 25,3% der Kinder im Ausland
geboren, in 16,6% der Migrationsfamilien sind beide Eltern im Ausland geboren.

Kinder türkischer Herkunft mit einem Anteil von 16,9 Prozent und Kinder aus den Ländern des ehemaligen Jugoslawien mit einem Anteil von 8,2 Prozent (Deutsches PISA-Konsortium 2001, S. 342).

Zu den zentralen Befunden von PISA (ebenda, S. 372ff.) gehört, dass mehr als 70 Prozent der 15-jährigen Migrantenjugendlichen die deutsche Schule vom Kindergarten bis zum Ende der Pflichtschulzeit durchlaufen haben. Seiteneinsteiger und Seiteneinsteigerinnen gehören überwiegend der Gruppe der Spätausgesiedelten oder Flüchtlinge an. Dies bedeutet, dass ihre Schulleistungen auch etwas darüber aussagen, inwiefern es dem deutschen Schulsystem gelingt, unterschiedliche soziale und kulturelle Hintergründe so zu berücksichtigen, dass von Chancengleichheit gesprochen werden kann. Die Leistungen der Schüler und Schülerinnen mit Migrationshintergrund, von denen beide Elternteile im Ausland geboren sind, liegen sowohl im mathematisch-naturwissenschaftlichen Bereich als auch im Lesen weit unter dem Durchschnittsniveau der Schüler und Schülerinnen ohne Migrationshintergrund. Bei ihnen ist eine Bildungsbeteiligung vorzufinden, „wie sie in Deutschland etwa 1970 anzutreffen war" (ebenda, S. 373). Fast 50 Prozent der Jugendlichen aus Zuwandererfamilien überschreiten im Lesen nicht die elementare Kompetenzstufe. Bei den Jugendlichen, bei denen bereits ein Elternteil in Deutschland geboren ist, zeigen sich allerdings nur wenige Unterschiede zu deutschen Jugendlichen.

Nach PISA ist in 50 Prozent der Familien mit Migrationhintergrund die Hauptverkehrssprache mittlerweile Deutsch. Von diesem Muster weichen Familien türkischer und jugoslawischer Herkunft ab. Darüber hinaus sind Migrantenjugendliche weitaus häufiger in Klassen anzutreffen, die ihrem Alter nicht entsprechen, da sie dreimal so oft zurückgestellt werden wie Schüler deutscher Herkunft und doppelt so oft eine Klasse wiederholen (22% und 41%) (Deutsches PISA-Konsortium 2002, S. 207).

Das früh differenzierende Bildungssystem der Bundesrepublik bietet, so die Schlussfolgerung der PISA-Autoren und Autorinnen, nur wenig zeitlichen Spielraum, um Kinder mit fehlenden Kenntnissen der deutschen Sprache so zu fördern, dass sie gleiche Chancen bei späteren Laufbahnentscheidungen haben. Vor allem die Sekundarstufe I bietet für Kinder, die keine deutschsprachige Bezugsperson haben, keine Chancen, diese – gegenüber Kindern der Mehrheitsgesellschaft – sprachlichen Rückstände in der deutschen Sprache aufzuholen. Defizite in der deutschen Sprache jedoch wirken sich kumulativ auf die Leistungen in anderen Fächern aus. Es besteht ein Zusammenhang, der jedoch nicht linear ist, zwischen dem Anteil an Migrantenkindern in der Schule und der Leistungsfähigkeit der Schülerschaft.[140] Bei einem Anteil von 20 Prozent Migranten in der Schule findet, so PISA-E, eine „sprunghafte Reduktion der mittleren Leistungen auf Schulebene statt" relativ zu Schulen mit weniger als fünf Prozent Migrantenanteil. Bei einem weiteren Anstieg auf 40 Prozent Migrantenanteil findet allerdings keine weitere Verminderung des Leistungsniveaus statt (Deutsches PISA-Konsortium 2003, S. 256).[141]

---

140 Hinsichtlich der in der Längsschnittstudie LAU ebenfalls befragten und getesteten Schülerpopulation von ausländischen Kindern am Ende der Grundschulzeit stellen auch Lehmann/Gänsfuß/Peek (1997, S. 71) fest, dass sich „ein hoher Ausländeranteil in der Klasse offenbar auch für die Migrantenkinder selbst nachteilig auswirkt."

141 Es ist nicht berechtigt, das geringere Klassenniveau in Klassen mit über 20 Prozent Kinder mit Migrationshintergrund allein auf die Dichte dieser Schüler- und Schülerinnen-

Im Ausländersurvey des Bundesinstituts für Bevölkerungsforschung (BiB) wurde für die Gruppe der befragten 18 bis 30-Jährigen festgestellt, „dass es für den Erfolg der Migranten im Schulsystem in Deutschland eine Rolle spielt, ob sie traditionelle Anschauungen vertreten; so gibt es bei Befürwortung einer traditionellen Rollenverteilung von Mann und Frau in der Familie einen negativen Zusammenhang mit dem Erreichen des Abiturs, für beide Generationen sowie bei der Einbeziehung nur der zweiten Generation" (von Below 2003, S. 89). Dies wirke sich geschlechtsspezifisch aus: „Die Verbundenheit mit dem Herkunftsland sowie einige der traditionellen Werte wirken sich also für das Erreichen eines höheren Schulabschlusses negativ aus; dies wird für junge Frauen besonders deutlich" (ebenda). Darüber hinaus sei der Bildungsstatus der Eltern für das Erreichen des Abiturs von hoch signifikanter Bedeutung. Interessant an den Ergebnissen des BiB ist der Befund, welche hohe Bedeutung die ethnische Herkunft für die schulische Bildung hat. So wurde festgestellt, dass die Zugehörigkeit zur türkischen Minderheit auch bei Kontrolle anderer Merkmale selbst bei Angehörigen der zweiten Generation einen wesentlichen Effekt auf die Bildungsbenachteiligung dieser Migrantengruppe hat. Dies gilt nicht für die Gruppe der Befragten italienischer Herkunft (ebenda, S. 100).

Die hier zusammengefassten Befunde zum Zusammenhang zwischen Deutschsprachkompetenzen und dem Schulerfolg, der Frage nach der ethnischen Zugehörigkeit und Einbindung und ihres Effekts auf die Schulleistungen sowie der überdurchschnittlich oft durch Brüche gekennzeichneten Schulkarriere von Migrantenkindern stellen eine Folie dar, auf der die Ergebnisse der eigenen Untersuchung dargestellt werden sollen.

Auf einen weiteren Aspekt der PISA-Studie ist im Zusammenhang mit unserer Untersuchung hinzuweisen: PISA setzt sich im Hinblick auf die Schullaufbahn und Bildungsbeteiligung auch differenziert mit den Geschlechterunterschieden bei der Gesamtpopulation auseinander. Die Untersuchung belegt den bereits zuvor in zahlreichen anderen Untersuchungen[142] erhobenen Befund, dass Mädchen in Deutschland bildungserfolgreicher sind als Jungen: Zurückstellungen und Klassenwiederholungen sind seltener, sie sind an Gymnasien über-, an Haupt- und Sonderschulen unterrepräsentiert.[143] Dies wird, so PISA-E (Deutsches PISA-Konsortium 2002, S. 212), mit Berufung auf entsprechende Untersuchungen auf die sozialisatorisch vermittelten geschlechtsspezifischen Muster der Kompetenzentwicklung, auf die allgemeine Einstellung zur Schule sowie auf die soziale Anpassung und die spezifische Arbeitshaltung von Mädchen zurückgeführt, die daher dem Idealbild bei Lehrern und Lehrerinnen von einem kooperativen, fleißigen und engagierten Schüler eher entsprächen als ihre männlichen Pendants. Bezüglich der geschlechtsspezifischen Kompetenzunterschiede bei Schülern und Schülerinnen mit Migrationshintergrund liegen (noch) keine Daten aus PISA vor.

---

population zurückzuführen; es könnte auch durch andere Faktoren wie z.B. Selektion der leistungsschwächeren Schüler und Schülerinnen deutscher Herkunft verursacht sein.

142 Vgl. z.B. Klemm (2001, S. 339.), der feststellt, „dass Mädchen im allgemeinbildenden Schulsystem mit den Jungen gleichgezogen und dass sie diese z.T. auch deutlich überholt haben". Dies gelte für Mädchen aller sozialer Schichten.

143 Die Kompetenzvorteile der Mädchen im Lesen liegen in Deutschland verglichen mit anderen Ländern im mittleren Bereich, die Kompetenzen in Mathematik unterscheiden sich nicht signifikant, die Kompetenznachteile in den Naturwissenschaften sind ebenfalls durchschnittlich. Die Jugendlichen mit Migrationshintergrund wurden nicht nach Geschlecht differenziert (siehe Deutsches PISA-Konsortium 2003, S. 211ff.).

Aus der in einigen Massenstatistiken[144] einzelner Bundesländer zur Bildungsbeteiligung nicht-deutscher Schüler und Schülerinnen vorgenommenen Differenzierung nach Geschlecht lässt sich jedoch ableiten, dass auch die Mädchen ausländischer Herkunft in den höherwertigen Bildungsgängen gegenüber den Jungen über- und in Hauptschulen und integrierten Gesamtschulen unterrepräsentiert sind.[145] Auch bei den Schulabschlüssen ergibt sich das gleiche Bild: die Mädchen ausländischer Herkunft sind in der Schule erfolgreicher als die Jungen; mehr von ihnen erreichen höherwertige Abschlüsse, weniger verlassen die Schule ohne oder nur mit einem Hauptschulabschluss.[146]

Vor dem Hintergrund verbreiteter Annahmen über die besonderen Probleme von Mädchen und jungen Frauen mit der Schule aufgrund einer – im Vergleich zu Jungen mit Migrationshintergrund – restriktiveren Erziehung und geringeren Unterstützung ihrer Bildungsbemühungen durch die Eltern[147] greifen neuere qualitative und quantitative Untersuchungen die in den Daten sichtbare geschlechtsspezifische Differenzierung zu Gunsten der Mädchen auf. Sie konzentrieren sich auf die Gruppe der Mädchen und jungen Frauen und versuchen auf der Basis vertiefter Analysen zu erforschen, auf welche extrinsischen und intrinsischen Faktoren dieser im Gegensatz zu früheren Annahmen über die Mädchen und jungen Frauen mit Migrationshintergrund als Migrationsverliererinnen stehende Befund zurückzuführen ist. Die Untersuchungen gehen überwiegend von der Betrachtungsweise „Migration als Chance" aus. Leenen/Grosch/Kreidt (1990) sprechen hier von der hohen „Selbstplatzierungsleistung" die die jungen Migranten und Migrantinnen zeigen müssen, da der familiäre soziale und Bildungshintergrund kaum konkrete Unterstützung durch die Eltern möglich mache. Quantitative Analysen bieten Granato (1997) und Granato/Meissner (1994) zu der Berufsorientierung junger Migrantinnen ebenso Herwartz-Emden (1995a) und Gümen/Herwartz-Emden/Westphal (1994) sowie Herwartz-Emden (2000). Sie verweisen übereinstimmend auf den die Orientierung der befragten Migrantinnen kennzeichnenden Wunsch nach Vereinbarkeit von Familie und Beruf, der zwar kein exklusives Merkmal von Mädchen und jungen Frauen mit Migrationshintergrund ist, jedoch bei diesen besonders ausgeprägt ist. Dieser Fokus ist auch den in jüngster Zeit erschienenen qualitativen Untersuchungen zu entnehmen, die sich im engeren Sinne mit (Bildungs-)Biographien aufstiegsorientierter Migrantinnen befassen.[148] Im Mittelpunkt vieler Untersuchungen stehen Studentinnen, oftmals türkischer Herkunft. Studien zu Bildungsbiographien weniger erfolgreicher Migrantinnen gibt es hingegen kaum. Die genannten Studien gehen auf

---

144 Die Bundesländer Baden-Württemberg, Niedersachen und Nordrhein-Westfalen z.B. differenzieren nicht nur nach Nationalität der Schüler und Schülerinnen, sondern innerhalb dieses Merkmals auch nach Geschlecht.

145 Vgl. hierzu auch Boos-Nünning/Henscheid 1999, S. 23; Karakaşoğlu-Aydın 2001b, S. 84; Ofner 2003, S. 356ff.

146 Diefenbach (2002, S. 25ff.) geht geschlechtsspezifischen Effekten nicht nach. Auch andere Ergebnisse (z.B. Anteile von Jugendlichen ausländischer Herkunft an Gesamtschulen) folgen in dieser Untersuchung nicht der Schulstatistik. Zur Schulsituation auf der Grundlage der Bildungsstatistik siehe Boos-Nünning/Henscheid 1999; Karakaşoğlu-Aydın 2001b; Hunger/Thränhardt 2001; Herwartz-Emden 2003.

147 Vgl. hierzu das aus Lehrer- und Lehrerinneninterviews zu entnehmende Bild über die (fehlende) Unterstützung türkischer Mädchen durch ihr Elternhaus bei Weber (2003, S. 118ff.).

148 Siehe dazu die empirischen Studien von Gutiérrez Rodriguez 1999; Hummrich 2002; Gültekin 2003; Ofner 2003, Weber 2003.

der Basis von narrativen Tiefeninterviews[149] den fördernden und behindernden Faktoren in den Bildungsbiographien der befragten Migrantinnen nach, wobei festgestellt wird, dass es hier keine monokausalen Zusammenhänge gebe (z.B. Ofner 2003, S. 280ff.). Gutiérrez Rodriguez (1999, S. 200ff.) betrachtet die Biographien in feministischer Perspektive unter dem Aspekt der dreifachen Vergesellschaftung (Klasse, Geschlecht, Ethnizität) aufstiegsorientierter Migrantinnen. Ein wichtiges Moment der Entwicklung von Autonomie stellt bei ihren Befragten der Umgang mit rassistischen Diskriminierungen im Alltag, auch in der Schule, sowie die Benachteiligung als „Ausländerin" auf dem Arbeitsmarkt dar.

Gültekin (2003, S. 213) stellt bei ihren Interviewpartnerinnen fest, dass sie „im Vergleich zu ihren Partnern und ihren Brüdern mehr Initiative, Motivation und Lerneifer zeigen, um sich und ihre Familien ökonomisch und sozial voranzubringen" (ebenda). Sie stellt bei ihren Befragten eine „hohe Motivation und Aspiration für Bildung" fest (ebenda, S. 217). Dies zeige sich konkret in der positiven Haltung der Befragten zu Weiterbildungs- und Umschulungsmaßnahmen und zum Hochschulstudium.[150] Die „Doppelperspektivität" im Spannungsfeld „Mobilität, Karriere und Tradition" ermittelt sie als kennzeichnendes Merkmal der Bildungsbiographien ihrer Befragten. Mit „Doppelperspektivität als Kompetenz" meint sie den Versuch der Befragten, die Bindung zur Herkunftsgruppe und Kultur aufrecht zu erhalten bei gleichzeitig größtmöglichem Streben nach individueller Autonomie durch Bildung. Sie listet als Mehrfachorientierungen die gleichzeitige Orientierung an Familie und Erwerbsarbeit, an Bildung, Familie und Autonomie, an Bildung und Tradition und an Tradition und Karriere auf (ebenda, S. 216).

Im Mittelpunkt der Untersuchung von Hummrich (2002, S. 14) steht die Frage, wie junge Migrantinnen Sozialisations- und Transformationserfahrungen in ihrer Subjektkonstruktion verarbeiten. Es interessiert sie, ähnlich wie Gutiérrez Rodriguez wie Migrantinnen ihre Bildungsbiographie angesichts der komplexen potentiellen Spannungsverhältnisse (dreifache Vergesellschaftung durch Bezug zu den Kategorien Geschlecht, Ethnizität und Klasse) verarbeitet haben. Die Bildungsbiographien ihrer Befragten werden von Hummrich als „objektiv bestimmbarer Transformationsprozess" (ebenda, S. 10) betrachtet. In den Bildungsbiographien der aufstiegsorientierten Migrantinnen gehe es darum, „eine individuelle Balance zu finden, zwischen der mit der Erfüllung der Aspiration verbundenen Entfremdung vom Herkunftskontext und der Bindung an ihn, die die Chance emotionaler Handlungssicherheit impliziert" (ebenda, S. 305). Auch in den Biographien der von ihr Befragten spielt die Vereinbarkeit von Beruf und Familie eine wichtige Rolle für die

---

149 Die auf narrativen Interviews basierenden Untersuchungen wurden alle mit der Methode der Objektiven Hermeneutik analysiert. Gutiérrez Rodriguez (1999) interviewte 15 gesellschaftlich aktive Migrantinnen unterschiedlicher nationaler Herkunft und wählte sechs der Interviews zur Fallrekonstruktion aus, wobei drei Befragte als Erwachsene nach Deutschland migriert waren und drei hier geboren wurden. Hummrich (2002) macht keine Angaben zu dem Gesamtsample, wählt aber sechs Interviews mit jungen bildungserfolgreichen Migrantinnen unterschiedlicher nationaler Herkunft zur Fallrekonstruktion mit anschließender Typenbildung aus. Auch Gültekin (2003) macht keine Angaben zum Gesamtsample, stellt jedoch vier Fälle von türkischen Frauen unterschiedlichsten Alters und unterschiedlichster Migrationsbiographie, die an Umschulungsmaßnahmen teilnehmen, exemplarisch vor. Ofner (2003) schließlich bezieht sich auf ein Gesamtsample von 21 Interviewten, aus denen sie fünf Fallbeispiele auswählt.
150 Allerdings beruhen diese Erkenntnisse allein auf den Angaben der Frauen, eine Triangulation unter Einbezug der Angaben von männlichen Familienmitgliedern findet nicht statt.

Lebensplanung (ebenda, S. 317).[151] Die jungen Frauen haben den „Bildungsauftrag" der Eltern angenommen, er ist wichtiger Quell ihrer Berufsmotivation (ebenda, S. 305). Besonders die Väter erweisen sich als treibende Kraft im Bildungsprozess aufstiegsorientierter Migrantinnen (ebenda, S. 309). Daneben stellt Hummrich die Erfahrungen sozialer Ungleichheit in der Schule als wichtigen Antriebsfaktor zum Bildungsaufstieg heraus, so dass der Bildungserfolg oftmals gegen die Schule erbracht werden muss (ebenda, S. 315). Durch die Interviews zieht sich die Erfahrung mit Diskriminierung aufgrund der Herkunft im Handlungsfeld Schule. Das auf diese Weise beschädigte Selbstvertrauen könne sich auch negativ auf die sprachlichen Kompetenzen in Deutsch niederschlagen (ebenda, S. 314). Ofner (2003, S. 293) stellt ebenso wie Hummrich fest, dass die von ihr befragten jungen Akademikerinnen türkischer Herkunft die Aufstiegsorientierung der ersten Migrantengeneration beibehalten, die häufig Motivation für die Auswanderung gewesen ist: „Der Wille, die Lebensumstände drastisch zu verbessern, und das Potential, ihn umzusetzen ist bei ihnen nicht abgeschwächt, sondern ebenso stark oder stärker ausgeprägt als bei ihren Eltern." Neben Begabung und überdurchschnittlicher Leistungsbereitschaft sieht Ofner die psychische Belastbarkeit als wichtigste Voraussetzung für eine erfolgreiche Bildungskarriere von Minderheitenangehörigen mit Migrationshintergrund. Dies äußert sich z.B. in der Fähigkeit, den durch verschiedenste Diskriminierungserfahrungen (als Frau, als Schichtangehörige, als Angehörige einer ethnischen Minderheit) erlebten Leidensdruck nicht übermächtig werden zu lassen, sich dagegen zu „immunisieren": „Diskriminierungen bilden das Hauptproblem auch der von mir Interviewten. Gleichzeitig bleibt aber festzuhalten, wie unterschiedlich sie von den Biographieträgerinnen erfahren werden und wie vielfältig das Spektrum ihrer Abwehrstrategien ist" (ebenda, S. 294). Aufgrund ihrer Flexibilität (Hummrich spricht von antinomischer Strukturierung ihres Handelns, ebenda S. 329ff.) im Umgang mit divergierenden Rollenanforderungen der Mehrheitsgesellschaft in Gestalt von Lehrern und Lehrerinnen und der Minderheitsgesellschaft in Gestalt der Eltern und der eigenethnischen Nachbarschaft bezeichnet Rosen (1997, S. 121) die jungen bildungserfolgreichen Migrantinnen sogar als „Avantgarde" der postmodernen Gesellschaft. Weber (2003) erweitert diesen Blick auf die schulischen Bedingungen, unter denen türkischen Migrantinnen ihre Bildungslaufbahn erleben, durch eine Untersuchung, der neben qualitativen Interviews mit Schülerinnen der Sekundarstufe II aus vier ausgewählten Schulen auch Interviews mit Lehrern und Lehrerinnen dieser Schülerinnen, den Leitungskräften der jeweiligen Schule sowie Unterrichtsbeobachtungen zugrunde liegen. Ihre Analyse der Lehrer- und Lehrerinneninterviews weist nach, dass bei einem großen Teil der einbezogenen Lehrer und Lehrerinnen ein stereotypes Bild von „den türkischen Mädchen" existiert, das gekennzeichnet ist von der Annahme über deren Kulturdifferenzen, die aus einem Modernitätsabstand resultierten bzw. aus einer grundlegenden Kulturdiskrepanz. In der Konstruktion des „türkischen Mädchens" verschränkten sich, so auch die Feststellung von Weber, die soziale Kategorie Ethnizität eng mit der Kategorie Geschlecht und Klasse. So werden von Seiten der Lehrenden schulische Leistungsprobleme der Mädchen auf deren Migrationshintergrund zurückgeführt, schulische

---

151 Auch Karakaşoğlu-Aydın (2000c) weist auf die sich in quantitativen und qualitativen Daten abzeichnende Intention der Studentinnen türkischer Herkunft hin, die Familienorientierung mit der Bildungsorientierung zu verbinden.

Erfolge hingegen zumeist mit der Loslösung vom familiären Zusammenhang erklärt (Weber 2003, S. 266ff.).

Unsere Untersuchung bietet anhand einer Vielzahl von Einzeldaten zu unterschiedlichsten Aspekten der Bildung und Ausbildung die Möglichkeit, die in bisherigen Untersuchungen erhobenen Zusammenhänge zu überprüfen und zu erweitern. Die Darstellung konzentriert sich auf die aktuelle schulische und berufliche Einbindung, die sozialen Bedingungen des Bildungsniveaus, den Einfluss des Einreisealters auf den Bildungserfolg, die einzelnen Stationen der Bildungsbiographien, angefangen vom Kindergartenbesuch über die Brüche in den Bildungsbiographien durch Klassenwiederholungen, die ethnische Zusammensetzung der Schülerschaft, die Wahrnehmung pädagogischer Fördermaßnahmen für Migrationskinder sowie die Unterstützung im schulischen und familiären Kontext bis hin zu erlebten belastenden Ereignissen in Schule und Ausbildung.

5.2 Aktuelle schulische oder berufliche Einbindungen

5.2.1 Übersicht über den Bildungsverlauf

Bei einem Blick auf die Verteilung der Mädchen und jungen Frauen über ihre derzeitige Tätigkeit wird die – gemessen an der Schulstatistik – Überrepräsentation erfolgreicher Personen in unserer Stichprobe deutlich. Gleichzeitig verweist die Tabelle auf das breite Spektrum der schulischen oder beruflichen Situation, die bei den Befragten vorliegt:

Tabelle 5.1:   Derzeitige Tätigkeit

	absolut	prozentual
Gesamt	950	100
niedrige Schulformen: Hauptschule, Sonderschule	53	5
mittlere Schulformen: Gesamtschule, Realschule	209	22
gehobene Schulformen: Fachoberschule, Gymnasium u.a.	237	25
griechische Schule	27	3
berufliche Schulformen	44	4
Berufsausbildung	162	17
Studium	72	8
Berufstätigkeit	63	7
Arbeitslosigkeit	30	3
Zuhause/etwas anderes	53	6

Diese positive „Verschiebung" der Stichprobe, der zufolge gehobene Schulformen fast ebenso stark vertreten sind wie mittlere Schulformen, ist kein spezifisches Kennzeichen unserer Untersuchung.[152] Es kann mit Haug (2002a, S. 124) vermutet werden, dass „die amtliche Bevölkerungsstatistik sowie andere auf dem Merkmal der Staatsangehörigkeit basierende Studien in gewisser Weise ein verzerrtes Bild der in Deutschland lebenden Migranten produzieren". Auch in anderen Untersuchungen, in denen Migranten und Migrantinnen einbezogen wurden, die die deutsche Staatsangehörigkeit besitzen, wurde dieser Effekt festgestellt. „Generell scheint es so zu sein, dass der Besitz der deutschen Staatsangehörigkeit sich stärker positiv auf den Bildungsabschluss auswirkt, als die bloße Tatsache, in jungem Alter eingewandert oder in Deutschland geboren zu sein" (ebenda, S. 128).[153] Ferner kann angenommen werden, dass weniger gebildete Migranten und Migrantinnen eher die Teilnahme an einer solchen Befragung verweigern als besser gebildete (ebenda, S. 131).

In unserer Untersuchung konnte kein Zusammenhang zwischen einem gehobenen Bildungsniveau und der deutschen Staatsangehörigkeit festgestellt werden. Zwar hat unter denjenigen, die nur die deutsche Staatsangehörigkeit besitzen, ein höherer Anteil ein mittleres (43%) bis hohes (38%) Bildungsniveau. Bei der doppelten Staatsangehörigkeit ist der Trend sogar noch deutlicher. Aber auch der alleinige Besitz der Staatsangehörigkeit des Herkunftsstaates der Familie, dieses gilt für 676 Befragte, geht nicht mit einem niedrigen Bildungsniveau einher. Auch hier haben die meisten Befragten (44%) ebenfalls ein hohes Bildungsniveau aufzuweisen.

Dabei ist zu berücksichtigen, dass der größte Teil der Mädchen in Deutschland geboren (52%) oder bis zum sechsten Lebensjahr eingereist ist (10%). Das heißt, 62 Prozent der von uns befragten Mädchen und jungen Frauen haben ihre bisherige Schulkarriere ausschließlich in Deutschland durchlaufen. Bei PISA waren dies 70 Prozent der Befragten, wobei dort auch der Besuch des Kindergartens als erste Stufe des Bildungssystems einbezogen wurde. Die schulischen Seiteneinsteigerinnen werden unterschieden nach denjenigen, die bis zum 12. Lebensjahr (18%) eingereist und denjenigen, die danach (15%) eingereist sind. Eine geringe Zahl (5%) ist gependelt. Dieser Befund verweist darauf, dass das Pendeln als Erklärung für die Bildungsbenachteiligung von Migrantenkindern eine zu vernachlässigende Randerscheinung in den Lebenswegen der Mädchen und jungen Frauen ist. Auch Diehl (2002, S. 181) stellt in ihrer Auswertung des Integrationssurveys des BiB bezogen auf Jugendliche mit türkischem und italienischem Hintergrund fest, dass „die Pendelmigration bei der zweiten Migrantengeneration keine große Rolle mehr spielt".

---

152 Mit „Kostengründen" begründen z.B. Mittag und Weidacher die Tatsache, dass auch in ihrem, auf einer Quotenstichprobe basierenden Sample der Anteil der jungen Erwachsenen ohne Schulabschluss und der Arbeitslosen, gemessen an der Grundgesamtheit, deutlich unterrepräsentiert ist (Mittag/Weidacher 2000, S. 275).

153 Auch von Below (2003) stellt in ihrer auf einer Telefonumfrage basierenden Befragung von Deutschen, Deutschen italienischer und türkischer Herkunft, jeweiligen Doppelstaatlern und -staatlerinnen und Türken und Türkinnen sowie Italienern und Italienerinnen eine deutliche Tendenz zu besseren Bildungsabschlüssen bei Personen mit deutscher Staatsangehörigkeit (auch Doppelstaatlern und -staatlerinnen) fest (vgl. von Below 2003, S. 35).

525 Mädchen (55%) besuchen zum Erhebungszeitraum noch die Schule und zwar in folgenden Schulformen:

Tabelle 5.2:   Schülerinnen nach Schulformen (in Prozent)

| | Migrationshintergrund | | | | | Gesamt | |
	Aussiedl.	griech.	ital.	jugosl.	türk.		
Gesamt	(130)	(105)	(87)	(94)	(109)	100	(525*)
Sonderschule/Förder-schule für Neuzu-wanderer und Neuzu-wanderinnen	1	1	2	1	-	1	(5)
Hauptschule	11	3	13	6	11	9	(47)
Gesamtschule/Mittel-schule/Sekundarschule	26	10	10	16	15	16	(85)
Realschule	30	10	18	16	15	19	(97)
Fachgymnasium/ Oberstufenzentrum	9	2	23	11	20	12	(65)
Gymnasium	23	48	34	50	39	38	(199)
Griechisches Gymnasium (Lyzeum)	-	26	-	-	-	5	(27)

C = .52   p = .00
* Nur Mädchen und jungen Frauen, die eine Schule besuchen.

Im Herkunftsgruppenvergleich wird die schlechte Platzierung der Mädchen aus Aussiedlerfamilien im Rahmen des gegliederten Schulsystems wie auch das gute Abschneiden der Mädchen mit jugoslawischem und griechischem Hintergrund deutlich. Auf einem – wegen der positiv verschobenen Stichprobe – gehobenen Niveau bilden sich hier tendenziell die Erkenntnisse der eingangs geschilderten Bildungsstatistik und Schulleistungsstudien ab.

425 (45%) derjenigen, die nicht mehr zur Schule gehen, haben sie mit folgendem Abschluss verlassen:

Tabelle 5.3:　Schulabsolventinnen nach erreichtem Bildungsabschluss (in Prozent)

| | Migrationshintergrund | | | | | Gesamt |
	Aussiedl.	griech.	ital.	jugosl.	türk.	
Gesamt	(70)	(77)	(96)	(78)	(104)	100 (425*)
Ohne Abschluss von der Schule abgegangen	9	6	2	7	3	5 (22)
Einfacher Hauptschulabschluss	26	8	25	13	23	19 (82)
Qualifizierender Hauptschulabschluss	4	3	2	8	9	5 (22)
Einfacher Realschulabschluss	14	14	23	13	16	17 (70)
Realschulabschluss mit Qualifikationsvermerk	12	17	20	18	14	16 (69)
Fachhochschulereife	13	12	5	4	6	8 (32)
Gymnasialabschluss/ Abitur	21	35	21	28	24	26 (109)
sonstiges bzw. keine Angabe	1	5	2	9	5	4 (19)

C = .33　p = .01　* Nur Mädchen und junge Frauen, die die Schule bereits verlassen haben.

69 der Mädchen und jungen Frauen, davon die Hälfte Aussiedlerinnen, haben ihren Schulabschluss im Ausland erreicht; die Abschlüsse dieser Mädchen sind überwiegend niedrig.

5.2.2　Soziale Bedingungen des Bildungsniveaus

Aus den Angaben zum höchsten Bildungsabschluss, unabhängig davon, ob er in Deutschland oder im Ausland erworben wurde, bei den Absolventinnen und der derzeitig besuchten Schulform bei den Schülerinnen, wurde die Variable Bildungsniveau gebildet (siehe Instrumentenkonstruktion im Anhang). Die nach oben verzerrte Stichprobe verbessert die Ergebnisse im Verhältnis zu der in Deutschland lebenden Gesamtpopulation von Mädchen und jungen Frauen mit den entsprechenden nationalen Migrationshintergründen: So haben 43 Prozent einen hohen, 40 Prozent einen mittleren und nur 17 Prozent einen niedrigeren Schulabschluss mit bedeutsamen herkunftsspezifischen Unterschieden. Wie aus der Fachliteratur bekannt ist, haben die Mädchen mit griechischem Hintergrund die besten Bildungsvoraussetzungen, gefolgt von denjenigen aus dem ehemaligen Jugoslawien. Über einen besonders niedrigen Schulabschluss verfügen die Mädchen aus Aussiedlerfamilien, selbst wenn – wie in diesem Fall – die aus dem Herkunftsland mitgebrachte Schulbildung in gleicher Weise wie die in Deutschland erworbene eingestuft wird. Hier scheint sich das von Dietz/Roll (1998, S. 62) beschriebene „Sinken der mitgebrachten Schulbildung seit Beginn der Neunziger Jahre" bei den jungen Aussiedlern und Aussiedlerinnen zu spiegeln.

Tabelle 5.4: Bildungsniveau (in Prozent)

| | Migrationshintergrund | | | | | Gesamt |
	Aussiedl.	griech.	ital.	jugosl.	türk.	
Gesamt	(200)	(182)	(183)	(172)	(213)	100 (950)
niedrig	20	10	21	16	20	17 (167)
mittel	47	42	38	36	35	40 (378)
hoch	33	48	41	48	45	43 (405)

C = .15   p = .01

Insgesamt lässt sich festhalten, dass die in diese Untersuchung einbezogenen Mädchen und jungen Frauen zu einem erheblichen Teil gute Schulabschlüsse und damit hohe Potenziale besitzen.

In PISA wird festgestellt, dass der schulische Erfolg von Migrantenkindern ganz erheblich von der im Deutschen erlangten Sprachkompetenz abhängt (Deutsches PISA-Konsortium 2001, S. 279). Im Folgenden soll dieser Zusammenhang an den Daten unserer Untersuchungsgruppe geprüft werden.[154] Betrachtet werden dabei nur die Mädchen und jungen Frauen, die spätestens seit ihrem sechsten Lebensjahr ununterbrochen in Deutschland leben, da sie bezüglich des Spracherwerbs in der Schule annähernd gleiche zeitliche Voraussetzungen aufweisen. Das Bildungsniveau weist einen Zusammenhang mit deutschen Sprachkompetenzen auf, zumindest in Bezug auf die Befragten mit mittlerem und hohem Bildungsniveau.[155] Während Befragte mit hohem Bildungsniveau nur zu sieben Prozent „schlechte" oder „sehr schlechte" Deutschkenntnisse aufweisen, haben 73 Prozent dieser Gruppe „gute" oder „sehr gute" Deutschkenntnisse. Anders ist dies in der Gruppe mit niedrigem Bildungsniveau. Hier gibt eine nahezu gleich große Gruppe an, „schlechte" oder „sehr schlechte" Deutschkenntnisse zu besitzen (22%) wie „gute" oder „sehr gute" (28%).

Tabelle 5.5: Bildungsniveau und Sprachkompetenz im Deutschen (Index) (in Prozent)

| | Sprachkompetenzen | | | |
	(sehr) schlechte	mittlere	(sehr) gute	Gesamt
Gesamt	(63)	(161)	(363)	100 (587*)
niedrig	22	50	28	100 (85)
mittel	11	28	61	100 (229)
hoch	7	20	73	100 (273)

r = .29   p = .00
* Nur Mädchen und junge Frauen, die spätestens seit ihrem sechsten Lebensjahr ununterbrochen in Deutschland leben.

---

154 Zur Messung von Sprachkompetenz in der deutschen Sprache siehe Anhang zu Kapitel 6; siehe zu diesem Aspekt auch detaillierter Kapitel 6.
155 Von Below (2003, S. 86) sieht in sehr guten deutschen Sprachkenntnissen den gemessen an allen anderen Faktoren wichtigsten Einfluss auf die Teilhabe an höherer Bildung. In ihren Daten drückt sich dies in einer großen Bedeutung sehr guter Sprachkenntnisse aus.

Neben deutschen Sprachkenntnissen gilt das Zuzugsalter der Kinder und Jugendlichen mit Migrationshintergrund als weiterer Einflussfaktor auf das Bildungsniveau (z.B. Esser 1990a, S. 143; Esser 2001, S. 60). Mit einem frühen Eintritt in das deutsche Schulsystem wird die Vorstellung größerer Erfolgschancen verbunden. Dieser Befund wird nicht ganz bestätigt. Die von uns befragten Mädchen und jungen Frauen, die in Deutschland geboren sind, haben zwar häufiger ein hohes (48%) und seltener ein niedriges (15%) Bildungsniveau; aber auch bei denjenigen, die zwischen dem siebten und 12. Lebensjahr – also überwiegend im Grundschulalter – eingereist sind, anders als bei denjenigen, die erst in höherem Alter nach Deutschland kamen, hat ein ebenfalls großer Anteil von 41 Prozent ein hohes Bildungsniveau erreicht und lediglich 19 Prozent weisen ein niedriges Bildungsniveau auf. Allerdings scheint die schulische Eingliederung nach dem 13. Lebensjahr, also im Verlauf der Eingliederung in die Sekundarstufe I, problematischer zu verlaufen, denn hier zeigen sich mit 29 Prozent die niedrigsten Anteile an Personen mit einem hohen Bildungsniveau und mit 28 Prozent die höchsten Anteile an denjenigen mit einem niedrigen Bildungsniveau. Daraus ließe sich die Hypothese ableiten, dass es der Grundschule leichter gelingt, diese Schülerinnenklientel einzugliedern, als dies im sehr stark differenzierenden System der Sekundarstufe I der Fall ist. Allerdings könnte dieses Ergebnis auch durch die schlechten Bildungsvoraussetzungen (mit)verursacht sein, die die Mädchen und jungen Frauen aus Aussiedlerfamilien aus dem Herkunftsland mitbringen. Sie machen einen erheblichen Teil der Seiteneinsteigerinnen aus.

Tabelle 5.6: Bildungsniveau und Migrationsbiographie (in Prozent)

	Migrationsbiographie					
	seit Geburt ununterbrochen in der BRD gelebt	spätestens seit Ende des 6. Lj. in der BRD gelebt	seit 7. bis einschl. 12. Lj. in der BRD gelebt	seit 13. Lj. in der BRD gelebt	gependelt	Gesamt
Gesamt	(492)	(95)	(176)	(142)	(45)	100 (950)
niedrig	15	14	19	28	22	18 (167)
mittel	37	50	40	44	36	40 (378)
hoch	48	37	41	29	42	43 (405)

C = .17   p = .00

Bezogen auf die gesamte Schüler- und Schülerinnenpopulation in Deutschland sind eines der wichtigsten Ergebnisse der PISA-Studie die – auch im internationalen Vergleich besonders auffälligen – Disparitäten zwischen Kindern aus Arbeiterfamilien und Kindern aus höheren sozialen Schichten vor allem beim Zugang zum Gymnasium. Angesichts der Tatsache, dass sich (Deutsches PISA-Konsortium 2001, S. 379ff.) die Sozialstruktur der ausländischen Bevölkerung deutlich von derjenigen der deutschen Bevölkerung unterscheidet – so sind fast zwei Drittel der nicht in Deutschland geborenen Eltern von Migrantenkindern als Arbeiter und Arbeiterinnen, knapp die Hälfte von ihnen wiederum als angelernte Kräfte tätig – sind größere

Anteile von der Ungleichheit im Bildungssystem betroffen als es bei der autochthonen Population der Fall ist.

Auch in unserer Befragtengruppe zeigt sich ein Zusammenhang zwischen dem Bildungsniveau und dem sozialen Status der Herkunftsfamilie. Auffällig ist gleichzeitig, dass ein erheblicher Anteil der Töchter aus Familien mit sehr niedrigem sozialen Status ein hohes Bildungsniveau erreicht. Hier zeigt sich eine große Aufwärtsmobilität der jungen Frauen mittels Bildung. Damit wird der Befund der eingangs vorgestellten, überwiegend qualitativen Studien zur Bildungsmotivation von Mädchen und jungen Frauen aus Migrationsfamilien durch quantitative Daten bestätigt.

Tabelle 5.7:   Bildungsniveau und sozialer Status der Herkunftsfamilie (Index)
               (in Prozent)

	Sozialer Status der Herkunftsfamilie					
	sehr niedrig	niedrig	mittelmäßig	hoch	sehr hoch	Gesamt
Gesamt	(458)	(174)	(112)	(114)	(92)	100 (950)
niedrig	23	16	12	10	8	18 (167)
mittel	41	43	37	39	32	40 (378)
hoch	36	41	51	51	60	42 (405)

C = .19   p = .00

Nauck/Diefenbach/Petri (1998, S. 719) stellen fest, dass die Bildungsbenachteiligung von bestimmten Migrationsgruppen im deutschen Bildungssystem nicht auf kulturelle Merkmale oder Diskriminierungseffekte zurückzuführen sei, sondern auf die im Zuge der Migration stattfindende Entwertung des von der Familie aus dem Herkunftsland mitgebrachten kulturellen Kapitals (vgl. auch Esser 2001, S. 60). Anhand einer Gegenüberstellung des Schulbildungsniveaus der Eltern – getrennt nach Mutter und Vater – mit demjenigen der Mädchen und jungen Frauen soll im Folgenden diese These von der Entwertung des kulturellen Kapitals der Elterngeneration im Hinblick auf unser Sample überprüft werden:

Tabelle 5.8:   Bildungsniveau der Tochter und Bildungsniveau der Mutter (in Prozent)

der Tochter	Bildungsniveau der Mutter				
	niedrig	mittel	gehoben	hoch	Gesamt
Gesamt	(409)	(382)	(61)	(98)	100 (950*)
niedrig	24	14	5	12	18 (167)
mittel	40	41	36	37	40 (378)
hoch	36	45	59	51	42 (405)

C = .18   p = .01

* 115 Mädchen und junge Frauen haben auf die Frage nach der Bildung der Mutter keine Antwort gegeben. Sie wurden in die Kategorie „niedriges Bildungsniveau" eingeordnet; die Verteilung in dieser Kategorie nach dem Bildungsniveau der Tochter verändert sich nur geringfügig.

Tabelle 5.9: Bildungsniveau der Tochter und Bildungsniveau des Vaters (in Prozent)

der Tochter	Bildungsniveau des Vaters				
	niedrig	mittel	gehoben	hoch	Gesamt
Gesamt	(408)	(373)	(70)	(99)	100 (950*)
niedrig	24	15	13	5	18 (167)
mittel	40	41	41	33	40 (378)
hoch	36	44	46	62	42 (405)

C = .19   p = .00

* 163 Mädchen und junge Frauen haben auf die Frage nach der Bildung des Vaters keine Antwort gegeben. Sie wurden in die Kategorie „niedriges Bildungsniveau" eingeordnet; die Verteilung in dieser Kategorie nach dem Bildungsniveau der Tochter verändert sich nur geringfügig.

Es zeigt sich, dass ein hohes bzw. gehobenes Bildungsniveau der Mutter wie auch des Vaters ein ebenfalls hohes Bildungsniveau der Tochter deutlich begünstigt.[156] Nur sehr abgeschwächt findet sich dieser Trend in umgekehrter Form beim niedrigen Bildungsniveau wieder. Immerhin 36 Prozent der Väter wie auch der Mütter mit einem niedrigen Bildungsniveau haben Töchter mit einem hohen Bildungsniveau. Die eingangs geschilderten hohen Bildungsaspirationen der Töchter sowie diejenigen der Eltern – so die Ergebnisse von Untersuchungen, in denen Eltern befragt wurden – schlagen sich in diesen auch bei niedrigen Bildungsvoraussetzungen im Elternhaus noch beachtlichen Zahlen eines mittleren und hohen Bildungsniveaus der Töchter nieder. Der Befund bestätigt die eingangs auf der Basis früherer, vor allem qualitativer Untersuchungen geschilderten Untersuchungsergebnisse zu hohen Aufstiegsorientierungen unter Mädchen und jungen Frauen mit Migrationshintergrund und lässt vermuten, dass auch Eltern mit niedrigen eigenen Bildungsvoraussetzungen die Bildungsorientierungen ihrer Töchter stützen.

5.3 Bildungsbiographien

Ausgehend von dem geschilderten aktuellen Stand der Schullaufbahn und des erreichten Bildungsniveaus, sollen im Folgenden die Bildungsbiographien rekonstruiert werden. Dabei werden Daten zum Kindergartenbesuch, zur Häufigkeit von Brüchen in der Bildungsbiographie durch Klassenwiederholungen oder Schulformwechsel sowie zur Unterstützungsleistung von schulischen, familiären und außerfamiliären Institutionen und dem Migrationsanteil in der besuchten vierten und neunten Schulklasse präsentiert und zu den Bildungsbiographien in Bezug gesetzt.

---

156 Auch von Below (2003, S. 83) stellt bezogen auf ihr Sample fest, „dass für alle Befragten das Bildungsniveau der Eltern einen hoch signifikanten Einfluss auf das Erreichen der (Fach-)Hochschulreife hat". Es kann ihr darin gefolgt werden, dass diese Daten die durch die PISA-Studie vieldiskutierte starke Rolle der sozialen Reproduktion des Bildungsstatus in Deutschland bestätigen.

5.3.1 Besuch von Kindergarten oder Kindertagesstätte

In der Diskussion um die Bildungssituation von Migrantenkindern wird stets dem Elementarbereich als erste Stufe des Bildungssystems besondere Bedeutung zugemessen. Ihm wird die Aufgabe übertragen, die Kinder „fit für die Schule" zu machen, was in Bezug auf Kinder mit Migrationshintergrund vor allem bedeutet, ihnen deutsche Sprachkenntnisse so weit zu vermitteln, dass sie möglichst ohne weitere Förderung dem Regelunterricht in der Grundschule folgen können. So wurden als Reaktion auf die schlechten PISA-Ergebnisse für Deutschland und hier insbesondere die festgestellten Probleme von Kindern mit Migrationshintergrund in der deutschen Sprache von Seiten der Kultusministerkonferenz Maßnahmen „zur Verbesserung der Sprachkompetenz bereits im vorschulischen Bereich" beschlossen (vgl. Kultusministerkonferenz 2001). In diesem Zusammenhang wurde auch die Einsetzung einer Bund-Länder-Initiative für Förderunterricht in Deutsch bereits im Kindergarten vorgeschlagen. Angesichts der mangelhaften Sprachkenntnisse bei Kindern von Einwanderern und Einwanderinnen, aber auch Deutschen müsse Sprachförderung bereits im Kindergarten beginnen, denn – so die offizielle bildungspolitische Verlautbarung – „Wenn die Kinder in die Schule kommen, müssen sie die deutsche Sprache beherrschen" (vgl. Deutsche Presse-Agentur 2002). Vor diesem Hintergrund ist die Frage, wie die befragten Mädchen mit Migrationshintergrund ihre Bildungslaufbahn begonnen haben, von besonderem Interesse. Zunächst geht es darum, ob die Mädchen und jungen Frauen in Deutschland oder im Herkunftsland einen Kindergarten oder eine vergleichbare Einrichtung besucht haben und für welchen Zeitraum dies geschah. Dabei ist zu berücksichtigen, dass zu der Zeit, als die Mädchen und jungen Frauen im Kindergartenalter waren, in Deutschland noch kein Rechtsanspruch auf einen Kindergartenplatz ab Vollendung des dritten Lebensjahrs bestand. Zunächst soll ein Blick auf die Gesamtgruppe geworfen werden, d.h. die folgende Tabelle beinhaltet auch diejenigen, die nicht in Deutschland sondern im Herkunftsland einen Kindergarten besucht haben.

Lediglich 13 Prozent der Befragten hat weder im Herkunftsland der Familie noch in Deutschland einen Kindergarten besucht. Dies gilt mit 34 Prozent in auffällig hohem Maße für Mädchen und junge Frauen mit jugoslawischem Hintergrund, gefolgt von 20 Prozent der Mädchen und jungen Frauen mit türkischem Hintergrund.[157] Für die befragten jungen Frauen aus Aussiedlerfamilien, die zu dieser frühen Phase ihrer Kindheit überwiegend im Herkunftsland gelebt haben, war der Kindergartenbesuch eine Selbstverständlichkeit, 89 Prozent von ihnen haben eine solche Einrichtung besucht.

---

157 Von Below stellt hinsichtlich ihres Samples von 18- bis 30-Jährigen deutschen, italienischen und türkischen männlichen und weiblichen Befragten fest, dass deutsche zu 80 Prozent, italienische zu 70 Prozent und türkische Befragte lediglich zu knapp 60 Prozent einen Kindergarten in Deutschland besucht haben (von Below 2003, S. 66). Die Tendenz, dass italienische Befragte häufiger einen Kindergarten besucht haben als türkische stimmt mit unseren Daten überein. Die Befunde lassen sich aber nicht direkt miteinander vergleichen, da der BiB-Ausländersurvey nicht nach besuchten Jahren differenziert und lediglich zwei Gruppen unterscheidet: diejenigen, die einen Kindergarten in Deutschland besucht haben und diejenigen, die hier keinen Kindergarten besucht haben. Über Besuchszeiten einer solchen Einrichtung im Herkunftsland liegen in dieser Untersuchung keine Daten vor.

Tabelle 5.10: Kindergartenbesuch (in Prozent)

| | Migrationshintergrund | | | | | Gesamt |
	Aussiedl.	griech.	ital.	jugosl.	türk.	
Gesamt	(200)	(182)	(183)	(172)	(213)	100 (950)
keinen Kindergarten besucht	6	2	3	34	20	13 (126)
ein Jahr in Deutschland besucht	2	7	8	2	15	7 (66)
zwei Jahre in Deutschland besucht	2	13	15	11	19	12 (112)
drei Jahre in Deutschland besucht	1	34	54	28	35	30 (284)
in Deutschland besucht, aber weiss nicht wie lange	-	21	10	6	9	9 (88)
im Herkunftsland besucht	89	23	10	19	2	29 (274)

C = .63   p = .00

Ein Blick auf den Beginn der Bildungslaufbahnen für die Mädchen und jungen Frauen, die in Deutschland geboren wurden und anschließend ununterbrochen hier gelebt haben (N = 491) macht deutlich, dass die Hälfte drei Jahre, 16 Prozent zwei und 10 Prozent ein Jahr einen Kindergarten besucht haben. 14 Prozent können sich zwar an einen Kindergartenbesuch erinnern, nicht aber an die Dauer. Lediglich zehn Prozent haben keinen Kindergarten besucht. Das heißt, 90 Prozent der Mädchen und jungen Frauen, die zum Befragungszeitpunkt im Alter von 15-21 Jahren waren, haben bereits lange vor der Einführung des Rechtsanspruchs auf einen Kindergartenplatz diese Einrichtung eine gewisse Zeit besucht.[158] Dieses Ergebnis entspricht nicht den gängigen Vorstellungen von einer Distanz der Migranteneltern gegenüber diesem vorschulischen Bildungsangebot.

---

158 Vergleichsdaten hinsichtlich des Kindergartenbesuch bei Deutschen vor der Einführung des Rechtsanspruchs machen deutlich, dass z.B. im Jahr 1995 ca. 71% der drei- bis sechseinhalbjährigen Kinder einen Kindergarten bzw. Hort besuchten (Bellenberg 2001, S. 32).

Tabelle 5.11: Kindergartenbesuch in Deutschland (in Prozent)

	Migrationshintergrund				
	griech.	ital.	jugosl.	türk.	Gesamt
Gesamt	(95)	(140)	(79)	(177)	100 (491*)
keinen Kindergarten besucht	2	2	15	17	10 (48)
ein Jahr	4	9	4	16	10 (47)
zwei Jahre	13	17	16	16	16 (78)
drei Jahre	51	60	57	40	50 (247)
besucht, aber weiss nicht wie lange	30	12	8	11	14 (71)

C = .37   p = .00

* Nur Mädchen und junge Frauen, die in Deutschland geboren sind und ununterbrochen hier gelebt haben. Dabei wurden Mädchen aus Aussiedlerfamilien nicht berücksichtigt.

Aus der Praxis verlautet immer wieder die Klage, dass insbesondere türkische Eltern ihre Kinder erst ein Jahr vor Schuleintritt in den Kindergarten bringen; damit sei die Zeit für eine Vorbereitung auf die Schule zu knapp. Tatsächlich weisen nach der Literatur Eltern mit Migrationshintergrund und deutsche Eltern verschiedene Nachfrageprofile auf: „Bei Zugewanderten sind Nachfrage und Belegung im Hortbereich höher als bei Deutschen. Deutsche Familien sind hingegen stärker an Plätzen für unter Dreijährige interessiert" (BMFSFJ 2002, S. 213). Für die von uns befragte Mädchenpopulation kann die These von sehr kurzen Zeiten des Besuchs von Kindertageseinrichtungen nicht bestätigt werden. Immerhin 56 Prozent der Mädchen und jungen Frauen türkischer Herkunft haben den Kindergarten zwei Jahre oder länger besucht. Im Herkunftsgruppenvergleich zeigt sich allerdings, dass die anderen Gruppen häufiger als die türkische eine längere Verbleibdauer im Kindergarten aufweisen. Die türkische Herkunftsgruppe weist mit 17 Prozent vor der jugoslawischen mit 15 Prozent auch am meisten Befragte auf, die keinen Kindergarten besucht haben.

Im Folgenden wird die Beziehung zwischen dem Kindergartenbesuch und dem Schulbildungsniveau untersucht; dabei werden auch Besuchszeiten im Herkunftsland berücksichtigt. Zwischen dem Besuch eines Kindergartens und dem erreichten Bildungsniveau gibt es einen deutlichen Zusammenhang. Den größten Anteil an denjenigen, die den Kindergarten drei Jahre lang besucht haben, machen mit 51 Prozent die Mädchen und jungen Frauen aus, die ein hohes Bildungsniveau vorweisen können. Nur neun Prozent der „Langzeitbesucherinnen" dieser Einrichtung haben ein niedriges Bildungsniveau. Als überraschend darf jedoch das Ergebnis bewertet werden, dass immerhin 37 Prozent derjenigen, die ihn nie besucht haben, ein hohes und 42 Prozent ein mittleres Bildungsniveau aufweisen. Mädchen mit mittlerem Bildungsniveau sind ebenso häufig unter denjenigen zu finden, die keinen Kindergarten besucht haben, wie unter denjenigen, die drei Jahre in dieser Einrichtung verblieben sind. Offenbar haben bei Befragten mit mittlerem und hohem Bildungsniveau andere Effekte die fehlenden Kindergartenbesuchszeiten kompensiert.

Tabelle 5.12: Bildungsniveau und Besuch eines Kindergartens (in Prozent)

	Besuch eines Kindergartens			
	kein Besuch	ein bis zwei Jahre	drei Jahre	Gesamt
Gesamt	(488)	(178)	(284)	100 (950)
Niedrig	21	21	9	18 (167)
Mittel	42	35	40	40 (378)
Hoch	37	44	51	42 (405)

C = .16   p = .00

Werden nur die Mädchen und jungen Frauen berücksichtigt, die in Deutschland geboren wurden und ununterbrochen gelebt haben, werden die Zusammenhänge deutlicher. Mit steigenden Kindergartenbesuchszeiten steigt das Bildungsniveau, auch wenn ein beachtlicher Teil derjenigen, die keinen Kindergarten besucht haben, ein mittleres (38%) und sogar ein hohes (42%) Bildungsniveau erreicht hat.

Tabelle 5.13: Bildungsniveau und Besuch eines Kindergartens (in Prozent)

	Besuch eines Kindergartens			
	kein Besuch	ein bis zwei Jahre	drei Jahre	Gesamt
Gesamt	(119)	(125)	(247)	100 (491*)
niedrig	20	22	8	15 (72)
mittel	38	34	39	37 (182)
hoch	42	44	53	48 (237)

C = .19   p = .00

* Nur Mädchen und junge Frauen, die in Deutschland geboren sind und ununterbrochen hier gelebt haben. Dabei wurden Mädchen aus Aussiedlerfamilien nicht berücksichtigt.

Zwischen dem ein- bis zweijährigem Besuch eines Kindergartens und keinem Besuch dieser Einrichtung ist kein Unterschied in den Effekten auf das Bildungsniveau festzustellen. Das heißt: Erst ein dreijähriger Besuch des Kindergartens erhöht die Chance der in Deutschland geborenen Mädchen und jungen Frauen ein niedriges Schulbildungsniveau zu überwinden (r = .15).

5.3.2 Brüche in der Bildungsbiographie: Klassenwiederholungen

Es ist bekannt und in der Diskussion um den Schulerfolg von Schülern und Schülerinnen mit Migrationshintergrund vielfach dargestellt worden, dass diese Gruppe sich zu einem nicht unerheblichen Teil in einer nicht altersgemäßen Klasse befindet. Die PISA-Erhebung hat diesen Befund nochmals bestätigt. Die große Zahl an Klassenwiederholungen wurde zu Beginn der Diskussion um den Schulerfolg von Schülern und Schülerinnen mit Migrationshintergrund auf die Seiteneinsteiger und Seiteneinsteigerinnen zurückgeführt, die wegen fehlender oder unzureichender deutscher Sprachkenntnisse manchmal um mehrere Jahre zurückgestuft wurden. Heute greift dieser Erklärungsansatz nicht mehr.[159] Obgleich heute der überwiegende Teil der Schüler und Schülerinnen mit Migrationshintergrund das deutsche Schulsystem voll durchlaufen hat, ist das Problem des, gemessen an den deutschen Schülern und Schülerinnen weitaus höheren Anteils an Wiederholern und Wiederholerinnen nach wie vor vorhanden (vgl. Karakaşoğlu-Aydın 2001b, S. 284).

Wegen der besonderen Bedeutung von Rückstufungen und Klassenwiederholungen wurde sehr differenziert nach diesem Sachverhalt gefragt, so dass sich aus unseren Daten rekonstruieren lässt, wie häufig in welcher Klassenstufe die Mädchen und jungen Frauen wiederholt haben. Es zeigt sich, dass auch bei unserer vergleichsweise „positiv" ausgelesenen Befragtengruppe Klassenwiederholungen (Zurückstellung und Sitzen bleiben) Schicksal eines erheblichen Teils der Mädchen und jungen Frauen mit Migrationshintergrund sind:

Tabelle 5.14: Klassenwiederholerinnen (in Prozent)

| | Migrationshintergrund | | | | | Gesamt | |
	Aussiedl.	griech.	ital.	jugosl.	türk.		
Gesamt	(200)	(182)	(183)	(172)	(213)	100	(950)
keinmal	44	72	65	77	56	62	(591)
einmal	29	24	30	15	34	27	(254)
zwei- bzw. dreimal	4	1	4	2	9	4	(39)
trifft nicht zu, da Schule im Ausland besucht	23	3	1	6	1	7	(66)

C = .38   p = .00

Nur 44 Prozent der Mädchen aus Aussiedlerfamilien und 56 Prozent der Mädchen mit türkischem Hintergrund haben ihre Schullaufbahn zum Zeitpunkt der Untersuchung ohne Wiederholungen bewältigt. Im deutschen Schulsystem hängen geblieben sind vor allem die Mädchen mit türkischem Hintergrund (43%). Der Abstand zu der nächst betroffenen Gruppe, den Mädchen mit italienischem Hintergrund (34%) ist beachtlich.

Auffällig ist – bei allerdings geringer Zahl – dass Mädchen mit türkischem Hintergrund häufiger als die übrigen in der Oberstufe Wiederholerinnen werden:

---

159 Zur pädagogischen Maßnahme des Klassenwiederholens gibt es eine umfangreiche wissenschaftliche Literatur, deren Ergebnisse sich in der Feststellung bündeln lassen, dass der Erfolg der Maßnahme sowohl hinsichtlich einer Verbesserung der schulischen Leistungen des Wiederholers und der Wiederholerin als auch der angestrebten Lerngruppenhomogenisierung in der Klasse bezweifelt werden darf (Bellenberg 1999, S. 67ff.).

Tabelle 5.15: Klassenwiederholungen in der deutschen Schule (in absoluten Zahlen)

| | Migrationshintergrund | | | | | Gesamt |
	Aussiedl.	griech.	ital.	jugosl.	türk.	
Gesamt	71	53	72	36	111	343*
Grundschule	13	11	21	12	30	87
5. und 6. Klasse	13	7	8	4	10	42
Sekundarstufe I	41	24	30	11	40	146
Sekundarstufe II	4	5	7	5	23	44
ohne Angabe der Stufe	-	6	6	4	8	24

* Hier wird nicht auf die einzelnen Mädchen und junge Frauen abgestellt, sondern auf die Zahl der Wiederholungen in der deutschen Schule insgesamt. Dabei werden mehrfache Wiederholungen in einer Schulstufe nur einmal gezählt. Die Zahl entspricht daher nicht der Anzahl der Klassenwiederholungen insgesamt in der deutschen Schule (N = 357). Es liegen 14 Fälle vor, die mindestens zweimal in der Grundschule, Sek. I oder Sek. II sitzen geblieben sind.

Nicht unbeachtlich sind die Unterschiede zwischen Absolventinnen auf der einen und Schülerinnen auf der anderen Seite – hier bezogen auf die Personendaten. Auf die Personen bezogen beträgt der Anteil der Klassenwiederholerinnen bei den Absolventinnen 33 Prozent (Sitzenbleiberinnenquote), hingegen liegt er bei den Schülerinnen bei 38 Prozent, wobei sich der Anteil noch erhöhen könnte, da sie ihre Schullaufbahn noch nicht abgeschlossen haben. Besonders häufig wiederholen sowohl die Absolventinnen als auch die Schülerinnen in der Sekundarstufe I. Dabei gibt es prägnante Unterschiede zwischen den Herkunftsgruppen, sowohl bei den Schülerinnen als auch bei den Absolventinnen. Während bei den Absolventinnen, wie die nächste Tabelle zeigt, die Wiederholerinnenquote der jungen Aussiedlerinnen bei 23 Prozent liegt, und somit die niedrigste im Herkunftsgruppenvergleich ist, liegt sie bei den Schülerinnen der gleichen Herkunftsgruppe bei 53 Prozent und ist damit im Herkunftsgruppenvergleich die höchste. Eine so große Diskrepanz zwischen Absolventinnen und Schülerinnen gibt es in den anderen Gruppen nicht, was daran liegen dürfte, dass bei den Aussiedlerinnen ein erheblicher Anteil der Absolventinnen die Schullaufbahn im Herkunftsland durchlaufen hat. In beiden Kategorien schneiden die Mädchen und jungen Frauen türkischer Herkunft besonders schlecht (Absolventinnen 44%, Schülerinnen 50%), die mit jugoslawischem Hintergrund in beiden Kategorien hingegen besonders gut ab (24% bei den Absolventinnen, 18% bei den Schülerinnen). Vor dem Hintergrund der Erkenntnisse über die negativen Auswirkungen des „Sitzenbleibens" in der Grundschule und damit deutlich eingeschränkte Chancen auf den Besuch einer weiterführenden Schule (Realschule oder Gymnasium) sind die auch noch relativ häufigen Klassenwiederholungen (Zurückstellungen wurden nicht gesondert erhoben, sondern sind in die Nennung der Klassenwiederholungen eingegangen) in der Grundschule, insbesondere bei den Befragten mit türkischem und italienischem Hintergrund, als schwerwiegend und folgenreich zu bewerten.

Tabelle 5.16: Klassenwiederholerinnen bei Absolventinnen nach Schulstufen
(in absoluten Zahlen)

Migrationshintergrund						
	Aussiedl.	griech.	ital.	jugosl.	türk.	Gesamt
Grundschule	(1)	(4)	(11)	(5)	(11)	(32)
5. und 6. Klasse	(4)	(7)	(1)	(2)	(2)	(16)
Sekundarstufe I (7. bis 10. Klasse)	(7)	(9)	(10)	(4)	(16)	(46)
Sekundarstufe II (11. bis 13. Klasse)	-	(1)	(4)	(3)	(7)	(15)
ohne Angabe der Stufe	-	(3)	(3)	(1)	(5)	(12)
mindestens einmal in je 2 verschiedenen Schulstufen	(1)	(1)	(3)	(2)	(4)	(11)
Klassenwieder- holerinnen insgesamt	(13)	(25)	(32)	(17)	(45)	(132)
Absolventinnen insgesamt	(56)	(73)	(95)	(70)	(102)	(396)
Sitzenbleiberinnen- quote	23%	34%	34%	24%	44%	33%

Tabelle 5.17: Klassenwiederholerinnen bei Schülerinnen nach Schulstufen
(in absoluten Zahlen)

Migrationshintergrund						
	Aussiedl.	griech.	ital.	jugosl.	türk.	Gesamt
Grundschule	(10)	(6)	(8)	(6)	(12)	(42)
5. und 6. Klasse	(5)	-	(5)	(2)	(4)	(16)
Sekundarstufe I (7. bis 10. Klasse)	(29)	(13)	(16)	(5)	(17)	(80)
Sekundarstufe II (11. bis 13. Klasse)	(3)	(3)	(3)	(1)	(10)	(20)
ohne Angabe der Stufe	-	(3)	(3)	(3)	(3)	(12)
mindestens einmal in 2 verschiedenen Schulstufen	(5)	(1)	(1)	-	(8)	(15)
Klassenwieder- holerinnen insgesamt	(52)	(26)	(36)	(17)	(54)	(185)
Schülerinnen insgesamt	(98)	(103)	(87)	(92)	(108)	(488)
Sitzenbleiberinnen- quote	53%	25%	41%	18%	50%	38%

In der Tendenz stimmen die Ergebnisse mit den Daten der PISA-Studie überein. Hier wird festgestellt, dass in Deutschland relativ viele Schüler und Schülerinnen bei der Einschulung zunächst um ein Jahr zurückgestellt werden (rund 12%) und dass der Anteil der Schüler und Schülerinnen, die eine Klasse wiederholen müssen, in Deutschland besonders hoch ist (rund 24%). Wenn aus Zurückgestellten und Wiederholern eine Gruppe gebildet wird, dann kommt man für die alten Bundesländer auf einen Anteil von 32 Prozent aller 15-Jährigen, d.h. ein Drittel aller in Westdeutschland erfassten Jugendlichen hat die Schule nur mit einer zeitlichen Verzögerung durchlaufen können (Deutsches PISA-Konsortium 2002, S. 206f.). Dabei ist geschlechtsspezifisch zu differenzieren, so haben etwa 35 Prozent der Jungen, aber nur 26 Prozent der Mädchen mindestens ein Jahr durch Zurückstellung vor der Einschulung oder Klassenwiederholung verloren (ebenda, S. 230). [160]

Nach unserer Untersuchung ist die Zahl – trotz der Verzerrung zu Gunsten Bildungserfolgreicher – mit 33 (bei Absolventinnen) bzw. 38 Prozent (bei Schülerinnen) deutlich höher.

Wie zu erwarten, haben Mädchen mit hohem Bildungsniveau seltener eine Klasse wiederholt, dennoch verläuft auch für einen Teil derjenigen, die am Schluss ein hohes Niveau erreichen, die Schulkarriere keineswegs reibungslos; dieses gilt auch für in Deutschland geborene Mädchen und junge Frauen.

Tabelle 5.18: Klassenwiederholerinnen in Deutschland nach Bildungsniveau (in Prozent)

N = 950	Bildungsniveau					
	niedrig		mittel		hoch	
	in BRD geboren	zuge- wandert	in BRD geboren	zuge- wandert	in BRD geboren	zuge- wandert
Gesamt	(72)	(95)	(182)	(196)	(238)	(167)
keinmal sitzen geblieben	43	48	60	48	70	72
einmal sitzen geblieben	49	46	38	48	24	26
mindestens zweimal sitzen geblieben	8	6	2	4	6	2

Von den Mädchen und jungen Frauen, die in Deutschland geboren sind, sind 30 Prozent derjenigen mit einem hohen Bildungsniveau mindestens einmal sitzen geblieben. Dies gilt für 40 Prozent derjenigen mit einem mittleren und 57 Prozent derjenigen mit einem niedrigen Bildungsniveau. Von den Mädchen, die zugewandert sind und ein hohes Bildungsniveau haben, sind 28 Prozent mindestens einmal sitzen geblieben, dies gilt für 52 Prozent derjenigen mit einem mittleren und niedrigen Bildungsniveau.

Für die in Deutschland geborenen Mädchen und jungen Frauen (N = 532) gilt, dass der Kindergartenbesuch – auch wenn er drei Jahre dauerte – nicht vor Klassen-

---

160 Kinder aus Migrationsfamilien werden zu 22 Prozent zurückgestellt und müssen zu 41 Prozent wiederholen. Hingegen sind es bei den Schülern mit Deutsch als Muttersprache nur sieben bzw. 21 Prozent (Deutsches PISA-Konsortium 2002, S. 207).

wiederholungen schützt. 40 Prozent der Mädchen und jungen Frauen, die keinen Kindergarten besucht haben, sind mindestens einmal sitzen geblieben, aber auch 35 Prozent derjenigen, die drei Jahre einen Kindergarten besucht haben, ereilte dieses Schicksal. Die Unterschiede sind nicht signifikant.

5.3.3 Bildungslaufbahn

Aus den bisher vorgestellten Daten zu der Dauer des Kindergartenbesuchs, den Klassenwiederholungen und dem Schulbildungsniveau wurde der Index „Bildungslaufbahnen" (siehe Instrumentenkonstruktion im Anhang) gebildet. Mit ihm lassen sich negative sowie positive Bildungsverläufe ausdrücken. Es zeigen sich große Unterschiede zwischen den Mädchen in Abhängigkeit der nationalen Herkunft.

Tabelle 5.19: Bildungslaufbahn nach Migrationshintergrund (in Prozent)

| | Migrationshintergrund | | | | | Gesamt | |
	Aussiedl.	griech.	ital.	jugosl.	türk.		
Gesamt	(200)	(182)	(183)	(172)	(213)	100	(950)
sehr schlechter Verlauf	51	9	12	23	17	23	(217)
eher schlechter Verlauf	26	23	20	17	23	22	(208)
mittlerer Verlauf	20	25	19	27	27	24	(226)
eher guter Verlauf	2	28	32	19	23	20	(193)
sehr guter Verlauf	1	15	17	14	10	11	(106)

$C = .41$ $p = .00$

Wie zu erwarten war, kostet die späte Einreise (überwiegend nach dem 13. Lebensjahr und somit erst im Verlauf der Sekundarstufe I) die Mädchen und jungen Frauen aus Aussiedlerfamilien Chancen in der Bildungslaufbahn. Aber auch für die Mädchen und jungen Frauen mit türkischem und jugoslawischem Hintergrund sind Barrieren aufgestellt. Zumindest bei den Mädchen und jungen Frauen mit jugoslawischem Hintergrund muss auch davon ausgegangen werden, dass sich der Anteil an Seiteneinsteigerinnen, die im Zuge der Balkankriege der 90er Jahre nach Deutschland kamen, auswirkt. Besonders positiv ist der Bildungsverlauf von Mädchen mit griechischem Hintergrund.

Werden nur die Mädchen und jungen Frauen berücksichtigt, die in Deutschland geboren wurden und die deutsche Schule vollständig durchlaufen haben – Aussiedlerinnen bleiben unberücksichtigt – werden die Unterschiede zwischen den verschiedenen Migrationshintergründen noch deutlicher:

Tabelle 5.20: Bildungslaufbahn nach Migrationshintergrund (in Prozent)

| | Migrationshintergrund | | | | |
	griech.	ital.	jugosl.	türk.	Gesamt
Gesamt	(95)	(140)	(79)	(177)	100 (491*)
sehr schlechter Verlauf	2	8	11	12	9 (43)
eher schlechter Verlauf	16	17	4	23	17 (83)
mittlerer Verlauf	26	20	20	29	24 (120)
eher guter Verlauf	33	35	36	24	31 (151)
sehr guter Verlauf	23	20	29	12	19 (94)

C = .27   p = .00

* Nur Mädchen und junge Frauen, die in Deutschland geboren sind und ununterbrochen hier gelebt haben. Dabei wurden Mädchen aus Aussiedlerfamilien nicht berücksichtigt.

Diskontinuitäten und negative Bedingungen in der Bildungslaufbahn erleben Mädchen mit türkischem Hintergrund am häufigsten. Bei letzteren verläuft bei jeweils einem Drittel die Bildungslaufbahn positiv wie negativ.

5.4 Ethnische Zusammensetzung der Schülerschaft und Bildungsniveau

Trotz unzureichender Datengrundlage (so wurden bei PISA keine Klassenverbände befragt, sondern jahrgangsbezogene Schülerstichproben) wurde ein Befund der PISA-Studie in der Medienöffentlichkeit besonders hervorgehoben.[161] Es handelt sich um den (nicht linearen) Zusammenhang zwischen dem Anteil an Schülern und Schülerinnen mit Migrationshintergrund in der Schule und die Leistungsfähigkeit der Schülerschaft. Bei einem Anteil von 20 Prozent Migranten und Migrantinnen in der Schule findet, so PISA-E, eine „sprunghafte Reduktion der mittleren Leistungen auf Schulebene statt" relativ zu Schulen mit weniger als fünf Prozent Migrantenanteil. Bei einem zusätzlichen Anstieg auf 40 Prozent Migrantenanteil findet allerdings keine weitere Verminderung des Leistungsniveaus statt. Die PISA-Autoren und Autorinnen interpretieren es damit, dass erst dann, wenn höhere Anteile erreicht werden, wenn also der „Sonderfall" eintritt, spezifische schulische Fördermaßnahmen ergriffen werden (Deutsches PISA-Konsortium 2003, S. 56). Andere Aussagen befassen sich mit dem Einfluss ethnischer Konzentration auf die Leistungen von Schülern und Schülerinnen. Esser sieht in seinem Gutachten für die Unabhängige Kommission Zuwanderung (2001, S. 53) die Ursache für Unterschiede bei den von ihm untersuchten Gruppen der Türken, Italiener, Jugoslawen und Aussiedler in der ethnischen Konzentration in der Klasse, die sich in einer Kausalkette auswirke: „Starke ethnische Konzentrationen in den Schulklassen behindern das Lernen der Kinder, nicht nur im Fach Deutsch. Aufgrund der schlechten Lernleistungen erhalten sie schlechte Noten und aufgrund dieser Noten weniger

---

161 Vgl. exemplarisch die Artikel in der Westdeutschen Allgemeinen Zeitung vom 05.03.2003 und in der Neuen Ruhr Zeitung vom 05.03.2003.

Empfehlungen für den Besuch einer weiterführenden Schule". Anders als Gomolla/ Radtke (2002), ist er der Meinung, sie bekämen keinen „Malus" als Angehörige bestimmter ethnischer Gruppen. So auch Kristen (2002, S. 537), die darauf hinweist, dass die Zusammensetzung der Schülerschaft bestimmte soziale Räume oder Milieus abbildet, die das Lernklima in der Klasse beeinflussen. Für Klassen mit hohem Migrantenanteil fasst sie die Effekte folgendermaßen zusammen: „In diesen Klassen konzentrieren sich Schülerinnen und Schüler, die im Schnitt vergleichsweise weniger erfolgreich sind. Die Leistungsstandards sind insgesamt niedriger angesetzt und können ein entsprechend negatives Aspirationsklima erzeugen. Dieses negative Leistungsklima kann sich wiederum in den Schulleistungen und in der Folge in den Bildungsentscheidungen der Schülerinnen und Schüler und ihrer Familien am Ende der Grundschulzeit niederschlagen". Sie kommt zu dem Schluss: „Wer also in einer Umgebung aufwächst, in der sich nur wenige Migrantenkinder befinden, der wird am Übergang hiervon profitieren, während sich für Kinder in Klassen mit hohen Migrantenanteilen entsprechend nachteilige Effekte ergeben" (ebenda, S. 548).[162]

Im Folgenden soll der Effekt des Migrationsanteils in den Klassen für unsere Untersuchungsgruppe ermittelt werden. Dies ist anhand des von den Befragten geschätzten Migrationsanteils in der vierten und neunten Klasse möglich.

Tabelle 5.21: Anteil der Migranten und Migrantinnen in der 4. Klasse (in Prozent)

| | Migrationshintergrund | | | | | Gesamt | |
	Aussiedl.	griech.	ital.	jugosl.	türk.		
Gesamt	(52)	(123)	(170)	(136)	(203)	100	(684*)
fast keine Migranten und Migrantinnen	69	26	25	39	34	34	(233)
ca. ¼ Migranten und Migrantinnen	25	31	30	30	29	29	(201)
ca. ½ Migranten und Migrantinnen	6	18	31	21	22	22	(152)
ca. ¾ Migranten und Migrantinnen	-	25	14	10	15	15	(98)

C = .28   p = .00

* Schülerinnen und Absolventinnen, die die 4. Klasse in Deutschland besucht haben. Die Schülerinnen und Absolventinnen griechischer Herkunft, die in Deutschland eine griechische Schule besuchen/besucht haben, wurden nicht berücksichtigt. Ebenfalls nicht berücksichtigt wurden Fälle mit uneindeutigen Angaben (N = 5).

---

162 In der Hamburger LAU-Studie (Lehmann/Gänsfuß/Peek 1997, S. 71) wurde zwar ebenfalls festgestellt, dass sich ein hoher Anteil an Migrantenkindern sowohl auf die Leistungen der in der Klasse anwesenden deutschen wie auch Migrantenkinder negativ auswirkt, gleichzeitig jedoch wurde auch ermittelt, dass sich dies nicht unbedingt nachteilig auf deren Weiterempfehlung zum Gymnasium auswirken müsse, da Migrantenkinder „häufiger in Grundschulen mit eher niedrigem Leistungsstandard und einer liberaleren Empfehlungspraxis der Lehrer und Lehrerinnen anzutreffen seien" (ebenda, S. 91).

Der geringe Teil der Mädchen aus Aussiedlerfamilien, der im vierten Schuljahr in eine Klasse mit einem hohen Anteil von Migranten und Migrantinnen ging, ist darauf zurückzuführen, dass 50 Prozent der von uns befragten Aussiedlerinnen in Ostdeutschland lebt, wo der Migrationsanteil an der Bevölkerung sehr niedrig ist. In Westdeutschland wurden Aussiedlerinnen vor allem in ländlichen Regionen interviewt, in denen deutlich weniger Migranten und Migrantinnen leben als in städtischen. Deutlich anders ist die Migrantenkonzentration in den Klassen der übrigen Mädchen: 25 Prozent der Mädchen mit griechischem, 15 Prozent derjenigen mit türkischem und lediglich zehn Prozent derjenigen mit jugoslawischem Hintergrund hatten am Ende der Grundschule überwiegend, das heißt zu drei Viertel Klassenkameraden und Kameradinnen mit Migrationshintergrund. Ein Viertel und weniger an Mitschülern und Mitschülerinnen mit Migrationshintergrund hatten zwischen 55 Prozent (mit italienischem Hintergrund) und 69 Prozent (mit jugoslawischem Hintergrund).

Tendenziell eher höher sind die Anteile im neunten Schuljahr:

Tabelle 5.22: Anteil der Migranten und Migrantinnen in der 9. Klasse (in Prozent)

	Migrationshintergrund					Gesamt
	Aussiedl.	griech.	ital.	jugosl.	türk.	
Gesamt	(154)	(134)	(173)	(159)	(204)	100 (824*)
fast keine Migranten und Migrantinnen	49	19	22	17	27	27 (222)
ca. ¼ Migranten und Migrantinnen	36	28	28	37	31	32 (263)
ca. ½ Migranten und Migrantinnen	8	26	31	26	24	23 (191)
ca. ¾ Migranten und Migrantinnen	7	27	19	20	18	18 (148)

C = .30   p = .00
* Schülerinnen und Absolventinnen, die die 9. Klasse in Deutschland besuchen/besucht haben. Die Schülerinnen und Absolventinnen griechischer Herkunft, die in Deutschland eine griechische Schule besuchen/besucht haben wurden nicht berücksichtigt. Ebenfalls nicht berücksichtigt wurden Fälle mit uneindeutigen Angaben (N = 41).

Auch die Shell-Jugendstudie hat die ethnische Zusammensetzung der Klasse berücksichtigt, indem allgemein nach dem Anteil der „ausländischen Lerngenossen" in der Klasse gefragt wurde. Auf einer sechsstufigen Skala von „gar keine" bis „fast alle" haben mehr als dreimal so viele italienische (22,4%) und türkische (22,5%) wie deutsche Schüler und Schülerinnen (6,3%) angegeben, dass in der Klasse mindestens die Hälfte der Schülerschaft aus „Ausländern" bestand (Münchmeier 2000, S. 226f.).

Der Migranten- und Migrantinnenanteil im vierten und neunten Schuljahr hängt zusammen (r = .37; p = .00).[163] Vergleicht man den Migrationsanteil in der vierten

163 Nur für die Schülerinnen errechnet, die die vierte und die neunte Klasse in Deutschland besucht haben.

mit demjenigen in der neunten Klasse, kann festgestellt werden, dass er in allen Herkunftsgruppen gestiegen ist. Nun besuch(t)en auch die Aussiedlerinnen zu sieben Prozent eine Klasse, die überwiegend aus Migranten und Migrantinnen besteht. Bei den Mädchen mit jugoslawischem Hintergrund hat sich der Prozentsatz sogar verdoppelt (20%). Es ist zu prüfen, ob diese Entwicklung mit der Schulform zusammenhängt, die in der neunten Klasse besucht wurde. Denn es ist bekannt, dass die Hauptschule, und dort, wo sie angeboten wird, auch die Gesamtschule, besonders von Schülern und Schülerinnen mit Migrationshintergrund besucht wird. Daher kann es zu einer Verdichtung des Migrationsanteils gegenüber der Grundschule kommen. Dass dieser Effekt sich bei Befragten mit türkischem und griechischem Hintergrund weniger deutlich zeigt, könnte damit zusammenhängen, dass beide Gruppen in Milieus leben, in denen bereits in der Grundschule eine relativ hohe Dichte an Migranten und Migrantinnen vorzufinden war. Um diese Hypothese zu prüfen, wird die Gruppe der Schülerinnen (ohne diejenigen, die ein griechisches Lyzeum besuchen) gesondert betrachtet im Hinblick auf den Migrantenanteil in der neunten Klasse, differenziert nach dem Index Bildungsniveau, in das die besuchte Schulform eingeflossen ist:

Tabelle 5.23: Bildungsniveau und Migrationsanteil in der 9. Klasse (in Prozent)

	Bildungsniveau			
	niedrig	mittel	hoch	Gesamt
Gesamt	(124)	(328)	(372)	100 (824*)
fast keine Migranten und Migrantinnen	18	25	32	27 (222)
ca. ¼ Migranten und Migrantinnen	27	28	37	32 (263)
ca. ½ Migranten und Migrantinnen	32	26	18	23 (191)
ca. ¾ Migranten und Migrantinnen	23	21	13	18 (148)

C = .19   p = .00
* Schülerinnen und Absolventinnen, die die neunte Klasse in Deutschland besuchen/besucht haben. Die Schülerinnen und Absolventinnen griechischer Herkunft, die in Deutschland eine griechische Schule besuchen/besucht haben wurden nicht berücksichtigt. Ebenfalls nicht berücksichtigt wurden Fälle mit uneindeutigen Angaben (N = 41).

Es zeigt sich, dass ein Zusammenhang zwischen dem Migrationsanteil in der Klasse und dem Bildungsniveau besteht. Bei hohem Bildungsniveau ist der Anteil derjenigen, die in der neunten Klasse fast keine Mitschüler und Mitschülerinnen mit Migrationshintergrund hatten, mit 32 Prozent recht hoch. Weitere 37 Prozent derjenigen mit hohem Bildungsniveau war in einer neunten Klasse mit ca. einem Viertel Migranten und Migrantinnen. Lediglich ein Drittel dieser Gruppe besuchte eine Klasse mit mehr als der Hälfte Anteil von Schülern und Schülerinnen mit Migrationshintergrund. Dies gilt für fast bzw. über die Hälfte derjenigen mit mittlerem und niedrigem Bildungsniveau. Relativ überraschend dürfte der Befund ausfallen, dass dagegen immerhin 45 Prozent derjenigen mit niedrigem und 53 Prozent mit mittlerem Bildungsniveau in Klassen unterrichtet wurden, in denen Migranten und Migrantinnen nur ein Viertel und weniger der Mitschüler und Mitschülerinnen ausmachten.

Im Folgenden soll der Zusammenhang zwischen der ethnischen Zusammensetzung des Wohnmilieus und der besuchten Klasse geprüft werden.

Tabelle 5.24: Wohnmilieu und Migrationsanteil in der 4. Klasse (in Prozent)

	Wohnmilieu				
	deutsches Umfeld	gemischtes Umfeld	Zuwanderer-milieu	ethnisches Milieu	Gesamt
Gesamt	(167)	(406)	(74)	(37)	100 (684*)
fast keine Migranten und Migrantinnen	51	29	26	32	34 (233)
ca. ¼ Migranten und Migarntinnen	27	34	19	16	30 (201)
ca. ½ Migranten und Migrantinnen	10	25	24	38	22 (152)
ca. ¾ Migranten und Migrantinnen	12	12	31	14	14 (98)

C = .28   p = .00

* Schülerinnen und Absolventinnen, die die 4. Klasse in Deutschland besucht haben. Die Schülerinnen und Absolventinnen griechischer Herkunft, die in Deutschland eine Griechische Schule besuchen/besucht haben, wurden nicht berücksichtigt. Ebenfalls nicht berücksichtigt wurden Fälle mit uneindeutigen Angaben (N = 5).

Die Höhe des Migrationsanteils steht nach diesen Daten nicht in einem eindeutigen Zusammenhang mit dem Wohnmilieu. Lediglich beim Wohnen in einem deutschen Umfeld zeigt sich, dass in 51 Prozent der Fälle, für die dies zutrifft, der Migrationsanteil in der Klasse sehr gering ist. Bereits beim gemischten Umfeld gibt es zu fast gleich großen Anteilen Klassen mit wenig (29%) und Klassen mit zur Hälfte Anteil von Kindern mit Migrationshintergrund (25%). Das Wohnen im ethnischen Milieu muss nicht automatisch mit dem Besuch einer überwiegend aus Migranten und Migrantinnen bestehenden Klasse verbunden sein. Ähnliches gilt für den Zusammenhang zwischen dem ethnischen Wohnmilieu und dem Anteil an Schülern und Schülerinnen mit Migrationshintergrund in der neunten Klasse.

Tabelle 5.25: Wohnmilieu und Migrationsanteil in der 9. Klasse (in Prozent)

	Wohnmilieu				
	deutsches Umfeld	gemischtes Umfeld	Zuwanderer-milieu	ethnisches „Getto"	Gesamt
Gesamt	(213)	(482)	(87)	(42)	100 (824*)
fast keine Migranten und Migrantinnen	35	25	20	29	27 (222)
ca. ¼ Migranten und Migrantinnen	39	30	23	33	32 (263)
ca. ½ Migranten und Migrantinnen	16	26	24	21	23 (191)
ca. ¾ Migranten und Migrantinnen	10	19	33	17	18 (148)

C = .21   p = .00

* Schülerinnen und Absolventinnen, die die 9. Klasse in Deutschland besuchen/besucht haben. Die Schülerinnen und Absolventinnen griechischer Herkunft, die in Deutschland eine Griechische Schule besuchen/besucht haben wurden nicht berücksichtigt. Ebenfalls nicht berücksichtigt wurden Fälle mit uneindeutigen Angaben (N = 41).

5.5   Spezielle Bildungsangebote für Zugewanderte

Was die Eingliederung nicht-deutscher Schüler und Schülerinnen in das Schulsystem anbelangt, so stellt die Steigerung ihrer Anzahl von 37.300 im Jahr 1965 auf 946.000 im Jahr 1999 an allgemein bildenden Schulen große Herausforderungen an einen Strukturwandel, dem die Schule bis heute nicht nachgekommen ist. Der Anteil der ausländischen Schülerpopulation an der Gesamtschülerpopulation stieg im genannten Zeitraum von 0,5 Prozent auf 9,5 Prozent. Dabei wurde bereits Anfang der 70er Jahre – nicht zuletzt verstärkt durch das Internationale Jahr der Erziehung (UN 1971) (siehe Puskeppeleit/Krüger-Potratz 1999, S. 12f.) – eine breite öffentliche Debatte über die prekäre Lage ausländischer Kinder im deutschen Schulsystem geführt. Sie konzentrierte sich, wie fast alle Diskussionen bis 1996 auf die Defizite der ausländischen Kinder, ihre fehlende „Passung" in das deutsche Schulsystem. Es entstanden zahlreiche Vorschläge für kompensatorische Maßnahmen, die allesamt das Bildungssystem in seinen Grundstrukturen und Leitlinien nicht infrage stellen. Angebote für Deutsch als Zweitsprache, Förderkurse, Förderklassen und Hausaufgabenhilfen für den Fachunterricht sowie Muttersprachlicher Ergänzungsunterricht, nationalhomogene Schulen und Klassen sind Maßnahmen, die in den meisten Bundesländern bis heute fortbestehen. Daneben gibt es – in unterschiedlicher Art – organisierte Angebote für religiöse Unterweisung muslimischer oder orthodoxer Schüler und Schülerinnen. Allerdings gibt es, so stellt Herwartz-Emden (2003, S. 696) fest, „keine systematischen Erkenntnisse darüber, ob und in welchem Umfang die implementierten pädagogischen Maßnahmen zur Verbesserung der Lage der zugewanderten Schülerinnen und Schüler führen und sich langfristig begünstigend auf ihre Schul- und Berufsbiographie auswirken". Die Inanspruchnahme dieser speziellen Bildungsangebote durch unsere Untersuchtengruppe zeigt die folgende Tabelle.

Tabelle 5.26: Inanspruchnahme spezieller Angebote für Schülerinnen mit Migrationshintergrund (in Prozent)

	Migrationshintergrund					
	Aussiedl.	griech.	ital.	jugosl.	türk.	Gesamt
Förderklassen für Seiteneinsteiger N = 912 [1)]	56	8	3	15	3	17 (151)
National homogene Klassen N = 912 [1)]	1	7	2	4	5	4 (35)
Muttersprachlicher Ergänzungsunterricht N = 912 [1)]	25	76	72	59	80	63 (574)
Religionsunterricht N = 909 [2)]	46	29	6	50	41	34 (313)

1) Schülerinnen und Absolventinnen, die die Schule in Deutschland besuchen/besucht haben.
2) Schülerinnen und Absolventinnen, die die Schule in Deutschland besuchen/besucht haben, ab-
züglich dreier Personen, die zu der Frage keine Angabe gemacht haben.

Die Förderklasse für Seiteneinsteiger und Seiteneinsteigerinnen aus dem Ausland ist
eine Unterstützungsmaßnahme, die überwiegend von Aussiedlerinnen genutzt wird,
während sie für die Mädchen und jungen Frauen aus den klassischen Anwerbeländern kaum mehr eine Rolle spielt. Etwas stärker frequentiert wird sie innerhalb
dieser Subgruppe von den Mädchen und jungen Frauen mit jugoslawischem Hintergrund. Dies ist insofern nicht verwunderlich, als beide Gruppen, die Aussiedlerinnen
und die Befragten mit jugoslawischem Hintergrund, die größten Gruppen derjenigen
aufweisen, die im Ausland zur Schule gegangen sind und als Seiteneinsteigerinnen
in das deutsche Schulsystem eintraten.

Angebote des Muttersprachlichen Ergänzungsunterrichts bestehen in den
meisten Bundesländern für die größten Migrationsgruppen und werden von den
Mädchen und jungen Frauen zu einem erheblichen Teil auch wahrgenommen. Die
Tatsache, dass Befragte mit jugoslawischem Hintergrund dieses Angebot seltener
nutzen, dürfte mit der Vielzahl der Sprachen im ehemaligen Jugoslawien und der
unzureichenden Entsprechung im Angebot der Schulen in Deutschland zusammenhängen. Die ebenso geringe Nutzung durch Mädchen aus Aussiedlerfamilien dürfte
mit der Tatsache zu erklären sein, dass nur ein Teil der Befragten das Russische als
Muttersprache empfinden oder als ausreichend empfundene Kenntnisse vorhanden
sind und dass nicht in allen Bundesländern russischsprachiger Muttersprachlicher
Unterricht angeboten wird. Insgesamt konnten 63 Prozent aller Befragten dieses
Angebot nutzen. Von ihnen haben 20 Prozent ein bis drei Jahre lang das Angebot
des Muttersprachlichen Ergänzungsunterrichts in Anspruch genommen, 18 Prozent
vier bis sechs Jahre und immerhin mehr als ein Viertel besuchte diesen Unterricht
sieben und mehr Jahre lang, wie die folgende Tabelle differenziert nach Herkunftsgruppen verdeutlicht:

Tabelle 5.27: Besuch des Muttersprachlichen Ergänzungsunterrichts (MEU) (in Prozent)

| | Migrationshintergrund | | | | | Gesamt | |
	Aussiedl.	griech.	ital.	jugosl.	türk.		
Gesamt	(178)	(178)	(177)	(168)	(211)	100	(912*)
keinen MEU besucht	75	24	28	41	21	37	(338)
ein bis drei Jahre	24	19	17	20	19	20	(180)
vier bis sechs Jahre	1	19	19	15	32	18	(162)
sieben bis neun Jahre	-	22	22	17	17	15	(143)
zehn und mehr Jahre	-	16	14	7	11	10	(89)

C = .44   p = .00
* Schülerinnen und Absolventinnen, die die Schule in Deutschland besuchen/besucht haben.

Besonderer Beliebtheit erfreut sich das Muttersprachliche Angebot bei Mädchen und jungen Frauen mit türkischem, griechischem und italienischem Migrationshintergrund. Zwischen 55 und 60 Prozent (Befragte mit italienischem und türkischem Hintergrund) haben das Muttersprachliche Angebot mehr als vier Jahre genutzt. Was die Ausdauer bei der Nutzung dieses Angebotes anbelangt liegen die Befragten mit griechischem und italienischem Migrationshintergrund mit 38 bzw. 36 Prozent Besuchszeiten von mehr als sieben Jahren jedoch vor der türkischen Herkunftsgruppe.

5.6 Unterstützende Faktoren in der schulischen Laufbahn

5.6.1 Soziales Lernklima in Schule

Untersuchungen zur schulischen Situation von Migrationskindern oder aber Untersuchungen, die diese Gruppe miteinbeziehen, stellen fest, dass diese Schülerpopulation im Allgemeinen recht zufrieden ist mit dem sozialen Klima, das sie in der Schule vorfinden. So kommt die Hamburger LAU-Studie, die die Nationalität als Kriterium für „Migrationshintergrund" zu Grunde legt, zu dem Schluss, „dass von einer Benachteiligung ausländischer Schülerinnen und Schüler, so weit deren affektive Situation betroffen ist, nicht ausgegangen werden kann" (Lehmann/ Gänsfuß/Peek 1999, S. 140). In unserer Untersuchung wird das soziale Klima in der Klasse durch Fragen nach der Unterstützung durch die Lehrer und Lehrerinnen, dem guten Verhältnis zu der Lehrerschaft, dem Gefühl der Anerkennung in der Klasse und der Anwesenheit von Freunden und Freundinnen in der Klasse gemessen. Nach allen vier Indikatoren bewerten die Mädchen und jungen Frauen das soziale Klima in den letzten beiden Schuljahren überwiegend positiv, allerdings mit herkunftsspezifischen Differenzierungen:

Graphik 5.1: Klassenklima (in Prozent)

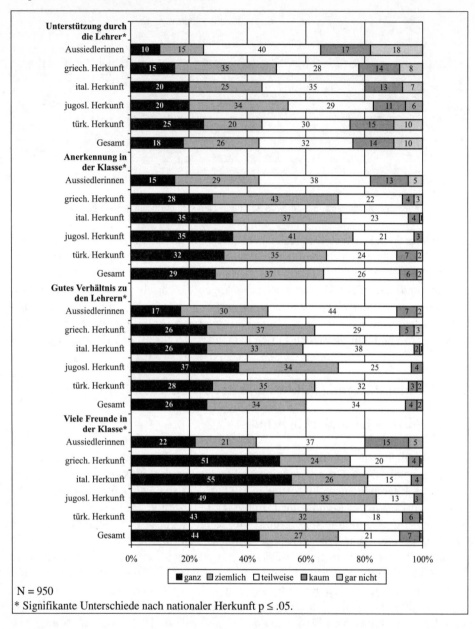

Unterstützung durch die Lehrer*

	ganz	ziemlich	teilweise	kaum	gar nicht
Aussiedlerinnen	10	15	40	17	18
griech. Herkunft	15	35	28	14	8
ital. Herkunft	20	25	35	13	7
jugosl. Herkunft	20	34	29	11	6
türk. Herkunft	25	20	30	15	10
Gesamt	18	26	32	14	10

Anerkennung in der Klasse*

	ganz	ziemlich	teilweise	kaum	gar nicht
Aussiedlerinnen	15	29	38	13	5
griech. Herkunft	28	43	22	4	3
ital. Herkunft	35	37	23	4	1
jugosl. Herkunft	35	41	21	3	
türk. Herkunft	32	35	24	7	2
Gesamt	29	37	26	6	2

Gutes Verhältnis zu den Lehrern*

	ganz	ziemlich	teilweise	kaum	gar nicht
Aussiedlerinnen	17	30	44	7	2
griech. Herkunft	26	37	29	5	3
ital. Herkunft	26	33	38	2	1
jugosl. Herkunft	37	34	25	4	
türk. Herkunft	28	35	32	3	2
Gesamt	26	34	34	4	2

Viele Freunde in der Klasse*

	ganz	ziemlich	teilweise	kaum	gar nicht
Aussiedlerinnen	22	21	37	15	5
griech. Herkunft	51	24	20	4	1
ital. Herkunft	55	26	15	4	
jugosl. Herkunft	49	35	13	3	
türk. Herkunft	43	32	18	6	1
Gesamt	44	27	21	7	1

0% 20% 40% 60% 80% 100%

■ ganz ▨ ziemlich ☐ teilweise ▨ kaum ☐ gar nicht

N = 950
* Signifikante Unterschiede nach nationaler Herkunft p ≤ .05.

Deutlich schlechter als alle anderen Herkunftsgruppen beurteilen Mädchen und junge Frauen mit Aussiedlerhintergrund das Klassenklima in allen vier Mess-bereichen. Die größte Diskrepanz im Herkunftsgruppenvergleich ergibt sich zwischen ihnen und den anderen Befragten, wenn es um die Anzahl der Freunde und Freundinnen in der Klasse geht. Hier liegen sie mit 22 Prozent voller Zustimmung weit hinter der Gruppe der Befragten mit türkischem Migrationshintergrund, die diesen Aspekt immerhin zu 43 Prozent „ganz" positiv bewertet. Am meisten Freund-schaften in der Klasse geben die Mädchen und jungen Frauen mit italienischem Hintergrund mit 55 Prozent „ganz" positiver Bewertung an.

Die aus diesen Statements entwickelte Skala „Klassenklima" (siehe Instrumentenkonstruktion im Anhang) macht die Unterschiede noch deutlicher. Sie belegt, dass die Mädchen und jungen Frauen aus Aussiedlerfamilien sich in hohem Maße im schulischen Kontext nicht unterstützt sehen. 27 Prozent von ihnen sieht diese als „sehr gering", weitere 30 Prozent als „gering". Mit großem Abstand werden sie der Einschätzung einer geringen schulischen Unterstützung von den Befragten mit türkischem Migrationshintergrund gefolgt, von denen sich immerhin 28 Prozent als „gering" oder „sehr gering" unterstützt empfinden. Anders die restlichen drei Gruppen, die sich in ihrem Einstellungsprofil sehr ähneln. Sie sehen sich eher unterstützt, aber eine große Gruppe von einem Drittel beurteilt dies verhalten als „teils-teils".

Tabelle 5.28:   Unterstützendes Klassenklima (Index) (in Prozent)

| | Migrationshintergrund | | | | | Gesamt | |
	Aussiedl.	griech.	ital.	jugosl.	türk.		
Gesamt	(200)	(182)	(183)	(172)	(213)	100	(950)
sehr groß	7	24	20	30	25	21	(201)
groß	14	24	34	27	23	25	(231)
teils-teils	22	28	23	25	24	24	(229)
gering	30	15	17	13	15	18	(172)
sehr gering	27	9	6	5	13	12	(117)

C = .33   p = .00

5.6.2   Unterstützung im außerschulischen Kontext

Die Mädchen und jungen Frauen erhalten im Herkunftsgruppenvergleich sehr unterschiedliche Unterstützungsleistungen außerhalb des schulischen Kontextes. Gruppenübergreifend ist zunächst die wichtige Rolle der Familie hervorzuheben. Die Hilfe erfolgt auch von Freundinnen, die am zweithäufigsten genannt werden. Erst an drittwichtigster Stelle kommt die Hilfe durch Professionelle.

Tabelle 5.29:   Unterstützung im außerschulischen Kontext (immer/oft) (in Prozent)

| | Migrationshintergrund | | | | | Gesamt | |
	Aussiedl.	griech.	ital.	jugosl.	türk.		
Familiäre Hilfe	41	50	39	37	40	41	(392)
Hilfe durch Freundinnen *	18	21	31	28	26	25	(234)
Hilfe durch Organisationen *	3	20	13	7	20	13	(119)

* Signifikante Unterschiede nach nationaler Herkunft p ≤ .05.

Die Unterstützungsleistungen im Rahmen der Familie werden von den Mädchen und jungen Frauen ähnlich eingeschätzt. Ca. 40 Prozent bewerten sie positiv. Nur bei den jungen Frauen mit griechischem Hintergrund ist der Anteil mit 50 Prozent höher. Hilfe durch Freundinnen erhalten die Mädchen und jungen Frauen aus Aussiedlerfamilien besonders selten. Am größten sind die Unterschiede in der Hilfe, die durch Organisationen geleistet wird; dabei kann es sich um kostenfreie oder bezahlte Hausaufgabenhilfe handeln. Während ein Fünftel der Mädchen und jungen Frauen mit griechischem und türkischem Hintergrund solche professionelle Hilfe in Anspruch nimmt oder genommen hat, erreicht diese Mädchen und junge Frauen aus Aussiedlerfamilien nicht.

5.6.3   Unterstützung durch das familiäre Umfeld

Annahmen über die Bildungsferne von Elternhäusern, deren mangelnde Informiertheit über das deutsche Schulsystem bis hin zu deren „Bildungsunwillen" (Weber 2003, S. 123) kulminieren nicht selten in Ratschlägen für eine intensivierte, verbesserte „Elternarbeit" (Gogolin spricht von „Elternerziehung" 2000, S. 69). Unterstellt werden sowohl von wissenschaftlicher Seite wie auch seitens von Lehrern und Lehrerinnen „kulturbedingt unpassende Auffassungen vom Verhältnis Familie/ Schule" (ebenda, S. 77). Befragungen bei Lehrern und Lehrerinnen fördern Einstellungen zutage, denen zufolge Eltern mit Migrationshintergrund nicht genügend zu einer Unterstützung ihrer Kinder durch eine Zusammenarbeit mit der Schule bereit seien.[164] Insbesondere, was die Bildung ihrer Töchter anbelangt, wird den Migrantenfamilien weniger Engagement unterstellt (siehe hierzu Baumert/Bos/Lehmann 2000, S. 288). Auch in der Grundschulstudie IGLU (Bos et al. 2003, S. 32) wird diese Interpretation nahe gelegt, wenn betont wird, dass die Probleme der Kinder und Jugendlichen mit Migrationshintergrund aus anregungsarmen häuslichen Milieus entstehen, obwohl sich das gesamte Bildungssystem und die in ihm Handelnden „alle erdenkliche Mühe" zur Förderung gebe. Suggeriert wird eine gewisse Förderresistenz der Zugewanderten, ein Unwillen seitens der Familie, die notwendigen Unterstützungsleistung bereit zu stellen bzw. die fehlende Einsicht in die Notwendigkeit ihrer Mitwirkung bei der Gestaltung der Bildungskarriere ihrer Kinder (vgl. auch Mebus 1995, S. 48).

Bereits Erkenntnisse früherer wissenschaftlicher Untersuchungen zum Bildungsverhalten in Migrationsfamilien verhalten sich zu diesen Annahmen überraschend entgegengesetzt. Seit Beginn der Diskussion um die schulischen Erfolge oder „Misserfolge" der Schüler und Schülerinnen mit Migrationshintergrund – belegen Ergebnisse empirischer Untersuchungen die hohen Bildungsvorstellungen und die beruflichen Erwartungen sowohl der Eltern als auch der Kinder und Jugend-

---

164 Vgl. hierzu Befragungen von Grundschullehrern und -lehrerinnen bei Marburger/Helbig/ Kienast 1997, bei Lehrern und Lehrerinnen verschiedener Stufen bei Gomolla/Radtke 2002, siehe auch Einstellungen von Lehramtsreferendarinnen und Referendaren bei Bender-Szymanski 2001, Schilderungen von diskriminierenden Äußerungen von Lehrern und Lehrerinnen gegenüber den Elternhäusern durch junge Migrantinnen finden sich bei Hummrich 2002 und Ofner 2003 sowie bei Weber 2003 als Zitate von Lehrern und Lehrerinnen.

lichen selbst. Dieses gilt für alle Arbeitsmigrationsfamilien, und die Bildungsansprüche werden nicht geschlechtsspezifisch differenziert.[165]

In seinen soziologischen Untersuchungen hat Nauck seit Mitte der 80er Jahre
wiederholt festgestellt, dass Eltern mit Migrationshintergrund, insbesondere türkischer und vietnamesischer Herkunft (in höherem Maße als Eltern griechischer und
italienischer Herkunft), besonders hohe Bildungsaspirationen gegenüber ihren
Kindern haben. Kennzeichnend für den am weitesten verbreiteten Erziehungsstil in
türkischen Familien ist die enge emotionale Bindung zwischen den Generationen
verbunden mit hohen Leistungserwartungen an die Kinder. Diese richten sich insbesondere auf deren Schulerfolg (Nauck 2000, S. 381). Dabei sind keine signifikanten
Unterschiede zwischen Jungen und Mädchen mit Migrationshintergrund festzustellen. Eltern wünschen sich für ihre Töchter wie für ihre Söhne eine gute Schul-
und Berufsausbildung.[166]

Im Gegensatz zu diesen Bildungsaspirationen steht allerdings die konkrete
Unterstützung durch die Familie. Auch in der MARKUS-Studie (Helmke/Jäger
2001) wurde festgestellt, dass „die Hauptschul-Elterngruppe mit der absolut gesehen
geringsten Unterstützungsleistung bei den Hausaufgaben (vietnamesisch und maze-
donisch) zugleich diejenigen mit der höchsten Notenerwartung sind: sie erwarten
von ihren Kindern die Note ‚gut' oder mehr in Mathematik". Dieses Ergebnismuster
entspricht weitgehend dem, was bereits Merkens und Nauck (1993) zu den unrealis-
tisch hohen Aspirationen speziell der türkischen Eltern referierten. Sie ermittelten:
„Erwartungen, die kaum einen Bezug zur realen Bildungskarriere des eigenen
Kindes aufweisen" (Helmke/Reich 2001, S. 595). Vielleicht sollte mit Hummrich
(2002, S. 17) daher besser von einer „abstrakten Unterstützungsleistung" der Eltern
gesprochen werden, womit u.a. die Befürwortung des Bildungsaufstiegs der Töchter
und eventuell eine moralische Unterstützung ihrer Bemühungen bezeichnet wird.
Ofner (2003, S. 244) verweist im Hinblick auf die Eltern der von ihr befragten
Akademikerinnen auf deren Schwierigkeiten, aufgrund ihrer geringen oder nicht
vorhandenen Schulbildung, ihren Kindern eine direkte Unterstützung bei den Schul-
aufgaben zukommen zu lassen: „Zumeist beschränkt sich (…) die ‚Förderung' jedoch auf Ermahnungen zu lernen und eventuell auf Geschenke bei guten Noten.
Indirekte Unterstützung werde durch liebevolle Zuwendung zuteil." Sie stellt fest,
dass den Schülern und Schülerinnen damit ein hohes Maß an Disziplin, Leistungs-
vermögen und vor allem Selbständigkeit bei der Gestaltung ihrer Schullaufbahn
abverlangt werde. Dies belegen auch die Daten unserer Untersuchung, die deutlich
machen, wie stark die Mädchen und jungen Frauen in diesem wichtigen Lebensbereich auf sich selbst angewiesen sind.

Eine Aufschlüsselung der familiären Unterstützung bei den Hausaufgaben macht
erneut die besondere Bedeutung der Mutter, die hier am häufigsten Hilfe gibt und in
zweiter Linie der Geschwister deutlich.[167]

---

165 Da sich im Alltagsbewusstsein hartnäckig andere Bilder halten, sei auf einige frühe Unter-
suchungen hingewiesen, siehe die Auswertungen der Erhebung bis 1975 in dem Kapitel
„Die ausländische Familie" Boos-Nünning 1976, und spätere Erhebungen Wilpert 1980;
Damanakis 1987; zu den Bildungsansprüchen der Aussiedlerinnen siehe Herwartz-
Emden/Westphal 1993.

166 Zu den hohen Bildungsaspirationen der Eltern für ihre Töchter siehe auch Granato/Meiss-
ner 1994, S. 39; Granato 1997, S. 171; Krüger/Potts 1995, S. 161; Goudiras 1997, S.
218ff.

167 Zu dem Aspekt der familialen Unterstützung siehe ausführlicher das Kapitel 3.

Tabelle 5.30: Familiäre Hilfe (immer/oft) (in Prozent)

| | Migrationshintergrund | | | | | Gesamt | |
	Aussiedl.	griech.	ital.	jugosl.	türk.		
Gesamt	(200)	(182)	(183)	(172)	(213)	100	(950)
Mutter, Vater und Geschwister	1	2	1	2	1	1	(11)
nur Mutter und Vater	5	7	2	2	2	4	(37)
nur Mutter	21	12	11	9	5	12	(111)
nur Vater	6	6	2	3	6	5	(45)
nur Geschwister	5	15	19	17	24	16	(151)
nur Mutter und Geschwister	2	7	3	3	1	3	(28)
nur Vater und Geschwister	1	1	1	1	1	1	(9)
niemand aus der Familie	60	50	61	63	60	58	(558)

$C = .29$ $p = .00$

Wie wichtig die Familie als Hilfe (auch) in schulischen Angelegenheiten ist, wird deutlich, wenn die Familie anderen Instanzen wie Freunden und der organisierten Hausaufgabenhilfe gegenüber gestellt wird. Bei einer solchen Gegenüberstellung wird deutlich, dass alleine die Familie in 32 Prozent der Aussiedlerfamilien und in 25 bis 21 Prozent der Familien mit Migrationshintergrund bei den Hausaufgaben die helfende Instanz ist. Die Extrempole in diesem Bereich bilden die Aussiedlerinnen und die Befragten mit türkischem Hintergrund. Während bei den jungen Aussiedlerinnen die Mutter überdurchschnittlich häufig die helfende Instanz in schulischen Fragen ist (21%) sind es die Geschwister besonders selten (5%). Umgekehrt sind die Geschwister überdurchschnittlich häufig die erste Hilfsinstanz bezüglich der Schule für Mädchen mit türkischem Hintergrund (24%), während die Mutter hier eine besonders marginale Rolle spielt (5%).

Häufiger kommt es jedoch vor, dass weder ein Familienmitglied noch Freunde noch Professionelle helfen können. Von den Aussiedlerinnen bekommen 48 Prozent und von den Mädchen mit jugoslawischem Hintergrund 47 Prozent keinerlei Hilfe. Bei den Mädchen der restlichen drei Gruppen liegt diese Kategorie bei 39 Prozent und somit auch höher als die Zahl derjenigen, die Unterstützung durch die Familie erhalten.

Die Leistung der Familie erschöpft sich aber nicht nur in einer moralischen Unterstützung. Ein Teil ist durchaus bereit, sich finanziell für das schulische Fortkommen ihrer Töchter durch organisierte Hilfe von Dritten einzusetzen. Bei der organisierten Hilfe wird zwischen bezahlter Hausaufgabenhilfe und Angeboten von Beratungsstellen oder den Schulen unterschieden. Auch hier ist eine Aufschlüsselung nach Herkunftsgruppen aufschlussreich.

Tabelle 5.31: Organisierte Hilfe nach Herkunft (in Prozent)

| | Migrationshintergrund | | | | | Gesamt |
	Aussiedl.	griech.	ital.	jugosl.	türk.	
Gesamt	(178)	(178)	(177)	(168)	(211)	100 (912*)
bezahlte (private) Hausaufgabenhilfe	1	16	9	3	12	9 (78)
Hausaufgabenhilfe in einer Beratungsstelle/ Schule	2	6	6	4	10	6 (53)

* Schülerinnen und Absolventinnen, die die Schule in Deutschland besuchen/besucht haben.

Es sind mit 16 Prozent vor allem die Mädchen mit griechischem und mit 12 Prozent diejenigen mit türkischem Hintergrund, die bezahlte private Nachhilfe erhielten bzw. erhalten. Dies verweist auf die Bereitschaft eines nicht unerheblichen Teils der Familien mit diesem Migrationshintergrund, wenn sie selbst nicht helfen können, dafür finanzielle Ressourcen bereitzustellen.

Unterstützung erfahren die Mädchen und jungen Frauen mit Migrationshintergrund in erster Linie durch ihre Familie, sei es durch direkte Unterstützung, insbesondere durch die Geschwister und die Mutter, sei es durch bezahlte Nachhilfe. Die sich hier abzeichnende wichtige Unterstützungsrolle der Geschwister mag auch ein Grund dafür sein, dass eine höhere Geschwisterzahl in Migrantenfamilien, anders als in einheimischen deutschen Familien, keinen negativen Einfluss auf die Bildungserfolge der Kinder hat (siehe Nauck/Diefenbach/Petri 1998, S. 711).

In der Beschreibung der familiären Erziehungsmuster wurde das nicht nationalitätenspezifisch differenzierte hohe schulische Anspruchsniveau der Eltern herausgestellt. Die Eltern setzen aus der Sicht der Mädchen und jungen Frauen überwiegend große Hoffnungen in sie und achten auf die Schulnoten. Dieses spricht für eine hohe Bildungsorientierung und das Vorhandensein einer – wie es vorne in Anlehnung an Hummrich (2002) formuliert wurde – abstrakten Unterstützungsleistung – der Eltern, insbesondere der Mutter. Die konkrete Hilfe lässt sich schwieriger bilanzieren. Die praktische Unterstützungsleistung hängt mit der abstrakten zusammen. In den Familien, die auf die Schulnoten achten, wird häufiger auch familiäre Hilfe bei den Hausaufgaben geboten. Diese erhalten 48 Prozent der Mädchen bei denen „stark", 39 Prozent bei denen „eher" und „teilweise", 31 Prozent bei denen „weniger" und 14 Prozent bei denen nicht auf die Schulnoten geachtet wird. Wichtiger noch ist, dass die Mädchen und jungen Frauen bei einem Wegfall familärer Hilfen auf keine weiteren Ressourcen zurückgreifen können. Über ein Drittel bis zu nahezu der Hälfte erhält von keiner Stelle Hilfe in schulischen Fragen.

5.7 Nach der Beendigung der Schulzeit

425 (das sind 45%) der befragten Mädchen haben die Schule verlassen. Hinsichtlich dieser Gruppe interessiert vor allem die Frage nach der Hilfe bei der Berufsfindung nach der Schule sowie die Frage nach den Gründen für mögliche Probleme beim Übergang Schule-Beruf. Darüber hinaus wird ein Blick auf die Tätigkeitsbereiche der in Ausbildung oder Beruf stehenden Mädchen geworfen.

Tabelle 5.32: Ausgeübte Tätigkeit nach der Schule (in Prozent)

| | Migrationshintergrund | | | | | Gesamt |
	Aussiedl.	griech.	ital.	jugosl.	türk.	
Gesamt	(70)	(77)	(96)	(78)	(104)	100 (425*)
Studium	6	27	7	24	20	17 (72)
Ausbildung	40	39	55	31	36	40 (172)
Berufstätigkeit	9	17	15	14	18	15 (63)
berufsvorbereitende Maßnahmen	20	3	6	5	8	8 (34)
sonstiges[168]	25	14	17	26	18	20 (84)

C = .39   p = .00
* Nur Schulabsolventinnen.

Während 40 Prozent der Absolventinnen eine Ausbildung absolviert, ist ein relativ großer Anteil von 20 Prozent entweder arbeitslos, zu Hause oder macht ein Praktikum bzw. einen Gelegenheitsjob. 17 Prozent der befragten Absolventinnen studieren und 15 Prozent sind berufstätig. Die Gewichtung zwischen Berufstätigen und Studentinnen dürfte auch hier auf eine eher positive Verschiebung der Stichprobe beruhen. Die schwierige Lage der jungen Aussiedlerinnen spiegelt sich in ihrer besonders großen Repräsentanz unter denjenigen, die berufsvorbereitende Maßnahmen besuchen, und in dem geringen Anteil an Studentinnen. Ein Studium begonnen haben vor allem Mädchen und junge Frauen mit griechischem und ehemals jugoslawischem Hintergrund. Unter den Auszubildenden fällt die Gruppe der Befragten mit italienischem Hintergrund als besonders groß im Nationalitätenvergleich auf.
Bei der Berufsfindung nach der Schule (gefragt wurden nur die Mädchen, die die Schule verlassen hatten), spiel(t)en erneut die Familienangehörigen mit Abstand die größte Rolle.

---

168 Davon sind 30 Mädchen und junge Frauen arbeitslos, 29 zu Hause und 24 machen ein Praktikum oder ein Gelegenheitsjob und ein Mädchen besucht die Förderschule für Neuzuwanderer und Neuzuwanderinnen.

Tabelle 5.33: Hilfe bei der Berufsfindung nach der Schule (sehr stark/stark) (in Prozent)*

Migrationshintergrund						
	Aussiedl.	griech.	ital.	jugosl.	türk.	Gesamt
Vater N = 334 [1]	24	48	37	33	36	35 (119)
Mutter N = 350 [1]	63	64	56	49	46	55 (193)
Geschwister, Verwandte, Freunde N = 352	29	43	50	32	41	40 (140)
Lehrer N = 352	17	34	38	15	34	29 (101)
Betreuer im Praktikum N = 352	14	7	16	5	12	11 (40)
Arbeitsamt, Berufsberatung N = 352	22	16	28	14	31	23 (82)

* Schülerinnen und Studentinnen wurden nicht berücksichtigt.

1) Es blieben die Fälle unberücksichtigt, bei denen die Mutter oder der Vater verstorben war oder kein Kontakt vorlag.

Wieder ist es die Mutter, die die wichtigste Rolle in allen Herkunftsgruppen hinsichtlich der Beratung in dieser wichtigen Lebensentscheidung spielt, allerdings mit deutlichen Unterschieden nach Herkunftsgruppen. Im Schnitt über 50 Prozent der Befragten geben sie als wichtigste Beratungsperson in Fragen der Berufsfindung an. Während die Befragten mit griechischem Hintergrund und Aussiedlerinnen überdurchschnittlich oft die Mutter nennen, sind es etwas unterdurchschnittliche Nennungen bei den Befragten mit jugoslawischem und türkischem Hintergrund. Die zweitwichtigste Instanz in der Gesamtschau sind Geschwister/Verwandte und der Freund bzw. die Freunde und Freundinnen. An dritter Stelle steht der Vater. Ihm folgen an vierter Stelle Lehrer bzw. Lehrerinnen und an fünfter die Berufsberatung des Arbeitsamtes sowie schließlich an letzter Stelle der/die Berater/Beraterin im Praktikum. Im Vergleich mit den anderen Beratungsinstanzen fällt bei den Aussiedlerinnen die überragende Rolle der Mutter (63%) auf, an zweiter Stelle, mit nur 29 Prozent der Nennungen werden von ihnen Geschwister/Verwandte und Freunde genannt. Im Vergleich mit den anderen Herkunftsgruppen wendet sich die türkische Herkunftsgruppe bei der Berufsfindung etwas öfter an das Arbeitsamt.

40 Prozent (N = 141) geben an, nach Verlassen der Schule Schwierigkeiten dabei gehabt zu haben, eine Tätigkeit nach Wunsch zu finden. Im herkunftsspezifischen Vergleich geben dies die Mädchen mit italienischem Hintergrund am seltensten an (26%) und zwar mit deutlichem Abstand vor den Mädchen mit griechischem Hintergrund (39%) und aus Aussiedlerfamilien (42%). Die größten Widerstände haben die Mädchen mit jugoslawischem (46%) und türkischem (51%) Hintergrund wahrgenommen. Gründe für die Probleme bei der Stellensuche liegen in Folgendem:

Tabelle 5.34: Gründe für Probleme bei der Ausbildungsplatz-/Stellensuche (in Prozent)

	absolut	prozentual
	141*	100
nicht genug Stellen in der Gegend	44	31
lange Zeit keine Stelle gefunden	34	24
Familie fehlte Kontakte zu Betrieben	40	28
Eltern kennen sich im Ausbildungssystem nicht aus	31	22
Eltern wollten anderes	14	10
schlechte Noten	30	21
frauenspezifische Hindernisse	6	4
nicht genügende deutsche Sprachkenntnisse	15	10
ausländisches Aussehen	14	10

* Nur diejenigen, die Schwierigkeiten beim Zugang zum Ausbildungs- bzw. Arbeitsmarkt hatten.

Die in der Literatur erwähnten Probleme bei der Stellensuche, finden sich hier abgebildet. So ist offenbar die Nähe der Arbeits- bzw. Ausbildungsstelle zum Wohnort ein wichtiges Kriterium für die Akzeptanz durch die Mädchen (und die Familien?). Die relative Ferne der Eltern zum Ausbildungs- und Arbeitsmarkt und die fehlende Vertrautheit mit dem Ausbildungssystem spielen auch heute noch, wie bereits Mitte der 80er Jahre (Yakut et al. 1986), eine wichtige Rolle bei Problemen mit der Lehrstellen- und Arbeitsstellensuche. Dies hat u. a. mit der anhaltenden Migration zu tun, durch die Mütter oder Väter der interviewten Mädchen erst später nach Deutschland gekommen sind (vgl. auch Granato/Meissner 1994 und Granato 1994). Vor dem Hintergrund der wichtigen Rolle, die der Mutter als Beraterin auch in beruflichen Fragen für die jungen Frauen offenbar zukommt, ist verständlich, wenn sich hier eine Beratungslücke auftut, weil die Mutter nicht immer mit dem Berufssystem vertraut ist. Ungenügende Sprachkenntnisse spielen in der Selbsteinschätzung der Mädchen und jungen Frauen nur noch eine untergeordnete Rolle, sie werden von zehn Prozent der Befragten genannt. Sehr wohl stellen für die jungen Frauen schlechte Noten ein wichtiges Hindernis beim Zugang zum Arbeitsmarkt dar.

Über sich nach der Schule anschließende berufliche Tätigkeit kann aufgrund der großen Streuung der Tätigkeiten und den kleinen Zahlen nur wenig ausgesagt werden. Von den 63 berufstätigen Befragten haben etwa zwei Drittel (39) eine Ausbildung abgeschlossen. Für diese und für die Auszubildenden gilt (N = 211)[169], dass die Ausbildung – wie es frauensspezifisch ist – seltener in Handwerk/Industrie und Handel/Verkehr (jeweils 12 bzw. 13%), sondern häufiger im Serviceleistungsbereich (Banken, Versicherungen, öffentlicher Dienst und bei den Freien Berufen (jeweils 20 bis 22%) erfolgte.

Die mit 63 Mädchen kleine Gruppe von Berufstätigen war überwiegend (27 Personen) als Fachangestellte, als einfache Angestellte (14) oder als Ungelernte (10)

---

169 Darin enthalten sind auch die Mädchen in einer schulischen und die in einer außerbetrieblichen Berufsausbildung.

tätig. Nach Wirtschaftszweigen arbeiten sie überwiegend im Handel und Verkehr, in Serviceleistungen oder im öffentlichen Dienst bzw. in freien Berufen.

5.8 Belastende oder stützende Lebensereignisse im Rahmen von Schule und Beruf

Sitzen bleiben und/oder der Abbruch der Schulausbildung hat eine objektive Ebene: Es beeinträchtigt das Weiterkommen und reduziert unter Umständen Lebenschancen. Ähnliches gilt für Kündigungen eines Arbeitsverhältnisses oder für eine längere Arbeitslosigkeit. Geringere Wirkungen für das Weiterkommen, aber eventuell Auswirkungen auf die psychische Verfasstheit und die Einstellung zur deutschen Gesellschaft hat die Wahrnehmung von Diskriminierung im schulischen oder ausbildungsbezogenen Kontext. In einer Frage, die kritische Lebensereignisse ausdeutet,[170] sind sieben auf Schule, Ausbildung und Beruf bezogene Ereignisse benannt, zu denen die Mädchen und jungen Frauen nach ihrem tatsächlichen Erleben und nach den damit empfundenen Belastungen gefragt wurden:

Tabelle 5.35: Erlebte kritische Lebensereignisse in Schule und Beruf (in Prozent)

		Bereits erlebt und die Belastung war ...				
	habe ich erlebt	sehr gering	gering	mittel-mäßig	stark	sehr stark
Sitzen bleiben in der Schule, Zurückstufung	40 (N = 362)	15	15	25	20	25
Abbruch der Schulausbildung	10 (N = 91)	20	15	15	17	33
Schwierigkeiten, einen Ausbildungs- bzw. Arbeitsplatz zu finden	23 (N = 220)	8	8	30	23	31
in der Schule verboten zu bekommen, ... (Herkunftssprache) zu sprechen	30 (N = 287)	23	22	29	13	13
wegen meiner Herkunft in der Schule bzw. Ausbildung schlechter behandelt zu werden	22 (N = 210)	11	12	27	23	27
Veränderungen im Ausbildungs- bzw. Arbeitsverhältnis (z.B. Kündigung, Abbruch des Studiums)	9 (N = 82)	16	16	27	24	17
Arbeitslosigkeit	7 (N = 66)	14	11	21	18	36

1) 21 Mädchen und junge Frauen haben zum Grad ihrer Belastung keine Angabe gemacht.

---

170 Siehe hierzu detaillierter Kapitel 9.

Im Bereich von Schule und Beruf werden Klassenwiederholungen am häufigsten als kritisches Lebensereignis erfahren, gefolgt vom Verbot der Herkunftssprache in der Schule und Diskriminierung in Schule und Ausbildung oder beim Übergang in Ausbildung oder Arbeit. Von denjenigen, die diese Erfahrungen gemacht haben, werden sie von 40 Prozent bis zu über der Hälfte als stark oder als sehr stark belastend bewertet, mit Ausnahme des Verbotes des Sprechens der Herkunftssprache, das nur ein Viertel als belastend einordnet. In diesem Zusammenhang soll noch einmal auf die Eingang referierten Befunde qualitativer Studien zur besonderen Relevanz von Diskriminierungserfahrungen für den Antrieb zum Bildungsaufstieg bei jungen Migrantinnen hingewiesen werden.

Die Gruppe der Mädchen, die im Kontext von Schule und Beruf belastende Erfahrungen gemacht hat, muss auf dem Hintergrund einer hohen Zufriedenheit eines erheblichen Teils der Mädchen mit dem, was sie beruflich und schulisch erreicht haben, eingeordnet werden. Auch wenn Arbeitslosigkeit – sicherlich aufgrund der ausgewählten jugendlichen Altersgruppe der Befragten – von nur sieben Prozent der Befragten als kritisches Lebensereignis benannt wurde, wird es von ihnen jedoch zu einem recht hohen Anteil von 44 Prozent als „stark" oder „sehr stark" belastend erlebt. Der überwiegende Teil ist mit dem Erreichten sehr zufrieden (18%) oder zufrieden (38%); nur eine kleine Gruppe ist unzufrieden oder gar nicht zufrieden (insgesamt 8%). 36 Prozent antworten mit „teils-teils". Nach nationalem Hintergrund ist die Gruppe der Unzufriedenen bei den Mädchen mit griechischem und italienischem Hintergrund besonders gering (5 bzw. 3%). Deutlich verschieben sich die Akzente bei grundsätzlich positiver Bewertung im Grad der Zufriedenheit: Unter den Mädchen mit türkischem Hintergrund und Mädchen aus Aussiedlerfamilien gibt es weniger Zufriedene, aber mehr teilweise Zufriedene. Mädchen mit türkischem Hintergrund und solche aus Aussiedlerfamilien haben im Bereich von Schule und Beruf deutlich mehr kritische Ereignisse erlebt als Mädchen aus anderen Gruppen.[171]

---

171 Zu der Belastung durch diese Ereignisse siehe Kapitel 9.

Tabelle 5.36: Erlebte kritische Lebensereignisse in Schule und Beruf nach nationalem Hintergrund (in Prozent)

| | Migrationshintergrund | | | | | Gesamt |
	Aussiedl.	griech.	ital.	jugosl.	türk.	
Gesamt	(200)	(182)	(183)	(172)	(213)	100 (950)
Sitzen bleiben in der Schule, Zurückstufung*	56	31	38	26	48	40 (383)
Abbruch der Schulausbildung*	17	5	8	8	9	10 (91)
Schwierigkeiten, einen Ausbildungs- bzw. Arbeitsplatz zu finden*	19	17	24	27	29	23 (220)
in der Schule verboten zu bekommen, ... (Herkunftssprache) zu sprechen*	40	24	13	15	54	30 (287)
wegen meiner Herkunft in der Schule bzw. Ausbildung schlechter behandelt zu werden*	39	15	14	17	24	22 (210)
Veränderungen im Ausbildungs- bzw. Arbeitsverhältnis (z.B. Kündigung, Abbruch des Studiums)	10	7	10	7	9	9 (82)
Arbeitslosigkeit	5	6	5	9	9	7 (66)

* Signifikante Unterschiede nach nationaler Herkunft $p \leq .05$.

Junge Aussiedlerinnen und Mädchen mit türkischem Hintergrund haben deutlich mehr als andere Herkunftsgruppen Klassenwiederholungen erlebt. Auch ein Abbruch der Schulausbildung kam bei ihnen öfter vor. Auffällig ist, wie häufig von beiden Gruppen erlebt wurde, in der Schule die Herkunftssprache verboten zu bekommen. 54 Prozent der Mädchen mit türkischem Migrationshintergrund und 40 Prozent der Aussiedlerinnen haben dies bereits erlebt. Stärker noch als die Mädchen mit türkischem Hintergrund (24%), die in der öffentlichen Wahrnehmung als eher stigmatisiert gelten, haben jedoch Aussiedlerinnen erfahren (39%), wegen ihrer Herkunft in der Schule oder am Ausbildungsplatz schlechter behandelt zu werden. Bei all diesen Nennungen handelt es sich nicht um nach objektiven Kriterien erhobene Tatbestände, sondern um die Wahrnehmung der Befragten. Zwar lässt die Wahrnehmung nur indirekt auf die tatsächlich stattfindende Diskriminierung schließen, da die Angaben nicht überprüft werden können, aber sie ist ein Spiegel der Gefühle der Befragten. Sie sind von Formen der Diskriminierung wie dem „Verbot der Herkunftssprache" und „Aufgrund der Herkunft schlechter behandelt zu werden" besonders stark betroffen. Die Antworten sagen etwas aus über die kollektive Selbstwahrnehmung der Gruppe von Mädchen und jungen Frauen dieser beiden Herkunftsgruppen und über ihr Lebensgefühl im „Lebensraum" Schule, der häufig – gerade bezogen auf Mädchen mit Migrationshintergrund – eindimensional als „Freiraum zur Entfaltung" und „Gegengewicht zum Elternhaus" idealisiert wird, ohne die mit ihm für die Mädchen und jungen Frauen auch verbundenen problematischen Aspekte entsprechend zu reflektieren (vgl. Hummrich 2002, Ofner 2003, Weber 2003).

5.9 Bildungserfolgreiche und nicht erfolgreiche Mädchen und junge Frauen mit Migrationshintergrund

Die Diskussion um die schlechten Bildungsabschlüsse von Schülern und Schülerinnen mit Migrationshintergrund konzentriert sich auf den Vergleich mit deutschen Gleichaltrigen und sucht die Bildungsbenachteiligung ersterer zu erklären. Fehlendes empirisches Wissen wird durch ein Bündel hypothetisch angenommener Ursachen ersetzt. Auf der Ebene der Schüler und Schülerinnen werden biographische Faktoren wie Einreisealter, Migrationsgeschichte, der Besuch eines Kindergartens genannt. Thematisiert wird die Zweisprachigkeit bzw. Defizite in der deutschen Sprache und/oder der Herkunftssprache. Diese werden als eine der wesentlichsten Ursachen für Schulprobleme und Schulversagen diskutiert. Hinzu kommt die Problematisierung der Persönlichkeit und die Herausstellung von Persönlichkeitsmerkmalen wie psychische Instabilität und geringe Leistungsmotivation. Auf der Ebene der Familie werden, wie schon ausgeführt, die (zu) geringe Bildungsorientierung der Jugendlichen und die fehlende Unterstützung durch das Elternhaus benannt. Im Bereich der Schule wird die fehlende Integration in den Klassenverband und das Klassenklima als hinderlich beschrieben.

In den Positionen, die Einzelvariablen theoretisch zu bündeln, lassen sich zwei Ansätze unterscheiden. Der erste Ansatz betont die ethnische Differenz und sieht in mit der ethnischen Zugehörigkeit verbundenen Variablen den Grund für das schlechte Abschneiden der Jugendlichen mit Migrationshintergrund im deutschen Schulsystem. Neben der Nationalitätenzugehörigkeit werden dann das ethnische Umfeld, die einer Schulkarriere entgegenstehenden, aus nationalen oder ethnischen Orientierungen resultierenden familiären Sozialisationsbedingungen oder ethnisch-homogene Freundschaften genannt.

Der zweite Ansatz sucht in der sozialen deprivierten Stellung der Migrationsfamilien den Grund für die schulische Benachteiligung. Zwischen Kindern und Jugendlichen aus Arbeitsmigrationsfamilien und deutschen Kindern bestehen auch Unterschiede in den sozioökonomischen oder klassenspezifischen Voraussetzungen (regionale Herkunft, Bildungsniveau und soziale Schicht der Eltern). Die Argumentation einiger Autoren (so Alba/Handl/Müller 1994) beruht darauf, dass aufgrund der ungünstigen sozioökonomischen Ausgangslage die Kinder dieser Einwanderer und Einwanderinnen im Bildungssystem weniger erfolgreich sind, selbst dann, wenn sie im Einwanderungsland aufgewachsen und seinen Gelegenheitsstrukturen ausgesetzt sind. Die Zugehörigkeit zu einer ethnischen Gruppe spielt hingegen eine untergeordnete Rolle. Kinder und Jugendliche aus Zuwandererfamilien schneiden im deutschen Bildungssystem schlechter als Deutsche ab, weil sie häufiger einer eher bildungsfernen sozialen Arbeiterschicht angehören und weniger oder nicht, weil sie aus Familien mit türkischen, griechischen, italienischen usw. Hintergrund stammen.

Sie sind als Angehörige der Arbeiterschicht und nicht als Angehörige einer ethnischen Minderheit benachteiligt.

Untersuchungen, die sich mit dieser Frage beschäftigen, kommen zu unterschiedlichen Aussagen über den Einfluss ethnischer bzw. kulturspezifischer auf der einen und sozialer Variablen auf der anderen Seite.[172] Alba/Handl/Müller (1994, S 234) führen dazu aus: „Die Analysen haben weiterhin gezeigt, dass diese Benachteiligung nicht nur ein Produkt der niedrigen sozio-ökonomischen Herkunft der Ausländerkinder im Vergleich zu den deutschen Kindern oder eine Folge der späten Ankunft in Deutschland sind. Selbst wenn diese Faktoren, zusammen mit anderen, kontrolliert werden, bleiben beträchtliche Benachteiligungen für mindestens zwei Gruppen bestehen, die Italiener und Türken, und tendenziell auch für eine dritte Gruppe, die Kinder von Eltern aus dem ehemaligen Jugoslawien. Bereits einfache Tabellen verdeutlichen, dass die Tatsache, in Deutschland geboren oder vor dem Einschulungsalter hier eingetroffen zu sein, diese Benachteiligungen nicht aufheben können. Sie wirken mindestens bis in die zweite Generation".[173] Die Ergebnisse könnten dafür sprechen, dass kulturelle Faktoren wie die im Elternhaus gesprochene Sprache oder die Schullaufbahn der Kinder (insbesondere Pendeln) Einfluss auf ethnische Benachteiligung haben könne. Es könnte ebenso sein, wie auch Alba/Handl/Müller (1994, S. 235) vermerken, dass kulturelle Eigenheiten als sichtbare Zeichen der Andersartigkeit auffallen und somit für die oft unterschwelligen Diskriminierungen, welche in schulischen Benachteiligungen von Minderheiten enden, zentrale Bedeutung erlangen. Diese letzte Überlegung verweist auf Erklärungen, die von Gleichheit und Ungleichheit von Kindern ausländischer Herkunft und deutschen Kindern in der Erziehung und im Schulsystem ausgehen und die Rolle der Schule bei der sozialen Platzierung ethnischer Minderheiten problematisieren.

Auf der Grundlage der Daten unserer Untersuchung kann die Bildungsbenachteiligung der Mädchen und jungen Frauen im Vergleich zu deutschen Gleichaltrigen nicht untersucht werden. Es können aber die Bildungserfolgreichen den weniger Erfolgreichen gegenübergestellt werden und Gründe für den Erfolg oder fehlenden Erfolg angegeben werden. Dabei ist es möglich, auf sozialstrukturelle Variablen wie auch auf mit dem ethnischen Hintergrund verbundene Variablen einzugehen.

Die erste Auswertung der Zusammenhänge von Sozial- und Orientierungsvariablen aus unterschiedlichen Bereichen mit dem Bildungsniveau, das die Mädchen und jungen Frauen erreicht haben, bestätigt auf der einen Seite das Bekannte: Bezogen auf die Einzelvariablen ist der Zusammenhang mit der Sprachkompetenz in der deutschen Sprache ($r = .31$)[174] mit Abstand am stärksten. Die Sprachkompetenz in der Herkunftssprache und die Ausprägung von Bilingualität spielt hingegen keine Rolle. Auf der Grundlage der bisherigen Diskussion wenig überraschend ist auch die Bedeutung des sozialen Status der Familie ($r = .19$) und der Migrationsbiographie, gemessen am Einreisealter ($r = .15$). Ein Leben im ethnischen Milieu erschwert das Erreichen eines hohen Bildungsniveaus ($r = .12$), das

---

172 Auch Baker/Lenhardt (1988) stellen eine Benachteiligung (auch) auf Grund ethnischer Faktoren für die Jugendlichen mit türkischem und italienischem Hintergrund fest, ebenso von Below (2003).

173 Vgl. hierzu auch ähnliche Ergebnisse in PISA, wo neben dem Einreisealter und dem sozio-ökonomischem Status der Familie auch die in der Familie gesprochene Sprache mitberücksichtigt wurde (Deutsches PISA-Konsortium 2003, S. 255f.).

174 Alle Korrelationskoeffizienten sind auf dem 1% Niveau signifikant.

deutsche Umfeld erleichtert das Erreichen, allerdings ist für das Wohnumfeld der soziale Status der Familie mitverantwortlich.

Im Bereich der schulbiographischen Variablen bestätigt sich der Einfluss des Kindergartenbesuchs in Deutschland (r = .15) und der negativen Auswirkungen eines hohen Anteils von Schülern und Schülerinnen mit Migrationshintergrund in der vierten und neunten Klasse (r = .20). Bisher kaum untersucht sind die in der Untersuchung festgestellten negativen Auswirkungen von Klassenwiederholungen und Zurückstellungen (r = .18) sowie der tendenziell positive Einfluss eines langjährigen Besuch des Muttersprachlichen Unterrichts (r = .15).

Die Untersuchungsdaten erlauben auch die Darstellung von Zusammenhängen zwischen dem Erreichen eines niedrigen oder hohen Bildungsniveaus und den Orientierungen der Mädchen und jungen Frauen. Mädchen mit hohem Bildungsniveau vertreten nicht konventionelle Geschlechterrollen (r = .27), sind häufig auf Selbstverantwortung ausgerichtet (r = .13) und seltener außengesteuert (r = .18).

Besonders bedeutsam ist der gesamte Freizeitbereich: Sowohl die Freizeitaktivitäten wie das Aufsuchen von Partys und Kneipen (r = .19) und die Nutzung medialer Kommunikation (r = .13) hängen eng mit dem Bildungsniveau zusammen, ebenso die Zusammensetzung der Peers. Ein höheres Bildungsniveau korreliert mit der Freizeitgestaltung im überwiegend deutschen Kontext (r = .18). Auch die drei besten Freunde oder Freundinnen sind dann eher Deutsche (r = .15).

Zu erwähnen und im Rahmen weiterer Auswertungen und Diskussionen zu berücksichtigen wäre die Tatsache, dass Orientierungen wie die ethnische Selbstverortung (r = .04 ns), die Orientierung an Deutschland (r = .00 ns), an Anpassung an deutsche Bräuche (r = .05 ns) und alle Bereiche, die sich auf die religiösen Einstellungen beziehen (z.B. Index Religiosität r = .05 ns) *keinen* Zusammenhang mit Bildung aufweisen.

Nach dieser ersten Auswertung haben sowohl soziale Variablen (Status der Familie) als auch mit der Zuwanderersituation verbundene (Einreisealter) und schullaufbahnbedingte (Klassenwiederholungen und ethnische Zusammensetzung der Klasse) Variablen Einfluss auf das Bildungsniveau. Besonderes Gewicht haben sprachliche Kompetenzen und die Freizeitgestaltungen. Eine in weiteren Auswertungen durchzuführende multivariate Kausalanalyse soll den Erklärungsanteil der einzelnen Bereiche darstellen.

6. Zu Hause in zwei Sprachen: Mehrsprachigkeit und Sprachmilieu

6.1 Mehrsprachigkeit in einer monolingualen Gesellschaft

Deutsche Sprachkenntnisse werden seit langem in empirischen Untersuchungen als zentrale Kategorie für soziale Teilhabe verwandt (siehe H. Esser 1982, 1990a). Demnach wird das Erlernen der deutschen Sprache durch Neuzuwanderer und Neuzuwanderinnen und das Beherrschen der deutschen Sprache durch bereits in Deutschland lebende Migranten und Migrantinnen als einer der wichtigsten Faktoren für deren Integration in die deutsche Gesellschaft angesehen. Umgekehrt werden mangelnde Deutschkenntnisse als Ursache für die Beeinträchtigung der Teilhabe an vielen Lebensbereichen angenommen, sei es im Bildungssystem, beim Erwerb beruflicher Qualifikationen, im sozialen Umfeld oder bei der Teilhabe am kulturellen Geschehen in Deutschland (vgl. BMFSFJ 2000, S. XXV). Dabei liegt die Betonung auf einer Art „Bringschuld" der Zugewanderten hinsichtlich dieser Kompetenzen. Der Grad der Deutschkenntnisse von Migranten und Migrantinnen wird oftmals als Maß für ihren Integrationswillen herangezogen.[175] Im Bericht der Unabhängigen Kommission Zuwanderung heißt es: „Während die Aufnahmegesellschaft Zuwanderern mit dauerhafter Aufenthaltsperspektive einen gleichberechtigten Zugang zum Arbeitsmarkt und zum Bildungssystem ermöglichen muss, sind die Zuwanderer ihrerseits gefordert, Deutsch zu lernen (...). Insbesondere das Erlernen der deutschen Sprache ist eine wichtige Voraussetzung für Integration. Ein möglichst rascher und fundierter Spracherwerb liegt sowohl im Interesse des Zuwanderers als auch der Aufnahmegesellschaft. Diese Wechselseitigkeit wird in dem Grundsatz ‚fördern und fordern' deutlich: Einerseits ist die Aufnahmegesellschaft gefordert, ein ausreichendes Lernangebot zu schaffen, und anderseits müssen sich die Zuwanderer aktiv um den Erwerb der deutschen Sprache und um Integration bemühen (...)" (BMI 2001, S. 11). Dem entspricht, dass die Aufforderungen zum Deutscherwerb oft mit Losungen wie „Schlüssel zur Integration" oder „Schlüssel für die Akzeptanz bei der einheimischen Bevölkerung" begleitet werden (BMI 1999, S. 85).

Ohne Zweifel sind gute Sprachkenntnisse in der Verkehrsprache Deutsch wichtig. Sie sind die Voraussetzung für bessere Optionen in der Schulausbildung und beim Übergang in den Beruf. Sie geben den Menschen mit Migrationshintergrund die Möglichkeit, mit der deutschen Umwelt, in der sie leben bzw. mit der sie in Kontakt treten wollen oder müssen, zu kommunizieren und sich mit ihr auseinander zu setzen. Dadurch wird den Zugewanderten ermöglicht, zu allen Bereichen der Majoritätsgesellschaft Zugang zu finden. Die deutsche Sprache ist darüber hinaus für Freizeitkontakte wichtig, aber auch für jedwede Kommunikation und Zusammenarbeit nicht nur mit den einheimischen Deutschen, sondern auch mit Migranten und Migrantinnen anderer Ethnien und Sprachen. Deutschkenntnisse alleine implizieren jedoch nicht unbedingt eine erfolgreiche Integration. Reich (2001, S. 41f.) macht in diesem Zusammenhang auf die Einseitigkeit der Diskussion

---

175 So die Feststellung in einer Schrift der Bundesintegrationsbeauftragten (ehem. Bundesausländerbeauftragten) (Beauftragte der Bundesregierung für die Belange der Ausländer 1997, S. 7).

aufmerksam: „Einseitig ist es (...), die Abhängigkeit der Integration von Deutsch-kenntnissen zu betonen, die Abhängigkeit des Deutscherwerbs von Integrations-erfahrungen aber zu verschweigen." Hier wird auf das soziale Klima als Voraus-setzung für die Motivation verwiesen, eine Sprache zu lernen. Integration ist darüber hinaus mit vielen anderen Komponenten verbunden wie den familiären Gegeben-heiten, der Einbindung der Eltern in die Berufsstrukturen der Aufnahmengesell-schaft, der finanziellen Lage, der Wohnsituation, dem rechtlichen Aufenthaltsstatus und nicht zuletzt mit der Akzeptanz der Majorität gegenüber den Zuwanderern und Zuwanderinnen.

Durch die Schülerleistungsstudie PISA hat die Diskussion um die Relevanz der deutschen Sprachkenntnisse für den schulischen Erfolg von Migrationskindern an Bedeutung gewonnen. Das im Vergleich zu den deutschen besonders schlechte Ab-schneiden der Schüler und Schülerinnen mit Migrationshintergrund im Leseverständnis des Deutschen war eines der prägnanten Ergebnisse: „Die Daten sprechen dafür, dass der Erwerb von Deutsch als Zweit- und Fremdsprache häufig nicht zu der Lesekompetenz führt, die bei einem Erstspracherwerb im Durchschnitt erreicht wird, und dass sich diese Nachteile des Spracherwerbs auch bei 15-Jährigen noch deutlich bemerkbar machen" (Deutsches Pisa-Konsortium 2001, S. 502). Dabei ist auffällig, dass sich die Lesekompetenz der 15-Jährigen aus Familien, in denen nur ein Elternteil im Ausland geboren ist, nicht von denjenigen, in denen kein Elternteil im Ausland geboren ist, unterscheidet, während bei Kindern aus Familien, in denen beide Eltern im Ausland geboren wurden, die Lesekompetenz deutlich niedriger ausfällt als bei den anderen beiden Gruppen (Deutsches Pisa-Konsortium 2001, S. 376). Dabei wurde von den Autoren hervorgehoben, dass weder die soziale Lage noch die kulturelle Distanz als solche in erster Linie für die Unterschiede in der Bildungsbeteiligung verantwortlich sind; „von entscheidender Bedeutung ist vielmehr die Beherrschung der deutschen Sprache auf einem dem jeweiligen Bildungsgang angemessenen Niveau" (2002, S. 199). In 50 Prozent der Familien mit Migrationsgeschichte, so PISA, scheint Deutsch mittlerweile die Hauptverkehrs-sprache darzustellen. Von diesem Muster weichen allerdings Familien türkischer und jugoslawischer Herkunft ab (Deutsches Pisa-Konsortium 2001, S. 343). Die Befunde der PISA-Studie stärken darüber hinaus die Hypothese, dass sich sprach-liche Defizite im Deutschen kumulativ in Sachfächern auswirken und somit die ge-samte schulische Laufbahn beeinträchtigen (ebenda, S. 376). Von größter Bedeu-tung, so PISA, ist offensichtlich die Verweildauer eines Jugendlichen in Deutsch-land (ebenda, S. 376).

Das früh differenzierende Bildungssystem der Bundesrepublik bietet offenbar nur wenig zeitlichen Spielraum, um Kinder mit fehlenden Kenntnissen in der deut-schen Sprache so zu fördern, dass sie gleiche Chancen wie Deutsche bei späteren Laufbahnentscheidungen erhalten. Die Tatsache, dass mehr als 70 Prozent der bei PISA befragten Jugendlichen, bei denen mindestens ein Elternteil nicht in Deutsch-land geboren ist, vom Kindergarten bis zum Ende der Pflichtschulzeit durchgehend Bildungseinrichtungen in Deutschland besucht haben, verweist auf deutliche Defi-zite des Bildungssystems bei der Integration von Kindern und Jugendlichen aus Migrationsfamilien. So heißt es in der Studie eindeutig: „Wird am Ende der 4. bzw. in einigen Ländern der 6. Grundschulklasse kein befriedigendes Niveau der Beherr-schung der Verkehrssprache erreicht, sind spätere Kompensationen schwierig" (ebenda, S. 374).

In der breit angelegten Diskussion um die Sprachkompetenzen der Zugewanderten bleibt die öffentliche Thematisierung der Rolle der Herkunftssprachen von Migrationsgruppen und im Falle der (Spät-)Aussiedler und Aussiedlerinnen deren primäre Sozialisationssprache seltsam blass. Auch PISA erhebt die Verkehrssprache in der Familie lediglich als Parameter zur Definition des Migrationstatus der Jugendlichen, eine Messung, die etwas über den Sprachstand der Jugendlichen in der Herkunftssprache aussagen könnte, erfolgt nicht. Die Diskussion um den Wert und die Notwendigkeit des Erhalts von (natürlicher) Mehrsprachigkeit bei Zugewanderten findet immer noch überwiegend in den inneren Zirkeln der Experten und Expertinnen statt, obwohl bereits mehrfach auf den der aktuellen Situation nicht mehr angemessenen „monolingualen Habitus der multilingualen Schule" (Gogolin 1994, vgl. auch Gogolin 2001) aufmerksam gemacht wurde. In der Fachöffentlichkeit wird die Bedeutung der Herkunfts- oder Familiensprache für die innerfamiliären und intergenerativen Beziehungen wie auch für die Persönlichkeitsentwicklung der Kinder und Jugendlichen mit Migrationshintergrund als Teil ihrer kulturellen Identität und nicht zuletzt für den erfolgreichen Erwerb des Deutschen als Zweitsprache betont (Luchtenberg 1995, 1999). Vor diesem Hintergrund werden Kenntnisse in einer anderen Sprache als Deutsch und Englisch als Ressource betrachten, die „zum Ausbau des Sprachpotentials und der kulturellen Orientierungsmöglichkeit" beiträgt (Reich 2001, S. 43).

In dem hier nur grob skizzierten Spannungsfeld von öffentlicher Betonung der Deutschkenntnisse und der Vernachlässigung der Kenntnisse in der (den) Familiensprache(n) bewegen sich die Auswertungen unserer Untersuchung zum Themenfeld Sprachen. Dabei geht es in dieser Untersuchung insbesondere um die Erhebung der bilingualen oder mehrsprachigen Kompetenzen der Mädchen und jungen Frauen als deren Ressource zur Bewältigung ihres spezifischen Lebensalltags, der in der Regel durch Situationen geprägt ist, die Mehrsprachigkeit erfordern.

Dieses Kapitel gibt Informationen über das Sprachenrepertoire, also die Anzahl der von den Mädchen und jungen Frauen beherrschten Sprachen und über die differenzierten Fähigkeiten in diesen Sprachen, den Ort des Spracherwerbs, die Sprachpraxis im Umgang mit Personen aus dem Freundes- und Familienkreis sowie den subjektiven Stellenwert von Deutsch und der Herkunftssprache(n) für die Befragten.

6.2 Sprachliche Kompetenzen: Bi- und Multilingualität

6.2.1 Multilinguale Migrantinnen: Das Sprachenrepertoire

Es fehlen weitgehend Untersuchungen im regionalen oder bundesländerweiten Kontext, die Kenntnisse darüber geben, welche Sprachen in welchem Ausmaß und in welcher Kompetenz vertreten sind. Nur aus den beiden Großstädten Hamburg und Essen liegen entsprechende Daten vor. In beiden Städten werden ca. 100 verschiedene Sprachen in die Grundschule mitgebracht (Fürstenau/Gogolin/Yağmur 2003; Chlosta/Ostermann/Schroeder 2003).

Auch die sprachliche Vielfalt der von uns befragten Mädchen und jungen Frauen mit Migrationshintergrund ist beachtlich. Neben den in der Familie erworbenen „Herkunftssprachen" kommen in der Schule vermittelte Fremdsprachen hinzu. Alle Befragten sind mindestens zweisprachig, viele aber mehrsprachig. Sie haben in der

Reihenfolge der Nennungen neben Sprachkenntnissen im Deutschen, solche in türkischer (225), russischer (210), italienischer (210) und griechischer Sprache (189) sowie in der Minderheitensprache Kurdisch (20). Die Sprachen des ehemaligen Jugoslawien finden sich wieder in Albanisch (21), Bosnisch (84), Jugoslawisch (72), Kroatisch (52), Serbokroatisch (54), Serbisch (44), Kroatoserbisch (31), Makedonisch (7) und Slowenisch (1). Hinzu kommen Arabisch (10), Polnisch (9) und die in der Schule vermittelten Sprachen Englisch (748), Französisch (382) und Spanisch (77) sowie 80 in der Untersuchung nicht bestimmte (sonstige) Sprachen.

Wenn nur die Herkunftssprachen und Deutsch einbezogen werden, sind 93 Prozent der Befragten zweisprachig (eine Herkunftssprache und Deutsch) und sieben Prozent dreisprachig (zwei Herkunftssprachen und Deutsch). Da von den meisten zusätzlich Englisch, von nicht wenigen eine weitere Fremdsprache in der Schule gelernt wurde, geben (ohne Berücksichtigung der Erwerbsform und ohne qualitative Einschätzung der Kompetenz) 16 Prozent Kenntnisse in zwei, jeweils ein Drittel in drei oder vier Sprachen an. Elf Prozent nennen fünf und zwei Prozent sechs Sprachen. Mädchen aus Aussiedlerfamilien benennen ein deutlich geringeres Sprachrepertoire als die übrigen. Zwischen der Anzahl der genannten Sprachen und den deutschen Sprachkenntnissen nach der Selbsteinschätzung besteht ein positiver Zusammenhang (r = .41).

6.2.2 Kompetenzen in der deutschen Sprache

In vielen Untersuchungen stellt die Erhebung der deutschen Sprachkenntnisse einen zentralen Gegenstand dar, was sich aus dem eingangs skizzierten Zusammenhang zwischen Vorstellungen von Integration und kompetenter Verwendung des Deutschen erklären lässt.

Im Ausländersurvey des DJI (Weidacher 2000b, S. 85ff.) wurde die Sprachkompetenz bei Jugendlichen deutscher, griechischer, italienischer und türkischer Herkunft unabhängig vom Geschlecht thematisiert. Es zeigte sich, dass ein enger Zusammenhang besteht zwischen guten Deutschkenntnissen und der Geburt in Deutschland bzw. Zuwanderung im frühen Lebensalter, mit der Wahrscheinlichkeit höherer Schulabschlüsse und mit besseren Kontakten zu Deutschen. In der Repräsentativbefragung des Bundesministeriums für Arbeit und Sozialordnung (BMA 2002, S. 53) beansprucht die jüngere Altersgruppe der unter 25-Jährigen am meisten über „sehr gute" deutsche Sprachkenntnisse zu verfügen. In einer Umfrage unter türkischen Jugendlichen in Berlin (Ausländerbeauftragte des Senats Berlin 1997) wird festgestellt, dass diese im Zeitverlauf bessere Sprachkenntnisse nach Einschätzung der Interviewer/-innen aufweisen. Dabei schneiden die Mädchen durchgängig immer etwas schlechter ab als die Jungen.

Die Sprachfähigkeiten im Deutschen wie auch der/den Herkunftssprache(n) werden in unserer Untersuchung aus Gründen der praktischen Durchführbarkeit nicht mittels eines Tests gemessen, sondern – wie in anderen quantitativen Erhebungen zu Migrantinnen und Migranten auch (vgl. Heckmann et al. 2000, Weidacher 2000b, BMA 2002, Mammey 2001) – durch Selbsteinschätzung der Befragten.[176]

---

176 Sprachkompetenzen werden in quantitativen Untersuchungen in der Regel durch Selbsteinstufung gemessen (siehe z.B. H. Esser 1982, 1990a). Linguistische Messverfahren, die

Sprachenbeherrschung wird – wie überwiegend in Untersuchungen – als Beherrschung der vier Fähigkeiten Verstehen, Sprechen, Lesen und Schreiben erfasst. Der weitaus überwiegende Teil der Befragten schreibt sich „sehr gute" deutsche Sprachkenntnisse zu:

Tabelle 6.1:   Fähigkeiten in der deutschen Sprache (in Prozent)

N = 950	Grad der Fähigkeiten in der deutschen Sprache				
	sehr gute	gute	mittelmäßige	schlechte	sehr schlechte
Verstehen	66	27	6	1	-
Sprechen	54	32	12	2	-
Lesen	60	31	8	1	-
Schreiben	46	33	18	2	1

Die Gegenüberstellung der Daten zu den vier Sprachfähigkeiten im Deutschen zeigt, dass im Gesamten sowie im herkunftsspezifischen Vergleich – wie zu erwarten – eine durchgehende Reihenfolge der besser bzw. schlechter eingeschätzten Fähigkeiten stattfindet. Demnach werden „Verstehen" und „Lesen" weitaus besser als „Sprechen" und „Schreiben" eingeschätzt.

Die Unterschiede nach Migrationshintergrund sind in allen angesprochenen Sprachfähigkeiten deutlich ausgeprägt:

Tabelle 6.2:   Sprachfähigkeiten (sehr gute Deutschkenntnisse)[177]

	Migrationshintergrund					Gesamt	
	Aussiedl.	griech.	ital.	jugosl.	türk.		
Gesamt	(200)	(182)	(183)	(172)	(213)	100	(950)
Verstehen*	44	69	79	87	58	66	(629)
Sprechen*	22	59	66	81	47	54	(513)
Lesen*	32	62	68	82	57	60	(564)
Schreiben*	23	50	54	72	36	46	(436)

* Signifikante Unterschiede nach nationaler Herkunft p ≤ .05.

In allen Sprachfähigkeiten bleibt die Reihenfolge zwischen den Mädchen und jungen Frauen erhalten: Die besten Kompetenzen in der deutschen Sprache sprechen

---

sich häufig an qualitativen Verfahren orientieren, leisten intensive Beschreibungen und Analysen von kleinen Stichproben, (siehe die Übersicht bei Sarı 1995, S. 27-64; Turgut 1996 sowie für die Aussiedlerfamilien aus der GUS Meng 2001). Die Grenzen der Ermittlung von Sprachkenntnissen durch Selbsteinschätzung sind uns bewusst, insbesondere wissen wir, dass nicht prüfbar ist, ob bei der Einschätzung von Seiten der Befragten stets derselbe Maßstab zugrunde gelegt wird. Für die deutsche Sprache, nicht aber für die erste Herkunftssprache, wurde die Reliabilität durch die Korrelationen mit der Interviewerinneneinschätzung einerseits und mit der Note in Deutsch andererseits geprüft.

177 Es wird nur die Kategorie „sehr gute" Sprachkenntnisse zugrunde gelegt, da ein erheblicher Teil sich hier einordnet und eine Erweiterung durch die Kategorie „gut" Unterschiede verwischen würde.

sich die Mädchen mit jugoslawischem Hintergrund zu, gefolgt von denen mit italienischem und griechischem Hintergrund. Deutlich schlechter ordnen sich Befragte mit türkischem Hintergrund ein. Das Ergebnis entspricht demjenigen der Repräsentativerhebung des Bundesministeriums für Arbeit und Sozialordnung (BMA 2002, S. 53), wonach sich die türkische Herkunftsgruppe im Vergleich zur griechischen, italienischen und jugoslawischen ebenfalls schlechter einordnet. Das gleiche geschlechtsspezifische Ergebnis im DJI-Ausländersurvey wird dort aufgrund von Korrelationen mit anderen Daten so interpretiert, dass unter den Mädchen türkischer Herkunft eine größere Anzahl ausschließlich persönliche Kontakte zu Angehörigen der eigenen Community pflegen und nach dem sechsten Lebensjahr nach Deutschland eingereist sind (Weidacher 2000b, S. 85ff.). Auf diese Zusammenhänge soll später eingegangen werden. Deutlich weniger Kompetenzen als die Mädchen und jungen Frauen türkischer Herkunft sprechen sich in unserer Untersuchung allerdings die Mädchen und jungen Frauen aus Aussiedlerfamilien zu. Hierbei ist zu berücksichtigen, dass diese überwiegend Seiteneinsteigerinnen sind, die das Deutsche als Zweitsprache erst in einem höheren Alter als die übrigen nationalen Herkunftsgruppen gelernt haben.

Um ein Gesamtbild der (selbsteingeschätzten) Kompetenzen in der deutschen Sprache zu erhalten, wurde aus den vier Angaben zu den sprachlichen Fähigkeiten ein Index gebildet (zur Instrumentenkonstruktion siehe Anhang).

Demnach gaben 40 Prozent der Befragten „sehr gute" Deutschkenntnisse, zehn Prozent „gute", 17 Prozent „mittelmäßige", 21 Prozent „schlechte" und 12 Prozent „sehr schlechte" Kenntnisse an.[178]

Tabelle 6.3: Kompetenzen in der deutschen Sprache (Index)

| | Migrationshintergrund | | | | | Gesamt | |
	Aussiedl.	griech.	ital.	jugosl.	türk.		
Gesamt	(200)	(182)	(183)	(172)	(213)	100	(950)
sehr gut	14	43	50	69	29	40	(377)
gut	8	12	9	9	13	10	(97)
mittelmäßig	18	14	17	10	23	17	(159)
schlecht	32	20	18	7	27	21	(205)
sehr schlecht	28	11	6	5	8	12	(112)

C = .41   p = .00

---

178 Der Index wird durch die ungewichtete Addition der vier erfragten Bereiche Verstehen, Lesen, Sprechen und Schreiben gebildet, die Werte werden aber ausschließlich disportional klassifiziert. Nur diejenigen, die ihre Fähigkeiten in allen vier Bereichen als „sehr gut" bezeichnen, wurden der Kategorie „sehr gute Sprachfähigkeiten" zugeordnet, wenn nur „gut" angegeben wird, wird zu der Kategorie „gute Sprachfähigkeiten" (19 von 20 Punkten) zugeordnet. Mittelmäßige Sprachfähigkeiten bedeuten 17-18 Punktwerte, geringe 15-16 und sehr geringe 5-14, 5-10 Punktwerte erreichen nur 0,6 sowie 5-12 2,4 Prozent der Befragten. Eine solche disportionale Klassifikation ist notwendig, um Unterschiede in den deutschsprachlichen Kompetenzen ermitteln zu können. Eine ähnliche Einteilung findet sich bei von Below (2003, S. 62).

Die Gesamtbewertung der Deutschkompetenzen fällt demnach sehr positiv aus, ein Ergebnis, das angesichts der Befunde aus den bereits erwähnten früheren Untersuchungen nicht überrascht. Diese insgesamt positive Bewertung relativiert sich jedoch im Herkunftsgruppenvergleich. In der Kategorie „sehr gute" Deutschkompetenzen sind die Unterschiede am deutlichsten. Die höchsten Werte der Selbsteinschätzung der Deutschkenntnisse gaben demnach die jungen Frauen mit jugoslawischem Hintergrund (69%) an, gefolgt von den Befragten italienischer (50%) und griechischer (43%) Herkunft. Demgegenüber sprechen die Angaben der Befragten mit türkischem Hintergrund (29%) und der Aussiedlerinnen (14%) für deutlich weniger ausgezeichnete deutsche Sprachkompetenzen bei diesen beiden Gruppen. Der Anteil derjenigen, die die höchsten Werte bei der Kategorie „schlechte bis sehr schlechte" Deutschkompetenzen haben, liegt bei den Aussiedlerinnen bei 32 bzw. 28 Prozent. Probleme junger Aussiedler und Aussiedlerinnen mit der deutschen Sprache werden auch von Fuchs/Schwietring/Weiß (1999, S. 213ff.) und Strobl/Kühnel (2000, S. 110ff.) konstatiert. So schätzen jugendliche Aussiedler und Aussiedlerinnen ihre deutschen Sprachkenntnisse auch in diesen Untersuchungen seltener als „gut" ein (S. 26ff.).[179] Meng (2001, S. 442) verweist darauf, dass vor der Auswanderung nach Deutschland die deutsche Sprache in der Kommunikationsgemeinschaft der Russlanddeutschen nur noch in residualer Form und mit geringer funktionaler Differenzierung verwendet wurde.[180]

Zur Messung der Reliabilität wird die Selbsteinschätzung der deutschen Sprachkompetenzen durch die Mädchen und jungen Frauen den Bewertungen der Interviewerinnen gegenübergestellt. Auch im Vergleich nach nationaler Herkunft folgen die Bewertungen der Interviewerinnen den Selbsteinschätzungen.[181]

---

179 Nach Dietz/Roll (1998, S. 178) gaben 51 Prozent der weiblichen Befragten an, über „mittelmäßige" Deutschkenntnisse zu verfügen, 12 Prozent über „schlechte" und ein Prozent über „sehr schlechte". 32 Prozent schätzt ihre Deutschkenntnisse als „gut" und vier Prozent als „sehr gut" ein.

180 Meng konstatiert (2001, S. 443), dass ein Verlust der Minderheitensprache Deutsch nur bedingt durch den Erwerb der Mehrheitssprache Russisch kompensiert wurde: „Wegen der forcierten Entwertung der Minderheitensprache Deutsch und der unzureichend unterstützten, begrenzten Aneignung der Mehrheitssprache Russisch kam es meist weder auf Deutsch noch auf Russisch zum Erwerb differenzierter standard- und schriftsprachlicher Fähigkeiten, zur Aneignung komplexer Diskurs- und Textformen, zur Ausbildung von Techniken und Kriterien eines selbstgesteuerten Spracherwerbs und zur Entwicklung anspruchsvollerer Methoden geistigen Arbeitens."

181 Vgl. ähnliche Ergebnisse bei Weidacher (2000b, S. 85) BMA (1996, S. 272) BMA (2002 S. 54)

Tabelle 6.4: Beurteilung der deutschen Sprachkenntnisse durch die Interviewerinnen

| | Migrationshintergrund | | | | | Gesamt | |
	Aussiedl.	griech.	ital.	jugosl.	türk.		
Gesamt	(200)	(182)	(183)	(172)	(213)	100	(950)
perfekt	32	62	72	78	53	58	(555)
gut	37	25	23	16	44	30	(284)
ausreichend	20	8	4	5	2	8	(75)
wenig Möglichkeiten, sich auf deutsch zu verständigen	8	5	1	1	1	3	(28)
keine Möglichkeiten, sich auf deutsch zu verständigen	3	-	-	-	-	1	(8)

C = .40   p = .00

Die Interviewerinneneinschätzung und der Index Kompetenz in der deutschen Sprache korrelieren hoch (r = .60; p = .00). Hingegen weicht die Deutschnote deutlich sowohl von der Selbsteinschätzung der Kompetenz als auch von der Interviewerinnenbewertung ab. Der Vergleich der Mittelwerte belegt, dass die Note im Fach Deutsch im letzten Zeugnis bei allen Befragten mit Ausnahme der Mädchen mit Aussiedlerhintergrund deutlich niedriger liegt als die beiden genannten Werte:

Graphik 6.1: Kompetenzen im Deutschen (Index), Interviewerinneneinschätzung und Deutschnote (arithmetisches Mittel)*

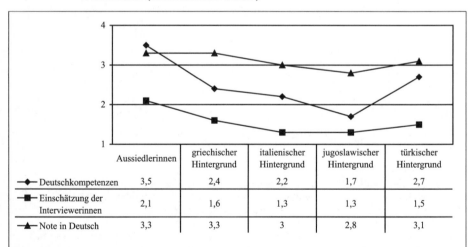

	Aussiedlerinnen	griechischer Hintergrund	italienischer Hintergrund	jugoslawischer Hintergrund	türkischer Hintergrund
◆ Deutschkompetenzen	3,5	2,4	2,2	1,7	2,7
■ Einschätzung der Interviewerinnen	2,1	1,6	1,3	1,3	1,5
▲ Note in Deutsch	3,3	3,3	3	2,8	3,1

N = 950
* Das arithmetische Mittel kann einen Wert zwischen 1 „sehr gute" Sprachkompetenz und 5 „sehr schlechte" Sprachkompetenz annehmen.

Die Korrelationskoeffizienten von r = .39 (p = .00) zwischen Interviewerinnenschätzung und Deutschnote (N = 950) und von r = .60 (p = .00) zwischen Interviewerinnen- und Selbsteinschätzung (N = 950) verweisen auf einen sehr engen Zusammenhang aller drei Werte. Mädchen und junge Frauen, die sich in den vier Bereichen Verstehen, Sprechen, Lesen und Schreiben als „sehr gut" einschätzen, werden auch in der mündlichen Kommunikation von den Interviewerinnen als „sehr gute" oder „gute" Sprecherinnen in der deutschen Sprache beurteilt und haben auch die besseren Noten in Deutsch. Das Niveau der Deutschnote ist jedoch deutlich niedriger als die Selbsteinschätzung und diese wiederum deutlich niedriger als die Interviewerinneneinschätzung. Dieses Auseinanderklaffen von Selbsteinschätzung und Interviewerinneneinschätzung auf der einen und Deutschnote auf der anderen Seite ist interpretationsbedürftig. Sicher muss in Rechnung gestellt werden, dass die Deutschnote – das haben aktuelle Schulleistungsstudien im Hinblick auf die unterschiedliche Beurteilung gleicher Leistungen durch Lehrer und Lehrerinnen bewiesen – ebenso wie die Selbsteinschätzung keine objektive Größe darstellt. Allerdings kann angenommen werden, dass in die Deutschnote in sehr viel stärkerem Maße schriftsprachliche Fertigkeiten eingehen als in den Index Selbsteinschätzung und in die Bewertung der Interviewerin. Letztere werden sich vor allem auf die alltagssprachliche Handlungsfähigkeit, die in der aktuellen Befragungssituation gefragt war, beziehen. Auch Goudiras (1997, S. 223) verweist darauf, dass die von ihm befragten griechischen Jugendlichen mit mangelnden Deutschkenntnissen sich derer größtenteils nicht bewusst seien, da sie sich als handlungsfähig in der deutschen Sprache wahrnehmen.

In allen nationalen Herkunftsgruppen ist der Zusammenhang zwischen der Selbsteinschätzung und der Interviewerinnenbeurteilung sowie der Note in Deutsch stark ausgeprägt.

Tabelle 6.5: Zusammenhang zwischen Kompetenzen im Deutschen und der Interviewerinnenbewertung sowie der Deutschnote (r)

N = 950	Interviewerinnenbeurteilung	Deutschnote
Aussiedlerinnen N = 200	.59**	.44**
griechischer Hintergrund N = 182	.57**	.34**
italienischer Hintergrund N = 183	.51**	.31**
jugoslawischer Hintergrund N = 172	.59**	.29**
türkischer Hintergrund N = 213	.46**	.45**

Mit ** gekennzeichnete Werte sind auf dem $\alpha = .01$ Testniveau signifikant von Null verschieden.

6.2.3 Kompetenzen in der Herkunftssprache

Es ist gesichert, dass ein erheblicher Teil der Migranten und Migrantinnen auch zwei und mehr Generationen nach ihrer Einwanderung Interesse hat, die Sprache der Eltern und Großeltern als Teil des kulturellen Kapitals an die nächste Generation weiterzugeben. Das Sprachinteresse, das von Sprachgruppe zu Sprachgruppe unterschiedlich ausgeprägt ist, ergibt sich aus verschiedenen Motiven: Rückkehrabsicht, politische und kulturelle Selbstbehauptung, Erhalt der Erinnerung an das Vergangene und nicht zuletzt die Wahrung der Bindung an die Herkunftsfamilie (vgl. Reich/Pörnbacher 1995, S. 136). Gleichwohl wird in einigen Untersuchungen ein schleichender Verlust der Herkunftssprache von einer Generation zur nächsten konstatiert (vgl. hierzu Mammey 2001, S. 15ff., anders Heckmann et al. 2000, S. 26; BMA 1996, S. 228). Ein Grund liegt vermutlich darin, dass die Herkunftssprachen an gesellschaftlicher Bedeutung einbüßen und in die individuelle Sphäre der persönlichen Beziehungen, Netzwerke und Aktivitäten mit der eigensprachigen Gruppe verwiesen werden, ergänzt durch Urlaubsbesuche und Medienkontakte zum Herkunftsland der Eltern.

Auch in der Herkunftssprache wurde in unserer Untersuchung die Selbsteinschätzung zugrunde gelegt und nach den vier Fertigkeiten getrennt gefragt. Auch hierbei werden die Sprachfähigkeiten, die aufgrund der mündlichen Kommunikation kultiviert werden, das Verstehen und das Sprechen am höchsten eingeschätzt: Mehr als die Hälfte der Mädchen und jungen Frauen mit Migrationshintergrund schätzt ihre Sprachfähigkeiten in der Herkunftssprache beim Verstehen als „sehr gut" ein, 42 Prozent beim Sprechen, 37 Prozent beim Lesen und 27 Prozent beim Schreiben.

Tabelle 6.6:   Kompetenzen in der ersten Herkunftssprache (in Prozent)

Kompetenzen in der ersten Herkunftssprache					
N = 950	sehr gute	gute	mittelmäßige	schlechte	sehr schlechte
Verstehen	54	34	11	1	-
Sprechen	42	38	18	2	-
Lesen	37	33	22	6	2
Schreiben	27	30	26	11	6

Während der Anteil der jungen Aussiedlerinnen mit „sehr guten" sprachlichen Fähigkeiten in der Herkunftssprache besonders hoch ist, stellt sich der Anteil der Mädchen und jungen Frauen italienischer und türkischer Herkunft mit „sehr guten" Sprachfähigkeiten in der Herkunftssprache als besonders niedrig dar. In der Repräsentativuntersuchung des BIBB von 1988/89 (Granato 1994, S. 24) waren die „Muttersprachenkenntnisse" der Befragten mit italienischem und türkischem Hintergrund noch besser als diejenigen der anderen befragten Nationalitäten. Hier scheint sich im Verlauf der letzten 12 Jahre eine Entwicklung zu Ungunsten der Herkunftssprachenkompetenzen vollzogen zu haben.

Tabelle 6.7:   Kompetenzen in der Herkunftssprache (sehr gut) (in Prozent)[182]

| | Migrationshintergrund | | | | | Gesamt |
	Aussiedl.	griech.	ital.	jugosl.	türk.	
Gesamt	(200)	(182)	(183)	(172)	(213)	100 (950)
Verstehen*	76	47	41	64	42	54 (513)
Sprechen*	68	41	27	44	29	42 (398)
Lesen*	55	41	25	38	26	37 (349)
Schreiben*	39	25	16	33	25	27 (260)

* Signifikante Unterschiede nach nationaler Herkunft p ≤ .05.

Die Abstände in den vier Sprachfähigkeiten bleiben ähnlich: In allen verfügen mehr Befragte aus Aussiedlerfamilien über „sehr gute" Sprachfähigkeiten, allerdings gleichen sie sich im Schriftsprachlichen den Mädchen und jungen Frauen mit jugoslawischem Hintergrund an. Von den Mädchen und jungen Frauen beider Herkunftsgruppen schreiben sich etwa ein Drittel „sehr gute" Schreibfähigkeiten in der Herkunftssprache zu. In allen vier Bereichen gibt es besonders wenige Mädchen und junge Frauen mit türkischem und italienischem Hintergrund, die „sehr gute" Sprachfähigkeiten angeben, während sich die Mädchen und jungen Frauen griechischer Herkunft lediglich im Schreiben seltener „sehr gute" Fähigkeiten zuschreiben.

Parallel zur Erfassung der Selbsteinschätzung der Fähigkeiten in der deutschen Sprache wurde ein Index für die (erste) Herkunftssprache gebildet (zur Instrumentenkonstruktion siehe Anhang):

Tabelle 6.8:   Kompetenzen in der (ersten) Herkunftssprache (Index) (in Prozent)

| | Migrationshintergrund | | | | | Gesamt |
	Aussiedl.	griech.	ital.	jugosl.	türk.	
Gesamt	(200)	(182)	(183)	(172)	(213)	100 (950)
sehr gut	38	21	13	26	12	22 (208)
gut	12	8	7	5	11	9 (85)
mittelmäßig	18	17	14	24	16	18 (169)
schlecht	13	25	29	23	23	22 (213)
sehr schlecht	19	29	37	22	38	29 (275)

C = .29   p = .00

Die besten Sprachkompetenzen in der Herkunfts- bzw. Sozialisationssprache geben auch im kombinierten Maß junge Aussiedlerinnen an, was in Anbetracht der relativ kurzen Aufenthaltsdauer in der Bundesrepublik Deutschland (Mittelwert 6 Jahre) und der sprachlichen Sozialisation im Russischen nicht überrascht. Erstaunlich ist eher der hohe Anteil in dieser Gruppe mit Mängeln in der Herkunftssprache. Hohe Fähig-

---

182 Die Klassifikation der Verteilung folgt den gleichen Regeln wie die für die deutschen Sprachfertigkeiten angewandten.

keiten sprechen sich eine größere Zahl von Mädchen und jungen Frauen mit jugoslawischem Migrationshintergrund zu. Mehr Mädchen und junge Frauen aus den übrigen Herkunftsgruppen beurteilen ihre Sprachkenntnisse negativer. Fast zwei Drittel der Befragten italienischer und 60 Prozent türkischer Herkunft gibt an, nur „schlechte" oder „sehr schlechte" Kompetenzen in der Herkunftssprache zu besitzen.

6.3 Entwicklung und Beibehaltung von Sprachfähigkeiten

6.3.1 Migrationsbiographien und Zweisprachigkeit

Die in den 80er Jahren erfolgte politische und wissenschaftliche Auseinandersetzung um die Bedeutung des Einreisealters von Kindern aus Zuwandererfamilien für deren Schulerfolg und soziale Integration enthielt stets implizite Annahmen über dessen Einfluss auf das Erlernen der deutschen Sprache.[183] Unter Ignorierung der Herkunftssprache wurden stets ausschließlich die Fähigkeiten in der deutschen Sprache berücksichtigt. Kinder, die in Deutschland geboren oder im Vorschulalter eingewandert sind, sollten demnach über gute deutsche Sprachkenntnisse verfügen, während in einem späteren Alter eingewanderte Kinder aufgrund unzureichender deutscher Sprachkenntnisse Probleme hätten, dem Unterricht in den deutschen Schulen zu folgen. In früheren Untersuchungen (siehe Esser 1990a, S. 144f.) wie auch in neueren (siehe BMA 1996, S. 281; Fuchs/Schwietring/Weiß 1999, S. 215ff.; Weidacher 2000b, S. 88; Deutsches PISA-Konsortium 2001, S. 376) wird der Einfluss des Einreisealters auf die deutschen Sprachkenntnisse betont. Sehr gute oder gute Sprachfähigkeiten stehen somit im Zusammenhang mit der Geburt in Deutschland bzw. mit einem früheren Zeitpunkt der Zuwanderung. Dieser Zusammenhang wird anhand der Ergebnisse unserer Untersuchung bestätigt. Die Migrationsbiographie hat einen deutlichen Einfluss auf die Kompetenzen in der deutschen Sprache:

Tabelle 6.9: Migrationsbiographie und Kompetenzen in der deutschen Sprache (Index)

Fertigkeiten in der deutschen Sprache	Migrationsbiographie					
	seit Geburt ununterbrochen in der BRD gelebt	spätestens seit Ende des 6. Lj. in der BRD gelebt	seit 7. bis einschl. 12. Lj. in der BRD gelebt	seit 13. Lj. in der BRD gelebt	gependelt	Gesamt
Gesamt	(492)	(95)	(176)	(142)	(45)	100 (950)
sehr gut	49	47	35	8	36	40 (377)
gut	12	19	9	3	7	10 (97)
mittelmäßig	17	14	20	14	15	17 (159)
schlecht	18	16	26	31	24	21 (205)
sehr schlecht	4	4	10	44	18	12 (112)

C = .45 p = .00

---

183 Siehe hierzu auch Kapitel 5.

Die Tabelle belegt, dass 61 Prozent derjenigen, die seit der Geburt und 66 Prozent derjenigen, die spätestens seit dem Ende des sechsten Lebensjahres ununterbrochen in Deutschland gelebt und somit die gesamte schulische Sozialisation in Deutschland durchlaufen haben, „gute" bis „sehr gute" Deutschkenntnisse angeben. Diese Gruppe der Mädchen und jungen Frauen schätzt ihre Deutschkenntnisse eindeutig besser ein als die Seiteneinsteigerinnen. Das Einreisealter hat aber ebenso Einfluss auf die Sprachfähigkeiten in der (ersten) Herkunftssprache. Eine frühe Auswanderung aus dem Herkunftsland, insbesondere das Aufwachsen seit der Geburt in Deutschland, führt bei einem erheblichen Teil zu einem Verlust an Sprachkompetenz in der Herkunftssprache. Die Migrationsbiographie hat demnach auch einen deutlichen Einfluss auf die Kompetenzen in der Herkunftssprache:

Tabelle 6.10: Migrationsbiographie und Kompetenzen in der Herkunftssprache (Index) (in Prozent)

Kompetenzen in der Herkunftssprache	Migrationsbiographie					
	seit Geburt ununterbrochen in der BRD gelebt	spätestens seit Ende des 6. Lj. in der BRD gelebt	seit 7. bis einschl. 12. Lj. in der BRD gelebt	seit 13. Lj. in der BRD gelebt	gependelt	Gesamt
Gesamt	(492)	(95)	(176)	(142)	(45)	100 (950)
sehr gut	11	6	18	69	40	22 (208)
gut	7	11	8	13	13	9 (85)
mittelmäßig	17	18	29	8	16	18 (169)
schlecht	27	25	21	9	11	22 (213)
sehr schlecht	38	40	24	1	20	29 (275)

C = .49   p = .00

Besonders zu erwähnen ist, dass von denjenigen, die im Vorschulalter nach Deutschland eingewandert sind, ca. 40 Prozent ihre Herkunftssprache unzureichend beherrschen; nur eine Minderheit von unter 20 Prozent schreibt sich „sehr gute" und „gute" Fähigkeiten zu.

6.3.2 Muttersprachlicher Ergänzungsunterricht und der Erhalt der Herkunftssprache

Alltag und Bildungseinrichtungen stützen den Erwerb der deutschen Sprache. Der Festigung und Vertiefung der Herkunftssprache dienen der private Raum der Familie, die ethnische Community oder das ethnische und herkunftssprachlich geprägte Umfeld und im Bereich der formalen Bildung der Muttersprachliche Ergänzungsunterricht. In der wissenschaftlichen Diskussion hat die Mitte der 80er Jahre heftig aufgeworfene Frage der Bedeutung der Muttersprache für zugewanderte Kinder und Jugendliche allgemein (Fthenakis et al. 1985) und im schulischen Bereich (BAGIV 1985) längst an Bedeutung verloren.[184] So gibt es in Deutschland keine neueren Studien über den Zusammenhang von Muttersprachlichem Ergänzungsunterricht und Herkunftsspracherwerb geschweige denn über den von Muttersprachlichem Ergänzungsunterricht und Zweisprachigkeit.[185]

575 Mädchen und junge Frauen haben den MEU besucht.

Tabelle 6.11: Besuch des Muttersprachlichen Ergänzungsunterrichts (MEU) in Jahren

	Migrationshintergrund					Gesamt	
	Aussiedl.	griech.	ital.	jugosl.	türk.		
Gesamt	(200)	(182)	(183)	(172)	(213)	100	(950)
nicht besucht*	75	10	26	28	19	40	(375)
1 bis 3 Jahre	17	16	16	15	19	19	(180)
4 bis 6 Jahre	-	24	19	20	33	17	(162)
7 bis 9 Jahre	-	26	24	25	17	15	(144)
10 bis 13 Jahre	8	24	15	12	12	9	(89)

C = .29   p = .00

* 38 Mädchen und junge Frauen haben auf die Frage nach dem Besuch des Muttersprachlichen Ergänzungsunterrichts keine Antwort gegeben, da diese nie in Deutschland eine Schule besucht haben. Sie wurden in die Kategorie „nicht besucht" eingeordnet. Mädchen und jungen Frauen, die ein griechische Schule besucht haben, werden ebenfalls in die Rubrik „nicht besucht" eingeordnet.

Der Mittelwert der Jahre, die der Muttersprachlichen Ergänzungsunterricht besucht wurde, ist bei den Befragten griechischer (7,1 Jahre), italienischer (6,6 Jahre) und jugoslawischer (6,6 Jahre) Herkunft am höchsten. Bei den Mädchen und junge Frauen mit türkischem Hintergrund beträgt er 5,6 Jahre und bei den Aussiedlerinnen 4,3 Jahre. Es darf nicht verwundern, dass die Letztgenannten dennoch die im Vergleich besten Sprachkenntnisse in der Herkunftssprache angeben, da sie zu einem großen Teil eine sprachliche Sozialisation im Herkunftsland erfahren haben. Allerdings zeigt das Beispiel der türkischen und italienischen Herkunftsgruppe, dass ein vergleichsweise langjähriger Besuch des Muttersprachlichen Ergänzungsunterrichts nicht notwendigerweise zur Erhaltung oder Verbesserung der Herkunftssprachenkompetenzen beiträgt.

Die Teilnahme am Muttersprachlichen Ergänzungsunterricht hält also den Sprachverlust nicht auf. Bei denjenigen Mädchen und jungen Frauen, die hier geboren sind oder spätestens ab dem sechsten Lebensjahr ununterbrochen in Deutschland leben, besteht kein Zusammenhang zwischen dem Besuch des Muttersprachlichen Ergänzungsunterrichts und den Kompetenzen in der Herkunftssprache, wie die folgende Tabelle belegt:

---

184 Weitaus heftiger diskutiert werden Fragen der Religiosität und des islamischen Religionsunterrichts (siehe Langenfeld 2001, insbesondere S. 476ff.).
185 Zum Forschungsstand siehe Reich/Roth 2002.

Tabelle 6.12: Herkunftssprachkompetenzen (Index) und Besuch des Muttersprachlichen Ergänzungsunterrichts (MEU) (in Prozent)

Herkunftssprachen-kompetenzen	Besuch des Muttersprachlichen Unterrichts			
	keinen MEU besucht	1 bis 6 Jahre MEU besucht	7 und mehr Jahre MEU besucht	Gesamt
Gesamt	(126)	(233)	(212)	100 (571*)
sehr gute	8	10	12	11 (60)
gute	5	6	10	7 (42)
mittlere	13	17	17	16 (92)
schlechte	26	27	29	28 (157)
sehr schlechte	48	40	32	38 (220)

C = .14   p = .15
* Enthält nur die Mädchen und jungen Frauen, die vor Schulbeginn eingereist sind und lässt die Mädchen und jungen Frauen unberücksichtigt, die eine griechische Schule besuchen oder besucht haben.

Ein Zusammenhang zwischen der Dauer des Besuchs des Muttersprachlichen Ergänzungsunterrichts und der (Selbsteinschätzung der) Sprachfähigkeiten in der Herkunftssprache lässt sich nicht belegen. Wohl aber gibt es einen Zusammenhang zwischen der Dauer des Besuchs des Muttersprachlichen Ergänzumgsunterrichts und dem Bildungsniveau, wenn dieser auch nicht sehr stark ist:

Tabelle 6.13: Bildungsniveau und Besuch des Muttersprachlichen Ergänzungsunterrichts (MEU) (in Prozent)

Bildungsniveau	Besuch des Muttersprachlichen Unterrichts			
	keinen MEU besucht	1 bis 6 Jahre MEU besucht	7 und mehr Jahre MEU besucht	Gesamt
Gesamt	(126)	(233)	(212)	100 (571*)
niedrig	18	15	13	15 (84)
mittel	35	44	32	38 (216)
hoch	47	41	55	47 (271)

C = .14   p = .03
* Enthält nur die Mädchen und jungen Frauen, die vor Schulbeginn eingereist sind und lässt die Mädchen und jungen Frauen unberücksichtigt, die eine griechische Schule besuchen oder besucht haben.

Eine kausale Interpretation ist nicht möglich: Es kann sein, dass der Besuch des Muttersprachlichen Ergänzungsunterrichts Einfluss auf das Bildungniveau hat, es kann ebenso sein, dass Mädchen und junge Frauen mit Bildungsbereitschaft und -fähigkeit häufiger länger den Muttersprachlichen Ergänzungsunterricht besuchen.

Das Ergebnis lässt sich mit Untersuchungen aus den USA in Einklang bringen, denen zufolge (so referiert von Gogolin et al. 2003, S. 48) je nach Eingangsvoraussetzungen der Schüler und Schülerinnen ein Zeitrahmen von fünf bis zehn Jahren

Muttersprachlichen Ergänzungsunterrichts erforderlich ist, um die (herkunfts-) sprachliche Leistungsfähigkeit nicht zu gefährden. Als Begründung führen die Autoren und Autorinnen[186] die von Schuljahr zu Schuljahr zunehmende Komplexität und Abstraktion der Fachsprachen und der schulischen Bildungssprache insgesamt an.

6.3.3 Bilingual oder geringe Fähigkeiten in beiden Sprachen?

Alle von uns befragten Mädchen und jungen Frauen mit Migrationshintergrund sind mehrsprachig. Bei der Mehrsprachigkeit (synonym gebraucht mit Zweisprachigkeit oder Bilingualität) handelt es sich um eine variable kommunikative und interaktionale Kompetenz in zwei Sprachen (so Oksaar 2003, S. 31). Dabei kann das Verhältnis der Sprachen durchaus unterschiedlich sein, es kann „je nach der Struktur des kommunikativen Aktes bedingt u.a. durch Situationen und Themen, ein restringierterer, also nicht stark differenzierter Kode, in der anderen ein elaborierterer verwendet werden: Eine der Sprachen kann in gewissen Situationen oder Domänen durchaus dominant sein" (ebenda). Da Sprache stets ein Teil der Kultur einer Gesellschaft ist, ein Medium, über das soziokulturelle Regeln und Normen, die die Verhaltensweisen steuern, vermittelt werden, ist der oder die Mehrsprachige auch mehr oder weniger mehrkulturell. Vor diesem Hintergrund interessiert der Zusammenhang zwischen den Fähigkeiten in der deutschen Sprache und in der Herkunftssprache.

Zwischen den Indices der wahrgenommenen Sprachfähigkeiten in der deutschen auf der einen und in der Herkunftssprache auf der anderen Seite besteht ein negativer Zusammenhang ($r = -.12$, $p = .00$), der wiedergibt, dass Mädchen und junge Frauen mit hoher Kompetenz in der deutschen Sprache geringere in der Herkunftssprache und umgekehrt besitzen. Eine herkunftsspezifische Aufschlüsselung legt offen, dass der negative Korrelationskoeffizient auf zwei Gruppen zurückgeführt werden muss. Bei den Mädchen und jungen Frauen aus Aussiedlerfamilien besteht – wie aufgrund der kurzfristigen Zuwanderung plausibel ist – eine stärkere negative Beziehung ($r = -.34$, $p = .00$), bei den Mädchen und jungen Frauen mit griechischem Hintergrund eine geringere, aber ebenfalls bedeutsame Beziehung ($r = -.20$, $p = .01$). Bei den drei übrigen Herkunftsgruppen ist kein Zusammenhang gegeben, weder in der Hinsicht, dass hohe Fähigkeiten in der einen Sprache die andere stützen, noch dass sie sie behindern.

Eine kleine, aber beachtenswerte Zahl der Mädchen und jungen Frauen von acht Prozent verfügt in beiden Sprachen über „sehr gute" Fähigkeiten, ein deutlich geringerer Teil von zwei Prozent schreibt sich in beiden Sprachen beachtliche Mängel zu:

---

186 Gogolin et al. (2003) verweisen auf Hakuta/Butler/Witt 2000: How long does it take English learners to attain proficiency? und Thomas/Collier 1997: School effectiveness for language minority students.

Tabelle 6.14: Kompetenzen im Deutschen und in der Herkunftssprache (Indices)

Kompetenzen in der Herkunfts- sprache	Kompetenzen in der deutschen Sprache					
	sehr gute	gute	mittlere	schlechte	sehr schlechte	Gesamt
Gesamt	39 (377)	10 (97)	17 (159)	22 (205)	12 (112)	100 (950)
sehr gute	8	1	3	6	5	22 (208)
gute	3	1	1	2	1	9 (85)
mittlere	8	2	3	3	2	18 (169)
schlechte	9	2	4	5	2	22 (213)
sehr schlechte	11	4	6	6	2	29 (275)

r = -.12   p = .00

Der negative signifikante Korrelationskoeffizient verdeutlicht, dass gute deutsche Sprachfähigkeiten eher einhergehen mit geringeren Fähigkeiten in der Herkunfts-sprache, aber der Zusammenhang ist nicht ausgeprägt. Es gibt eine große Zahl von Mädchen und jungen Frauen mit bilingualen Sprachkompetenzen.

Aus der Gegenüberstellung der Fähigkeiten in beiden Sprachen lässt sich ein neues Maß gewinnen, das Auskunft über den Grad der Bilingualität ermöglicht.

Tabelle 6.15: Bilingualität[187] (in Prozent)

Fähigkeiten in der Herkunfts- sprache	Fähigkeiten in der deutschen Sprache				
	sehr gute	gute	mittlere	schlechte	sehr schlechte
sehr gute	bilingual 31% (291)			dominant herkunftssprachig 18% (171)	
gute					
mittlere					
schlechte	dominant deutsch 36% (342)			geringe Fertigkeiten in beiden Sprachen 15% (146)	
sehr schlechte					

Ca. ein Drittel der Mädchen und jungen Frauen schreibt sich in beiden Sprachen (deutsch und erste Herkunftssprache) „sehr gute", „gute" oder „mittlere" Fähig-keiten zu, nur wenig mehr haben „sehr gute", „gute" oder „mittlere" Fähigkeiten im Deutschen, aber Sprachverluste in der Herkunftssprache. Deutlich geringer ist mit 18 Prozent die Gruppe derer, die schwach im Deutschen aber stark in der Herkunfts-sprache sind, über die Hälfte dieser Gruppe (90 Personen) kommen aus Aussiedler-familien und haben überwiegend eine abweichende Migrationsbiographie als Seiten-einsteigerinnen: 15 Prozent der Mädchen und jungen Frauen, das sind 146 Fälle, haben in beiden Sprachen Mängel, davon haben etwas mehr als ein Drittel einen

---

187 „Sehr gute" bis „mittlere" Kompetenzen bedeuten 18 und mehr Punkte auf dem 20 Punkte enthaltenen Index; „schlechte" oder „sehr schlechte" Kompetenzen 17 und weniger Punkte.

türkischen Migrationshintergrund, aber auch die übrigen Herkünfte sind in dieser Gruppe nicht nur in Einzelfällen vertreten:

Tabelle 6.16: Bilingualität nach Migrationshintergrund (in Prozent)

	Migrationshintergrund					Gesamt	
	Aussiedl.	griech.	ital.	jugosl.	türk.		
Gesamt	(200)	(182)	(183)	(172)	(213)	100	(950)
bilingual	23	28	27	50	28	31	(291)
dominant deutsch	17	42	50	38	36	36	(342)
dominant herkunftssprachig	45	19	7	5	12	18	(171)
geringe Kompetenzen in beiden Sprachen	15	11	16	7	24	15	(146)

C = .41   p = .00

Unter der Gruppe der Mädchen und jungen Frauen mit bilingualer Kompetenz sind diejenigen mit jugoslawischem Hintergrund deutlich überrepräsentiert; diese Herkunftsgruppe hat gleichzeitig besonders selten in beiden Sprachen geringe Kompetenzen. Mädchen und junge Frauen mit italienischem Hintergrund sind häufiger als die übrigen dominant deutsch, Mädchen und junge Frauen aus Aussiedlerfamilien dominant herkunftssprachig. Mädchen und junge Frauen mit türkischem Hintergrund sind unter den bilingualen Sprecherinnen genau so häufig zu finden wie Aussiedlerinnen sowie diejenigen mit italienischem und griechischem Hintergrund, aber häufiger als alle anderen unter denjenigen, die in beiden Sprachen Mängel haben. Das Aufwachsen in Deutschland kann demnach einerseits zur Bilingualität beitragen, andererseits aber auch zur Dominanz der deutschen Sprache führen. In seltenen Fällen bleibt die Herkunftssprache dominant oder beide Sprachen bleiben defizitär ausgebildet.

6.4 Erwerb der deutschen Sprache

In der aktuellen Bildungsdiskussion besteht Interesse an Informationen über den Prozess des Sprachenlernens mit Schwerpunkt auf dem Erwerb des Deutschen.

In dieser Untersuchung wird ermittelt, wo bzw. durch wen die Mädchen und jungen Frauen ihre Deutschkenntnisse erworben haben. Die Antworten zeigen, dass ein Viertel der Mädchen und jungen Frauen die deutsche Sprache zuerst in der Familie und zwei Drittel zuerst in den Bildungsinstitutionen und zwar jeweils ein Drittel im Kindergarten und in der Schule gelernt hat. Eine Gegenüberstellung der Daten im herkunftsspezifischen Vergleich zeigt, dass sich die einzelnen Herkunftsgruppen deutlich unterscheiden.

Tabelle 6.17: Erwerb deutscher Sprachkompetenzen (in Prozent)

| | Migrationshintergrund | | | | | Gesamt | |
	Aussiedl.	griech.	ital.	jugosl.	türk.		
Gesamt	(200)	(182)	(183)	(172)	(213)	100	(950)
in der Familie	27	25	38	18	18	25	(237)
im Kindergarten	2	44	42	30	60	36	(342)
in der Schule	66	27	17	51	20	36	(341)
Sonstiges	5	4	3	1	2	3	(30)

C = .44   p = .00

In den meisten Herkunftsgruppen mit Ausnahme der italienischen spielt die Familie keine wesentliche Rolle in dieser Frage. Für Mädchen aller nationalen Hintergründe sind vorwiegend die Bildungseinrichtungen die Orte, an denen sie die deutsche Sprache gelernt haben. Die in der Öffentlichkeit stattfindende Konzentration auf die Familie als (deutsch-)sprachlichem Sozialisationsfaktor wird der Lebensrealität der Kinder und Jugendlichen mit Migrationshintergrund somit nicht gerecht. Auch andere empirische Untersuchungen haben bereits nachgewiesen, dass Jugendliche ihre Deutschkenntnisse weitgehend unabhängig davon erwerben, welche Sprachkenntnisse ihre Eltern besitzen, d.h. dass andere sprachliche Sozialisationsinstanzen als die Familie ausschlaggebend sind (Nauck 2000, S. 382). Die Zahlen unserer Untersuchung verdeutlichen wiederholt die hohe Bedeutung der institutionellen Vermittlung von Deutschkenntnissen für Kinder mit anderer Muttersprache und der Bedeutung, die der Kindergarten als erste Stufe des Bildungssystems hierbei besitzt. Der hohe Anteil bei den Aussiedlerinnen und jungen Frauen jugoslawischer Herkunft, die Deutsch erst in der Schule erworben haben, lässt sich durch die große Zahl von Seiteneinsteigerinnen erklären.

Dem entspricht, dass weitaus die meisten Mädchen und jungen Frauen aller nationalen Hintergründe in der Familie ausschließlich die Herkunftssprache oder die Herkunftssprachen erwerben:

Tabelle 6.18: In der Familie erworbene Sprache/n (in Prozent)

| | Migrationshintergrund | | | | | Gesamt | |
	Aussiedl.	griech.	ital.	jugosl.	türk.		
Gesamt	(200)	(182)	(183)	(172)	(213)	100	(950)
ausschließlich deutsch	-	-	-	-	1	-	(6)
deutsch/Herkunfts-sprache(n)	26	25	37	18	17	25	(231)
Ausschließlich Herkunftssprache(n)	74	75	63	82	82	75	(713)

C = .18   p = .00

Nur in Familien mit italienischem Migrationshintergrund wird bei gut einem Drittel schon in der familiären Sozialisation neben der Herkunftssprache auch die deutsche Sprache vermittelt. Eine ausschließlich an der deutschen Sprache orientierte Erziehung findet so gut wie nirgendwo statt.

Ein Blick auf die Mädchen, die in Deutschland geboren wurden und ununterbrochen hier gelebt haben, macht die Brisanz des Ergebnisses noch deutlicher. Nur ein Drittel hat die Fähigkeiten in der deutschen Sprache zuerst in der Familie erworben, über die Hälfte (56%) nennen den Kindergarten und ein Zehntel die Schule als Ort des Erlernens der deutschen Sprache. Die große Lernkapazität des Vorschulkindes und die besondere Beeinflussbarkeit der sprachgebundenen Intelligenz in dieser Altersphase machen diese Phase zur wichtigsten Zeit für eine intellektuelle (auch sprachliche) und sozial-emotionale Förderung (Oksaar 2003, S. 58). Es herrscht Eindeutigkeit darüber, dass die sensomotorisch bedingten Aspekte der Sprache, z.B. Aussprache und Intonation, desto besser sein können, je früher mit der zweiten Sprache begonnen wird. Ein wichtiges Argument für den frühen Erwerb von mehr als einer Sprache ist auch ihre mögliche positive Wirkung aufeinander und auf die kognitive Entwicklung des Kindes (ebenda, S. 59). Es ist aber in naher Zukunft nicht zu erwarten, dass die Migrationsfamilien diese Aufgabe übernehmen können oder wollen. Es muss akzeptiert werden, dass die deutsche Sprache überwiegend als Zweitsprache und nicht als zweite Muttersprache gelernt wird. Der Zweitspracherwerb folgt anderen Regeln als der Erstspracherwerb, da der der/die Lernende dabei auf grundlegende, durch den Erstspracherwerb erlangte Fähigkeiten und Erfahren aufbaut. Beim Erstspracherwerb, so führt Oksaar (2003) aus, „lernt man das komplexe Phänomen Sprache, ebenso die Sprachfähigkeit, beim Zweitspracherwerb eine bestimmte Sprache. Was bedeutet das? Beim Erstspracherwerb hat man keine Vorkenntnisse von der Sprache und von der Welt. Das Strukturieren der Welt ist komplex: man lernt Aktivitäten, Tätigkeiten, Reaktionen und Situationen als Basiskenntnisse, als eine Art technische Fertigkeiten mit dem und durch den Umgang mit der Sprache. Diese Erfahrungen setzt man auch beim Erwerb einer weiteren Sprache ein, man hat sie aber schon erworben. Ferner: alles früher Gelernte kann das zukünftige Lernen und Verhalten beeinflussen, positiv oder negativ" (S. 109).

Deutsch als Zweitspracherwerb ist nicht negativ zu bewerten, sondern eröffnet Optionen. In Deutschland wachsen Kinder und Jugendliche zweisprachig auf, die über Sprachbewusstsein verfügen. Das ist das Wissen um Merkmale, Eigenschaften und Regeln der Sprachen und der selbstreflexive Umgang mit ihnen (siehe Luchtenberg 1999). Dieses müsste genutzt werden, was ein neues Verständnis der Bildungseinrichtungen, vor allem vorschulischen Kindertagesstätten verlangt. Sie müssten in weitaus stärkerem Umfang und in deutlich besserer Qualität die Aufgabe annehmen und bewältigen, in Deutschland geborenen Kindern mit herkunftssprachlicher Kompetenz Deutsch als Zweitsprache zu vermitteln.

6.5 Das sprachliche Milieu:
deutsch – bilingual – herkunftssprachig

Kinder und Jugendliche mit Migrationshintergrund wachsen stets in einem mindestens zweisprachigen Milieu auf. Ist in der Familiensprache das Deutsche dominant und wird sogar nahezu ausschließlich Deutsch gesprochen, so können die mitgebrachten Sprachen dennoch (so Gogolin et al. 2003, S. 41) für die Eltern als Sprache der Gefühle oder der Regulierung elementarer Verhaltensweisen, also als wesentliche Sprachen des „Erziehens" fungieren. Über herkunftssprachige Verwandte und Freunde der Eltern und insbesondere über die Verwandten- und Bekanntenbesuche im Herkunftsland der Eltern oder Großeltern werden die Sprachen in den familiären Raum getragen. Aber auch wenn die Herkunftssprache in der Familie und sogar im Wohnumfeld dominant ist, erleben die Kinder und Jugendlichen mit zunehmender Aneignung der weiteren Umgebung die dort herrschende Sprache, das Deutsche, als bedeutende Größe. Dem Einfluss dieser Sprache kann das Kind auch im Vorkindergartenalter nicht entgehen, auch nicht, wenn sie innerhalb der Familie selbst nicht oder kaum gesprochen wird: Das Deutsche dringt durch Massenmedien, durch soziale Kontakte und durch die symbolische Ordnung des öffentlichen Raums in die familiale Kommunikation ein, und es umgibt das Kind, sobald es die eigene Wohnung verlässt. Daher ist unabhängig von der in der Familie konkret ausgeübten Sprachpraxis davon auszugehen, dass Kinder mit Migrationshintergrund im Primärspracherwerb unterschiedliche Formen von Bilingualität entwickeln. Die Ausprägung dieser Formen ist von der konkreten Lebenslage einer Familie abhängig: von ihren Sprachpraktiken, ihren sozialen Beziehungen, dem Medienkonsum und sonstigen Lebensumständen (ebenda, S. 41f.). In diesem Sinne sind die in dieser Untersuchung befragten Mädchen und jungen Frauen zwei- oder mehrsprachig aufgewachsen, aber ihr sprachliches Umfeld kann sich ganz unterschiedlich darstellen, sowohl in der Familie, im Freundeskreis als auch im Mediengebrauch.

6.5.1 Sprache im familialen Bereich

Es wurde dargestellt, dass in drei Viertel der Familien ausschließlich die Herkunftssprache vermittelt wird. Auch das familiale Sprachmilieu ist bei den Mädchen und jungen Frauen ganz eindeutig nicht auf das Deutsche ausgerichtet, es überwiegen die Herkunftssprache oder die Herkunftssprachen (mehr als eine Herkunftssprache bei immerhin sechs Prozent der Fälle):

Graphik 6.2:   Sprachgebrauch mit Mutter und Vater (in Prozent)

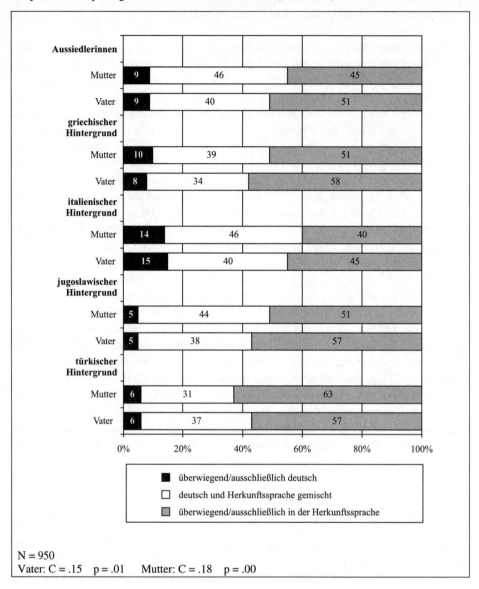

N = 950
Vater: C = .15   p = .01   Mutter: C = .18   p = .00

Die Kommunikation mit den Eltern, getrennt nach Vater und Mutter ermittelt, verläuft bei der Mehrzahl aller Mädchen der verschiedenen nationalen Herkünfte ausschließlich in der Herkunftssprache, aber ein Sprachwechsel (gemischt: Deutsch und
Herkunftssprache) kommt ebenfalls häufig vor. Dieses Ergebnis entspricht den
meisten anderen Untersuchungen: stets wird die Herkunftssprache – selbst bei den
Jugendlichen mit sehr guten deutschen Sprachkompetenzen – von zwei Drittel bis
drei Viertel als Kommunikationsmittel mit den Eltern angegeben (siehe Weidacher

2000b, S. 89; Heckmann et al. 2000, S. 27).[188] Auch die Jugendlichen türkischer, italienischer und griechischer Herkunft im DJI-Ausländersurvey (Weidacher 2000b, S. 89f.) unterhalten sich mit ihren Eltern überwiegend in der Herkunftssprache.

Ein Vergleich des Sprachgebrauchs der Mädchen und jungen Frauen mit dem Vater und der Mutter zeigt in der Gesamtstichprobe keine bedeutsamen Unterschiede. Prozentual gesehen ist der Anteil der Befragten, die mit der Mutter gemischt, also in Deutsch und der Herkunftssprache kommuniziert, zwar knapp höher als der Anteil derjenigen, die dieses mit dem Vater tun, aber die Unterschiede sind nicht signifikant. Die Gegenüberstellung der Daten im herkunftsspezifischen Vergleich weist auf Unterschiede hin. Eine größere Zahl der Befragten spricht mit dem Vater mehr als mit der Mutter ausschließlich oder überwiegend in der Herkunftssprache. Nur Mädchen und junge Frauen mit türkischem Hintergrund bevorzugen in Gesprächen mit der Mutter zu nahezu zwei Dritteln die türkische Sprache – und dieses häufiger als in Gesprächen mit dem Vater.

6.5.2   Sprache im Freundeskreis

Von den 41 Prozent der Mädchen und jungen Frauen, die einen festen Freund haben, spricht die Mehrheit mit diesem überwiegend bis ausschließlich in der Herkunftssprache, 36 Prozent gemischt Deutsch und die Herkunftssprache sowie jede Vierte überwiegend bis ausschließlich Deutsch. Beim Vergleich der Herkunftsgruppen fällt auf, dass der Anteil derjenigen, die mit dem festen Freund überwiegend bis ausschließlich Deutsch spricht, bei den jungen Frauen italienischer Herkunft am höchsten, bei den Aussiedlerinnen dagegen am niedrigsten liegt.

Ganz anders stellt sich der Sprachgebrauch im engsten Freundes- oder Freundinnenkreis dar. Hier hat sich das Deutsche als dominante Konversationssprache etabliert (so auch Heckmann et al. 2000, S. 28). Je mehr Personen der engste Freundeskreis umfasst – es konnten bis zu drei Personen genannt werden – desto größer ist die Rolle des Deutschen in der sprachlichen Interaktion. Demnach sind es rund 40 Prozent der Befragten, die angeben, sich „überwiegend bis ausschließlich" in Deutsch mit dem/r besten ersten Freund/in zu unterhalten, 44 Prozent mit dem/r zweiten und 45 Prozent mit dem/r dritten. Dabei gibt es deutliche herkunftsspezifische Unterschiede im Sprachgebrauch mit den drei besten Freunden/Freundinnen. Am augenfälligsten ist der Unterschied bei den Angaben zum Sprachgebrauch zwischen den Befragten aus Arbeitsmigrationsfamilien und den Aussiedlerinnen. Während der Anteil derjenigen mit türkischem, jugoslawischem und italienischem Migrationshintergrund, die angeben, mit der/dem erstgenannten besten Freundin/ Freund „überwiegend bis ausschließlich" in der Herkunftssprache zu kommunizieren, relativ niedrig ist (8% bis 11%), liegt er bei den Aussiedlerinnen (45%) und den Befragten griechischer Herkunft (25%) höher. Die Mädchen und jungen Frauen mit italienischem, gefolgt von denjenigen mit jugoslawischem Hintergrund sprechen

---

188 Wenn in der PISA-Studie festgestellt wird, dass in 50 Prozent der Familien mit Migrationshintergrund die Umgangssprache in der Familie Deutsch sei, so geht in diese Angaben auch das Sprachverhalten mit Geschwistern und weiteren Familienangehörigen ein, nicht nur die Sprache im Kontext mit den Eltern. Darauf dürfte die Abweichung in den Prozentangaben zwischen unserer Befragung und den PISA-Ergebnissen zurückzuführen sein.

mit ihren Freunden/Freundinnen am meisten „ausschließlich bzw. überwiegend" Deutsch.

Tabelle 6.19: Sprachliche Kommunikation mit den drei besten Freundinnen/Freunden (in Prozent)

	Migrationshintergrund					Gesamt	
	Aussiedl.	griech.	ital.	jugosl.	türk.		
Gesamt	(200)	(182)	(183)	(172)	(213)	100	(950)
nur deutsch	17	39	63	60	29	40	(384)
unterschiedlich/ bilingual	41	38	29	33	64	42	(400)
nur in der Herkunfts- sprache	42	23	8	7	7	18	(166)

C = .43   p = .00

Das auf das Russische konzentrierte Sprachverhalten der Mädchen und jungen Frauen aus Aussiedlerfamilien befindet sich in Übereinstimmung mit den Ergebnissen anderer Untersuchungen (so Strobl/Kühnel 2000, S. 113; Fuchs/Schwietring/ Weiß 1999, S. 222).[189]

6.5.3   Deutsche und herkunftssprachige Medien

Die Mediennutzung wird, ähnlich wie die Verwendung des Deutschen im privaten Bereich, als ein Indikator für kulturelle Integration in die Mehrheitsgesellschaft betrachtet. Mit der weitgehenden Nutzung von herkunftssprachigen Medien wird – ebenso wie mit der Verwendung der Herkunftssprache in der familiären Interaktion – eine geringe Integrationsbereitschaft assoziiert. Die Annahmen über die überwiegende bis ausschließliche Nutzung herkunftssprachlicher Medien durch jugendliche Migranten und Migrantinnen ist bereits in früheren empirischen Untersuchungen nicht bestätigt worden (vgl. Heckmann et al. 2000, S. 27f.; BMA 1996, S. 297; Weidacher 2000b, S. 91; Zentrum für Türkeistudien 2002, 2003, S. 177ff.). Auch die Ergebnisse unserer Studie stützen diese bisherigen Befunde. Demnach nennt die Mehrheit der Befragten deutschsprachige Fernsehprogramme. Das bedeutet, dass insgesamt 66 Prozent der Mädchen und jungen Frauen überwiegend oder ausschließlich deutschsprachige Fernsehprogramme sieht, fast ein Viertel gleichviel Programme in der Herkunftssprache und in Deutsch. Nur zehn Prozent geben an, überwiegend oder ausschließlich herkunftssprachige Fernsehsender zu nutzen.

Im herkunftsspezifischen Vergleich fällt zunächst auf, dass die türkische Herkunftsgruppe mit 44 Prozent von allen Gruppen am stärksten gleichermaßen

---

189 Allerdings wird in der Studie von Fuchs/Schwietring/Weiß (1999) nach der Sprache der Kinder mit den Geschwistern gefragt, weshalb die Daten nicht mit unseren vergleichbar sind.

deutsches und herkunftssprachiges Fernsehen konsumiert.[190] Eine nicht unerhebliche Zahl von 17 Prozent nutzt ausschließlich oder überwiegend herkunftssprachige Programme. Hierbei muss berücksichtigt werden, dass das Angebot türkischer Sprachen in Deutschland neben den via Satellit oder Kabel zu empfangenden lokalen Fernsehsendern besonders groß ist (vgl. Güntürk 2000, S. 275f.). Es folgt die Gruppe von Mädchen und jungen Frauen mit italienischem Hintergrund, die ebenfalls genauso häufig gleichviel herkunftssprachige und deutsche Medien wie auch überwiegend herkunftssprachige nutzen. Junge Aussiedlerinnen und Befragte mit jugoslawischem Hintergrund nutzen fast ausschließlich das deutsche Fernsehen, gefolgt von den Befragten mit griechischem Hintergrund. In diesen Herkunftsgruppen hat die ausschließliche Nutzung herkunftssprachiger Fernsehprogramme eine geringe Bedeutung, am geringsten bei Aussiedlerinnen (2%).

Tabelle 6.20:   Fernsehnutzung (in Prozent)

| | Migrationshintergrund | | | | | Gesamt | |
	Aussiedl.	griech.	ital.	jugosl.	türk.		
Gesamt	(200)	(182)	(183)	(172)	(213)	100	(950)
überwiegend/ausschließlich Programme in der Herkunftssprache	2	9	19	5	17	67	(633)
gleichviel Programme in der Herkunftssprache und deutsche	9	18	33	7	44	23	(218)
überwiegend/ausschließlich deutsche Programme	89	73	48	88	39	10	(99)

C = .40   p = .00

Insgesamt 65 Prozent aller Befragten lesen in ihrer Freizeit überwiegend oder ausschließlich deutschsprachige Zeitschriften, Bücher oder Ähnliches. Jede Fünfte liest gleichviel in der deutschen und Herkunftssprache und 13 Prozent überwiegend oder ausschließlich in der Herkunftssprache. Der Gruppenvergleich zeigt, dass Aussiedlerinnen und die jungen Frauen griechischer Herkunft prozentual gesehen mehr als die übrigen Gruppen zu herkunftssprachigen Zeitungen greifen. Mädchen und junge Frauen mit jugoslawischem (80%), italienischem (69%), türkischem (64%) und griechischem (61%) Migrationshintergrund nutzen überwiegend oder ausschließlich die deutschsprachigen Printmedien.

---

190 Auch türkische Erwachsene nutzen nach einer telefonischen Befragung des Zentrums für Türkeistudien zu etwa der Hälfte türkische und deutsche Fernsehsendungen (Şen 2001, S. 107).

Tabelle 6.21: Nutzung von Printmedien (in Prozent)

| | Migrationshintergrund | | | | | Gesamt |
	Aussiedl.	griech.	ital.	jugosl.	türk.	
Gesamt	(200)	(182)	(183)	(172)	(213)	100 (950)
überwiegend/aus- schließlich Printmedien in der Herkunftssprache	20	18	10	6	12	66 (624)
gleichviel Printmedien in der Herkunftssprache und deutsche	25	21	21	14	24	21 (200)
überwiegend/aus- schließlich deutsche Printmedien	55	61	69	80	64	13 (126)

C = .19   p = .00

6.6   Emotionale Bindung an die Sprachen

Wenn unter Erstsprache oder – mit einer gefühlsmäßigen Konnotation versehen – Muttersprache die Sprache verstanden wird, die der Mensch zuerst erworben hat (so Oksaar 2003, S. 13), so ist diese Sprache für weitaus die meisten Mädchen und jungen Frauen nicht das Deutsche. Nur wenige haben als Kind von Anfang an zwei Sprachen gleichzeitig erworben (simultaner Erwerb). Deutsch ist für sie die Zweit- sprache, die ebenfalls natürlich und ungesteuert gelernt wird.

In der Diskussion um das Lernen einer Zweitsprache wird zwischen integrativer und instrumenteller Motivation unterschieden (Oksaar 2003, S. 63). Integrative Motivation weist auf das Ziel des Lernens hin, sich mit der Zweitsprache zu identifi- zieren oder auf ein Interesse, mit Mitgliedern der Gemeinschaft dieser Zweitsprache zu interagieren und zu kommunizieren. Die instrumentale Motivation ist prag- matisch auf den Nutzen ausgerichtet, den die Fähigkeiten in der Zweitsprache bietet. Wenn auch die Dichotomie integrative – instrumentale Motivation in der Diskussion um das Lernen einer Zweitsprache kritisiert und durch den Verweis auf die Vielfalt anderer möglicher motivierender (und so müsste es heißen: entmotivierender) Faktoren relativiert wird, enthält sie Grundpositionen, wie sich das Individuum zu der Zweitsprache verhalten kann.

Ein Sachverhalt, der auf eine integrative Motivation hinweist oder zumindest auf eine nicht ausschließlich instrumentelle Beziehung hindeutet, ist die emotionale Bindung an die beiden Sprachen. In der Erhebung wurde gefragt, in welchen Sprachen sich die Mädchen und jungen Frauen wohl und zu Hause fühlen, mit der Möglichkeit mehrere Sprachen zu nennen.

37 Prozent fühlen sich nur in der Herkunftssprache, knapp die Hälfte aller Befragten in der deutschen und der Herkunftssprache und 15 Prozent nur in der deutschen Sprache wohl. Der herkunftsspezifische Vergleich zeigt deutliche Unter- schiede:

Tabelle 6.22: Wohlfühlsprache (in Prozent)

| | Migrationshintergrund | | | | | Gesamt | |
	Aussiedl.	griech.	ital.	jugosl.	türk.		
Gesamt	(200)	(182)	(183)	(172)	(213)	100	(950)
nur Deutsch	59	44	28	29	26	15	(144)
Deutsch und Herkunftssprache	35	47	51	52	54	48	(454)
nur Herkunftssprache	6	9	21	19	20	37	(352)

C = .27   p = .00

Mit Ausnahme der Mädchen aus Aussiedlerfamilien, die – wie vielfach erwähnt – eine andere Migrationsbiographie besitzen, ist die Zahl derjenigen beachtlich, die in den Emotionen bilingual ausgerichtet sind und sich in beiden Sprachen wohl fühlen. Es handelt sich um 47 bis 54 Prozent. Nicht unerheblich ist mit etwa einem Fünftel auch die Zahl der Mädchen und jungen Frauen mit italienischem, jugoslawischem und türkischem Hintergrund, die sich in der Abwägung zwischen Herkunftssprache und Deutsch nur im Deutschen zu Hause fühlt.

Über diese positive Grundhaltung zu beiden Sprachen verfügen etwa die Hälfte der Mädchen und jungen Frauen, unabhängig davon, ob sie in Deutschland geboren, später eingereist oder gependelt sind. Eine Ausnahme bildet die Gruppe – überwiegend bestehend aus Mädchen und jungen Frauen aus Aussiedlerfamilien –, die nach dem 13. Lebensjahr zugewandert und sprachlich-emotional nicht am Deutschen orientiert sind.

Tabelle 6.23: Wohlfühlsprache und Migrationsbiographie (in Prozent)

| | Migrationsbiographie | | | | | | |
	seit Geburt ununterbrochen in der BRD gelebt	spätestens seit Ende des 6. Lj. in der BRD gelebt	seit 7. bis einschl. 12. Lj. in der BRD gelebt	seit 13. Lj. in der BRD gelebt	gependelt	Gesamt	
Gesamt	(492)	(95)	(176)	(142)	(45)	100	(950)
nur Deutsch	21	14	10	2	15	15	(144)
bilingual	53	56	52	18	47	48	(454)
nur Herkunftssprache	26	30	38	80	38	37	(352)

C = .37   p = .00

6.7   Das Sprachmilieu: Einflussfaktoren und Auswirkungen

Aus den Fragen, in welchen Sprachen mit dem Vater und der Mutter sowie den Freunden oder Freundinnen kommuniziert wird und in welchen Sprachen Medien wie Fernsehen und Zeitschriften konsumiert werden sowie der emotionalen Bindung an die Sprache oder die Sprachen wurde der Index „Sprachmilieu" gebildet (zur Instrumentenkonstruktion siehe Anhang). Das Sprachmilieu variiert von einem deutschen über ein bilinguales bis zum herkunftssprachigen Milieu. Die Alltagswelt der meisten Mädchen und jungen Frauen ist zweisprachig geprägt. Im ausschließlichen deutsch geprägten Sprachmilieu wachsen nur elf Prozent, im ausschließlich herkunftssprachig geprägten Milieu nur 17 Prozent auf. Die Unterschiede nach nationaler Herkunft sind bedeutsam, aber nicht so prägnant wie sie in der Öffentlichkeit wahrgenommen werden. Es sind nicht die Mädchen und jungen Frauen mit türkischem Hintergrund, die sich am häufigsten im herkunftssprachigen Milieu einschließlich der emotionalen Verortung bewegen, sondern die mit griechischem Hintergrund. Am häufigsten im deutschen Sprachmilieu wachsen Mädchen und junge Frauen mit italienischem, gefolgt von Mädchen mit jugoslawischem Hintergrund auf:

Tabelle 6.24: Sprachmilieu (Index) (in Prozent)

| | Migrationshintergrund | | | | | Gesamt | |
	Aussiedl.	griech.	ital.	jugosl.	türk.		
Gesamt	(200)	(182)	(183)	(172)	(213)	100	(950)
deutsches Sprachmilieu	8	9	18	12	9	11	(104)
deutsch mit bilingualer Tendenz	14	21	28	31	19	22	(211)
bilinguales Milieu	30	24	21	31	27	27	(254)
herkunftssprachiges Milieu mit bilingualer Tendenz	28	22	17	18	29	23	(219)
herkunftssprachiges Milieu	20	24	16	8	16	17	(162)

C = .24   p = .00

Das Sprachmilieu und die (wahrgenommenen) Sprachfähigkeiten hängen eng zusammen. Mädchen, die in einem deutschen Sprachmilieu aufwachsen, weisen zu einem hohen Prozentsatz auch sehr gute bis gute deutsche Sprachkompetenzen (76%) auf, Mädchen, die in einem herkunftssprachigen Milieu aufwachsen, haben auch häufiger schlechte bis sehr schlechte (63%) deutsche Sprachkompetenzen. Die Tendenzen wirken sich aber nicht in der Stärke aus, dass das Sprachmilieu zur Erklärung der Sprachfähigkeiten ausreichen würde. Während sich auch ein Teil der Mädchen und jungen Frauen, die sich in einem durch das Deutsche geprägten Sprachmilieu bewegen, schlechte oder sehr schlechte Fähigkeiten in der deutschen Sprache zuschreiben, reklamiert eine nicht unerhebliche Zahl von Mädchen und jungen Frauen, die sich in eher herkunftssprachig geprägtem Milieu aufhält, für sich gute oder sehr gute Fähigkeiten in der deutschen Sprache:

Tabelle 6.25: Sprachmilieu und deutschsprachige Kompetenzen im Deutschen (Index) (in Prozent)

	Sprachmilieu					
	deutsches Sprach-milieu	deutsch mit bi-lingualer Tendenz	bilinguales Sprach-milieu	herkunftsspr. Milieu mit bilingualer Tendenz	Herkunfts-spr. Milieu	Gesamt
Gesamt	(104)	(211)	(254)	(219)	(162)	100 (950)
sehr gute	61	54	42	32	14	40 (377)
gute	14	12	10	8	7	10 (97)
mittlere	11	14	18	22	16	17 (159)
schlechte	12	17	22	23	32	21 (205)
sehr schlechte	2	3	8	15	31	12 (112)

C = .38   p = .00

Ebenso sichert ein herkunftssprachig geprägtes Milieu nicht notwendiger Weise die Kompetenz in der Herkunftssprache. Ein deutschsprachiges Milieu allerdings trägt entscheidend dazu bei, dass herkunftssprachige Kompetenzen weitgehend verloren gehen:

Tabelle 6.26: Sprachmilieu und herkunftssprachige Kompetenzen (Index) (in Prozent)

	Sprachmilieu					
	deutsches Sprach-milieu	deutsch mit bi-lingualer Tendenz	bilinguales Sprach-milieu	herkunftsspr. Milieu mit bilingualer Tendenz	Herkunfts-spr. Milieu	Gesamt
Gesamt	(104)	(211)	(254)	(219)	(162)	100 (950)
sehr gute	4	7	21	29	45	22 (208)
gute	4	4	9	11	16	9 (85)
mittlere	9	19	17	24	15	18 (169)
schlechte	15	24	30	20	16	22 (213)
sehr schlechte	68	46	23	16	8	29 (275)

C = .45   p = .00

Es ist allgemein akzeptiert, dass es nicht sprachliche Formen des Denkens gibt, dass aber Denken ohne Sprache beschränkt ist (Lawton 1970, S. 63). Die Sprache und dabei das Erreichen eines Komplexitätsgrades in einer Sprache hat zentrale Bedeutung für die intellektuelle Entwicklung eines Menschen. Auch heute noch sind die Forschungsergebnisse von Wygotski (1969, S. 316f.) relevant, der belegt, wie der Weg der sprachlichen und gedanklichen Entwicklung vom Sozialen zum Individuellen geht. Denken und Sprechen können nicht als zwei voneinander unabhängige

Kräfte angesehen werden. Für Wygotski ist die kognitive Entwicklung eine soziale Entwicklung, in welcher der Sprache zentrale Bedeutung zukommt.[191]

Daher sollten die Mädchen und jungen Frauen mit Migrationshintergrund eine besondere Berücksichtigung finden, die (sogar) nach ihrer Selbsteinschätzung sowohl die Herkunftssprache als auch das Deutsche unzureichend beherrschen, das sind wie vorne ausgeführt, 15 Prozent unserer Untersuchungsgruppe mit einer Überrepräsentanz von Mädchen und jungen Frauen mit türkischem Hintergrund (24%). Eine besondere Berücksichtigung sollten aber auch die Mädchen und jungen Frauen mit Migrationshintergrund finden, die sich als kompetent in zwei Sprachen einordnen, das sind ca. ein Drittel der Mädchen und jungen Frauen mit einem deutlich höheren Anteil von denjenigen mit jugoslawischem Hintergrund (50%). Es ist davon auszugehen, dass Zweisprachigkeit das Denken stimuliert, u.a. weil durch die zweite Sprache, insbesondere durch die Grammatik, ein von der Erstsprache abweichendes Weltbild konstruiert wird. Sprachen strukturieren die Welt in unterschiedlicher Weise. Selbst wenn diese These skeptisch beurteilt wird, muss akzeptiert werden, dass das Lernen einer neuen Sprache neue Weltsichten ermöglicht.

---

191 Die Referierung der Ergebnisse der Untersuchungen und Analysen von Wygotski folgt den Ausführungen von Oksaar 2003, S. 74f. (siehe auch Burri 1997).

7. Selbstverständlich gleichberechtigt: Partnerschaft und Geschlechterrollen

7.1 Heiratsverhalten und Partnerwahl in Migrationsfamilien

Vorstellungen von Partnerschaft, Heiratsoptionen, Geschlechterrollen und der zukünftigen Erziehung der Kinder sind als Eckpunkte der Gestaltung des Familienlebens zwar diejenigen Bereiche, die sich am stärksten im Privaten abspielen, jedoch ist das öffentliche Interesse an Veränderungsprozessen bei Migranten und Migrantinnen in diesen Lebensbereichen besonders groß. Sie gelten als Indikatoren für den Grad der Integration von Zuwanderern und Zuwanderinnen und damit für ihre Bereitschaft, sich an Modellen der Aufnahmegesellschaft zu orientieren, die in der Regel unhinterfragt als dem Leben in der Moderne besser angepasst bewertet werden. Damit verbindet sich die Vorstellung, dass das Ausmaß interethnischer Ehen oder auch nur die Bereitschaft dazu Auskunft über die Geschlossenheit der Einwanderungsgruppe gibt. Die Mädchen stehen dabei als Repräsentantinnen der Umbrüche in Migrationsfamilien im Mittelpunkt. Sie werden nach ihren diesbezüglichen Orientierungen zwei Kategorien zugeordnet: Entweder gelten sie als kollektivistisch und somit an der Elterngeneration oder als individualistisch und somit an den Werten der Mehrheitsgesellschaft orientiert. Wie in anderen Bereichen (siehe hierzu auch Kapitel 3) legt die bisherige wissenschaftliche Diskussion dieses dichotome Modell zugrunde. Mädchen und junge Frauen mit Migrationshintergrund werden generell als traditionalistischer als ihre deutschen Altersgleichen beschrieben (vgl. Pupeter 2000, S. 178) und dieses wird oft gleichgesetzt mit einer engen Orientierung an der Herkunftskultur und am Herkunftsland. Je nach Skala, mit Hilfe derer die Geschlechterrolleneinstellung gemessen wird, ergibt sich ein deutlich traditionalistischeres Bild bei den jungen Türkinnen und Türken im Vergleich zu anderen Nationalitäten (Pupeter 2000, S. 184) oder es wird festgestellt, dass sich bei der Gruppe mit dieser nationalen Herkunft eine deutliche Abkehr von traditionellen Geschlechterrollen abzeichnet. Herwartz-Emden und Westphal (2000b, S. 246) ermitteln, dass die Selbstkonzepte von Männern und Frauen mit Migrationshintergrund anhand einer Gegenüberstellung von deutschen, türkischen und Befragten mit Aussiedlerhintergrund aus der ehemaligen Sowjetunion weniger dichotom sind als bei westdeutschen Männern und Frauen. Das geschlechtsspezifische Selbstkonzept bei Migrantinnen – so wird empirisch belegt – umfasst ausgeprägte Anteile von Androgynität für beide Geschlechter (ebenda, S. 247).

Diese Ergebnisse lassen vermuten, dass bisher angewandte Messinstrumente oder die Interpretation von Daten aus Untersuchungen die Lebensrealität der Mädchen und jungen Frauen mit Migrationshintergrund nicht adäquat abbilden.[192] Jedenfalls wird deutlich, dass für Mädchen, die in Deutschland mit differenten geschlechtsbezogenen Selbstkonzepten konfrontiert sind, die Adoleszenzphase besondere Herausforderungen bereithält, um einen für sie annehmbaren Weg zu finden (vgl. Rohr 2001a).

Das Thema „Partnerschaft" nimmt im Leben von Jugendlichen und jungen Erwachsenen eine zentrale Stelle ein. Die ersten partnerschaftlichen Beziehungen,

---

192 Vgl. die Kritik an der Stereotypisierung von weiblichen Lebensentwürfen von Migrantinnen im 6. Familienbericht der Bundesregierung (BMFSFJ 2000, S. 89).

feste Freunde, Vorstellungen darüber, wie der Partner aussehen und sein sollte, sowie Vorstellungen über die Gestaltung der Partnerschaft in der späteren Ehe gehören dazu. Individualisierungsprozesse, die die Gesellschaften der westlichen Moderne prägen, haben zu einer Veränderung in den Partnerwahlmodi sowie bei der Entwicklung neuer Partnerschaftsmodelle nicht nur in der einheimischen sondern auch in der zugewanderten Bevölkerung geführt. Wie die meisten deutschen Jugendlichen bzw. jungen Erwachsenen setzen auch die Jugendlichen mit Migrationshintergrund bei einer Eheschließung bzw. einer partnerschaftlichen Beziehung die Liebe voraus. Die Kenntnisse zu dem Thema Partnerwahl von Migrantinnen und Migranten sind im deutschsprachigen Raum im Gegensatz zu denen in den klassischen Einwanderungsländern insbesondere in den USA als unzureichend zu bezeichnen. Je nach Teildisziplinen werden in deutschen Untersuchungen zum Heiratsverhalten und zur Partnerwahl verschiedene Aspekte fokussiert. Dies geschieht jedoch, ohne sie übergreifend und zusammenhängend zu diskutieren (vgl. Straßburger 2003, S. 25).[193]

Im Einwanderungskontext stehen den Nachkommen von Zuwanderern mehrere Heiratsoptionen offen. Sie können innerethnisch oder interethnisch heiraten, wobei beide Optionen differenziert betrachtet werden müssen. Eine innerethnische Ehe kann entweder mit einem im Einwanderungsland oder mit einem/einer im Herkunftsland lebenden Partner/Partnerin geschlossen werden. Im Fall der zuletzt angesprochenen Variante wird von einer transnationalen Eheschließung gesprochen, die für den Fall, dass die Partner oder Partnerinnen dauerhaft in verschiedenen Ländern leben, zu einer transnationalen Ehe werden kann. Eine interethnische Ehe kann mit einem deutschen Partner oder mit einem Partner anderen Migrationshintergrunds geschlossen werden.

In quantitativen Studien, die sich dem Thema Partnerschaft widmen, wird nach der gewünschten nationalen/ethnischen Herkunft des/der zukünftigen Partners/ Partnerin gefragt, ferner wird die Antizipation elterlicher Vorstellungen hinsichtlich der nationalen Herkunft des zukünftigen Ehepartners ermittelt.[194]

In der Shell-Jugendstudie (Münchmeier 2000, S. 252ff.) wurde auch nach Einstellungen zu binationalen Ehen gefragt, wobei die Frage nicht auf eine bestimmte Nationalitätengruppe fokussiert wurde, da mit dem gleichen Fragebogen auch deutsche Jugendliche befragt wurden. Demnach kann sich gut 28 Prozent der jungen Deutschen, ein Viertel der Jugendlichen türkischer und nur drei Prozent italienischer Herkunft „eigentlich gar nicht vorstellen, jemanden mit einer anderen Nationalität zu heiraten". In diesem Zusammenhang wurde festgestellt, dass Mädchen stärker als Jungen türkischer Herkunft eine binationale Ehe ablehnen. Als wichtigste Bedingung für eine national gemischte Ehe wird – unabhängig von dem

---

193 Das Heiratsverhalten der Jugendlichen mit Migrationshintergrund kann in Deutschland wegen mangelnder Daten nicht untersucht werden; Eheschließungen, die in den Herkunftsländern oder Auslandsvertretungen geschlossen werden, bleiben unberücksichtigt. Bei binationalen Ehen handelt es sich zum Teil auch um ethnisch homogene Ehen zwischen einer eingebürgerten Person und einer Person mit ausländischer Staatsangehörigkeit, die unter Umständen auch in Deutschland aufgewachsen ist. In unserer Untersuchung geht es um die Heiratsoptionen nach ethnischer Zugehörigkeit des Partners, unabhängig von seiner Staatsangehörigkeit.

194 Folgende Studien befassen sich mit der Partnerwahl von Jugendlichen mit Migrationshintergrund: Schaumann et al. 1988; Atabay 1998; Otyakmaz 1999; Blank 2000; Deutsche Shell 2000; Herwartz-Emden/Westphal 2000b; Münchmeier 2000; Pupeter 2000; Straßburger 2003.

nationalen Hintergrund – die Liebe genannt. Dafür sprechen sich mehr als die Hälfte der Deutschen und Jugendlichen türkischer Herkunft sowie gut 78 Prozent der Jugendlichen italienischer Herkunft aus. Die Bedingung der gleichen Religion ist nur für ca. 13 Prozent der Jugendlichen türkischer Herkunft, hier insbesondere der männlichen, bedeutsam.

Im DJI-Ausländersurvey (Weidacher 2000a, S. 116) wird die Frage nach inter-ethnischen Ehen präzisiert, in dem die jungen, ledigen und heiratswilligen Erwachsenen griechischer, italienischer und türkischer Herkunft nach ihrer Bereitschaft zur Ehe mit einer/einem Deutschen gefragt wurden. Rund die Hälfte bis drei Viertel der Befragten zeigte sich dazu bereit, wobei sich bei den Befragten mit türkischem Migrationshintergrund – insbesondere den jungen Frauen – eine deutlich geringere Bereitschaft zeigte als bei den übrigen Gruppen.

Der Ausländersurvey des BMA (2002, S. 42) stellt im Zeitvergleich gegenüber 1985 und 1995 eine zunehmende Bereitschaft aller befragten Herkunftsgruppen zur Heirat mit einem oder einer Deutschen fest. Dabei bleiben Unterschiede im herkunftsspezifischen Vergleich bestehen. Demnach sind jeweils drei Viertel der Befragten italienischer und griechischer sowie 70 Prozent jugoslawischer Herkunft aber nur unter 60 Prozent der Befragten türkischer Herkunft einer interethnischen Ehe mit einem oder einer Deutschen gegenüber positiv eingestellt. Auch hier ist der Anteil der Frauen türkischer Herkunft, die eine solche Heirat ablehnen, mit 36 Prozent deutlich größer als bei den übrigen Vergleichsgruppen.

Die Bereitschaft der Migranten und Migrantinnen zu einer Heirat mit einem deutschen Partner bzw. einer deutschen Partnerin wird als ein Hinweis für die Nähe bzw. Distanz zur Mehrheitsgesellschaft und somit als „ein Hinweis auf ihren Grad der gesellschaftlichen Integration" interpretiert (Lederer 1997, S. 33; BMFSFJ 2000, S. 78; Todd 1998, S. 235ff.; Heckmann et al. 2000, S. 49). In diesem Zusammenhang betont jedoch Straßburger (2001b, S. 294f.): „Aus der bloßen Tatsache, dass eine Migrantengruppe vorwiegend innerethnische Ehen schließt, kann nicht unmittelbar auf die Befürwortung sozialer Segregation geschlossen werden". Auch die Mehrheitsbevölkerung muss zur Aufnahme solch enger Beziehungen bereit sein (ebenda, S. 296).

Unsere Untersuchung erhebt die Einstellungen zu diesem Bereich allesamt im Hinblick auf künftige Lebenssituationen, da die Stichprobe ausschließlich aus ledigen und kinderlosen Mädchen und jungen Frauen besteht. Es werden unterschiedliche Fragebatterien eingesetzt. Zunächst werden die Vorstellungen vom Partner und präferierte Partnerschaftsmodelle der Mädchen und jungen Frauen vorgestellt. Hier interessieren auch Einstellungen zu (inter-)ethnischen Heiratsoptionen. Die interethnische Ehe als Heirat mit einem Deutschen auf der einen und die Heirat mit einem Partner derselben nationalen Zugehörigkeit aus dem Herkunftsland der Eltern (bezogen auf den Partner als Heiratsmigration bezeichnet, vgl. Straßburger 2001b) auf der anderen Seite stehen daher im Mittelpunkt unseres Interesses. Es folgt die Darstellung der Einstellungen zur Kindererziehung, die auch die religiöse Erziehung einbezieht, und die der Geschlechterrollenmodelle. Zum Abschluss wird ein Blick auf die Stellung der Frau in der jeweiligen Religion geworfen. Um einen Einblick in die Kontinuität oder Diskrepanz zu familiären Vorstellungen zu erhalten, wird die Antizipation und Bewertung des durch die eigenen Eltern erfahrenen Erziehungsverhaltens aus Sicht der Töchter einbezogen.[195]

7.2 Vorstellungen vom Partner

7.2.1 Eigenschaften des zukünftigen Partners

Die Fragen zur Partnerschaft wurden bewusst mit Bezug auf einen „Ehemann" und nicht allgemein mit Bezug auf einen „Partner" formuliert, um hier diejenigen Befragten nicht zu verunsichern, die sich ein Zusammenleben ohne Trauschein nicht vorstellen können, was – wie noch zu zeigen sein wird – auf einen nicht unerheblichen Teil der Mädchen und jungen Frauen mit Migrationshintergrund zutrifft.

Nach den Ergebnissen unserer Untersuchung haben die Mädchen und jungen Frauen klare Vorstellungen von den Eigenschaften ihres zukünftigen Ehemannes: Er soll treu, verständnisvoll, zuverlässig, liebevoll und zärtlich sein. Weniger wichtig ist, dass er reich, religiös und handwerklich begabt ist. Die meisten Eigenschaften, die auf einer fünfstufigen Skala bewertet werden, werden von den Mädchen und jungen Frauen mit unterschiedlichen Migrationshintergründen ähnlich gesehen; dennoch gibt es einige interessante Unterschiede nach nationalem Hintergrund.[196]

Wie schon aufgeführt, sind die erhofften Eigenschaften eines künftigen Ehemannes bei allen Gruppen ähnlich. Das von Knothe (2002, S. 116) für deutsche Jugendliche herausgestellte Merkmal der Treue, das als ein „hohes Ideal partnerschaftlicher Beziehung" beschrieben wird, spiegelt sich auch in den Antworten unserer Befragtengruppen wider. Es lassen sich aber dennoch tendenzielle Unterschiede beschreiben. So wird „treu" von Mädchen aus Aussiedlerfamilien weniger absolut als notwendig betrachtet als von allen übrigen. Auch die Eigenschaft „geschäftstüchtig" wird von ihnen als etwas weniger wichtig eingestuft. Für Mädchen mit türkischem Migrationshintergrund ist es tendenziell wichtiger, dass der Ehemann „aus guter Familie stammt" und „häuslich" ist, unwichtiger, dass er „gut aussieht". Mädchen und junge Frauen griechischer Herkunft weichen vom Gesamtbild in den Wünschen hinsichtlich der Eigenschaften eines künftigen Ehepartners nur in einem Punkt ab. Sie erwarten von ihm – mehr als die anderen Gruppen – dass er Entschlusskraft besitzt.[197] Die größten Unterschiede bestehen in der Bedeutung, die „gläubig/religiös" gegeben wird. Diese Eigenschaft eines potentiellen Ehemanns ist weitgehend unwichtig für die Mädchen aus Aussiedlerfamilien, eher wichtig für die Mädchen mit türkischem Hintergrund. Um zu sehen, ob es sich hier um ein Phänomen handelt,

---

195 Ein Vergleich mit den einheimischen, altersgleichen Deutschen ist bei einigen Fragen möglich, da viele Fragen zu dem Bereich Partnerwahl, Erziehungsvorstellungen und Geschlechterrollen so formuliert wurden, dass Gegenüberstellungen mit Ergebnissen der Shell-Jugendstudie (Münchmeier 2000) möglich sind.

196 Die Reihung des Items folgt den Ergebnissen einer Faktorenanalyse, bei der fünf Faktoren extrahiert wurden (siehe Instrumentenkonstruktion im Anhang).

197 Goudiras (1997, S. 425) stellt fest, dass Liebe und Verständnis die wichtigsten Voraussetzungen für partnerschaftliche Beziehungen für Jugendliche in Griechenland sind, während für diejenigen, die in Deutschland aufwachsen, Aussehen, Verständnis und Bildungsniveau im Vordergrund stehen.

Graphik 7.1: Eigenschaften des künftigen Partners (arithmetisches Mittel)*

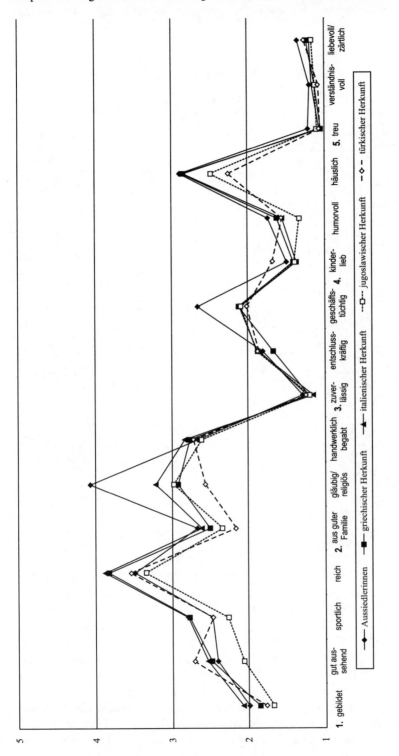

N = 950

* Das arithmetische Mittel kann einen Wert zwischen 1 „sehr wichtig" und 5 „gar nicht wichtig" annehmen.
Als Dimensionen von Eigenschaften des künftigen Ehemannes wurden ermittelt: 1. Äußeres Auftreten, 2. Religion/Familie, 3. Zupackende Persönlichkeit, 4. Humorvoll/häuslich und 5. Innere Werte.

das insbesondere auf muslimische Mädchen zutrifft, soll ein Blick auf die Verteilung hinsichtlich dieser Eigenschaft nach Religionsgruppen und nationalen Hintergründen geworfen werden:

Tabelle 7.1:   Eigenschaft des künftigen Ehemannes (gläubig/religiös) (in Prozent)

N = 862**	sehr/eher wichtig	weniger/gar nicht wichtig
Musliminnen N = 278	52 (145)	27 (74)
jugoslawischer Hintergrund N = 76	47	34
türkischer Hintergrund N = 202	54	24
Orthodoxe N = 251*	33 (82)	41 (103)
Aussiedlerinnen N = 21	10	71
griechischer Hintergrund N = 181	39	36
jugoslawischer Hintergrund N = 49	20	45
Katholikinnen N = 222*	24 (54)	53 (118)
Aussiedlerinnen N = 36	3	86
italienischer Hintergrund N = 159	25	52
jugoslawischer Hintergrund N = 27	52	19
Protestantinnen N = 111*	19 (22)	67 (74)
Aussiedlerinnen N = 101	14	71
italienischer Hintergrund N = 10	80	20

* Signifikante Unterschiede nach nationaler Herkunft p ≤ .05.
** Die 862 Fälle beziehen sich nur auf die Mädchen und junge Frauen, die sich eindeutig einer Religionsgruppe zugeordnet haben.

Es zeigt sich, dass die Religiosität des Partners tatsächlich einen besonders hohen Stellenwert für die muslimischen Befragten besitzt (54%). Fast ebenso wichtig ist diese Eigenschaft des Partners jedoch auch für katholische Befragte mit jugoslawischem Hintergrund (52%). Am wichtigsten ist sie für Protestantinnen mit italienischem Hintergrund (80%), wobei bei ihnen wie auch bei den Katholikinnen mit jugoslawischem Hintergrund berücksichtigt werden muss, dass es sich hier um sehr kleine Teilstichproben von zehn bzw. 27 Befragten handelt. Bei den Aussiedlerinnen bleibt in einem internen Religionsgruppenvergleich der geringe Stellenwert dieser Eigenschaft zwar erhalten, dennoch zeigen sich religionsgruppenspezifische Unterschiede. Besonders nebensächlich ist dies für die Aussiedlerinnen katholischer Konfession, die lediglich zu drei Prozent Religiosität bei ihrem zukünftigen Ehepartner erwarten. Zu 14 Prozent haben diese Erwartungshaltung allerdings Aussiedlerinnen protestantischer Konfession.

7.2.2 Partnerschaftsmodelle

Knapp über 40 Prozent der befragten Mädchen und jungen Frauen mit Migrationshintergrund haben zur Zeit der Befragung einen festen Freund. Dies kommt seltener (33%) bei Mädchen mit türkischem, häufiger (52%) bei Mädchen mit Aussiedlerhintergrund vor. Mädchen und junge Frauen mit jugoslawischem (38%), italienischem (43%) und griechischem (41%) Hintergrund platzieren sich in diesem Punkt zwischen diesen beiden Polen. Bezogen auf die ethnische Herkunft des festen Freundes lässt sich festhalten, dass drei Viertel von ihnen einen festen Freund derselben Herkunft, 14 Prozent einen Deutschen und 12 Prozent einen Freund mit einer anderen nationalen Herkunft als die Befragte selbst haben. Es ist ein Zusammenhang zwischen der Altersgruppe und dem Anteil derjenigen festzustellen, die einen festen Freund haben. Während 52 Prozent der 19- bis 21-Jährigen einen festen Freund haben, trifft dies lediglich auf 32 Prozent der 15- bis 16-Jährigen unter unseren Befragten zu. Im herkunftsspezifischen Vergleich zeigt sich, dass besonders Aussiedlerinnen (91%) und Mädchen und junge Frauen mit türkischem Migrationshintergrund (87%) einen festen Freund haben, der ausschließlich bzw. überwiegend aus der eigenen Herkunftsgruppe kommt. Der Anteil derjenigen, die einen deutschen Freund haben, liegt in der Gruppe der Befragten mit italienischem Migrationshintergrund am höchsten (32%). Dieses Ergebnis korrespondiert mit den Befunden über die ethnische Zusammensetzung des Freundeskreises. Bei diesen Fragen gaben Mädchen und junge Frauen italienischer Herkunft an, überwiegend mit (einheimischen) Deutschen zusammen zu sein.[198]

Was die Partnerschaftsmodelle anbetrifft, geben rund 60 Prozent der Befragten an, „zuerst heiraten und dann mit dem Ehepartner zusammenleben" zu wollen.[199] 41 Prozent stellt sich eine „voreheliche Lebensgemeinschaft" vor, jede Dritte zieht das „alleine Leben" vor, jede Vierte möchte „weiter bei den Eltern wohnen" und jede Fünfte kann sich vorstellen, „in einer Wohngemeinschaft leben" zu können. Das Modell „mit dem Ehepartner und anderen Familienmitgliedern zusammenleben" ist nur für zehn Prozent der Befragten attraktiv. Der herkunftsspezifische Vergleich zeigt, dass die Mädchen und jungen Frauen mit türkischem (68%), jugoslawischem (65%) und italienischem (62%) Hintergrund mehrheitlich zu dem Partnerschaftsmodell „heiraten und von da an mit dem Lebenspartner zusammenleben" tendieren. Anders in der Gruppe der Aussiedlerinnen und Befragten mit griechischem Hintergrund, die eher das Modell einer Partnerschaftsbeziehung ohne Trauschein bevorzugen. Dieses kommt jedoch nur für 13 Prozent der Mädchen und jungen Frauen mit türkischem Hintergrund in Frage. Interessanterweise sind es die Befragten mit türkischem Hintergrund, die nach der Option „heiraten und dann mit dem Ehemann zusammenleben" das Modell „einige Zeit alleine leben" bzw. „weiter bei den Eltern wohnen" bevorzugen.[200]

---

198 Siehe hierzu Kapitel 4 und Kapitel 9.
199 In der Shell-Jugendstudie (Fuchs-Heinritz 2000a, S. 66) votierten 67 Prozent der Befragten mit ausländischem Pass (44% der deutschen Jugendlichen) für dieses Modell. Vor allem die jungen Italienerinnen (69%) und Türkinnen (77%) sprachen sich ganz überwiegend dafür aus, erst zu heiraten und dann mit dem Partner in eine eigene Wohnung zu ziehen (ebenda).
200 Siehe detaillierter hierzu siehe Kapitel 3.

7.2.3 Heiratsoptionen: inner- oder interethnische Partnerwahl

Unsere Untersuchung geht über die in den eingangs geschilderten Studien übliche Frage zur Bereitschaft, einen Deutschen zu heiraten, hinaus und fragt zusätzlich nach der Einstellung zur Eheschließung mit einem Partner aus dem Herkunftsland der Familie. Die folgende Tabelle verdeutlicht zunächst – nach Migrationshintergrund differenziert – die Einstellung zur Eheschließung mit einem Deutschen:

Tabelle 7.2: Heirat eines deutschen Mannes (in Prozent)

| | Migrationshintergrund | | | | | Gesamt | |
	Aussiedl.	griech.	ital.	jugosl.	türk.		
Gesamt	(200)	(182)	(183)	(172)	(213)	100	(950)
ja, auf jeden Fall	8	4	13	12	2	7	(70)
ja, möglicherweise	43	29	47	34	20	34	(327)
nein, wahrscheinlich nicht	24	25	22	25	29	25	(237)
nein, auf keinen Fall	21	40	16	28	47	31	(292)
nein, ich möchte überhaupt nicht heiraten	4	2	2	1	2	3	(24)

C = .31   p = .00

Demnach weist die Gruppe der Mädchen und jungen Frauen mit italienischem Hintergrund die größte Bereitschaft auf, einen einheimischen Deutschen zu heiraten, gefolgt von den Aussiedlerinnen und Befragten mit jugoslawischem Migrationshintergrund. Die Mädchen und jungen Frauen mit türkischem (47%) und griechischem (40%) Hintergrund dagegen, lehnen diese Option im herkunftsspezifischen Vergleich am häufigsten in konsequenter Form ab.[201] Unsere Ergebnisse bilden damit die gleichen Tendenzen und herkunftsspezifischen Unterschiede ab, die sich auch in den bereits eingangs geschilderten Ergebnissen anderer Untersuchungen zeigen, weisen aber höhere Anteile von Mädchen und jungen Frauen auf, die sich auf keinen Fall oder wahrscheinlich nicht eine Heirat mit einem deutschen Mann vorstellen können. Dies sind etwa drei Viertel der Mädchen und jungen Frauen mit türkischem, zwei Drittel mit griechischem und etwa die Hälfte mit jugoslawischem und Aussiedlerhintergrund. Es muss berücksichtigt werden, dass die Shell-Studie nicht nach der Ehe mit einem Deutschen, sondern nach der Einstellung zu einer binationalen Ehe fragt. Die Unterschiede zwischen dem DJI-Ausländersurvey, dem Survey des BMA und unserer Erhebung lassen sich nicht auf einfache Art erklären. Ansätze für eine Erklärung der ablehnenden Einstellung zu einer interethnischen

---

201 Die Untersuchung von Straßburger über türkische Zuwanderer und Zuwanderinnen (2003, hier: S. 98f., 122f.) belegt, dass die tatsächlichen Heiratsmuster den Vorstellungen folgen und die meisten jungen Frauen innerethnisch heiraten. Für Bamberg ermittelt sie (1994) acht Frauen, die einen Mann aus der „zweiten Generation türkischer Herkunft" und 57, die jemanden, der in der Türkei aufgewachsen ist, heiraten. Junge Männer mit türkischem Migrationshintergrund wählen deutlich häufiger eine Partnerin, die in der Türkei aufgewachsen ist. Die Ehen mit Partnern und Partnerinnen aus der Türkei werden überwiegend in türkischen Standesämtern geschlossen.

Ehe bei Jugendlichen mit griechischem Hintergrund bietet Tilkeridoy (1998, S. 49). Sie stellt in ihrer qualitativen Untersuchung zu griechischen Jugendlichen in Griechenland und in Deutschland fest, dass die Wahl des Ehepartners ein Weg sein kann, Loyalität gegenüber den Eltern und der elterlichen Kultur zu beweisen. Dieses könnte ein Grund für die relativ große Ablehnung, einen Deutschen zu heiraten, bei den Befragten mit griechischem Hintergrund unseres Samples sein. Auch Schultze (1990, S. 90) hat festgestellt, dass die Mädchen griechischer Herkunft seines Samples mit einem festen Freund, meistens Griechen nannten. Auch wenn sich 64 Prozent der von ihm befragten jungen Frauen vorstellen konnte, auch ohne Trauschein mit ihren Partnern zu leben, so wollten doch 57 Prozent auf jeden Fall einen Griechen heiraten. Dabei glaubte über die Hälfte der Mädchen (56%), dass ihre Eltern gegen die Heirat mit einem Deutschen seien, aber Toleranz zeigen würden, 23 Prozent meinten, ihre Eltern würden Widerstand leisten.

Nur diejenigen, die sich überhaupt vorstellen können, einen Deutschen zu heiraten[202], wurden nach den Bedingungen gefragt, unter denen sie sich eine inter-ethnische Ehe vorstellen können. Dabei waren Mehrfachnennungen möglich:

Tabelle 7.3: Bedingungen für eine Ehe mit einem Deutschen (in Prozent)

Ich könnte mir das vorstellen, wenn...	Migrationshintergrund					
	Aussiedl.	griech.	ital.	jugosl.	türk.	Gesamt
Gesamt	(149)	(105)	(150)	(122)	(108)	100 (634*)
ich ihn liebe	97	93	95	94	88	94 (596)
er mir gefällt, alles andere ist nicht wichtig	50	46	48	39	29	43 (272)
seine Familie mich akzeptiert	44	34	41	40	38	40 (253)
meine Eltern einverstanden sind	24	29	32	32	66	35 (223)
er dieselbe Religion hat wie ich	6	19	26	20	31	20 (125)
er meine Religion annimmt	2	23	13	13	40	17 (105)
er unsere Kinder so erzieht wie ich mir das vorstelle	34	42	35	38	38	37 (235)
er bereit ist, mit mir nach ... (Herkunftsland) zu ziehen	4	32	19	9	3	13 (83)

* Diese Frage war eine Filterfrage, die sich nur auf diejenigen befragten Mädchen und jungen Frauen bezog, die sich vorstellen konnten einmal einen einheimischen Deutschen zu heiraten, deshalb N = 634.

---

202 Nicht gefragt wurden diejenigen, die mit „nein", „auf keinen Fall" und ich möchte „überhaupt nicht" heiraten, geantwortet haben.

Die mit Abstand am meisten genannte und sich auf die individuelle Ebene beziehende Bedingung einer Heirat mit einem Deutschen ist bei allen Herkunftsgruppen die Liebe und zwar ausnahmslos (vgl. hierzu das gleiche Ergebnis Münchmeier 2000, S. 253).[203] Die zweitplatzierte Nennung – ebenfalls ein individueller Faktor – ist „wenn er mir gefällt, alles andere ist nicht wichtig", wobei hier herkunftsspezifische Unterschiede zum Vorschein kommen. Während für die Aussiedlerinnen sowie Mädchen und jungen Frauen mit italienischem und griechischem Hintergrund diese Reihenfolge der Nennungen gilt, ist für die Befragten mit jugoslawischem Migrationshintergrund (40%) ihre Akzeptanz durch die Partnerfamilie und für Mädchen und junge Frauen mit türkischem Hintergrund (66%) das Einverständnis der eigenen Eltern gewichtiger. Während für Befragte mit türkischem Hintergrund von Bedeutung ist, dass der künftige Partner „dieselbe Religion hat" (31%) bzw. „ihre Religion annimmt" (40%), sind für Aussiedlerinnen (6% bis 2%) diese Aspekte unbedeutsam. Nur geringe Unterschiede nach nationaler Herkunft gibt es in der von über einem Drittel gestellten Forderung, dass der Partner bereit sein muss, die Kinder nach den Vorstellungen der Mädchen und jungen Frauen zu erziehen.

Die Bereitschaft des künftigen Partners, ins Herkunftsland der Befragten umzuziehen, ist im herkunftsspezifischen Vergleich für die Gruppe der Mädchen und jungen Frauen mit griechischem (32%) und italienischem (19%) Migrationhintergrund von gewisser Bedeutung. Hierbei ist zu berücksichtigen, dass es sich bei diesen beiden Migrantinnengruppen um diejenigen handelt, die im Herkunftsgruppenvergleich am stärksten bereit sind, nicht nur bei einem guten Berufsangebot in das Herkunftsland der Eltern umzuziehen, sondern insgesamt die höchste Bereitschaft zur „Rückkehr" zeigen (siehe hierzu detaillierter Kapitel 9).[204]

Es bestehen also für viele der von uns befragten Gruppen – mit Ausnahme der Mädchen und jungen Frauen mit italienischem Hintergrund – beachtliche Hemmnisse, eine Ehe mit einem Deutschen einzugehen. Eine mögliche Barriere – die Einstellungen der Eltern zu einer interethnischen Ehe – wurde getrennt nach Vater und Mutter erfasst; wobei es sich um die Antizipationen der Mädchen und jungen Frauen handelt:

---

203 Auch wenn es um die Bedingungen einer binationalen Ehe geht, herrscht anscheinend unabhängig von der Herkunft und dem Geschlecht der befragten Jugendlichen eine breite Einstimmigkeit. Münchmeier beschreibt die Liebe in diesem Zusammenhang als „Himmelsmacht", die über andere hindernde Bedingungen hinweg die wichtigste Voraussetzung ist (2000, S. 253).

204 Der Begriff muss hier mit Vorsicht behandelt werden, handelt es sich doch bei den von uns befragten Mädchen und jungen Frauen mit Ausnahme der Aussiedlerinnen weitaus überwiegend um in Deutschland geborene bzw. aufgewachsene Personen.

Tabelle 7.4: Einstellung der Eltern zu einer Heirat mit einem Deutschen (in Prozent)

| | | Migrationshintergrund | | | | | Gesamt |
		Aussiedl.	griech.	ital.	jugosl.	türk.	
Gesamt	Vater	(168)	(176)	(175)	(163)	(203)	(885*)
	Mutter	(190)	(178)	(179)	(169)	(207)	(923**)
positive Einstellung	Vater	47	19	46	22	12	29
	Mutter	49	26	51	25	13	33
negative Einstellung	Vater	18	59	24	48	73	46
	Mutter	18	49	20	40	73	41
unentschlossen	Vater	35	22	30	31	15	26
	Mutter	33	25	30	34	14	27

* Diese Frage war eine Filterfrage, die sich nur auf diejenigen befragten Mädchen und jungen Frauen bezog, die heiraten würden. Darüber hinaus lässt die Frage diejenigen Mädchen und jungen Frauen unberücksichtigt, die keinen Kontakt zum Vater haben. In zwei Fällen sind die Eltern verstorben, deshalb N = 885.

** Diese Frage war eine Filterfrage, die sich nur auf diejenigen befragten Mädchen und jungen Frauen bezog, die heiraten würden. Darüber hinaus lässt die Frage diejenigen Mädchen und jungen Frauen unberücksichtigt, die keinen Kontakt zur Mutter haben. In zwei Fällen sind die Eltern verstorben, deshalb N = 923.

Deutlich positiv gegenüber einer Heirat mit einem Deutschen eingestellt, wenn auch nur knapp die Hälfte, sind aus Sicht der Mädchen und jungen Frauen sowohl Väter als auch Mütter der Aussiedlerinnen und der Mädchen mit italienischem Hintergrund. In beiden Gruppen werden die Eltern zu je einem Drittel als diesbezüglich unentschlossen in ihrer Haltung eingeschätzt. Als zu drei Viertel gegen eine solche Ehe eingestellt, schätzen Mädchen mit türkischem Hintergrund, aber zu recht hohen Anteilen (40% bis 59%) auch diejenigen mit griechischem und jugoslawischem Hintergrund ihre Eltern ein.[205]

Die Perspektive der Eltern ermittelt die Elternbefragung des Bundesinstituts für Berufsbildung (Granato/Meissner 1994, S. 104). Sie ergab, dass die Zustimmung zu vorehelichen und ehelichen Beziehungen der Töchter und Söhne zu einem oder einer Deutschen nach Geschlecht variiert. Demnach würden italienische und türkische Eltern eher den Söhnen als den Töchtern erlauben, in einer vorehelichen Beziehung zu leben. Die Erlaubnis eine oder einen „deutsche(n) Ehefrau oder Ehemann zu haben" stößt am meisten bei den türkischen Eltern auf Widerstand und zwar stärker hinsichtlich der Töchter als der Söhne. Auch in den Repräsentativstudien des BMA wurde nach der Einstellung der ausländischen Eltern zur Heirat ihres Kindes mit einem deutschen Partner oder Partnerin gefragt. Danach (BMA 1996, S. 226f.) hat sich der Anteil der einverstandenen Eltern von 1985 bis zum Jahr 1995 deutlich erhöht (von 34% bis 71% 1985 auf 53% bis 89% 1995 je nach nationalem Hintergrund), mit deutlich geringeren Anteilen bei den türkischen Eltern: Von ihnen akzeptieren dies 1995 53 Prozent, die Väter etwas häufiger als die Mütter. Ein ähnliches Bild zeichnet sich auch 2001 ab: Während zwischen 82 bis 85 Prozent der jugoslawischen, italienischen und griechischen Eltern sich einverstanden erklärten, waren dies 55 Prozent der türkischen Eltern (BMA 2002, S. 41).

---

205 Zu dieser Frage siehe auch Kapitel 3.

Nach dieser Untersuchung gab es 1995 deutlich mehr Eltern, die mit einer inter-ethnischen Ehe ihrer Kinder einverstanden wären als es die von uns befragten Mädchen und jungen Frauen antizipieren. Es muss offen bleiben, worauf diese Diskrepanz zwischen Elternmeinung und durch die jungen Frauen antizipierter Einstellung der Eltern zurückzuführen ist.

7.2.4 Optionen für eine transnationale Ehe

Die zweite interessante Option besteht in der Wahl eines Ehepartners aus dem Herkunftsland. Während für weit über 50 Prozent der Aussiedlerinnen sowie Mädchen und jungen Frauen mit türkischem Hintergrund eine Heirat mit jemandem, der noch in den Herkunftsländern ihrer Familien lebt, nicht in Frage käme, ist dies für jeweils 82 Prozent der Befragten mit griechischem und italienischem Hintergrund durchaus vorstellbar. Von den Mädchen mit türkischem Hintergrund sind nur 46 Prozent dazu bereit. Dieses Ergebnis überrascht angesichts der Annahmen über das große Ausmaß der Heiratsmigration bei jungen türkischen Migranten und Migrantinnen. Was die Gruppe der Mädchen und jungen Frauen mit italienischem und griechischem Hintergrund anbelangt, so bestätigt das Ergebnis deren stärkere Tendenz, eine enge Verbindung zum Herkunftsland der Eltern – über die Bereitschaft zur Mobilität aber auch über die Partnerwahl – aufrecht zu erhalten.

Tabelle 7.5:   Heirat eines Partners aus dem Herkunftsland (in Prozent)

| | Migrationshintergrund | | | | | Gesamt | |
	Aussiedl.	griech.	ital.	jugosl.	türk.		
Gesamt	(200)	(182)	(183)	(172)	(213)	100	(950)
ja, auf jeden Fall	6	35	40	26	14	23	(223)
ja, möglicherweise	35	47	42	38	32	38	(365)
nein, wahrscheinlich nicht	30	10	13	24	20	20	(185)
nein, auf keinen Fall	25	6	3	11	32	16	(153)
nein, ich möchte überhaupt nicht heiraten	4	2	2	1	2	3	(24)

C = .40   p = .00

Diejenigen, die eine solche Möglichkeit akzeptieren oder sie für denkbar halten, wurden wie bei der Frage nach dem deutschen Ehepartner nach den Voraussetzungen hierfür gefragt:

Tabelle 7.6: Bedingungen für eine Heirat eines Partners aus dem Herkunftsland (in Prozent)

Ich könnte mir das vorstellen, wenn...	Migrationshintergrund					Gesamt	
	Aussiedl.	griech.	ital.	jugosl.	türk.		
Gesamt	(141)	(168)	(173)	(151)	(140)	100	(773*)
ich ihn liebe	94	92	95	94	94	94	(726)
er mir gefällt, alles andere ist nicht wichtig	37	39	44	40	32	39	(299)
er eine gute Ausbildung hat	18	35	21	34	51	32	(244)
er unsere Kinder so erzieht wie ich mir das vorstelle	18	36	31	35	40	32	(249)
er Deutsch kann	25	19	21	30	39	26	(201)
er bereit ist, nach Deutschland zu ziehen	71	32	49	76	67	58	(447)
wir nach der Heirat zusammen in ... (Herkunftsland) leben würden	1	33	24	7	15	17	(130)
meine Eltern unbedingt wollen, dass ich ihn heirate	-	-	1	1	2	1	(5)

* Diese Frage war eine Filterfrage, die sich nur auf diejenigen befragten Mädchen und jungen Frauen bezog, die sich vorstellen konnten, jemanden zu heiraten, der im Herkunftsland lebt, deshalb N = 773.

Auch bei einer solchen Partnerwahl ist Liebe die wesentliche Bedingung, dieses gilt für Mädchen aller Herkunftsgruppen in gleichem Maße. Alle anderen Bedingungen sind weniger wichtig, aber die Unterschiede sind größer. Die Bereitschaft nach Deutschland zu ziehen ist für Mädchen mit griechischem Hintergrund weniger wichtig als für die anderen Gruppen. Mehr noch als von anderen Gruppen wird von ihnen hingegen die Bereitschaft als wichtig bewertet, nach der Heirat in Griechenland zusammen zu leben. Dieser Befund korrespondiert mit den höheren Optionen, die sich die Mädchen und jungen Frauen mit griechischem Hintergrund für eine „Rückkehr" in das Herkunftsland der Eltern offen lassen. Weit häufiger Wert auf eine gute Ausbildung, auf deutsche Sprachkenntnisse des Partners und auf Übernahme des eigenen Erziehungskonzeptes durch den Partner legen die Mädchen mit türkischem Hintergrund. Dies sind alles Voraussetzungen, die an der Integrationsfähigkeit ihres Partners in die deutsche Gesellschaft orientiert sind. Am wenigsten erwarten Mädchen und junge Frauen mit jugoslawischem Hintergrund und die jungen Aussiedlerinnen die Bereitschaft des Partners, mit ihnen zusammen in das Herkunftsland der Eltern umzuziehen. Der Wunsch der Eltern, einen Partner aus dem Herkunftsland zu heiraten, wird von keiner Gruppe als akzeptabler Grund gesehen, eine solche Verbindung einzugehen. Auch die Gruppe der jungen Frauen mit türkischem Hintergrund, die im Fokus der Öffentlichkeit stehen, wenn das Thema der Heiratsmigration behandelt wird, stimmen lediglich zu zwei Prozent zu, auf Wunsch ihrer Eltern einen Partner aus der Türkei zu wählen. Auf das mit diesem Item durchaus auch verbundene Thema der „arrangierten Ehen" oder „Zwangsheirat" soll in folgendem Abschnitt näher eingegangen werden.

7.2.5 „Arrangierte Ehen"/„Zwangsheirat"

In der Auseinandersetzung mit der Frage nach der Selbstbestimmung und/oder der Familienorientierung der Mädchen und jungen Frauen mit Migrationshintergrund wird in jüngster Zeit immer häufiger auch das Thema der sogenannten „arrangierten Ehen" aufgeworfen. Die Vorstellungen und Meinungen der einheimischen Majorität über das Zustandekommen solcher Ehen werden dabei überwiegend aufgrund der spektakulären Presseberichte über „Zwangsehen" gebildet.[206]

Auffällig ist, dass die Diskussion nicht zwischen einer mit dem ausdrücklichen Einverständnis der Eltern der beiden Heiratskandidaten geschlossenen Ehe (familiär erwünschte Ehe), der arrangierten Ehe, die mit Einverständnis der beiden Ehekandidaten durch Verwandte oder Bekannte gestiftet wird (arrangierte Ehe) und der aufgrund von psychischem oder physischem Druck durch die Familie bzw. einzelner Familienangehöriger gegen den ausdrücklichen Willen des Mädchens erzwungenen Eheschließung (Zwangsheirat) trennt. Die fehlende Differenzierung wird der Lebensrealität und den Orientierungen von Mädchen und jungen Frauen mit Migrationshintergrund nicht gerecht. Der enge Einbezug der Eltern bzw. anderer Familienangehöriger in den Prozess der Partnerwahl ist in der deutschen Mehrheitsgesellschaft gar nicht bzw. nicht in diesem Umfang wie bei den Zuwanderern und Zuwanderinnen vorzufinden und stößt daher auf besonderes Unverständnis: „Man betrachtet die arrangierte Ehe als einen Modus der Partnerwahl, bei dem individuelle Wünsche unberücksichtigt bleiben und familiäre Interessen den Ausschlag geben" (Straßburger 2003, S. 176). Daher verschwimmen in der öffentlichen Diskussion um das Heiratsverhalten der Migranten und Migrantinnen, die mittlerweile europäische Dimensionen[207] angenommen hat, die Grenzen dieser Eheschließungsformen und es finden Verallgemeinerungen statt. Ihnen zufolge werden die meisten transnational geschlossenen Ehen zwischen muslimischen Migranten und Migrantinnen und einem Partner/einer Partnerin aus dem Herkunftsland der Familie als durch fami-

---

206 Aktualität erhält dieses Thema durch die im Juli 2003 gestartete Kampagne von „terre des femmes" gegen „Zwangsheirat", deren Schwerpunkt eine Plakataktion in Schulen ist, bei der Migrantinnen aufgefordert werden, sich im Falle der Betroffenheit durch dieses Problem an eine Beratungsstelle zu wenden. In Veröffentlichungen zu der Kampagne werden Heiratsmigration, arrangierte Ehen und Zwangsheirat in gleicher Weise als nicht-tolerierbare Menschenrechtsverletzungen beschrieben (Stadt-Revue 2003; Schubert 2003, S. 6f.)

207 So berichtet Bruce Bawer unter Berufung auf einen Bericht des Osloer Human Rights Service (HRS) in der Ausgabe der Herald Tribune vom 27. Juni 2003 über „A trap for Muslim women in Europe. Arranged marriages prevent integration". Er behauptet, ohne Vergleichsdaten aus anderen europäischen Ländern vorzulegen oder die Migrationssituation und -populationen der verschiedenen europäischen Länder miteinander zu vergleichen, der Bericht, der sich auf Befunde aus Norwegen stütze, sei „representative of the situation in Muslim communities throughout Western Europe".

liären Zwang herbeigeführte Ehen betrachtet. Weit verbreitet ist die Ansicht, wenn jemand eine arrangierte Ehe eingehe, sei er oder sie traditionell, rückständig und nicht emanzipiert. Nach Straßburger (2003, S. 208) wird „bei arrangierten Ehen (...) nicht der intensive Austausch vor der Heirat als Garant für das Gelingen der Ehe betrachtet. Vielmehr wird die Qualität der Ehe dadurch gesichert, dass man vor der Ehe im Familienverband abwägt, ob die Rahmenbedingungen so positiv sind, dass sich nach Abklingen des vergänglichen Verliebtseins eine beständige Liebesbeziehung entwickeln kann".

Angesichts der Brisanz des Themas haben wir uns entschlossen, verschiedene Aspekte in unseren Fragebogen aufzunehmen um die populären Annahmen empirisch aus Sicht der Mädchen und jungen Frauen zu prüfen. Um die Befragten mit unterschiedlichem kulturellen Hintergrund zu diesem Thema zu Wort kommen zu lassen, haben wir ihnen zwei Fragen gestellt, und zwar (1) was sie davon halten, wenn Eltern mit ihrer Tochter gemeinsam einen Ehemann aussuchen sowie (2) ob ein solches Arrangement für sie selbst in Frage kommen würde.

Die Tradition der arrangierten Ehe und der Zwangsheirat wird allgemein vor allem im Hinblick auf islamische Kulturen als nach wie vor gültig betrachtet.[208] In unserer Untersuchung wurde die Einstellung zu diesem Thema erstmals mit quantitativen Methoden erhoben. Dabei wurden die Fragen so formuliert, dass sie der Lebensrealität der von der so genannten „Zwangsheirat" betroffenen jungen Frauen am ehesten entsprechen. Das heißt, es wurde nach dem gemeinsamen Aussuchen eines Partners für die junge Frau von Seiten der Jugendlichen und von Seiten der Eltern gefragt. Trotz der vorsichtigen Formulierung ist die abwehrende Haltung der jungen Frauen herkunftsgruppenübergreifend eindeutig. 87 Prozent lehnt eine solche Form der Partnersuche bzw. Partnerwahl ab. Lediglich ein kleiner Teil von vier Prozent findet es „sehr gut" oder „gut", wenn Eltern mit ihrer Tochter gemeinsam einen Ehemann aussuchen.

Tabelle 7.7:   Bewertung einer arrangierten Ehe (in Prozent)

| | Migrationshintergrund | | | | | Gesamt |
	Aussiedl.	griech.	ital.	jugosl.	türk.	
Gesamt	(191)	(178)	(179)	(170)	(208)	100 (926*)
sehr gut	-	1	-	1	2	1 (8)
gut	2	-	2	2	8	3 (29)
weiss nicht	13	3	4	10	15	9 (83)
eher schlecht	22	22	14	11	21	18 (170)
schlecht	63	74	80	76	54	69 (636)

C = .28   p = .00
* Ohne diejenigen, die nicht heiraten wollen.

Allerdings gibt es bedeutsame Unterschiede nach Herkunftsgruppen, die darauf schließen lassen, dass es sich bei dieser Form der Partnerfindung tatsächlich um eine

---

208 Vgl. den bereits oben zitierten Artikel von Bruce Bawer in der Ausgabe der Herald Tribune vom 27. Juni 2003.

nur auf bestimmte Gruppen begrenzte Praxis handelt. Am ehesten Zustimmung, wenn auch nur bei einer Minderheit von zehn Prozent, erhält die Mitwirkung der Eltern bei der Partnersuche von Mädchen mit türkischem Hintergrund. Sie äußern sich auch – im Vergleich zu den anderen Gruppen – am wenigsten ablehnend. In dieser Tendenz folgen ihnen Mädchen aus Aussiedlerfamilien.

Wir haben ferner gefragt, ob sich die Mädchen und jungen Frauen eine solche Form der Eheschließung für sich selbst vorstellen können. Das Antwortverhalten ist ähnlich wie bei der allgemein gehaltenen Frage. Für sich selbst können sich eine solche Mitsprache der Eltern wiederum deutlich mehr Mädchen mit türkischem Hintergrund als aus den übrigen Gruppen vorstellen. Elf Prozent stimmen prinzipiell zu, weitere 12 Prozent machen dies von der Situation (oder dem Kandidaten?) abhängig und antworten mit „je nachdem". Aber auch in dieser Gruppe ist die überwiegende Mehrheit von 77 Prozent einer solchen Form der Ehestiftung abgeneigt. Eine vorsichtige Zustimmung zu dieser Form der Partnersuche erfolgt bei zehn Prozent der Aussiedlerinnen und acht Prozent der Befragten mit jugoslawischem Hintergrund („auf jeden Fall", „ja, vielleicht", „je nachdem" zusammengenommen).

Tabelle 7.8:   Akzeptanz einer arrangierten Ehe (in Prozent)

| | Migrationshintergrund | | | | | Gesamt |
	Aussiedl.	griech.	ital.	jugosl.	türk.	
Gesamt	(191)	(178)	(179)	(170)	(208)	100 (926*)
auf jeden Fall	1	1	2	1	4	2 (16)
ja, vielleicht	2	-	-	2	7	3 (25)
je nachdem	7	2	2	5	12	6 (54)
eher nicht	18	8	7	14	14	12 (114)
auf keinen Fall	72	89	89	78	63	77 (717)

C = .29   p = .00
* Ohne diejenigen, die nicht heiraten wollen.

7.3   Kinderwunsch und Vorstellungen über die Erziehung der eigenen Kinder

7.3.1   Kinderwunsch

Der Kinderwunsch bei jungen Menschen aus Migrationsfamilien war bereits Thema früherer Untersuchungen, da das Fertilitätsverhalten der Migranten und Migrantinnen ebenfalls als Indikator für die Anpassung an die Mehrheitsgesellschaft gilt (vgl. Weidacher 2000a, S. 57). In der Shell-Jugendstudie wird – wie in unserer Untersuchung – von knapp der Hälfte der Jugendlichen mit türkischem und italienischem Hintergrund das „Zwei-Kind-Modell" bevorzugt. Jugendliche mit Migrationshintergrund stellen sich das Leben häufiger mit Kindern und mit mehr Kindern vor als deutsche Jugendliche: „Die ausländischen Befragten wollen mehr Kinder haben als die deutschen (...) Mehr türkische Jugendliche wollen drei und mehr Kinder haben. Bei den italienischen Jugendlichen deutet sich eine Polarisierung an: Bei

‚keine Kinder' haben sie ähnlich hohe Werte wie die deutschen Jugendlichen, bei drei und mehr Kindern höhere. Offenbar ist ein Teil der italienischen Jugendlichen dem hergebrachten familialistischen Modell verhaftet, ein anderer steht jedoch den urban-modernisierten Lebensmodellen nahe" (Fuchs-Heinritz 2000a, S. 56)[209].

Dies stellen ebenfalls Mammey/Ristau (2001, S. 11) in ihrem Forschungsbericht aus dem „Integrationssurvey" des BiB (Bundesinstitut für Bevölkerungsforschung) fest. Sie führen an, dass die befragten türkischen Jugendlichen im Alter von 18-30 Jahren sich zu einem etwas höheren Prozentsatz mehr Kinder wünschen (58%) als Jugendliche italienischer (55%) und deutscher (51%) Herkunft. Auch in dieser Befragung wird das Modell einer Familie mit zwei Kindern bei allen drei Herkunftsgruppen deutlich häufiger vertreten als andere Modelle. Bei der Antwortkategorie „keine Kinder" waren wiederum die deutschen Jugendlichen mit 24 Prozent am meisten vertreten, während diejenigen türkischer Herkunft mit sechs Prozent diese Antwort am wenigsten gaben. Die Jugendlichen italienischer Herkunft positionierten sich mit zehn Prozent in der Mitte.

Auch wir befragten die Mädchen und jungen Frauen zu diesem Thema. Zum einen erhoben wir, ob und wie viele Kinder gewünscht werden und zum anderen, welche Vorstellungen über die Erziehung dieser Kinder bestehen. Unsere Erhebung zeichnet ein ähnliches Bild wie die anderen Untersuchungen. Die weitaus größte Zahl der Mädchen und jungen Frauen mit Migrationshintergrund (80%) im Alter von 15 bis 21 Jahren wünscht sich zwei oder mehr Kinder. Die Mehrheit (57%) der befragten Mädchen und jungen Frauen wünscht sich zwei Kinder, zehn Prozent weiss nicht, ob und wie viele Kinder sie haben möchten und lediglich zwei Prozent hat keinen Kinderwunsch, acht Prozent möchte ein Kind und 23 Prozent sogar drei oder mehr Kinder. Die Zwei-Kind-Vorstellung wird von 66 Prozent der Aussiedlerinnen, jeweils 59 Prozent der Befragten mit griechischem sowie italienischem Hintergrund, 53 Prozent der Mädchen und jungen Frauen mit türkischem und 49 Prozent mit jugoslawischem Migrationshintergrund gewählt. Weniger Aussiedlerinnen wollen im Vergleich zu den übrigen Mädchen und jungen Frauen drei Kinder haben: Während sich noch 24 Prozent der Befragten mit jugoslawischem, 21 Prozent mit italienischem, 20 Prozent mit griechischem sowie 18 Prozent mit türkischem Hintergrund dieses wünschen, sind es nur zehn Prozent der Aussiedlerinnen.

7.3.2   Vorstellungen über Kindererziehung

Bewertung der elterlichen Erziehung

Verglichen mit den Erziehungsmethoden ihrer Eltern – eine Frage, die aus der Shell-Jugendstudie übernommen wurde – wollen die meisten Mädchen unserer Untersuchung unabhängig von dem nationalen Hintergrund ihre Kinder zu zwei Drittel bis drei Viertel „teilweise anders" erziehen; deutlich weniger würden sie erziehen, wie sie selbst von ihren Eltern erzogen wurden, nämlich nur ein Fünftel bis ein Viertel, und noch weniger würden sie ganz anders erziehen. Ähnliche Verteilungen fanden sich in der Shell-Jugendstudie, in der 13 Prozent der Befragten, also auch der deut-

---

209 Zu dem Begriff „Familialismus" und dessen Verwendung hier siehe ausführlicher Kapitel 3 dieser Untersuchung.

schen mit „genauso", 59 Prozent „ungefähr so", 21 Prozent mit „anders" und acht Prozent mit „ganz anders" antworteten (Fuchs-Heinritz 2000a, S. 58).

Bei gleichen Tendenzen unterscheiden sich die Mädchen und jungen Frauen in unserer Untersuchung je nach Migrationshintergrund:

Tabelle 7.9:   Erziehungsabsicht der Mädchen und jungen Frauen (in Prozent)

| | Migrationshintergrund | | | | | Gesamt | |
	Aussiedl.	griech.	ital.	jugosl.	türk.		
Gesamt	(200)	(182)	(183)	(172)	(213)	100	(950)
genauso	24	23	20	13	19	20	(190)
teilweise anders	66	69	72	75	62	68	(649)
ganz anders	10	8	8	12	19	12	(111)

C = .16   p = .00

Mädchen und junge Frauen mit türkischem Hintergrund wollen ihre Kinder zu 19 Prozent deutlich öfter „ganz anders" erziehen als andere Herkunftsgruppen. Bei den Mädchen und jungen Frauen der anderen Gruppen ist ein Prozentsatz von acht bis 12 Prozent dieser Meinung.

Mit einem Blick auf die Bewertung der Erziehungspraxis der Eltern durch die Befragten lässt sich ermitteln, ob es sich bei dem Wunsch, „teilweise anders" oder „ganz anders" erziehen zu wollen um die Ablehnung autoritärer Erziehungsmuster im Elternhaus handelt. Es zeigt sich, dass die Erziehungspraxis der Eltern selten als „streng" oder „zu streng" (8%), häufig als „streng, aber liebevoll" (58%), nicht selten „als locker" (31%), kaum aber als „zu locker" (3%) beurteilt wird.[210]

Tabelle 7.10:   Bewertung der elterlichen Erziehung (in Prozent)

| | Migrationshintergrund | | | | | Gesamt | |
	Aussiedl.	griech.	ital.	jugosl.	türk.		
Gesamt	(200)	(182)	(183)	(172)	(213)	100	(950)
zu streng/streng	9	3	6	13	7	8	(73)
streng, aber liebevoll	62	60	61	58	53	58	(557)
locker/zu locker	29	37	33	29	40	34	(320)

C = .15   p = .01

Nur ein geringer Teil der Mädchen aller Migrationshintergründe bewertet die erfahrene elterliche Erziehung als „streng" und dies sind nicht zum größten Teil die Mädchen mit türkischem, sondern diejenigen mit jugoslawischem Hintergrund (13%) und junge Aussiedlerinnen (9%). Stattdessen geben im Herkunftsgruppenvergleich Mädchen mit türkischem (40%) gefolgt von denjenigen mit griechischem Hintergrund (37%) am häufigsten an, „locker" bzw. „zu locker" erzogen worden zu sein.

---

210 Zu der in der Familie erfahrenen Erziehung siehe ausführlicher Kapitel 3.

Fuchs-Heinritz (2000a, S. 59) meint, dass die Absicht, die eigenen Kinder anders zu erziehen als man selbst erzogen worden ist, als Distanzierung von den Eltern als Erziehungspersonen verstanden werden kann. In unserer Untersuchung will – wie auch in der Shell-Jugendstudie – ein Fünftel der Mädchen mit türkischem Migrationshintergrund ihre Kinder (ganz) anders erziehen. Bei den Mädchen der übrigen nationalen Herkünfte sind es mit acht bis 12 Prozent deutlich weniger. Anders erziehen zu wollen wird voreilig als Distanzierung von einer (zu) strengen Erziehung interpretiert. In unserer Untersuchung wollen zwar Mädchen und junge Frauen, die sich als „streng" erzogen einschätzen, ihre Kinder „teilweise" oder „überwiegend" anders erziehen, aber ein erheblicher Teil derjenigen Mädchen, die sich als „streng, aber liebevoll" oder „locker" erzogen sehen, hat ebenfalls andere Erziehungsvorstellungen. Hier stellt sich die Frage des Wandels der Erziehungsvorstellungen im Generationenverlauf, der sich in anderen Dimensionen bewegen kann als die Entscheidung zwischen „streng" und „locker".

Tabelle 7.11: Elterliche Erziehungsmethoden und Erziehung der eigenen Kinder (in Prozent)

Elterliche Erziehung				
Erziehung eigener Kinder	(zu) streng	streng aber liebevoll	(zu) locker	Gesamt
Gesamt	(73)	(557)	(320)	100 (950)
genauso	8	18	27	20 (190)
teilweise anders	63	74	59	68 (649)
ganz anders	29	8	14	12 (111)

C = .22   p = .00

In diesem Zusammenhang soll erwähnt werden, dass Forschungsergebnisse verschiedener Untersuchungen belegen, dass Jugendliche mit Migrationshintergrund nicht nur bereit sind, auf die elterlichen Sorge- und Schutzbedürfnisse Rücksicht zu nehmen, das sich in einem strengen Erziehungsverhalten äußern kann (so Herwartz-Emden/Westphal 2000b, S. 249; Gümen 2000, S. 370; siehe auch Boos-Nünning 1986, S. 100). Das Sorgekonzept der Eltern, so führt Straßburger (2003, S. 195) aus, wird „sogar im Vergleich zu deutschen Familien als besonders positiv bewertet und als exklusives Erziehungskonzept thematisiert. Die Freiheiten deutscher Jugendlicher werden hingegen auf eine negativ empfundene Gleichgültigkeit der Eltern zurückgeführt. Das Bild der Gleichgültigkeit und Unverbindlichkeit bildet den negativen Bezugspunkt des interlektuellen Vergleichs."

Sprachliche Erziehung der Kinder

Für die Mädchen und jungen Frauen mit Migrationshintergrund gibt es mit Blick auf die Vorstellungen für die zukünftige Erziehung ihrer Kinder eine Besonderheit: Sie haben die Möglichkeit, zwischen verschiedenen Modellen der Erziehung zur Ein- oder Mehrsprachigkeit zu wählen.

Die Mädchen und jungen Frauen selbst sind überwiegend entweder parallel oder sukzessive zwei- oder mehrsprachig aufgewachsen.[211] Die folgende Tabelle zeigt, dass die Vorstellungen hinsichtlich der sprachlichen Erziehung ihrer Kinder bei dem weitaus größten Teil aller Herkunftsgruppen der Mädchen und jungen Frauen auf einem zwei- bzw. mehrsprachigen Modell beruhen:

Tabelle 7.12: Gewünschte Erziehungssprache (in Prozent)

	Migrationshintergrund					Gesamt
	Aussiedl.	griech.	ital.	jugosl.	türk.	
Gesamt	(200)	(182)	(183)	(172)	(213)	100 (950)
ausschließlich/über-wiegend Herkunfts-sprache	9	26	12	7	5	12 (112)
zweisprachig bzw. mehrsprachig	78	74	82	88	86	81 (775)
ausschließlich/über-wiegend Deutsch	13	-	6	5	9	7 (63)

C = .27 p = .00

Lediglich bei den Mädchen mit griechischem Hintergrund gibt es mit 26 Prozent einen größeren Anteil an Personen, der ausschließlich oder überwiegend die Herkunftssprache vermitteln will, bei den Mädchen mit italienischem Hintergrund sind es 12 Prozent. Nur unter den Mädchen aus Aussiedlerfamilien will eine etwas größere Zahl von 13 Prozent die sprachliche Erziehung allein oder überwiegend auf Deutsch ausrichten.

Religiöse Erziehung der Kinder

Der Teil der Migranten und Migrantinnen, der einer nicht in der deutschen Mehrheitsgesellschaft verbreiteten Religion oder Konfession angehört, empfindet sein Leben in Deutschland als Leben in der Diaspora. Die religiöse Erziehung der Kinder kann dann Fragen oder sogar Probleme aufwerfen. Für die meisten Mädchen und jungen Frauen ist es wichtig, ihre Kinder nach ihren religiösen Grundsätzen zu erziehen, deutlich mehr wollen religiöse Praxen einhalten und bei den Christinnen die Kinder taufen oder bei den Musliminnen den Sohn beschneiden lassen:

---

211 Siehe hierzu ausführlicher das Kapitel 6.

Tabelle 7.13: Religiöse Erziehungsvorstellungen (in Prozent)

Es ist mir wichtig...	stimme voll zu	stimme eher zu	stimme teilweise zu	stimme weniger zu	stimme gar nicht zu	Gesamt
meine Kinder taufen/ meinen Sohn beschneiden zu lassen	59	17	11	7	6	100 (950)
meine Kinder nach meinen religiösen Grundsätzen zu erziehen	28	26	21	13	12	100 (950)

In der Abfolge der Herkunftsgruppen sind Mädchen und junge Frauen mit türkischem und griechischem Hintergrund an der religiösen Erziehung ihrer künftigen Kinder am häufigsten interessiert, gefolgt von den Mädchen mit italienischem und jugoslawischem Hintergrund, während sich ein erheblicher Teil der Mädchen aus Aussiedlerfamilien von Vorstellungen religiöser Erziehung, jedoch weniger von der religiösen Praxis der Taufe distanziert hat.

Diese Ergebnisse stehen mit denjenigen der Shell-Jugendstudie in Einklang. Von den deutschen und ausländischen Jugendlichen insgesamt wollen dort 13 Prozent ihre Kinder „auf jeden Fall", 24 Prozent „wahrscheinlich", 19 Prozent „wahrscheinlich nicht" und 28 Prozent „sicher nicht" religiös erziehen. 16 Prozent sind noch „unentschieden" in diesem Punkt (Fuchs-Heinritz 2000b, S. 171). Beim Vergleich der Gruppen „Kinder religiös erziehen ja/nein" zeigt sich, dass Jugendliche mit Migrationshintergrund häufiger religiöse Erziehungsabsichten äußern (Fuchs-Heinritz 2000b, S. 172). Von den Jugendlichen türkischer wie italienischer Herkunft wollen doppelt so viele wie deutsche Jugendliche ihre Kinder religiös erziehen (61% gegenüber 31%). In allen drei Gruppen sind es überwiegend weibliche Befragte, die ihre Kinder religiös erziehen wollen.

Anknüpfen an elterliche Erziehungstraditionen

Aus den Items zu den eigenen Erziehungsvorstellungen, die auch die Frage der Sprache, in der erzogen werden soll und den Stellenwert der Religion in der Erziehung einschließt, konnte ein Index „Bewahrung von Erziehungstraditionen" gebildet werden (siehe Instrumentenkonstruktion im Anhang):

Tabelle 7.14: Bewahrung von Erziehungstraditionen (Index) (in Prozent)

	Migrationshintergrund					Gesamt	
	Aussiedl.	griech.	ital.	jugosl.	türk.		
Gesamt	(200)	(182)	(183)	(172)	(213)	100	(950)
sehr ausgeprägt	1	14	7	3	2	5	(50)
eher ausgeprägt	10	33	21	21	20	21	(196)
wenig ausgeprägt	36	37	43	46	55	44	(414)
nicht ausgeprägt	53	16	29	30	23	30	(290)

C = .35   p = .00

An einer Bewahrung der elterlichen Erziehungstraditionen sind die Mädchen und jungen Frauen der verschiedenen Migrationshintergründe nicht ausgerichtet. Mit Ausnahme der Mädchen mit griechischem Hintergrund, von denen immerhin 14 Prozent den Traditionen sehr und 33 Prozent stark folgen, reagieren sie eher distanziert oder sogar abwehrend. Besonders fern stehen mit 53 Prozent der Nennungen für „nicht ausgeprägt" junge Aussiedlerinnen den Erziehungstraditionen der Eltern.

7.4   Partnerwahlorientierungen

Aus den bisher vorgestellten Items lassen sich Indices bilden, die drei Grundeinstellungen im Hinblick auf die Partnerwahl aus der Untersuchung herauslösen (siehe Instrumentenkonstruktion im Anhang):

Muster a) enthält die Wahl eines deutschen Partners mit der Bevorzugung der deutschen Sprache bei der Erziehung der Kinder = Index „Orientierung auf ein Leben im deutschen Kontext"

Muster b) enthält die Vorstellung des Zusammenlebens im Herkunftsland = Index „Orientierung auf ein Leben im Herkunftsland"

Muster c) enthält die Religiosität oder Gläubigkeit und den Wunsch nach derselben Religion beim Partner und der religiösen Erziehung der Kinder = Index „Orientierung an religiöser Übereinstimmung mit dem Partner"

Im Folgenden soll der Frage nachgegangen werden, welche dieser Grundhaltungen für die Mädchen und jungen Frauen große oder geringe Bedeutung hat.

An einer Partnerwahl und Erziehung der Kinder in einem deutschen Kontext (Muster a) sind mit Ausnahme der Aussiedlerinnen nur wenige der Mädchen und jungen Frauen interessiert.

Tabelle 7.15: Orientierung auf ein Leben im deutschen Kontext (Index) (in Prozent)

| | Migrationshintergrund | | | | | Gesamt |
	Aussiedl.	griech.	ital.	jugosl.	türk.	
Gesamt	(200)	(182)	(183)	(172)	(213)	100 (950)
sehr stark	25	3	6	9	9	10 (101)
stark	18	4	10	13	17	13 (120)
mittelmäßig	35	42	49	41	41	41 (393)
schwach	13	21	16	25	18	19 (177)
sehr schwach	9	30	19	12	15	17 (159)

C = .33   p = .00

Wie die Tabelle zeigt, sind vor allem junge Aussiedlerinnen mit 43 Prozent „stark"
bzw. „sehr stark" an diesem Muster orientiert. Dies gilt mit deutlichem Abstand aber
immerhin noch für 26 Prozent der jungen Frauen mit türkischem Hintergrund, aber
lediglich für 22 Prozent der Mädchen mit jugoslawischem und noch für 16 Prozent
der Befragten mit italienischem Hintergrund. Am wenigsten orientieren sich
Mädchen und junge Frauen mit griechischem Hintergrund an diesem Modell. Bei
ihnen ist die Ablehnung dieses Musters mit 51 Prozent auch am ausgeprägtesten.
Für alle Herkunftsgruppen gilt, dass die mittlere Kategorie in dieser Orientierung am
stärksten ausgeprägt ist.

Eine Partnerschaft nach Muster b), das heißt, einen Partner zu heiraten, der aus
dem Herkunftsland der Familie kommt und/oder mit dem zusammen das Leben im
Herkunftsland geteilt werden soll, können sich – wie zu erwarten – nur drei Prozent
der Mädchen aus Aussiedlerfamilien, aber – wie vielleicht weniger vermutet – auch
nur acht Prozent mit türkischem Hintergrund und nur neun Prozent der Mädchen
und jungen Frauen mit jugoslawischem Hintergrund vorstellen. Im Kontext zuvor
beschriebener Grundeinstellungen verwundert der große Anteil von 36 Prozent der
Mädchen mit griechischem Hintergrund ebenso wenig wie der mit 30 Prozent ebenfalls recht hohe Anteil der Mädchen mit italienischem Hintergrund, der diese Orientierung am Herkunftsland aufweist.

Deutlich unterschiedlich sind auch die Erwartungen hinsichtlich der religiösen
Übereinstimmung mit dem Partner (Muster c). Sie wird von nahezu der Hälfte der
Mädchen und jungen Frauen mit türkischem Hintergrund, aber kaum von denjenigen
aus Aussiedlerfamilien erwartet:

Tabelle 7.16: Religiöse Übereinstimmung mit dem künftigen Ehepartner (Index)
(in Prozent)

| | Migrationshintergrund | | | | | Gesamt |
	Aussiedl.	griech.	ital.	jugosl.	türk.	
Gesamt	(200)	(182)	(183)	(172)	(213)	100 (950)
stark	6	30	24	29	48	27 (260)
mittel	31	51	48	38	35	40 (383)
gering	63	19	28	33	17	33 (307)

C = .40   p = .00

Relativ stark ist der Wunsch nach einer religiösen Übereinstimmung in der Partnerschaft auch bei einem Drittel der Befragten mit griechischem und jugoslawischem Hintergrund. Auch die Befragten mit italienischem Hintergrund wünschen sich noch zu einem Viertel eine solche religiöse Übereinstimmung.

7.5   Geschlechterrollen

Mädchen mit Migrationshintergrund und hier wiederum solche mit muslimischer Religion gelten in allen Bereichen ihrer Lebens- und Verhaltensweisen als Symbol für das „Anderssein", für die fehlende Integrationsfähigkeit der Zuwandererfamilien insgesamt. Es wird unterstellt, dass die Mädchen über geringere Freiräume als die Jungen derselben nationalen Herkunft und über deutlich geringere Spielräume als deutsche Mädchen verfügen. Die Orientierungen der Mädchen und jungen Frauen mit Migrationshintergrund seien auf ein traditionelles Rollenbild ausgerichtet, das ihnen vom Elternhaus vorgelebt werde.[212]

Auch Untersuchungen, die die Bedeutung einer Berufsbildung und einer Berufstätigkeit bei den Mädchen selbst und ihren Familien hervorheben und darstellen, dass Familie und Kinder von diesen als vereinbar mit einem Beruf angesehen werden, betonen, dass von ihnen frauenspezifische Anforderungen an die Berufstätigkeit gestellt werden. So heißt es dort wiederholt, die Berufstätigkeit sollte sich mit den häuslichen Pflichten einer Ehefrau vereinbaren lassen, d.h. sie müsse eine geregelte Arbeitszeit, möglichst begrenzt auf einige Stunden am Tag, erlauben und sie dürfe keine Wochenend- und Feiertagsarbeit verlangen. Eine klar abgegrenzte und relativ kurze Arbeitszeit wird als wichtiges Argument für die Wahl eines Berufes betrachtet. Vor allem solche Tätigkeiten seien für die jungen Frauen attraktiv, da sie es erlaubten, den Beruf auszuüben, aber dennoch den Haushalt, den Ehemann und eventuelle Kinder zu versorgen (vgl. Neumann 1986, S. 124f.; Boos-Nünning 1989, S. 70f.; Boos-Nünning 1990a, S. 65f). Inwiefern diese Befunde für die von uns befragen Mädchen (noch immer) gelten, oder ob sich veränderte Tendenzen abzeichnen, soll im Folgenden untersucht werden. Schließlich geben die Rolle der Frau in der Balance zwischen Anforderungen der zu gründenden Familie und dem Berufsleben und die darin enthaltenen Wertorientierungen über das Verhältnis zwischen Mann und Frau Auskunft und nicht zuletzt über das Verständnis der gesellschaftlichen Platzierung der Frau.[213]

7.5.1   Traditionelle oder moderne Geschlechterrollen

Neun Items richten sich auf die möglichen Arrangements von Frau und Mann in der Partnerschaft und Ehe. Sie werden nach den Dimensionen, die durch eine Faktorenanalyse ermittelt wurden, geordnet.

---

212 Siehe hierzu die Darstellung der Forschungsthemen und des Forschungsstands seit 1990 bis heute in Teil 1.
213 Die Familienorientierung, ausgedrückt im Begriff des „Familialismus", wird detailliert in Kapitel 3 behandelt und soll daher an dieser Stelle nicht weiter ausgeführt werden.

Tabelle 7.17: Geschlechterrollen (in Prozent)

N = 950	stimme voll zu	stimme eher zu	stimme teilweise zu	stimme weniger zu	stimme gar nicht zu	arith. Mittel**
Traditionelle Geschlechterrolle						
(1) Vorschulkind leidet unter berufstätiger Mutter*K	17	29	33	16	5	2,7
(2) Nicht gut, wenn der Mann zu Hause bleibt und die Frau arbeitet*K	12	15	27	27	19	3,3
(3) Berufstätige Mutter kann gutes Verhältnis zu ihren Kindern haben*E	55	22	15	7	1	1,8
(4) Haushalt und Kinder sind für Frauen wichtiger als Beruf*K	10	18	36	23	13	3,1
(5) Aufgabe des Mannes, Geld zu verdienen; der Frau, sich um Haushalt und Familie zu kümmern*K	3	7	15	29	46	4,1
Beruf als Mittel zur Unabhängigkeit						
(6) Beruf ist bestes Mittel für Unabhängigkeit bei einer Frau*E	54	25	16	4	1	1,8
(7) Familienleben leidet oft, weil Männer sich zu sehr auf Arbeit konzentrieren K	10	26	44	17	3	2,8
(8) Mann und Frau sollten beide zum Ein-kommen beitragen*E	54	29	13	3	1	1,7
Sonstiges						
(9) Hausfrau sein ist genauso befriedigend wie zu arbeiten K	8	13	28	33	18	3,4

K = Konventionelle Rollenverteilung   E = Egalitäre Rollenverteilung
* Signifikante Unterschiede nach nationaler Herkunft p ≤ .05.
** Das arithmetische Mittel kann einen Wert zwischen 1 „stimme voll zu" und 5 „stimme gar nicht zu" annehmen.

Den Statements, die auf eine traditionelle oder konventionelle Rollenverteilung zwischen Frau und Mann verweisen, stimmt – wenn sie positiv formuliert sind – nur ein kleiner Teil der Mädchen, nämlich ca. ein Viertel, zu. Am meisten abgelehnt wird das Ansinnen, dass dem Mann der Beruf und der Frau der Haushalt vorbehalten sei. Nach Meinung der weitaus meisten Mädchen sollen Mann und Frau gemeinsam zum Haushaltseinkommen beitragen. Der Beruf stellt für beinahe ebenso viele das beste Mittel zur Unabhängigkeit dar und führt nicht dazu, dass das Vertrauensverhältnis zu den Kindern beeinträchtigt wird. Ausdifferenzierter werden andere Statements beantwortet. Mehr Befragte wählen die Kategorie „stimme teilweise zu" wenn Haushalt und Kinder in der Gewichtung zu einem Beruf bewertet werden müssen, wenn die Hausfrauenarbeit mit einem bezahlten Beruf abgewogen werden muss oder das (mögliche) Leiden des Vorschulkindes unter der Berufstätigkeit der Mutter bewertet wird.

Mit Ausnahme der Statements sieben und neun bestehen Unterschiede nach nationaler Herkunft. Es antworten in einer Orientierung an einem Frauenbild, das Familie bzw. Mutterschaft mit dem Beruf als vereinbar ansieht (egalitäre Geschlechterrolle) oder in einer Orientierung an einem Frauenbild, das die konventionelle Rolle bewahrt (konventionelle Geschlechterrolle):

Tabelle 7.18: Geschlechterrollen nach nationalem Hintergrund (in Prozent)

		Aussiedl.	griech.	ital.	jugosl.	türk.	Gesamt[1]	
Migrationshintergrund								
Gesamt		(200)	(182)	(183)	(172)	(213)	100	(950)
(1) Vorschulkind leidet unter berufstätiger Mutter*	E–	20	28	16	32	16	22	(207)
	K+	46	49	47	36	49	46	(433)
(2) Nicht gut, wenn der Mann zu Hause bleibt und die Frau arbeitet*	E–	38	51	46	54	43	46	(436)
	K+	35	26	26	19	28	27	(257)
(3) Berufstätige Mutter kann gutes Verhältnis zu ihren Kindern haben*	E+	80	80	74	83	68	77	(728)
	K–	10	8	11	5	9	9	(83)
(4) Haushalt und Kinder sind für Frauen wichtiger als Beruf*	E–	30	36	27	44	43	36	(341)
	K+	31	29	32	23	24	28	(264)
(5) Aufgabe des Mannes, Geld zu verdienen; der Frau, sich um Haushalt und Familie zu kümmern*	E–	61	88	75	80	73	75	(712)
	K+	18	3	9	9	11	11	(97)
(6) Beruf ist bestes Mittel für Unabhängigkeit einer Frau*	E+	69	87	71	83	84	79	(746)
	K–	9	2	7	6	5	6	(54)
(7) Mann und Frau sollten beide zum Einkommen beitragen*	E+	83	88	79	87	80	83	(790)
	K–	3	1	5	4	6	4	(34)

E = egalitäre Rollenverteilung, K = konventionelle Rollenverteilung
* Signifikante Unterschiede nach nationaler Herkunft p ≤ .05.
1) Die Antwortkategorie „teilweise" wurde nicht berücksichtigt, so dass sich die Prozentangaben nicht auf 100 Prozent aufaddieren.
− = stimme weniger/gar nicht zu
+ = stimme voll/eher zu

Die Tendenz, mit der die Statements beantwortet werden, ist bei allen Mädchen mit unterschiedlicher nationaler Herkunft ähnlich: Die Vereinbarkeit von Familie und Beruf und die wirtschaftliche Selbstständigkeit der Frau werden bejaht. Grenzen werden gesehen, wenn eine Rangordnung verlangt wird (Item: Haushalt und Kinder sind für Frauen wichtiger als Beruf) oder wenn Kinder im Vorschulalter betroffen sind (Item: Vorschulkind leidet unter berufstätiger Mutter). Unter dieser allgemeinen Tendenz kommen Unterschiede nach nationaler Herkunft zum Tragen. Mädchen mit jugoslawischem Hintergrund sind deutlich mehr als die anderen auf die Vereinbarkeit von Familie und Beruf ausgerichtet, bis dahin, dass sie der Vorstellung einer Rollenänderung (einem Rollenwechsel) von Mann und Frau folgen. Die Mädchen aus Aussiedlerfamilien sind tendenziell bewahrender im Hinblick auf die traditionelle Frauenrolle. Mädchen und junge Frauen mit türkischem oder italienischem Hintergrund sehen in der Berufstätigkeit stärker als andere Gruppen einen Nachteil für das Vorschulkind. Auch fällt bei ihnen die Zustimmung zu einem Rollenwechsel zwischen Mann und Frau weniger stark aus als bei den anderen Herkunftsgruppen. Die Mädchen mit türkischem Hintergrund reihen sich zwar in das Gesamtbild einer eher egalitären Geschlechterrolle ein, stimmen aber dem Item, dass eine berufstätige Mutter ein ebenso gutes Verhältnis zu ihren Kindern haben kann, wie eine nicht-berufstätige weniger deutlich zu als die anderen Gruppen.

Im DJI-Ausländersurvey (Pupeter 2000, S. 181f.) stimmen 52 Prozent der jungen Italienerinnen, 55 Prozent der Griechinnen und 58 Prozent der Türkinnen einem Item „Die Aufgabenverteilung in der Familie sollte so sein, dass die Frau für den Haushalt sorgt und der Mann für den Lebensunterhalt" voll und ganz sowie teilweise zu. Die Zusammenfassung – so die Autorin (ebenda, S. 181) – „verdeckt die Extrempositionen, die Türkinnen im Vergleich am stärksten vertreten: 25 Prozent der Türkinnen stimmen einer Aufgabenteilung von Mann und Frau voll zu (Italienerinnen 12%, Griechinnen 18%) aber auch 21 Prozent lehnen diese ganz ab (Italienerinnen 18%, Griechinnen 21%)". Ein solcher Unterschied lässt sich nach unserer Untersuchung nur im Vergleich zu den Mädchen mit griechischem Hintergrund ermitteln:

Tabelle 7.19: Antwortverhalten auf die Frage „Es ist Aufgabe des Mannes, Geld zu verdienen; der Frau, sich um Haushalt und Familie zu kümmern" (in Prozent)

	Migrationshintergrund					Gesamt	
	Aussiedl.	griech.	ital.	jugosl.	türk.		
Gesamt	(200)	(182)	(183)	(172)	(213)	100	(950)
stimme voll zu	6	1	3	2	5	4	(34)
stimme eher zu	12	2	6	7	6	7	(63)
stimme teilweise zu	21	9	16	11	16	15	(141)
stimme weniger zu	29	26	33	31	26	29	(273)
stimme gar nicht zu	32	62	42	49	47	46	(439)

C = .24   p = .00

Aber auch Mädchen mit griechischem Hintergrund sind nicht in allen Fragen an einem egalitären und die Mädchen mit türkischem Hintergrund nicht in allen an einem konventionellen Partnerschaftsmodell orientiert.

Aus fünf Items, bei denen die Zustimmung oder Ablehnung ein Bild von einer konventionellen Rolle der Frau als Hausfrau und Mutter nahe legt, in welchem die Frau auf Hausfrauentätigkeit und die Erziehung der Kinder und der Mann auf eine aushäusige Berufstätigkeit festgelegt ist, konnte eine Skala „Geschlechterrolle im Hinblick auf Beruf und Familie" (siehe Instrumentenkonstruktion im Anhang) entwickelt werden. Die folgende Tabelle verdeutlicht, wie stark die Mädchen und jungen Frauen an einem solchen Bild orientiert sind:

Tabelle 7.20: Geschlechterrolle im Hinblick auf Beruf und Familie (Index) (in Prozent)

| | Migrationshintergrund | | | | | Gesamt | |
	Aussiedl.	griech.	ital.	jugosl.	türk.		
Gesamt	(200)	(182)	(183)	(172)	(213)	100	(950)
stark konventionelle Rolle	18	10	17	8	14	13	(128)
konventionelle Rolle	26	23	27	18	29	25	(236)
sowohl als auch	26	24	21	23	21	23	(218)
egalitäre Rolle	20	20	17	22	16	19	(181)
stark egalitäre Rolle	10	23	18	29	20	20	(187)

C = .20   p = .00

Es bestätigt sich die in den vorherigen Ausführungen angedeutete Tendenz, dass junge Aussiedlerinnen stärker als alle anderen Gruppen an einem eher konventionellen Rollenbild der Frau orientiert sind, ihnen folgen darin mit geringem Abstand die Mädchen und jungen Frauen mit türkischem und italienischem Hintergrund. Am seltensten wird dieses Rollenbild von den Mädchen und jungen Frauen mit jugoslawischem Hintergrund vertreten.

7.5.2   Die Wahrnehmung geschlechtsspezifischer Barrieren

Einige Fragen unserer Untersuchung richten sich auf die Wahrnehmung von geschlechtsspezifischen Barrieren bzw. von Ungleichbehandlung aufgrund des Geschlechts. Es handelt sich zum einen um die Frage der Gleichbehandlung von Jungen und Mädchen in der Familie und um die Frage der geschlechtsspezifischen Diskriminierung beim Übergang von der Schule in den Beruf.

Allgemein gefragt fühlen sich die Mädchen aller nationalen Hintergründe in der Familie überwiegend mit Jungen gleich behandelt.[214] In der Familie als Mädchen schlechter behandelt fühlen sich mehr Mädchen mit italienischem und jugoslawischem, wie auch mit etwas Abstand mit türkischem Hintergrund.

---

214 Siehe hierzu die ausführlicheren Auswertungen in Kapitel 3.

Geschlechtsspezifische Diskriminierung im Übergang zum Beruf wird so gut wie nicht wahrgenommen.[215]

7.5.3 Stellung der Frau in der Religion

So, wie das Bild von durch patriarchale Familienstrukturen unterdrückte Mädchen mit Migrationshintergrund, insbesondere der Mädchen muslimischer Religion lange Zeit das öffentliche Bild bestimmte und teilweise noch heute bestimmt, entspricht es dem Allgemeinverständnis, dass muslimische Frauen mittels ihrer Religion unterdrückt werden und – so wird nicht selten gefolgert – sich auch unterdrückt fühlen (müssten). Vor diesem Hintergrund betrachten wir die Bedeutung, die den Frauen in der jeweils eigenen Religion gegeben wird, als Teil des Themenbereiches Geschlechterrolle, so dass im vorliegenden Zusammenhang darauf eingegangen werden soll, auch wenn das Thema Religion in einem eigenen Kapitel (Kapitel 10) ausführlich behandelt wird.

Tabelle 7.21: Stellung der Frau in der eigenen Religion (in Prozent)

Als Mädchen/Frau fühle ich mich...	stimme voll zu	stimme eher zu	stimme teilweise zu	stimme weniger zu	stimme gar nicht zu	Gesamt
in meiner Religion akzeptiert	43 (413)	27 (253)	18 (169)	7 (66)	5 (49)	100 (950)
in meiner Religion unterdrückt	2 (17)	3 (33)	8 (76)	22 (206)	65 (618)	100 (950)

Der überwiegende Teil der Mädchen aller von uns befragten Herkunftsgruppen fühlt sich in seiner Religion akzeptiert und nicht unterdrückt. Unterhalb dieser generellen Linie sind die Unterschiede beachtlich. Mehr Mädchen mit türkischem Hintergrund (und damit überwiegend muslimischer Religion) fühlen sich nicht akzeptiert (12% „weniger, gar nicht") und unterdrückt (13% „voll, eher"), wie die Einzelauswertung belegt.

---

215 Gabelung: es antworteten nur 141 Befragte, die Schwierigkeiten hatten, das zu machen, was sie gerne machen wollten, dann nannten 127 keine Schwierigkeiten aufgrund ihres Geschlechts; siehe auch das Kapitel 5.

Tabelle 7.22: Stellung der Frau in der eigenen Religion nach nationalem Hintergrund (in Prozent)

	Migrationshintergrund					
	Aussiedl.	griech.	ital.	jugosl.	türk.	Gesamt
Gesamt	(200)	(182)	(183)	(172)	(213)	(950)
Als Mädchen/Frau fühle ich mich in meiner Religion akzeptiert*	voll/eher 50 weniger/ gar nicht 25	voll/eher 80 weniger/ gar nicht 3	voll/eher 85 weniger/ gar nicht 6	voll/eher 73 weniger/ gar nicht 13	voll/eher 65 weniger/ gar nicht 12	voll/eher 70 (666) weniger/ gar nicht 12 (115)
Als Mädchen/Frau fühle ich mich in meiner Religion unterdrückt*	voll/eher 3 weniger/ gar nicht 93	voll/eher 3 weniger/ gar nicht 90	voll/eher 3 weniger/ gar nicht 95	voll/eher 4 weniger/ gar nicht 83	voll/eher 13 weniger/ gar nicht 75	voll/eher 5 (50) weniger/ gar nicht 87 (824)

* Signifikante Unterschiede nach nationaler Herkunft $p \leq .05$.

Weniger noch als die Mädchen und jungen Frauen mit türkischem Hintergrund fühlen sich junge Aussiedlerinnen in ihrer Religion akzeptiert. Allerdings fühlen sie sich in geringerem Maße als Mädchen und junge Frauen mit türkischem Hintergrund ausdrücklich in ihrer Religion als Frauen unterdrückt.

Unsere Untersuchung erlaubt darüber hinaus die Klärung der Frage, ob eher der Migrationshintergrund oder die Religionsgruppenzugehörigkeit die Aussagen über die Stellung der Frau in der eigenen Religion prägt. Die Unterschiede zwischen den Religionsgruppen sind in beiden Fragen bedeutsam: Mädchen katholischer und orthodoxer Religionszugehörigkeit fühlen sich deutlich akzeptierter („voll" 52% bzw. 54%, „eher" 28% bzw. 26%) als solche mit evangelischer und muslimischer Religion („voll" 37% bzw. 35%, „eher" 26% bzw. 30%). Etwas anders stellt sich die Verteilung auf die Frage nach der Unterdrückung durch die Religion dar, vor allem in den Kategorien derer, die gar nicht zustimmen: Dies sind zwischen 72 und 74 Prozent der Mädchen mit christlicher Religionszugehörigkeit, aber nur 46 Prozent der Mädchen muslimischer Religion, von denen sich auch deutlich mehr (12% „voll" und „eher" zugestimmt) unterdrückt fühlen.[216]

7.6 Moderne Geschlechterrollen und Formen der Partnerwahl

Weitaus mehr Mädchen als aufgrund der in der Literatur beschriebenen Szenarien vermutet werden könnte haben „moderne" Auffassungen von einer geschlechts-spezifischen Rollenverteilung hinsichtlich der aushäusigen Berufstätigkeit und Kinderbetreuung, weitaus weniger Mädchen als angenommen fühlen sich in ihrer Religion akzeptiert und nicht unterdrückt und fühlen sich in der Familie als Mädchen genauso gut behandelt wie ein Junge. Ein erheblicher Teil der Mädchen entspricht dem Bild des modernen Mädchens und der modernen Frau, die einen Beruf und Familie haben will, die Vorstellung vertritt, selbst Geld zu verdienen und

---

216 Dieser Aspekt soll hier lediglich angesprochen werden, vertieft wird er in Kapitel 10.

die die Möglichkeit sieht, ein solches Frauenbild mit ihrer Religion zu vereinbaren. Mit diesen Ergebnissen steht die Untersuchung in Einklang mit vielen neueren Erhebungen, die die Vereinbarkeit von Beruf und Familie als weibliches Lebenskonzept beschreiben. Dieses gilt vielfach geprüft und bestätigt bereits für die Müttergeneration der von uns befragten Mädchen und jungen Frauen (siehe dazu Gümen/Herwartz-Emden/Westphal 1994; Herwartz-Emden 1995a, 1995b, 2000; Nauck 1985b).

In der Partnerwahl ist der überwiegende Teil der Mädchen und jungen Frauen an Selbstbestimmung und nicht an einer arrangierten Ehe orientiert. Ein erheblicher Teil sucht den (künftigen) Ehepartner in der eigenen ethnischen Gruppe in Deutschland. Letzteres könnte, worauf insbesondere Straßburger (2003, S. 285) hinweist, auf mehrere Faktoren zurückzuführen sein: Auf die Ablehnung interethnischer Ehen durch die Migrationsbevölkerung ebenso wie auf die beschränkte Gelegenheit zu interethnischen Beziehungen aufgrund fehlender Kontakte zur oder auch auf die Ablehnung interethnischer Eheschließungen durch die Mehrheitsbevölkerung. Ein größerer Teil der Mädchen und jungen Frauen kann sich eine Ehe mit einem Partner aus dem Herkunftsland vorstellen, am geringsten ist diese Zustimmung hier bei Mädchen aus Aussiedlerfamilien und mit türkischem Migrationshintergrund. Nur die Liebe überwindet interethnische wie auch räumliche Barrieren.

Sowohl die Wahl eines Deutschen als auch eines im Herkunftsland (der Eltern) aufgewachsenen Mannes findet nur bei einer Minderheit Akzeptanz. Dabei steht die abstrakte Frage, aus welchem (ethnischen) Kontext eine Partnerwahl denkbar wäre und welche Motivlagen zu einer Erweiterung der Optionen führen könnten und nicht die konkrete Partnerwahl im Mittelpunkt. Straßburger (2003, S. 18) weist darauf hin, das die Heiratsoptionen mit den Erwartungen zusammenhängen, die in Deutschland lebende und überwiegend hier aufgewachsene Mädchen und junge Frauen mit Migrationshintergrund über ihr künftiges Leben verbinden und welche Bindungen sie zur Familiensprache, zum Herkunftsland der Eltern und zu den herkunftsspezifischen Traditionen besitzen bzw. aufrechterhalten wollen.

8. Körperlust: Körperbewusstsein und Sexualität

8.1 Die Diskussion um den weiblichen Körper im Migrationskontext

Die Beschäftigung mit der Thematik Körper und Sexualität bei jungen Frauen mit Migrationshintergrund bewegt sich im Schnittpunkt dreier Forschungslinien, der Sozialisations-, der Gender- und der Migrationsforschung. In der Sozialisationsforschung wird auf die besondere Relevanz der Adoleszenz und Pubertät bei der Herausbildung von Körperbewusstsein und Einstellungen zur Sexualität hingewiesen. Beides stellt sich den Jugendlichen als Entwicklungsaufgabe zur Herausbildung von Handlungskompetenz und Identität (vgl. z.B. Tillmann 1997, S. 189ff.; Hurrelmann 1995, S. 167f.). Insbesondere die dekonstruktivistische Linie der Genderforschung hat auf die soziale Konstruktion der Kategorie Geschlecht hingewiesen und die hierbei wirksamen kulturellen Einflüsse betont (vgl. Butler 1991; Macha/Fahrenwald 2003). In die Migrationsforschung hat die Beschäftigung mit kulturell verschiedenen Körper- und Sexualitätskonzepten erst über den Umweg der sportwissenschaftlichen Forschung und der Auseinandersetzung mit ethnisch-religiösen Konflikten im Sport Eingang gefunden (vgl. hierzu Bröskamp 1994; Amiraux/Bröskamp 1996; Kleindienst-Cachay 1998a). In diesem Zusammenhang ist die Rede von der „körperlichen Fremdheit", der zufolge verschiedene, kulturell bedingte Körperkonzepte dazu führen, dass die Begegnung im Sport nicht zur interkulturellen Verständigung sondern zur verstärkten gegenseitigen Wahrnehmung von Einheimischen und Zugewanderten als „fremd" führen kann (Bröskamp 1994, S. 13). In allen drei Linien erweist sich der Körper und der geschlechtsspezifische Umgang mit ihm als zentrale Symbolkategorie kultureller Unterschiede.

Dabei stellen insbesondere der weibliche Körper und der Umgang mit ihm nicht zufällig einen Brennspiegel für divergierende Vorstellungen zwischen den Geschlechtern, Generationen und Kulturen dar. Als individuelle Präsentations- und als Projektionsfläche ist er in besonderer Weise dazu geeignet, Geschlechtlichkeit aber auch kulturelle Zugehörigkeiten oder Abgrenzungen nach außen, etwa in Form der Körpersprache, aber auch über Kleidungsstücke mit Symbolcharakter zu demonstrieren. Im gesellschaftlichen Umgang mit dem weiblichen Körper, der Tatsache, ob er öffentlich präsentiert, zur Schau gestellt, verhüllt oder vor den Blicken der Öffentlichkeit verborgen wird, wird er zum Symbol von denjenigen Werten und Normen im Umgang der Geschlechter miteinander, die einem spezifischen Sozialsystem und seinen kulturellen Prägungen zugrunde liegen. Körperbewusstsein und Geschlechtlichkeit von Mädchen und jungen Frauen mit Migrationshintergrund ist daher nicht zufällig ein Thema, das unterschwellig im öffentlichen Bewusstsein der Mehrheitsgesellschaft mit Vorstellungen von „schwieriger" Integration verbunden ist, weil die vorhandenen, im Commonsense der Mehrheitsgesellschaft akzeptierten Normen durch andere körperkulturelle Ausdrucksformen in Frage gestellt zu sein scheinen.

In kaum einem anderen Bereich gibt es andererseits so eindeutige Bilder, bezogen vor allem auf die Migranten und Migrantinnen mit muslimischem Hintergrund, wie in dem des Körperbewusstseins und der Sexualität, hier beschrieben von Aktaş (2000, S. 157): „Denn gerade zum Sexualbereich von Migranten, insbesondere jenen mit moslemischem Hintergrund, gibt es offensichtlich so etwas wie einen öffentlichen Commonsense dahingehend, was denn wohl ‚typisch' ist. Patriarchal-frauenfeindliche Familienstrukturen, sexuelle Tabus, arrangierte Ehen, ‚verkaufte Bräute', für die das Gebot der Jungfräulichkeit absolut zwingend ist, rein auf männliche Bedürfnisbefriedigung ausgerichtete Moral sind einige der wohl häufigsten Klischees, die das Bild in der Mehrheitsgesellschaft prägen". Schließlich erscheint auch das Kopftuch als symbolhafte Verdichtung all dieser Merkmale.[217] Dies sind alles Themen, so Lutz/Huth-Hildebrand (1998, S. 163) „mit deren Hilfe die Welt in die Gruppe derjenigen mit vorherrschend patriarchal dominierten und derjenigen mit emanzipatorisch orientierten Geschlechter-Beziehungsstrukturen aufgeteilt wurde" (vgl. hierzu auch Boos-Nünning 1994; Lutz 1989a, S. 33ff.; Krasberg 2000, S. 54). Zu Recht kritisieren die Autorinnen, dass die im handlungsbezogenen Kontext erfolgten subjektiven Setzungen im wissenschaftlichen Diskurs unhinterfragt übernommen wurden und werden (so z.B. von König 1989; Heitmeyer et al. 1997; Schröter 2002). Auf der anderen Seite jedoch fehlt es aber in kaum einem anderen Bereich so sehr an empirischem Wissen und an wissenschaftlich fundierter Literatur.[218] Untersuchungen bei deutschen Jugendlichen zu diesem Bereich hingegen sind zahlreich.

Hier angenommene und erfahrene Differenzen werden von deutscher Seite als besonders störend und hinderlich für den Integrationsprozess angesehen. Dies gilt neben der Frage des Kopftuchtragens in der Schule (Karakaşoğlu 2002) vor allem für den Sportunterricht und die Sexualkunde im schulischen Bereich. In beiden letztgenannten Fällen kommt es immer wieder zu Unterrichtsverweigerungen einzelner zumeist Schülerinnen, die die Teilnahme am koedukativen Sport- oder Schwimmunterricht und an sexualkundlichen Einheiten des Biologie- oder Sachunterrichts nicht mit ihrem religiös begründeten Schamgefühl vereinbaren können, bzw. deren Eltern die Teilnahme an den Unterrichtseinheiten nicht wünschen (vgl. die Schilderung derartiger Fälle bei Karakaşoğlu-Aydın 2000b; Weißköppel 2001, S. 198ff.; Herkendell 2003, S. 9).

Kulturell differente Konzepte über Sexualität auf Seiten der Migranten und Migrantinnen treten hier in Konkurrenz zu dem Anspruch von Schule, wissenschaftlich fundiertes Wissen über den menschlichen Körper und seine Reproduktion in aufklärerischer Absicht zu vermitteln. Diese Kulturkonzepte umfassen Fragen der erwünschten und erlaubten Formen und des gesellschaftlichen Rahmens für sexuelles Begehren, den Stellenwert von Reproduktion und den Umgang mit sexueller

---

217 Neuere empirische Untersuchungen bei muslimischen jungen Frauen in Deutschland belegen, dass diese pauschale Gleichsetzung nicht der Intention und Lebenshaltung vieler Kopftuch tragender jungen Frauen entspricht. Im Gegenteil, sie sehen sich vielfach als autonom und mündig handelndes, selbstbewusstes weibliches Subjekt (vgl. u.a. Klinkhammer 2000; Karakaşoğlu-Aydın 2000a; Nökel 2002).

218 Wie z.B. in den Repräsentativumfragen der Bundeszentrale für gesundheitliche Aufklärung unter autochthonen Jugendlichen und jungen Erwachsenen, in denen keine Migrantenjugendlichen befragt wurden (BzgA 1998, 2001). Auch eine sekundäranalytische Auswertung vorliegender, neuerer Untersuchungen zur Lebensführung von jungen Frauen und jungen Männern in Deutschland, die in vielen Bereichen Vergleichsdaten zu Migrantenjugendlichen vorstellt, präsentiert keine Vergleichsdaten zum Bereich Gesundheit, Körperbild und Sexualität hinsichtlich dieser spezifischen Untersuchungsgruppe (Cornelißen et al. 2002). Weder die Shell-Jugendstudie (Deutsche Shell 2000) noch der DJI-Ausländersurvey (Weidacher 2000b) enthalten Fragen zu dem hier relevanten Themenbereich des Körperbildes und der Sexualität.

Erziehung. Über die diesbezüglichen Vorstellungen und ihren Verbreitungsgrad innerhalb einzelner Herkunftsgruppen ist außer den Alltagstheorien über den Zusammenhang zwischen einer rigiden Sexualnorm und Religion (oft ausschließlich im Kontext des Islam betrachtet) kaum etwas bekannt.

In unserer Untersuchung wurde daher dem Themenbereich Körperbewusstsein und Geschlechtlichkeit mehr Platz eingeräumt als üblicherweise in Jugendstudien. Beides wird erhoben über Fragen zu körperbezogenen Selbstkonzepten, Körperpflege und Nutzung von Körperpflegeprodukten, regelmäßigem Frauenarztbesuch, Stellenwert der Virginität, Stellenwert einer erfüllten Sexualität für die Partnerschaft und Vermittlungsinstanzen für sexuelle Aufklärung.

8.2 Körperbewusstsein und Gesundheitspflege

8.2.1 Körperbewusstsein und Körperbild

Das Fehlen von aktuellen Daten und Aussagen zum Körperbewusstsein bei Mädchen mit Migrationshintergrund erstaunt zunächst, handelt es sich doch dabei um einen wichtigen Teil des Selbstkonzeptes und somit auch der Identitätsbildung. Nach aktuellem Stand der Forschung ist das geschlechtsspezifische Körperkonzept nicht biologisch angelegt, sondern sozialisatorisch vermittelt.[219] Gerade die Genderforschung hat der heute anerkannten Unterscheidung zwischen dem biologischen Geschlecht „sex" und dem sozialisierten Geschlechtsbewusstsein „gender" wichtige Impulse gegeben. Damit kommt dem Aspekt der (auch kulturellen) Sozialisation eine besondere Bedeutung im Umgang mit dem Körper und der Sexualität zu. Die Körpersozialisation „beschreibt jenen Teilaspekt der Interaktion des Individuums mit seiner Umwelt, der sich auf das Erlernen des gesellschaftlich adäquaten Umgangs mit dem Körper und auf körpervermittelte Sozialisationsprozesse bezieht" (Kolip 1997, S. 110). Das geschlechtsspezifische Körperkonzept entwickelt sich zwar bereits im Kleinkindalter, und hat sich im Selbstbild von Jungen und Mädchen im Alter von ca. fünf Jahren etabliert, für die Verfestigung der mit diesem Konzept verbundenen geschlechtsspezifischen sozialen Rollen ist jedoch die Adoleszenzphase von überragender Bedeutung.[220] „In der Adoleszenzphase werden gesellschaftliche Geschlechterbilder und Weiblichkeitsentwürfe auf eine neue Weise bedeutsam" (Flaake 2001, S. 226). Durch die biologische Phase der Pubertät, die mit der Adoleszenz einher geht und prinzipiell von allen Menschen – unabhängig davon, in welcher Gesellschaft oder Kultur sie aufwachsen –durchlaufen wird, muss sich das Individuum stärker mit den körperlichen Veränderungen auseinandersetzen. Das

---

219 In seiner Zusammenschau kulturanthropologischer, psychologischer und biologischer Forschungsergebnisse zur Frage, ob es einen angelegten Geschlechtertypus gibt, kommt Tillman (1997, S. 54) zu dem Schluss, „dass es für die große Mehrzahl der nach herkömmlichen Stereotypen bestehenden Geschlechtsunterschiede weder einen empirischen Beleg noch Hinweise auf biologische Verankerungen gibt … Die These vom ‚angelegten Geschlechtscharakter' kann daher als ideologisch zurückgewiesen werden." Daraus schließt er, dass das Augenmerk um so mehr auf gesellschaftlich produzierte Geschlechterrollen und die darauf bezogenen Sozialisationsbedingungen zu richten sei.

220 Siehe zum Beispiel Brettschneider/Brandel-Bredenbeck (1997, S. 206) die auf frühere Untersuchungen und auf geschlechtsspezifische Unterschiede in der Körperwahrnehmung verweisen.

Jugendalter gilt als Phase, „in der Geschlechtlichkeit explizit dargestellt und in Interaktionen konstruiert wird" (ebenda, S. 124). „Mädchen und Jungen lernen, dass somatische Kulturen geschlechtsspezifisch differenziert sind und dass für Jungen und Mädchen jeweils andere Facetten im Umgang mit dem Körper erlaubt und erwünscht sind" (ebenda, S. 113). Welche Konstruktionen von Männlichkeit und Weiblichkeit gelernt und körperlich ausgedrückt werden müssen, ist kulturabhängig (ebenda, S. 114).

Zum Körperbewusstsein gehört auch die Zufriedenheit mit dem Körper. Neuere Untersuchungen zeigen ein differenziertes Bild von der Zufriedenheit männlicher und weiblicher Jugendlicher mit ihrem Körper. Die Untersuchungsergebnisse von Brettschneider/Brandl-Bredenbeck (1997)[221] verweisen auf ein breites Spektrum der Körper-Konzepte von Kindern und Jugendlichen deutscher Herkunft ebenso wie derjenigen mit Migrationshintergrund. Für die Letztgenannten verdichtet es sich an zwei gegensätzlichen Polen. So gibt es eine größere Gruppe von überdurchschnittlich selbstbewussten jungen Mädchen, denen eine ebenfalls gemessen am von der Mehrheitsgesellschaft dominierten Durchschnitt größere Gruppe von weniger selbstbewussten Mädchen gegenübersteht. Doppelt so viele türkische Mädchen und Jungen wie deutsche Mädchen und Jungen sind „völlig" der Ansicht, sie sähen im Vergleich zu anderen gut aus (11% der türkischen Mädchen, 25% der türkischen Jungen, 6% der deutschen Mädchen und 12% der Jungen), dagegen sind andererseits mehr als dreimal so viele türkische (28%) wie deutsche (8%) Mädchen der Ansicht, dies träfe gar nicht zu, während sich dies bei den Jungen aus beiden Nationalitätengruppen nicht unterscheidet (je 7% sind dieser Ansicht). Die gleiche Tendenz in noch stärkerem Maße gilt für die Aussage „Ich finde meinen Körper schön", hier sind es dreifach so viele türkische (22%) wie deutsche Mädchen (7%), die diese Aussage völlig zutreffend finden. Dagegen finden doppelt so viele türkische (22%) wie deutsche (14%) Mädchen, dass diese Aussage „gar nicht" zutrifft (Brettschneider/Brandl-Bredenbeck 1997, S. 236ff.). Qualitative Untersuchungen zum Körperkonzept deutscher Mädchen stellen fest, dass es eine „Kultur der Unzufriedenheit mit dem Körper, der Kritik an ihm, kaum jedoch eine Kultur des Stolzes, des körperlichen Wohlbefindens und der wechselseitigen positiven Bestätigung" unter Gruppen gleichaltriger Mädchen und junger Frauen gibt (Flaake 2001, S. 237). Als Hintergrund werden die objektiv nicht erreichbaren Schönheitsideale in westlich-industriellen Gesellschaften gesehen. „Die Nichterreichbarkeit der Maßstäbe scheint zentraler Bestandteil dieser Normen und damit Ursache für eine starke Unsicherheit von Frauen bezogen auf ihren Körper zu sein" (ebenda, S. 114).

---

221 Befragt wurden in Deutschland im Winter 1993/94 insgesamt 2.124 Schüler und Schülerinnen der 7., 9. und 12. Jahrgangsstufe in Berlin, Brandenburg und Nordrhein-Westfalen. Dabei wurde dem jeweiligen Anteil türkischer Staatsangehöriger entsprechend auch türkische Jugendliche in den jeweiligen Bundesländern befragt (ca. 4% in NRW, 11% in West-Berlin, 0% in Brandenburg und 1% in Ost-Berlin) (Brettschneider/Brandel-Bredenbeck 1997, S. 89).

8.2.2 Bewertung des Körpers und Körperpflege

Im Folgenden soll untersucht werden, wie es mit den von uns befragten Mädchen und jungen Frauen mit Migrationshintergrund und deren Verhältnis zu ihrem Körper aussieht. Über den Körper und die Bemühungen um Fitness und Körperpflege wurden acht Items vorgegeben (siehe Tabelle 8.1). Danach bewerten die Mädchen und jungen Frauen ihren Körper und ihr Verhältnis zu ihm unterschiedlich; in der allgemeinen Einschätzung weichen relativ viele auf die mittlere Kategorie „teils-teils" aus, wenn ihr Wohlbefinden mit ihrem Körper und seine Bewertung als „schön" ausgedrückt werden sollen. Zu dick fühlten sich ein Viertel, zu dünn – ein Item, das als einziges auf einem Faktor lädt – jedoch nur wenige. Während Körperpflege und Fitness für einen deutlich überwiegenden Teil wichtig ist, werden chirurgische Manipulationen am Körper zur Erreichung eines Schönheitsideals eher abgelehnt.

Tabelle 8.1:   Körperbewusstsein[222] (in Prozent)

N = 950	genau	ziemlich	teils-teils	weniger	gar nicht	arith. Mittel**
Akzeptanz des Körpers						
Ich fühle mich wohl in meinem Körper*	16	29	37	13	5	2,6
Ich finde meinen Körper schön*	5	18	45	25	7	3,1
Ich fühle mich zu dick	12	12	27	24	25	3,4
Wenn ich die Möglichkeit hätte, würde ich eine Schönheitsoperation machen lassen	12	6	10	18	54	4,0
Körperpflege						
Ich schminke mich gerne*	32	27	27	9	5	2,3
Ich benutze gerne Körperpflegeprodukte*	50	33	12	4	1	1,7
Ich achte darauf, körperlich fit zu bleiben	24	34	30	10	2	2,3
Sonstiges						
Ich fühle mich zu dünn*	2	2	8	35	53	4,3

* Signifikante Unterschiede nach nationaler Herkunft p ≤ .05.
** Das arithmetisches Mittel kann einen Wert zwischen 1 „genau" bis 5 „gar nicht" annehmen.

---

222 Die Reihenfolge folgt den drei Faktoren, die durch eine Faktoranalyse extrahiert werden.

Faktorenanalysen, die herkunftsgruppenspezifisch durchgeführt wurden, erlauben Aussagen über Körperkonzepte der verschiedenen Gruppen. Bei den Mädchen und jungen Frauen mit italienischem, jugoslawischem und türkischem Hintergrund verbindet sich das Item „Ich fühle mich zu dünn" mit einer positiven Bewertung des Körpers; bei den ersten beiden Gruppen gehört zudem die Ablehnung von „Korrekturen durch Schönheitsoperationen" zu einem positiven Körperbild. Daher werden nur die ersten drei Items „Ich fühle mich wohl in meinem Körper", „Ich finde meinen Körper schön" und „Ich fühle mich zu dick"[223], die alle fünf Herkunftsgruppen der Körperakzeptanz zuordnen, für den Index genutzt. Eindeutig zählen die drei Items zu Körperpflege bei allen Gruppen zu einem anderen Faktor. Sie bilden den Index „Körperpflege" (siehe Instrumentenkonstruktion im Anhang).

Was die positive Einstellung zum Körper anbelangt, verteilen sich die Mädchen und jungen Frauen nach Migrationshintergrund wie folgt:

Tabelle 8.2:   Körperbild (Index) (in Prozent)

| | Migrationshintergrund | | | | | Gesamt | |
	Aussiedl.	griech.	ital.	jugosl.	türk.		
Gesamt	(200)	(182)	(183)	(172)	(213)	100	(950)
sehr positiv	11	15	14	26	13	15	(147)
positiv	22	27	27	28	26	26	(243)
mittel	33	25	29	21	26	27	(258)
negativ	18	19	17	18	22	19	(182)
sehr negativ	16	14	13	7	13	13	(120)

C = .18   p = .01

Deutlich positiver als die anderen Herkunftsgruppen scheint demnach die Einstellung zum eigenen Körper bei Mädchen mit jugoslawischem Hintergrund ausgeprägt zu sein. 54 Prozent von ihnen haben eine „sehr" bzw. „positive" Einstellung. In den anderen Herkunftsgruppen liegt dieser Wert bei 42 Prozent (griechischer Hintergrund) bis 33 Prozent (Aussiedlerinnen).

Körperpflege

Aus den Items „Ich achte darauf, fit zu bleiben", „Ich benutze gerne Körperpflegeprodukte" und „Ich schminke mich gerne" wurde ein Index „Körperpflege" gebildet. Hier wird deutlich, dass Körperpflege insgesamt für die Mädchen und jungen Frauen herkunftsgruppenübergreifend eine mittlere Relevanz besitzt.

---

223 Dieses Item wurde zum Zwecke der Indexkonstruktion umgepolt.

Tabelle 8.3:   Körperpflege (Index) (in Prozent)

| | Migrationshintergrund | | | | | Gesamt |
	Aussiedl.	griech.	ital.	jugosl.	türk.	
Gesamt	(200)	(182)	(183)	(172)	(213)	100 (950)
gar nicht wichtig	11	4	8	3	9	7 (68)
nicht wichtig	21	20	15	17	26	20 (191)
teils wichtig	31	40	40	29	41	36 (343)
eher wichtig	27	25	30	34	19	27 (253)
sehr wichtig	10	11	7	17	5	10 (95)

$C = .22 \quad p = .00$

Mehr als ein Drittel der Mädchen und jungen Frauen mit Migrationshintergrund hält Körperpflege für „sehr wichtig" oder „wichtig". Auffällig häufig (51%) gilt dies für Mädchen mit jugoslawischem Hintergrund. Etwa ein Viertel der Befragten insgesamt, aber ca. ein Drittel der Mädchen mit türkischem Hintergrund und der jungen Aussiedlerinnen findet demgegenüber Körperpflege „nicht" bzw. „gar nicht" wichtig.

Erwartungsgemäß besteht ein Zusammenhang zwischen positiver Einstellung zum Körper und der Körperpflege. Es zeigt sich, dass Mädchen mit einer positiven Einstellung zu ihrem Körper Pflege für notwendiger halten als diejenigen mit einer negativen Einstellung (r = .21; p = .00).

Tabelle 8.4:   Körperpflege (Index) und Körperbild (Index) (in Prozent)

| | Körperbewusstsein | | | |
	sehr positiv/positiv	mittel	kaum/nicht positiv	Gesamt
Gesamt	(390)	(258)	(302)	100 (950)
gar nicht/nicht wichtig	19	29	36	27 (259)
teils wichtig	35	40	34	36 (343)
eher/sehr wichtig	46	31	30	37 (348)

$C = .19 \quad p = .00$

Brettschneider/Brandl-Bredenbeck (1997) berechnen im Rahmen ihrer Untersuchung des Körperkonzeptes ebenfalls unterschiedliche Faktorenanalysen für türkische Jungen und Mädchen in Berlin[224], ohne hinreichendes bzw. eindeutiges Ergebnis. Die Mädchen mit türkischem Migrationshintergrund waren stärker in den Kategorien zu finden, die konsequente Zustimmung oder Ablehnung benennen. In dieser Untersuchung antworteten auf das Statement „Ich achte darauf, körperlich fit zu sein" Mädchen mit türkischem Hintergrund sowohl deutlich häufiger mit „trifft gar nicht zu" als auch mit „trifft völlig zu" als dies bei den befragten deutschen Mädchen der Fall war. Mehr von ihnen waren zudem mit ihrem Aussehen weniger

---

224 Auf den Vergleich mit Jugendlichen in New York soll hier nicht eingegangen werden.

zufrieden und fanden ihren Körper nicht schön, aber gleichzeitig fanden sich mehr als in den anderen Gruppen in Deutschland gutaussehend und schön.

Gesundheitspflege

Zum Körperkonzept zählt auch die Gesundheitspflege, die durch drei Indikatoren erfasst wurde, nach denen unterschiedlich Vorsorge getroffen wird: Während weitaus die meisten Mädchen (85%) ohne nationalitätenspezifische Unterschiede mindestens einmal im Jahr zum Zahnarzt gehen, kontrollierten nur die Hälfte das Körpergewicht und gehen nur 33 Prozent regelmäßig zum Frauenarzt, mit beachtlichen Unterschieden nach Migrationshintergrund.

Tabelle 8.5: Kontrolle des Körpergewichts und Frauenarztbesuch (in Prozent)

| | Migrationshintergrund | | | | | Gesamt | |
	Aussiedl.	griech.	ital.	jugosl.	türk.		
Gesamt	(200)	(182)	(183)	(172)	(213)	100	(950)
Kontrolle des Körpergewichts*	52	59	41	46	52	50	(476)
Frauenarztbesuch*	39	42	35	36	14	33	(310)

* Signifikante Unterschiede nach nationaler Herkunft $p \leq .05$.

Mädchen mit türkischem Hintergrund nutzen deutlich seltener regelmäßige Untersuchungen beim Frauenarzt als Mädchen aller anderen nationalen Herkünfte. Für die Frage der Vorsorge spielt die Selbstverständlichkeit, mit der der Frauenarzt aufgesucht wird, eine große Rolle. Die regelmäßige Kontrolle ist abhängig vom Migrationshintergrund (Kontingenzkoeffizient $C = .21$) und vom Alter (Kontingenzkoeffizient $C = .27$).

Von den Mädchen verschiedener Herkünfte gehen nach Altersgruppen regelmäßig zum Frauenarzt:

Tabelle 8.6: Regelmäßiger Frauenarztbesuch (in Prozent)

| | Altersgruppe | | | | |
	15-16	17-18	19-21	Gesamt	C
Gesamt	(256)	(299)	(395)	100 (950)	
alle Mädchen*	14	31	46	33 (310)	.27
aus Aussiedlerfamilien*	23	36	54	39 (77)	.25
griechischer Hintergrund*	10	40	65	42 (77)	.41
italienischer Hintergrund*	15	34	50	35 (64)	.28
jugoslawischer Hintergrund*	12	32	53	36 (62)	.33
türkischer Hintergrund*	6	11	20	14 (30)	.17

* Signifikante Unterschiede nach Altersgruppe $p \leq .05$.

Während bei Mädchen und jungen Frauen der vier anderen Herkunftsgruppen die Inanspruchnahme des Frauenarztes mit dem Alter deutlich ansteigt, ist das bei Mädchen mit türkischem Hintergrund weniger der Fall. Der Vergleich zwischen Mädchen mit türkischem und Mädchen mit jugoslawischem Hintergrund muslimischer Religion (N = 76) macht deutlich, dass letztere zwar häufiger als erstere regelmäßig einen Frauenarzt aufsuchen, aber auch dennoch deutlich seltener als die übrigen Mädchen.

Tabelle 8.7:   Frauenarztbesuch der Musliminnen (in Prozent)

	bosnischer Hintergrund	türkischer Hintergrund	übrige	Gesamt
Gesamt	(76)	(202)	(672)	100 (950)
regelmäßiger Frauenarztbesuch	21	14	40	33 (310)
kein regelmäßiger Frauenarztbesuch	79	86	60	67 (640)

C = .22   p = .00

Die 16 muslimischen jungen Frauen mit jugoslawischem Hintergrund, die regelmäßig einen Frauenarzt aufsuchen, sind überwiegend (12 Fälle) zwischen 19 und 21 Jahre alt.

Je höher der Status der Herkunftsfamilie und je höher das Bildungsniveau der Mädchen und jungen Frauen selbst ist, desto häufiger wird der Frauenarzt oder die Frauenärztin regelmäßig aufgesucht, allerdings sind die Zusammenhänge nicht sehr hoch (Cramer V = .12 und .13). Bei den Mädchen und jungen Frauen mit türkischem Hintergrund hängt der Besuch des Frauenarztes oder der Frauenärztin weder mit dem sozialen Status der Familie noch mit dem eigenen Bildungsniveau zusammen. Im Gesamtsample besteht darüber hinaus ein Zusammenhang zwischen der Tatsache, einen festen Freund zu haben und einem regelmäßigen Frauenarztbesuch. Dieser Zusammenhang liegt zwischen Phi = .20 (jugoslawischem Hintergrund) und Phi = .32 (Aussiedlerinnen). Bei Mädchen und jungen Frauen mit türkischem Hintergrund hat er mit Phi = .12 (nicht signifikant) kein statistisches Gewicht, dabei muss berücksichtigt werden, dass in dieser Gruppe auch weniger Personen als in den anderen Gruppen einen festen Freund haben (70 Fälle).

8.3   Einstellung zur Sexualität und Erfahrungen mit sexueller Aufklärung

Sexualität als existenzielles Grundbedürfnis der Menschen bezeichnet zugleich auch einen Teilbereich der Sozialisation. Die Phase der Adoleszenz geht einher mit der Erfahrung und Aneignung von „neu und heftiger sich Ausdruck verschaffenden sexuellen Wünschen und Phantasien" (Flaake 2001, S. 136). Diese sind eingebunden in Normen und Erwartungen der Umgebung. Diese Umgebung wird im Falle vieler Mädchen und jungen Frauen mit Migrationshintergrund zum einen durch die deutsche Mehrheitsgesellschaft, zum anderen aber auch durch die ethnisch und/oder religiös differente Herkunftsfamilie und die ethnische Community, in die die Familie möglicherweise eingebunden ist, gebildet.

Während viele Vermutungen über den Einfluss von Familie und ethnischer Community auf die Einstellung der Mädchen und jungen Frauen mit Migrationshintergrund zur Sexualität angestellt werden, ist über die tatsächlichen Vorstellungen bei jugendlichen Migranten und Migrantinnen zu diesem Bereich außer den Alltagstheorien zum Zusammenhang zwischen einer rigiden Sexualnorm und Religion (oft ausschließlich im Kontext des Islam betrachtet)[225] kaum etwas bekannt. Das liegt auch daran, dass es bislang an empirischen Untersuchungen hierzu fehlt, denn Fragen zur Sexualität gelten bei unserer Zielgruppe als besonders schwierig. Auch von Salisch (1990) konstatiert, dass der Zugang zu türkischen Mädchen zwecks einer Befragung zum Thema Sexualität besonders schwierig gewesen sei. Sie führt dies darauf zurück, dass sie kaum Erfahrungen auf sexuellem Gebiet sammeln könnten. Ursache dafür sei die Tatsache, dass weibliche Jugendliche türkischer Herkunft von Kontakten zu männlichen Gleichaltrigen ferngehalten werden, weil die Familienehre auf dem Spiel stehe, wenn sie nicht als Jungfrau in die Ehe gingen. Wenn sie trotzdem Erfahrungen mit Sexualität und Partnerschaft machten, seien sie wegen des strengen Verbots kaum bereit, hierüber Auskunft zu geben (von Salisch 1990, S. 15).[226] Auf diese Annahmen mag zurückzuführen sein, dass es so wenige Untersuchungen zu Mädchen und jungen Frauen mit Migrationshintergrund zu diesem Thema gibt und dass diese Fragen so selten gestellt werden. Auch wir haben uns diesem Themenbereich besonders vorsichtig genähert und sensibel Fragen gestellt. Ob dieses notwendig war, lässt sich nicht eindeutig sagen, da alle Mädchen die Fragen ohne Probleme beantwortet haben.

8.3.1 Der Stellenwert von Virginität

Aktuelle Erhebungen zur Jugendsexualität lassen den Rückschluss zu, dass für den überwiegenden Teil der deutschen Mädchen heute die Erhaltung der Virginität bis zur Ehe keine Rolle mehr spielt.[227] Bei Mädchen und jungen Frauen mit Migrations-

---

225 Die türkische Feministin und Sexualforscherin Pinar Ilkkaracan (2000, S. 2) kritisiert diese einseitige Sicht auf den Islam: „Existing discourses on sexuality in Islam often fail to consider the differences in practice among Muslim communities."

226 Das Fehlen von Studien zu Einstellungen zur Sexualität bei jungen Migrantinnen muslimischer Prägung findet seine Entsprechung in einer Forschungslücke zur Sexualität von Musliminnen in islamisch geprägten Ländern allgemein, die ihren Grund, so Ilkkaracan (2000, S. 3) in „the resistance against delving into culturally taboo areas" auch bei Sozialwissenschaftlerinnen aus den entsprechenden Ländern habe. Nicht die Angst vor Antwortverweigerungen ist hier handlungsleitend, befürchtet werden vielmehr, je nach politischer und sozioökonomischer Gesamtlage des jeweiligen Landes, negative gesellschaftliche und politische Konsequenzen sowohl für die Informantinnen als auch für die Forscherinnen selbst (ebenda).

227 Auch wenn in einschlägigen Umfragen zur Jugendsexualität in Deutschland nicht nach der Einstellung zur Virginität gefragt wird, so lassen sich doch aus den Angaben zu Erfahrungen mit Geschlechtsverkehr Rückschlüsse auf den Stellenwert des Wertes „Virginität vor der Ehe" bei deutschen Mädchen und jungen Frauen ziehen. In der Altersgruppe der 14- bis 17-Jährigen gaben 1998 38 Prozent der weiblichen Befragten an, bereits Koituserfahrungen gemacht zu haben. Alleine in der Gruppe der 17-Jährigen waren es bereits 66 Prozent (BzgA 1998, S. 47). Im Zeitverlauf ist der Anteil der koituserfahrenen Mädchen in den jüngeren Jahrgängen kontinuierlich gestiegen (ebenda, S. 49).

hintergrund, insbesondere denjenigen muslimischer Prägung wird allgemein angenommen, dass dieser „traditionelle Wert" noch eine größere Bedeutung besitzt. Belegt wird dies durch Berichte aus der Praxis.

Aktaş (2000, S. 159) beschreibt aus ihrer Tätigkeit als Sexualpädagogin bei Pro Familia, dass das Thema „Jungfräulichkeit", besser: das „Jungfernhäutchen" dasjenige sei, über das bei weiblichen Jugendlichen aus türkischen und arabischen Kulturkreisen am häufigsten Beratungsbedarf bestehe (hierzu auch Renz 2000, S. 180; 2002, S. 27). Die Mädchen interessierten in Gruppengesprächen die biologischen Grundlagen, insbesondere, wie es verletzt werden kann und darüber hinaus und insbesondere in Einzelgesprächen, wie sich ein zerrissenes Häutchen wieder „reparieren" lässt, was dieses kostet, und ob der Mann es merken könne.[228] Virginität als wichtiges Element von Weiblichkeit und als Zeichen eines ehrenhaften Lebenswandels beschäftigt die Mädchen in ihrem Alltag und – so Aktaş (2000, S. 159) und Renz (2000, S. 180) – sie sehen sich mit einem Wert konfrontiert, den sie einerseits als selbstverständlich akzeptieren, dessen Verbindlichkeit für die eigene Lebensführung sie aber zunehmend in Frage stellen. Nach Schätzung von Aktaş (2000, S. 160) heiraten 70 Prozent der Mädchen ohne vorehelichen Geschlechtsverkehr, 10 Prozent haben sich das Jungfernhäutchen operativ wiederherstellen lassen und 20 Prozent gehen nicht jungfräulich in die Ehe, darunter zahlreiche junge Frauen, die ausschließlich vorehelichen Geschlechtsverkehr mit ihrem späteren Ehepartner ausüben.

Vielleicht sind es auch Gegensätze, die gesellschaftlich konstruiert werden, die den Zugang zu diesen Fragen erschweren, wenn häufig mit Wertungen versehene Bilder einander gegenübergestellt werden, so z.B. in einer neueren Veröffentlichung bei Borde (2000, S. 166): „Mehr als andere Lebensbereiche sind Fragen zur Ehe- und Familienplanung sowie zu Sexualität und Partnerschaft in besonderem Maße von persönlichen, gesellschaftlichen und kulturell geprägten Normen und Werthaltungen bestimmt. Für Pädagoginnen, aber auch für Immigrantinnen ergeben sich bei der Arbeit oder in der Konfrontation mit dem Themenkreis ‚Sexualität' häufig Probleme, die durch Unverständnis, Abgrenzung und ein verstärktes Erleben der Differenz charakterisiert sind. Während sich für Mädchen und Frauen in unserem Land in den vergangenen Jahrzehnten eher das (Vor-)Bild der sexuell aufgeklärten und selbstbestimmten Frau etabliert hat, haben für viele Mädchen und Frauen aus orientalischen Gesellschaften z.B. traditionelle Werte wie Ehre, Achtung, Scham und Jungfräulichkeit auch in der Migration ihre maßgebliche Bedeutung für soziale Anerkennung in der Gesellschaft nicht verloren. Sexualität und andere körperbezogene Themen werden diesem Konzept zufolge aus Gründen der Scham vor dem anderen Geschlecht, aber auch vor Älteren oder Jüngeren geheim gehalten und tabuisiert."

Um zu sehen, ob sich herkunftsspezifische Unterschiede hinsichtlich der Einhaltung der Virginitätsnorm feststellen lassen, wurde in unserer Untersuchung nach der Bedeutung der Virginität für die Mädchen gefragt. Eine sexuelle Beziehung

---

228 In der Türkei stellt die Wiederherstellung des Jungfernhäutchens inzwischen ein durchaus übliches Beschäftigungsgebiet der modernen türkischen Medizin dar (siehe hierzu Cindoğdu 2000). Auch die marokkanische Soziologin Fatima Mernissi beschreibt diese Praxis als durchaus üblich in arabischen Gesellschaften. Sie sieht darin „ein typisches Beispiel von Modernisierung" und einen Ausdruck „gesellschaftlicher Schizophrenie" (Mernissi 1993, S. 67ff.).

ohne oder vor der Ehe wird von den meisten Mädchen (58%) akzeptiert, 27 Prozent lehnen dies ab, 15 Prozent weisen eine unentschiedene Haltung dazu auf. Die Unterschiede nach nationaler Herkunft sind jedoch bedeutsam. Zwar gibt es in allen Gruppen einen Anteil von Mädchen, die es für akzeptabel halten, dass Partner und Partnerinnen vor der Ehe Geschlechtsverkehr haben, sowie einen Anteil, der dies für nicht akzeptabel hält, aber dieses Muster wird – je nach Herkunftsgruppe – unterschiedlich stark angenommen oder abgelehnt:

Tabelle 8.8:   Vorehelicher Geschlechtsverkehr ist nichts Falsches nach nationalem Hintergrund (in Prozent)

| | Migrationshintergrund | | | | | Gesamt | |
	Aussiedl.	griech.	ital.	jugosl.	türk.		
Gesamt	(200)	(182)	(183)	(172)	(213)	100	(950)
stimme voll/eher zu	72	80	60	62	22	58	(552)
stimme teilweise zu	13	12	15	14	19	15	(141)
stimme weniger/gar nicht zu	15	8	25	24	59	27	(257)
arith. Mittel*	2,0	1,7	2,4	2,3	3,6	2,4	

C = .40   p = .00
* Das arithmetische Mittel kann einen Wert zwischen 1 „stimme voll zu" und 5 „stimme gar nicht zu" annehmen.

Der weitaus überwiegende Teil der Mädchen (ca. drei Viertel) mit griechischem Hintergrund und aus Aussiedlerfamilien steht nicht zur Norm der Virginität, der überwiegende Teil der Mädchen (ca. 60%) mit italienischem und jugoslawischem Hintergrund ebenfalls nicht, allerdings gibt es in diesen Gruppen – anders als in den Erstgenannten – einen beachtlichen Anteil (ca. 25%), der die Norm akzeptiert. Dies verweist darauf, dass die Akzeptanz dieser Norm nicht nur bei muslimischen Gruppen vorhanden ist, denn die befragten Italienerinnen gehören ausnahmslos christlichen Konfessionen an. Der überwiegende Teil der Mädchen mit türkischem Hintergrund (59%) hält allerdings erwartungsgemäß an der Vorstellung der Virginität bis zur Ehe fest. Jedoch gibt es auch in dieser Gruppe eine nicht unerhebliche Minderheit von 22 Prozent, die die Norm ablehnt, indem sie zustimmt, dass vorehelicher Geschlechtsverkehr akzeptabel sei.

Die Zugehörigkeit zur muslimischen oder – allerdings mit sehr kleiner Ausgangszahl – zu einer anderen Religion verbindet sich mit einer Sexualmoral, die vorehelichen Geschlechtsverkehr deutlich ablehnt. In allen anderen Religionsgruppen und bei denjenigen, die keiner Religionsgemeinschaft angehören, sind die Mehrheit der Mädchen und jungen Frauen ganz oder weitgehend von solchen Vorstellungen entfernt:

Tabelle 8.9: Vorehelicher Geschlechtsverkehr ist nichts Falsches nach religiösem Hintergrund (in Prozent)

	Religionsgruppe						
	römisch-katholisch	evange-lisch	orthodox	islamisch	andere Religion	keine Religion	Gesamt
Gesamt	(222)	(113)	(252)	(278)	(22)	(63)	100 (950)
stimme voll zu	46	52	62	18	9	49	42 (401)
stimme eher zu	20	18	19	9	9	19	16 (151)
stimme teilweise zu	17	12	11	18	18	13	15 (141)
stimme weniger zu	11	6	6	18	5	6	11 (101)
stimme gar nicht zu	6	12	2	37	59	13	16 (156)

C = .46   p = .00

Deutliche Unterschiede in der Haltung zur Jungfräulichkeit bestehen innerhalb der Gruppe der Musliminnen. So weisen bosnische Musliminnen mit 45 Prozent eine deutlich höhere Zustimmung zu vorehelichem Geschlechtsverkehr auf als türkische Musliminnen, die dies nur zu 21 Prozent befürworten. In diesem Bereich der Sexualmoral orientieren sich von den jungen Befragten mit türkischem Hintergrund deutlich über die Hälfte an der Bewahrung traditioneller Normen. Von einer einheitlichen islamischen Sexualmoral kann jedoch nicht die Rede sein.

Marburger (1999, S. 28) bietet, bezogen auf türkische Muslime und Musliminnen, eine Erklärung für das Festhalten an der Virginitätsnorm an. Sie sieht darin eine Befolgung des Elternwillens, der sich aus den islamischen Traditionen speist, die: „angesichts vielfach erfahrener Abwertung und Diskriminierung einen Bezugspunkt eigener Selbstwerterhaltung und Orientierungssicherheit boten. Dies gilt auch für die den Sexualbereich tangierenden Normierungen. Angesichts einer vielfach als ,regel- bzw. zügellos' und ,verderbt' wahrgenommenen Sexualmoral der deutschen Gesellschaft erhielten die mitgebrachten Orientierungen eine noch stärkere handlungsleitende Relevanz, und zwar vor allem im Hinblick auf die eigenen Kinder. Deren Leben möchte man nicht der ,Unmoral' preisgeben. Von ihnen erwartet man Einstellungen und ein Verhalten, das diese und damit auch ihre Familien unter den Angehörigen der eigenen Ethnie nicht in Verruf bringen (...)".[229]

---

229 Sie verweist in gleichem Zusammenhang darauf, dass derartige traditionelle Verhaltensnormen teilweise auch von Aussiedlern und Aussiedlerinnen aus den GUS vertreten werden, wenn diese eine starke freikirchliche Bindung (z.B. die Mennoniten) aufweisen, die durch die gemeinsame Erfahrung von Verfolgung, Deportation und extremer Diskriminierung als Gruppenidentitätsmerkmal an Bedeutung gewann. Auch sie zeigen sich zum Teil irritiert durch die Allgegenwart der medialen Präsentation von Sexualität (Plakate, Illustrierte, Fernsehen etc.), der offenen Partnersuche und Kontaktaufnahme von Menschen fast jeden Alters, öffentlich gelebten Ausdrucksformen von Zuneigung und Nähe (Händchenhalten, Umarmungen, Küsse etc.), demonstrativer Körperlichkeit im Spiel- und Sportbereich – um nur einige Beispiele „normal-alltäglicher" Sexualität zu

Der Begriff, an dem die sexuelle Enthaltsamkeit vor der Ehe, aber auch bestimmte Formen der Bedeckung durch Kleidung festgemacht wird, ist der der „Ehre". In traditionellen Vorstellungen sind Frauen die Trägerinnen der Familienehre. Ihr Verhalten hat in der Öffentlichkeit Bedeutung für das Ansehen der gesamten Familie in der Gesellschaft. Im Blickpunkt steht das zurückhaltende Verhalten gegenüber Männern und die Vermeidung von ‚aufreizendem Auftreten'. Wahrer der Ehre sind die männlichen Familienangehörigen, denen es obliegt, über die Einhaltung des ehrbaren Verhaltens der weiblichen Familienmitglieder zu wachen. In diesem Konzept ist die Ehre eines Mädchens gebunden an sexuelle Enthaltsamkeit bis zur Ehe. Dabei ist die Jungfräulichkeit kein Wert an sich, sondern Ausdruck einer Haltung gegenüber der Sexualität, wie einer Haltung der Frauen gegenüber der Gesellschaft. Akzeptanz oder Nichtakzeptanz von Jungfräulichkeit heißt weit mehr als die Tatsache, dass das Jungfernhäutchen bewahrt wird, hoch oder gering zu schätzen.[230] Die Akzeptanz der Virginitätsnorm enthält vielmehr Bilder von einer muslimischen Frau, die Eltern und Schwiegereltern achtet und die Werte und Normen der ethnischen Community respektiert und einhält. Achtung gegenüber Älteren und Sittsamkeit sind wichtige Elemente dieses Ehrkonzeptes. Daher wird von traditionell orientierten Eltern der Auszug aus dem Elternhaus, ohne dass durch eine Verheiratung oder eine Ausbildung in weiter entfernten Regionen ein äußerer Anlass gegeben wäre, oftmals gleichgesetzt mit der Absage an die Einhaltung der traditionellen Werte und Normen.

Tatsächlich besteht – das zeigen unsere Daten – ein enger Zusammenhang zwischen der Akzeptanz der Virginität und der Bereitschaft, nach Auszug aus dem Elternhaus mit einem Partner zusammen zu wohnen und erst später zu heiraten ($r = .50$, $p = .00$). Je größer die Bereitschaft ohne Trauschein mit einem Partner zusammenzuwohnen ist, umso geringer ist die Akzeptanz der Virginität. Der hier festgestellte Zusammenhang gilt auch für die türkisch-muslimischen Mädchen ($r = .36$, $p = .00$). Für die Gruppe der Mädchen und jungen Frauen insgesamt gilt, dass die Zustimmung zur Virginitätsnorm mit der Schulbildung zusammenhängt ($r = -.17$, $p = .00$). Je höher die Schulbildung, desto mehr Zustimmung erhält unser Item „Es ist nichts Falsches, schon vor der Ehe miteinander zu schlafen". Die Zustimmung hängt ebenfalls zusammen mit dem Alter der Befragten, ($r = -.11$, $p = .00$). Je älter die Befragten sind, desto weniger Bedeutung hat die Virginitätsnorm für sie.

---

nennen (Marburger 1999, S. 28). Ähnliches schildert auch Boll (1993, S. 54ff.) in seiner empirischen Untersuchung über Aussiedler und Aussiedlerinnen. Löneke (2000, S. 144ff.) beschreibt das Geschlechterverhältnis und die Sexualmoral mennonitischer Aussiedlerfamilien.

230 Was die Wahrung des Ehrkonzeptes und der damit verbundenen Virginitätsnorm anbelangt, so entwickeln heute sowohl Frauen in muslimischen Ländern als auch muslimische Mädchen in Deutschland verschiedene Strategien, die Norm zu umgehen bzw. zu verletzen. Wobei sie in der Regel entweder darauf achten, dies nicht öffentlich zu machen oder aber sie lassen, wie oben geschildert, den ‚jungfräulichen Zustand' vor der Ehe wiederherstellen. Eine wachsende Minderheit von jungen Frauen in den Großstädten hat sich allerdings, wie auch in unserem Sample, von der Befolgung dieser gesellschaftlichen Norm gelöst. Auch in den Dörfern finden – zumindest was den freieren Umgang der Geschlechter miteinander anbelangt – Veränderungen statt (Strasser 1995, S. 186ff.).

8.3.2 Einstellungen zur Bedeutung von Sexualität

In einer aktuellen Untersuchung des Sexual- und Verhütungsverhaltens 16- bis 24-jähriger Jugendlicher und junger Erwachsener deutscher Herkunft wurde festgestellt, dass 65 Prozent der Mädchen und jungen Frauen Sexualität in der Partnerschaft als sehr wichtig bis wichtig einstufen (BzgA 2001, S. 41f.).[231]

Auch wir haben im Bereich der sexuellen Orientierung nach der Bedeutung von Sexualität für eine gute Partnerschaft gefragt. Die Ergebnisse liegen auf einer Linie mit denjenigen der deutschen Befragten. Auch die meisten Mädchen und jungen Frauen mit Migrationshintergrund (nämlich 66 Prozent) betonen – und dies ohne Unterschied nach nationaler Herkunft – die große Bedeutung einer erfüllten Sexualität für eine Partnerschaft. 28 Prozent messen ihr eine mittlere und lediglich sechs Prozent eine geringe bis keine Bedeutung bei.

Tabelle 8.10: Bedeutung einer erfüllten Sexualität für eine Beziehung (in Prozent)

| | Migrationshintergrund | | | | | Gesamt |
	Aussiedl.	griech.	ital.	jugosl.	türk.	
Gesamt	(200)	(182)	(183)	(172)	(213)	100 (950)
sehr große bzw. große Bedeutung	70	75	56	65	66	66 (630)
mittlere Bedeutung	25	21	37	30	29	28 (269)
geringe bzw. keine Bedeutung	5	4	7	5	5	6 (51)

C = .13   p = .04

Die positive Beurteilung einer erfüllten Sexualität in einer Beziehung gilt, so sei ausdrücklich erwähnt, auch für Mädchen mit türkischem Hintergrund, von denen gleich viele der Sexualität „sehr große" oder „große" Bedeutung geben wie die Gesamtheit der Mädchen. Etwas unbedeutender wird sie mit nur 56 Prozent für „große" und „sehr große" Bedeutung von den Mädchen mit italienischem Hintergrund eingeschätzt.[232] Die Bedeutung der Sexualität steigt, je älter die Befragte ist (r = -.20, p = .00). Auch dieser Befund deckt sich mit demjenigen zu den deutschen Befragten (ebenda, S. 43).

Lutz (1989b) setzt sich mit der These auseinander, die in Abhandlungen zur weiblichen Sexualität im Orient vorzufinden ist, die behauptet, dass die Orientalin – im Gegensatz zur westlichen Frau – sexuell duldsam und passiv sei: Sie zitiert Chebel (1984), der die Behauptung zurückweist, „daß in islamischen Ländern

---

231 Frühere Daten zu sexuellen Kontakten weiblicher deutscher Befragter verdeutlichen, dass für einen überwiegenden Teil der Mädchen und jungen Frauen Geschlechtsverkehr in eine Paarbeziehung eingebettet ist bzw. sein sollte, während gleichaltrige Jungen Sexualität als etwas Eigenständiges, das von Beziehungen losgelöst werden kann, betrachten (Kolip 1997, S. 119f.). In dieser geschlechtsspezifischen Differenz drückt sich der Versuch, Geschlechtlichkeit und damit – bezogen auf die Mädchen und jungen Frauen – Frau-Sein herzustellen, aus (ebenda).

232 Im Vergleich zwischen Mädchen mit italienischem Hintergrund auf der einen und allen übrigen auf der anderen Seite sind die Unterschiede signifikant (p = .00).

Sexualität und ihre sozialen Ausdrucksformen unterdrückt und tabuisiert seien, (...). Ganz im Gegenteil, so Chebel, seien diese sehr differenzierter entwickelt. Im Gegensatz zum Westen seien sie jedoch nicht in verbalisierter Form zu finden, sondern in der hochentwickelten Kunst der Körpersprache. Ein Kind lerne bereits, wie es Signale zu geben hat und es erlerne eine breite Palette von Verführungsformen im mimischen und gestikulierenden Ausdruck. Dadurch seien diejenigen, die sich mit diesem Kommunikationsmittel auskennen, sehr wohl in der Lage, sich zu verständigen. Das orientalische Paradigma dagegen, welches bis heute die Migrantinntenliteratur beherrscht, geht von der idealtypischen Gegenüberstellung mit einer befreiten weiblichen Sexualität im ‚emanzipierten Westen' aus. Damit wird auch gleichzeitig die Wertung verbunden, daß genau diese Freiheit fortschrittlich sei und universell anzustreben" (Lutz 1989b, S. 57f.).

Dem hier kritisierten Stereotyp halten auch andere Autorinnen (so z.B. Mernissi 1987, 1993; Heller/Mosbahi 1994) entgegen, dass das Sexualitätskonzept islamischer im Gegensatz zu christlich-calvinistischen Gesellschaften positiv ausgerichtet sei und dass in ihm die Frau eine aktive Rolle habe (Mernissi 1987, S. 59).[233] Sexualität – reglementiert im Rahmen der Ehe – habe für Muslime und Musliminnen grundsätzlich und in mehrfacher Hinsicht eine positive Bedeutung (Breuer 1998, S. 43). Sie ermögliche es dem Gläubigen, sich auf Erden fortzupflanzen, sei ein Vorgeschmack auf die dem Menschen im Paradies verheißenen Wonnen und schaffe die sexuelle Befriedigung, die für intellektuelle Leistungen notwendig sei (Mernissi 1987, S. 29f.; auch Mıhçıyazgan 1993, S. 99f. und Özelsel 1992).

In unserem Sample konnte zumindest die These gestützt werden, dass auch bei denjenigen, die der Virginitätsnorm folgen (wollen), wie es bei einem überwiegenden Teil der Musliminnen der Fall ist, Sexualität für eine erfüllte Partnerschaft eine große Rolle spielt.

Bei einem intrareligiösen Vergleich zwischen türkischen und bosnischen Musliminnen zeigt sich, dass bosnische und türkische Musliminnen in diesem Punkt die gleiche Einstellung haben. Beide Gruppen bewerten erfüllte Sexualität als in hohem Maße (67%) bedeutsam für eine gute Partnerschaft. Sie liegen mit dieser Bewertung im Mittel der Befragten insgesamt. Katholische Mädchen italienischer Herkunft liegen mit 59 Prozent Zustimmung darunter, griechisch orthodoxe Befragte mit 75 Prozent darüber.

Die Ergebnisse unserer Untersuchung zeigen exemplarisch an der Einstellung zur Frage der Jungfräulichkeit, dass es diesbezüglich zwar deutliche Unterschiede nach nationaler Herkunft gibt, diese aber nicht linear auf die spezifische religiöse Zugehörigkeit der Herkunftsgruppen zurückzuführen sind. Dieses wird durch den intrareligiösen Vergleich zwischen bosnischen und türkischen Musliminnen belegt. Darüber hinaus gibt es größere Minderheiten innerhalb der nichtmuslimischen

---

233 Gegen die oberflächlich plausible These vom Einfluss des Korans auf die Stellung der türkischen Frau lassen sich eine Zahl differenzierender oder sogar dieser Vorstellung entgegengesetzter Argumente anführen. Der Koran enthält kein grundsätzlich frauenfeindliches Bild, und es lässt sich aus der in ihm vorgegebenen Rangordnung keine für die Frau grundsätzlich demütigende und unerträgliche Situation ableiten; vielmehr wird das Eheleben grundsätzlich als Ausdruck wechselseitiger Liebe und Zuneigung verstanden, und den Frauen stehen im großen und ganzen sexuell in der Ehe dieselben Rechte zu wie den Männern (Boos-Nünning 1999, S. 28ff.; siehe dazu auch Rieplhuber 1986).

Befragtengruppen, die ebenfalls der Virginitätsnorm zustimmend gegenüberstehen. Damit bricht die dichotome Sichtweise – hier säkulare Gesellschaft, dort muslimische Migrantinnen – auf. Dies verweist auf die Notwendigkeit von differenzierten Analysen und die Vermeidung pauschalisierter Schlussfolgerung etwa zu „muslimischen Mädchen". Darüber hinaus zeigten die Einstellungen zur Bedeutung einer erfüllten Sexualität für eine gute Partnerschaft, dass die Zustimmung zu einem Jungfräulichkeitsdogma nicht mit einer sexualitätsfeindlichen Grundeinstellung einhergehen muss.

Die positive Einstellung, ja das Recht auf Sexualität und die moralische Pflicht, sie auf die Ehe zu begrenzen (siehe dazu Akashe-Böhme 1997, S. 42; Nökel 2002, S. 213) können allerdings als wichtige Gründe für die Eheschließung in – gemessen an den Vorstellungen der deutschen Gesellschaft – verhältnismäßig frühem Alter bei vielen türkisch-muslimischen Migrantinnen herangezogen werden.

8.4 Wissen über Sexualität und Sexualaufklärung

Zur Entwicklung einer selbstbestimmten Sexualität und damit auch eines mündigen Menschen in sexuellen Fragen gehört nach Auffassung der zeitgenössischen Pädagogik die Aufgeklärtheit des Individuums über seinen Körper und damit auch über seine Geschlechtlichkeit. Aufschlussreich ist ein exemplarischer Blick in die nordrhein-westfälischen Richtlinien zur schulischen Sexualerziehung von 2002. Dort heißt es, Sexualerziehung soll Mündigkeit, Selbstbestimmung und verantwortungsvolles Verhalten auf der Basis sachlich begründeten Wissens vermitteln. Die Sexualerziehung sei auf sinnbestimmtes und wertorientiertes Handeln angelegt (Ministerium für Schule, Wissenschaft und Forschung 2001, S. 8). Sie bezieht sich auf „biologische, ethische, soziale und kulturelle Fragen. Sie gibt auf wissenschaftlicher Grundlage Informationen, Reflexionshilfen, Impulse zur Verarbeitung von Erfahrungen und schärft das persönliche moralische Bewusstsein der Schülerinnen und Schüler durch die Auseinandersetzung mit unterschiedlichen Wertvorstellungen" (ebenda). Über derartige Hinweise auf ein allgemein zu berücksichtigendes Toleranzgebot gehen die Richtlinien jedoch nicht hinaus.

So heißt es an anderer Stelle „An vielen Schulen sind Lerngruppen auch im Hinblick auf Religion, Kultur und Weltanschauung heterogen." Daraus wird in den Richtlinien der Schluss gezogen: „Respekt, Achtung des Schamgefühls und das Toleranzgebot gegenüber Kindern und Jugendlichen gebieten es, besonders einfühlsam über die Werte und Normen hinsichtlich der Sexualität und des Sexualverhaltens in unserer Gesellschaft zu informieren und sie im Unterricht zu berücksichtigen" (ebenda, S. 10). Mit dem Hinweis auf „Werte und Normen in unserer Gesellschaft", über die informiert werden soll, wird auf einen diesbezüglichen, imaginären gesellschaftlichen Konsens rekurriert, mit dem vor allem die Anderen einfühlsam vertraut gemacht werden sollen. Ihre möglicherweise abweichenden Werte und Normen werden nicht thematisiert.

Als Ergänzung wie auch als Kompensation der (als fehlend oder defizitär betrachteten) sexuellen Erziehung im Elternhaus wurde eine radikale Enttabuisierung der Rede über Sexualität gefördert; Sexualerziehung in Deutschland mittels eines Kultusministerkonferenzbeschlusses im Jahr 1968 offiziell an Schulen eingeführt (Klees et al. 1997, S. 99). Diese Entscheidung stand in engem Zusammenhang mit der Etablierung von Sexualerziehung im Zuge der so genannten sexuellen Revolution. Nach Foucault (1983, S. 125) handelt es sich bei dieser Rede um einen „besonders dichten Durchgangspunkt für die Machtbeziehungen: zwischen Männern und Frauen, zwischen Jungen und Alten, zwischen Eltern und Nachkommenschaft, zwischen Erziehern und Zöglingen, zwischen Priestern und Laien, zwischen Verwaltung und Bevölkerung". Diese Liste ist um die Machtbeziehung zwischen Mehrheit und Minderheit zu ergänzen. Innerhalb dieser Machtbeziehungen gehöre, so Foucault „die Sexualität nicht zu den unscheinbarsten sondern zu den am vielseitigsten einsetzbaren Elementen: verwendbar für die meisten Manöver, Stützpunkt und Verbindungsstelle für die unterschiedlichen Strategien" (ebenda). Die Einbettung der Rede über Sexualität in diese Machtbeziehungen verdeutlicht, warum Sexualerziehung eine zentrale gesellschaftliche Bedeutung für die Erziehung und Bildung der Jugendlichen hat, und warum diese Bedeutung im Umgang mit kultureller Vielfalt unter Jugendlichen noch zunimmt.

Weißköppel schildert in ihrer ethnographischen Untersuchung einer ethnisch gemischten Realschulklasse einen Konflikt zwischen einem Biologielehrer und zwei muslimischen Schülern. Der Konflikt erwächst aus der Verweigerung der muslimischen Jungen, am Sexualunterricht als Pflichtbestandteil des Biologieunterrichts teilzunehmen und dem Beharren des Lehrers auf ihrer Teilnahme. In einer Analyse des Diskurses zwischen Lehrer, Schülern und Klasse gelingt es Weissköppel nachzuzeichnen, wie Sexualerziehung gerade in ethnisch gemischten Kontexten, in denen darüber hinaus die Definitionsmacht sehr unterschiedlich verteilt ist, zu einem diskursiven „Kampfplatz" werden kann (Weißköppel 2001, S. 199). Hier treten kulturell differente Konzepte über Körper und Sexualität auf Seiten der Migranten und Migrantinnen, die von dem Lehrer als vormodern und daher defizitär bewertet werden, in Konkurrenz zu dem Anspruch von Schule in aufklärerischer Absicht wissenschaftlich fundiertes Wissen über den menschlichen Körper und seine Reproduktion zu vermitteln. Als Resultat dieser Konfrontation kommt es zur symbolischen Aufladung des Themas Sexualität, über die nun Differenz performiert wird. Diese differenten Kulturkonzepte umfassen Fragen der erwünschten und erlaubten Formen sowie des gesellschaftlichen Rahmens für sexuelles Begehren, für den Stellenwert von Reproduktion und schließlich für den Umgang mit sexueller Erziehung.

In deutschen Familien sind Eltern einerseits und Gleichaltrige andererseits die Hauptstützen bei sexuellen Fragen. Mädchen im Alter zwischen 14 und 17 Jahren haben als Hauptbezugsperson in sexuellen Fragen zu 67 Prozent die Mutter, zu 49 Prozent andere Mädchen und zu 45 Prozent den Freund oder Partner. Über die Jahre ist die Mutter für die Mädchen in diesen Fragen immer wichtiger geworden (BzgA 2001, S. 8f.).

Seit der Veröffentlichung der Arbeiten von Heidarpur-Ghazwini (1986) und Marburger (1987) wird die Frage der Aufklärung über Sexualität in Migrantenfamilien in der Fachliteratur diskutiert. Das Thema Sexualität wird in Familien mit Migrationshintergrund je nach Herkunftsgruppe sehr unterschiedlich behandelt. Lajios und Kioutsuokis (1984) kamen in einer Untersuchung bei 108 Kindern mit Migrationshintergrund zu dem Ergebnis, dass 62 Prozent der italienischen, 41 Prozent der jugoslawischen, 33 Prozent der griechischen aber nur acht Prozent der türkischen Kinder mit ihren Eltern über Sexualität sprechen. Auch neuere Untersuchungen und Praxisberichte stellen übereinstimmend fest, dass Fragen der

Sexualität in den muslimischen Familien nicht bzw. kaum zum Thema zwischen Eltern und Kindern gemacht werden (vgl. hierzu Heidarpur-Ghazwini 1986[234]; von Salisch 1990, S. 18; Renz 2002, S. 25; Herkendell 2003). Nach Aktaş (2000, S. 161) ist es in traditionell orientierten türkischen Familien unüblich, dass die Kinder durch die Eltern aufgeklärt werden. Diese Funktion müsste danach für die Mädchen die ältere Schwester oder die jüngere Tante übernehmen. Da die Aufklärung in der Familie sehr unzureichend sei, treten Medien (Jugendzeitschriften) und die schulische Sexualerziehung hinzu: „Die häufigsten Fragen kreisen um den Bereich Menstruation und Menstruationsbeschwerden, Verhütung, ungewollte Schwangerschaft und Schwangerschaftsabbruch. Wie oben bereits gesagt, dies sind Themen für alle Mädchen. Doch auffällig ist einmal das im Vergleich etwa zu deutschen Mädchen in der Tendenz deutlich geringere Wissen über biologische Zusammenhänge und Funktionsweisen und zum anderen die geringere Vertrautheit mit dem eigenen Körper und seinen Reaktionen. Ersteres dokumentiert die nach meiner Einschätzung doch geringeren Zugriffsmöglichkeiten auf Informationsquellen verbunden mit eigener Scheu, aktiv nachzufragen. Das zweite Phänomen ist vor dem Hintergrund des allgemeinen Umgangs mit Nacktheit und Körperlichkeit von weiblichen Kindern und Jugendlichen zu sehen" (Aktaş 2000, S. 162).

Dass Mütter für türkische Mädchen eine untergeordnete Rolle als Vertrauensperson oder auch als Informationsquelle für Wissen über den weiblichen Körper spielen oder spielten, stellt auch Emine Mıh (1999) fest, die dieses Phänomen auf „Scham und Respekt der Jüngeren gegenüber den Älteren" zurückführt. Über das Auftreten der Menstruation hatte in Mıhs Untersuchung nur eine von 60 türkischen Frauen mit ihrer eigenen Mutter gesprochen, 74 Prozent der von ihr befragten Frauen hatten überhaupt kein Aufklärungsgespräch und bei 23 Prozent waren die Gesprächspartnerinnen andere Frauen.

In der Untersuchung von Heidarpur sprachen 30 Prozent (N = 20) der Mädchen nur mit der Mutter, fünf Prozent mit beiden und keines nur mit dem Vater offen über Sexualität, Schwangerschaft und Geburt. Die Mutter spricht mit der Tochter über die körperlichen Veränderungen in der Pubertät. Die ebenfalls in die Erhebung einbezogenen Eltern nennen das Unvermögen, weil sie selbst nicht aufgeklärt worden seien sowie die Angst vor Autoritätsverlust als Grund für die Vermeidung von Themen über Sexualität; Jugendliche ihrerseits nennen das Schamgefühl als Hinderungsgrund, ihre Eltern in diesen Fragen anzusprechen (Heidarpur 1990, S. 133). Salman führt sogar aus (1999, S. 7), dass durch die fehlende Bereitschaft und Fähigkeit über Sexualität zu sprechen, Konflikte zwischen türkischen Eltern und ihren Kindern entstünden.

Hier scheint es jedoch eine Entwicklung zu geben, demzufolge sich in der in Deutschland aufgewachsenen Migrantinnengeneration gegenüber der im Herkunftsland aufgewachsenen Unterschiede bezüglich des Wissens über Sexualität und der diesbezüglichen Quellen auftun. Nach einer Untersuchung bei Frauen mit türkischem Migrationshintergrund über ihr Wissen zu Gesundheit und weiblichen Körpervorgängen waren die jungen Frauen der zweiten Migrantengeneration mit 47

---

234 Es handelt sich hier um eine der wenigen einschlägigen empirischen Untersuchungen zu diesem Thema. Von den 90 Befragten Heidarpur-Ghazwinis (1986, S. 192) waren 40 Heranwachsende (je die Hälfte Mädchen und Jungen). Er konstatiert, dass es in der traditionell geprägten Gesellschaft keine Sexualerziehung in Form eines Gesprächs zwischen Eltern oder eines anderen Erziehungsberechtigten und den Kindern gebe.

Prozent Anteil von Patientinnen mit geringem Wissen deutlich besser informiert als die erste Migrantinnengeneration und die im Rahmen von Heiratsmigration eingewanderten Ehefrauen (77%), aber deutlich uninformierter als deutsche Frauen (Nichtwisserinnen bei diesen: 15%) (Borde 2000, S. 171).

In unserer Erhebung nimmt die Frage, wer dazu beigetragen hat, dass die Mädchen und jungen Frauen etwas über Liebe und Sexualität wissen, relativ viel Raum ein. Die Ergebnisse werden im Folgenden getrennt nach den Vermittlungsinstanzen Familie, Freunde/Freundinnen, institutionelle Beratung und Medien betrachtet. Die Familie, insbesondere die Mutter und – wo sie vorhanden ist – die ältere Schwester, tragen nach unseren Daten mehr zur Information über Liebe und Sexualität bei, als dies aus früheren Untersuchungen und Ausführungen zum Umgang mit Sexualaufklärung in muslimischen und (freikirchlichen) Aussiedlerfamilien vermutet werden konnte. Eine geringe Rolle spielt der Vater – er wurde insgesamt nur von 25 Befragten genannt – und bei Vorhandensein der ältere Bruder – dieser wurde lediglich von 18 Personen als Informant über das Thema Liebe und Sexualität genannt. Eine differenzierte Auswertung macht nationalitätenspezifische Unterschiede deutlich. Die Mutter spielt bei den Mädchen mit griechischem und italienischem Hintergrund eine deutlich größere Rolle als bei Mädchen jugoslawischer Herkunft und Mädchen aus Aussiedlerfamilien. Für Mädchen mit türkischem Hintergrund hat sie im Gruppenvergleich die geringste Bedeutung in dieser Frage. Für alle Herkunftsgruppen ist, wenn es sie gibt, die ältere Schwester die wichtigste Person bei der Vermittlung von Wissen über Liebe und Sexualität. Bei den Mädchen aus Aussiedlerfamilien hat sie deutlich weniger Bedeutung als bei den übrigen. Nur eine untergeordnete Rolle spielt die Tante bei allen nationalen Herkunftsgruppen.

Tabelle 8.11: Wissen über Liebe und Sexualität durch Familienmitglieder (sehr viel/viel) (in Prozent)

	Migrationshintergrund					Gesamt
	Aussiedl.	griech.	ital.	jugosl.	türk.	
Familie						
Mutter* N = 948[1]	19	34	29	23	16	24 (226)
ältere Schwester N = 363[2]	22	56	42	45	40	40 (146)
Tante* N = 950	2	9	6	6	7	6 (55)
mindestens ein Familienmitglied* N = 950[3]	25	48	43	40	39	39 (367)

* Signifikante Unterschiede nach nationaler Herkunft p ≤ .05.
1) Zwei der Mädchen haben keine Mutter mehr.
2) Nur Mädchen mit älterer Schwester.
3) Hier gehen auch die Angaben zu Vater und älterem Bruder ein.

Wo vorhanden, ist der Freund als Vermittler von Wissen über Liebe und Sexualität wichtiger als die Mutter. Mit Ausnahme der Mädchen und jungen Frauen mit griechischem Hintergrund ist die Freundin für alle restlichen Befragtengruppen vor der Mutter und sogar noch vor der älteren Schwester wichtigste Bezugsperson in diesen Fragen.

Tabelle 8.12: Wissen über Liebe und Sexualität durch Freund/Freundin (sehr viel/viel) (in Prozent)

N = 950	Migrationshintergrund					Gesamt
	Aussiedl.	griech.	ital.	jugosl.	türk.	
Freunde						
Freund/Lebenspartner*	31	34	28	26	23	28 (267)
Freundin	44	43	43	49	55	47 (447)
mindestens ein Freund/eine Freundin	56	57	53	57	62	57 (540)

* Signifikante Unterschiede nach nationaler Herkunft p ≤ .05.

Für die Mädchen und jungen Frauen, die in Deutschland die Schule besucht haben, spielt die Lehrerin oder der Lehrer eine gewisse Rolle: Ca. ein Drittel der Mädchen mit italienischem, jugoslawischem und türkischem Hintergrund geben an, „sehr viel" oder „viel" von ihnen erfahren zu haben; bei den Mädchen aus Aussiedler-familien mit nur 15 Prozent ist zu berücksichtigen, dass ein Teil von ihnen später in das deutsche Schulsystem eingestiegen ist. Aber auch bei den Mädchen und jungen Frauen, die die deutsche Schule besucht haben, spielen Lehrer und Lehrerinnen keine große Rolle bei der Wissensvermittlung über Liebe und Sexualität.

Für die meisten ist der Frauenarzt oder die Frauenärztin unwichtig. Dies gilt ebenso für deutsche 14- bis 17-jährige Mädchen (8%; BzgA 2001, S. 9). Der Frauenarzt oder die Frauenärztin spielt für die Mädchen und jungen Frauen mit türkischem Hintergrund eine besonders geringe Rolle (11% „sehr viel" und „viel", bei den übrigen Gruppen zwischen 16 bis 21%). Dies ist im Zusammenhang mit der niedrigen Besuchsfrequenz des Frauenarztes/der Frauenärztin bei dieser Befragten-gruppe zu sehen.

Tabelle 8.13: Wissen über Liebe und Sexualität durch Institutionen (sehr viel/viel) (in Prozent)

N = 950	Migrationshintergrund					Gesamt
	Aussiedl.	griech.	ital.	jugosl.	türk.	
Institutionelle Beratung						
Lehrer/-in*	15	25	30	30	32	26 (250)
Frauenarzt/-ärztin*	20	17	16	21	11	17 (159)
mindestens eine Institution	31	35	40	44	39	38 (356)

* Signifikante Unterschiede nach nationaler Herkunft p ≤ .05.

Was die Informationen über Liebe und Sexualität durch mediale Vermittlung anbetrifft, so zeigt sich zunächst, dass Medien diesbezüglich wichtiger sind als die Instanzen Familie oder Institutionen, jedoch weniger wichtig als die Freundin oder der Freund. Hier zeichnet sich ein deutlicher Unterschied zwischen unseren Befragten und deutschen Mädchen in der Befragung der Bundeszentrale für gesundheitliche Aufklärung ab (BzgA 2001, S. 9, S. 27). Für sie steht als Vermittlungsinstanz in Fragen der Sexualität die Mutter noch vor Freundinnen und Medien.

Darüber hinaus gibt es durchaus beachtliche Unterschiede auch zwischen den verschiedenen Herkunftsgruppen der Mädchen und jungen Frauen mit Migrationshintergrund, wie die folgende Tabelle zeigt.

Tabelle 8.14: Wissen über Liebe und Sexualität durch Medien (sehr viel/viel) (in Prozent)

| N = 950 | Migrationshintergrund | | | | | Gesamt |
	Aussiedl.	griech.	ital.	jugosl.	türk.	
Medien						
Aufklärungsbroschüren	25	21	21	26	21	23 (216)
Jugendzeitschriften*	36	35	27	41	30	34 (320)
Fernsehen*	38	22	21	35	27	29 (271)
mindestens ein Medium*[1)]	53	45	38	52	44	46 (438)

* Signifikante Unterschiede nach nationaler Herkunft p ≤ .05.
1) Hier gingen auch Nennungen zum Internet ein.

Das Internet wird bisher so gut wie nicht genutzt (hier gab es lediglich 15 Nennungen). Es erreicht die Mädchen und jungen Frauen nicht, im Gegensatz zu zehn Prozent der 14- bis 17-jährigen deutschen Mädchen (BzgA 2001, S. 27), die es als Informationsmedium zum Bereich Sexualität und Partnerschaft durchaus nutzen. Der Zusammenhang zwischen der Information durch Jugendzeitschriften, Aufklärungsbroschüren und Fernsehen ist eng (r = .42 bis .54, p = .00). Das bedeutet, dass Mädchen, die ein Medium nutzen, auch die anderen wählen. Ein Blick speziell auf Aufklärungsbroschüren und Jugendzeitschriften zeigt, dass diese – oft kombiniert mit anderen medialen Informationsträgern – bei über der Hälfte der Mädchen Bedeutung haben, weniger allerdings bei Befragten mit italienischem Hintergrund.

8.5 Erkenntnisse und Forschungsdesiderate

Unsere Untersuchung hat zunächst gezeigt, dass es unter den Mädchen und jungen Frauen mit Migrationshintergrund tatsächlich Unterschiede in den Einstellungen zum Körper und zur Sexualität gibt, die auf die kulturelle und/oder religiöse Prägung der jeweiligen Gruppe zurückgeführt werden können. Gleichzeitig ist aber auch deutlich geworden, dass die jeweiligen Herkunfts- und Religionsgruppen durchaus heterogene Einstellungsmuster aufweisen. Am Beispiel der Einstellung zur Virginität und Freude an Sexualität konnte gezeigt werden, dass der Umgang muslimischer Migrantinnen mit Sexualität nicht einseitig mit einem Festhalten an traditionellen Normen gleichzusetzen ist. Auch wenn von einem größeren Teil der (türkischen) Musliminnen die „Virginität" als Sexualnorm akzeptiert wird, so sind sie doch in gleichem bzw. teilweise sogar höherem Maße als die anderen Befragtengruppen an einer erfüllten Sexualität in der Partnerschaft interessiert.

Bei dem Thema Sexualaufklärung konnten die vorgestellten Ergebnisse früherer Untersuchungen nicht voll bestätigt werden. Die Annahme, dass die Tante oder andere, ältere weibliche Verwandte als Mittlerin in diesem, mit einem Tabu besetzten Thema als Ansprechpartnerinnen dienen – wie es teilweise in traditionalen Herkunftskulturen üblich ist – muss angesichts unserer Untersuchungsergebnisse modifiziert werden: Die Tante spielt in den Migrationsfamilien so gut wie keine Rolle mehr. In einigen Migrationsgruppen kommt der Mutter eine durchaus wichtige Funktion zu, was darauf hindeutet, dass sie – anders als in früheren Untersuchungen festgestellt – als Gesprächspartnerin für heikle Fragen an Bedeutung zunimmt. Dort, wo die Mutter eher geringe Bedeutung hat, ist es die ältere Schwester, die hier die Rolle der Informationsvermittlerin innehat. Vor allem aber sind es die Freundin oder der Freund, die als wichtigste Bezugspersonen für diese Themen von den Mädchen und jungen Frauen betrachtet werden. Hier bestätigt unsere Untersuchung frühere Studien zum Umgang von Migrationsjugendlichen mit Sexualität, in denen eine herausragende Rolle der Peers für die Aufklärung in Sexualitätsfragen festgestellt wurde (von Salisch 1990, S. 30). Die Schule, erfragt über die Person des Lehrers oder der Lehrerin, hat eine gewisse Bedeutung – insbesondere für die Mädchen und jungen Frauen türkischer Herkunft –, aber eine größere und wahrscheinlich wachsende erhält die mediale Vermittlung, insbesondere die Jugendzeitschriften, das Fernsehen und Aufklärungsbroschüren. Das Internet, ein Medium, das angesichts seiner Anonymität einige Vorzüge für die Beantwortung von Fragen zur Sexualität birgt, scheint für die von uns befragten Mädchen und jungen Frauen (noch) keine Rolle zu spielen. Anhand eines Vergleichs unserer Daten mit tendenziell vergleichbaren Daten von Umfragen unter deutschen Mädchen und jungen Frauen zum Thema Körperbewusstsein und Sexualität können Gemeinsamkeiten und Unterschiede festgestellt werden. So zeichnet sich ab, dass sich das ambivalente Körperbild und die positive Einstellung zur Sexualität nicht wesentlich voneinander unterscheiden. Sehr deutlich jedoch sind die Unterschiede sowohl zwischen den Gruppen von Mädchen mit Migrationshintergrund wie auch im Vergleich zu deutschen Mädchen in der Einstellung zur Virginitätsnorm und bei den Vermittlungsinstanzen in Fragen von Liebe und Sexualität. Hier zeichnet sich ab, dass Medien auf der einen und die Schule über die Person des Lehrers bzw. der Lehrerin auf der anderen Seite einen höheren Stellenwert für einzelne Migrantinnengruppen haben als die Mutter, die bei deutschen Mädchen und jungen Frauen eine hervorgehobene Rolle in diesem Thema spielt.

Die Bereitschaft der von uns befragten Mädchen und jungen Frauen, zu diesem von uns zunächst als heikel betrachteten Thema Auskunft zu geben, sollte einen Anstoß zur Durchführung der notwendigen, vertieften Folgestudien zu diesem bislang vernachlässigten Thema sein.

9. Herkunft zählt: Ethnizität und psychische Stabilität

9.1 Auseinandersetzung mit der These vom Kulturkonflikt

Die Zusammenführung der Themen „Ethnizität" und „psychische Stabilität" im Rahmen einer Untersuchung der Lebenssituation von Mädchen und jungen Frauen mit Migrationshintergrund mag zunächst erstaunen, scheint es sich doch oberflächlich betrachtet um zwei voneinander getrennte Bereiche zu handeln. Schon der Begriff „Kulturkonflikt", auf dessen Verwendung hier im Vorfeld zur weiteren Diskussion der beiden Themenschwerpunkte „Ethnizität" und „psychische Stabilität" detaillierter eingegangen werden soll, verdeutlicht jedoch, dass – zumindest bei einem Teil der an der wissenschaftlichen Diskussion um die Lebenssituation von jugendlichen Migranten und Migrantinnen Beteiligten – ein direkter Zusammenhang zwischen der kulturellen oder ethnischen Identität und der psychischen Disposition gesehen wird. Beide Themen werden unter Vorstellungen von Persönlichkeitsentwicklungen von Kindern und Jugendlichen unter den Bedingungen von Wanderung subsumiert und es gibt wenige Themen und Bereiche in der Migrationsforschung, in denen das Interesse sich so früh in einer heute kaum mehr überschaubaren Zahl von Veröffentlichungen dokumentierte. Aber weder ist es wirklich gelungen, an die Sozialisationstheorien anzuschließen oder diese zu erweitern (siehe dazu Kohnen 1998) noch wurden aus den Theorien abgeleitete Hypothesen empirisch bestätigt oder widerlegt. Die Aussagen zu Identität und psychischen Dispositionen bleiben widersprüchlich.

Migrationserfahrungen werden vielfach als Kosten im Bereich des „kulturellen Kapitals" (Bourdieu 1988) eingeordnet. Es ist in diesem Zusammenhang die Rede von einer Entwertung bis hin zu einem Verlust der „kulturellen" oder „ethnischen" Identität". Identitätskonflikte von Jugendlichen mit Migrationshintergrund entständen durch widersprüchliche Normen und Werte, die in der Ethnie oder der Minderheitenkultur auf der einen Seite und der Kultur der Majorität auf der anderen Seite vertreten und die jeweils Loyalität fordern würden (so Nieke 1991, S. 17; Lajios 1991, S. 52; Bründel/Hurrelmann 1994, S. 296). Sehr schnell münden die Vorstellungen von Divergenzen bei Normen und Werten in Behauptungen über einen Kulturkonflikt ein, unter denen die jungen Menschen mit Migrationshintergrund zu leiden hätten.[235] Unter Kulturkonflikt wird verstanden, dass zwei unterschiedliche Kulturen mit unterschiedlichen Wertmaßstäben aufeinandertreffen, die sich unvereinbar und unveränderbar gegenüberstehen und zum Entscheidungskonflikt zwischen erstrebter und verhafteter Kultur führen (vgl. Frigessi Castelnuovo 1990, S. 307f.). Für Mädchen und junge Frauen mit Migrationshintergrund in Deutschland wird von Vertretern und Vertreterinnen der Kulturkonfliktthese der Einfluss zweier unterschiedlicher Kulturen als besonders spannungsgeladen beschrieben.[236] Nicht nur Unterschiede, sondern die völlige Unvereinbarkeit der Kulturen wird postuliert, wie etwa bei Kraheck (1997, S. 100), die schreibt: „Die Mädchen werden durch ihr Leben in der BRD mit zwei völlig unterschiedlichen

---

235 Das Kapitel 9.1 folgt größtenteils wörtlich oder inhaltlich der Expertise „Multikultiviert oder doppelt benachteiligt" (Boos-Nünning/Otyakmaz 2000, S. 64-70). Das Kapitel wurde von Otyakmaz verfasst.

236 Als durch den Islam geprägt und daher noch patriarchaler als andere „südländische" Kulturen wird häufig der türkischen Kultur noch einmal ein Sonderstatus zugeschrieben.

Kulturkreisen konfrontiert. Die Normen und Werte dieser Kulturkreise sind gegensätzlich und nicht miteinander zu vereinbaren. Dies führt notwendigerweise zu Konflikten, da die Mädchen die traditionellen Werte nicht mehr unhinterfragt hinnehmen. Dazu gehört auch, dass der Ruf der Familie sich über das Verhalten der Mädchen und Frauen definiert. Darunter fallen: die Unberührtheit bis zur Eheschließung, das Kontaktverbot zu Männern außerhalb der Familie, das Unterordnen unter die väterliche bzw. männliche Autorität."

Den Normen und Werten der Herkunftskultur wird implizit oder explizit die deutsche Kultur gegenübergestellt, die den Frauen mehr Möglichkeiten zu Emanzipation und Selbständigkeit sowie sexueller Selbstbestimmung gewähre: „Im Gegensatz zu den Vorstellungen der Eltern erfahren viele hier lebende ausländische Mädchen die Freizügigkeit ihrer deutschen Klassenkameradinnen, denen eine Jugendphase mit all ihren typischen Merkmalen mehr oder weniger zugestanden wird, ebenfalls als eine Normalität. Loslösung vom Elterhaus, Hinwendung zu Gleichaltrigen, Aufnahme des Kontaktes zum anderen Geschlecht, erste emotionale und sexuelle Erlebnisse, selbständige Freizeitaktivitäten, das Ausprobieren verschiedener Begabungen und die Entwicklung des Wunschs nach Beruf und Ausbildung werden von Schule und Peer group als Selbstverständlichkeit an sie herangetragen" (Beinzger/Kallert/Kollmer 1995, S. 15f.).

Hätten die Mädchen die Wahl, „zwischen den Kulturen"[237] zu entscheiden, würde nach diesen und anderen Autorinnen daher die Entscheidung eindeutig zu Gunsten der deutschen Lebensweisen fallen: „Für nichtdeutsche Mädchen, die in Deutschland geboren wurden, gilt, dass sie sich als Deutsche verstehen und die Werte der Eltern als fremd empfinden. Der Konflikt ist eher ein emotionaler, da sie ihre Eltern lieben, aber nicht nach deren Werten leben wollen. Die eigene taktische Lösungsfindung ausländischer Mädchen sieht häufig so aus, dass sie äußerlich den Reglements der Eltern folgen (z.B. ein Kopftuch tragen), um so Möglichkeiten zur Selbstverwirklichung eher durchzusetzen" (Ehlers/Benter/Kowalczyk 1997, S. 9).

---

237 Es entstand eine beachtliche Zahl von Studien und Abhandlungen, die sich mit der psychischen Situation der jungen Migranten und/oder Migrantinnen auseinandersetzen. In zahlreichen Buchtiteln wird das Selbstverständnis (und damit zusammenhängend die psychische Disposition) der jungen Menschen mit Migrationshintergrund allgemein, und das der jungen Frauen im Besonderen mit einer der Metaphern „Leben zwischen zwei Stühlen" (Stanger 1994), „auf allen Stühlen" (Otyakmaz 1995) oder – ganz aktuell – „der dritte Stuhl" (Badawia 2002) beschrieben. Diese Kategorisierungen entsprechen unterschiedlichen Bildern vom Selbstverständnis der Mädchen mit Migrationshintergrund: Zwischen zwei Stühlen folgt dem Topos eines Mädchens, das zwischen zwei Kulturen, der deutschen Kultur auf der einen und der von den Eltern repräsentierten Herkunftskultur auf der anderen Seite, hin- und hergerissen wird. Diese Perspektive drückt sich auch weniger allegorisch in Titeln wie „zwischen den Kulturen" (so Gemende/Schröer/Sting 1999) oder „Migrantenjugendliche zwischen zwei Welten" (Ben Kalifa-Schor 2002) aus. Auf allen Stühlen impliziert das Bild eines Mädchens, das sich in der deutschen Gesellschaft und in der Migrationskultur gleichermaßen sicher bewegt, das seine Identität ausbalanciert, mit der Situation umzugehen vermag und so ein stabiles Selbstbild entwickelt, ohne sich kategorisch für eine Option (einen Stuhl) entscheiden zu müssen. Auf dem dritten Stuhl Platz zu nehmen ist eine Variante dieses Bildes, die betont, dass junge Migranten und Migrantinnen sich bewusst ein eigenes, neues Selbstbild kreieren, das Elemente der Kulturen, mit denen sie aufgewachsen sind, kreativ zu einem neuen Gemisch (z.B. einer bikulturellen Identität) verbindet. Es kann aber auch die Ablehnung jeglicher Bezüge zu den beeinflussenden Kulturen und die Annahme einer an globalen Trends orientierten dritten Identität bedeuten.

Wie in dem obigen Zitat dargestellt werden Mädchen mit Migrationshintergrund in einer double-bind-Situation gesehen, die auf einen „Kulturkonflikt" zurückgeführt wird (vgl. Gözlü 1986). Er erhält den Gestus eines emanzipatorischen Konfliktes, eines Konfliktes zwischen erzwungener Beibehaltung der Opferrolle oder „befreiender" Übernahme der erstrebten westeuropäischen Frauenrolle. Eine andere, ebenso mögliche Perspektive, dass Mädchen mit Migrationshintergrund die deutschen Normen und Werte als fremd empfinden und sie ablehnen und daher die Verhaltenserwartungen von deutscher Seite als Druck wahrnehmen, wird ebenso wenig thematisiert wie eine dritte Variante, nämlich dass ein individuelles Aussuchen, Ausbalancieren, Vermischen, Transformieren und Abändern kultureller Normen und Werte möglich sei.

Das Verständnis von Kulturen als statische und für alle Mitglieder einer (Kultur-)Gemeinschaft allgemein gültige lebens- und verhaltensdeterminierende Variable führt zur Bildung von stereotypen Bildern über alle Mitglieder dieser Gemeinschaften, ohne Wahrnehmung von Differenzen innerhalb der Gruppierungen. Die Unterschiede zwischen den einzelnen Gruppen (Kulturen) werden als besonders eindeutig angesehen. Werden die oben beschriebenen Kulturdifferenzen genauer betrachtet, so wird deutlich, dass sie auf dem Spannungsfeld der Werte der deutschen Klassenkameradinnen auf der einen und denen der Eltern der Mädchen und jungen Frauen mit Migrationshintergrund auf der anderen Seite basieren. Dass es sich dabei aber um einen Generationsunterschied (zwischen Eltern mit Migrationshintergrund und deutschen Jugendlichen) handeln könnte, findet in den Analysen keine Berücksichtigung, sondern jegliche Differenz wird auf die Unterschiedlichkeit von Kulturen zurückgeführt. Im Rückschluss werden über die Kulturkonflikthypothese nicht nur Kulturen bzw. Ethnien konstruiert[238], sondern darüber hinaus die Unvereinbarkeit der Kulturen und ihr hierarchisches Verhältnis zueinander behauptet und zementiert. Dadurch werden oftmals jene Probleme überhaupt erst erzeugt, die unter dem Sammelbegriff „Kulturkonflikt" subsumiert werden.[239]

Als Konsequenz divergierender kultureller Werte und Normen werden auf psychischer Ebene Identitätskonflikte und -krisen sowie psychische Instabilität vermutet und unterstellt, so ausgehend von Klitzing (1983) und in vielen empirischen und nicht empirischen Arbeiten bis heute weiter getragen: „Bedeuten die vielfältigen körperlichen und psychosozialen Veränderungen dieser Reifungsperiode [die der Pubertät, A.d.V.] schon für deutsche Jugendliche eine Fülle von Unsicherheiten in bezug auf gesellschaftliche Normen, so können diese bei den im Spannungsfeld zweier Kulturen aufwachsenden ausländischen Jugendlichen zu regelrechten Identitätskrisen übersteigert werden" (Klitzing 1983, S. 143). Daraus folgernd wird angenommen, dass bei Mädchen und jungen Frauen mit Migrationshintergrund ein

---

238 Etienne Balibar (1989, S. 369) bezeichnet diese Haltung als differentiellen Rassismus: „...einen Rassismus, dessen vorherrschendes Thema nicht mehr die biologische Vererbung, sondern die Unaufhebbarkeit der kulturellen Differenz ist; eines Rassismus, der – jedenfalls auf den ersten Blick – nicht mehr die Überlegenheit bestimmter Gruppen oder Völker über andere postuliert, sondern sich darauf ‚beschränkt', die Schädlichkeit jeder Grenzverwischung und die Unvereinbarkeit der Lebensweisen und Traditionen zu behaupten". Zur gesellschaftlichen Ausgrenzungsfunktion der Konstruktion von „ethnischen Minderheiten" siehe Durugönül 1999.

239 Zur Kritik siehe Radtke 1995, S. 394; sowie Auernheimer 1988; Frigessi Castelnuovo 1990, S. 299-308; Hamburger 1990, S. 316.

Identitätsfindungsprozess kaum positiv erfolgen könne. Es wird eine Liste psychischer Störungen als Reaktionsweisen auf diese Krisen vorgestellt: Regression, auto-aggressives Verhalten, opportunistisches Situationsmanagement und Formen chamäleonartiger Anpassung bishin zur Unkenntlichkeit eigener Identität, psychischen und psychosomatischen Störungen, Depressionen und Suizid. Vor dem Hintergrund psychoanalytischer Erklärungsmodelle wird beschrieben, dass es für die Mädchen und jungen Frauen mit Migrationshintergrund mit der Zunahme sexueller Triebspannung in der Pubertät bei gleichzeitiger Tabuisierung des weiblichen Körpers in der Öffentlichkeit und dem Wunsch, sich dem lockeren Umgang wie bei gleichaltrigen deutschen Mädchen anzuschließen, zu Konflikten komme. Gerade bei „ausländischen" Mädchen seien daher im Pubertätsalter gehäuft konversionsneurotische Symptome wie psychogene Anfälle, Lähmungen, Würgeanfälle usw. festzustellen. Dramatische Konflikte zwischen Müttern und Töchtern gipfelten immer wieder in Selbstmordversuchen der Mädchen (ebenda). Es handelt sich um ein längst überholtes Bild, dessen Beschreibung aber seine Wirkung noch heute entfaltet (siehe Weber 1989, S. 38; Zimmermann 1995, S. 44).

Mädchen und junge Frauen mit Migrationshintergrund werden damit als den divergierenden kulturellen Einflüssen hilflos ausgelieferte „typische Opfer" (Eberding 1998) dargestellt, die über keinerlei aktive Handlungsstrategien verfügen, um mit dieser Situation umzugehen. Auch in Arbeiten, in denen Mädchen und junge Frauen mit Migrationshintergrund nicht als passive Opfer, sondern als agierende Subjekte dargestellt werden, bleibt vielfach ein starres Kulturmodell erhalten. Die Vorstellung vom Kulturkonflikt als zentralem Problem bleibt bestehen, bei entsprechender Bewältigung oder pädagogischer Betreuung könne aber auf persönlicher Ebene die Identitätskrise verhindert und eine handlungsfähige Persönlichkeit entwickelt werden.[240]

In ihrer theoretisch an Krappmanns interaktionistischem Identitätskonzept angelehnten Untersuchung zur Identitätsbildung junger Frauen mit türkischem Migrationshintergrund betrachtet Riesner als gelungenes Sozialisationsziel im Sinne Boos-Nünnings[241], „eine sogenannte ‚ausgeglichene Persönlichkeit' auszubilden, d.h. die Fähigkeit zu erlangen, sowohl in der türkischen als auch in der deutschen Bezugsgruppe und Kultur handlungsfähig zu sein" (Riesner 1991, S. 160f.). Als Ergebnis ihrer Interviews mit Mädchen und jungen Frauen türkischer Herkunft arbeitet die Autorin drei Typen entlang der nationalen bzw. kulturellen Orientierung heraus. So ergeben sich für die Autorin die Gruppen der „türkisch orientierten", „bikulturell orientierten" und „ausgebrochenen" (d.h. „deutsch orientierten") jungen Frauen. Sowohl die Frauen der zweiten als auch die der dritten Gruppe haben laut Riesner eine geglückte Identitätsentwicklung im Sinne einer balancierenden Ich-Identität vollzogen. Bei den Frauen der ersten Gruppe tut sich Riesner, wie sie selbst betont, schwer, diesen eine „ausgeglichene Persönlichkeit" zuzuschreiben. Obwohl die

---

240 Selbst Untersuchungen, deren Daten in qualitativen Interviews mit Mädchen und jungen Frauen mit Migrationshintergrund erhoben wurden, also aus einem wissenschaftskritischen Bewusstsein heraus einen subjektorientierteren Forschungsansatz verfolgen und dem Sprechen *über* Mädchen und junge Frauen mit Migrationshintergrund ein Sprechen *mit* Mädchen und jungen Frauen mit Migrationshintergrund entgegensetzen wollen, sind mit äußerster Vorsicht zu betrachten, sind es doch häufig noch immer die alten Kategorien und Vorurteilsmuster, in die die Aussagen der Interviewten eingeordnet werden (z.B. bei König 1989 und Schröter 2002).

241 Vgl. Boos-Nünning 1976, S. 119.

jungen Frauen Handlungsfähigkeit im deutschen Schulsystem beweisen, erfolgreich in der Schule sind und konkrete Berufsplanungen verfolgen, schlägt sich ihre private Orientierung an islamischer Religion und türkischen Normen in der Bilanz der Autorin negativ nieder. Nur die überwiegende Hinwendung zur deutschen Umwelt bewertet sie als gelungenen Identitätsentwicklungsprozess und ignoriert somit den eigenen theoretischen Bezugsrahmen. Riesners willkürlicher Umgang mit dem zuvor von ihr gewählten Konzept von Identität verdeutlicht, wie sehr die Definition und das Zugeständnis von Identität eine Frage der Definitionsmacht sind. So können die Teilhaberinnen und Teilhaber gesellschaftlicher Macht nicht nur definieren, was unter Identität zu verstehen sei, sondern sogar, wem sie Identität und die Anerkennung als Subjekt (zum Teil sogar im Widerspruch zu den eigenen Definitionen) zugestehen wollen. Machtlosigkeit hingegen drückt sich „darin aus, dass einem/einer eine Identität verweigert wird, in der die eigenen Erfahrungen und Lebenszusammenhänge adäquat zum Ausdruck kommen. Stattdessen wird den Angehörigen diskriminierter Gruppen eine Identifikation mit Klischees und Rollenvorgaben angeboten, die den Interessen der Dominanten entsprechen. Von daher ist die Verweigerung von Identität ein Merkmal kultureller Dominanz" (Rommelspacher 1995, S. 186).

Identitätskonzepte können nicht jenseits gesellschaftlicher Realitäten allgemein gültig festgelegt werden.[242] Für die Beschreibung und Analyse der Lebensrealität von Mädchen und jungen Frauen mit Migrationshintergrund sind Identitätskonzepte unbrauchbar, die sich an einer deutschen Normalbiographie orientieren und bei denen Migrationserfahrungen nicht berücksichtigt sind.[243] Eine für sie passende Identitätsvorstellung muss von einem dynamischen Kulturverständnis ausgehen, wie die Beschäftigung mit Migrationsbiographien aufgezeigt hat. Kultur muss als ein dynamisches Feld von Möglichkeiten verstanden werden, das im Zusammentreffen unterschiedlicher kultureller Traditionen (auch im Sinne von „Subkulturen" einer nationalen Ausprägung) Normen und Symboliken den gleichberechtigten Austausch kultureller Gewohnheiten für alle Individuen und Gruppen gewährleistet. Dieser Austausch muss frei von Dominanzen und von Assimilationsdruck sein. Interpretationen „kultureller Eigenheiten" können nur in Kenntnis des kulturellen Kontextes, und vor dessen Hintergrund erfolgen. Der oder die Interpretierende muss sich dabei seiner eigenen kulturellen Identität bzw. seines diesbezüglichen Standpunktes bewusst sein und diesen auch für Andere transparent machen (vgl. diese Forderung bei Nieke 2000, S. 96ff.; Nestvogel 1994). Dabei muss sowohl von der prinzipiellen gesamtgesellschaftlichen Veränderbarkeit kultureller Normen und Werte wie auch von

---

242 Die von einer gesellschaftlichen Elite definierten Identitätskonzepte geben nur deren Wirklichkeitsausschnitt wieder und lassen sich nicht auf die Lebensrealität anderer übertragen. Die feministische Frauenforschung erhob grundsätzliche Zweifel an der Allgemeingültigkeit herrschender Identitätskonzepte. Ihre Kritik bezieht sich hierbei hauptsächlich auf den Androzentrismus der Identitätsmodelle, in denen weibliche Identitäten mit ihren völlig anderen widersprüchlichen und mit Brüchen versehenen Lebenserfahrungen keinen Platz fänden und Frauen demnach bei ihrer Identitätssuche scheitern müssten (Bilden 1989, S. 32).

243 Zur empirisch fundierten Kritik an einer derart eindimensionalen, ethnozentrischen Sicht auf Identitätskonzepte von jungen Menschen mit Migrationshintergrund siehe Mecheril (2003). Ebenfalls auf der Basis qualitativer Interviews mit jungen Migrantinnen kritisiert Rohr (2001a, b) die Theorie einer weiblichen Identitätsentwicklung in der Adoleszenz, die Allgemeingültigkeit beansprucht und dabei spezifische Bedingungen des Aufwachsens im Migrationskontext ignoriert.

deren individuellen Interpretationsmöglichkeiten und persönlichen Umsetzungsvarianten ausgegangen werden.

Wenn Migration und das Leben in der Migrationsgesellschaft als bewusst verarbeiteter Prozess und integraler Bestandteil einer Biographie in ein Identitätskonzept aufgenommen wird, müssen widersprüchliche Erfahrungen von Migranten und Migrantinnen keineswegs zum identitätsgefährdenden Risiko werden. Im Gegenteil, die Konfrontation kann als Bestandteil der Biographie betrachtet werden, die auf der Grundlage eines dynamischen Kulturverständnisses auch entsprechende dynamische Verarbeitungsmuster erfährt. Hierzu ist es jedoch notwendig, eine Identitätstheorie zu entwickeln, die das Leben in und mit verschiedenen Lebensrealitäten als eine von mehreren möglichen Normalbiographien anerkennt, und zwar als Lebensrealitäten, die nicht nur pragmatisch bewältigt sondern selbstverständlich gelebt werden. Ein Identitätskonzept, das widersprüchliche Erfahrungen nicht schematisch als problemgenerierend definiert, könnte für die Beschreibung der Situation von Migranten und Migrantinnen adäquater sein. In Anwendung des interaktionistischen Identitätsmodells kann formuliert werden, dass eine positive Identitätsentwicklung die Handlungsfähigkeit in verschiedenen Systemen fordert und die Person befähigt werden muss, unterschiedliche Wertesysteme je nach Erfordernis voneinander abzugrenzen und die jeweils entsprechenden Normen sinngemäß und zweckmäßig anzuwenden (vgl. Boos-Nünning 1976, S. 119)[244] bzw. situationsadäquat in einer Art kreativem, dekonstruktivem Prozess abzuwandeln (Mecheril 2003, S. 402f.). Diese Fähigkeiten und Bewältigungsressourcen müssen laut Keupp (1989, S. 47ff.) nicht nur Mädchen und junge Frauen mit Migrationshintergrund entwickeln, sondern alle Individuen in modernen Gesellschaften.[245] Er fordert daher mit seinem Modell der „Patchwork-Identität" eine Anpassung an die vielfältige, sich im ständigen Wandel befindende Gegenwart in Form von vielfältigen Identitäten, bei der verschiedene durchaus auch widersprüchliche Identitätsanteile nebeneinander stehen können.

„Multiple Realitäten" erfordern „multiple Identitäten".[246] Wenn die Lebenssituation der Migranten und Migrantinnen strukturell analysiert und als eine Lebenswelt mit „multiplen Realitäten" betrachtet wird, so kann ein Modell einer multiplen Identität auch auf deren Lebenssituationen Anwendung finden. Es weist auf Ressourcen und Kompetenzen hin. Das Individuum muss sich immer wieder

---

244 Letztlich sind damit „Interkulturelle Kompetenzen" als Schlüsselkompetenzen von Individuen in modernen Gesellschaften gemeint. Die Bundesintegrationsbeauftragte rechnet diese den jungen Migranten und Migrantinnen zu, die „es in der Regel gelernt haben, sich in unterschiedlichen Kulturen zu bewegen" (Beauftragte der Bundesregierung für Ausländerfragen 2002, S. 198).

245 Angesichts „der partikularistischen Lebenssituation des modernen Menschen (...) ist ein ständiges Umschalten auf Situationen notwendig, in denen ganz unterschiedliche, sich sogar gegenseitig ausschließende Personenanteile gefordert sein können. Diese alltäglichen Diskontinuitäten fordern offensichtlich ein Subjekt, das verschiedene Rollen und die dazu gehörigen Identitäten ohne permanente Verwirrung zu leben vermag" (Keupp 1989, S. 47ff., siehe auch Keupp 2002, S. 189ff.).

246 Der Begriff der Patchwork-Identität scheint uns wenig gelungen. Der hier verwendete Begriff der „multiplen Identitäten" sollte nicht mit dem in der Psychiatrie für die Beschreibung einer besonderen Form der Schizophrenie angewandten Begriff der „multiplen Persönlichkeiten" verwechselt werden, wenn auch zu vermuten ist, dass die weitgehend negative Rezeption von „Patchwork-Identitäten" oder „multiplen Identitäten" ihre Konnotation durch die Assoziation mit diesem Krankheitsbild bekommt.

aufs Neue verorten und sich dabei in unterschiedliche aber grundsätzlich integrier-bare Teil-Selbste aufspalten. Laut Mecheril (2000, S. 45) sind die von ihm als „Andere Deutsche" bezeichneten jugendlichen Migranten, die tagtäglich „Zuge-hörigkeitsmanagement" betreiben (müssen), daher „Mehrfachzugehörige" (vgl. auch Mecheril 2003). Im angelsächsischen Raum findet diese Diskussion eine Ent-sprechung in der Debatte um die „cultural hybridity" (z.B. bei Werbner/Modood 2000), also hybride Identitäten. So wird das Leben als Frau in „zwei Kulturen" nicht zur unausweichlichen Konfrontation mit anderen Werten, aus der sich unüber-windbare Konflikte generieren, sondern eröffnet Chancen für individuelle Entwürfe genauso wie für das Bilden neuer kollektiver Identitäten. Die daraus resultierende Diskussion um „race", „gender" und „class" steht in Deutschland allerdings erst in den Anfängen.[247] Betrachtet man die Lebensentwürfe der Mädchen und jungen Frauen mit Migrationshintergrund, so zeigen sich individuelle und kollektive Muster, wie sie ihr Selbst zu ihren Lebensbedingungen in Relation setzen bzw. setzen wollen. Es ist ihnen durchaus bewusst, dass sie verschiedene, zum Teil widersprüchliche Anforderungen erfüllen müssen, die sie in der Regel auch deutlich voneinander abgrenzen und denen sie jeweils gerecht werden wollen. Dabei sind die Unterschiede zwischen den jeweiligen Anforderungen nicht eindeutig entlang kultureller Grenzen zu definieren. Es sind weniger die zu erfüllenden Anforderungen als vielmehr die Forderungen nach einer eindeutigen nationalen oder kulturellen Zuordnung des eigenen Verhaltens und der Person, die ihnen Schwierigkeiten bereiten. So beschreibt eine junge Frau türkischer Herkunft ihre Selbstzuschreibung als bikulturell folgendermaßen: „Ich hab auf jeden Fall von beidem was. Ich kann das nie trennen, ob ich türkisch oder deutsch bin (...) also ich bin türkisch und deutsch" (Serpil, 19 J., zit. nach Otyakmaz 1995, S. 100).

Die jungen Frauen erfahren sich häufig als unterschiedlich zu ihrer Mütter-generation, sehen dabei aber durchaus ihre eigenen Anteile an der Herkunftskultur und bejahen diese. Sie nehmen sich gleichzeitig als ebenso verschieden von jungen deutschen Frauen wie von jungen Frauen in den Herkunftsländern ihrer Eltern wahr (vgl. Otyakmaz 1995; Gutiérrez Rodriguez 1999; Gültekin 2003; Hummrich 2002). Ein Teil von ihnen verfügt über eigene, kommunitäre Netzwerke, um ihre Identität nicht nur als individuelle Abweichung von scheinbar eindeutig definierten Identi-täten zu werten, sondern als eine neue Gruppenidentität. In ihnen können „Selbst-organisation und Alltagssolidarität und das Recht auf Verschiedenheit gelebt werden", denn „„Ohne Angst verschieden sein können' (Adorno), oder Identität als Verschiedenes bedarf solidarischer Beziehungsnetze, in denen Konfliktfähigkeit und die Chance von Verunsicherungen für die Schärfung unseres ‚Möglichkeitssinns' gelebt werden können" (Keupp 1993, S. 57).

In seiner qualitativen Untersuchung zu jungen Türken in Frankfurt stellt Sauter (2000, S. 152) fest, „dass sich deutsch-türkische Jugendliche aus Immigranten-familien in Frankfurt neu definieren (können) als Frankfurter, als Deutsche, als

---

247 Siehe hierzu die Arbeit von Gutierrez Rodriguez 1999, die sich mit Biographien intellek-tueller Migrantinnen im Spannungsverhältnis von Ethnisierung und Vergeschlechtlichung befasst. Eine dreifache Vergesellschaftung von Mädchen und Frauen mit Migrations-hintergrund als Rahmenbedingungen des Identitätsentwicklungsprozesses im Kontext von Schule und Bildung arbeiten auch Hummrich (2002, S. 314ff.) und Gültekin (2003, S. 169ff.) heraus.

Frankfurter-Türken, als Bockenheimer Türken, als Türken".[248] Er betont, dass dies nicht bedeute, „dass sich diese Jugendlichen am Morgen nach dem Aufstehen fragen, welche ‚ethnische Identität' sie heute schablonenhaft aus dem Kleiderschrank nehmen, gleichsam wie eine Hülle überwerfen". Sauter sieht in der Erforschung ihres Identitätsmanagements den Versuch einer subjektorientierten Modernisierungsforschung mit der Chance, nach einer inneren Modernisierung zu fragen. Damit ist die Fähigkeit und Virtuosität gemeint, „Ambivalenz – die ein Kennzeichen der Moderne ganz allgemein geworden ist – auszuhalten, zu bearbeiten und in tragfähige Entwürfe, in eine Lebensform zu überführen. Ein Stichwort hierfür wäre, die Ambiguitätstoleranz, die sich aus den präsentierten Lebensgeschichten und Entwürfen ableiten lässt, in einen erweiterten Kontext zu stellen, der eine gesellschaftliche Dimension miteinschließt. Aber auch das Scheitern der Entwürfe und biographische Brüche gehören notwendigerweise hierzu" (ebenda). Er nennt sein Konzept „selbstreflexive Ethnisierung" und meint damit „ein Spiel mit Identitäten".

Auch Hamburger (1999, S. 52f.) stellt bei Migrationsjugendlichen „ein differenziertes Selbstbild multipler Zugehörigkeiten" fest, in dem über „eine individualisierte biographische Reflexion (…) Vergangenheit, Gegenwart und Zukunft in einen sinnhaften Zusammenhang gebracht werden. Sie entwickeln eine reflexiv distanzierbare Ethnizität, in der Zugehörigkeit kein blindes Schicksal mit fundamentalistischem Wiederholungszwang darstellt. Individuelle Selbstbestimmung, gemeinschaftliche Einbindung und gesellschaftliches Prinzipienbewusstsein können in eine spannungsreiche Balance gebracht werden. Sie haben ein differenziertes Gesellschaftsbild, können ethnische Segmentation ablehnen und konkrete Pluralismuskonzepte im Hinblick auf Religion und Lebensform befürworten. Demokratische Gleichheitspostulate und Diskriminierungskritik machen ihr politisches Bewusstsein aus. Sie sind Kinder einer modernen Gesellschaft, die nur unter Diskriminierung leiden, also unter den Verstößen gegen die Regeln der demokratischen Gesellschaft selbst."

Auf der Grundlage der vorgelegten Untersuchungsdaten ist es möglich, die ethnischen Identitäten der Mädchen mit Migrationshintergrund differenziert zu beschreiben. Der Plural wird hier verwendet, da in dem diesen Bereich betreffenden Teil des Fragebogens konsequent die Optionen zur Beschreibung von „hybriden Identitäten" oder „multiplen Identitäten" möglich gemacht wurde. Wie bereits eingangs erwähnt, erfolgt die Annäherung an die Beschreibung von „ethnischen Identitäten" in Teilbereichen, da in der Diskussion um die Identität von Jugendlichen und insbesondere von Mädchen und jungen Frauen mit Migrationshintergrund die folgenden zwei Aspekte teilweise miteinander verwoben, teilweise getrennt voneinander thematisiert werden:

- die ethnische Selbsteinordnung, häufig diskutiert unter der Konzeptualisierung von Ethnizität,
- die psychische Stabilität in Verbindung mit Zukunftsvorstellungen (hierzu zählen auch Vorstellungen von dem Land, in dem die Mädchen und jungen Frauen leben wollen) und mit der Wahrnehmung kritischer Lebensereignisse (unter Einbeziehung migrationsspezifischer Ereignisse, zu denen Erfahrungen von Benachteiligung und Diskriminierung gehören).

---

248 Maßgeblich wird hier dann eine Trennung von „diversity" und „difference", wie sie Bhabha (2000) aufgezeigt hat.

9.2 Ethnizität

9.2.1 Die Bestimmung von Ethnizität

Die ethnische Selbstverortung von Migranten und Migrantinnen in den Aufnahmegesellschaften wird mit Ethnizität umschrieben. Der aus der amerikanischen Soziologie übernommene Begriff verweist auf ein neues Phänomen in Einwanderungsgesellschaften, dem eine hohe Erklärungskraft für inter- und innergesellschaftliche Konflikte unterstellt wird: „Behauptet wird, dass ethnische und kulturelle Differenzen im Verlauf der funktionalen Differenzierungen moderner Gesellschaften nicht an Bedeutung verlieren oder gar verschwinden, sondern dass sie sich wider Erwarten als äußerst resistent erwiesen haben – weit mehr als der seinerzeit für so grundlegend erachtete Klassenwiderspruch. Daraus schließen die Forscher Glazer und Moynihan auf die *tiefe* Verankerung ethnischer Anteile menschlicher Identität. Für sie ist Ethnizität mehr als ein Mittel zum Zweck gruppenspezifischer Interessenwahrnehmung: ,Ethnizität erzeugt vielmehr eine affektive Bindung zwischen Menschen'" (Dannenbeck et al. 1999, S. 88). Die Kategorie „Ethnizität" erhielt ihre besondere Bedeutung und ihren spezifischen Stellenwert innerhalb der Gender Studies Mitte der 70er Jahre als Kritik an den Feministinnen, die zwar auf die Unterdrückung oder Ungleichrangigkeit der Geschlechter aufmerksam machten, aber gleichzeitig die rassistischen Marginalisierungs- und Unterdrückungspraxen gegenüber „schwarzen" Frauen ausblendeten.[249]

Die den Kindern und noch stärker den Kindeskindern der Zugewanderten zugeschriebene Ethnizität wird unter dem Begriff der (Re-)Ethnisierung diskutiert (so Heckmann 1992; Blaschke 1997). Anders oder deutlicher als ihre Eltern und Großeltern reaktivieren dieser These zufolge die in Deutschland aufgewachsenen Jugendlichen mit Migrationshintergrund Bindungen an das Herkunftsland und greifen auf Normen und Werte der Migrationskultur zurück. Die Werte, die von Seiten der Aufnahmegesellschaft als von ihrem Werte- und Normensystem abweichend, ihm sogar widersprechend bewertet werden, eignen sich die Jugendlichen aus Migrationsfamilien möglicherweise überhaupt erst an, um sich dadurch von einem Teil der ethnischen Gruppe, aus der sie stammen, abzusetzen.

Als Gründe für diese Prozesse der Ethnisierung werden die politische und ökonomische Desintegration in der Aufnahmegesellschaft und die tatsächliche oder wahrgenommene Diskriminierung aufgrund ethnischer Zugehörigkeit genannt.[250] Es geht – so schreibt Gröne (2001, S. 79) – „bei derartigen Ethnisierungsprozessen nicht um eine bloße Verpflanzung oder Weitergabe von Elementen der Herkunftskultur im intergenerativen Austausch, sondern vielmehr um eine symbolische, auf (kollektive) Identitätsdarstellung und – im Anschluss an Axel Honneth (1992) – den Kampf um Anerkennung zielende und damit eine neu definierte, aus primordialen Bezügen herausgelöste Ethnizität in der Migrationssituation. Dafür eignen sich nicht gleichermaßen alle, sondern nur bestimmte kulturelle Symbole oder Symbolformationen, die nicht nur innerhalb der Migrantencommunities eine entsprechende

---

249 Zur Kritik an dieser Ausblendung und als Beispiel für eine – gelungene – Verknüpfung dieser Diskurse vgl. Gutierrez Rodriguez 1999.

250 Zur „Desintegrationstheorie" vgl. Endrikat et al. (2002); speziell bezogen auf religiösfundamentalistische Ausprägungen von Ethnizität unter jungen Muslimen und Musliminnen vgl. Heitmeyer et al. (1997).

Mobilisierungskraft entfalten können, sondern auch in der Öffentlichkeit des Aufnahmelandes Resonanz finden bzw. dort deutend und wertend aufgegriffen werden".[251]

Ethnizität ist zur Schlüsselkategorie für die Erklärung von Unterschieden zwischen Deutschen und Zugewanderten geworden und hat sich sogar zu einem Forschungsschwerpunkt zur Erklärung sozialer Konflikte entwickelt (Heitmeyer/Dollase/Backes 1998; Heitmeyer/Anhut 2000). Ethnizität wird darüber hinaus auch als Erklärung für Konflikte zwischen Angehörigen verschiedener ethnischer Gruppen in Deutschland angeführt, so etwa zwischen Jugendlichen mit kurdischem und türkischem Hintergrund oder zwischen Jugendlichen mit den unterschiedlichen ethnischen Hintergründen, die selbst oder deren Eltern aus dem ehemaligen Jugoslawien zugewandert sind.[252]

Die Anwendung des (begrifflich nicht geklärten) Konstruktes „Ethnizität" wird von vielen Seiten heftig kritisiert. Der Rekurs auf Ethnizität – so eine der Kritiklinien – verfestige Herkunft und Abstammung und unterstütze dadurch (Selbst-) Exklusion und Desintegration. Die Sozialwissenschaften – so Hoffmann (1996, S. 149) – unterlägen, seit sie sich mit Ethnizität beschäftigen, der Suggestivität der ethnischen Deutung.[253] Die Verwendung der Begriffe Ethnizität sowie kulturelle oder ethnische Identität wird kritisiert, wenn sie zur Beschreibung der Situation und Orientierung jugendlicher Zuwanderer der zweiten Generation genutzt werden, die „zwischen" den Kulturen aufwachsen (siehe vorne), aber auch, wenn behauptet wird, dass diese Gruppe über besondere interkulturelle Kompetenzen verfüge wie Zweisprachigkeit und Bikulturalität.[254]

Gaitanides differenziert Ethnizität aus (1996a, S. 34), indem er den Jugendlichen eine multiple Identität zuspricht und die Distanz zu Deutschen und den Eltern (und deren Kultur) beschreibt. Ethnizität wird, so hingegen Mecheril (2000, S. 33)[255] für die Jugendlichen fragwürdig aufgrund von Erfahrungen doppelt verwehrter Zugehörigkeit und im Umgang mit prekären nationalen Zugehörigkeitserfahrungen. Ethnizität wird von Bommes und Scherr (1991, S. 307) als ein von der Umwelt produziertes Muster dargestellt: „Von Migranten wird eine ethnisierende Selbstinterpretation alltäglich erwartet. Das wird z.B. dann deutlich, wenn sich Migranten stereotyp mit Fragen nach ihrer Herkunft sowie mit einschlägigen Unterstellungen

---

251 Gröne führt dieses am Beispiel von Jugendlichen aus, die sich durch die kurdische Ethnizität und/oder die alevitische Identität in der Diaspora von der türkisch-sunnitischen (Mehrheits-)Migrantensubkultur absetzen.

252 Brieden (1996) beschäftigt sich in einer empirischen Untersuchung mit der Frage, wie sich ethnische Konflikte in den Herkunftsländern auf die inter-ethnischen Beziehungen zwischen den immigrierten Angehörigen der in Konflikt stehenden ethnischen Gruppen einerseits und zwischen ihnen und der Mehrheitsbevölkerung andererseits auswirken. Siehe auch Eder/Schmidtke (1998, S. 418).

253 Vgl. auch Radtkes (1995, S. 394) Kritik, die sich gegen die Ethnisierung politisch-rechtlich-sozialer Probleme richtet, sowie gegen die Ethnisierung der Bildungsbenachteiligung von Kindern mit Migrationshintergrund durch das „Programm der Interkulturellen Pädagogik" (Diehm/Radtke 1999); siehe auch die Beiträge in dem Sammelband „Wider die Ethnisierung einer ganzen Generation", herausgegeben von Badawia/Hamburger/Hummrich 2003.

254 Zu den Kritikern neuerer Zeit siehe Dannenbeck et al. 1999, vor allem S. 235ff. und Dannenbeck 2002, S. 287.

255 Siehe auch die empirischen Belege auf der Grundlage einer qualitativen Untersuchung bei Mecheril 2003.

hinsichtlich ihrer Gewohnheiten, Vorlieben u.ä. konfrontiert sehen (vgl. Weber 1999). Umgekehrt lässt sich aber beobachten, dass sie sich spiegelbildlich dazu als kulturelle Experten ihrer Lebensverhältnisse und ihrer Herkunftsländer stilisieren. Wie man das ‚Leben zwischen zwei Kulturen‘, ‚bikulturelle Identität‘ hineingesprochen hat, so schallt heute die Forderung nach dem Recht auf eine ‚eigene kulturelle Identität‘ heraus. Jugendliche machen sich in Auseinandersetzung mit Lehrern, Pädagogen, Sozialarbeitern und Richtern die kulturalistische Perspektive ihres Gegenübers zu Eigen und beschreiben sich und ihre Verhältnisse als Kulturproblem, das vom Gegenüber zu verstehen und zu tolerieren ist. Jugendgruppen beginnen, sich als türkische Jugendliche zu stilisieren, abzugrenzen und Zutrittschancen an ethnische Zugehörigkeit zu binden. Stets sind dabei aber Kulturen als ethnisch bzw. national unterschiedene gefasst."[256]

Diese Kritik an einer Fremdethnisierung (auch durch Wissenschaftler und Wissenschaftlerinnen) ist wichtig, aber über den Eifer, Konstruktionen zu entlarven und vor Ethnisierung und Selbstethnisierung zu warnen, darf auch nicht vergessen werden, dass für die Forschung wie für die pädagogische Praxis von größter Bedeutung ist, wie Jugendliche mit Migrationshintergrund sich selbst und ihre soziale Identität im konkreten Handlungskontext definieren. Die Rekonstruktion der Genese ihrer ethnischen Identität zeigt, dass sie mit eben dieser ‚ethnischen‘ Identität auch selbst Wirklichkeit gestalten.

Ethnizität ist ein Teil der kulturellen Identität, beschränkt auf die nationale oder die ethnische Herkunft. Zur kulturellen Identität zählen darüber hinaus regional bedingte Muster, religiöse Orientierungen, generative und durch soziale Lage bedingte Vorstellungen, geschlechtsspezifische Wertvorstellungen sowie subkulturelle Ausprägungen (z.B. die Subkultur der Armut). Die ethnische Identität ist nicht immer die nationale; eine Kurdin kann sich auch als Türkin verstehen oder sich gerade von einer Selbstdefinition als letzterer absetzen oder distanzieren; eine junge Frau aus dem ehemaligen Jugoslawien kann sich als Jugoslawin, als Bosnierin, als Serbin etc. oder als beides verstehen oder sich absetzen.[257] Eine ethnische Identität anzunehmen kann ganz verweigert werden und stattdessen eine religiöse oder etwa eine andere lokal bestimmte ethnische Identität angenommen werden: „Die subjektive Wahrnehmung vieler Migranten bezüglich ihrer Zugehörigkeit zu einer ethnischen Gruppe ist aber meistens (…) nicht eindeutig, sondern ambivalent und individuell verschieden. Sowohl die eindeutige Zuschreibung als auch das Absprechen einer ethnischen Gruppenzugehörigkeit und Identität von außen wirken gewaltsam" (Gemende et al. 1999, S. 109).

Bei dieser Beschreibung von Ethnizität als Teil der Identität bleibt, wenn der Unterscheidung von Tajfel (1982, S. 102) gefolgt wird, alles ausgeklammert, was der personalen Identität zugeordnet werden kann. Auch von der sozialen Identität, zu der die Gesamtheit der wahrgenommenen und erlebten Zugehörigkeiten zu sozialen

---

256 Weber (1999, S. 49-71) schildert die Konfrontation von Gymnasiastinnen türkischer Herkunft mit den von ihnen als Stigmatisierung empfundenen pauschalen Zuschreibungen als „türkisches Mädchen" durch ihre Lehrer und Lehrerinnen, siehe auch Weber (2003).

257 Die Tatsache, dass bei Personen aus dem ehemaligen Jugoslawien ethnische und geographische Identifikationen Vorrang haben, ist in der geschichtlichen Entwicklung der Region begründet: Die meisten der im ehemaligen Jugoslawien lebenden Völker hatten ihre nationale und kulturelle Identität bereits vor der Staatsgründung Jugoslawiens (1918) ausgeprägt (Baur 1992, S. 143).

Gruppen (neben Ethnie etwa Geschlecht, Beruf, Religion) zählen, wird nur eine Dimension, die der ethnischen Zugehörigkeit, herausgenommen und in ihren Bezügen dargestellt. So wird Ethnizität beschränkt auf Indikatoren, die in einem unmittelbaren Zusammenhang mit der nationalen (in Ausnahmefällen mit der nicht dem Nationalhintergrund zuzuordnenden ethnischen) Herkunft stehen.

Einer quantitativen empirischen Untersuchung sind gerade in diesem Themenbereich Grenzen gesetzt. Qualitative Studien können Ethnizität oder ethnische Identität auf die Bedeutung für das Subjekt und für dessen persönlichen Sinn und Lebensgeschichte hinterfragen (siehe z.B. Sauter 2000; Pott 1999; Gutiérrez Rodriguez 1999; Çinar et al. 2000) und biographische Brüche, Ambivalenzen, Suche nach Akzeptanz und Spiele mit Identitäten (siehe Weißköppel 2001; Gröne 2001) aufzeigen. Sie könnten – was sie aber häufig nicht oder nur anekdotisch leisten – den spezifischen Kontext der Genese von Ethnizität beschreiben oder sogar analysieren. Mit dem Fehlen der Herstellung solcher Bezüge erklärt Hamburger (1999, S. 43) die unterschiedlichen Ergebnisse von Untersuchungen über Ethnizität. Auf der Grundlage einer qualitativen Untersuchung der lebensgeschichtlichen Erzählungen von sieben Jugendlichen belegt er, wie sich diese nicht nur gegen die Zumutung der Identifizierung als Türke sondern auch gegen eine Identifikation als Zwei-Identitäten-Person zu wehren wissen (ebenda, S. 48ff.). Bei Sauter (2000, S. 168) kommt diese Haltung in der Formulierung „wir sind nirgends mehr zu Hause" zum Ausdruck.

Im Folgendem soll vor dem Hintergrund dieser Diskussion ermittelt werden, ob, inwieweit und wie sich Mädchen und junge Frauen mit Migrationshintergrund ethnisch verorten. In unserer Untersuchung geht es um die Selbstverortung der Mädchen und jungen Frauen zu einer oder mehreren ethnischen Gruppen als der Teil ihres Lebenskonzeptes, der sich aus dem Wissen um die Zugehörigkeit zu einer ethnischen Gruppe und aus dem Wert und der emotionalen Bedeutung ableitet, mit dem diese Zugehörigkeit besetzt ist. Ethnizität als Teil der sozialen Identität wird in vielen Facetten erfasst: als (ethnische) Selbstverortung, als Ort emotionalen Wohlbefindens, als Einbindung in Freundesgruppen und Freundschaften, als Grundlage persönlicher Beziehungen, als formale Mitgliedschaft und als Element zukünftiger Lebensplanung.[258]

9.2.2 Ethnizität als ethnische Selbstverortung

Ethnizität wird in Untersuchungen häufig ausschließlich durch die ethnische Selbstverortung erfasst und diese wiederum auf die Frage eingeschränkt, ob sich die Befragten als Deutsche oder Deutscher einordnen oder (spezifisch nach Nationalitäten differenziert) als Angehörige oder Angehöriger der eigenen Ethnie. Selbstverortung kann aber heute mehr und anderes heißen: sich als Angehörige der Herkunftsgruppe, der Religionsgruppe (z.B. Muslimin, Alevitin, Katholikin) oder als Europäerin fühlen. Denkbar ist auch eine Einbindung in die Region (nachgewiesen bei Sauter 2000 und Pott 2002).[259]

---

258 In Anlehnung an Hupka/Karataş/Reinders (2001, S. 257f.) wurde in der vorliegenden Untersuchung das Konzept der Ethnizität um die Zukunftsperspektiven erweitert.

259 In der EFFNATIS-Untersuchung (Heckmann et al. 2000, S. 57ff.) wurde eine offene Frage nach der Selbstidentifikation gestellt. Das Ergebnis war ein „komplexes" Antwortspek-

Die Antwort auf die Frage nach der Selbstverortung war bewusst für jedes Item auf einer fünfstufigen Skala möglich, um dem Umstand Rechnung zu tragen, dass sich Mädchen in unterschiedlicher Intensität gleichzeitig mehreren Gruppen zuordnen (wollen). Hierzu ist anzumerken, dass ein sehr geringer Teil der Befragten, nämlich 190, sich nur einer Gruppe und damit eindeutig zugeordnet haben. Die restlichen Befragten nutzen die Möglichkeit, ihre verschiedenen ethnischen Identitätsanteile durch abgestufte Antworten abzubilden („gar nicht" bis „sehr stark"). Dies macht eine Auswertung der vorhandenen Daten besonders kompliziert, da die Antworten keine Entweder-oder-Angaben darstellen. Zunächst ist auffällig, wie wenige der überwiegend in Deutschland aufgewachsenen jungen Frauen sich als Deutsche und wie viele sich (auch) als Angehörige ihrer Herkunftsgruppe fühlen.[260]

Tabelle 9.1:   Ethnische Selbstverortung (in Prozent)

Ich fühle mich als...	sehr stark	stark	teils-teils	wenig	gar nicht	Gesamt
Deutsche*	3	15	37	22	23	100 (950)
Angehörige der Herkunftsgruppe*	37	34	23	4	2	100 (950)
Angehörige der Religionsgruppe*	18	22	22	17	21	100 (950)
Europäerin*	17	30	26	15	12	100 (950)
Ausländerin*	6	18	33	21	22	100 (950)
Angehörige der Stadt, aus der ich komme*	15	27	26	15	17	100 (950)

* Signifikante Unterschiede nach nationaler Herkunft $p \leq .05$.

Deutliche Präferenzen zeigen die Befragten bezüglich der Identifikation mit der Herkunftsgruppe (71% stark, sehr stark). Mit deutlichem Abstand folgt die in dieser Kategorie nächststarke Identifikation als „Europäerin (47% stark, sehr stark). Ähnlich stark ausgeprägt ist die Identifikation mit „der Stadt, aus der ich komme". Differenziert fällt die Identifikation mit der Religionsgruppe aus. Etwa ebenso viele, wie sich als Angehörige der Religionsgruppe identifizieren, weisen eine solche Verortung zurück. Hervorzuheben ist, dass sich die Mädchen und jungen Frauen in sehr viel geringerem Maße als mit den bisher genannten Kategorien sowohl mit dem Begriff der „Ausländerin" als auch der „Deutschen" identifizieren. Werden die Kategorien „sehr stark" und „stark" sowie „wenig" und „gar nicht" zusammengefasst, werden die Unterschiede prägnant:

---

trum, das von der Kategorie „heimatlos" über „multiple Identifikationsformen" bis hin zu „Identifikation als Nürnberger, Franke oder Bayer" reichte.

260 Mädchen und junge Frauen aus dem ehemaligen Jugoslawien hatten die Möglichkeit, sich als Jugoslawin, als Kroatin, als Serbin etc. zu verorten. Mädchen mit türkischem Migrationshintergrund hatten die Möglichkeit, sich als Kurdin, Türkin etc. zu verorten. Die Selbstbezeichnungen wurden jedoch nicht ausgewertet, sondern gehen als „Zugehörigkeit zur eigenen Ethnie" als Variable in die weitere Analyse ein.

Graphik 9.1:   Ethnische Selbstverortung

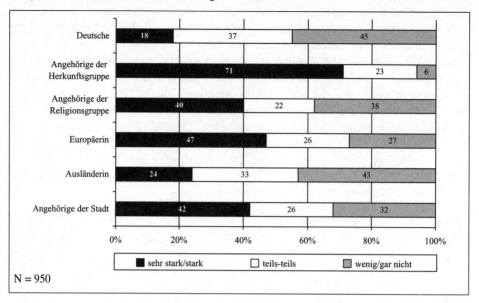

N = 950

Wird aus den Antworten eine Rangfolge konstruiert, so liegt die Identifikation mit der Herkunftsgruppe an erster Stelle, diejenige als Europäerin an zweiter und als Angehörige der Stadt an dritter Stelle, dicht gefolgt von der Religionsgruppe.

Die Selbstverortung als Deutsche ist positiv mit der regionalen Zuordnung und der Zuordnung als Europäerin verbunden. Deutlich negativ ist die Identifikation als Deutsche mit der Zuordnung zur Herkunfts- und Religionsgruppe und als Ausländerin verbunden, wie die Interkorrelationen belegen:

Tabelle 9.2:   Interkorrelationsmatrix (r)

Ich fühle mich als...	Deutsche	Angehörige der Herkunftsgruppe	Angehörige der Religionsgruppe	Europäerin	Ausländerin	Angehörige der Stadt, aus der ich komme
Deutsche						
Angehörige der Herkunftsgruppe	-.39**					
Angehörige der Religionsgruppe	-.21**	.34**				
Europäerin	.06*	-.01	.13**			
Ausländerin	-.26**	.19**	.20**	.06		
Angehörige der Stadt, aus der ich komme	.12**	-.03	.09**	.18**	.05	

Mit * gekennzeichnete Werte sind auf dem α = .05 Testniveau signifikant von Null verschieden.
Mit ** gekennzeichnete Werte sind auf dem α = .01 Testniveau signifikant von Null verschieden.
N = 950

Hingegen hängt die Selbstverortung als Angehörige der Herkunftsgruppe eng mit der Religionsgruppenzugehörigkeit und der Einordnung als Ausländerin zusammen. Die Interkorrelationen belegen, dass sich die Selbstverortung als Deutsche und gleichzeitig als Angehörige der Herkunftskultur wenig vereinbaren lassen.

Die getrennte Auswertung nach Migrationshintergrund zeigt bei grundsätzlich gleichen Tendenzen Unterschiede in der Stärke der Zusammenhänge. Hierzu einige ausgewählte Ergebnisse: Die Zugehörigkeit zur Herkunftsgruppe auf der einen und zu den Deutschen auf der anderen Seite wird von allen Gruppen als deutlicher Gegensatz gesehen. Besonders stark wird der negative Zusammenhang von den Mädchen und jungen Frauen mit griechischem Hintergrund geäußert ($r = -.43$), gefolgt von denjenigen mit türkischem Hintergrund ($r = -.38$). Deutlich geringer wird er von denjenigen mit jugoslawischem Hintergrund gesehen ($r = -.27$). Mädchen und junge Frauen aus Aussiedlerfamilien und mit türkischem Hintergrund verbinden ihre Identifikation als Deutsche positiv mit derjenigen als Europäerin (beide $r = .27$), alle anderen nicht (keine signifikanten Korrelationen). Für Mädchen mit griechischem Hintergrund bedeutet die Identifikation als Deutsche einen stärker negativen Zusammenhang mit der Verortung in der Religionsgruppe ($r = -.29$) als für alle übrigen; für die Mädchen und jungen Frauen aus Aussiedlerfamilien besteht hier keine Beziehung. Die Verortung in der Herkunftsgruppe verbindet sich für alle sehr eng mit der Religionsgruppenzugehörigkeit (griechischer und italienischer Hintergrund $r = .41$, türkischer Hintergrund $r = .37$). Einen deutlich geringeren Zusammenhang ($r = -.16$) weisen in diesem Punkt die Aussiedlerinnen auf. Diese wiederum stellen die Herkunftsgruppenzugehörigkeit und die Identifikation als Europäerin in einen engen negativen Zusammenhang ($r = -.26$), ebenso, wenn auch weniger stark, die Mädchen und jungen Frauen mit griechischem Hintergrund ($r = -.18$). Herkunftsgruppenzugehörigkeit und Identifikation als Ausländerin wird bei drei Gruppen in Zusammenhang gesehen (italienischer Hintergrund $r = .23$, jugoslawischer Hintergrund $r = .21$, Aussiedlerinnen $r = .14$), nicht aber von denjenigen mit türkischem ($r = .06$) und mit griechischem ($r = .05$) Hintergrund. Diese Daten legen die Vermutung nahe, dass diejenigen jungen Frauen mit türkischem und griechischem Hintergrund, die sich im positiven Sinne als Angehörige der Herkunftsgruppe verorten, dieses deutlich von einer als negative Zuschreibung bewerteten Identifikation als „Ausländerin" abgrenzen.

In der folgenden Darstellung wird nach nationalem Migrationshintergrund differenziert eine Übersicht geboten, die belegt, inwiefern sich die Mädchen und jungen Frauen in der Gegenüberstellung „als Deutsche" und/oder „als Angehörige der Herkunftsgruppe" verstehen.[261] Hier zeigen sich deutliche herkunftsspezifische Unterschiede. Als Deutsche und/oder Angehörige der Herkunftsgruppe (Nationalität) ordnen sich ein:

---

261 Alle anderen Zuordnungen werden hier nicht berücksichtigt.

Tabelle 9.3: Ethnische Verortung als Deutsche oder als Angehörige der Herkunftsgruppe
(sehr stark/stark) (in Prozent)

| | Migrationshintergrund | | | | | Gesamt | |
	Aussiedl.	griech.	ital.	jugosl.	türk.		
Gesamt	(200)	(182)	(183)	(172)	(213)	100	(950)
nur als Deutsche	14	3	5	9	6	8	(72)
nur als Angehörige der Herkunftsgruppe	48	77	65	56	59	61	(576)
als beides (bikulturell)	10	6	11	15	9	10	(97)
weder als Deutsche noch als Angehörige der Herkunftsgruppe	28	14	19	20	26	21	(205)

C = .23   p = .00

Die Auswertung macht deutlich, dass sich ein geringer Teil (8% insgesamt) nur als
Deutsche, aber nicht entscheidend mehr (10%) als beiden Nationalitäten oder
Ethnien zugehörig, also als bikulturell verortet. Wenn nicht – wie bei nahezu zwei
Dritteln – die Herkunftskultur als Bezugspunkt gewählt wird, wird die Verortung zu
beiden Angaben verweigert (etwa ein Fünftel).

Mädchen und junge Frauen aus Aussiedlerfamilien ordnen sich weniger als alle
anderen, aber dennoch überwiegend, der Herkunftsgruppe zu; Mädchen mit türkischem und mit jugoslawischem Hintergrund ordnen sich weniger als die zwei
übrigen, vor allem deutlich weniger als die mit griechischem Hintergrund, der Herkunftsgruppe zu. Auffällig sind bei allen nationalen Hintergründen die geringen
Zahlen derer, die sich gleichzeitig als Deutsche und als Angehörige der Herkunftsgruppe verstehen. Die Unterschiede zwischen den verschiedenen Herkunftsgruppen
werden noch prägnanter, wenn nur diejenigen betrachtet werden, die sich „sehr
stark" als Angehörige der Nationalität oder Ethnie ihrer Eltern fühlen, unabhängig
davon, welche ethnische, religiöse oder regionale Zuordnung sie sonst wählen:
dieses sind 58 Prozent mit griechischem, 48 Prozent mit italienischem, 34 Prozent
mit jugoslawischem, 31 Prozent mit türkischem Hintergrund sowie 19 Prozent der
Aussiedlerinnen. Es zeigt sich, dass sich die Mädchen und jungen Frauen mit
griechischem Hintergrund deutlich am stärksten (auch) der Herkunftsgruppe verbunden fühlen, gefolgt von Mädchen mit italienischem Hintergrund. Deutlich
geringer sind die Anteile der Mädchen und jungen Frauen mit türkischem Hintergrund.

Auch beim Vergleich der Verortung in der ethnischen und in der religiösen
Gruppierung sind die Unterschiede nach Migrationshintergrund bedeutsam.[262]

---

262 Alle anderen Zuordnungen werden hier nicht berücksichtigt.

Tabelle 9.4: Verortung als Angehörige der Religionsgruppe oder der Herkunftsgruppe
(sehr stark/stark) (in Prozent)

	Migrationshintergrund					Gesamt
	Aussiedl.	griech.	ital.	jugosl.	türk.	
Gesamt	(200)	(182)	(183)	(172)	(213)	100 (950)
nur als Angehörige der Religionsgruppe	5	5	2	7	9	6 (54)
nur als Angehörige der Herkunftsgruppe	44	24	36	22	27	30 (291)
als beides	5	56	33	41	37	34 (322)
weder noch	46	15	29	30	27	30 (283)

C = .36   p = .00

Nationale oder ethnische Identität auf der einen und religionsgruppenspezifische
Identität auf der anderen Seite wird bei einem erheblichen Teil der Mädchen mit
griechischem Hintergrund als Einheit gesehen; 56 Prozent definieren sich über die
Herkunfts- und die Religionsgruppe gleichzeitig, deutlich weniger allein über die Herkunftsgruppe und eine geringe Zahl von fünf Prozent allein über die Religionsgruppe.
Abgeschwächt gilt dieses Muster auch für die Mädchen mit türkischem und jugoslawischem Migrationshintergrund. Hingegen spielt die Identifizierung mit der Religionsgruppe bei Mädchen und jungen Frauen aus Aussiedlerfamilien keine bedeutende
Rolle. Religion und Herkunft werden hier nur von wenigen miteinander verbunden.

Was die ethnische Verortung als Deutsche oder als Angehörige der Herkunftsgruppe betrifft, zeigen sich keine Unterschiede nach dem Bildungsniveau, wohl aber
nach dem sozialen Status. Die folgende Tabelle verdeutlicht, dass ein gehobener sozialer Status eher mit der Selbstverortung als Deutsche einhergeht, eine bikulturelle
Orientierung jedoch eher mit einem mittleren bis niedrigen sozialen Status. Eine
Identifikation nur mit der Herkunftsgruppe weist – im Gegensatz zu den eingangs
geschilderten Ethnizitäts-Theorien, die ‚Re-Ethnisierung' als Reaktion auf soziale
Deprivation bewerten (z.B. Heitmeyer/Müller/Schröder 1997) – keinen deutlichen
Zusammenhang mit dem sozialen Status auf.

Tabelle 9.5: Ethnische Verortung als Deutsche oder als Angehörige der Herkunftsgruppe
(in Prozent)

	Sozialer Status					Gesamt
	sehr niedrig	niedrig	mittel	hoch	sehr hoch	
Gesamt	(458)	(174)	(112)	(114)	(92)	100 (950)
nur als Deutsche	6	9	7	4	16	8 (72)
nur als Ange-hörige der Her-kunftsgruppe	65	54	55	65	54	61 (576)
als beides (bikulturell)	11	9	18	6	6	10 (97)
weder noch	18	28	20	25	24	21 (205)

C = .18   p = .00

Hinsichtlich der ethnischen Selbstverortung bewegen sich unsere Untersuchungsergebnisse im Spektrum früherer Untersuchungen. So wurde in der EFFNATIS-Untersuchung (Heckmann et al. 2000, S. 57ff.), die ebenfalls ein breites, nicht dichotom erfragtes Spektrum von Möglichkeiten der Selbstidentifikation anbot, festgestellt, dass sich je ca. ein Drittel der beiden gegenübergestellten Migrationsgruppen (junge Türken und Jugendliche aus dem ehemaligen Jugoslawien) mit dem Herkunftsland der Eltern identifizieren. Als zweitgrößte Gruppe stellte sich eine Kategorie „multiple Identifikationsformen" heraus. Darunter wurden Antworten wie „kroatischer Franke", „Türkin mit europäischem Einfluss" u.ä. gefasst. Auch in dieser Untersuchung sahen sich nur wenige Befragte als „Deutsche". Wird ein Blick auf den Grad der Identifikation geworfen, dann zeigt sich, dass sich Türken weniger stark als Deutsche und stärker als Angehörige des Herkunftslandes der Eltern fühlen als die jugoslawische Gruppe. Die lokale Identifikation als Nürnberger wurde von allen Antwort-Angeboten am besten angenommen.

Polat (1997, 1998) befragte 1995, ausgehend von dem Konstrukt der sozialen Identität nach Tajfel, in Hamburg 306 junge Menschen türkischer Herkunft zwischen 18 und 30 Jahren. Die ethnische Identität erfasste sie mittels Selbstzuordnung: 56 Prozent bezeichneten sich eher als türkisch (türkische Identität), 30 Prozent sowohl als türkisch wie auch als deutsch (bikulturelle Identität), die restlichen 14 Prozent als deutsch (deutsche Identität). Die drei Muster wurden mittels Faktorenanalyse empirisch ermittelt wie auch die anderen Einstellungsmuster. Türkische Identität verbindet sich mit der Zuschreibung positiver Eigenschaft für die türkische Gruppe, mit im Vergleich zur deutschen Gruppe höheren Sympathiewerten für Türken, Bevorzugung der Türken auf der Präferenzskala, der Selbstzuschreibung von als typisch türkisch geltenden Eigenschaften und einer stärkeren Identifikation mit der Türkei als mit Deutschland (Polat 1997, S. 17). Bikulturalität bedeutet Identifikation, Sympathien und Referenzen für beide Länder und ihre Menschen.[263] Eine bikulturelle (soziale) Identität hängt mit häufigem Kontakt zu Deutschen zusammen und ist häufiger bei jungen Menschen türkischer Herkunft mit höherem Bildungs- und Berufsstatus vorzufinden (ebenda).[264]

9.2.3 Ethnizität als Bestimmung des Ortes emotionalen Wohlbefindens

Auch wenn sich ein großer Teil in erster Linie als Angehörige der Herkunftsgruppe sieht, fühlen sich weitaus die meisten Mädchen und jungen Frauen in Deutschland wohl und nicht fremd. Dieses gilt in etwas geringerem Maße auch für das Herkunftsland der Eltern und für den Ort des Zusammenlebens mit Menschen der eigenen Ethnie in Deutschland. Mit 79 Prozent Wohlfühlen in Deutschland, 66 Prozent Wohlfühlen unter Menschen der eigenen Ethnie in Deutschland und 60 Prozent Wohlfühlen im Herkunftsland liegen hier eindeutige emotionale Bindungen vor:

---

263 Zur Methode ist anzumerken, dass eine Reliabilitätsprüfung der mittels Faktorenanalyse gewonnener Skalen nicht erfolgt. Geprüft werden nur die Interkorrelationen der Subskalen (Polat 1997, S. 90f.).

264 In einer neueren Untersuchung bei der zweiten Generation zugewanderter Türken (bei einer kleinen Stichprobe von 59 Befragten) ordnete sich nur eine Minderheit (18) als Türke oder Türkin, eine etwas größere Zahl (23) als Deutsch-Türke/Türkin ein. Nur zwei Befragte ordneten sich selbst als Muslim/Muslimin ein (Sackmann 2001).

Tabelle 9.6: Wohlfühlen in Deutschland und im Herkunftsland (in Prozent)

Ich fühle mich...	voll	eher	teils-teils	weniger	gar nicht	Gesamt
in Deutschland wohl	48	31	16	4	1	100 (950)
in Deutschland fremd	2	5	13	33	47	100 (950)
wohl in eigener Ethnie in Deutschland	42	24	26	6	2	100 (950)
im Herkunftsland wohl	40	20	21	12	7	100 (950)
im Herkunftsland fremd	5	11	19	23	42	100 (950)

Die Items werden allerdings nicht von allen als beliebig kombinierbar empfunden. Sich wohl und vertraut fühlen in Deutschland und sich wohl und vertraut fühlen im Herkunftsland der Eltern stellt in den Vorstellungen zumindest eines Teils der Mädchen einen Widerspruch dar, wie die Interkorrelationen deutlich machen:

Tabelle 9.7: Interkorrelationsmatrix (r)

Ich fühle mich...	in Deutsch-land wohl	fremd in Deutsch-land	wohl in eigener Ethnie in Deutschland	im Herkunfts-land wohl	im Herkunfts-land fremd
in Deutschland wohl					
fremd in Deutschland	-.58**				
wohl in eigener Ethnie in Deutschland	.04	-.02			
im Herkunftsland wohl	-.19**	.10**	.30**		
im Herkunftsland fremd	.19**	-.02	-.21**	-.61**	

Mit ** gekennzeichnete Werte sind auf dem $\alpha = .01$ Testniveau signifikant von Null verschieden.
N = 950

Sich in Deutschland wohl zu fühlen steht also in einem negativen Bezug zum Wohl-fühlen im Herkunftsland; keinen Zusammenhang gibt es mit dem Item, sich unter Angehörigen der eigenen Herkunftsgruppe in Deutschland wohl zu fühlen. Sich im Herkunftsland der Eltern wohl zu fühlen heißt auch, sich in der ethnischen Community in Deutschland wohl zu fühlen. Hingegen hängt das Wohlfühlen in Deutschland nicht mit der Einbindung in die ethnische Community zusammen.

Nach Migrationshintergrund verteilen sich die Mädchen und jungen Frauen, die mit „trifft voll zu" bzw. „trifft gar nicht zu" antworten, wie folgt:

Tabelle 9.8: Wohlfühlen in Deutschland und im Herkunftsland nach nationalem Hintergrund (in Prozent)

Ich fühle mich...	Migrationshintergrund					Gesamt	
	Aussiedl.	griech.	Ital.	jugosl.	türk.		
Gesamt	(200)	(182)	(183)	(172)	(213)	100	(950)
in Deutschland wohl (voll) *	44	37	44	55	57	48	(451)
in Deutschland fremd (gar nicht) *	47	41	53	51	44	47	(446)
wohl in eigener Ethnie in Deutschland (voll) *	38	57	42	44	33	42	(400)
im Herkunftsland wohl (voll) *	22	59	51	51	20	40	(375)
im Herkunftsland fremd (gar nicht) *	41	55	54	44	21	42	(399)

* Signifikante Unterschiede nach nationaler Herkunft p ≤ .05.

Mädchen mit türkischem Hintergrund sind, was die emotionale Zuwendung anbetrifft, die Gruppe, die sich am konsequentesten an Deutschland orientiert[265], gefolgt von den Mädchen mit jugoslawischem Hintergrund. Sie sind gleichzeitig diejenigen, von denen die wenigsten ein uneingeschränktes Wohlbefinden im Herkunftsland verspüren. Auf der Ebene der emotionalen Identifikation mit dem Zuwanderungsland als Aspekt der Ethnizität weisen demnach die Ergebnisse auf eine Einbindung der Mädchen und jungen Frauen hin, die bei denen mit türkischem Hintergrund von einer Distanzierung zum Herkunftsland der Eltern begleitet wird.

Stärker zu Gunsten einer positiven Zuordnung zum Herkunftsland der Eltern antworteten die Befragten in der EFFNATIS-Untersuchung (Heckmann et al. 2000, S. 61). Sie ermittelte den Bezug zum Herkunftsland der Eltern und zu Deutschland jedoch nicht über die Frage nach dem „Wohlfühlen" sondern nach dem „Heimatgefühl". Während 47 Prozent der Migrationsjugendlichen dem Item „Deutschland ist meine Heimat" zustimmen bzw. voll und ganz zustimmen, sind es 70 Prozent, die meinen, das Land ihrer Eltern sei auch ihre Heimat. Ein Gefühl „zwischen den Stühlen zu sitzen" gab rund ein Drittel der Befragten mit Migrationshintergrund an. Differenzierungen nach nationalem Hintergrund erfolgten nicht.

---

265 Damit weist unsere Untersuchung andere Ergebnisse als eine 1989 bei Migrantenjugendlichen durchgeführte Befragung auf. Dort gaben die italienischen Jugendlichen (nicht nach Geschlecht differenziert ausgewiesen) häufiger als die türkischen Befragten an, sich in Deutschland sehr wohl zu fühlen (50% gegenüber 37%) (Granato 1994, S. 10).

9.2.4 Ethnizität als ethnische Beziehungen und Freundschaften

Ein weiterer Indikator für ethnische Bindung ist die ethnische Zusammensetzung des Freundeskreises. Die Bedeutung der ethnischen Community wird an anderer Stelle thematisiert, hier geht es um die Bindung der Mädchen mit Migrationshintergrund an eher zuwandererspezifische, gemischte oder deutsche Gruppen bzw. Beziehungen im Freundeskreis.[266] Zunächst soll ein Blick auf den weiteren Freundeskreis, die Gruppe, mit der die Freizeit hauptsächlich verbracht wird, geworfen werden:

Tabelle 9.9: Verbringen der Freizeit (meistens/häufig) (in Prozent)

| | Migrationshintergrund | | | | | Gesamt |
	Aussiedl.	griech.	ital.	jugosl.	türk.	
Gesamt	(200)	(182)	(183)	(172)	(213)	100 (950)
in Gruppen von Deutschen	17	14	16	22	12	16 (151)
in deutsch-zuwanderungsgemischten Gruppen *	13	32	44	53	58	33 (313)
in Gruppen von Migranten und Migrantinnen *	56	38	37	44	42	44 (414)

* Signifikante Unterschiede nach nationaler Herkunft p ≤ .05.

Die Unterschiede nach dem nationalen Hintergrund sind bedeutsam: Mädchen und junge Frauen aus Aussiedlerfamilien als im höherem Alter Zugewanderte verbringen ihre Freizeit überwiegend in einer Gruppe von Zugewanderten; aber auch ein nicht unerheblicher Teil (37% bis 44%) der übrigen Herkunftsgruppen verbleibt im Migrationskontext. Ein deutlich größerer Teil der Mädchen und jungen Frauen mit jugoslawischem Hintergrund (22%) als der übrigen bewegt sich im deutschen Kreis. Für Mädchen und junge Frauen mit türkischem Hintergrund sind Freizeitkontakte im deutschen Kontext besonders selten (12%). Nur selten wird die Freizeit (meistens oder häufig) in deutschen Gruppen verbracht. Entweder sind gemischte Gruppen oder Migrationsgruppen von Bedeutung.

Damit liegen die Ergebnisse in ihrer generellen Tendenz im Rahmen früherer Befunde der Shell-Jugendstudie (Münchmeier 2000, S. 231ff.) zu den Freizeitaktivitäten von Migrationsjugendlichen mit Deutschen, mit „Landsleuten" oder im ethnisch gemischten Kontext. Sie stellt ebenfalls fest, dass sowohl bei den türkischen wie bei den italienischen Befragten die häufigste Kategorie bezüglich verschiedener Freizeitaktivitäten diejenige des deutsch-zuwanderungsgemischten Kontextes ist. Wobei die italienischen Jugendlichen (nicht differenziert nach Geschlecht) darüber hinaus häufiger als die türkischen ihre Freizeit auch mit Deutschen verbringen und seltener als diese mit „Landsleuten". Dies wird als „deutlicher Hinweis auf die größere Bedeutung von Ethnizität bei Türken" gewertet (ebenda, S. 235). Für Deutsche spielt die Freizeit im deutsch-migrationsgemischten Kontext eine deutlich

---

266 Zu einer ausführlichen Beschreibung siehe Kapitel 4.

geringere Rolle als diejenige im deutschen Kontext. Noch seltener sind Freizeit-kontakte zu ausländischen Freunden.

Nur bezogen auf die von ihnen untersuchte Gruppe junger Türken und Türkin-nen stellen auch Heitmeyer et al. (1997, S. 89) fest, dass diese ihre Freizeit über-wiegend (53%) in einem ethnisch gemischten Kontext, hingegen zu 31 Prozent in einem eigenethnischen Kreis von Freunden und Freundinnen verbringen.

Als wichtiger Indikator für Ethnizität gilt die ethnische Zugehörigkeit der Freunde bzw. Freundinnen (siehe auch Kapitel 4). Die folgende Grafik zeigt die ethnische Zusammensetzung des Freundeskreises:

Graphik 9.2: Ethnische Zusammensetzung des Kreises der besten Freundinnen bzw. Freunde

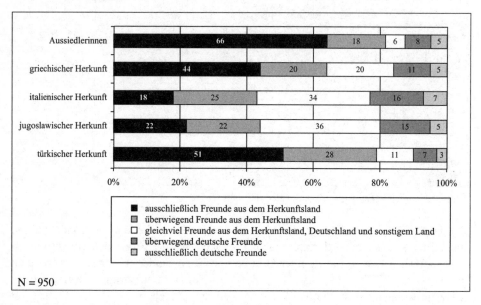

N = 950

Die Unterschiede nach Migrationshintergrund sind beachtlich; deutsch-herkunfts-spezifisch gemischte Freundschaften sind bei den Mädchen mit italienischem und jugoslawischem Hintergrund häufig, bei den übrigen selten.

Neben der ethnischen Zusammensetzung des Freundes- und Freundinnenkreises könnte ein weiterer Indikator für Ethnizität die Verwendung der deutschen oder Herkunftssprache im Umgang mit diesen sein. Die folgende Tabelle zeigt, wie sich die Mädchen und jungen Frauen mit ihren besten Freundinnen bzw. Freunden unter-halten.

Tabelle 9.10: Sprachliche Kommunikation mit den drei besten Freundinnen/Freunden (in Prozent)

| | Migrationshintergrund | | | | | Gesamt | |
	Aussiedl.	griech.	ital.	jugosl.	türk.		
Gesamt	(200)	(182)	(183)	(172)	(213)	100	(950)
nur deutsch	17	39	63	60	29	40	(384)
unterschiedlich/bilingual	41	38	29	33	64	42	(400)
nur in der Herkunfts-sprache	42	23	8	7	7	18	(166)

C = .43   p = .00

Es zeigen sich auffällige Unterschiede nach Migrationshintergrund. So kommuniziert die jugoslawische und italienische Herkunftsgruppe zum großen Teil (60% bis 63%) mit ihren besten Freundinnen und Freunden ausschließlich in Deutsch. Dies dürfte in engem Zusammenhang mit der ethnischen Zusammensetzung ihres Freundes- und Freundinnenkreises stehen, der mehrheitlich aus Deutschen besteht. Hinsichtlich der türkischen Herkunftsgruppe kann festgestellt werden, dass sie einerseits angeben, die Freizeit überwiegend in „Gruppen von Deutschen" zu verbringen, andererseits jedoch einen engeren Freundeskreis zu haben, der überwiegend aus Personen türkischer Herkunft besteht. Vor diesem Hintergrund ist erklärbar, dass für sie die je nach Situation verwandte Sprache, also eine bilinguale Sprachpraxis (64%) kennzeichnend ist. Diese Kommunikationsform kommt bei den anderen Herkunftsgruppen lediglich zu jeweils 29 bis 41 Prozent vor. Aussiedlerinnen kommunizieren mit ihren Freunden und Freundinnen (42%) überwiegend nur in der Herkunftssprache.

In diesem Zusammenhang interessiert die Frage nach dem Ort der außerhäuslichen Freizeitgestaltung.[267] Hierzu wurden einige Fragen gestellt, in denen der Ort jeweils nach allgemeiner und herkunftsspezifischer Ausrichtung differenziert war. Da der überwiegende Teil der Mädchen „selten" oder „nie" in deutsche oder herkunftsspezifische Diskotheken geht, wird auf eine diesbezügliche Differenzierung verzichtet.[268] Bedeutsamer sind die Treffen in kulturellen Zentren der eigenen Herkunftsgruppe und die Wahrnehmung von Angeboten der eigenen religiösen Gemeinschaft.

---

267 Für eine differenzierte Darstellung der Freizeitaktivitäten auch im Zusammenhang mit der Zusammensetzung des Freundes-/Freundinnenkreises wird auf Kapitel 4 und Kapitel 6 verwiesen.

268 Der Korrelationskoeffizient zwischen dem Besuch der deutschen und der herkunftsspezifischen Diskothek liegt mit $r = .12$ auf dem 1% Niveau signifikant; das heißt, dass Mädchen, die deutsche Diskotheken besuchen, häufiger auch in herkunftsspezifische gehen.

Tabelle 9.11: Besuch von Zentren der eigenen Herkunftsgruppe/religiöse Zentren (in Prozent)

	sehr oft/oft	nie
Aussiedlerinnen (N = 200)		
Zentren der eigenen Herkunftsgruppe	11	62
Religiöse Zentren	5	86
griechischer Hintergrund (N = 182)		
Zentren der eigenen Herkunftsgruppe	18	37
Religiöse Zentren	6	63
italienischer Hintergrund (N = 183)		
Zentren der eigenen Herkunftsgruppe	6	71
Religiöse Zentren	12	71
jugoslawischer Hintergrund (N = 172)		
Zentren der eigenen Herkunftsgruppe	14	53
Religiöse Zentren	10	61
türkischer Hintergrund (N = 213)		
Zentren der eigenen Herkunftsgruppe	5	70
Religiöse Zentren	8	61

Mädchen mit griechischem Hintergrund verbringen ihre Freizeit deutlich häufiger als die übrigen in Zentren der eigenen Herkunftskultur; Mädchen mit türkischem Hintergrund besonders selten. Religiöse Angebote werden nur von einem äußerst geringen Teil wahrgenommen, zwischen fünf Prozent (Mädchen aus Aussiedler-familien) bis 12 Prozent (Mädchen mit italienischem Hintergrund) besuchen solche „sehr oft" oder „oft". Religiöse oder kulturelle Zentren der Herkunftsgruppe stellen für die Mädchen offenbar keinen wichtigen Bereich der Alternative der Freizeit-gestaltung dar. Von einem Rückzug in eigenethnische Milieus kann auf der Ebene der Wahrnehmung institutioneller Freizeitangebote nicht die Rede sein.

Aus den Fragen zur Freizeit wurden zwei Indices entwickelt (zur Instrumenten-konstruktion siehe Anhang):

a) Freizeit im deutschen Kontext (Index)
b) Freizeit im (eigen-) ethnischen Kontext (Index)

Tabelle 9.12: Ethnischer Kontext der Freizeit (Index) (in Prozent)

Verbringe die Freizeit im...	wenig	mittel	viel	Gesamt
deutschen Kontext	58	24	18	100 (950)
(eigen-)ethni-schen Kontext	30	32	38	100 (950)

Die Freizeit wird von deutlich mehr Mädchen und jungen Frauen im überwiegend durch die eigene Ethnie bestimmten Migrationskontext als im deutschen Kontext verbracht.

Die Ausdifferenzierung nach Herkunftsgruppen offenbart ein sehr unterschiedliches Bild.

Tabelle 9.13: Freizeit in verschiedenen ethnischen Kontexten (Index) (in Prozent)

		Migrationshintergrund					Gesamt
		Aussiedl.	griech.	ital.	jugosl.	türk.	
Gesamt		(200)	(182)	(183)	(172)	(213)	(950)
in deutschem Kontext*	wenig	69	65	36	47	71	58
	viel	12	17	30	24	11	18
in (eigen-) ethnischem Kontext*	wenig	13	28	51	33	28	30
	viel	70	45	13	30	30	38

* Signifikante Unterschiede nach nationaler Herkunft p ≤ .05.

So verbringen die Mädchen und jungen Frauen mit türkischem und griechischem Hintergrund sowie die Aussiedlerinnen nur sehr wenig Freizeit im deutschen Kontext. Von Interesse ist das Ergebnis, dass Mädchen und junge Frauen mit türkischem Hintergrund ihre Freizeit zu fast gleich großen Anteilen wenig bzw. viel in einem überwiegend von der eigenen Ethnie bestimmten Kreis von Freundinnen und Freunden verbringen. Dagegen wird bei der griechischen Herkunftsgruppe und den Aussiedlerinnen deutlich, dass sie häufiger ihre Freizeit in einer durch die eigene Ethnie dominierten Gruppe von Freundinnen und Freunden mit Migrationshintergrund als im deutschen Kontext verbringen. Mädchen mit italienischem Migrationshintergrund verbringen hingegen ihre Freizeit kaum im (eigen-)ethnischen Kontext und häufiger als alle anderen Gruppen mit Deutschen.

Der Korrelationskoeffizient (r = .43; p = .00) belegt, dass Mädchen und junge Frauen, die ihre Freizeit im ethnischen Kontext verbringen, kaum Kontakt zum deutschen Kontext besitzen.

9.2.5 Ethnizität als Wunsch nach ethnischer Gleichheit in persönlichen Beziehungen

Durch Fragen nach der ethnischen Zugehörigkeit ihres möglichen Ehepartners wird die höchst private Ebene der Einbindung in die Herkunftsgruppe erfasst.[269] Die Mädchen und jungen Frauen wurden gefragt, ob sie sich vorstellen können einen Deutschen zu heiraten. Darauf antworteten:

---

269 Vgl. hierzu auch die Auswertungen und ausführlicheren Darstellungen in Kapitel 7.

Tabelle 9.14: Ehe mit einem Deutschen (in Prozent)

| | Migrationshintergrund | | | | | Gesamt |
	Aussiedl.	griech.	ital.	jugosl.	türk.	
Gesamt	(191)	(178)	(179)	(170)	(208)	100 (926*)
ja (auf jeden Fall/ möglicherweise)	53	34	62	46	22	43 (397)
nein (wahrscheinlich nicht/auf keinen Fall)	47	66	38	54	78	57 (529)

C = .28   p = .00
* 24 Mädchen und junge Frauen möchten überhaupt nicht heiraten.

Die Unterschiede nach Migrationshintergrund sind beachtlich; sie werden noch deutlicher, wenn nur diejenigen berücksichtigt werden, die auf keinen Fall einen Deutschen heiraten wollen: Es sind 16 Prozent der Mädchen mit italienischem, 22 Prozent Aussiedler und 28 Prozent mit jugoslawischem Hintergrund, aber 41 Prozent der Mädchen mit griechischem und 48 Prozent mit türkischem Hintergrund, die sich nicht vorstellen können, einen Deutschen zu heiraten.

Auch die Zahl der Mädchen, die von Vater und/oder Mutter keine Einwilligung für eine Heirat mit einem Deutschen erwarten, variiert deutlich nach Herkunft, wie die folgende Tabelle zeigt:

Tabelle 9.15: Fehlendes Einverständnis der Eltern zu einer Heirat mit einem Deutschen (gar nicht einverstanden) (in Prozent)

| | Migrationshintergrund | | | | | Gesamt |
	Aussiedl.	griech.	ital.	jugosl.	türk.	
Vater N = 885[1]	10	28	9	25	53	26 (229)
Mutter N = 923[2]	6	20	6	18	50	21 (190)

1) Diese Frage war eine Filterfrage, die sich nur auf diejenigen befragten Mädchen und jungen Frauen bezog, die heiraten würden. Darüber hinaus lässt die Frage diejenigen Mädchen und jungen Frauen unberücksichtigt, die keinen Kontakt zum Vater haben. In zwei Fällen sind die Eltern verstorben, deshalb N = 855.
2) Diese Frage war eine Filterfrage, die sich nur auf diejenigen befragten Mädchen und jungen Frauen bezog, die heiraten würden. Darüber hinaus lässt die Frage diejenigen Mädchen und jungen Frauen unberücksichtigt, die keinen Kontakt zur Mutter haben. In zwei Fällen sind die Eltern verstorben, deshalb N = 923.

Die Mädchen und jungen Frauen mit türkischem Hintergrund antizipieren am häufigsten Einwände ihrer Eltern, zu gleichen Teilen bei der Mutter wie bei dem Vater. Am wenigsten Widerstand der Eltern erwarten Mädchen und junge Frauen mit italienischem Hintergrund und junge Aussiedlerinnen.

Eine andere Möglichkeit, die Nähe zur Herkunftskultur auszudrücken, ist die Bereitschaft, einen Mann aus dem Herkunftsland der Eltern zu heiraten. Die Mädchen mit türkischem Hintergrund wollen häufiger als andere keinen Mann heiraten, der nicht in Deutschland sondern im Herkunftsland lebt, so antworten 33 Prozent auf die entsprechende Frage mit „nein, auf keinen Fall" (bei 26% der

Mädchen aus Aussiedlerfamilien, 11% der Mädchen mit jugoslawischem 6% derjenigen mit griechischem und 3% der Mädchen mit italienischem Hintergrund).

Ebenfalls in den Bereich der Pflege ethnischer Bezüge im Familienleben fällt die Präferenz eines ethnisch zuzuordnenden Namens für das Kind. Nur Mädchen und junge Frauen aus Aussiedlerfamilien (25%) können sich vorstellen, ihrem Kind einen deutschen Vornamen zu geben, alle anderen nicht. Denkbar ist für alle übrigen ein Name aus dem Herkunftsland (56%) oder ein internationaler Vorname (42%). Weniger vorstellbar ist ein Name aus dem Herkunftsland, der auch in Deutschland bekannt ist (23%), ein religiöser (18%) und ein in Deutschland leicht auszusprechender Vorname (23%). Abgewehrt werden neben dem deutschen Vornamen (94%) auch die Übernahme von zwei Vornamen (94%), einem deutschen und einem aus dem Herkunftsland. Am ehesten würden die Mädchen mit griechischem Hintergrund (83%) sowie die mit italienischem (68%) und türkischem (69%), mit deutlichem Abstand die mit jugoslawischem Hintergrund (48%) einen Namen aus dem Herkunftsland wählen, ein Teil (ein Fünftel bis ein Drittel der Mädchen) davon einen Namen, der in Deutschland bekannt ist. Zugespitzt ausgedrückt können sich ebenso viele Mädchen und junge Frauen (jeweils 22%) ausschließlich einen ethnischen Vornamen oder aber nur einen deutschen und/oder internationalen Namen für ihre Kinder vorstellen.

9.2.6 Ethnizität als formale Mitgliedschaft

Bedeutendster Ausdruck der formellen, kodifizierten, symbolischen Mitgliedschaft auf der Ebene national-ethno-kultureller Zugehörigkeiten ist die Staatsangehörigkeit (Mecheril 2003, S. 148). Über diese formelle, symbolische Mitgliedschaft im Sinne der deutschen Staatsangehörigkeit verfügen nur wenige der Mädchen mit Migrationshintergrund – wird von den Mädchen aus Aussiedlerfamilien abgesehen, die bis auf einzelne (drei Personen) alle die deutsche Staatsangehörigkeit besitzen. Nur bei den Mädchen mit türkischem Hintergrund hat ein im Vergleich zu den anderen Arbeitsmigrationsgruppen hoher Anteil von 18 Prozent die deutsche und vier Prozent die deutsche und türkische Staatsangehörigkeit.[270] Bei den Befragten türkischer Staatsangehörigkeit wollen viele (57%) die deutsche Staatsangehörigkeit beantragen oder haben sie bereits beantragt, jedoch noch nicht erhalten (19%). Dies sind in beiden Kategorien etwas mehr als Mädchen mit jugoslawischem Hintergrund (55% bzw. 6%). Wenig Interesse zeigen Mädchen mit griechischem (15% bzw. 3%) und noch weniger die mit italienischem Hintergrund (9% bzw. 0%). Dementsprechend wollen viele aus diesen Gruppen die deutsche Staatsangehörigkeit nicht beantragen.

---

270 Zum Vergleich: In einer Untersuchung des Bundesinstituts für Bevölkerungsforschung hatten unter 1.241 befragten Personen mit türkischem Migrationshintergrund im Alter zwischen 18 und 30 Jahren beiderlei Geschlechts 70 Prozent die türkische, 28 Prozent die deutsche und zwei Prozent beide Staatsangehörigkeiten. Unter den Italienern hatten 64 Prozent die italienische, 16 Prozent die deutsche und 20 Prozent beide Staatsangehörigkeiten. Hierbei ist zu berücksichtigen, dass unter ihnen viele sind, die aus binationalen Ehen stammen und seit der Geburt Doppelstaatler sind, während die türkischen Befragten erst nach der Geburt die deutsche Staatsangehörigkeit erworben haben (von Below 2003, S. 26). In der hier vorgelegten Studie sind Kinder aus binationalen Ehen ausdrücklich nicht Teil der Stichprobe. Die EFFNATIS-Studie (Heckmann et al. 2000, S. 23) bezieht zwar Eingebürgerte mit ein, weist diese aber nicht zahlenmäßig aus.

Formale Zugehörigkeit durch die deutsche Staatsangehörigkeit kann sich in drei Ebenen ausdrücken: dem Vorhandensein der Staatsbürgerschaft, ihrer Beantragung oder dem Wunsch danach. Alle drei Ebenen zusammengenommen liegt eine formale Zugehörigkeit bei Mädchen und jungen Frauen aus Aussiedlerfamilien zu 100 Prozent, bei denjenigen mit türkischem Migrationshintergrund zu 81 Prozent, zu 65 Prozent bei Befragten mit jugoslawischem, zu 20 Prozent mit griechischem und zu 11 Prozent bei denjenigen mit italienischem Hintergrund vor.

Um diesen Befund zu prüfen, ist es notwendig, die Gründe, die zur Nichtbeantragung führen, näher zu betrachten. Mädchen mit italienischem und griechischem Hintergrund erwarten sich – wohl weil sie sich als EU-Angehörige rechtlich hinreichend geschützt fühlen – anders als solche mit türkischem Hintergrund keine Vorteile, müssten aber die eigene Staatsangehörigkeit aufgeben. Die Angst vor dem Verlust der eigenen Staatsangehörigkeit rangiert bei Mädchen mit türkischem und jugoslawischem Hintergrund noch vor dem Wunsch, sich eine Möglichkeit offen zu lassen, ins Herkunftsland der Eltern zurückzukehren. Mädchen und junge Frauen mit türkischem, jugoslawischem und italienischem Hintergrund lehnen weder die deutsche Staatsbürgerschaft in erster Linie ab, weil sie bei deren Annahme Probleme mit den Eltern befürchten noch weil sie sich mit Deutschland und den Deutschen nicht verbunden fühlen. Dieser letzte Punkt ist jedoch ein gewichtiger Hinderungsgrund für die griechische Herkunftsgruppe (50%).

Im Einzelnen werden als Hinderungsgründe genannt (voll und eher einverstanden):

Tabelle 9.16: Hinderungsgründe zum Erwerb der deutschen Staatsangehörigkeit (in Prozent)

	Migrationshintergrund				Gesamt
	griech.	ital.	jugosl.	türk.	
Gesamt	(146)	(163)	(61)	(40)	100 (410**)
Ich glaube nicht, dass es mir Vorteile bringt*	70	67	31	33	60 (244)
Ich würde sie nur beantragen, wenn ich meine alte nicht aufgeben müsste*	56	56	74	75	61 (248)
Ich befürchte Probleme mit meinen Eltern	12	9	10	5	10 (40)
Ich fühle mich Deutschland und den Deutschen nicht genug verbunden*	50	26	30	23	35 (142)
Ich möchte mir die Möglichkeit offen halten, jederzeit ins Herkunftsland zurückzukehren*	79	63	64	63	69 (282)

* Signifikante Unterschiede nach nationaler Herkunft p ≤ .05.
** Ohne Aussiedlerinnen und ohne diejenigen mit deutscher Staatsangehörigkeit.

Ganz offensichtlich spielt das Offenhalten der Option, „jederzeit ins Herkunftsland der Eltern zurückkehren zu können" für alle Gruppen eine wichtige Rolle als Hinderungsgrund bei der Übernahme der deutschen Staatsangehörigkeit. Dies kann nicht als fehlende Identifikation mit Deutschland interpretiert werden, dagegen spricht das bei den meisten Gruppen überwiegend vorhandene Gefühl der Verbundenheit mit Deutschland und den Deutschen. Auch wird hier nicht einem (unausgesprochenen) Auftrag der Eltern gefolgt, denn von ihrer Seite wird kein Widerstand erwartet. Vielmehr scheint die Befürchtung bedeutsam, mit Übernahme der deutschen und damit verbunden auch Aufgabe der alten Staatsbürgerschaft auf eine Ressource zur alternativen Lebensplanung im Herkunftsland der Eltern verzichten zu müssen, die zwar überwiegend nicht konkret geplant[271] ist – wie die folgenden Auswertungen zeigen –, jedoch als „letzte Option" mitgedacht wird. Eine solche gedachte Alternative kann z.B. in schwierigen Lebenslagen psychisch entlastend wirken.

9.2.7 Ethnizität als Lebensplanung

Leben in Deutschland oder im Herkunftsland

Vorstellungen von der Zukunft und mit ihr verbundene Wünsche können unter dem Gesichtspunkt, in welchem Land das Leben verbracht werden soll und welche Bereitschaft zu einem Wechsel des Lebensmittelpunktes besteht, ebenfalls zur Ethnizität zugerechnet werden, sofern es sich um das eigene (Aussiedlerinnen) oder um das Herkunftsland der Eltern handelt (siehe Hupka/Karataş/Reinders 2001, S. 257f.).

Die Diskussion um die Frage, wie die Mädchen mit Migrationshintergrund, die heute in Deutschland leben, den Ort sehen, an dem sie zukünftig leben wollen, verlangt einen Blick in die Migrationsgeschichte.[272] Bei vier der Herkunftsgruppen handelt es sich überwiegend um Mädchen, deren Eltern als Arbeitsmigranten und -migrantinnen nach Deutschland eingewandert sind. Die ursprüngliche Idee war eine Einreise auf Zeit und zum Zweck der Arbeitsaufnahme und die Lebensplanung der eingewanderten Menschen entsprach zunächst dieser ökonomisch und politisch motivierten Vorstellung. Ein erheblicher Teil der ersten Generation wollte in Deutschland arbeiten, Geld für eine Existenz im Herkunftsland sparen und nach dem Erreichen des Ziels zurückkehren. Die Eltern haben die Rückkehrorientierung als handlungsleitendes Prinzip zunächst an die Kinder weitergegeben.

Die Zukunftsvorstellungen der nachgeholten Jugendlichen haben sich jedoch gewandelt und gleichzeitig – wie alle anderen Orientierungen auch – ausdifferenziert. Zunächst waren auch sie auf die Rückkehr in das Land ihrer Eltern ausgerichtet; zumindest waren sie bestrebt, keine Entscheidungen zu fällen, die eine Rückkehr erschweren oder gar unmöglich machen würden (vgl. hierzu Yakut/ Reich/Neumann/Boos-Nünning 1986). Im Laufe der Zeit veränderten sich jedoch die Zukunftspläne. Während in einer 1979 durchgeführten Untersuchung noch 30

---

271 Heckmann et al. (2000, S. 64) sehen in der Tatsache, dass der überwiegende Teil der von ihnen befragten Migrationsjugendlichen (46%) angibt, hinsichtlich der „Rückkehr" unentschlossen zu sein, in der Rückkehr „keine ernsthaft erwogene Alternative" für die Befragten sondern den Ausdruck einer „altersspezifischen Offenheit in der Lebensplanung".

272 Siehe hierzu detaillierter Kapitel 1.

Prozent der Jugendlichen in das Herkunftsland zurückkehren wollten, wollten 1989 lediglich sechs Prozent zurückkehren, aber ebenfalls nur 28 Prozent bleiben. Zwei Drittel waren unsicher über den zukünftigen Ort ihres Lebens (Granato 1994, S. 68f.). Ein erheblicher Teil führte damals ein Leben in der Schwebe. Die konkreten, mittelfristigen Planungen waren aber bestimmt durch eine irgendwann vorgesehene Rückkehr. Das Leben blieb vorläufig: Solange sich die Geschwister in der Ausbildung befanden, solange die Schule dauerte, Arbeit vorhanden war und solange im Herkunftsland keine Zukunftschancen erwartet werden könnten, blieb das Leben auf die Bundesrepublik Deutschland ausgerichtet. Der Zeitpunkt der Remigration wurde immer wieder herausgeschoben, bei der zweiten Generation noch weiter als bei der ersten, aber bei den meisten wurde der Gedanke an eine Rückkehr nicht völlig aufgegeben. In der von Rosen (1997) mit qualitativen Methoden durchgeführten Untersuchung wurden türkische junge Frauen aufgefordert, ihre Wünsche und Vorstellungen über ihr Leben in zehn Jahren darzulegen. In diesem Zusammenhang stellte sich für einige türkische Studentinnen auch die Frage, ob sie in Zukunft in Deutschland oder der Türkei leben wollen. Vor dem Hintergrund der Mitte der 90er Jahre wachsenden Ausschreitungen gegen Ausländer und der latent ausländerfeindlichen Stimmung in der Bevölkerung konnten sich die jungen Frauen durchaus vorstellen, in die Türkei zurückzukehren; daneben spielten auch Wünsche der Eltern und der eigene Wunsch, später in der Türkei zu leben und zu arbeiten, vor dem Hintergrund einer Sehnsucht nach der dort teilweise verbrachten Kindheit eine Rolle. Sie konnten sich auch vorstellen, in ein anderes Land ihrer Wahl zu gehen, um dort zu leben und zu arbeiten (vgl. hierzu auch die Ergebnisse bei Otyakmaz 1995).

Allmählich verlor der Gedanke an die Rückkehr aber seine sachliche und zeitliche Greifbarkeit und die Hindernisse wurden immer stärker formuliert. Manche Autoren interpretieren die Orientierung der Jugendlichen als eine pragmatische Bindung an die Bundesrepublik Deutschland bei affektiver Bindung an das Herkunftsland. Das Verbleiben hat dann seinen Grund in der Nichterfüllung oder Nichterfüllbarkeit von auf die berufliche Tätigkeit oder soziale Position im Herkunftsland ausgerichteten Plänen; die Rückkehrvorstellungen resultieren aus der Sehnsucht nach der Heimat – oftmals versprachlicht als Sonne, Zärtlichkeit, Solidarität – und aus den Erfahrungen mit oder einer Angst vor Diskriminierung im Einwanderungsland.

Über die Rückkehrorientierung im Eingliederungsprozess von Migrationsfamilien[273] stellt Korte (1990, S. 207f.) fest, „dass sich Integration und Rückkehrorientierung nicht ausschließen und Maßnahmen zur Integration auch die Rückkehrfähigkeit erhalten". Zudem wird nachgewiesen, „dass fast alle Familien Deutschland als zweite Heimat ansehen", auch wenn die „Rückkehrorientierung als Familiendiskurs" stark gepflegt wird. Es handelt sich dabei, so Korte, neben einer tatsächlichen Rückkehrabsicht vor allem um die Aufrechterhaltung der Familiensolidarität mittels einer gegenseitigen Bestärkung in der Heimatorientierung (ebenda, S. 257).

---

273 Basis der Untersuchung ist ein Methodenmix. Explorativ wurden qualitative wiederholte Befragungen von sieben türkischen und sechs jugoslawischen Familien in Stadtteilen mit hohen und niedrigen Konzentrationen von Migranten in Duisburg durchgeführt. Anschließend fand eine quantitative Befragung von 1.846 Jugendlichen in deutscher Sprache statt.

In unserer Untersuchung sind die Zukunftsvorstellungen der Mädchen und jungen Frauen mit Ausnahme der Mädchen mit griechischem Hintergrund überwiegend auf ein Leben in Deutschland ausgerichtet:

Tabelle 9.17: Planung des zukünftigen Lebens (in Prozent)

| | Migrationshintergrund | | | | | Gesamt | |
	Aussiedl.	griech.	ital.	jugosl.	türk.		
Gesamt	(200)	(182)	(183)	(172)	(213)	100	(950)
Deutschland	84	27	52	74	73	63	(596)
mal im Herkunftsland, mal in Deutschland	5	23	16	11	15	13	(130)
Herkunftsland	1	41	23	4	2	14	(131)
sonstiges Land	10	9	9	11	10	10	(93)

C = .46   p = .00

Die Unterschiede nach nationaler Herkunft sind bedeutsam. Auffällig ist, dass 84 Prozent der Aussiedlerinnen, 74 Prozent der Befragten mit jugoslawischem sowie 73 Prozent der Befragten mit türkischem Hintergrund in Zukunft in Deutschland leben wollen, hingegen nur jede zweite der befragten Mädchen und jungen Frauen mit italienischem und nur knapp jede Vierte mit griechischem Migrationshintergrund ihr zukünftiges Leben in Deutschland planen. Letztere Gruppe betrachtet ein Leben im Herkunftsland zu beachtlichen 41 Prozent als erstrebenswert. Die Befragten mit türkischem sowie jugoslawischem Hintergrund sehen in der Option des Lebens „mal im Herkunftsland, mal in Deutschland" seltener eine Alternative dazu als die Befragten mit griechischem und italienischem Hintergrund. Dies ist vor allem vor dem Hintergrund zu betrachten, dass beide Gruppen nicht über die Möglichkeit zur Freizügigkeit verfügen, wie sie für die EU-Angehörigen griechischer und italienischer Staatsangehörigkeit gilt. Für Mädchen mit türkischem und jugoslawischem Hintergrund wäre eine „Rückkehr" daher eine einmalige und lebensbestimmende Entscheidung, (weitgehend) ohne Optionen, diese wieder rückgängig zu machen, sollten sich die Pläne in den ehemaligen Herkunftsländern der Eltern nicht verwirklichen lassen. Allerdings zeigt sich, dass die befragten Mädchen und jungen Frauen mit türkischem sowie jugoslawischem Hintergrund die Möglichkeit „mal im Herkunftsland, mal in Deutschland" zu leben immer noch der Option einer eindeutigen Entscheidung für ein Leben nur „im Herkunftsland" vorziehen.

Diese Ergebnisse stimmen tendenziell mit denen anderer neuerer Untersuchungen überein, in denen ermittelt wird, dass für die junge Generation überwiegend Deutschland das Land ihres zukünftigen Lebens ist.

Im Ausländersurvey des DJI (Weidacher 2000b, S. 70) wird nach Verbleibabsichten und Aufenthalt der jungen Generation gefragt. Demnach wollen rund 60 Prozent der italienischen, griechischen und türkischen 18- bis 25-jährigen Jugendlichen in Deutschland bleiben, weitere 25 Prozent sind über den Verbleib unentschlossen und zwischen 13 Prozent (Türken) und 17 Prozent (Griechen) äußern die Absicht zurückzukehren (Weidacher 2000b, S. 68). Die Verbleiboptionen weisen einen deutlichen Zusammenhang mit der Dauer des Aufenthalts in Deutschland auf.

Folglich bilden die später Zugewanderten auch die Gruppe, die am häufigsten Rück-kehrabsichten äußert. Die Studie kommt ferner zu dem Ergebnis, dass mehr junge italienische und griechische Frauen als Männer in Deutschland leben wollen. Bei den türkischen jungen Erwachsenen geben dabei doppelt so viele Frauen wie Männer an, in die Türkei zurückkehren zu wollen.

In den Repräsentativbefragungen des BMA (1996, 2002) stellt die Frage nach Rückkehr oder Verbleib ein zentrales Thema dar. Für die Altersgruppe der unter 25-jährigen Jugendlichen (nicht differenziert nach Herkunftsgruppen) wurde 1996 fest-gestellt, dass 72 Prozent der unter 25-jährigen Befragten die Absicht haben in Deutschland leben zu wollen, weitere 19 Prozent sind unentschlossen und neun Prozent wollen nicht in Deutschland leben (BMA 1996, S. 353). Die bei dieser Altersgruppe bereits 1985 festgestellte Tendenz, auf Dauer in Deutschland leben zu wollen, hat sich damit rund zehn Jahre später verstärkt. Bei den Befragten türkischer sowie griechischer Herkunft haben sich die Prozentwerte derer, die in Deutschland bleiben wollen, im Zehnjahreszeitraum sogar verdoppelt (Türken: von 39% 1985 auf 71% 1995, Griechen: von 29% 1985 auf 62% 1995). Für die Befragten jugosla-wischer Herkunft ist ein Rückgang um zehn Prozent zu verzeichnen (von 72% 1985 auf 63% 1995), der auf die kriegsbedingte Migration in der ersten Hälfte der 90er Jahre zurückgeführt wird (BMA 1996, S. 350). 1996 wollten 35 Prozent von jenen Befragten, die nicht in Deutschland bleiben wollen bzw. in dieser Hinsicht unent-schlossen sind, in das Herkunftsland zurückkehren, 51 Prozent waren in dieser Hin-sicht unentschlossen und 14 Prozent hatten nicht die Absicht, ins Herkunftsland zu-rückzukehren (ebenda, S. 361). In diesem Zusammenhang wird betont, dass das Thema Rückkehr vorrangig zu einem Thema einer kleinen Minderheit der älteren Ausländer geworden ist (ebenda, S. 365). In der Folgeuntersuchung (BMA 2002) wird eine erneute Verfestigung der Verbleiborientierung festgestellt. Über 80 Prozent der Griechen, drei Viertel der jungen Menschen aus der Türkei und dem ehemaligen Jugoslawien und 70 Prozent der Italiener unter 25 Jahren beabsichtigen, auch in Zukunft in Deutschland zu leben. Dabei zeigen sich geschlechtsspezifische Unterschiede für die Befragten aus dem ehemaligen Jugoslawien. Demnach wollen mehr junge Männer als junge Frauen in Zukunft in Deutschland leben. Die große Mehrheit macht keine genauen Angaben über die geplante Länge des Verbleibs. Die am häufigsten genannten Gründe für den Verbleib sind die in Deutschland lebende Familie, das Sich-Wohl-Fühlen, die Verwurzelung mit Freunden und Bekannten. Ferner folgen „geringe Bindung ans Heimatland", „weil es im Heimatland keine Arbeit gibt" und die „gegenwärtige wirtschaftliche Lage im Heimatland", wobei Letzteres stärker von den Befragten mit ehemaligen jugoslawischem sowie türki-schem Migrationshintergrund genannt wird (ebenda, S. 80).

Für die Gruppe der Berliner Jugendlichen mit türkischem Migrationshintergrund zeigt sich auch hier, dass der Anteil der Jugendlichen, die in Deutschland bleiben wollen, im Laufe von zehn Jahren beachtlich angestiegen ist (Ausländerbeauftragte des Senats von Berlin 1997, S. 20).[274] Während 1997 über 78 Prozent der Befragten (weibliche Befragte 79%) in Deutschland bleiben wollten, waren es bei den türkischen Jugendlichen 1985 gerade neun Prozent (weibliche Jugendliche 6%) und

---

274 Hierbei handelt es sich um Ergebnisse der im Auftrag der Ausländerbeauftragten des Senats von Berlin 1997 unter 1.000 türkischen Jugendlichen im Alter von 16-25 Jahren durchgeführten repräsentativen telefonischen Befragung. Ähnliche Fragen wurden schon 1985, 1989 und 1991 gestellt.

bei den Jugendlichen von 1988 erst 22 Prozent (weibliche Jugendliche 24%) (ebenda). Heckmann et al. (2000, S. 63) stellen fest, dass 40 Prozent der jungen Türken und ehemaligen Jugoslawen im Alter von 30 Jahren in Deutschland leben wollen. Ein größerer Teil von 46 Prozent ist aber diesbezüglich unschlüssig. Lediglich jeweils drei bis vier Prozent der beiden Nationalitätengruppen wollen in das jeweilige Herkunftsland der Familie zurückkehren. Breite Zustimmung erhielt das Statement „Deutschland zum Leben, Herkunftsland zum Urlaub machen" (63% Zustimmung). In der Mehrthemenbefragung des Zentrums für Türkeistudien (2002, S. 8)[275] wird, bezogen auf Nordrhein-Westfalen, hervorgehoben, dass die überwiegende Mehrheit der Befragten nicht die Absicht hat, in die Türkei zurückzukehren. Im Zeitvergleich zeigt sich, dass der Anteil derjenigen, die zurückkehren möchten, rückläufig ist. Das gleiche gilt für die Heimatverbundenheit mit Deutschland. In diesem Zusammenhang wird betont, dass eine Heimatverbundenheit mit Deutschland nicht einher gehe mit der emotionalen Loslösung von der Türkei. In der Studie ist daher von einer auch in Zukunft zu erwartenden „Doppelidentität der türkischstämmigen Migranten" die Rede (ebenda).

Für die Gruppe der Aussiedler und Aussiedlerinnen wird angenommen, dass die Migration in die Bundesrepublik mit der Vorstellung von einem endgültigen Verbleib verbunden ist. Dies wird in der von Strobl/Kühnel (2000, S. 88) sowohl mit qualitativen als auch quantitativen Methoden durchgeführten Studie bestätigt. Demnach wird eine Rückkehr nicht als eine Möglichkeit für ein zukünftiges Lebens in Erwägung gezogen. Die Mehrheit der Befragten kann sich zwar vorstellen, als Besucher einmal ins Herkunftsland zu reisen, für einen unerheblichen Teil (14,5%) kam jedoch nicht einmal das in Frage. Zu ähnlichen Ergebnissen kommen auch Dietz/Roll (1998, S. 36), die in ihrer Studie die Ausreiseerfahrungen sowie Rückkehroptionen von jugendlichen Aussiedlern im Kontext des vormaligen Lebensumfeldes erläutert haben.[276] Demnach ist der Wunsch der befragten Aussiedler, wieder in der Heimat zu leben, nicht stark ausgeprägt.

Mobilitätsbereitschaft

Mobilitätsbereitschaft ist ein Thema, das zu den klassischen Fragebereichen in der empirischen Migrationsforschung gehört. In der hier vorgelegten Untersuchung wurde die Frage nach dem Bezug zum Herkunftsland in Verbindung mit einer Frage nach der Mobilität weiter vertieft. Sie wurde spezifiziert auf die Haltung zu der Situation wegen eines interessanten Berufsangebotes umzuziehen. In der Frage des Umzugs in das Herkunftsland der Eltern bestätigen sich die bereits im Hinblick auf die Zukunftsplanung ermittelten nationalitätenspezifischen Unterschiede, jedoch gehen in keinem anderen Bereich die Antworten so weit auseinander:

---

275 Schwerpunkt dieser telefonische Mehrthemenbefragung bildet die Frage nach dem Grad und den Perspektiven der Integration aus der Sicht der Befragten in Nordrhein-Westfalen. Diese Befragung wird einmal jährlich im Auftrag des Ministeriums für Gesundheit, Soziales, Frauen und Familie des Landes Nordrhein-Westfalen mit 1.000 volljährigen Migranten mit türkischem Hintergrund durchgeführt.

276 Ergebnisse des Forschungsprojektes „Jugendliche Aussiedler – Portrait einer Zuwanderergeneration". In dieser Studie wurden die Integrationsbedingungen jugendlicher Aussiedler aus der vormaligen Sowjetunion, die in der ersten Hälfte der neunziger Jahre nach Deutschland gekommen sind, untersucht.

Graphik 9.3:   Bereitschaft zum Umzug wegen eines interessanten Berufsangebotes (arithmetisches Mittel)

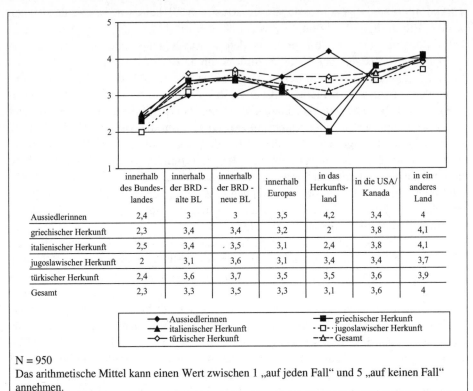

	innerhalb des Bundeslandes	innerhalb der BRD - alte BL	innerhalb der BRD - neue BL	innerhalb Europas	in das Herkunftsland	in die USA/ Kanada	in ein anderes Land
Aussiedlerinnen	2,4	3	3	3,5	4,2	3,4	4
griechischer Herkunft	2,3	3,4	3,4	3,2	2	3,8	4,1
italienischer Herkunft	2,5	3,4	3,5	3,1	2,4	3,8	4,1
jugoslawischer Herkunft	2	3,1	3,6	3,1	3,4	3,4	3,7
türkischer Herkunft	2,4	3,6	3,7	3,5	3,5	3,6	3,9
Gesamt	2,3	3,3	3,5	3,3	3,1	3,6	4

```
—◆— Aussiedlerinnen              —■— griechischer Herkunft
—▲— italienischer Herkunft       - -□- - jugoslawischer Herkunft
—◇— türkischer Herkunft          —△— Gesamt
```

N = 950
Das arithmetische Mittel kann einen Wert zwischen 1 „auf jeden Fall" und 5 „auf keinen Fall" annehmen.

Über 70 Prozent der Mädchen und jungen Frauen mit griechischem und 60 Prozent mit italienischem Migrationshintergrund würden im Falle eines interessanten Berufsangebotes in das Herkunftsland der Familie umziehen. Aber nur jeweils ein Drittel der Mädchen und jungen Frauen mit jugoslawischem sowie türkischem Migrationshintergrund wäre dazu bereit. Die Aussiedlerinnen zeigen – wie aus den Migrationsbiographien und der Literatur herzuleiten war – mit Abstand die geringste Bereitschaft, in das Herkunftsland zu ziehen.

Die Einzelauswertung zu dieser Frage stellt die Unterschiede noch prägnanter dar:

Tabelle 9.18:   Bereitschaft zum Umzug ins Herkunftsland der Eltern (in Prozent)

	Migrationshintergrund					Gesamt	
	Aussiedl.	griech.	ital.	jugosl.	türk.		
Gesamt	(200)	(182)	(183)	(172)	(213)	100	(950)
auf jeden Fall	3	47	32	16	16	22	(210)
eher ja	5	25	28	15	14	17	(164)
teils-teils	13	18	20	15	13	16	(148)
eher nicht	29	4	7	26	19	17	(163)
auf keinen Fall	50	6	13	28	38	28	(265)

C = .48   p = .00

Die Zahl der Mädchen mit türkischem Migrationshintergrund, die auf keinen Fall, selbst nicht für die Aufnahme einer beruflichen Tätigkeit, in das Herkunftsland der Eltern umziehen möchte, ist mit 38 Prozent beachtlich hoch und übersteigt deutlich die Zahl der übrigen Töchter von Arbeitsmigranten und -migrantinnen.[277]

Eine Auswertung nach dem Bildungsstand zeigt zunächst, dass mit steigendem Bildungsniveau die Bereitschaft, wegen eines interessanten Berufsangebotes in das Herkunftsland umzuziehen, ansteigt.[278]

Tabelle 9.19: Bereitschaft zum Umzug ins Herkunftsland wegen eines interessanten Berufsangebotes (arithmetisches Mittel)*

| | Migrationshintergrund | | | | |
	Aussiedl.	griech.	ital.	jugosl.	türk.
Gesamt	200	182	183	172	213
niedriges Bildungsniveau	4,2	1,9	2,5	3,9	4,0
mittleres Bildungsniveau	4,2	2,0	2,4	3,5	3,7
hohes Bildungsniveau	4,1	2,0	2,3	3,1	3,2

* Das arithmetische Mittel kann einen Wert zwischen 1 „auf jeden Fall" und 5 „auf keinen Fall" annehmen.

Dieser Zusammenhang trifft jedoch im herkunftsgruppenspezifischen Vergleich nur für die befragten Mädchen und jungen Frauen mit türkischem Hintergrund zu. Bei den befragten Aussiedlerinnen besteht unabhängig vom Bildungsniveau eine niedrige Bereitschaft in das Herkunftsland umzuziehen. Die Befragten mit griechischem Hintergrund und im geringeren Maße die Befragten mit italienischem Hintergrund zeigen dagegen eine höhere Bereitschaft ins Herkunftsland zu ziehen, diese ist aber

---

277 Auch in der 13. Shell-Jugendstudie (2000) kommt Fritzsche (2000b, S. 196) – analog zu unseren Befragungsergebnissen – zu dem Schluss, dass die befragten Türken mit Abstand die geringste Mobilitätsbereitschaft zeigen. Es zeigt sich, dass die befragten deutschen Jugendlichen bei Umzügen innerhalb Deutschlands oder in die klassischen Anwerbeländer (USA, Kanada, Australien) generell deutlich stärker, bei Entwicklungsländern (Asien, Afrika, Lateinamerika) etwas stärker mobilitätsbereit sind als die ausländischen Jugendlichen. Bei Umzügen innerhalb der EU oder in frühere Ostblockstaaten kehrt sich das Verhältnis um. Die befragten Mädchen und jungen Frauen zeigen sich im Gegensatz zu den männlichen Jugendlichen generell weniger mobilitätsbereit, vor allem bei türkischen Jugendlichen ist dieses Gefälle extrem stark ausgeprägt. In diesem Zusammenhang stellt Fritzsche fest, dass sich gravierende Unterschiede zwischen den Geschlechtern mit zunehmendem Alter zeigen. Demnach erscheinen die 22- bis 24-jährigen weiblichen Jugendlichen wesentlich weniger mobilitätsbereit als ihre männlichen Altersgenossen.

278 Fritzsche (2000b, S. 198) kommt zu dem Ergebnis, dass die erklärte Bereitschaft, umzuziehen, wesentlich größer bei Jugendlichen ist, die über hohe Persönlichkeitsressourcen (Zutrauen in die eigenen Fähigkeiten, Eigeninitiative, Selbstbewusstsein) verfügen und aus Elternhäusern mit höherem Bildungsniveau kommen. Jugendliche mit Doppelpass, Jugendliche, die bi- oder multilingual aufwachsen, sind überdurchschnittlich mobilitätsbereit, sofern sie selbst ein mittleres oder hohes Bildungsniveau aufweisen. Ausländische Jugendliche aus Elternhäusern mit niedriger Bildung, mit schwachen eigenen Persönlichkeitsressourcen und niedrigem Bildungsniveau sind indes extrem „mobilitätsunwillig".

ebenfalls nicht abhängig vom Bildungsniveau. Die befragten Mädchen und jungen Frauen mit jugoslawischem Migrationshintergrund zeigen sich unabhängig vom Bildungsniveau unentschlossen darüber, ob sie bereit wären wegen eines beruflichen Angebotes umzuziehen. Bei den verschiedenen Gruppen wirken sich auf die Mobilitätsbereitschaft unterschiedliche Aspekte aus. Dies sind zum einen rechtliche Rahmenbedingungen in Deutschland aber auch politische, wirtschaftliche und soziale Rahmenbedingungen im Herkunftsland der Eltern. Mädchen mit jugoslawischem und türkischem Migrationshintergrund sind von der Freizügigkeit innerhalb der EU ausgeschlossen. Sofern sie nicht über den deutschen Pass verfügen, bedeutet ein Umzug in das Herkunftsland der Eltern einen endgültigen Schritt. Auf Mädchen mit ehemals jugoslawischem Migrationshintergrund dürfte sich bei Frage nach der Bereitschaft, im Herkunftsland der Eltern beruflich tätig zu werden, zusätzlich eine Verunsicherung über die politische, wirtschaftliche und soziale Lage in den Folgestaaten der ehemaligen Republik Jugoslawien so relativ kurz nach dem Ende des Krieges als eine solche Mobilität behindernd auswirken. Die Migration der Aussiedlerinnen nach Deutschland war in der Regel als endgültiger Schritt geplant.

Lediglich bei den Mädchen und jungen Frauen mit türkischem Migrationshintergrund wächst mit steigendem Bildungsniveau die Bereitschaft, „im Herkunftsland der Eltern" sowie „in einem anderen Land" leben zu wollen. Hinsichtlich der Zukunftsvorstellungen stellt sich diese Migrationsgruppe als am stärksten an Deutschland orientiert dar.[279]

Eigenethnische Identifikation

Aus den fünf Items, die auf die Verortung in der Herkunftsgruppe und am Herkunftsland ausgerichtet sind, und aus dem Land, in dem sich das künftige Leben gewünscht wird, wurde der Index „Eigenethnische Identifikation" gebildet (zur Instrumentenkonstruktion siehe Anhang).

---

279 Eine kleinräumiger angelegte Frage in der Untersuchung der Berliner Ausländerbeauftragten (1997) zu Berliner Jugendlichen mit türkischem Migrationshintergrund weist die besondere „Schollenverbundenheit" dieser jugendlichen Migranten bzw. Migrantinnengruppe sogar in Bezug auf ihre engste Umgebung in Deutschland anschaulich nach. So können sich die Befragten nur zu 18 Prozent vorstellen, im Umland von Berlin zu arbeiten, 31 Prozent können sich vorstellen dort sowohl zu leben als auch zu arbeiten (Ausländerbeauftragte des Senats von Berlin 1997, S. 31).

Tabelle 9.20: Eigenethnische Identifikation (Index) (in Prozent)

| | Migrationshintergrund | | | | | Gesamt | |
	Aussiedl.	griech.	ital.	jugosl.	türk.		
Gesamt	(200)	(182)	(183)	(172)	(213)	100	(950)
sehr geringe Identifikation	9	-	1	9	9	6	(56)
geringe Identifikation	18	6	10	9	18	13	(120)
mittlere Identifikation	34	14	11	18	29	21	(205)
starke Identifikation	32	34	51	51	38	41	(387)
sehr starke Identifikation	7	46	27	13	6	19	(182)

C = .42   p = .00

Der größte Teil der Mädchen und jungen Frauen aller nationalen Migrationshintergründe orientiert sich mittelmäßig bis stark an der eigenen Ethnie und am Herkunftsland der Eltern. Bei nur wenigen ist die Identifikation „gering". Was die Zahl derjenigen anbetrifft, die sich „sehr stark" oder „stark" identifizieren, bestehen große Unterschiede. „Sehr stark" gebunden sind vor allem die Mädchen mit griechischem, gefolgt von denen mit italienischem Hintergrund. Im Herkunftsgruppenvergleich sind hingegen Mädchen und jungen Frauen aus Aussiedlerfamilien und solche mit türkischem Hintergrund am wenigsten „sehr stark" oder „stark" am Herkunftsland orientiert.

Es besteht kein Zusammenhang zwischen dem Bildungsniveau und der ethnischen Identifikation (r = .04 nicht signifikant), ebenso wenig mit dem sozialen Status der Familie (r = .01 nicht signifikant) und dem ethnischen oder deutschen Wohnmilieu (r = .00 nicht signifikant). Damit wird der in der Literatur oft erwähnte Zusammenhang zwischen sozialem Status und ethnischer Identifikation, das heißt die These, dass ethnische Orientierung eine Reaktion auf soziale Deprivation sei, für die Gruppe der Mädchen und jungen Frauen mit Migrationshintergrund nicht bestätigt.

9.2.8 Anpassungsleistungen

Wie gezeigt wurde, sind die Mädchen und jungen Frauen überwiegend auf ein künftiges Leben in Deutschland ausgerichtet. Nunmehr stellt sich die Frage, inwiefern sie diese geographische Orientierung auch mit soziokulturellen Anpassungsaufforderungen verbinden. Es zeigt sich, dass sie sich in der Mehrzahl im Klaren darüber sind, dass Integration als Teilhabe und Teilnahme an der deutschen Gesellschaft Anpassungsleistungen der Zugewanderten fordert. Hier haben sie eindeutige Positionen. Wie der folgenden Tabelle zu entnehmen ist, halten die Befragten Anpassungen in bestimmten Bereichen für erforderlich, in anderen Bereichen hingegen nicht.

Tabelle 9.21: Erwartete Anpassungsleistungen (in Prozent)

Kann man von jemandem, der schon lange in Deutschland lebt, erwarten, dass er/sie...[280]	auf jeden Fall	eher ja	teils-teils	eher nicht	auf keinen Fall	arith. Mittel*
Kulturbezogene Anpassungsleistungen						
1 in deutsche Vereine eintritt?	6	19	34	25	16	3,3
2 einen deutschen Partner wählt?	3	11	37	26	23	3,6
3 die deutschen Ess- und Trinkgewohnheiten übernimmt?	4	14	27	30	25	3,6
4 die deutsche Staatsangehörigkeit annimmt?	14	23	26	19	18	3,0
5 sich äußerlich mit der Kleidung an die Deutschen anpasst?	8	21	28	22	21	3,3
Aufgabe der eigenen Kultur						
6 die Kultur der Eltern aufgibt?	1	2	14	30	53	4,3
7 sich in religiöser Hinsicht an die Deutschen anpasst?	5	12	28	31	24	3,6
8 die eigenen Kinder überwiegend in der deutschen Sprache erzieht?	7	20	38	20	15	3,2
Funktionale Anpassungsleistungen						
9 die deutsche Sprache beherrscht?	50	33	13	3	1	1,7
10 selbst Kontakt zu Deutschen aufnimmt?	30	40	24	5	1	2,1

* Das arithmetische Mittel kann einen Wert zwischen 1 „auf jeden Fall" und 5 „auf keinen Fall" annehmen.
N = 950

---

280 Die Items wurden nach einer Faktorenanalyse geordnet. Es wurden drei Faktoren ermittelt. Getrennte Faktorenanalysen nach nationaler Zugehörigkeit extrahierten keine unterschiedlichen Faktorenstrukturen.

Als erforderlich angesehen werden von den meisten Leistungen, die Grundlagen für die Handlungsfähigkeit im Alltag darstellen und die als „funktionale Anpassungsleistungen" bezeichnet werden können. Dies betrifft die Erwartungen an das Erlernen der deutschen Sprache und die eigenständige Aufnahme von Kontakten mit Deutschen. Eher abgelehnt werden Erwartungen, die sich auf kulturbezogene Anpassungsleistungen richten, in diesem Kontext steht die Annahme der deutschen Staatsangehörigkeit auf einer Ebene mit der Heirat eines deutschen Mannes. Besonders deutlich ist die Abwehr von Anforderungen, die verlangen, die „eigene Kultur" aufzugeben oder die eine Anpassung entweder in religiöser Hinsicht oder bezüglich der sprachlichen Erziehung der Kinder zum Inhalt haben.

Wegen der öffentlichen Thematisierung der deutschen Sprachkenntnisse der Zugewanderten soll ein Ergebnis besonders herausgestellt werden. Die meisten Mädchen und jungen Frauen (83%) halten die Beherrschung der deutschen Sprache für notwendig, nicht jedoch (27% Zustimmung) das Erziehen der eigenen Kinder in der deutschen Sprache. Beide Aussagen sind unterschiedlichen Faktoren zugeordnet. Die Interkorrelation ist mit $r = .17$ zwar signifikant, aber deutlich geringer als zwischen anderen Anpassungsleistungen.

Tabelle 9.22: Interkorrelationsmatrix (r) (Erwartete Anpassungsleistungen)

N = 950	1	2	3	4	5	6	7	8	9	10
1										
2	.56**									
3	.51**	.49**								
4	.36**	.40**	.35**							
5	.38**	.33**	.55**	.42**						
6	.19**	.25**	.31**	.32**	.28**					
7	.15**	.16**	.23**	.15**	.29**	.30**				
8	.21**	.22**	.29**	.28**	.40**	.30**	.23**			
9	.07*	.08*	.06	.08**	.14**	.00	.17**	.17**		
10	.17**	.14**	.15**	.10**	.16**	.01	.25**	.15**	.44**	

Mit * gekennzeichnete Werte sind auf dem $\alpha = .05$ Testniveau signifikant von Null verschieden.
Mit ** gekennzeichnete Werte sind auf dem $\alpha = .01$ Testniveau signifikant von Null verschieden.

Die meisten Anforderungen werden in Zusammenhängen gesehen. Das heißt zum Beispiel, wer die Beherrschung der deutschen Sprache von einem langjährig in Deutschland lebenden Migranten bzw. einer Migrantin erwartet, der stimmt auch der Erwartung zu, dass Kontakte zu Deutschen selbständig aufgenommen werden sollten ($r = .44$). Ein weiteres Beispiel ist die hohe Korrelation zwischen der Erwartung an die Annahme der deutschen Staatsangehörigkeit mit der Aufgabe der Kultur der Eltern ($r = .32$). Wer den Eintritt in deutsche Vereine als Integrationsleistung von Zugewanderten fordert, der verbindet damit auch die Erwartung, deutsche Ess- und Trinkgewohnheiten zu übernehmen ($r = .51$). Mit der Annahme der deutschen Staatsbürgerschaft werden eine Reihe von kulturbezogenen Anpassungs leistungen wie Übernahme der deutschen Essgewohnheiten (r = .35) und äußerliche Anpassung (r = .42) verbunden.

In vielen Anforderungen/Erwartungen sind Unterschiede nach Migrationshintergrund vorhanden, wie die folgende Tabelle verdeutlicht:

Tabelle 9.23: Erwartete Anpassungsleistungen (auf jeden Fall/eher ja) (in Prozent)

Kann man von jemandem, der schon lange in Deutschland lebt, erwarten, dass er/sie...	Migrationshintergrund					
	Aussiedl.	griech.	ital.	jugosl.	türk.	Gesamt
Gesamt	(200)	(182)	(183)	(172)	(213)	100 (950)
Kulturbezogene Anpassungsleistungen						
in deutsche Vereine eintritt?*	37	23	16	21	27	25 (239)
einen deutschen Partner wählt?*	23	10	11	18	8	14 (130)
die deutschen Ess- und Trinkgewohn-heiten übernimmt?*	36	13	12	19	13	18 (175)
die deutsche Staatsangehörigkeit annimmt?*	78	9	10	36	47	37 (353)
sich äußerlich mit der Kleidung an die Deutschen anpasst?*	56	16	13	30	27	29 (274)
Aufgabe der eigenen Kultur						
die Kultur der Eltern aufgibt?*	5	2	2	2	4	3 (31)
sich in religiöser Hinsicht an die Deutschen anpasst?*	22	12	26	17	10	17 (164)
die eigenen Kinder überwiegend in der deutschen Sprache erzieht?*	40	15	22	22	35	27 (259)
Funktionale Anpassungsleistungen						
die deutsche Sprache beherrscht?*	86	82	78	91	80	83 (789)
selbst Kontakt zu Deutschen aufnimmt?*	72	68	67	80	64	70 (663)

* Signifikante Unterschiede nach nationaler Herkunft p ≤ .05.

Die Annahme der deutschen Staatsangehörigkeit als Anpassungsleistung erwarten Mädchen aus Aussiedlerfamilien und Mädchen mit türkischem Hintergrund, dies wird eher abgelehnt von Mädchen mit griechischem und italienischem Hintergrund. Diese Ergebnisse entsprechen den bereits zuvor dargestellten Ergebnissen. Die Anpassung an die religiösen Vorstellungen der Deutschen wird vor allem von den Mädchen mit griechischem und türkischem Hintergrund abgelehnt. Hier entspricht das Ergebnis der engen Verknüpfung von Ethnizität mit der jeweiligen Religionsgruppe der beiden Herkunftsgruppen.[281] Deutlich geringere Unterschiede nach Migrationshintergrund bestehen in der Akzeptanz der Forderung nach der Beherrschung der deutschen Sprache und der Aufnahme von Kontakten zu Deutschen, beides sind – wie bereits geschildert – hoch akzeptierte Anpassungsanforderungen.

9.3 Psychische Stabilität, Zufriedenheit und belastende Lebensereignisse

9.3.1 Die These von der psychischen Belastung von Mädchen mit Migrationshintergrund auf dem Prüfstand

Bei der Beschreibung der Situation von Jugendlichen mit Migrationshintergrund wird – wie vorne dargestellt – häufig angenommen, dass diese in der Aufnahmegesellschaft Deutschland besondere Herausforderungen bewältigen müssten. Wenn aus der Herausforderung eine Überforderung wird – so Freitag (2000, S. 3) – können Erkrankungen die Folge sein. Das Bild, dass Zugewanderte stärker als Einheimische von aus Überforderung resultierenden psychischen Störungen und Krankheiten betroffen sind, wird seit Beginn der Diskussion um die Folgen der Zuwanderung transportiert.

Schon seit den 70er Jahren wurde in Veröffentlichungen zur psychischen Situation von Mädchen und jungen Frauen mit Migrationshintergrund die These vertreten, dass sie in besonderem Maße psychisch belastet seien. Besonderes Interesse finden seitdem vor allem die Mädchen aus türkisch-muslimischen Familien. Es wurde die besondere Problematik benannt, die aus den widersprüchlichen Einflüssen und Anforderungen von der Familie auf der einen und der deutschen Gesellschaft auf der anderen Seite zu Identitätskrisen und zu psychosomatischen und psychiatrischen Auffälligkeiten führe.[282] So schreiben z.B. Baumgartner-Karabak et al. (1978, S. 108ff.) als Beispiel für viele andere ähnliche Schilderungen der damaligen Zeit: „Die türkischen Mädchen in Deutschland möchten selbständig über ihr Leben entscheiden und kommen deshalb in große Konflikte mit den Eltern, die nach alter Tradition den Ehepartner für sie bestimmen wollen." Die Folge dieses Dilemmas sind nach diesen Darstellungen in vielen Fällen psychische Erkrankungen, die ihre Ursache in Spannungen zwischen den Erziehungsvorstellungen der Eltern und den Normen der deutschen Gesellschaft haben, wie sie König (1989, S. 377) beschreibt. „In einer Phase relativer Freiheit, zwischen Kindheit und Erwachsensein, und der

---

281 Siehe hierzu detaillierter Kapitel 10.
282 Diese Überlegungen folgen Boos-Nünning/Otyakmaz (2000, S. 60ff.). Zu der Problematisierung der Lebenssituation und der Orientierungen türkischer bzw. muslimischer Mädchen siehe auch Kapitel 3, Kapitel 7 sowie Kapitel 8.

Möglichkeit des Ausprobierens verschiedener Lebensformen sind türkische Mädchen im höchsten Maße unfrei. Häufig müssen sie frühzeitig die Schule abbrechen, sie arbeiten in der Fabrik oder üben andere ungelernte Tätigkeiten aus. Hinzu kommt die Hausarbeit, die Mitbetreuung der Geschwister und die Vorbereitung auf die Ehe, die Anfertigung der Aussteuer und das Erlernen der verschiedenen Hausarbeiten. Auf Grund dieser physischen und psychischen Überbelastung der Mädchen kann es schon relativ früh zu einer Anhäufung von körperlichen Symptomen kommen, die durch seelische Konflikte bedingt entstehen" (vgl. auch Dittmann/Kröning-Hammer 1986, S. 171).

In quantitativen und qualitativen Untersuchungen werden ähnliche migrationsspezifische Ursachen als Risikofaktoren angeführt. Vielfältige Belastungsfaktoren, die aus dem Migrationsprozess und aus der Lebenssituation ausländischer Kinder resultieren, werden dafür verantwortlich gemacht: das Aufwachsen in zwei Kulturen (oder zwischen zwei Kulturen); daraus entstehende Kulturkonflikte und Entwurzelungserscheinungen, wie auch insbesondere Stressfaktoren, die durch den Zwang zur Teilnahme an den beiden unterschiedlichen Kulturen aufkommen; oder Identitätsdiffusion aufgrund der Anforderungen aus unterschiedlichen Erziehungssystemen: dem traditionellen und autoritären der Eltern auf der einen und dem liberalen der deutschen Schulen auf der anderen Seite. Diese Identitätskonflikte manifestierten sich, so die Vertreter und Vertreterinnen dieser These, in der innerfamilialen Rollenverunsicherung, in einem zunehmenden Schulversagen, einer mangelnden Berufsausbildung und den daraus resultierenden schwereren psychischen Krisen und manifesten Störungen. Demnach folgen aus einem Identitätskonflikt mangelnde soziale Chancen und aus mangelnden sozialen Chancen schwere psychische Störungen (siehe die Auflistung von Untersuchungen bei Freitag 2000, S. 23ff.; Weiss 2003, S. 215ff.).[283] Später wird – auch in Rezeption der Kritik an der Kulturkonfliktthese – soziale Deprivation, die durch den geringen sozialen Status und die Diskriminierung als Ausländer und Ausländerinnen in Deutschland hervorgerufen wird, in den Mittelpunkt gestellt.

Auch heute werden Auffassungen über besondere Störungen – oft generalisiert auf alle Kinder mit Migrationshintergrund – vertreten und publiziert. Sie berufen sich auf Aussagen, wie sie bei Zimmermann (1995, S. 44) nachzulesen sind, dass ausländische Kinder und Jugendliche eine spezielle Risikopopulation darstellen. Zehn bis 15 Prozent seien als psychisch krank zu bezeichnen. Betroffen seien vor allem die ausländischen Mädchen, „bei denen – besonders durch die unterschiedlichen Sexualnormen – soziale Verhaltensobligationen wirksam werden, die sie von ihren deutschen (wesentlich freizügigeren) Altersgenossinnen entfernen. Die ängstlich überaktive Erziehungshaltung der Eltern, die häufig zu innerfamilialen Auseinandersetzungen führt, sowie die Isolierung von der deutschen Peer-Group, führen oft bei den Mädchen zu funktionellen Störungen wie Kopf- und Bauchschmerzen ohne organischen Befund, Herzsensationen und selbst zu massiven konversionsneurotischen Symptomen wie psychogenen Anfällen und psychogenen Lähmungen

---

283 Schwierig ist, dass in der Diskussion von psychischen und psychiatrischen Auffälligkeiten bei Jugendlichen mit Migrationshintergrund in der Literaturrezeption und den Schilderungen von Untersuchungsergebnissen die Reichweite der Ergebnisse zu wenig problematisiert werden (z.B. Ergebnisse auf der Grundlage von Inanspruchnahmepopulationen) und keine Relativierung nach dem Erhebungszeitraum erfolgt.

sowie vermehrt auch zu Suizidversuchen." (ebenda, S. 46, siehe auch Pourgholam-Ernst 2002, S. 48ff.).

Die These von den psychischen und psychiatrischen Störungen von Mädchen und jungen Frauen mit Migrationshintergrund wird aber durch empirische Untersuchungen nur scheinbar gestützt. Von Beginn der Migration an wurde versucht, durch qualitative Einzelfallstudien die besondere Belastung von Kindern von Arbeitnehmern und Arbeitnehmerinnen mit Migrationshintergrund als Folge der Migration zu belegen.[284] Untersuchungen, insbesondere solche, die sich auf Inanspruchnahmepopulationen von psychiatrischen Kliniken oder Beratungsstellen beziehen und die Alltagsdeutungen der Pädagogen und Pädagoginnen stimmen überein. Die auch durch Massenmedien gestützten Deutungen wurden in das Selbstverständnis der Beratungseinrichtungen der Instanzen übernommen; nahezu alle Berichte aus Beratungsstellen folgen der Vorstellung von einem hohen Krankheitsrisiko und von den durch das Aufwachsen „zwischen den Kulturen" entstehenden Konflikten der Mädchen.[285]

Die wenigen epidemiologischen Untersuchungen, die es bisher gibt, zeigen widersprüchliche Ergebnisse. Einige Untersuchungen (Steinhausen et al. 1990; Remschmidt/Walter 1990; Mansel/Hurrelmann 1993; Freitag 2000, S. 18f.) legen tatsächlich nahe, dass „Immigrantenkinder eine besondere Risikogruppe für das Entstehen psychischer Notsituationen" sind, die sich oft subklinisch als „diffuses Unbehagen, depressive Verstimmung, schulische Lern- und Leistungsprobleme, Verhaltensauffälligkeiten" manifestieren (ebenda). Diese Erhebungen arbeiten jedoch nicht mit parallelisierten Kontrollgruppen und speziell auf Reliabilität geprüften und auf Validität befragten Untersuchungsinstrumenten. Mädchen (und Jungen) mit türkischem Migrationshintergrund wurden vielmehr in einer Untersuchung mit anderer Fragestellung miterfasst.

Eine Reihe anderer Untersuchungen (Poustka 1984; Schlüter-Müller 1992) bestätigt psychische Belastungen von Kindern mit Migrationshintergrund, insbesondere von Mädchen mit türkischem Migrationshintergrund, nicht. Die Korrelation sozialer Variablen mit der psychiatrischen Belastung zeigen keinen entscheidenden Einfluss migrationsspezifischer Merkmale; die Untersuchung ermittelte vielmehr die Abhängigkeit psychiatrischer Störungen des Kindes von familiären Faktoren. Es

---

284 Besondere Bedeutung erlangte die Studie von von Klitzing (1983), in der er auf der Grundlage der Analyse von Krankengeschichten von 23 Kindern mit Migrationshintergrund deutliche migrationsspezifische Gefährdungen herausstellte. Er behauptet einen ursächlichen Zusammenhang zwischen migrationsspezifischen Variablen und dem Auftreten psychischer Störungen. Weitere mit kleinen Fallzahlen durchgeführte Untersuchungen bei Patientenpopulationen mittels quantitativer Erhebungsverfahren kommen zu ähnlichen Ergebnissen. Die Untersuchung von Dittmann und Kröning-Hammer (1986), in der autoaggressives Verhalten, Anpassungsreaktionen und emotionale Störungen bis hin zu Suizidversuchen bei 55 Prozent (das sind 10 von 18!) der untersuchten Mädchen mit türkischem Migrationshintergrund festgestellt wurden. Ähnliche Ergebnisse finden sich bei Grottian (1991), Dewran (1989), König (1989) und Bründel/Hurrelmann (1994). Die Schilderungen der Situation von Mädchen mit (hier türkischem) Migrationshintergrund, die eine stereotype Beschreibung an die andere reihen und eine Karikatur dieser Gruppe liefern, bedürfen keiner empirischen Daten (so Moré 1999).
285 Die Erziehungsberatungsstelle für türkische Mädchen in Köln schätzte schon 1982, dass die Zahl der verhaltensgestörten türkischen Kinder bei etwa 70 Prozent liege (nach Zimmermann 1984, S. 73). Besonders ausländische und hier wiederum türkische Mädchen sind diesen Angaben zufolge hochgradig psychisch und psychosomatisch gefährdet.

muss herausgestellt werden, dass diese wie auch die mit denselben Instrumenten aber longitudinal durchgeführte Untersuchung von Schlüter-Müller (1992) für Mädchen mit türkischem Migrationshintergrund weder besondere Belastungen noch spezifische Krankheitsbilder nachweist. Dass Mädchen türkischer Herkunft bezüglich der Körperbeschwerden keine signifikanten Unterschiede zu türkischen Jungen aufweisen, mit Ausnahme der Magensymptomatik, stellen Siefen et al. (1998, S. 137)[286] ebenso fest wie andere, neuere Untersuchungen, die (zumeist auf der Basis eines Samples türkischer Herkunft) darauf verweisen, dass die Zugehörigkeit zu einer ethnischen Minderheit oder das Vorliegen von Migrationserfahrungen nicht zwangsläufig zu Selbstwert- und Identitätsproblemen und anderen psychischen Beeinträchtigungen führen muss. Vielmehr müssen spezielle Rahmenbedingungen gegeben sein wie familiäre Konflikte, wiederholte Diskriminierungserfahrungen und andere Faktoren (ebenda, S. 180, vgl. auch die Befunde von Schmeling-Kludas/Boll-Klatt/Fröschlin 2002, S. 202)[287], um psychische Krankheiten auszulösen. Dass aus migrationsbedingten Faktoren nicht notwendigerweise Selbstwertbelastungen entstehen, die einen Risikofaktor für das Entstehen schwerer psychischer Störungen darstellen, belegt am Beispiel von Essstörungen auch die Untersuchung von Offermann (2001, S. 177). Sie weist durch einen Vergleich zwischen deutschen Mädchen und jungen Migrantinnen nach, dass beide einen vergleichbaren Selbstwert aufweisen und dass sich Migrantinnen genauso am hiesigen weiblichen Attraktivitätsideal orientieren wie die deutschen Schülerinnen (ebenda, S. 178f.).

Ähnliche, wenn auch in ihrer Anzahl deutlich weniger Beschreibungen und Untersuchungen liegen auch für andere als die türkische Herkunftsgruppe vor. Bereits eine Berliner Studie von Steinhausen/Remschmidt (1982) stellte anhand einer Elternbefragung bei griechischen und deutschen Eltern über ihre 8- bis 11-jährigen Kinder fest, dass die griechischen Kinder weniger hyperaktiv, dissozial, emotional gestört waren und weniger unter Kontaktstörungen sowie psychosomatischen Beschwerden als die deutsche Kontrollgruppe litten (ebenda, S. 349). In der Folge wurde dieser Befund immer wieder bestätigt. Goudiras (1997) wehrt auf der Basis seiner quantitativen Untersuchung bei Jugendlichen griechischer Herkunft ebenfalls die These von den starken psychischen Störungen ab und spricht stattdessen von psychischen Belastungen (ebenda, S. 396 ff.). Peponis (1994), die psychosomatische Belastungsindikatoren bei 342 griechischen und deutschen Jugendlichen im Alter von 12 bis 17 Jahren erforschte, stellte bei ihrem Vergleich der deutschen, griechischen Migranten und griechischen nicht-Migrierten Ähnliches fest. So konnten weder die mit dem Leben in zwei Kulturen verbundenen Stressoren als ausreichender Prädikator für Körperbeschwerden bei den Migrationsjugendlichen fungieren (ebenda, S. 78) noch die in der Migrationsliteratur oft vertretene größere Körperbeschwerdeanfälligkeit bei Migrationskindern im Vergleich zu Deutschen bestätigt werden. (vgl. auch Siefen/Brähler 1996 und zu griechischen und

---

286 Die Studie wurde in Anlehnung an die Untersuchung von Peponis (1994) bei jungen Deutschen, Türken (in Deutschland und der Türkei) und Griechen (in Deutschland und Griechenland) beiderlei Geschlechts durchgeführt.

287 Siehe dazu auch die Darstellung von Untersuchungsergebnissen bei jungen Spätaussiedlern aus Polen im Alter von 12-18 Jahren im Vergleich zu deutschen Jugendlichen (Loof, 2002), in denen ein vermehrtes Vorkommen von körperlichen Beschwerden nicht belegt wurde, wohl aber ein geschlechtsspezifischer Effekt, wobei die weiblichen Versuchspersonen beider Gruppen deutlich höhere Belastungswerte aufweisen (ebenda, S. 268; siehe auch Siefen 2002).

Aussiedlerjugendlichen siehe Siefen/Peponis/Loof 1998, S. 69). Für die von Freitag (2000, S. 89f.) untersuchten Abiturienten und Abiturientinnen ließen sich weder eine gemessen an den deutschen Jugendlichen höhere Verhaltensauffälligkeit noch Risikofaktoren aus kulturellen Unterschieden nachweisen.

Anders Portera (1995, 1996, 1998), der mittels Daten aus Einzelfallstudien folgert, dass bei den Jugendlichen „die Migration zunächst nur zu einer weiteren Einschränkung der Befriedigung der eigenen Grundbedürfnisse führt" (Portera 1995, S. 219). In der Abwägung von Chancen und Risiken der Identitätsbildung unter Migrationsbedingungen bei Jugendlichen italienischer Herkunft kommt er zu dem Schluss, dass es vor allem Probleme fehlender gesellschaftlicher Anerkennung seien, die eine stabile Identitätsentwicklung der Jugendlichen behinderten (1996, S. 56), eine stabile Identität könnten die Jugendlichen dort entwickeln, wo sie keinem Assimilationsdruck ausgesetzt seien.

Als Folge der nicht-Beachtung dieser durchaus widersprüchlichen Befunde früherer empirischer Studien ist auch in neueren Untersuchungen nach wie vor das eingangs geschilderte Stereotyp von den durch die Migrationssituation psychisch besonders belasteten Mädchen und jungen Frauen verbreitet. Die Widersprüchlich-keit weiblicher Lebenslagen, der die Mädchen und jungen Frauen mit Migrations-hintergrund in besonderer Weise ausgesetzt seien, beschreibt z.B. Jesse (2002, S. 304f.) wie folgt: „Die mit der Pubertät einsetzende Sensibilisierung für den eigenen Körper führt bei Mädchen häufig zu Lebensunsicherheit und unklaren Perspektiven: Auf der einen Seite fühlen sie sich im Unterschied zu ihren männlichen Geschlechtsgenossen der traditionellen Frauenrolle verpflichtet, die überwiegend durch Hausarbeit und Kindererziehung definiert ist, auf der anderen Seite möchten aber auch sie Perspektiven für Ausbildung, Beruf und sozialen Aufstieg entwickeln. Aus dieser Spannung zwischen der traditionellen Frauenrolle und den beruflichen Orientierungen ergeben sich Rollenkonflikte, die ein enormes Ausmaß an Be-wältigungsflexibilität erfordern. Viele junge Frauen fühlen sich durch diese Anfor-derungen überfordert und reagieren mit Ohnmachts- und Hilflosigkeitsgefühlen, möglicherweise ein Grund, weshalb gerade in dieser Phase relativ häufig psycho-somatische Beschwerden auftreten."

Mädchen und junge Frauen mit Migrationshintergrund wären demnach einem doppelten Risiko ausgesetzt, psychisch belastet zu sein – als Jugendliche mit Migra-tionshintergrund und als Frauen. So meint auch Schmidt-Koddenberg (1999, S. 84): „Im Hinblick auf psychosomatische Reaktionen bei Migrantinnen lassen sich vor allem zwei gesellschaftliche Bündel an Stressoren anführen: zum einen die beson-dere Belastung der Migrationssituation für die Frau und zum anderen die Erwar-tungen an die weibliche Geschlechtsrolle." Beide Thesen müssen kritisch hinterfragt werden.

In der hier skizzierten, kontroversen Diskussion mit differenzierten Forschungs-ergebnissen soll die Untersuchung bei Mädchen und jungen Frauen mit Migrations-hintergrund einige Akzente setzen und einige Thesen überprüfen. Im Bereich der psychischen Dispositionen sollen die allgemeine Zufriedenheit mit der Lebens-situation, psychosomatische Auffälligkeit, psychische Stabilität, Kontrollüber-zeugungen und Belastungen durch kritische Lebensereignisse untersucht werden.

9.3.2 Zufriedenheit mit Aspekten der Lebenslage

Die Mädchen selbst sehen sich nicht als depriviert und chancenlos an. Ein relativ großer Anteil ist mit der Lebenslage in vier angesprochenen Aspekten „sehr zufrieden" oder „zufrieden"; relativ wenige sind „nicht zufrieden" oder „gar nicht" zufrieden:

Tabelle 9.24: Zufriedenheit mit Lebenslagen (in Prozent)

	sehr zufrieden	zu- frieden	teil-teils	nicht zufrieden	gar nicht zufrieden	Gesamt
schulisch und beruflich Erreichtes	18	38	36	4	4	100 (950)
finanzielle Situation	12	35	40	8	5	100 (950)
Wohngegend	25	39	24	8	4	100 (950)
Menge an Freizeit	20	29	29	14	8	100 (950)

„Sehr zufrieden" und „zufrieden" sind 64 Prozent mit der Wohngegend, 56 Prozent mit dem schulisch und beruflich Erreichten, 49 Prozent mit der Freizeit und 47 Prozent mit der finanziellen Situation. Eine große Zahl wählt darüber hinaus die Kategorie „teils-teils".

In der Auswertung der einzelnen Felder zeigt sich, dass Mädchen mit griechischem und jugoslawischem Hintergrund mit dem schulisch und beruflich Erreichten deutlich zufriedener, die mit türkischem Hintergrund sowie Aussiedlerinnen deutlich unzufriedener sind. In der Bewertung der finanziellen Situation sind die Mädchen aus Aussiedlerfamilien unzufriedener und die Mädchen mit italienischem und griechischem Hintergrund zufriedener als die übrigen. Bei insgesamt höheren Anteilen zufriedener Mädchen gilt Gleiches für die Wohngegend. Die Zufriedenheit in den Bereichen spiegelt die tatsächliche Lebenssituation (siehe Kapitel 2 dieser Studie) wider. Bei der Interpretation der Daten muss berücksichtigt werden, dass es kaum Mädchen und jungen Frauen gibt, die unzufrieden sind.[288]

Die vertiefenden Fragen nach der Wohngegend bestätigen auf der einen Seite, dass die meisten Mädchen aller Herkunftsgruppen sich in ihrer nächsten Umgebung wohl fühlen und nur ein Viertel lieber in einer anderen Gegend wohnen würde. Dennoch werden Mängel wahrgenommen: Häufige Konflikte zwischen Deutschen

---

288 Bezogen auf die türkische Befragtengruppe ermitteln auch Heitmeyer et al. (1997, S. 102f.) die Tendenz zur relativ hohen Lebenszufriedenheit bei türkischen Jugendlichen, wobei ihre Daten keinen Vergleich mit anderen nationalen Gruppen ermöglichen. Sie ermittelten die „Zufriedenheit in der Privatsphäre", „Zufriedenheit mit Kultur/Religion" und „Zufriedenheit in Schule/Beruf". Zentrales geschlechterübergreifendes Ergebnis ist, dass über 90 Prozent der Befragten mit ihren Beziehungen zu anderen Menschen zufrieden sind. Etwas weniger zufrieden zeigten sie sich mit der Wohnsituation und (81%) und den kulturellen/religiösen Möglichkeiten (70%). Am wenigsten Zufriedenheit herrscht mit den eigenen schulischen oder beruflichen Leistungen, aber immerhin 69 Prozent erweisen sich auch hier noch als sehr bzw. zufrieden. Die Autoren zeigen sich verwundert über die hohen Werte der Zufriedenheit mit den Möglichkeiten, das eigene Leben nach den eigenen Vorstellungen führen zu können (80%) angesichts der objektiv betrachtet sozio-ökonomisch problematischen Rahmenbedingungen.

und Migranten werden tendenziell stärker von Mädchen mit italienischem Hintergrund wahrgenommen, allerdings auf niedrigem Niveau (12% dieser Gruppe), Probleme mit Drogen, Alkohol und Gewalt werden weniger wahrgenommen von Mädchen mit Aussiedlerhintergrund, stärker von Mädchen mit türkischem Hintergrund. Kontakte zwischen Deutschen und Migranten bzw. Migrantinnen werden deutlich seltener von Mädchen mit Aussiedlerhintergrund als gut beschrieben. Hinsichtlich der grundsätzlich positiven Beurteilung der Wohngegend zeigt sich kein Unterschied nach der Wohnregion Stadt oder Land oder dem Wohnen im Osten oder im Westen Deutschlands.

Vergleichsdaten bietet der DJI-Ausländersurvey (Weidacher 2000b, S. 131f.), erweitert um die Perspektive der altersgleichen deutschen Bevölkerung. Festgestellt wird eine national und Geschlechtergruppen übergreifende hohe allgemeine Lebenszufriedenheit, die sich vor allem in hohen Zustimmungswerten zur Möglichkeit, das eigene Leben zu gestalten, (je nach Gruppe 70 bis 80%) ausdrückt. Während italienische und griechische Befragte in allen Bereichen ähnliche Einstellungen aufweisen, äußern sich die türkischen Befragten im Herkunftsgruppenvergleich jedoch besonders unzufrieden mit der Möglichkeit politischer Einflussnahme und der Wahrnehmung von Rechten und Pflichten. Westdeutsche Befragte liegen in den meisten Bereichen vor den türkischen jedoch hinter den italienischen und griechischen Befragten, was ihre Zufriedenheit mit den Möglichkeiten der Lebensgestaltung in verschiedenen Lebensbereichen anbelangt. Festgestellt wird darüber hinaus eine bipolare Ausprägung des Zusammenhangs zwischen Unzufriedenheit und Bildung bei türkischen Befragten. Anders als in den anderen Gruppen steigt die Zufriedenheit nicht mit der Bildung, sondern es gibt sowohl auf dem unteren wie auf dem oberen Bildungsniveau eine Konzentration von Unzufriedenen.

In der hier vorgelegten Untersuchung hängt die Zufriedenheiten in den verschiedenen Feldern mit Ausnahme von Schule und Freizeit zusammen, so dass sich ein Index „Zufriedenheit" bilden lässt (zur Instrumentenkonstruktion siehe Anhang):

Tabelle 9.25: Zufriedenheit (Index) (in Prozent)

| | Migrationshintergrund | | | | | Gesamt | |
	Aussiedl.	griech.	ital.	jugosl.	türk.		
Gesamt	(200)	(182)	(183)	(172)	(213)	100	(950)
sehr zufrieden	8	24	20	22	15	17	(164)
zufrieden	30	31	35	28	27	30	(287)
teilweise zufrieden	29	28	26	23	35	29	(271)
weniger/nicht zufrieden	33	17	19	27	23	24	(228)

C = .20   p = .00

Mädchen aller Herkunftsgruppen sind trotz der aufgezeigten Unterschiede mit den vier Aspekten der Lebenslage zufrieden und bewerten ihre Lebensbedingungen insgesamt als positiv. Wie auch die Einzelauswertungen ergeben, sind mehr Mädchen und junge Frauen aus Aussiedlerfamilien „weniger" oder „nicht zufrieden" und weniger „sehr zufrieden" oder „zufrieden" als bei den übrigen. Tendenziell zufriedener sind Mädchen und junge Frauen mit griechischem Hintergrund, was mit den Ergebnissen des DJI-Ausländersurveys (Weidacher 2000b, S. 132) korrespondiert.

9.3.3 Psychosomatische Auffälligkeiten

Die These von den psychosozialen Kosten, die Migranten und Migrantinnen und ihre Kinder und Kindeskinder für die Wanderung bezahlen müssen, gehört – wie vorne ausgeführt – zu den Standardaussagen einer „Psychiatrie der Migration". In der Untersuchung weisen die Selbstaussagen der Mädchen mit Migrationshintergrund nicht auf Auffälligkeiten eines großen Teils hin, nur wenige leiden „sehr oft" oder „oft" unter verschiedenen psychosomatischen Beschwerden, eine beachtliche Zahl – 65 Prozent – weist keinerlei Beschwerden auf, 24 Prozent nennen eine und elf Prozent zwei und mehr Beschwerden („sehr oft" und „oft"). Nach der Art der Beschwerden werden genannt:

Tabelle 9.26: Psychosomatische Beschwerden (in Prozent)

N = 950	sehr oft	oft	manchmal	selten	nie	arith. Mittel*
Konzentrations-schwäche	4	7	30	32	27	3,7
Schlafstörungen	5	9	18	26	42	3,9
Fingernägel kauen	6	5	9	9	71	4,3
Asthma	1	1	1	2	95	4,9
Heuschnupfen/ Allergien	4	5	8	11	72	4,4

* Das arithmetische Mittel kann einen Wert zwischen 1 „sehr oft" und 5 „nie" annehmen.

Heuschnupfen/Allergien und Asthma gehören zu einer Symptomatik (r = .38) wie auch Konzentrationsschwäche, Schlafstörungen (r = .33) und etwas weniger das Kauen der Fingernägel (r = .15/r = .08)[289].

---

289 In der Faktorenanalyse laden die ersten drei Beschwerden auf einem Faktor; die letzten zwei auf einem Zweiten. Da Asthma bei 96 Prozent der Befragten nie vorkommt, werden sie in den weiteren Auswertungen nicht berücksichtigt.

Eine Auflistung der Beschwerden nach Herkunft bietet folgendes Gesamtbild:

Graphik 9.4:   Psychosomatische Beschwerden

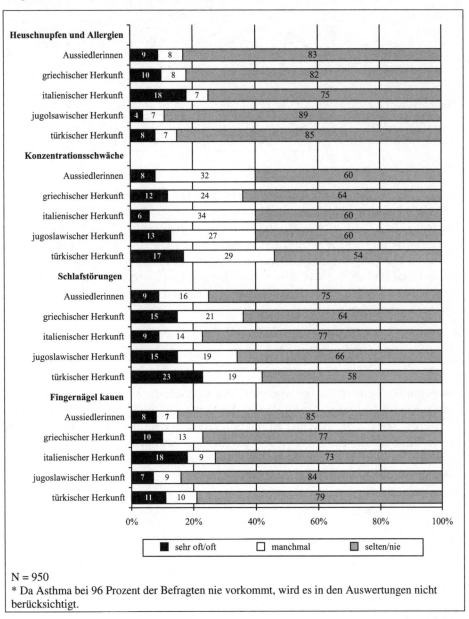

N = 950
* Da Asthma bei 96 Prozent der Befragten nie vorkommt, wird es in den Auswertungen nicht berücksichtigt.

Aus den Angaben zu psychosomatischen Beschwerden lässt sich ein Index „Konzentrations- und Schlafstörungen" (zur Instrumentenkonstruktion siehe Anhang) entwickeln. In der herkunftsspezifischen Auflistung zeigen sich deutliche Unterschiede zwischen der türkischen Herkunftsgruppe und den übrigen:

Tabelle 9.27: Konzentrations- und Schlafstörungen (Index) (in Prozent)

| | Migrationshintergrund | | | | | Gesamt |
	Aussiedl.	griech.	ital.	jugosl.	türk.	
Gesamt	(200)	(182)	(183)	(172)	(213)	100 (950)
stärker vorhanden (sehr stark/stark)	18	24	21	24	32	24 (227)
etwas vorhanden (mittelmäßig)	29	32	31	27	29	30 (282)
kaum vorhanden (weniger/gar nicht)	53	44	48	49	39	46 (441)

C = .18   p = .01

Stärker als in den anderen Befragtengruppen sind Konzentrations- und Schlaf-störungen bei den Mädchen und jungen Frauen mit türkischem Hintergrund vor-handen (32%). Am wenigsten sind die Aussiedlerinnen betroffen, lediglich 18 Prozent geben an, diese seien „stärker vorhanden". Die drei Befragtengruppen der Mädchen und jungen Frauen mit griechischem, italienischem und jugoslawischem Hintergrund weisen ein sehr übereinstimmendes Profil von größtenteils nicht von diesen Beschwerden Betroffenen (44% griechischer Herkunft bis 49% jugosla-wischer Herkunft) auf.

9.3.4   Psychische Stabilität

Aufgrund der vorne wiedergegebenen Diskussion um die Krisen, die Wanderungen oder sogar Wanderungen der Eltern und das Leben in Migrationsfamilien bei jungen Menschen, insbesondere Mädchen mit Migrationshintergrund hervorrufen können, ist ein Blick auf die Einschätzung der psychischen Stabilität und damit des Lebens-gefühles der Befragten von Bedeutung. Überwiegend stellt sich dies anhand der folgenden Tabelle positiv dar, allerdings mit hohen Anteilen in der Antwortkate-gorie „teilweise":

Tabelle 9.28: Psychische Stärke (in Prozent)

N = 950	stimme voll zu	stimme eher zu	stimme teilweise zu	stimme weniger zu	stimme gar nicht zu	arith. Mittel*
ich fühle mich meist ziemlich fröhlich	26	39	28	6	1	2,2
ich sehe die guten Seiten des Lebens	17	38	34	10	1	2,4
ich bin eine glückliche Person	21	36	31	10	2	2,4
ich habe viel Power	20	30	37	11	2	2,4
ich bin selten richtig gut drauf	4	9	19	52	17	3,7
verglichen mit Freundinnen denke ich weniger positiv über das Leben	5	12	25	37	21	3,6
ich fühle mich oft einsam	5	9	19	38	29	3,8
ich bin oft traurig	6	9	27	43	15	3,5

* Das arithmetische Mittel kann einen Wert zwischen 1 „stimme voll zu" und 5 „stimme gar nicht zu" annehmen.

In allen Fragen zeigt die überwiegende Zahl ein positives Selbstbild mit relativ geringen Unterschieden nach Migrationshintergrund, stets aber in derselben Richtung: Die Mädchen und jungen Frauen aus Aussiedlerfamilien geben sich etwas seltener fröhlich und glücklich, fühlen sich häufiger einsam als die übrigen, gefolgt von den Mädchen mit türkischem Hintergrund. Die folgende Graphik verbildlicht diese Aussage (s. Grafik 9.5).

Die Items laden auf einer Dimension und sind einer Skala zuzuordnen (zur Instrumentenkonstruktion siehe Anhang).

In den besonderen Ausprägungen der Aussiedlerinnen und Befragten mit türkischem Hintergrund zeigen sich Parallelen zu den bereits referierten Ergebnissen hinsichtlich der etwas geringeren Lebenszufriedenheit dieser beiden Gruppen im Vergleich zu den restlichen drei. Die Ergebnisse entsprechen zwar, insgesamt betrachtet keineswegs dem Krisenbild, das in der Literatur und in den Alltagsdeutungen zur psychischen Stabilität der Mädchen mit Migrationshintergrund produziert wird. Sie belegen aber auch, dass es eine kleine, aber nicht unerhebliche Zahl (9 bis 18%) von Mädchen mit Migrationshintergrund gibt, die sich selbst als psychisch belastet definiert.

Graphik 9.5: Psychische Stärke/Positive Stimmung (arithmetisches Mittel)*

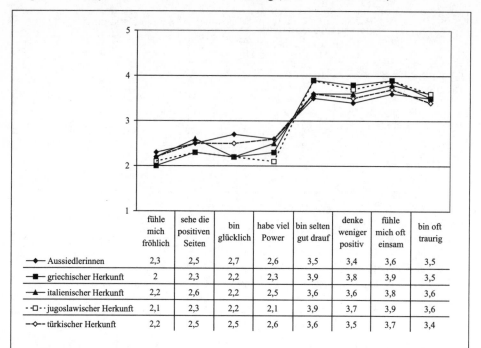

	fühle mich fröhlich	sehe die positiven Seiten	bin glücklich	habe viel Power	bin selten gut drauf	denke weniger positiv	fühle mich oft einsam	bin oft traurig
—♦— Aussiedlerinnen	2,3	2,5	2,7	2,6	3,5	3,4	3,6	3,5
—■— griechischer Herkunft	2	2,3	2,2	2,3	3,9	3,8	3,9	3,5
—▲— italienischer Herkunft	2,2	2,6	2,2	2,5	3,6	3,6	3,8	3,6
- -□- · jugoslawischer Herkunft	2,1	2,3	2,2	2,1	3,9	3,7	3,9	3,6
—◇— türkischer Herkunft	2,2	2,5	2,5	2,6	3,6	3,5	3,7	3,4

N = 950
* Das arithmetische Mittel kann einen Wert zwischen 1 „stimme voll zu" und 5 „stimme gar nicht zu" annehmen.

9.3.5 Interne oder externe Kontrollüberzeugungen

Darstellungen über die familiale Sozialisation in Migrationsfamilien vermitteln häufig das Bild einer auf Passivität und auf äußere Kontrolle ausgerichteten Erziehung der Mädchen durch ihre Eltern.[290] Dieses Erziehungsmuster wird im Gegensatz zu den in der Postmoderne üblichen und für diese Gesellschaften funktionalen Formen der internen Kontrolle gesehen. „Interne Kontrolle bezieht sich auf die innere Überzeugung, positive (später auch negative) Ereignisse seien eine Konsequenz eigener Handlungen und somit persönlicher Verantwortung unterworfen. Menschen mit externen Kontrollüberzeugungen meinen hingegen, hilflos, ausgeliefert, von anderen Menschen oder Mächten abhängig zu sein" (so Schepker 1995, S. 11). Interne Kontrolle verbindet sich mit Vorstellungen von Selbstregulierung und Innenlenkung und damit auch mit der Autonomie des selbstverantwortlich handelnden Individuums in der Moderne, externe Kontrolle hingegen wird in Zusammenhang gebracht mit Außenlenkung und Passivität und damit der Lokalisierung von Ursachen für Erfolg oder Misserfolg außerhalb der eigenen Handlungsmöglichkeiten.

---

290 Vgl. hierzu Ausführungen zu der erfahrenen familiären Erziehung und den eigenen Erziehungsvorstellungen der Befragten in Kapitel 3 sowie Kapitel 7.

Das Konzept der Kontrollüberzeugungen wurde vor allem in der Psychiatrie entwickelt und in transkulturellen Untersuchungen sowie im Zusammenhang mit belastenden Lebensereignissen empirisch geprüft (eine Zusammenfassung der Untersuchungen bei Schepker 1995, S. 11ff.).[291] Schepker stellt in ihrer Untersuchung bei 13- bis 19-jährigen Jugendlichen fest, dass Mädchen mit türkischem Hintergrund sich nicht externaler attribuieren als Jungen derselben Ethnie, d.h. sie haben nicht häufiger als diese ein an Außenlenkung orientiertes Wertsystem. Allerdings sind Jugendliche mit türkischem Hintergrund in einzelnen Untergruppen des Tests (Magie, Selbst und Familie), nicht aber in anderen (Peers sowie Schule und Leistung) stärker an Außenkontrolle orientiert als die deutsche Vergleichsgruppe. Schreiber, die 1995 14- bis 16-jährige deutsche Mädchen (26) und Mädchen mit türkischem Hintergrund (39) an Berliner Schulen befragte, stellte einen signifikanten Unterschied in dem Gesamtwert der allgemeinen Kontrollüberzeugung fest (2001, S. 71), nicht aber in den Untertests. Die Ergebnisse beider Untersuchungen sprechen gegen die Alltagsdeutungen, dass türkische Mädchen ein „passives Bewältigungsverhalten" zeigen und sich ihr Verhalten in „Gehorsamkeit, Duldsamkeit und Zurückhaltung" äußere und dass sie „im Vergleich zu Jungen eingeschränkte Möglichkeiten im sozialen Handeln" hätten (so ausgeführt bei Dewran 1989, S.XIIf.; Dittmann/Krönig-Hammer 1986). Allerdings lokalisieren Jugendliche türkischer Herkunft stärker als die deutschen Gleichaltrigen Ursachen für Erfolg und Misserfolg außerhalb der eigenen Handlungsmöglichkeiten (Schepker 1995, S. 57).

Die hier vorgelegten Daten zu Kontrollüberzeugungen belegen die Tendenzen in den beiden zitierten Untersuchungen und zeigen, dass die Mehrheit der Mädchen mit Migrationshintergrund den Aussagen zustimmt, welche die eigene Verantwortung betonen und damit auf eine internale Kontrolle hinweisen, und die Aussagen ablehnen, welche die Außenlenkung und damit eine externale Kontrolle in den Mittelpunkt stellen.

Es gibt aber auch Bereiche, in denen eine unentschiedene Haltung, die nicht eindeutig einer internalen oder externalen Orientierung zuzuordnen ist, eine wichtige Rolle spielt. Fast ein Drittel der Befragten hat diese Haltung bei den Aussage „Erfolg hängt weniger von Leistung ab als von Glück", „Ich habe häufig das Gefühl, dass ich wenig Einfluss darauf habe, was mit mir geschieht" und „bei wichtigen Entscheidungen nehme ich mir oft andere zum Vorbild".

---

291 Menschen muslimischer Religion wird zugeschrieben, Ursachen und Kontrollattributionen eher external vorzunehmen. Özelsel (1990, S. 32) führt dies auf eine externalisierende Kultur in der Türkei zurück, in der Erziehung und die Einhaltung von Verboten und Vorschriften nicht nur durch die Familie sondern auch durch das weitere soziale Umfeld geregelt und durch strenge Kontrolle der situativen Faktoren dafür Sorge getragen wird, dass gegen allgemein gültige Verhaltensnormen nur unter größten Schwierigkeiten verstoßen werden kann.

Tabelle 9.29: Kontrollüberzeugungen (in Prozent)

N = 950	internal[292]	external[293]	unentschieden[294]
ich übernehme gerne Verant-wortung (+)	68	8	24
ich finde es besser, Entscheidungen selbst zu treffen, als mich auf das Schicksal zu verlassen (+)	78	4	18
bei Problemen finde ich meist Mittel und Wege, um sie zu lösen (+)	67	6	27
Erfolg hängt weniger von Leistung ab als von Glück (-)	50	21	29
ich habe häufig das Gefühl, dass ich wenig Einfluss darauf habe, was mit mir geschieht (-)	51	19	30
bei wichtigen Entscheidungen nehme ich mir oft andere zum Vorbild (-)	40	29	31

Nur bei drei der Items sind Unterschiede nach Herkunft vorhanden.

Tabelle 9.30: Übernahme von Eigenverantwortung (in Prozent)

	Migrationshintergrund					Gesamt
	Aussiedl.	griech.	ital.	jugosl.	türk.	
Gesamt	(200)	(182)	(183)	(172)	(213)	100 (950)
Ich übernehme gerne Verantwortung (+)						
internal	58	77	68	73	65	68 (644)
external	12	4	11	6	10	8 (81)
unentschieden	30	19	21	21	25	24 (225)
Bei Problemen finde ich meist Mittel und Wege, um sie zu lösen (+)						
internal	60	77	68	68	63	67 (635)
external	10	3	2	7	9	6 (60)
unentschieden	30	20	30	25	28	27 (255)
Bei wichtigen Entscheidungen nehme ich mir oft andere zum Vorbild (–)						
internal	39	43	43	38	39	40 (380)
external	31	26	29	25	32	29 (276)
unentschieden	30	31	28	37	29	31 (294)

292 Bei auf Internalität hin formulierten Items (+) „voll" oder „eher" einverstanden; bei auf Externalität hin formulierte Items (–) „weniger" oder „gar nicht" einverstanden.
293 Bei auf Internalität hin formulierten Items (+) „weniger" oder „gar nicht" einverstanden; bei auf Externalität hin formulierte Items (–) „voll" oder „eher" einverstanden.
294 „teilweise einverstanden".

Deutlich wird, dass in den differenzierenden Statements die Mädchen aus Aussiedlerfamilien, gefolgt von denen mit türkischem Hintergrund zwar überwiegend aber dennoch etwas seltener internal und häufiger external orientiert sind als Mädchen mit anderen Hintergründen.

Die Interkorrelationen belegen, dass die sechs Items nicht als einheitliches Konstrukt wahrgenommen werden:

Tabelle 9.31: Interkorrelationsmatrix (r)

		1	2	3	4	5	6
1	ich übernehme gerne Verantwortung (+)						
2	ich finde es besser, Entscheidungen selbst zu treffen als mich auf das Schicksal zu verlassen (+)	.20**					
3	bei Problemen finde ich meist Mittel und Wege, um sie zu lösen (+)	.28**	.27**				
4	Erfolg hängt weniger von Leistung ab als von Glück (–)	-.05	-.07*	-.02			
5	ich habe häufig das Gefühl, dass ich wenig Einfluss darauf habe, was mit mir geschieht (–)	-.09**	-.11**	-.22**	.22**		
6	bei wichtigen Entscheidungen nehme ich mir oft andere zum Vorbild (–)	-.05	-.09**	.02	.08*	.10**	

Mit * gekennzeichnete Werte sind auf dem α = .05 Testniveau signifikant von Null verschieden.
Mit ** gekennzeichnete Werte sind auf dem α = .01 Testniveau signifikant von Null verschieden.
N = 950

Die Aussagen, die den Erfolg der eigenen Leistung zuschreiben und die auf eine Orientierung am Vorbild anderer Personen verweisen, zeigen nur einen geringen Zusammenhang mit den anderen Aussagen. Nur aus den ersten drei Aussagen lässt sich ein Index „Selbstverantwortung" (zur Instrumentenkonstruktion siehe Anhang) bilden. Es sind die Mädchen und jungen Frauen mit griechischem Hintergrund, die die eigene Verantwortung häufiger als andere in den Mittelpunkt stellen, dagegen weniger die Mädchen und jungen Frauen mit türkischem und italienischem Hintergrund sowie die Mädchen und jungen Frauen aus Aussiedlerfamilien.

Tabelle 9.32: Selbstverantwortung (Index) (in Prozent)

| | Migrationshintergrund | | | | | Gesamt |
	Aussiedl.	griech.	ital.	jugosl.	türk.	
Gesamt	(200)	(182)	(183)	(172)	(213)	100 (950)
sehr stark	16	36	17	25	18	22 (210)
stark	34	33	42	38	36	36 (347)
eher schwach	32	26	28	28	33	30 (281)
sehr schwach	18	5	13	9	13	12 (112)

C = .21   p = .00

Der Index verdeutlicht die sich bereits zuvor in den Einzeldaten abzeichnende Tendenz, dass eine überwiegende Bereitschaft besteht, Selbstverantwortung zu übernehmen, jedoch ein Viertel bis ein Drittel der Befragten hier eine unentschiedene Position (Kategorie „eher schwach") einnehmen. Deutlich ist allerdings, dass die Ablehnung der Übernahme von Selbstverantwortung einen deutlich geringeren Teil der Befragten kennzeichnet (18 % der Aussiedlerinnen bis 5% der Befragten mit italienischem Hintergrund).

Resümierend kann für den Bereich der psychischen Stabilität festgehalten werden, dass die Vorstellung der psychisch belasteten und hilflosen Mädchen mit Migrationshintergrund, die „wenig Zukunftsperspektiven und kaum Möglichkeiten zur aktiven Lebensgestaltung" haben und „vielfach ihrer Situation hilflos ausgeliefert" seien (Dittmann/Krönig-Hammer 1986; König 1989) durch unsere Daten zum wiederholten Male widerlegt ist. Mädchen mit Migrationshintergrund werden in ihren Gestaltungsmöglichkeiten der – objektiv von ungünstigen Faktoren beeinflussten – Lebenswelt oft unterschätzt.

9.3.6   Belastungen durch kritische Lebensereignisse

Dimensionen kritischer Lebensereignisse

Mädchen und jungen Frauen mit Migrationshintergrund sind überwiegend psychisch stark, an Selbstverantwortung orientiert und mit ihren Lebensbedingungen im Großen und Ganzen zufrieden. Dennoch ist anzunehmen, dass einige von ihnen Ereignisse erlebt haben, die besondere Anforderungen an ihre psychische Verarbeitung stellen. Solche Situationsdarstellungen werden als „kritische Lebensereignisse" bezeichnet, die häufig Bestandteil von Untersuchungen zur Beschreibung von Lebenslagen sind, denn kritische Lebensereignisse sind „(...) nicht-normative Einschnitte in den Lebenslauf, die Neuorientierungen und die Bewältigung von Verlusten und neuen Anforderungen verlangen. Solche Ereignisse können Veränderungen sozialer Rollen, persönlicher Ziele und Wertungsprioritäten sowie Aufbau neuer Fähigkeiten, neuen Wissens, neuer Haltungen und neuer Sozialbeziehungen erfordern. Ereignisse wie diese generieren meist multiple Probleme, die entweder als Herausforderungen wahrgenommen werden und die Chance für positive Entwicklungen darstellen oder als Risiken für Fehlanpassungen und Störungen wirken" (Oerter/Montada 1995, S. 68).

In Anlehnung an Fragebatterien, die in neueren Untersuchungen bei Jugendlichen mit Migrationshintergrund verwendet wurden (Heitmeyer/Müller/Schröder 1997; Strobl/ Kühnel 2000)[295] werden 18 mögliche kritische Lebensereignisse aufgelistet. Es wird in einem ersten Schritt gefragt, welche dieser Situationen erlebt wurde und in einem zweiten Schritt der Grad der Belastung durch dieses Erleben auf der Grundlage einer fünfstufigen Skala ermittelt.

Einige Items beziehen sich auf spezielle Erfahrungen, die Migranten und Migrantinnen betreffen. Dies sind zum Beispiel die Benachteiligung durch Angehörige der Mehrheitsgesellschaft und migrationstypische Lebenseinschnitte wie mehrfache Schulwechsel, Umzüge, Ausreise nach Deutschland oder ein längerer Aufenthalt im Herkunftsland. Zunächst ohne Berücksichtigung der Belastung betrachtet spielen sich kritische Ereignisse in verschiedenen Lebensbereichen ab.

Am häufigsten genannt werden von den Befragten Streitigkeiten in der Familie (72%), an zweiter und dritter Stelle der erlebten kritischen Lebensereignisse steht mit 58 bzw. 55 Prozent Nennungen die Trennung vom Partner und der Verlust einer wichtigen Person. Die Ausreise nach Deutschland und das Sitzenbleiben wird von jeweils ca. 40 Prozent genannt, jeweils ca. 30 Prozent haben erlebt, in der Schule verboten zu bekommen, die Herkunftssprache zu sprechen bzw. dass die Eltern arbeitslos wurden. Jeweils ein Viertel bis ein Fünftel der Befragten hat erlebt, wegen der Herkunft auf einem Amt oder im Geschäft (24%) schlechter behandelt worden zu sein, Schwierigkeiten bei der Suche nach einem Ausbildungs- oder Arbeitsplatz gehabt zu haben (23%), wegen der Herkunft im Bus oder der in Bahn „angemacht" zu werden (22%), wegen der Herkunft in Schule oder Ausbildung (22%) schlecht behandelt worden zu sein. Es folgen in dieser Rangfolge mit zehn bis 15 Prozent der Nennungen das Erlebnis der Scheidung oder Trennung der Eltern (13%), längere Aufenthalte im Herkunftsland (15) sowie der Abbruch der Schulausbildung (10%). Am seltensten als erlebte kritische Ereignisse werden genannt Veränderungen im Ausbildungs- bzw. Arbeitsverhältnis (9%), eigene Arbeitslosigkeit (7%) und in Bus/ Bahn/Straße wegen der Herkunft körperlich angegriffen zu werden (4%).

Heitmeyer/Müller/Schröder (1997, S. 51), die nur die Gruppe der türkischen Jugendlichen zu Belastungen in unterschiedlichen Lebensbereichen befragt haben, gehen davon aus, dass „die Erfahrung von schwierigen und konflikthaften Situationen sowie der persönliche Umgang damit unter sozialisationstheoretischem und entwicklungspsychologischem Blickwinkel zu zentralen Elementen des Entwicklungsprozesses im Jugendalter gehören". Eine detaillierte Auswertung der Ergebnisse erfolgt jedoch nicht.[296] Der Auflistung der Belastungssituationen ist zu entnehmen, dass auch in der genannten Untersuchung die häufigsten kritischen Lebenssituationen und die stärksten Belastungen auf der Ebene der persönlichen Verluste zu finden sind, wie z.B. „Tod eines/r Familienangehörigen", „Tod eines/r wichtigen Freundes/Freundin" sowie „Abbruch einer wichtigen Freundschaft". Ebenso bedeut-

---

295 Ein Teil der Items wurden aus diesen Studien übernommen, einige wurden modifiziert, um sie unserer Befragungsgruppe besser anzupassen und andere, wie z.B. die Items zu Wahrnehmung von Benachteiligung, neu entwickelt.

296 Die Autoren konzentrieren sich – gemäß des Fokus der Untersuchung, der auf extremistischen Orientierungen lag – in diesem Zusammenhang lediglich auf die Betonung der Tatsache, dass 36 Prozent der Jugendlichen türkischer Herkunft „Ärger mit der Polizei" hatten und 29 Prozent von ihnen dies als stark bzw. sehr stark belastend empfanden (Heitmeyer/Müller/Schöder 1997, S. 53).

sam als stark belastend erlebte Ereignisse waren diejenigen, die mit der Schule oder Ausbildung in Beziehung stehen, wie „Schwierigkeiten einen Ausbildungsplatz zu finden" und „Sitzen bleiben in der Schule" (ebenda). Die Ergebnisse wurden nicht geschlechtsspezifisch ausgewertet. Hinsichtlich der jungen Aussiedler und Aussiedlerinnen ist als Vergleichsperspektive mit den hier vorgelegten Daten erneut auf die Untersuchung von Strobl/Kühnel (2000, S. 162) zurückzugreifen. Die Autoren stellen fest, dass die Aussiedlerjugendlichen infolge der Migration von bestimmten kritischen Lebenssituationen häufiger als die ebenfalls befragten deutschen Jugendlichen betroffen sind. Dazu zählen der Umzug und Verlust der gewohnten Umgebung und der Freunde, ein Schulwechsel, der Abbruch der Ausbildung, Arbeitslosigkeit der Eltern, Finanznot der Familie und die Benachteiligung gegenüber einheimischen Deutschen.

Bedeutsame Unterschiede in dem Erleben kritischer Lebensereignisse nach den verschiedenen Migrationshintergründen kommen nur in fünf Bereichen vor, die in der folgenden Tabelle dargestellt sind:

Tabelle 9.33: Erlebte kritische Lebensereignisse (in Prozent)

| | Migrationshintergrund | | | | | Gesamt | |
	Aussiedl.	griech.	ital.	jugosl.	türk.		
Gesamt	(200)	(182)	(183)	(172)	(213)	100	(950)
Ausreise nach Deutschland*	99	34	19	46	9	42	(395)
Verbot in der Schule die Herkunftssprache zu sprechen*	40	24	13	15	54	30	(287)
Arbeitslosigkeit der Eltern*	46	23	16	30	24	28	(265)
Sitzen bleiben in der Schule/Zurückstufung*	56	31	38	26	48	40	(383)
Verbale Angriffe in Bus/ Bahn/auf der Straße*	27	17	19	12	33	22	(209)

* Signifikante Unterschiede nach nationaler Herkunft p ≤ .05.

Wie nach den Migrationsbiographien zu erwarten ist, haben nahezu alle Mädchen aus Aussiedlerfamilien, diejenigen mit türkischem Migrationshintergrund hingegen nur selten (9%) die Ausreise nach Deutschland erlebt. Beide Gruppen haben jedoch ähnliche Erfahrungen mit kritischen Lebensereignissen in der Schule gemacht: Von dem „Verbot, die Herkunftssprache in der Schule zu sprechen" und dem „Sitzenbleiben" sind die Mädchen und jungen Frauen mit türkischem Hintergrund und die aus Aussiedlerfamilien deutlich häufiger betroffen als die übrigen.

Um den Belastungsgrad durch diese kritischen Lebensereignisse für die einzelne Befragte zu ermitteln, wurden die Kategorien zur Messung der Belastung auf einer fünfstufigen Skala neu bewertet. In die Kategorie „sehr geringe Belastung" gingen dabei sowohl die Antworten derjenigen ein, die angaben, das Ereignis nicht erlebt zu haben, wie auch derjenigen, die es lediglich mit einer sehr geringen Belastung erlebt haben.

Eine Übersicht über die erfahrenen kritischen Lebensereignisse und den damit verbundenen Belastungsgrad vermittelt die folgende Graphik:

Graphik 9.6:   Belastung durch kritische Lebensereignisse (in Prozent)

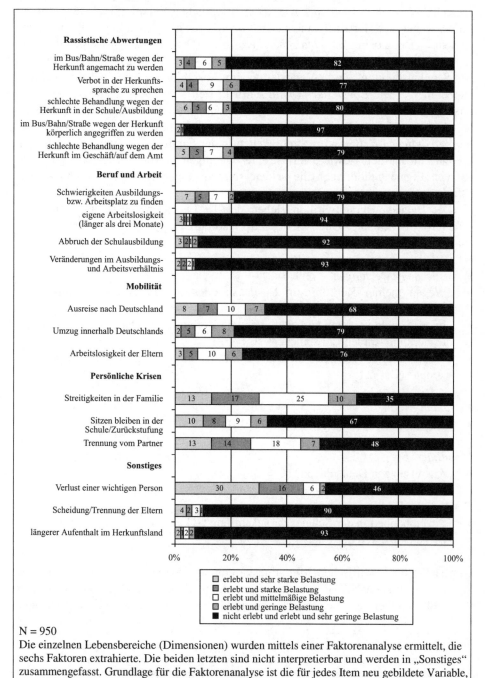

N = 950

Die einzelnen Lebensbereiche (Dimensionen) wurden mittels einer Faktorenanalyse ermittelt, die sechs Faktoren extrahierte. Die beiden letzten sind nicht interpretierbar und werden in „Sonstiges" zusammengefasst. Grundlage für die Faktorenanalyse ist die für jedes Item neu gebildete Variable, die die erlebte Krise, wenn sie zu einer geringen Belastung führt, mit 1 bewertet (zur Instrumentenkonstruktion siehe Anhang).

Die Faktorenanalyse ermittelt vier Ebenen der kritischen Lebensereignisse. Die *Ebene der Wahrnehmung von rassistischer Abwertung* wird abgebildet durch das Verbot in der Schule in der Herkunftssprache zu sprechen, wegen der Herkunft im Geschäft bzw. auf dem Amt und in der Schule bzw. während der Ausbildung schlecht behandelt zu werden sowie in den öffentlichen Verkehrmitteln bzw. auf der Straße wegen der Herkunft „angemacht" oder sogar körperlich angegriffen worden zu sein.[297] Der *Ebene der schulischen/beruflichen Schwierigkeiten* werden die Aussagen „Schwierigkeiten einen Ausbildungs- bzw. Arbeitsplatz zu finden", „Abbruch der Schulausbildung" und „Veränderung im Ausbildungs- bzw. Arbeitverhältnis" zugeordnet.[298] Die *Ebene der Mobilität* drückt sich aus in Aussagen wie die „Ausreise nach Deutschland", dem „Umzug innerhalb Deutschlands", und der „Arbeitslosigkeit der Eltern". Die meist genannten Erlebnisse bewegen sich auf der *Ebene der persönlichen Krisen* wie „Streitigkeiten in der Familie", „Trennung vom festem Freund und Partner" sowie „Verlust einer wichtigen Person"[299]. Zu dieser letztgenannten Ebene gehört auch die seltener erlebte „Scheidung bzw. Trennung der Eltern".

Der Belastungsgrad wird in sieben der 18 Lebensereignisse unterschiedlich erfahren. Signifikante Unterschiede im Herkunftsgruppenvergleich wurden bei folgenden Ereignissen ermittelt:

Rassistische Abwertungen
- „Wegen meiner Herkunft im Bus/Bahn oder auf der Straße angemacht zu werden" (C = .18)
- „In der Schule verboten zu bekommen, die Herkunftssprache erbot in der Schule die Herkunftssprache zu sprechen" (C = .32)
- „Wegen meiner Herkunft in der Schule/Ausbildung schlechter behandelt zu werden" (C = .22)

Beruf und Arbeit
- „Abbruch der Schulausbildung" (C = .13)

Mobilität
- „Ausreise nach Deutschland" (C = .55)

Persönliche Krisen
- „Sitzen bleiben in der Schule, Zurückstufung" (C = .22)
- „Arbeitslosigkeit der Eltern" (C = .23)

Angesichts der spezifischen Migrationsbiographien verwundert es nicht, dass die Ausreise nach Deutschland von einem Drittel der Mädchen und jungen Frauen aus Aussiedlerfamilien als belastende Lebenssituation empfunden wird/wurde. Jede

---

297 Auf diese Erlebnisse wird unter der Bezeichnung „Erfahrung mit rassistischer Abwertung" in einem noch folgenden Abschnitt dieses Kapitels detaillierter eingegangen.
298 Vgl. hierzu auch detailliertere Ausführungen im Kapitel 5 dieser Untersuchung.
299 Auch bei Strobl/Kühnel (2000, S. 162) wird hinsichtlich der jugendlichen Aussiedler und Aussiedlerinnen ermittelt, dass die stärksten Belastungen auf der Ebene der persönlichen Verluste zu verzeichnen sind wie z.B. der Tod eines Familienangehörigen Strobl/Kühnel (2000, S. 162).

dritte Aussiedlerin (33%) und jede fünfte Befragte mit jugoslawischem Migrationshintergrund (21%) gibt an, „sehr stark" oder „stark" wegen der Ausreise nach Deutschland belastet zu sein. Bei diesen zwei Herkunftsgruppen gibt es auch die höchsten Anteile derjenigen, die einer starken Belastung wegen der Arbeitslosigkeit der Eltern ausgesetzt sind. 12 Prozent der Befragten mit jugoslawischem Hintergrund und elf Prozent der Aussiedlerinnen empfindet dies als „stark" belastend. Besonders belastend empfinden hingegen Mädchen mit jugoslawischem Hintergrund den Verlust einer nahe stehenden Person. Die Vermutung liegt nahe, dass dies mit kriegsbedingten Erfahrungen im ehemaligen Jugoslawien zusammenhängen könnte.

Für 18 Prozent der Mädchen und jungen Frauen mit türkischem Hintergrund und elf Prozent der Aussiedlerinnen ist das Verbot, in der Schule die Herkunftssprache zu sprechen „sehr" belastend. Beim Erlebnis „Abbruch der Schulausbildung" (8%) sowie „Sitzen bleiben in der Schule" (28%) empfinden die Befragten mit türkischem Hintergrund im Vergleich zu den übrigen Gruppen eine deutlich stärkere Belastung.

Erfahrungen mit und Belastungen durch rassistische Abwertung

In der wissenschaftlichen sowie politischen Diskussion wird der Begriff „Benachteiligung" synonym mit dem der „Diskriminierung" verwandt. Eine Begriffsdefinition fehlt jedoch häufig.[300] Der Begriff Rassismus ist im deutschen Diskurs nach wie vor verpönt, obgleich er Eingang in die Fachdiskussion gefunden hat.

Diskriminierung und Rassismus werden bisher überwiegend unter den Gesichtspunkten der Beschreibung der Gründe und Ursachen diskutiert, die zur Ablehnung und Abwertung des oder der ethnisch Anderen führen, selten wird nach den Diskriminierungserfahrungen und den Konsequenzen auf Seiten der Betroffenen gefragt.[301] Trotz einer Vielzahl von Untersuchungen zur Lebenssituation von Jugendlichen mit Migrationshintergrund, gibt es nur vereinzelte Studien, in denen die in Deutschland lebenden Kinder und Jugendlichen aus Migrationsfamilien sowie Aussiedlerfamilien auch über ihre Wahrnehmung von Benachteiligung bzw. Diskriminierung befragt wurden.[302] Diese kommen zu ähnlichen Ergebnissen.

Rassistische oder ethnisch bedingte Abwertung hat viele Gesichter und kann sich auf vielerlei Arten zeigen: Als offene gewalttätige Attacken auf Leib und Leben, aber auch subtil als permanente Abwertung und Infragestellung des Gegenübers. Rassistische Abwertungen richten sich gegen jene Personen, denen aufgrund körperlicher oder sozialer Merkmale ein biologisches, kulturelles oder ethnisches Anderssein zugeschrieben wird. Viele Mädchen und junge Frauen mit Migrationshintergrund machen im Laufe ihrer Biographie Erfahrungen mit verschiedenen Formen von Rassismus, die von unterschiedlicher Qualität sein und individuell unterschiedlich erlebt werden können. Sie können zu negativen und belastenden

---

300 Vgl. hierzu z.B. Bundesministerium für Arbeit und Sozialordnung (BMA 1996, 2002); Wilamowitz-Moellendorf (2001).

301 Mehrere von 1995 bis 1997 durchgeführte Untersuchungen ermitteln die Reaktionen ausländischer Frauen auf ausländerfeindliche Ereignisse in Form von aktiven Bewältigungsstrategien auf der einen und Entmutigung auf der anderen Seite (siehe Hemmati/Wintermantel/Paul 1999).

302 Siehe hierzu Ausländerbeauftragte des Senats von Berlin (1997); Mitulla (1997); Bundesministerium für Arbeit und Sozialordnung (BMA 1996, 2002); Wilamowitz-Moellendorff (2001, 2002).

Konsequenzen für die Betroffenen führen, wie Mecheril (1995, S. 104) ausführt: „Diese Erfahrungen erzeugen Reaktionen, die konstitutiv für die Qualität der Rassismus-Erfahrungen sind: Wut, Entsetzen, Hass, Verbitterung, ‚reaktiver Rassismus' sind Reaktionsmodi, ebenso wie Angst, Verzweiflung, Unsicherheit, Schreckhaftigkeit und Scham. Letztere ist wohl eine der perfidesten Auswirkungen des Rassismus. Die Opfer schämen sich ihrer Haut und ihres Aussehens."

Der unserer Untersuchung zugrunde liegende Begriff der „rassistischen Abwertung" bezieht sich auf ungleiche Behandlung infolge offener oder subtiler Ablehnung und Ausgrenzung aufgrund ethnischer und kultureller Herkunft aus der Sicht der Befragten. Dabei wurden unter den kritischen Lebensereignissen als Bereich möglicher Belastungen auch fünf Fragen nach der Wahrnehmung der Befragten rassistisch motivierter Abwertung oder Diskriminierung in den Lebensbereichen Ämter, Übergang von der Schule in den Beruf, Schule und Öffentlichkeit (Bahn, Bus) gestellt.[303] Durch die Einbettung der Items in eine Fragebatterie zu kritischen Lebensereignissen und nicht in den Bereich der Zuordnung zu ethnischen oder nationalen Gruppen, sollten Prozesse der Ethnisierung und Selbstethnisierung durch eine Focussierung des Themas „Benachteiligung" so weit wie möglich vermieden werden. Die fünf Items bilden allerdings eine spezifische Dimension innerhalb der erfragten kritischen Lebensereignisse, wie durch eine Faktorenanalyse belegt wurde.

Der Prozentsatz der befragten Mädchen und jungen Frauen, die angaben, in mindestens einem der genannten Bereiche (im Geschäft/Amt, in der Schule/Ausbildung, in Bus/Bahn, auf der Straße) aufgrund ihrer ethnischen Herkunft, rassistische Abwertung erlebt haben, ist knapp höher als die Zahl derer, die angaben, eine solche nicht erlebt zu haben. Es bilden sich zwei Gruppen mit deutlich unterschiedlich empfundener Benachteiligung heraus. Mädchen und junge Frauen aus Aussiedlerfamilien sowie Mädchen und junge Frauen mit türkischem Migrationshintergrund geben in höherem Maße an, rassistische Abwertung erfahren zu haben, als Mädchen und jungen Frauen mit griechischem, jugoslawischem und insbesondere italienischem Migrationshintergrund:

Tabelle 9.34: Erfahrung mit rassistischer Abwertung (in Prozent)

	Migrationshintergrund					Gesamt	
	Aussiedl.	griech.	ital.	jugosl.	türk.		
Gesamt	(200)	(182)	(183)	(172)	(213)	100	(950)
erlebt*	69	44	39	42	72	54	(518)
nicht erlebt	31	56	61	58	28	46	(432)

* Mindestens in einem Bereich erlebt, möglich waren bis zu fünf Nennungen.

---

303 Die Aufforderung, sich dem Begriff Rassismus zu stellen, wurde von Kalpaka/Räthzel schon 1985 in der ersten Auflage ihres Buches eindringlich nahegebracht (vgl. 1990, S. 12ff.), in dem sie die Verwendung des Begriffes Rassismus statt Ausländerfeindlichkeit und Ethnozentrismus vertreten. Als Beispiel für Arbeiten, die folgten, soll auf Jäger 1993; Mecheril/Thomas 1997; Leiprecht 2001 und insbesondere den Sammelband von Räthzel 2000 sowie unter Einbeziehung der Geschlechterverhältnisse auf Lutz 1994; Holzkamp 1994 und Nestvogel 1994 hingewiesen werden.

Qualitativ sind die erfragten Formen rassistischer Abwertung sehr unterschiedlich und sie werden in ganz verschiedenem Ausmaß erlebt. Die sichtbarste Form von Rassismus bilden offene verbale oder körperliche Attacken. Körperliche Gewalt gegen Migranten und Migrantinnen ist eine nicht mehr nur vereinzelt auftretende Erscheinung, betrifft aber dennoch nur eine Minderheit der Mädchen und jungen Frauen mit Migrationshintergrund als Opfer. Deutlich häufiger sind verbale Angriffe in der Öffentlichkeit:

Tabelle 9.35: Erlebte rassistische Angriffe (in Prozent)

	Migrationshintergrund					Gesamt	
	Aussiedl.	griech.	ital.	jugosl.	türk.		
Gesamt	(200)	(182)	(183)	(172)	(213)	100	(950)
körperliche Angriffe in Bus/Bahn/auf der Straße*	5	2	4	2	8	4	(40)
verbale Angriffe in Bus/Bahn/auf der Straße*	27	17	19	12	33	22	(209)

* Signifikante Unterschiede nach nationaler Herkunft p ≤ .05.

Körperlichen Angriffen sind nur vier Prozent der Mädchen und jungen Frauen ausgesetzt gewesen, aber immerhin acht Prozent derer mit türkischem Hintergrund. Verbale Angriffe hat hingegen eine erhebliche Zahl erlebt: von 12 Prozent der Mädchen mit jugoslawischem Hintergrund bis zu immerhin 33 Prozent (einem Drittel) derjenigen mit türkischem Hintergrund.

Rassistische Abwertung gegenüber Migranten und Migrantinnen zeigt sich neben den direkten Angriffen auch in der Verwehrung von Möglichkeiten bei dem Erwerb schulischer Bildung und beim Zugang zum Ausbildungs-, Arbeits- und Wohnungsmarkt. Diese Erfahrungen können Jugendliche mit Migrationshintergrund persönlich während ihrer Schulzeit oder bei der Suche nach Ausbildungsplätzen machen oder als Erfahrung ihrer Familie oder anderer ihnen nahe stehenden Personen vermittelt bekommen.[304]

Mehr als ein Fünftel unserer Befragten gibt an, auf dem Amt/Geschäft, in der Schule/Ausbildung aufgrund der ethnischen Herkunft schlechter behandelt worden zu sein. Ein Drittel aller Befragten fühlt sich in der Schule benachteiligt, weil ihnen verboten wurde, die Herkunftssprache zu sprechen. Mädchen und junge Frauen mit türkischem Hintergrund sowie Mädchen aus Aussiedlerfamilien geben dieses häufiger an als die übrigen Befragten.

---

304 So stellt Riesner (1991, S. 75) in ihrer Untersuchung heraus: „Die Erinnerungen an ihre Schulzeit sind bei dieser Gruppe von Frauen – besonders von Zehra und Hanife – negativ geprägt: Hanife fühlt sich schon von ihrer Grundschullehrerin benachteiligt. Obwohl sie selbst den Wunsch hatte, ein Gymnasium zu besuchen, verhinderte die Grundschullehrerin dies durch Einschüchterung der Eltern" (vgl. auch ähnliche Erfahrungen mit rassistischen Bemerkungen von Lehrerinnen gegenüber bildungserfolgreichen Migrantinnen bei Hummrich 2002 und Ofner 2003). Die an Defiziten orientierte Sichtweise von türkischen Schülerinnen von Seiten der Lehrer und Lehrerinnen und die damit verbundenen Stereotypisierungen, Abwertungen und Rassismen analysieren Gomolla/Radtke (2002) und Weber (2003; siehe auch Weber 1999).

Tabelle 9.36: Rassistische Abwertungen (in Prozent)

| | Migrationshintergrund | | | | | Gesamt | |
	Aussiedl.	griech.	ital.	jugosl.	türk.		
Gesamt	(200)	(182)	(183)	(172)	(213)	100	(950)
schlechte Behandlung im Geschäft/Amt*	34	15	18	27	23	24	(223)
schlechte Behandlung in Schule/Ausbildung*	39	15	14	17	24	22	(210)
Verbot in der Schule die Herkunftssprache zu sprechen*	40	24	13	15	54	30	(287)

* Signifikante Unterschiede nach nationaler Herkunft p ≤ .05.

Eine Gegenüberstellung der Daten im herkunftsspezifischen Vergleich zu der Frage, in welchen Bereichen die Befragten im höheren Maße rassistische Abwertung erlebt haben, zeigt, dass sich die einzelnen Herkunftsgruppen unterscheiden. Während 40 Prozent der befragten Aussiedlerinnen, 54 Prozent der Mädchen und jungen Frauen mit türkischem und 24 Prozent der Mädchen und jungen Frauen mit griechischem Migrationshintergrund das Ereignis „in der Schule die Herkunftssprache nicht sprechen zu dürfen" nennen, geben 27 Prozent der Mädchen mit jugoslawischem Migrationshintergrund in höherem Maße an, dass sie es erlebt haben, im Geschäft oder auf dem Amt schlechter behandelt worden zu sein. Für die Gruppe der Mädchen und jungen Frauen mit italienischem Migrationshintergrund zeigt sich, dass mehr Mädchen und junge Frauen einen „verbalen Angriff im Bus, in der Bahn, auf der Straße" (19%) als sprachliche Diskriminierung in der Schule erfahren haben.

Auch wenn sich rassistische Abwertungen in Schule und Gesellschaft insgesamt aus Sicht der Mädchen als weniger belastend bewertete Situationen darstellen, werden sie doch im Herkunftsgruppenvergleich besonders häufig von Mädchen mit türkischem Hintergrund als belastend erlebt. In der Literatur wird diese Gruppe auch als am stärksten von Ausländerfeindlichkeit betroffen geschildert. Popp (1996a, S. 210) meint etwa, die Auseinandersetzung mit und das unmittelbare Betroffensein von Ausländerfeindlichkeit gehöre zur Lebenswelt türkischer Jugendlicher, „das sie in ihr Selbstkonzept und in ihre Lebensentwürfe zu übernehmen gezwungen sind."[305] Diskriminierung als Alltagserfahrung türkischer Jugendlicher in Deutschland mit einer Zunahme solcher Erfahrungen seit Anfang der 90er Jahre wird auch durch die Ergebnisse einer Umfrage der bereits mehrfach erwähnten Studie aus Berlin (Ausländerbeauftragte des Berliner Senats 1997, S. 22) bei jungen Türken und Türkinnen vermittelt. Dort gaben 49 Prozent der Befragten gegenüber 43 Prozent im Jahr 1991 an, den Eindruck zu haben, benachteiligt oder zurückgesetzt worden zu sein, weil sie Ausländerinnen sind.

Andere Untersuchungen kommen zu ähnlichen Ergebnissen. Jugendliche türkischer Herkunft nennen in der Untersuchung von Weidacher (2000b, S. 111) anteilig die meisten Benachteiligungserfahrungen in einzelnen Lebensbereichen (Schule,

---

305 Vgl. hierzu auch die Fallanalyse zu Rassismuserfahrungen der Informantin Ayse bei Mecheril (2003, S. 71ff.).

Wohnbereich, am Arbeitsplatz), Jugendliche italienischer Herkunft die geringsten. So fühlen sich 62 Prozent der befragten Jugendlichen türkischer Herkunft als Ausländer benachteiligt, während der Durchschnittswert für die Jugendlichen italienischer und griechischer Herkunft bei 42 Prozent liegt. Eine differenzierte Auswertung der Daten für einzelne Herkunftsgruppen nach Geschlecht wurde nicht vorgenommen. Nach Weidacher „berichten Männer eher von Benachteiligungen im Freizeitbereich und Arbeitsplatz, Frauen eher vom Wohnbereich". Ferner nennen Jugendliche türkischer Herkunft im Vergleich zu den übrigen Befragten viel häufiger die Nationalität und den Glauben als Gründe ihrer Benachteiligung (ebenda, S. 110). Erfahrungen mit Ausländerfeindlichkeit und Diskriminierung von 15- bis 24-Jährigen mit türkischem, ehemalig jugoslawischem, italienischem und griechischem Migrationshintergrund nach Geschlecht vermittelt auch die Repräsentativuntersuchung des Bundesministeriums für Arbeit und Sozialordnung BMA (2002, S. 72). Demnach ist zwar die Mehrheit junger Frauen keinen direkten ausländerfeindlichen Handlungen ausgesetzt (Beleidigung, Anpöbeleien, Bedrohung, körperlicher Angriff), ein nennenswerter Anteil von 24 Prozent der jungen Frauen türkischer Herkunft und 19 Prozent der Frauen mit jugoslawischem Migrationshintergrund berichten jedoch von Beleidigungen oder Anpöbeleien (20% bzw. 15%). Männer berichten häufiger als Frauen von Diskriminierungserfahrungen. Im Herkunftsgruppenvergleich sind Jugoslawen und insbesondere Türken häufiger als Italiener und Griechen von Diskriminierung betroffen. Junge Frauen griechischer Herkunft sehen sich am geringsten von Ausländerfeindlichkeit betroffen (vgl. BMA 1996, S. 320). Es zeigt sich eine hohe Übereinstimmung in der Tendenz der Ergebnisse anderer Untersuchungen mit den hier vorgelegten Daten zum Erleben von Benachteiligung durch die Mädchen und jungen Frauen mit Migrationshintergrund.[306]

Für die Gruppe der Aussiedlerinnnen und Aussiedler ermitteln Strobl/Kühnel (2000, S. 144), dass „obgleich der rechtliche Status der Aussiedler eher dem der Deutschen gleicht, Aussiedler zum größten Teil als eine ethnische Minderheit, als ‚Russen', wahrgenommen und sich vielfältigen Benachteiligungen bis hin zur Ausgrenzung ausgesetzt sehen". Diese Annahme sehen sie durch die Ergebnisse ihrer Studie bestätigt. Die befragten Aussiedler und Aussiedlerinnen erfahren in den Bereichen Schule und Freizeit aufgrund ihrer Herkunft Diskriminierungen. Diese Erfahrungen, so die Autoren, führen bei einigen Aussiedlern und Aussiedlerinnen dazu, dass sie ihrerseits mit Ausgrenzung, wenn nicht sogar mit Gewalt (bezogen auf männliche Jugendliche) gegen andere ethnischen Minderheiten reagierten (ebenda, S. 146f.). In qualitativen Interviews, die Bestandteil dieser Untersuchung

---

306 Dass es sich hierbei nicht um eine rein subjektive Wahrnehmung handelt, die keine Entsprechung in Einstellungen der deutschen Mehrheitsgesellschaft findet, macht die Shell-Jugendstudie 2000 (Deutsche Shell 2000, S. 24) deutlich. Sie belegt Ressentiments deutscher Jugendlicher gegenüber Jugendlichen mit Migrationshintergrund. 62 Prozent der befragten deutschen Jugendlichen waren der Meinung, der Ausländeranteil in Deutschland sei zu hoch (Deutsche Shell 2000, S. 241). Insbesondere gegenüber Migranten und Migrantinnen türkischer Herkunft sind nach wie vor überwiegend negative Haltungen zu verzeichnen, wie auch der DJI-Jugendsurvey (Weidacher 2000b, S. 107) feststellt: „Während sich die Einstellung von Deutschen gegenüber den italienischen Migranten innerhalb eines Jahrzehnts (zwischen 1982 und 1993) sichtlich positiv entwickelt hat, haben sich die Einstellungen gegenüber Türken wenig verändert. Nur mehr wenige Deutsche glauben, dass Italiener in Deutschland die Arbeiten verrichten, die Deutsche nicht tun wollen. Von den Türken allerdings denken dies weiterhin (1993) viele Deutsche."

sind, berichten die Aussiedlerjugendlichen von der Wahrnehmung alltäglicher Benachteiligungen in der Schule, auf Ämtern, bei der Polizei und beim Einlass in die Diskotheken. Im quantitativen Teil der Untersuchung wird deutlich, wie verbreitet solche Erfahrungen sind. Anhand eines Vergleichs der Mittelwerte zwischen einheimischen Deutschen und Aussiedlerjugendlichen kommt die Untersuchung zu dem Ergebnis: „Signifikant häufiger machten die Aussiedler (…) bei Behörden, in Jugendzentren und in der Nachbarschaft negative Erfahrungen" (ebenda, S. 102). Dafür aber erlebten sie in der Schule bzw. am Arbeitsplatz und in den Sportvereinen weniger Benachteiligungen als die Vergleichsgruppe der einheimischen Deutschen. Wehmann (1999, S. 214) betont, dass die von ihr befragten Aussiedler im Zusammenhang mit Diskriminierungserfahrungen „von Aussiedlerfeindlichkeit sprechen, die der Ausländerfeindlichkeit sehr ähnlich sei".

Dass rassistische Be- und Abwertungen schon sehr früh wahrgenommen werden und sich im Bewusstsein verfestigen, macht eine Untersuchung von Mitulla (1997, S. 132) deutlich. Die Befragung, die – neben deutschen – auch 91 Kinder nicht deutscher (davon 42 türkischer) Herkunft erfasst, belegt, dass bereits elfjährige Kinder wissen, wie sie von Deutschen eingeschätzt werden. Nach ihren Aussagen „werden Ausländer vor allem als aggressiv (19%) und dumm (18%) bezeichnet. Sie sind in den Augen anderer Leute gemein und böse (10%). Sie sind schmutzig (8%), verschmutzen die Umwelt (7%) und verstoßen gegen soziale Normen (7%). Außerdem sind sie frech (6%): Sie kennen also die ihnen zugeschriebenen negativen Merkmale sowie die Beschuldigungen und Vorwürfe." Die Kinder ausländischer Herkunft antizipieren durchaus, wie negativ sie von den deutschen Kindern eingeschätzt werden.[307]

Wahrgenommene rassistische Abwertungen schleichen sich in das Leben der in der vorliegenden Studie befragten Mädchen und jungen Frauen ein und werden von denjenigen, die sie erlebt haben, überwiegend als belastend empfunden:

---

307 Die 1992 von Mitulla (1997, S. 160) durchgeführte Untersuchung bei deutschen Schülern und Schülerinnen von fünften Klassen in Augsburg belegt, „dass die im Durchschnitt etwa 11 Jahre alten Kinder sehr vieles über Ausländer gehört und aufgenommen haben. Sie kennen die negativen Zuschreibungen, die zum stereotypen Bild von Ausländern gehören: Ausländer sind aggressiv und dumm, sie sind schmutzig, sie stinken." Wegen methodischer Mängel der Untersuchung ist eine Trennung zwischen der Wiedergabe von gesellschaftlichen Stereotypen und Bewertungen von Ausländern und der eigenen Meinung der Kinder nicht möglich. So wird nur nachgewiesen, in welchem Ausmaß negative Bilder in den Köpfen der Kinder Raum haben. Es werden kaum positive persönliche Merkmale und Verhaltensweisen oder positive Einstellungen genannt, und wenn, dann sind es blasse Eigenschaften wie „nett" (ebenda, S. 119). Fremdenfeindlichkeit aus der Wahrnehmung von Schülern und Lehrern untersucht Würtz (2000) mittels qualitativer Verfahren. Weitere Untersuchungen belegen ein hohes Maß an fremdenfeindlichen Einstellungen bei deutschen Jugendlichen.

Tabelle 9.37: Belastungsgrad bei erlebten rassistischen Abwertungen (in Prozent)

starke oder sehr starke Belastung durch...	Migrationshintergrund					Gesamt	
	Aussiedl.	griech.	ital.	jugosl.	türk.		
schlechte Behandlung im Geschäft/Amt N = 223	37	43	42	54	47	44	(99)
schlechte Behandlung in Schule/Ausbildung N = 210	40	54	52	48	59	49	(103)
Verbot, in der Schule die Herkunftssprache zu sprechen* N = 287	28	30	4	4	33	26	(75)
verbale Angriffe in Bus/ Bahn/auf der Straße* N = 209	26	27	17	55	47	34	(72)
körperliche Angriffe in Bus/Bahn/auf der Straße N = 40	-	67	57	50	65	48	(19)

* Signifikante Unterschiede nach nationaler Herkunft p ≤ .05.

Diskriminierung in Schule und Ausbildung, körperliche Angriffe und schlechte Behandlung in Geschäften und auf Ämtern werden ohne herkunftsspezifische Unterschiede von mehr Mädchen und jungen Frauen – wenn sie sie erleben mussten – als Belastung empfunden als verbale Angriffe und das Verbot der Herkunftssprache in der Schule. In zwei Bereichen sind die herkunftsspezifischen Unterschiede bedeutsam: Unter dem Verbot der Herkunftssprache leiden die Mädchen und jungen Frauen, die dies als Gruppe auch häufiger erfahren, nämlich Befragte mit türkischem und griechischem Hintergrund sowie aus Aussiedlerfamilien, unter verbalen Angriffen die Mädchen mit jugoslawischem und türkischem Hintergrund.

Der aus den fünf Items gebildete Index „Belastung durch Diskriminierung" verdeutlicht die besondere Betroffenheit der Mädchen und jungen Frauen mit türkischem Hintergrund und aus Aussiedlerfamilien.

Tabelle 9.38: Belastung durch Diskriminierung (in Prozent)

	Migrationshintergrund					Gesamt	
	Aussiedl.	griech.	ital.	jugosl.	türk.		
Gesamt	(200)	(182)	(183)	(172)	(213)	100	(950)
keine Belastung	38	63	66	64	38	52	(499)
mittlere Belastung	45	27	27	27	39	34	(321)
starke Belastung	17	10	7	9	23	14	(130)

C = .27   p = .00

In jeder Gruppe gibt es Personen, die sich durch erfahrene Diskriminierungen belastet fühlen; die Zahl derer mit starker Belastung variiert von 7 Prozent bei den Mädchen und jungen Frauen mit italienischem Hintergrund bis zu 23 Prozent bei denen mit türkischem Hintergrund. Deutlich wird der große Anteil der Mädchen mit türkischem Hintergrund und aus Aussiedlerfamilien, die Diskriminierungen als belastende Lebenssituationen erlebt haben.

Auf der Basis der Daten lassen sich die Hypothesen von der einen großen Teil der Mädchen und jungen Frauen mit Migrationshintergrund betreffenden besonderen psychischen Belastung nicht belegen. Auch wenn eine Minderheit, insbesondere unter den Befragten mit Aussiedler- und türkischem Hintergrund, als belasteter in Erscheinung tritt, ist die überwiegende Mehrheit der Mädchen und jungen Frauen zufrieden mit dem bislang schulisch, beruflich und persönlich Erreichten. Junge Aussiedlerinnen und Mädchen und junge Frauen türkischer Herkunft nehmen zusammen mit Befragten italienischer Herkunft überwiegend, wenn auch etwas seltener als die Befragten mit griechischer und ehemals jugoslawischer Herkunft, die Verantwortung für ihr Leben in die eigene Hand und weisen mehrheitlich ein positives Selbstbild auf. Bei den psychosomatischen Beschwerden erweisen sich junge Aussiedlerinnen im Gegensatz zu Mädchen und jungen Frauen türkischer Herkunft als unterdurchschnittlich von Konzentrations- und Schlafstörungen betroffen. Während kritische Lebensereignisse von allen Befragten herkunftsgruppenübergreifend – analog zu altersgleichen Deutschen – in erster Linie im familiären und persönlichen Umfeld erlebt werden, verbinden auch hier die Gruppe der Befragten mit türkischem und mit Aussiedlerhintergrund gemeinsame Lebenserfahrungen, die in diesem Ausmaß nicht von den anderen Gruppen erlebt werden. Es handelt sich dabei um rassistische Abwertungen in der Schule, bei der Ausbildung und in Geschäften sowie auf Ämtern. Dass diese Formen der Diskriminierung nicht als sehr stark belastend empfunden werden, kann als Hinweis darauf erklärt werden, dass bei einem Viertel bis der Hälfte von ihnen der Umgang mit ihnen zum Lebensalltag gehört.

Der Index Zufriedenheit mit der Lebenssituation weist weder einen Zusammenhang mit dem sozialen Status der Herkunftsfamilie noch mit dem Bildungsniveau auf, ebenso wenig bestehen Zusammenhänge zwischen diesen sozialen Variablen und Schlaf- und Konzentrationsstörungen. Selbstverantwortung und psychische Stärke sind hingegen in einem engen Zusammenhang mit dem Bildungsniveau der Mädchen (nicht aber mit dem Status der Herkunftsfamilie) zu sehen: Mädchen und junge Frauen mit hoher Bildung weisen häufiger Selbstverantwortung und psychische Stärke auf als Mädchen mit mittlerem und niedrigem Bildungsniveau.

Belastungen durch rassistische Abwertungen zeigen weder einen Zusammenhang mit dem sozialen Status der Herkunftsfamilie noch mit dem Bildungsniveau der Mädchen und jungen Frauen selbst. Letzteres entspricht der Untersuchung von Weidacher (2000b, S. 130), in der ebenfalls hervorgehoben wird, dass „sich türkische junge Erwachsene mit Fach-/Hochschulreife – anders als in anderen Populationen – zu ähnlich hohen Anteilen benachteiligt sehen (rund 60%) wie jene mit niedrigen Schulabschlüssen. Man geht vermutlich in der Annahme nicht fehl, dass die speziellen Erfahrungen der Benachteiligung mit der besonders starken Diskriminierung durch die Mehrheitsbevölkerung zusammenhängen." Dieser Einschätzung schließen wir uns auf der Basis unserer Daten an.

9.4 Bindung an den Herkunftskontext und psychische Befindlichkeit

Ethnizität wurde in mehreren Dimensionen erfasst: als Selbstverortung (auch in Form von multiplen Zuordnungen), als Ort, an dem die Jugendlichen sich wohlfühlen, als Auswahl ethnischer Kontakte in der Freizeit und im Wunsch nach persönlichen Beziehungen bis hin zur Ehe. Ethnizität kann sich auch in der formalen Mitgliedschaft durch Staatsangehörigkeit oder dem Wunsch danach äußern, sowie in Vorstellungen von dem Land, auf das sich die Zukunftspläne richten und in der Akzeptanz oder Nichtakzeptanz kultureller Sitten des Einwanderungslandes. Stets spielt sich Ethnizität in dem Spektrum der Hinwendung zu Deutschland und den Deutschen auf der einen und der Hinwendung zum Herkunftsland (der Eltern), der Herkunftsgruppe und deren Vorstellungen auf der anderen Seite ab. Die einzelnen Dimensionen von Ethnizität weisen einen Zusammenhang auf:

Tabelle 9.39: Interkorrelationsmatrix (r)

N = 950	Identifikation mit Herkunfts-gruppe	Freizeit im ethnischen/ deutschen Kontext	keinen Deutschen heiraten	keine deutsche Staatsange-hörigkeit/ nicht vor zu beantragen	Wohl-fühlen in Deut-schland	Grad der An-passung an die deutsche Kultur
Identifikation mit Herkunftsgruppe						
Freizeit im ethnischen/ deutschen Kontext	.15**					
keinen Deutschen heiraten	.20**	.21**				
keine deutsche Staatsangehörigkeit/ nicht vor zu beantragen	.35**	-.08*	.03			
Wohlfühlen in Deutschland	-.22**	-.09**	-.17**	.02		
Grad der Anpassung an die deutsche Kultur	-.18**	.07*	-.08*	.36 **	-.02	

Mit * gekennzeichnete Werte sind auf dem α = .05 Testniveau signifikant von Null verschieden.
Mit ** gekennzeichnete Werte sind auf dem α = .01 Testniveau signifikant von Null verschieden.

Mädchen und junge Frauen, die sich mit der Herkunftsgruppe identifizieren, d.h. sich ethnisch dort verorten, verbringen ihre Freizeit häufiger im ethnischen Kontext, wollen keinen Deutschen heiraten, haben die deutsche Staatsangehörigkeit nicht und wollen sie auch nicht beantragen. Sie fühlen sich seltener wohl in Deutschland und lehnen eine Anpassung an die deutsche Kultur häufiger ab. Viele Dimensionen von Ethnizität hängen in dieser Weise zusammen. Der Besitz der deutschen Staatsangehörigkeit oder das Bestreben sie zu erhalten, ist weder an die Vorstellung gebunden, einen Deutschen zu heiraten noch an ein Wohlfühlen in Deutschland, ebenso wenig steht das Wohlfühlen in einem Zusammenhang mit der Anpassung an die deutsche Kultur.

Auch die psycho-emotionale Befindlichkeit wurde durch mehrere Indices erfasst, durch die Wahrnehmung von Krankheitssymptomen in Form von Konzentrations- und Schlafstörungen, durch Äußerungen, die auf psychische Stärke und Lebensfreude und andere, die auf den Grad der Zufriedenheit mit den Lebensumständen hinweisen, sowie – der Fachdiskussion folgend – durch die Messung des Grades an Selbstverantwortung. Diesen psycho-emotionalen Zustandsbeschreibungen können aus kritischen Lebensereignissen resultierende Belastungen gegenübergestellt werden.

Wie die folgende Interkorrelationsmatrix verdeutlicht, besteht ein enger Zusammenhang zwischen psychischen Faktoren (1. bis 4.) und der Wahrnehmung von Belastungen (5. bis 8.).

Tabelle 9.40: Interkorrelationsmatrix (r)

N = 950		1	2	3	4	5	6	7	8
1.	Grad der Zufriedenheit								
2.	Grad der Konzentrations- und Schlafstörungen	-.22**							
3.	Grad der Psychischen Stärke	.32**	-.26**						
4.	Grad der Selbstverantwortung	.18**	-.06	.29**					
5.	Grad der Belastung durch Diskriminierung	-.18**	.18**	-.20**	-.03				
6.	Grad der Belastung durch schulische und berufliche Misserfolge	-.19**	.04	-.18**	-.06	.16**			
7.	Grad der Belastung durch Mobilität	-.20**	.06	-.14**	-.01	.18**	.12**		
8.	Grad der Belastung durch Verluste	-.17**	.16**	-.16**	-.10**	.21**	.16**	.19**	

Mit ** gekennzeichnete Werte sind auf dem α = .01 Testniveau signifikant von Null verschieden.

Psychische Stärke („gut drauf sein") ist eng verbunden mit Zufriedenheit, der Übernahme von Selbstverantwortung, des Freiseins von Konzentrations- und Schlafstörungen und mit eher geringen Belastungswahrnehmungen auf allen Ebenen.

Migrationserfahrungen und damit verbunden der Verlust der „ethnischen Identität" werden vielfach – wie zu Beginn ausgeführt – als Kosten im Bereich des kulturellen Kapitals verbucht. Als Folge davon wird das Leben von Migrantinnen als Leben „zwischen den Kulturen" oder im „Kulturkonflikt" beschrieben. Es bleibt zu klären, ob eine herkunftsbezogene oder eine deutsche Ethnizität, eine Orientierung an der Migrationskultur der Eltern oder an der Dominanzkultur der deutschen Umgebung mit der psychischen Befindlichkeit zusammenhängt. Um einen ersten Einblick zu gewinnen[308], sollen die Zusammenhänge zwischen den Dimensionen von Ethnizität und drei Indices zur psychischen Disposition, „Zufriedenheit", „psychische Stärke" und „Belastung durch Diskriminierung" dargestellt werden.

Das Verbringen der Freizeit im deutschen oder im ethnischen Kontext, die Bereitschaft zur Ehe mit einem Deutschen oder zur Anpassung an die deutsche Kultur stehen nicht im Zusammenhang mit der Zufriedenheit, der psychischen Stärke oder der Belastung durch Diskriminierung. Ebenso bedeutungslos ist die gefühlsmäßige Einbindung in die Migrationskultur. Bedeutung haben drei Aspekte von Ethnizität:

Tabelle 9.41: Aspekte der Ethnizität und psychische Befindlichkeit (r)

N = 950	Grad der Zufriedenheit	Grad der psychischen Stärke	Grad der Belastung durch Diskriminierung
Identifikation mit Herkunfts- gruppe	.15**	.06	-.13**
keine deutsche Staatsangehörig- keit/ nicht vor zu beantragen	.17**	.10**	-.19**
Wohlfühlen in Deutschland	.14**	.22**	-.16**

Mit ** gekennzeichnete Werte sind auf dem $\alpha = .01$ Testniveau signifikant von Null verschieden.

Je stärker die Identifikation mit der Herkunftsgruppe, desto stärker ist die Zufriedenheit mit den Lebensumständen in Deutschland und desto geringer wird die Belastung durch Diskriminierung wahrgenommen. Keine deutsche Staatsangehörigkeit zu besitzen, verbindet sich mit einer höheren Zufriedenheit und einer geringeren Belastung durch Diskriminierung. Sich wohlfühlen in Deutschland verbindet sich eher mit Zufriedenheit, psychischer Stärke und einer geringeren Belastung durch Diskriminierung. Sowohl die Identifikation mit der Herkunftsgruppe als auch das emotionale Wohlbefinden in Deutschland stellen Schutzfaktoren dar, der Besitz oder der Wunsch nach der deutschen Staatsbürgerschaft hingegen nicht.

---

308 Eine ausführliche Datenanalyse erfolgt in einer späteren Veröffentlichung.

10. Wie hältst Du's mit der Religion? Religiöse Einstellungen

10.1 Religiosität von Jugendlichen in Deutschland

„Die empirische Jugendforschung klammert Religion weitgehend aus", stellt Heiner Barz (2001, S. 307) bei einer Betrachtung des aktuellen Forschungsstands fest. Selbst dort, wo das Thema berücksichtigt wird, kann von einem „Defizit der Jugendforschung" gesprochen werden, denn während die „konservative" Religionsforschung Religiosität mit Kirchlichkeit gleichsetze und daher auf nur eine Dimension reduziere, klammere die „liberale" Jugendforschung religiöse Gehalte lebensweltlicher Sinnentwürfe von Jugendlichen nahezu völlig aus, wie Thonak bemerkt (Thonak 2003, S. 18). Bis heute entscheidend geprägt wurde die Diskussion um Jugendreligiosität durch die dieser Verengung nicht unterliegende, bundesweite qualitativ-explorative Pilotstudie „Jugend und Religion" (Barz 1992a, 1992b). Die Ergebnisse zu den religiösen Orientierungen von Jugendlichen verdichteten sich zu einem Bild, das gekennzeichnet ist durch deutliche Befürwortung kirchlicher Passageriuale wie Taufe, Trauung, Beerdigung etc. bei sonstiger Kirchenferne und bei einem Bedeutungsverlust der rituellen Komponenten von Religion (gebetet wird eher spontan, nicht etwa an einem festen Platz im Tagesverlauf, nur eine kleine Minderheit der Jugendlichen liest regelmäßig in der Bibel). Das traditionelle christliche Gottesbild spielt für die Jugendlichen offenbar ebenso wenig eine Rolle wie Jesus als Mittler-Instanz (1992b S. 60ff.). Als kennzeichnend für jugendliche Religiosität wurde festgestellt, dass die Jugendlichen sich den eigenen Glauben „zusammenbasteln" und dabei Teilstücke verschiedener Traditionen verwenden (Synkretismus). Barz (1992b, S. 72) bezeichnet dies als „Vagabundieren" zwischen verschiedenen Glaubenslehren und betont, dies sei „kein Spezifikum unserer Nation". In religiöser Beziehung scheint zwischen dem 18. und 20. Lebensjahr offenbar ein „lebenszyklischer Wendepunkt" zu liegen (ebenda, S. 76). Zu ähnlichen Ergebnissen wie Barz kommt auch Schweitzer in seiner Analyse des jugendlichen Glaubens in der Gegenwart (Schweitzer 1998, S. 38ff.; siehe hierzu auch Baacke 1994, S. 187). Kirchlichkeit und Religiosität scheinen sich voneinander unabhängig zu entwickeln. Kirche werde zunehmend zu einem Teilsystem moderner Gesellschaften, dem immer weniger Menschen angehören wollten, andererseits überdauerten jedoch Glaubensüberzeugungen bzw. bestimmte religiöse Praktiken im Alltag. Für Baacke erhält die Dimension „Religion" auch in einer entkirchlichten Atmosphäre für viele Jugendlichen eine relativ hohe Bedeutung. Die Tatsache, dass dies nicht so offenkundig ist, begründet er mit der Beobachtung, dass Religion im radikalen Sinn zur Privatsache geworden sei (ebenda, S. 188). In Bezug auf die religiösen Vorstellungen der deutschen Jugendlichen stellt er fest, dass nicht an bestehende Traditionen angeknüpft werden kann, weil gesamtgesellschaftlich Religion „nicht über kollektive oder gemeindliche Praktiken erfahrbar und vermittelbar, damit individualisiert und nicht auf öffentlich geteilte Ordnungen und Rituale rückbezogen oder durch sie abgesichert" sei. So erklärt er sich die Pluralisierung religiöser Ausdrucksformen bei Jugendlichen folgendermaßen: „Indem die Wege zum Religiösen zu finden dem je einzelnen aufgetragen ist, sind individuelle Kreativität, plurale Deutungsmuster und Ausdrucksformen von Religiosität an der Tagesordnung" (ebenda, S. 190). Religion im Sinne von Bindung bzw. Rückbindung mache in einer

Lebenswelt, die von Segmentierungen ihrer einzelnen Bereiche, von unübersichtlicher, konturenverlierender Angebotsvielfalt in Verbindung mit der „Zumutung" individueller Handlungskompetenz geprägt ist, ein Angebot zur unmittelbaren Erfahrung, Selbstvergewisserung und Identitätsstiftung (ebenda, S. 192). In seiner Wiedergabe des Forschungsstands zum Thema Religion als Gegenstand der Jugendforschung hebt Barz als besonders ambitioniertes Projekt die quantitative Studie bei über 3.000 13- bis 29-jährigen Deutschen von Wippermann (1996, 1998) hervor. Barz extrahiert als wesentliche empirische Befunde dieser Untersuchung, die die vorherigen Forschungsergebnisse weiterführen,

1. die quantitative Verdrängung der christlichen Weltanschauung,
2. die Dominanz des Naturalismus als „am breitesten akzeptierte Kosmologie",
3. die Universalität der autonomen, selbständigen Sinngebung und Sinnschöpfung und
4. die multireferenzielle Konfiguration von Weltanschauungen, zu der die Kombination von Elementen scheinbar widersprüchlicher Traditionen gehöre (Barz 2001, S. 311).[309]

Auffällig ist, dass die hier genannten Studien zu Religion und Religiosität von Jugendlichen in Deutschland sich nahezu ausschließlich auf deutsche Jugendliche der christlichen Konfessionen beziehen. Hier befinden sich religionssoziologische Jugendstudien in der Tradition der meisten bislang durchgeführten Jugendstudien (zuletzt 14. Shell-Jugendstudie 2002, Ausnahme 13. Shell-Jugendstudie 2000). Auch Barz' Studien zu „Jugend und Religion" (1992a, 1992b)[310] befassten sich ausschließlich mit religiösen Orientierungen von deutschen Jugendlichen aus christlichen Familien. Muslimische Jugendliche werden lediglich in ihrer Eigenschaft als „Umwelt konstituierende Faktoren" im Zusammenhang mit dem durch Migration veränderten sozialen Umfeld der deutschen Jugendlichen erwähnt. Die Studie beschränkt sich daher auf die Bemerkung, dass laut amtlicher Statistiken 1987 5,3 Prozent der Jugendlichen unter 20 Jahren der islamischen Religionsgemeinschaft angehörten (Barz 1992a, S. 53).[311] Der Islam als gesellschaftlicher Faktor findet lediglich in einer Auflistung der „Negativkonsequenzen" religiöser Entwicklungen der Gegenwart Erwähnung, wenn Schmid diese in seinem Vorwort zu Barz' Untersuchung mit der Frage beendet: „Endet die religiöse Anarchie der Gegenwart in einem weltweit sich durchsetzenden und den neuen Weltstaat prägenden Islam?" (Schmid 1992, S. 9).[312]

---

309 Teile der Einleitung dieses Kapitels sowie der Unterkapitel beruhen auf einer gekürzten und aktualisierten Fassung des „Kapitels II.1 Religiosität" der Studie von Karakaşoğlu-Aydın (2000a, S. 109-115).

310 Die Studie wurde im Auftrag der Arbeitsgemeinschaft der Evangelischen Jugend in der BRD (aej) durchgeführt.

311 An wenigen Stellen gibt es in Barz' Studie kurze Hinweise auf Veränderungen der Lebenswelt durch die Existenz von Menschen anderer Ethnien bzw. Religionen. Dies führt nicht dazu, dass er diese Tatsache etwa durch Bezugnahme auf diese Gruppen bzw. Einbeziehung von Befragten aus dieser Gruppe in seinem Forschungsdesign berücksichtigt. Hier scheint sich ein blinder Fleck seiner Wahrnehmung von Jugend in Deutschland zu befinden. Allerdings macht er darauf aufmerksam, dass sich die Lebenswelt der Jugendlichen sehr verändert habe, u.a. ließe sich dies an dem „enorm" anwachsenden Ausländeranteil insbesondere im Bereich der großen Städte feststellen (Barz 1992a, S. 29).

312 Die Ängste vor einem „Siegeszug des Islam", die hier anklingen, ziehen sich durch verschiedene Publikationen, die sich mit christlicher Religiosität in der Moderne auseinan-

Auch in den meisten Studien zur Lebenssituation von Jugendlichen mit Migrationshintergrund stellt das Thema „Religion" eher ein Randthema dar. Einige Befunde – wie derjenige, dass Jugendliche türkischer Herkunft auch innerhalb der Gruppe der Migrationsjugendlichen im Nationalitätenvergleich am stärksten religiös orientiert seien – ziehen sich durch alle Untersuchungen. Bereits 1989 stellte Weber in ihrer quantitativen Untersuchung bei 160 „Türken und Türkinnen", „Griechen und Griechinnen" sowie „Deutschen" im Alter von 15 bis 18 Jahren Unterschiede in den religiösen Einstellungen fest. In ihrer nach Geschlecht differenzierenden Befragung, die unter anderem auch die religiösen Einstellungen der Jugendlichen ermittelt, nehmen die griechischen Befragten – unabhängig vom Geschlecht – eine mittlere Position zwischen den türkischen Jugendlichen, die der Religion eine sehr wichtige bis wichtige Bedeutung im Leben beimessen und den deutschen Jugendlichen, die ihr eine geringe Bedeutung geben, ein (Weber 1989, S. 108f.).

Erst seit Mitte der 90er Jahre rückte die Frage der religiösen Orientierung von Jugendlichen mit Migrationshintergrund, vor allem derjenigen mit türkisch-muslimischem Hintergrund, verstärkt in den Blick sozialwissenschaftlicher Erhebungen.[313] In ihrer Auswertung der Daten der 13. Welle des SOEP[314] beziehen sich Diehl/ Urbahn/Esser (1998) auch auf die Items zur Religiosität. Sie ermöglichen Aussagen zur Besuchshäufigkeit religiöser Veranstaltungen und zur Wichtigkeit der Religion für die Lebenszufriedenheit in Abhängigkeit von Faktoren wie Alter, Geschlecht, Bildung, sozialem Status und „Assimilations-Indikatoren"[315]. Die Studie liefert – im Blick auf den in anderen Studien (Heitmeyer/Müller/Schröder 1997; Wetzels/Brettfeld 2003) postulierten Zusammenhang zwischen sozialer Desintegration und Religiosität – neben der Bestätigung der bereits in den BMA-Repräsentativuntersuchungen von 1996 und 2002 (s.u.) erhobenen Daten über die hohe Bedeutung der Religion für die Lebenszufriedenheit insbesondere der Türken und Türkinnen – die Erkenntnis, dass bei einer Betrachtung der Alltagsreligion „keine Anzeichen für eine besonders starke Hinwendung zum Islam bei jüngeren und schlecht-assimilierten Zuwanderern" zu erkennen seien (ebenda, S. 32).

Der DJI-Ausländersurvey (Weidacher 2000a, S. 125ff.) enthält lediglich zwei Fragen zur Rolle der Religion in der Lebensgestaltung der befragten jungen Erwachsenen mit türkischem, griechischem und italienischem Hintergrund, ohne nach Geschlecht zu differenzieren. Zum einen wurde nach der Wichtigkeit von Religion in der persönlichen Lebensgestaltung gefragt, zum anderen nach der Bewertung

---

dersetzen. So meint auch Wiegand (1994, S. 56), dass die These, in Konfrontation mit den Anforderungen und Denkstilen der Moderne habe die Religion ihre Bedeutung verloren, unbestritten richtig sei, „wenn da nicht andere Dinge, Gegenbewegungen aufbrechen würden: ein mit Vehemenz aufbrechender islamischer Fundamentalismus im Nahen Osten; Jugendreligionen; Satanskulte; esoterische Zirkel, Hellseher und Wunderheiler in den modernen Industriestaaten".

313 Auf die Ergebnisse der im Folgenden vorgestellten Studien soll erst im Zusammenhang mit den entsprechenden Ergebnissen unserer Untersuchung näher eingegangen werden.

314 Das „Sozio-ökonomische Panel" wird seit 1983 jedes Jahr vom Deutschen Institut für Wirtschaft in Auftrag gegeben. Die befragten Personen müssen mindestens 16 Jahre alt sein. Von 7.752 Befragten waren 676 türkischer Nationalität (neben Deutschen, Ex-Jugoslawen, Griechen, Italienern und Spaniern).

315 Die Definition von „Assimilation" lehnt sich an Esser (1980) an und differenziert unterschiedliche Dimensionen der Eingliederung wie kognitive (Deutschkenntnisse), soziale (Besuche bei Deutschen), strukturelle (Bildung) und identifikative (Identifikation als Deutsche/r) Assimilation.

des Geltungsbereiches von Religion, bezüglich des Verhältnisses von Kirche und Staat. Ergebnis war, dass die türkischen jungen Erwachsenen vor den griechischen und diese wiederum vor den italienischen jungen Erwachsenen Religion als persönlichen Lebensinhalt wichtig bzw. eher wichtig finden, mit weitem Abstand zu den deutschen Befragten. Mit nahezu identischen Anteilen bejahen sie demgegenüber eine Trennung von Kirche und Staat. Auch diejenigen, die Religion als wichtigen Lebensinhalt bezeichnen, sehen diese als Privatsache an. Im Gegensatz zu den italienischen Befragten ist bei den griechischen und türkischen Befragten ein Zusammenhang zwischen Bildungsniveau und Wichtigkeit des religiösen Lebensbereiches festzustellen. Je niedriger das Bildungsniveau ist, desto stärker wird die persönliche Wichtigkeit des religiösen Lebensbereiches betont. Ein Zusammenhang wurde auch festgestellt zwischen der Wichtigkeit von Religion und der Zufriedenheit mit Rechten und Pflichten, dem auf die eigene Bevölkerungsgruppe begrenzten Beziehungsnetz und der Bereitschaft, eine Partnerschaft mit einem Deutschen bzw. einer Deutschen einzugehen. Darüber hinaus wurde insbesondere bei den türkischen Befragten ein positiver Zusammenhang zwischen religiöser Orientierung und konservativen Lebenseinstellungen konstatiert.

Die Shell-Jugendstudie 2000 (Fuchs-Heinritz 2000b) räumt in seinem Vergleich der drei Gruppen 15- bis 21-jähriger deutscher, türkischer und italienischer Jugendlicher dem Bereich Religion mit einem eigenen Kapitel (Fuchs-Heinritz 2000b, S. 157-180) einen vergleichsweise breiten Raum ein.[316] Neben Fragen nach der religiösen Praxis (Beten, Gottesdienstbesuch, Lesen religiöser Bücher, religiöse Trauung und religiöse Erziehung der Kinder) enthält sie auch Fragen nach der Zustimmung zu religiösen Glaubenssätzen (Weiterleben nach dem Tod, Schicksalsglauben) und der Selbsteinschätzung hinsichtlich der religiösen Orientierung. Für die Migrantenjugendlichen stellt Shell fest, dass deutlich geringere Anteile als bei den Deutschen „ohne Religionsgemeinschaft" sind (ebenda, S. 157). Junge christliche Migranten und Migrantinnen praktizieren ihre Religion deutlich intensiver als deutsche Befragte. Türkische Befragte lehnen am stärksten von allen befragten Gruppen die Aussage „Ich bin nicht religiös" ab, gefolgt von italienischen Jugendlichen. Deutsche Jugendliche definieren sich zu fast doppelt so hohem Anteil als nicht religiös wie die beiden anderen nationalen Gruppen. Weibliche Jugendliche weisen in nahezu allen Bereichen der Religiosität über alle Herkunftsgruppen hinweg höhere Anteile an religiöser Orientierung auf als männliche (Fuchs-Heinritz 2000b, S. 173).

In der auf den Raum Nürnberg begrenzten Repräsentativbefragung EFFNATIS (Heckmann et al. 2000) wurden insgesamt ca. 850 16- bis 25-jährige türkische, „exjugoslawische" und deutsche Jugendliche unter anderem auch zu ihren religiösen Bindungen befragt. Auch in dieser Mehrthemenbefragung wurde dem Bereich Religion ein verhältnismäßig großer Raum gegeben. Er wurde erhoben über die Religionsgruppenzugehörigkeit, die Häufigkeit des Gotteshausbesuches, die religiös

---

316 In ihrer Analyse der Studie kritisiert Thonak die angesichts der umfangreichen Itembatterien nicht genutzte Möglichkeit zum weit reichenden Vergleich der Bedeutung religiöser Rituale für die befragten Nationalitäten- und Religionsgruppen, den der Itembildung zugrunde liegenden engen Religionsbegriff, der etwa emotionale Dimensionen von Religiosität nicht berücksichtigt und die jeglicher faktischen Grundlage entbehrenden Schlussfolgerungen zu fehlenden interreligiösen Lernprozessen bei den Jugendlichen (Thonak 2003, S. 269ff.).

geprägten Ernährungs- und Trinkgewohnheiten, die Wichtigkeit religiöser Feste, die Religionszugehörigkeit des Wunschpartners und die Mitgliedschaft in religiösen Organisationen. Eine später veröffentlichte Sonderauswertung dieser religions-bezogenen Daten befasst sich ausschließlich mit dem Zusammenhang zwischen Religiosität und Integrations-Indikatoren (Worbs/Heckmann 2003) und stellt hier den vertiefenden Vergleich zwischen muslimischen und nicht-muslimischen Be-fragten sowie innerhalb der Gruppe der Muslime und Musliminnen zwischen weniger und stärker religiösen Gruppen in den Mittelpunkt. Diese Untersuchung ist eine der wenigen Jugendstudien, die Jugendlichen mit jugoslawischem Hintergrund einbezieht und innerhalb der türkischen Gruppe alevitische und sunnitische Be-fragten getrennt ausweist. Darüber hinaus differenziert sie nach Geschlecht. Wegen des zu kleinen Anteils an jugoslawischen Muslimen und Musliminnen geht die Studie nicht durchgängig auf ethnische Differenzierungen innerhalb dieser Reli-gionsgruppe ein. Sie ermittelt, dass Migrationsjugendliche – insbesondere diejenigen islamischen Glaubens – im Durchschnitt religiöser sind als Einheimische, bezogen auf religiöse Praxis und religiöse Lebensgestaltung (Heckmann et al. 2000, S. 44; Worbs/Heckmann 2003, S. 135). Die religiöse Bindung ist bei türkisch-muslimische Jugendlichen stärker ausgeprägt als bei denjenigen aus dem ehemaligen Jugosla-wien. Dabei ist ihre tendenziell stärkere Religiosität nicht gleichbedeutend mit einer religiös extremistischen Orientierung. Sie geht dagegen bei einer Mehrheit mit der Einstellung einher, Staat und Religion zu trennen, also Religiöses im Privatleben zu belassen. Aleviten und Alevitinnen sind innerhalb der türkischen Befragtengruppe weniger stark religiös. Während kein Zusammenhang zwischen dem Grad der Reli-giosität und der Bildung bei muslimischen Jugendlichen nachgewiesen werden konnte, erwiesen sich stark religiöse muslimische Jugendliche in ihren Geschlechter-rolleneinstellungen als traditioneller als die anderen.

Erst seit 1996 wird in den Repräsentativuntersuchungen des Bundesarbeits-ministeriums (BMA 1996; BMA 2002), in denen türkische, italienische, griechische und ehemalig jugoslawische Arbeitnehmer und ihrer Familienangehörigen befragt werden, unter anderem auch der Bereich Religion behandelt. Gefragt wird in der Untersuchung lediglich nach der Religionszugehörigkeit und der Stärke der religiö-sen Bindung, die anhand der Häufigkeit des Besuchs von Gottesdiensten oder ande-ren religiösen Veranstaltungen abgelesen wird (BMA 2002, S. 50). Ein Gottes-dienstbesuch, der „mindestens einmal wöchentlich" oder „häufiger" stattfindet, wird von der Forschungsgruppe als „starke religiöse Bindung" bezeichnet, bei einem „mindestens einmal im Monat" stattfindenden Gottesdienstbesuch sprechen sie von „mittlerer Religionsbindung", werden Gottesdienste oder religiöse Veranstaltungen nur „mehrmals im Jahr" oder „seltener" besucht, wird von einer „schwachen Reli-gionsbindung" ausgegangen. Die Untersuchung differenziert nur entweder nach Altersgruppen, nach Geschlecht oder nach Herkunftsgruppen, daher lassen sich keine direkten Vergleichsdaten zu der vorliegenden Untersuchungen gewinnen, sie kann aber, da sie in regelmäßigem zeitlichen Abstand durchgeführt wird, Entwick-lungen nachzeichnen. Die letzte Repräsentativbefragung des BMA (2002, S. 50) ergab – nicht differenziert nach Altersgruppen – kaum Veränderungen hinsichtlich der Religionszugehörigkeit und des Besuchs von Gottesdiensten, lediglich bei der Gruppe der Griechen und Griechinnen ist der Anteil derjenigen, die selten oder nie einen Gottesdienst besuchen um acht Prozentpunkte im Vergleich zu 1996 gesunken. Darüber hinaus wird festgestellt, dass sich Herkunftsgruppen übergreifend die Altersgruppe der 15- bis 24-Jährigen als am wenigsten religiös definiert, hier geben zwei Drittel nur eine schwache Religionsanbindung an. Unabhängig von den Altersgruppen wird festgestellt, dass Türken und Türkinnen häufiger eine starke Religionsbindung aufweisen als die anderen Nationalitätengruppen. Die drei restlichen Nationalitätengruppen sind untereinander ähnlicher.

Jenseits der hier genannten, interkulturell vergleichenden Studien konzentriert sich die Betrachtung der Religiosität von Migrationsjugendlichen auf die muslimischen Migranten und Migrantinnen, die – gleichgesetzt mit der türkischen Herkunftsgruppe – als in ihrem Religionsverständnis besonders verschieden[317] von deutschen Jugendlichen gelten, auch wenn die Untersuchungen Jugendliche deutscher Herkunft als Vergleichsgruppe häufig gar nicht miteinbeziehen.

Ein Teil der in den letzten Jahren erschienenen empirischen Studien zu muslimischer Jugendreligiosität in Deutschland, kann als Reaktion auf die Fundamentalismus-Studie von Heitmeyer/Müller/Schröder (1997) verstanden werden, der zum einen schwerwiegende methodische Mängel sowie eine Blickverengung auf extremistische religiöse Orientierungen vorgeworfen werden (siehe hierzu z.B. Karakaşoğlu-Aydın 1998 sowie Wetzels/Brettfeld 2003[318]). In ihrer quantitativen Untersuchung bei ca. 1.200 Schülern und Schülerinnen türkischer Herkunft im Alter von 15 bis 21 Jahren konzentrierten sie sich auf den Zusammenhang zwischen religiösen und politischen Orientierungen. Gefragt wurde nach der Religionsgemeinschaft, nach religiös-politischen Einstellungen, der Bedeutung des Islam für die eigene Lebensführung, der Nutzung religiöser Einrichtungen, der religiösen Praxis, der elterlichen Kontrolle über diese Praxis, der eigenen religiösen Erziehung und der gewünschten religiösen Erziehung der Kinder, den Beschränkungen für Muslime und Musliminnen im schulischen Alltag (Teilnahme am Biologie- oder Sportunterricht), Kontakt und Kenntnis zu islamischen Vereinen in Wohnortnähe. Ziel der Untersuchung war es, drei Kategorien von Religiosität zu erfassen, die die Forscher mit „islamzentriertem Überlegenheitsanspruch", „religiös fundierter Gewaltbereitschaft" und „organisatorischer Einbindung" umschrieben haben und womit die Abschätzung negativer Konsequenzen von islamisch-religiöser Orientierung erfolgen sollte. Eines der zentralen Ergebnisse der Untersuchung ist jedoch „dass der Islam für einen Großteil der türkischen Jugendlichen nach wie vor eine

---

317 Vor diesem Hintergrund wird Religiosität als Zugehörigkeit zu einer Religionsgemeinschaft – insbesondere in der Gegenüberstellung von Christentum und Islam – in vielen Kontexten zum Thema gemacht, die als Problembereiche der Integration gelten, so bei der Diskussion um die Einführung des muslimischen Religionsunterrichts an Schulen (Baumann 2001; Doedens/Weiße 1997; Gottwald/Siedler 2001), der Teilnahme muslimischer Mädchen am koedukativen Sportunterricht (Karakaşoğlu-Aydın 1999) und dem Tragen des Kopftuches bei Schülerinnen und Studentinnen oder bei Lehrerinnen (Karakaşoğlu 2002). Religiosität kann, so Weidacher (2000a) „in einer laizisierten Gesellschaft als Zielland von Migranten Bevölkerungsgruppen ein bedeutendes (legitimierendes und identitätsstiftendes) Element sein, das ethnische Segregation unterstützt (Heitmeyer/ Müller/ Schröder 1997), wenn strukturelle Barrieren und geringe Akzeptanzbereitschaft der dominanten Bevölkerungsgruppe die soziale Eingliederung behindert" (Weidacher 2000a, S. 125). Allerdings wird dieser Aspekt auf Muslime eingegrenzt, andere Religionsgemeinschaften von Zuwanderern und Zuwanderinnen werden kaum mitberücksichtigt.

318 Wetzels/Brettfeld (2003, S. 54f.) kritisieren z.B., dass sowohl Vergleichsgruppen aus anderen Migrationsminderheiten sowie anderen Religionsgruppen fehlten wie auch die ausschließliche Erhebung von gewaltbereiten Einstellungen, über die in unzulässiger Weise auf entsprechendes Verhalten geschlossen würde.

große Bedeutung ohne einseitige Überhöhung gegenüber Andersgläubigen besitzt" (ebenda, S. 114).

Die Untersuchung „Türkische Jugendliche in Berlin" (Ausländerbeauftragte des Senats 1997, S. 3f.) stellt im Vergleich zwischen der ersten (1989) und der letzten Befragung (1997) eine Verstärkung von Säkularisierungstendenzen bei Jugendlichen mit türkischem Migrationshintergrund fest. Hier wurden zwei Fragen zum Verhältnis zur Religion gestellt. Die eine bezieht sich auf das persönliche Verhältnis der Befragten zur Religion, das in fünf Abstufungen von „sehr eng" bis „gehöre keiner Religion an" kategorisiert wurde. Die zweite Frage erhob Meinungen zu zwei Statements, mit denen Toleranz gemessen werden sollte (Muslime sind bessere Menschen; Friedliches Zusammenleben basiert auf der Toleranz gegenüber Andersgläubigen). Unter Säkularisierung wird hier ein distanziertes Verhältnis zur Religion verstanden. Mehr Befragte als 1989 gaben 1997 ein etwas distanziertes Verhältnis zur Religion an. Gleichzeitig bezeichnete eine größere Befragtengruppe ihr Verhältnis zur Religion als ziemlich oder sehr eng. Sowohl die Zahl der Jugendlichen mit größerer Distanz als auch derjenigen mit größerer Nähe hat von 1989 bis 1997 abgenommen. Eine überwiegende Mehrheit von 88 Prozent befürwortete in der letzten Untersuchung gegenseitige Toleranz und nur neun Prozent waren von der Überlegenheit der Muslime überzeugt.

In der quantitativen Befragung der Konrad-Adenauer-Stiftung (KAS) (2001) bei 326 „Türken in Deutschland" wurde auch die Bedeutung der Religion mittels der Fragen bzw. Items „Wie sehr richten Sie sich nach den Regeln der Religion?", „Vor Gott sind alle Menschen unabhängig von ihrer Religion und ihrem Glauben gleich", „Die islamische Religion ist der Christlichen überlegen" erhoben. Nach dieser Befragung, die nicht nach Altersgruppen differenziert, gestalten 43 Prozent der Muslimen und Musliminnen ihr Leben vollständig bis überwiegend nach den Regeln des Islam. Für 27 Prozent jedoch gelten die Regeln nur noch teilweise und etwas mehr als ein Viertel richtet sich weniger oder überhaupt nicht nach der Religion. Bei Deutschen türkischer Herkunft sind die Säkularisierungstendenzen stärker, hier spielt für 41 Prozent die Religion nur noch teilweise eine Rolle. Mehr als drei Viertel der befragten Muslimen und Musliminnen vertreten eine tolerante Auffassung von Religion, auch wenn fast 50 Prozent der Ansicht sind, dass der Islam dem Christentum überlegen sei.

Eine Repräsentativumfrage des Zentrums für Türkeistudien bei 2000 türkischen Migranten und Migrantinnen ab 18 Jahren zu ihren religiösen Einstellungen und zu diesbezüglichen Problemen und Erwartungen an die deutsche Gesellschaft (Sauer/ Goldberg 2001) erhebt Religiosität über eine Vielzahl von Einzelitems: die Zuordnung zu konfessionellen Gruppen im Islam, die Selbsteinschätzung, die religiöse Praxis anhand der Wallfahrt, Einhaltung von Speisevorschriften, Begehen des Opferfestes, Moscheebesuch, Mitgliedschaft in einer islamischen Organisation, Einstellungen zu religiösen Forderungen von Muslimen und Musliminnen in Deutschland etwa zur Kopftuchpflicht für Frauen, zum geschlechtsgetrennten Sportunterricht und zur Einführung eines islamischen Religionsunterrichts, die Bereitschaft, einen nicht-muslimischen Partner/eine Partnerin zu heiraten und Diskriminierungserfahrungen. Die Daten werden entweder nach Altersgruppen (z.B. 18- bis 30-Jährige), nach Geschlecht oder nach Konfession (Alevitisch, Sunnitisch, Schiitisch) ausgewiesen, bieten daher keine direkten Vergleichsmöglichkeiten mit unserer Untersuchung, weisen aber interessante Befunde auf. Religiosität ist geringer ausgeprägt bei der zweiten gegenüber der ersten Migrationsgeneration, dabei behält die religiöse Praxis, insbesondere das Fasten, Allmosenspenden und die Einhaltung der Speisevorschriften auch Relevanz für diejenigen Befragten, die sich als weniger oder gar nicht religiös definieren. Insbesondere jüngere Befragte sind selten in islamischen Vereinen organisiert. Auch wenn mehrheitlich die Heirat eines nicht-muslimischen Ehepartners/einer Ehepartnerin nicht akzeptiert wird, sprechen die Autoren bezüglich der anderen Items von überwiegend „modernen Einstellungen" – wobei keine genaue Definition von „modern" gegeben wird – in denen sich zeige, dass die türkisch-islamische Kultur ein zentraler identitärer Bezugsrahmen auch der zweiten Generation sei, wenngleich sich dieser „in einem variablen und flexiblen Zustand" befände (Sauer/Goldberg 2001, S. 19).

Ergebnisse einer Untersuchung mit 112 themenzentrierten Interviews bei Mutter-Tochter und Vater-Sohn Dyaden von Migranten und Migrantinnen mit türkischem Hintergrund präsentiert die Untersuchung „Zur kollektiven Identität türkischer Migranten in Deutschland" (Sackmann 2001). In diesem Rahmen wurde auch nach der Wichtigkeit der Religion für das Leben, der Einhaltung des Fastens, der Bedeutung von Moscheevereinen für den/die Interviewte(n), der Bedeutung der Religion in der Kindheit, der Bedeutung der nationalen Herkunft und der Religionszugehörigkeit bei den Heiratspartnern gefragt. Sackmann kommt zu dem Schluss, „Muslime teilen nicht eine Weltsicht, aber sie haben einen gemeinsamen Bezugspunkt" (ebenda, S. 196). In der besonderen Wichtigkeit der Religion für das Leben bestehen keine wesentlichen Unterschiede zwischen den Generationen, für beide ist der Islam bei mehr als zwei Drittel wichtig oder sehr wichtig. Ähnlich ist es auch bezüglich der Einhaltung des Fastens. Wobei die Wichtigkeit der Religion für Frauen etwas geringer sei als für Männer (ebenda, S. 192). Während der Grad der Wichtigkeit und der religiösen Praxis im Einzelfall sehr individuell interpretiert wird, seien sich die Befragten einig in der überwiegenden Ablehnung eines Partners, einer Partnerin, der/die nicht dieselbe Religion hat. Während ein Drittel der Befragten keine Religionsbindung aufweist, ist sie für den größten Teil selbstverständlicher Bestandteil des Lebens, nur weniger als zehn Prozent grenzt sich durch die Religiosität von der Mehrheitsgesellschaft deutlich ab.

Einen spezifisch kriminologischen Blick auf muslimische Jugendreligiosität werfen Wetzels/Brettfeld (2003).[319] Sie gehen in einer Sonderauswertung einer Mehrthemenbefragung von über 11.000 Schülern und Schülerinnen im Alter zwischen 14 und 17 Jahren, darunter 8.000 muslimischen, der Frage nach, welche Bedeutung Religion für Gewaltbereitschaft und gewaltbereites Handeln spielt (ebenda, S. 20). Sie differenzieren in ihren Daten zum einen zwischen einheimischen Deutschen, eingebürgerten und nicht eingebürgerten Türken und Türkinnen, ehemaligen Jugoslawen und Jugoslawinnen, südeuropäischen Migranten und Migrantinnen, Aussiedlern und Aussiedlerinnen aus den GUS-Staaten und aus ande-

---

319 Die Studie trägt den Titel „Auge um Auge, Zahn um Zahn? Migration, Religion und Gewalt junger Menschen". Mit diesem martialischen Titel wird Bezug auf ein Gebot des Alten Testaments genommen, das durch die Ergebnisse der Studie keinesfalls gedeckt wird und angesichts der Tatsache, dass muslimische Jugendliche im Fokus der Sonderauswertung stehen, auch wenig geeignet erscheint, ihre spezifische Tradition wiederzugeben. Darüber hinaus muss befürchtet werden, dass mit derartig populistischen Titeln (vgl. auch der Titel der Studie von Heitmeyer/Müller/Schröder 1997 „Verlockender Fundamentalismus") bereits im Vorfeld Ressentiments geweckt werden.

ren Staaten und zum anderen zwischen den verschiedenen Religionsgruppen, wobei ihre Daten hier verschiedene Kombinationen zwischen nationaler Herkunft und Religionsgruppe erlauben. So kann hier unterschieden werden zwischen muslimischen Jugendlichen aus der Türkei, aus Nahost/Nordafrika und aus Europa (ehem. Jugoslawien) sowie christlichen Befragten aus Deutschland, dem ehemaligen Jugoslawien und anderen Staaten. Hier wie in den erwähnten anderen Studien auch weisen muslimische Jugendliche die höchste Religiosität im Religionsgruppenvergleich auf. Innerhalb der Gruppe der muslimischen Jugendlichen erweisen sich diejenigen mit ehemals jugoslawischem Hintergrund als weniger religiös als diejenigen mit türkischem oder nordafrikanischem/Nahost-Hintergrund. Dabei wirkt sich eine kürzere Aufenthaltsdauer auf den höheren Grad der Religiosität nur bei muslimischen Befragten mit jugoslawischem und nordafrikanisch/Nahost-Hintergrund aus. Die Daten sind vielfach, aber nicht kontinuierlich nach Geschlecht differenziert. Zusammenhänge werden hergestellt zwischen einer hohen Religiosität bei Migrationsjugendlichen und niedriger Bildung sowie niedrigem sozialem Status. Muslimische Jugendliche neigen, wie bereits in der EFFNATIS-Untersuchung und dem DJI-Ausländersurvey festgestellt, zu stärker konservativen Einstellungen als nicht-muslimische. Während Wetzels/Brettfeld mehr normative Haltungen der Eltern zur Gewalt bei muslimischen als bei nicht-muslimischen Jugendlichen und eine mit dem Grad der Religiosität bei muslimischen Jugendlichen erhöhte Gewaltbereitschaft konstatieren, warnen sie vor einer undifferenzierten Interpretation der Ergebnisse in Richtung eines linearen Zusammenhangs zwischen islamischer Religiosität und Gewaltbereitschaft (ebenda 2003, S. 194ff.). Der Ursache-Wirkungs-Zusammenhang sei mit ihren Daten nicht aufzuklären und bedürfe weiterer Forschungsbemühungen. Neben der möglichen destruktiven verweisen sie auch auf die stabilisierende Kraft des Islam im Lebensalltag der Jugendlichen. Da die Autoren die Auswertung ihrer Daten zu Migrationsjugendlichen auf diejenigen zu muslimischen Jugendlichen fokussieren, gehen sie nur vereinzelt auf Spezifika dieser Migrationsgruppe im Vergleich zu anderen nicht-muslimischen Migrationsjugendlichen (Aussiedler und Aussiedlerinnen/Südeuropäische Zuwanderungsgruppen) ein. Für die Gruppe der Aussiedlerjugendlichen bleibt festzuhalten, dass sich mehr Befragte als unter einheimischen Deutschen dem Christentum zurechnen. Gleichzeitig sind sie anhand ihrer religiösen Praxis und der subjektiven Bedeutung von Religion im Alltag deutlich religiöser als die einheimischen Deutschen, jedoch deutlich weniger religiös als andere christliche Migrationsjugendliche. Während sich bei christlichen Aussiedlern und Aussiedlerinnen ein ähnlicher Anstieg der Religiosität mit steigendem Bildungsniveau feststellen lässt wie bei einheimischen Deutschen, gilt für christliche Migrationsjugendliche anderer Herkunftsländer oder muslimische Befragte, dass ihre Religiosität eher zunimmt in den unteren Bildungsstufen (ebenda, S. 110f.). Im Unterschied zu den anderen christlichen und muslimischen Migrationsjugendlichen findet sich bei den Aussiedlern und Aussiedlerinnen auch ein Anstieg der sprachlich-sozialen Integration mit zunehmender Religiosität.

Den wenigen hier vorgestellten quantitativen Untersuchungen, die sich schwerpunktmäßig mit der Religionsbindung und Religiosität von mehreren oder einzelnen Migrationsgruppen beschäftigen – häufig nicht eingegrenzt auf die Altersgruppe der jugendlichen Migranten und Migrantinnen – stehen zahlreiche qualitativen Untersuchungen gegenüber. Als eine diesen Studien gemeinsame Intention kann hervorgehoben werden, dass es ihnen um die Darstellung der Vielfalt religiöser Ausdrucksformen im Islam bei jugendlichen Muslimen und Musliminnen geht. Damit soll Pauschalierungen über „den Islam" entgegengetreten werden. So konzentrieren sich die Untersuchungen mit qualitativen Verfahren auf die Erhebung religiöser Deutungsmuster.

Mit der Untersuchung von Sandt (1996) zu religiösen Orientierungen bei atheistischen, christlichen, spiritualistischen und muslimischen Schülern und Schülerinnen im Alter von 14 bis 16 Jahren wurde zum ersten Mal ein Einblick in die Glaubens- und religiösen Denkwelten der muslimischen Jugendlichen im Vergleich zu anderen Religionsgruppen geboten. Dabei verstand es der Autor auf der Grundlage der qualitativen Methode, die innere Vielfalt der muslimischen Glaubensformen in ihren subjektiven Deutungsmustern neben den anderen drei Orientierungen als eine Facette in der pluralistischen Religionslandschaft Deutschlands deutlich zu machen, wobei er seinen Fokus auf die gegenseitige Wahrnehmung von Jugendlichen unterschiedlicher religiöser Orientierungen legte. Seine Auswertung ergab, dass es den Jugendlichen in der Diaspora-Situation wichtig sei, die Differenz zwischen Kultur und Religion zu betonen, was insbesondere für muslimische Mädchen gelte, die patriarchale Verhältnisse in Familie und Gesellschaft auf kulturelle Praktiken zurückführten, deren Geltungsanspruch nicht in der Religion begründet wäre. Das Leben in der Diaspora-Situation verstärke insgesamt die Anlässe, die Sinnhaftigkeit der Gebote zu hinterfragen. Die Einstellungen zu Handlungsvorschriften des Islam seien sehr heterogen, immer jedoch werde die Selbstverantwortung der Gläubigen stark hervorgehoben. Der Islam habe für die Jugendlichen eine wichtige Funktion als „Rückhalt zur Lebensbewältigung, aber auch als soziales Netzwerk, das die Individualisierungstendenzen auffängt" (Sandt 1996, S. 276). Seine Darstellung der Suchbewegungen der Kinder und Jugendlichen auf dem Weg zur religiösen Mündigkeit zwischen Ansprüchen der nicht-muslimischen Mehrheitsgesellschaft und dem muslimischen Elternhaus fanden zwar nicht Eingang in die Itembildung der bereits beschriebenen quantitativen Untersuchungen, im Bereich der qualitativen Studien jedoch wirkten sie inspirierend.

Ein erheblicher Teil der Untersuchungen zur muslimischen Religiosität ist auf ein Geschlecht beschränkt. Es gibt Studien die sich ausschließlich männlichen Jugendlichen widmen (Alacacıoğlu 2000; Frese 2002; Tietze 2001) und solche, die sich ausschließlich mit Mädchen und jungen Frauen beschäftigen (Klinkhammer 2000; Karakaşoğlu-Aydın 2000a; Nökel 2002, Schröter 2002). Nur eine Untersuchung bezieht beide Geschlechter ein (Kelek 2002). Ferner werden in den genannten Untersuchungen fast ausschließlich bildungserfolgreiche Muslime und Musliminnen erforscht. Dieses mag mit dem leichteren sprachlichen Zugang zu dieser Gruppe durch die (überwiegend deutschsprachigen) Forscher und Forscherinnen zusammenhängen. Es ist eine Ausnahme, wenn ausschließlich oder auch Schüler und Schülerinnen befragt werden (Alacacıoğlu 2000; Kelek 2002, teilweise Schröter 2002). Die qualitativen Erhebungs- und Auswertungsmethoden reichen von narrativen Interviews bei Nökel (2002), Schröter (2002) und Tietze (2001) über leitfadenorientierte Interviews bei Karakaşoğlu-Aydın (2000a). Klinkhammer (2000) und Frese (2002) bis zu teilstandardisierten Interviews bei Alacacıoğlu (2000). Diese Methoden stellen hohe Anforderungen an die Fähigkeit der Wissenschaftler und Wissenschaftlerinnen mit qualitativen Auswertungsverfahren umzugehen, denn aufgrund der relativ schmalen empirischen Basis sprechen die Daten nicht für sich, sondern müssen aufwändig analysiert und interpretiert werden. In der Regel wurden mehr Jugendliche interviewt als Interviews in die Auswertung einbezogen, so dass die empirische Grundlage eine breitere ist, als durch das ausgewählte Material wiedergeben wird.[320] Die Studien erheben keinen Anspruch auf Repräsentativität, sondern wollen vor dem Hintergrund der bislang schmalen Forschungsbasis zum Thema muslimische Jugendreligiosität in Deutschland Phänomene wie die Hinwendung von Jugendlichen mit Migrationshintergrund zum Islam oder die Verwendung von Symbolen wie das Kopftuch erklären. Gemeinsame Erkenntnis der genannten Studien ist, dass jugendliche Muslime und Musliminnen auf der Suche nach einer authentischen Lebensführung in der Moderne offenbar bewusst auf den Islam zurückgreifen. Sie stellen fest, dass die betonte Zugehörigkeit zum Islam es den Befragten ermöglicht, in einem gemeinsamen Erlebnisbereich mit den Eltern zu verbleiben. Die selbständige Aneignung von Wissensinhalten und Riten jedoch vermittelt ihnen den Status von Experten/Expertinnen, mit dem sie gegenüber der Elterngeneration eine Art „sanfte Emanzipation" durchsetzen können, ohne – in der Regel – in offene Konfrontation mit ihnen zu geraten. Kennzeichnend ist die Gegenüberstellung von „wahrem Islam", dessen Inhalte man sich nahezu wissenschaftlich aneignen kann und „traditionalistischem Islam", der eine unhinterfragte Übernahme eines rigiden Wertekanons fordere. Eine solche unhinterfragte Übernahme wird als mit den Anforderungen der Moderne an das autonom und rational handelnde Individuum nicht kompatibel empfunden. Gerade junge muslimische Frauen sähen in der Bezugnahme auf die Stellung der Frau im „wahren Islam" eine Möglichkeit, die Anforderungen der nicht-muslimischen Umwelt an ihre Präsenz in der Öffentlichkeit und die Anforderungen der muslimischen Eltern an ihre Verbundenheit mit der Herkunftskultur miteinander in Einklang zu bringen. Die Bezugnahme auf den Islam erweitere ihren Aktionsradius, denn die als „wahrer Islam" postulierte Orientierung biete ihnen sogar die Möglichkeit einer Enttraditionalisierung und Enthierarchisierung der ehelichen Beziehungen (Nökel 2002, S. 28). Das heißt, eine intensivere Auseinandersetzung mit dem Islam führt bei ihnen zu einem eher am westlichen Bild von der Gleichberechtigung zwischen Mann und Frau orientierten Verständnis der Rolle von (muslimischen) Frauen in der Gesellschaft als dies der Fall war bei dem von der Elterngeneration als islamisch tradierten Rollenverständnis. Die Schule offenbart sich dabei in vielen der analysierten Biographien als Ort, an dem die Bezüge der Befragten zum Islam durch die nicht-muslimische Umwelt hinterfragt werden. Die Erfahrung der eigenen Sprachlosigkeit angesichts der Anfragen war für viele der befragten jungen Männer und Frauen überhaupt ein erster Anlass, sich mit der eigenen Religion intellektuell intensiv auseinander zu setzen, bei einigen, eben den Protagonisten und Protagonistinnen der ausgewählten Studien, mündete dies in das Bekenntnis zu einer islamischen Lebensführung. Die Studien verweisen auf den von den jungen Muslimen und Musliminnen in ihrem Handeln deutlich gemachten produktiven Zusammenhang von gesellschaftlicher Modernisierung und Religionsentwicklung.

Angesichts der Vielzahl von Untersuchungen zur Religiosität muslimischer Jugendlicher fällt auf, dass es an detaillierteren Betrachtungen zu religiösen Orientierungen der anderen Religionsgruppen fehlt. So kann nicht auf entsprechende

---

320 Kelek (2002) bezieht sich auf 15, Karakaşoğlu-Aydin (2000a) auf 26, Schröter (2002) auf 24, Frese (2002) auf 29, Alacacıoğlu (2000) auf 30, Klinkhammer (2000) auf sieben und Nökel (2002) auf 18 Fälle.

qualitative Studien über griechisch-/serbisch-/russisch-orthodoxe, bosnisch-islamische, italienisch-katholische oder kroatisch-katholische Religiosität u.a. zurückgegriffen werden. Zu den nationalitäten- herkunftsvergleichenden Untersuchungen (Weidacher 2000a; Deutsche Shell 2000) ist anzumerken, dass sie mit Ausnahme der EFFNATIS-Untersuchung (Heckmann et al. 2000; Worbs/Heckmann 2003) und der kriminologischen Untersuchung von Wetzels/Brettfeld (2003) innerhalb der Herkunftsgruppen nicht nach Konfessionen differenzieren. Die Daten unserer Untersuchung weisen – wie später belegt wird – hingegen darauf hin, dass eine solche Differenzierung sowohl bei den Befragten jugoslawischer Herkunft als auch bei den Aussiedlerinnen zu wichtigen Erkenntnissen führt.

Die meisten Studien beziehen mit Ausnahme von Wetzels/Brettfeld (2003) die größte Zuwanderungsgruppe der (Spät-)Aussiedler nicht ein, so dass hier nur auf eine besonders schmale Forschungsbasis Bezug genommen werden kann. Eine intensive Auseinandersetzung mit der Religiosität dieser Gruppe konzentriert sich auf die freikirchlichen Richtungen, vermutlich, da es sich hier um religiöse Formen handelt, die deutlich von denjenigen abweichen, die die beiden großen Konfessionen in Deutschland repräsentieren und die als eher problematisch im Akkulturationsprozess bewertet werden. Die umfassendste Monographie zum Werteverständnis in mennonitischen Aussiedlerfamilien aus einer dörflichen Region im Ural von Löneke (2000) erfasst mittels einer qualitativen Erhebung die Lebensorientierungen dieser Gruppe im Herkunftsland und in Deutschland.[321] Eine nicht empirisch fundierte Beschreibung der verschiedenen freikirchlichen Gemeinden findet sich bei Ruttmann (1998, S. 120). Kennzeichnend für Mennoniten sei deren strikter Antimilitarismus und die Ablehnung von Ehepartner nicht-mennonitischer Herkunft. Einhergehend mit freikirchlichen Orientierungen werden von einem eher moralisch-religiös geprägten Weltbild hergeleitete „konservative" Lebensstile und Orientierungen beschrieben, wie die Beibehaltung der Führungsrolle des Mannes in der Familie, Probleme im offenen Umgang mit Sexualität sowie das Kopftuchtragen der Frauen zumindest beim Gottesdienst (ebenda, S. 122, siehe auch Boll 1993, S. 88). Diese Aussagen beziehen sich jedoch vorwiegend auf die ältere Generation, die mittlere Generation (18-50 Jahre) wird als eher religionsfern beschrieben.

In aktuelleren Studien über Jugendliche aus Aussiedlerfamilien (Dietz/Roll 1998 und Strobl/Kühnel 2000) wird nur marginal auf die Religiosität eingegangen. Dietz/Roll (1998) erheben außer Daten zur Verteilung der Befragten auf die verschiedenen Religionen/Konfessionen keine weiteren Daten zu Glaubenshaltungen. Sie stellen fest, dass bei Jugendlichen mit einem freikirchlichen Hintergrund der Familie dieser zentraler Bestandteil und Bindeglied zu ihrer Identität als Deutsche darstellt: „Religiöse Überzeugungen waren für einen Teil der Russlanddeutschen ein wesentlicher Grund, sich nicht an die sowjetische Mehrheitsgesellschaft zu assimilieren" (Dietz/Roll 1998, S. 44). Strobl/Kühnel (2000, S. 98f.) haben in einer mit quantitativen Methoden durchgeführten Studie bei 15 bis 25 (Schwerpunkt 15 bis 18 Jahre) jugendlichen Aussiedlern aus der ehemaligen Sowjetunion in Nordrhein-Westfalen nach der Zugehörigkeit zu der Religionsgemeinschaft, nach der Häufigkeit des Gottesdienstbesuches in den letzten vier Wochen und nach der

---

321 Die Arbeit enthält eine gute und umfangreiche Darstellung des Forschungsstands zu Aussiedlern allgemein und zu den freikirchlichgläubigen Aussiedlern im Besonderen, auf den hier nur verwiesen werden soll (Löneke 2000, S. 13-24).

Häufigkeit des Betens gefragt. Die Daten sind jedoch nicht geschlechts- und alters-gruppenspezifisch differenziert. In ihrer Stichprobe rechnen sich 63 Prozent der Be-fragten Aussiedler der evangelischen oder katholischen Kirche zu. Mehr als ein Viertel sind Angehörige türkischer Gemeinden. 50 Prozent der „Ausländer" sind Muslime. Hinsichtlich der religiösen Praxis stellen sie fest, dass mit etwa gleich hohen Anteilen von jeweils zwei Drittel die befragten Aussiedler und „Ausländer" in den letzten vier Wochen vor der Befragung keinen Gottesdienst besucht hatten. Im Vergleich zu den befragten Deutschen praktizieren damit die zugewanderten Minderheiten diese Handlung zu 20 Prozent häufiger. Das Beten wird von den „Ausländern" häufiger als von den Aussiedlern, von diesen wiederum häufiger als von den Deutschen praktiziert.

Mehr Aufschluss geben die Studien, die sich nicht nur auf Jugendliche konzentrieren. In seiner qualitativ-empirischen Studie zur Lebenswelt russland-deutscher Aussiedler in der Bundesrepublik widmet Boll (1993, S. 70-92) dem Thema Religiosität breiten Raum und zwar im Kontext der „Familie als Ort der Tradierung ethisch-religiöser Werte", wobei er sich auf die freikirchlichen Gemeinden konzentriert. Ingenhorst (1997, S. 151f.) bietet quantitative Daten zu Aussiedlern und Aussiedlerinnen der Stadt Münster. Seine Probanden und Pro-bandinnen wurden neben der Religionsgruppenzugehörigkeit nach der Wichtigkeit der Religion im Leben und der freien Religionsausübung sowie zu ihrer Einschät-zung des Stellenwerts von Religion und Kirche in Deutschland befragt. Die Daten differenzieren teilweise nach Altersgruppen (z.B. die Gruppe der 18- bis 30-Jähri-gen) und Geschlecht. Er stellt fest, dass in seinem Sample nur die Hälfte der Be-fragten sich als Mitglied einer Religionsgemeinschaft – überwiegend einer protes-tantischen – verstand. 57 Prozent halten Religion für wichtig. Dabei erachten Frauen die Religion für wichtiger als Männer. Mit steigendem Alter nimmt die Wichtigkeit der Religion für die Befragten zu. Auf dem Land wird die Religion als wichtiger erachtet als in der Stadt. Alle hielten die freie Ausübung der Religion für wichtig, ungeachtet ihrer Zugehörigkeit zu einer Religionsgemeinschaft oder der Bedeutung der Religion für ihr Leben. Vier Fünftel der Aussiedler und Aussiedlerinnen meinten, dass Religion und Kirche in der Gesellschaft der Bundesrepublik eine wichtige Rolle spielten. Mit steigendem Alter und steigender Aufenthaltsdauer nimmt diese Einschätzung zu (ebenda, S. 182).

Was Kinder und Jugendliche aus Aussiedlerfamilien anbelangt, so vermittelt sich über die genannten Studien das Bild einer von der freikirchlichen Gedanken-welt geprägten, überwiegend traditionalistisch orientierten Gruppe. Dem steht die Tatsache gegenüber, dass Mitglieder freikirchlicher Gemeinden unter jugendlichen Aussiedlern heute je nach Stichprobe sechs Prozent (Dietz/Roll 1998) bis etwa 26 Prozent (Strobl/Kühnel 2000) ausmachen. Damit bestimmt überwiegend eine Minorität unter den Aussiedlern das Bild von der religiösen Prägung dieser Gruppe.

Vor dem Hintergrund des hier deutlich gewordenen Forschungsdesiderats im Hinblick auf quantitative und konfessionsdifferenzierende Daten in diesem Bereich nehmen Fragen zur religiösen Orientierung in unserer Untersuchung einen breiten Raum ein. Die religiöse Bindung wurde in möglichst vielen Dimensionen erfasst, um ein differenziertes Bild von dem Zusammenhang zwischen der Herkunftsgruppe bzw. der Religionsgemeinschaft und der religiösen Orientierung zu erhalten. Erhoben wurden vier Dimensionen der Religiosität nach Glock (1969). Es handelt sich um die Dimension religiöser Erfahrung (ausgedrückt in religiösen Gemütsbewegungen), die Dimension des religiösen Glaubens (ideologische Dimension: ausgedrückt in der Zustimmung zu Glaubensaussagen der eigenen Religion) die Dimension der religiösen Praxis (rituelle Dimension: ausgedrückt im religiösen, rituellen Verhalten) und die Dimension der Konsequenzen aus religiösen Überzeugungen (ausgedrückt im religionsmotivierten sozialen Handeln). Die Dimension des religiösen Wissens wurde lediglich über die Rezeption des eigenen Wissens zur Religion sowie Wünschen der Erweiterung erfragt.[322] Mit Fragen zu emotionalen Aspekten der Religiosität sowie zu interreligiösen Orientierungen und Wünschen nach interreligiösem Austausch überschreitet diese Untersuchung den relativ engen dimensionalen Rahmen bisheriger Erforschung von Religiosität unter Migrationsjugendlichen.

Religiosität wird als Bindung an einen Transzendentalglauben definiert, der sich auch jenseits der etablierten Glaubensgemeinschaften manifestieren kann. Die Begriffe „Glauben" und „Religiosität" werden synonym gebraucht und von kirchen- oder konfessionsgebundener Bindung abgesetzt. Dabei muss berücksichtigt werden, dass die verschiedenen Religionsgruppen in ihrer Nähe oder Ferne zur deutschen Mehrheitsgesellschaft und deren Religion differieren. Während Teile der Jugendlichen aus Arbeitsmigrationsfamilien, so die türkischen mit dem Islam, die griechischen und ein Teil der jugoslawischen sowie Aussiedlermädchen und junge Frauen mit dem orthodoxen Christentum einer anderen als den in der deutschen Mehrheitsgesellschaft üblichen Religionstraditionen angehören, gliedern sich viele Aussiedlerinnen protestantischer und katholischer Konfession sowie die katholischen Mädchen mit italienischem oder kroatischem Hintergrund in ein religiöses Umfeld ein, in dem ihre Konfession bereits verankert ist, wenn auch vermutlich mit einer anderen kulturellen Ausformung. Diejenigen, die im Herkunftsland zu einer religiösen Minderheit gehörten, fühlen sich in Deutschland der Mehrheitsgesellschaft nahe. Gerade evangelisch-freikirchliche Religionsangehörige machen jedoch die Erfahrung, dass der von ihnen praktizierte Protestantismus andere Züge aufweist als derjenige der einheimischen Deutschen. Auch der Katholizismus der Befragten italienischer und kroatischer Herkunft hat eine andere kulturelle Prägung als derjenige der einheimischen Deutschen, auch wenn das Dogma der katholischen Kirche hier ein einigendes Band darstellt.

10.2   Dimensionen der Religiosität

10.2.1 Die Zugehörigkeit zu den Religionsgemeinschaften

Mit einer klassischen Einstiegsfrage wurden die Mädchen und jungen Frauen zunächst gefragt, welcher Religionsgemeinschaft sie sich zugehörig fühlen. Hier waren neben den vier zu erwartenden Richtungen römisch-katholisch, evangelisch, orthodox und islamisch auch andere Religionen und keine Religionsgemeinschaft als Antwortmöglichkeiten vorgesehen. Die fünf Herkunftsgruppen verteilen sich sehr spezifisch auf die Religionsgemeinschaften. Die erwartungsgemäß heterogenste

---

322 Die intellektuelle Dimension (ausgedrückt im religiösen Wissen) konnte nur indirekt – über die Frage nach der Zufriedenheit mit dem religiösen Wissen – erfasst werden, da diese zu erfassen angesichts der unterschiedlichen Religionsgemeinschaften ein weitgespanntes Instrumentarium erfordert hätte.

Gruppe bilden die Mädchen und jungen Frauen aus den Nachfolgestaaten des ehemaligen Jugoslawien. Hier sind alle Kategorien vertreten. Sie werden gefolgt von den Aussiedlerinnen, die sich auf fünf Kategorien verteilen, danach folgen die italienische und die türkische Herkunftsgruppe, verteilt auf jeweils vier Religionsgruppen. Die griechische Herkunftsgruppe weist lediglich zwei Antwortkategorien auf.[323] Sie bildet somit hinsichtlich der Religionszugehörigkeit die homogenste Gruppe. Die teilweise sehr heterogene Zusammensetzung der Befragtengruppen hinsichtlich der Zugehörigkeit zu Religionsgruppen verweist auf die Notwendigkeit, bei der Auswertung Binnendifferenzierungen der Herkunftsgruppen vorzunehmen, was in der Regel bei quantitativen Untersuchungen zu diesen Gruppen nicht geschieht.[324]

51 Prozent der Aussiedlerinnen aus der ehemaligen Sowjetunion sind evangelisch, 18 Prozent sind römisch-katholisch, zehn Prozent orthodox[325], zwei Prozent gehören anderen Religionsgemeinschaften an. Keiner Religionsgemeinschaft anzugehören geben 19 Prozent der Befragten an. Die freikirchlichen Aussiedlerinnen, die unter „anderen Religionsgemeinschaften" zu finden sein dürften, sind in unserer Stichprobe im Vergleich zu den Untersuchungen von Strobl/Kühnel (2000) und Dietz/Roll (1998) eher unterrepräsentiert.[326]

Die befragten Mädchen und jungen Frauen griechischer Herkunft gehören zu 99 Prozent der orthodoxen Kirche an. Musliminnen mit griechischem Hintergrund kommen nicht vor, obwohl eine kleine Anzahl der Personen mit griechischem Migrationshintergrund in Deutschland der ethnisch überwiegend türkischstämmigen muslimischen Minderheit aus West-Thrazien angehört.[327] Grund für die Ent-

---

323 Die Kategorien „keiner Religionsgemeinschaft" und „weiß nicht" wurden für alle Herkunftsgruppen zusammengelegt.

324 Selbst Wetzels/Brettfeld (2003), die zwischen verschiedenen Herkunftsländern der muslimischen und christlichen Befragten differenzieren, nehmen keine weitere Differenzierung nach Konfessionen (z.B. evangelisch, evangelisch-freikirchlich, katholisch, orthodox etc.) vor. Die EFFNATIS-Studie (Worbs/Heckmann 2003) differenziert bei den Befragten ehemals jugoslawischer Herkunft zwischen orthodoxen und katholischen Christen und Muslimen und nimmt innerhalb der muslimischen Befragtengruppe Differenzierungen nach Sunnitisch, Schiitisch, Alevitisch vor. Diese Unterscheidung wird jedoch in der weiteren Auswertung der Daten nicht mehr berücksichtigt.

325 Der relativ hohe Anteil derjenigen mit orthodoxer Konfession steht in Zusammenhang mit dem in den letzten Jahren gestiegenen Anteil von Aussiedlerjugendlichen, die aus binationalen (russisch-russlanddeutschen) Ehen stammen.

326 Dies mag mit regionalen Konzentrationen der freikirchlichen Gemeinden zusammenhängen. So haben sich mennonitische Gemeinden hauptsächlich in Nordrhein-Westfalen, Baden-Württemberg und Rheinland-Pfalz angesiedelt (Ruttmann 1998, S. 123). Ein hoher Prozentsatz unserer Befragten (50%) wurde jedoch aus Dresden und Chemnitz rekrutiert. Was die Verteilung der Religionszugehörigkeiten anbelangt, so ergab die Befragung durch Dietz/Roll (1998, S. 43) bei jugendlichen Aussiedlern aus der ehemaligen Sowjetunion, dass sie zu 56 Prozent evangelisch, zu 20 Prozent katholisch, zu sechs Prozent freikirchlich und zu drei Prozent orthodox sind. Drei Prozent gehören anderen Religionsgemeinschaften an und 12 Prozent keiner. Die Mehrzahl der Russlanddeutschen gehört der evangelisch-lutherischen Kirche an, ein Teil der römisch-katholischen und eine Minorität ist freikirchlich, das heißt mennonitisch oder baptistisch. Strobl/Kühnel (2000, S. 98) ermittelten, dass 44 Prozent der Befragten der evangelischen und acht Prozent der katholischen Kirche angehören, während sich 26 Prozent den evangelischen Freikirchen der Baptisten und Mennoniten und 16 Prozent keiner Religionsgemeinschaft zurechnen. Die restlichen verteilen sich auf verschiedene kleinere Religionsgruppen.

327 Da zur Religiosität dieser Gruppe in Deutschland keine Erkenntnisse vorliegen, wäre es sinnvoll, hier zunächst eine qualitativ-explorative Untersuchung vorzuschalten, bevor diese Gruppe in quantitative Studien einbezogen wird.

scheidung, diese Gruppe auszuschließen, war die Überlegung, den innermuslimischen Vergleich auf denjenigen zwischen Musliminnen türkischer und jugoslawischer Herkunft zu begrenzen, da hier entsprechend große Gruppen befragt werden konnten, während es sich bei den griechischstämmigen Musliminnen nur um eine kleine Subgruppe mit geringer Fallzahl gehandelt hätte. Nur ein Prozent der Befragten griechischer Herkunft gibt an, einer anderen Religionsgemeinschaft anzugehören, die Antwort „keine Religionsgemeinschaft" wurde von niemandem aus dieser Herkunftsgruppe gewählt.

Die Befragten italienischer Herkunft sind zu 87 Prozent römisch-katholisch und zu fünf Prozent evangelisch. Fünf Prozent rechnen sich anderen Religionsgruppen zu und drei Prozent keiner.

Die Befragten aus den Nachfolgestaaten des ehemaligen Jugoslawien verteilen sich auf alle Antwortvorgaben, jedoch schwerpunktmäßig auf die Kategorien „islamisch" (44%), „orthodox" (29%) und „römisch-katholisch" (16%). Die Zusammensetzung ist stichprobenbedingt. Bei der Anforderung der Adressen über die Einwohnermeldeämter wurde sich gezielt auf zwei Herkunftsgruppen aus dem ehemaligen Jugoslawien beschränkt: auf die Gruppe mit Herkunft aus „Serbien und Montenegro" und auf diejenigen mit Herkunft aus „Bosnien-Herzegowina". Die Auswahl erfolgte in dieser Form, um eine genügend große Zahl von Musliminnen mit Herkunft aus dem ehemaligen Jugoslawien für den Vergleich mit den Musliminnen türkischer Herkunft zu erhalten. Die Verteilung auf die Religionsgruppen lässt sich daher nicht mit derjenigen anderer Untersuchungen vergleichen.[328] Nach den Aussiedlerinnen ordnet sich diese Herkunftsgruppe verhältnismäßig oft (9%) „keiner Religionsgemeinschaft" zu. Nur ein Prozent gibt an, einer anderen Religionsgemeinschaft anzugehören. Die große Zahl der Aussiedlerinnen und der Befragten jugoslawischer Herkunft, die sich keiner Religionsgemeinschaft zugehörig fühlen, lässt sich auf das ehemals sozialistische System beider Herkunftsländer zurückführen, das dazu beitrug, dass die Eltern oder die Mädchen selbst in einem überwiegend areligiösen Umfeld aufwuchsen. Die staatliche Politik erschwerte durch repressive Maßnahmen auch den religiös Orientierten die Pflege ihrer religiösen Bindungen.

Erwartungsgemäß bekennt sich die weitaus überwiegende Mehrheit (95%) der türkischen Herkunftsgruppe zum Islam.[329] Eine Differenzierung zwischen Musliminnen sunnitischer und alevitischer Ausrichtung fand hier noch nicht statt, da vermutet wurde, dass im Rahmen einer face-to-face Befragung ein zu direktes Fragen nach der konfessionellen Ausrichtung im Islam bei denjenigen alevitischen Personen zu Antwortverweigerungen geführt hätte, die das Gebot der Geheimhaltung ihrer Konfessionszugehörigkeit befolgen wollen.[330] Nur zwei Prozent

---

328 Die Verteilung bei den Jugendlichen mit jugoslawischem Herkunftskontext in der EFFNATIS-Studie, in der keine gezielte Auswahl von einzelnen Nachfolgestaaten des ehemaligen Jugoslawien erfolgte, stellte sich folgendermaßen dar: Die Mehrheit ist katholisch (53,7%), fast ein Drittel orthodox (29,3%) und circa ein Achtel muslimisch (vgl. Heckmann et al. 2000, S. 41).

329 In der EFFNATIS-Untersuchung (Heckmann et al. 2000) bekannten sich 94 Prozent der jungen Erwachsenen mit türkischer Herkunft zur islamischen Religionsgemeinschaft, bei Wetzels/Brettfeld (2003, S. 67) bekannten sich 93,4 Prozent der Jugendlichen mit türkischem Hintergrund zum Islam.

330 Zum Verständnis dieser Überlegungen soll hier ein kurzer Blick auf das Alevitentum als Sonderentwicklung im Islam türkischer Prägung geworfen werden: Das Alevitentum als

nannten andere Religionen und ebenso viele gaben an, „keiner Religionsgemeinschaft" anzugehören. Ein Prozent nannte die Zugehörigkeit zur orthodoxen Kirche.

Mädchen mit familiärem Hintergrund aus den drei klassischen Anwerbestaaten Griechenland (99%), der Türkei (95%) und Italien (87%) verorten sich somit zum weitaus überwiegenden Teil eindeutig in der Religionsgemeinschaft, die jeweils für das Herkunftsland ihrer Familien prägend ist. Einer anderen oder gar keiner Religionsgemeinschaft anzugehören, ist unter diesen Gruppen kaum verbreitet. Damit verbindet sich religiöse eng mit nationaler Zugehörigkeit.[331] Dieses Ergebnis korrespondiert zu der Feststellung bei Wetzels/Brettfeld (2003, S. 64ff.), demzufolge die von ihnen befragten Jugendlichen mit Migrationshintergrund stärker als deutsche Befragte eine explizite Religionszugehörigkeit angeben und diese in der Regel auch diejenige des Elternhauses ist. Eine nahezu völlige Übereinstimmung der Religion der Jugendlichen mit derjenigen der Eltern fanden sie bei den muslimischen Befragten.

---

heterodoxe und synkretistische Glaubens-, Lebens- und Lehrform hat sich im Verlauf des 13. Jahrhunderts aus einer Verbindung vorislamischer und volksreligiöser Elemente anatolischer Turkmenenstämme und der islamischen Mystik entwickelt (vgl. hierzu auch Özdalga 1998, S. 20-25). Ihren Namen hat die Gemeinschaft der Aleviten von dem Schwiegersohn, Cousin und späteren Nachfolger des Propheten Mohammed im Amt des religiösen und weltlichen Führers der Gemeinde, Ali. Er nimmt für die Aleviten in ihrem Glaubenssystem eine herausragende, tendenziell vor Mohammed einzuordnende Rolle ein, die bishin zu einer Vorstellung von Ali als „Inkarnation Gottes" (Kehl-Bodrogi 1988, S. 141) reichen kann. Das Alevitentum geht zwar auf die schiitische Hauptströmung (12er Schia) zurück, hat aber mit der schiitischen Ausprägung, wie sie sich heute als Staatsform in der Islamischen Republik Iran präsentiert, nur wenig gemeinsam. Ein zentrales Wesensmerkmal alevitischer Religiosität ist, dass es vor allem auf die Erfordernisse der sozialen Wirklichkeit ausgerichtet ist. Kriterium der Gläubigkeit ist das gesellschaftliche Alltagsleben und nicht die Befolgung ritueller Verehrungsformen (Kehl-Bodrogi 1988, S. 121, vgl. auch Pfluger-Schindlbeck 1989). Im Mittelpunkt des Glaubenssystems, das in mündlicher Tradition weitergegeben wird, steht weniger ein nicht-fassbarer Gott, sondern der Mensch, in dem sich Gott manifestiert. Auf das Fehlen einer kanonischen Lehre ist die gleichzeitige Existenz unterschiedlich akzentuierter Lehren im Alevitentum zurückzuführen (ebenda S. 136). Das Alevitentum macht – bezogen auf die Gesamtbevölkerung der Türkei, die als 99 Prozent muslimisch gilt – ca. 20-30 Prozent dieser Gruppe aus (Vorhoff 1995, S. 58). In der Forschung aber auch unter alevitischen Intellektuellen gibt es keine Einigkeit hinsichtlich der Frage, ob das Alevitentum überhaupt dem Islam zugerechnet werden kann (vgl. Kehl-Bodrogi 1988, S. 120). Der Zugang zu internen Informationen ist vor allem durch das alevitische Prinzip, die Lehre gegenüber nicht-alevitischen Dritten geheim halten zu müssen, erschwert. Das Prinzip „Eline, diline, beline sahip olmak", das heißt, seiner Hände, Zunge und Lende Herr zu sein, bezeichnet nicht nur die allgemeinen moralischen Gebote, die von Aleviten einzuhalten sind, sondern gilt Aleviten als „normative Eigenbezeichnung" (Vorhoff 1995, S. 163). Dieses Prinzip ist von den Aleviten zu einer Art Kodex entwickelt worden, mit dem sie ihre Abgrenzung gegenüber dem sunnitischen Islam betonen und ihre Identität als eigenständige religiöse Richtung stärken (Shankland 1993, S. 53). Das Alevi-Revival, das sich auch in einem sehr dynamischen Pressewesen äußert, macht nun allerdings allgemein zugänglich, was ehedem als Geheimwissen galt und stellt dies sogar öffentlich zur Diskussion.

331 Für die Griechen und Griechinnen wird eine enge Verknüpfung der Begriffe „griechisch-orthodox" mit „griechisch" von Pantazis (2002, S. 74) bestätigt. Er betont, dass diese beiden Begriffe in der Vorstellung der meisten Griechen „nahezu gleichbedeutend seien".

10.2.2 Die Dimension der religiösen Erfahrung

Religiöse Bindung und religiöse Selbsteinschätzung

Religion hat für die Angehörigen der vier Religionsgemeinschaften unterschiedlich starke Bedeutung. Herkunftsgruppenübergreifend nennen die Musliminnen gefolgt von den Orthodoxen und an dritter Stelle die Katholikinnen der Religion die größte Bedeutung in ihrem Leben zu. Am wenigsten Bedeutung messen die evangelischen Befragten ihrer Religion im Leben bei. Interessant ist die Gruppe der Zugehörigen zu „anderen Religionsgemeinschaften", die sich als sehr religionsorientiert erweist. Erwartungsgemäß weisen diejenigen Befragten, die sich keiner Religion zugehörig fühlen, der Religion in ihrem Leben wenig bis gar keine Bedeutung bei. Überraschend dürfte sein, dass es eine kleine Minderheit unter ihnen gibt (8%), die „eher" bzw. „teilweise" (11%) zustimmen, dass Religion in ihrem Leben eine große Bedeutung hat. Hier äußert sich eine konfessionsungebundene religiöse Minderheitenposition.

Tabelle 10.1: Bedeutung der Religion für das Leben (in Prozent)

| | Religionsgruppenzugehörigkeit | | | | | | Gesamt | |
	katho-lisch	evan-gelisch	orthodox	islamisch	andere	keine[332]		
Gesamt	(222)	(113)	(252)	(278)	(22)	(63)	100	(950)
sehr groß	13	18	24	40	77	-	25	(238)
groß	30	7	25	25	5	8	23	(215)
teils-teils	32	26	30	17	5	11	24	(229)
gering	15	29	15	13	9	24	17	(158)
sehr gering	10	20	6	5	4	57	11	(110)

C = .48   p = .00

Im Folgenden wird nun nicht mehr nach der Bedeutung der Religion im Leben gefragt, sondern nach der religiösen Selbsteinschätzung anhand der Frage „Würdest Du sagen, dass Du eher religiös oder nicht religiös bist?". Der Unterschied in der Fragestellung mag oberflächlich nur geringfügig erscheinen, er ist aber in den Kategorien „sehr große Bedeutung der Religion für das Leben" und „sehr hohe religiöse Selbsteinschätzung" bedeutsam. In allen Religionsgruppen schätzen sich weniger Mädchen und junge Frauen als „sehr religiös" ein als der Religion eine „sehr große" Bedeutung für ihr Leben geben.

---

332 In der Kategorie „keine Religionsgruppenzugehörigkeit" sind auch 23 Fälle enthalten, die „weiß nicht" angegeben hatten.

Tabelle 10.2: Religiöse Selbsteinschätzung (in Prozent)

Ich bin...	Religionsgruppenzugehörigkeit						Gesamt
	katho-lisch	evan-gelisch	ortho-dox	islami-sch	andere	keine	
Gesamt	(222)	(113)	(252)	(278)	(22)	(63)	100 (950)
sehr religiös	8	10	10	11	36	2	10 (92)
eher religiös	31	16	34	28	32	5	28 (262)
teilweise religiös	39	35	41	37	9	25	37 (353)
eher nicht religiös	16	26	9	16	23	16	15 (146)
gar nicht religiös	6	13	6	8	-	52	10 (97)

C = .41   p = .00

Dennoch zeigt die Gegenüberstellung der Antworten auf die Frage nach der Bedeutung von Religion im Leben mit derjenigen nach der Selbsteinschätzung als „religiös" oder „nicht religiös", dass beide Orientierungen eng zusammenhängen (r = .74).

Bei einer genaueren Betrachtung lässt sich belegen, dass nicht die Religionszugehörigkeit in Zusammenhang mit der Bedeutung von Religion im Leben steht, sondern dass die Herkunftsgruppe Einfluss hat.

Tabelle 10.3: Bedeutung der Religion für das Leben (in Prozent)

N = 862**	Bedeutung der Religion für das Leben			
	sehr groß/groß	teils-teils	gering/sehr gering	Gesamt
Musliminnen*	66 (182)	16 (46)	18 (50)	100 (278)
jugoslawischer Hintergrund	53	22	25	27 (76)
türkischer Hintergrund	70	15	15	73 (202)
Orthodoxe	49 (123)	30 (75)	21 (53)	100 (251)
Aussiedlerinnen	24	38	38	8 (21)
griechischer Hintergrund	55	28	17	72 (181)
jugoslawischer Hintergrund	37	33	30	20 (49)
Katholikinnen*	43 (96)	32 (71)	25 (55)	100 (222)
Aussiedlerinnen	17	39	44	16 (36)
italienischer Hintergrund	45	31	24	72 (159)
jugoslawischer Hintergrund	70	26	4	12 (27)
Protestantinnen*	25 (27)	26 (28)	49 (56)	100 (111)
Aussiedlerinnen	19	26	55	90 (101)
italienischer Hintergrund	80	20	-	10 (10)

* Signifikante Unterschiede nach Religionsgruppen p ≤ .05.
** Die 862 Fälle beziehen sich nur auf die Mädchen und junge Frauen, die sich eindeutig einer Religionsgruppe zugeordnet haben.

Musliminnen mit türkischem Hintergrund messen der Religion im Alltagsleben eine größere Bedeutung bei als Musliminnen mit bosnischem Hintergrund. Dieses Ergebnis der geringeren Relevanz von Religion für das Alltagsleben von Musliminnen jugoslawischer Herkunft gegenüber Musliminnen türkischer Prägung korrespondiert zu Befunden bei Worbs/Heckmann (2003, S. 164) sowie bei Wetzels/ Brettfeld (2003, S. 75) zur Gegenüberstellung dieser beiden Gruppen ohne Differenzierung nach Geschlecht. Von den Orthodoxen sind die Mädchen mit griechischem Hintergrund in dieser Ebene zwar deutlich häufiger religiös orientiert, die Unterschiede sind aber nicht signifikant. Von den Katholikinnen sind die mit jugoslawischem Hintergrund religiöser. Hier wird deutlich, dass nationaler Hintergrund neben der Religionszugehörigkeit eine Rolle spielt (vgl. hierzu auch Wetzel/Brettfeld 2003).

Glaube als emotionale Ressource

Eine weitere Frage richtete sich darauf, ob und inwiefern der Glaube von den Mädchen und jungen Frauen als eine Ressource zur Lebensbewältigung betrachtet wird.[333] Hierzu wurden Aussagen zum Zusammenhang zwischen Glauben und Selbstvertrauen, Glauben und Zugehörigkeitsgefühl zu einer Gemeinschaft und zur Herkunftskultur, Glauben und der Fähigkeit, schwierige Situationen zu meistern bzw. den eigenen Lebensweg zu finden sowie zwischen dem Glauben und dem Gefühl von Freiheit zur Beurteilung vorgelegt. Im Folgenden interessiert, welche Religionsgruppe sich durch den Glauben besonders gestärkt fühlt und in welchen Bereichen der Glaube besonders stark als Ressource erlebt wird.

Tabelle 10.4: Glaube als Lebenshilfe nach religiösem Hintergrund (stimme voll/eher zu) (in Prozent)

	Religionsgruppenzugehörigkeit						Gesamt	
	katho-lisch	evan-gelisch	ortho-dox	islami-sch	andere	keine		
Gesamt	(222)	(113)	(252)	(278)	(22)	(63)	100	(950)
gibt mir Selbstver-trauen*	35	32	43	61	64	16	44	(414)
verstärkt das Ge-meinschaftsgefühl*	25	16	33	46	55	10	32	(302)
hilft, nicht zu verzweifeln*	47	40	51	55	77	24	49	(463)
bringt mich der Her-kunftskultur nahe*	30	11	56	47	32	6	38	(361)
gibt mir ein Gefühl von Freiheit*	19	28	29	34	45	10	27	(258)
hilft, den richtigen Weg zu finden*	29	30	33	47	77	14	36	(341)

* Signifikante Unterschiede nach Religionsgruppen p ≤ .05.

333 Aus religionspsychologischer Sicht hat Religion (vgl. hierzu Fraas 1990, S. 283) ihr wesentliches Motiv, wenn nicht gar ihren Ursprung, in der Bewältigung von Lebenskrisen.

Auffällig ist zunächst, dass der Glaube den Probandinnen über alle Religionsgruppen hinweg in hohem Maße hilft, nicht zu verzweifeln, also für sie eine wichtige Lebenshilfe in Krisensituationen darstellt. Mädchen und junge Frauen aller Religionsgruppen weisen hier hohe Zustimmungswerte auf, wobei die islamischen Befragten (55%) sowie die Angehörigen anderer Religionen (77%) besonders stark zustimmen.

Auffällig ist ebenfalls, dass bei fast allen Statements die orthodoxen sowie die muslimischen Befragten und diejenigen, die sich anderen Religionsgruppen zugehörig fühlen, höhere Zustimmungswerte aufweisen als die katholischen und evangelischen Befragten. Als ein weiterer Befund zur emotionalen Ressource „Glauben" kann festgehalten werden, dass auch Befragte, die sich keiner Religionsgemeinschaft zugehörig fühlen, in erheblichem Maße ihren Glauben als Lebenshilfe in Krisensituationen und immer noch recht stark auch als Hilfe zur Stärkung des Selbstvertrauens und bei der Suche nach dem richtigen Weg im Leben sehen.

Werden die häufigsten Nennungen pro Aussage nach Religionsgruppen berücksichtigt, so ist zu registrieren, dass der Glaube in besonders starkem Maße den Musliminnen Selbstvertrauen vermittelt (61%).[334] Der Glaube sorgt vor allem bei den Orthodoxen dafür, dass sie sich ihrer Herkunftskultur nahe fühlen (56%). Für die Katholiken (47%) und Protestantinnen (40%) sowie Angehörige anderer Religionsgemeinschaften (77%) und Religionslose (24%) ist er in erster Linie eine Hilfe, in schwierigen Situationen nicht zu verzweifeln. Insgesamt und Religionsgruppen übergreifend lässt sich festhalten, dass der Glaube für die Mädchen und jungen Frauen eine wichtige Rolle als Ressource zur Lebensbewältigung spielt. Mit diesem Befund wird die in Untersuchungen, die dieses nicht direkt erhoben haben, geäußerte Vermutung von religiöser Bindung als wichtiger Lebensressource für Jugendliche mit Migrationshintergrund in schwierigen Lebenssituationen auf eine deutliche empirische Basis gestellt (vgl. Wetzels/Brettfeld 2003, S. 188; Fuchs-Heinritz 2000b, S. 180; Heitmeyer/Müller/Schröder 1997, S. 101ff.).

Ausgewertet nach Religions- und Herkunftsgruppen differenziert sich das Bild (Tabelle 10.5)

Die höchsten Werte in allen Bereichen weisen die Protestantinnen mit italienischem Hintergrund auf. Sie werden gefolgt von den Katholikinnen sowie den Musliminnen jugoslawischer Herkunft. Der Glaube gibt den Musliminnen (61%) Selbstvertrauen und hilft nicht zu verzweifeln (55%). Als Hilfe, in schwierigen Situationen nicht zu verzweifeln, dient der Glaube Katholikinnen mit italienischem Hintergrund (45%) und evangelischen Aussiedlerinnen (36%). Durch den Glauben fühlen sich besonders die Orthodoxen mit griechischem (60%) und die Katholikinnen mit jugoslawischem Hintergrund (63%) ihrer Herkunftskultur nahe. Sie werden hierin gefolgt von den Orthodoxen mit jugoslawischem Hintergrund (55%) und den Musliminnen insgesamt (47%).

---

334 Dies Ergebnis für die muslimische Befragtengruppe stimmt, was die häufigste Nennung anbelangt, mit den nicht nach Geschlecht differenzierenden Daten der Untersuchung von Heitmeyer/Müller/Schröder (1997, S. 164) überein. Dort gaben die ausschließlich muslimischen Befragten zu 50,9 Prozent an, der Glaube verstärke ihr Selbstvertrauen, zu 39,8 Prozent er gäbe ihnen Sicherheit und zu 38,5 Prozent er stärke ihr Zugehörigkeitsgefühl.

Tabelle 10.5: Glaube als Lebenshilfe nach nationalem Hintergrund (stimme voll/eher zu) (in Prozent)

Der Glaube... N = 862**	gibt mir Selbst- vertrauen	verstärkt das Ge- mein- schafts- gefühl	hilft, nicht zu ver- zweifeln	bringt mich der Herkunfts- kultur nahe	gibt mir ein Gefühl von Freiheit	hilft, den richtigen Weg zu finden
Musliminnen N = 278	61 (168)	46 (127)	55 (152)	47 (130)	34 (94)*	47 (132)
jugoslawischer Hintergrund N = 76	51	41	51	45	20	45
türkischer Hintergrund N = 202	64	48	56	48	39	49
Orthodoxe N = 251	43 (107)	33 (84)	51 (128)	56 (140)*	29 (72)*	33 (83)
Aussiedlerinnen N = 21	33	14	48	19	24	14
griechischer Hintergrund N = 181	47	37	56	60	32	38
jugoslawischer Hintergrund N = 49	33	31	33	55	20	23
Katholikinnen N = 222	35 (78)*	25 (55)*	47 (105)*	30 (67)*	19 (43)*	29 (65)*
Aussiedlerinnen N = 36	36	14	36	14	6	33
italienischer Hintergrund N = 159	30	22	45	28	16	24
jugoslawischer Hintergrund N = 27	67	56	78	63	56	56
Protestantinnen N = 111	32 (36)*	16 (18)*	40 (44)*	11 (12)*	28 (31)*	30 (33)*
Aussiedlerinnen N = 101	28	12	36	10	23	25
italienischer Hintergrund N = 10	80	60	80	20	80	80

* Signifikante Unterschiede nach Religionsgruppen p ≤ .05.
** Die 862 Fälle beziehen sich nur auf die Mädchen und junge Frauen, die sich eindeutig einer Religionsgruppe zugeordnet haben.

Während der Glaube und die Religionsgemeinschaft – wie eingangs nach vorliegenden Studien geschildert – als Manifest der ethnischen Identität für die ältere Generation der Russlanddeutschen in der ehemaligen Sowjetunion eine große Rolle spielte[335], scheint er als konstituierendes Merkmal der Zugehörigkeit zur deutschen Minderheit für die Mädchen mit Aussiedlerhintergrund offenbar keine besondere Rolle mehr zu spielen. Nur wenige von ihnen sehen in dem Glauben ein das Gemeinschaftsgefühl stärkendes Element. Hier scheint sich die Tatsache ausgewirkt zu haben, dass – da die Sowjetunion sich als ein atheistischer Staat verstand, in dem religiöse Aktivitäten bis in die 70er Jahre eingeschränkt bzw. verboten waren – die Ausübung religiöser Aktivitäten überwiegend verborgen im privaten Bekanntenkreis stattfand. Dies führte langfristig zum Rückgang religiöser Bindungen bei der jüngeren und mittleren Altersgruppe (vgl. Ingenhorst 1997, S. 151; Dietz/Roll 1998, S. 43). Auch die Spätaussiedlerinnen orthodoxer Religionszugehörigkeit (hier kann von der Zugehörigkeit zur russisch-orthodoxen Kirche ausgegangen werden) sehen in ihrem Glauben nicht ein das Gemeinschaftsgefühl stärkendes Element. Lediglich 14 Prozent stimmen „voll bzw. eher" zu.

10.2.3 Die Dimension des religiösen Glaubens

Religiöse Selbstverortung

In der Shell-Jugendstudie 2000 wurde festgestellt, dass die Anwesenheit neuer religiöser Gruppen wie der Muslimischen evangelische und katholische Jugendliche ebenso wenig wie konfessionslose anregt, sich mit diesen Religionen auseinanderzusetzen. Die verschiedenen religiösen Gruppen existierten nebeneinander, ohne sich mit der Gegenwart der jeweils anderen auseinander zu setzen (Fuchs-Heinritz 2000b, S. 157ff.). Im Gegensatz zu Fuchs-Heinritz, die diese Schlussfolgerung trifft, ohne empirische Belege dafür zu liefern (vgl. dazu die religionssoziologisch fundierte Kritik bei Thonak 2003, S. 272), kann im Folgenden dieser Frage anhand der Betrachtung der fünf Migrantinnen- und vier Religionsgruppen genauer nachgegangen werden. Es soll ermittelt werden, ob das Zusammenleben von Menschen unterschiedlicher religiöser Orientierung Einfluss auf die religiöse Selbstverortung hat und ob es Anzeichen für eine religiöse Synthese gibt.

Wenn lediglich die konventionellen Religionen (evangelisches, katholisches und orthodoxes Christentum sowie der Islam) betrachtet werden, fällt auf, dass Musliminnen in höherem Maße angeben, „stark" bis „teilweise" an das Christentum zu glauben, als umgekehrt Christinnen an den Islam. Bei türkischen Musliminnen sind es 27 Prozent und bei den bosnischen 28 Prozent, die zumindest „teilweise" auch an das Christentum glauben. Die Tatsache, dass erheblich mehr Musliminnen das

---

335 Gemäß Dietz/Roll (1998, S. 43) ist die „Orientierung an den Pflicht- und Akzeptanzwerten wie Fleiß, Ordnung, Gehorsam etc. (...) nicht von der religiösen Geschichte der Russlanddeutschen zu trennen, die in besonderer Weise vom Protestantismus bzw. den evangelisch-freikirchlichen Bewegungen geprägt wurde (Stricker 1999). Der Entwurf eines positiven Selbstbildes auf der Grundlage dieser als deutsch verstandenen wertkonservativen Eigenschaften diente vielen Russlanddeutschen in ihren Herkunftsländern als ein Identifikationsmuster, an dem sie ihre Identität als Deutsche gegen Diskriminierungen festmachen konnten".

Christentum als Teil ihres Glaubens ansehen, lässt sich zumindest in Ansätzen dadurch erklären, dass ein Teil der Mädchen und jungen Frauen mit türkischem Hintergrund Alevitentum mit Christentum verbindet, wie die Interkorrelationsmatrix verdeutlicht:

Tabelle 10.6: Interkorrelationsmatrix (r) (nur Mädchen mit türkischem Migrations-hintergrund)

$N = 203^{1)}$	Islam	Alevitentum	Christentum
Islam			
Alevitentum	-.10		
Christentum	.19**	.41**	

Mit ** gekennzeichnete Werte sind auf dem α = .01 Testniveau signifikant von Null verschieden.
1) N = 203, da in zehn Fällen von Befragten türkischen Hintergrunds keine Angaben zum Glauben an das Alevitentum gemacht wurden.

Islam und Alevitentum wird hingegen in einem negativen (allerdings nicht signifi-kanten) Zusammenhang gesehen.

Eine weitere Erklärung für die Tatsache, dass ein Teil der Musliminnen das Christentum als Teil ihres Glaubens ansieht, ist darin zu sehen, dass der Islam sich als Erneuerer des im Christentum bereits angelegten, jedoch durch spätere Über-lieferungen „verfälschten" Glaubens an den einen Gott sieht und daher die „Vor-läuferreligion" in sein Glaubensgebäude integriert hat.[336] Ebenfalls hohe Werte beim Glauben an das Christentum weisen die jungen Frauen mit jugoslawischem Hinter-grund und aus Aussiedlerfamilien auf, die sich „keiner Religionsgemeinschaft" zugehörig fühlen. Wegen der geringen Stichprobe kann nur vermutet werden, dass der Glaube an das Christentum nicht mit der Zugehörigkeit zu einer der christlichen Konfessionen einherzugehen braucht.

Auch einige der orthodoxen, katholischen und evangelischen Aussiedlerinnen sowie der Aussiedlerinnen ohne Religionsgemeinschaft geben an, zumindest „teil-weise" auch an den Islam zu glauben. Zu vermuten ist, dass die Aussiedlerinnen aus der ehemaligen Sowjetunion in ihren Herkunftsländern (Kasachstan, Kirgisien) engeren Kontakt zu muslimischen Bevölkerungsgruppen hatten und dadurch Elemente des islamischen Glaubens in ihre eigene Glaubenswelt integriert haben könnten oder zumindest eine gewisse emotionale Nähe zum Islam entwickelt haben. Zu erwähnen bleibt, dass eine kleinere Gruppe der Katholikinnen mit italienischem sowie der Orthodoxen mit jugoslawischem und griechischem Hintergrund ebenfalls auch an den Islam glauben. Deutlich wird die Verortung im Glauben, wenn nur die Kategorien der „sehr starken" und „starken" Bindung berücksichtigt werden.

---

336 Dies äußert sich z.B. in der Bezeichnung der Christen als „Schriftbesitzer" und in dem hohen Stellenwert, der Jesus im Islam als Prophet gegeben wird.

Tabelle 10.7: Glaube an Religionen (sehr stark/stark) (in Prozent)

	Religionsgruppenzugehörigkeit						Gesamt
	katho-lisch	evan-gelisch	orthodox	islamisch	andere	keine	
Christentum* N = 950	55	38	65	8	55	16	39 (371)
Islam* N = 950	-	-	2	72	-	-	22 (204)
Alevitentum* N = 203[1]	-	-	-	19	20	20	19 (38)

* Signifikante Unterschiede nach Religionsgruppen p ≤ .05.
1) N = 203, da in zehn Fällen von Befragten türkischen Hintergrunds keine Angaben zum Glauben an das Alevitentum gemacht wurden.

Der Glaube an den Islam ist bei Musliminnen stärker ausgeprägt als der Glaube an das Christentum bei Christinnen. An das Christentum glauben 65 Prozent der Ortho-doxen, 55 Prozent der Katholikinnen und 38 Prozent der Protestantinnen, an den Islam jedoch 72 Prozent der Musliminnen. Interessant ist die Zustimmung zum Item „Glauben an das Alevilik"[337]. Zu ihm bekennen sich 19 Prozent der sich der islami-schen Religionsgruppe zuordnenden Probandinnen und 20 Prozent derjenigen, die sich „anderen Religionsgemeinschaften" bzw. „keiner Religionsgemeinschaft" zu-ordnen.[338]

Glaube an Gott und an Anderes

Bei einem großen Teil, aber längst nicht bei allen ist der Glaube an Gott vorhanden.

Tabelle 10.8: Glaube an Religionen (sehr stark/stark) (in Prozent)

	Religionsgruppenzugehörigkeit						Gesamt
	katho-lisch	evan-gelisch	orthodox	islamisch	andere	keine	
Gesamt	(222)	(113)	(252)	(278)	(22)	(63)	100 (950)
Gott	73	66	79	85	86	32	75 (712)

C = .39   p = .00

Der Glaube an Gott ist Religionsgruppen übergreifend am stärksten ausgeprägt. Am stärksten glauben die „anderen Religionsgemeinschaften" mit 86 Prozent an Gott. Mit 66 Prozent ist der Glaube an Gott bei Protestantinnen am wenigsten vorhanden. Deutlicher formuliert: Ein Fünftel bis ein Viertel der orthodoxen und katholischen

---

337 Zu dem „Glauben an den Alevilik" wurden lediglich die Mädchen und jungen Frauen mit türkischem Hintergrund befragt. Zu den Gründen siehe Fußnote 22.
338 Dies war ein Grund dafür, dass wir bei der Selbstzuordnung zu Religionsgruppen nur Islam und Andere angeboten haben; Alevitinnen, die sich als Musliminnen begreifen, wären sonst ausgegrenzt worden.

Mädchen und jungen Frauen mit Migrationshintergrund und ein Drittel der protestantischen sowie eine nicht unerhebliche Minderheit der Musliminnen (15%) folgt einer zentralen Lehre ihrer Religion, dem Glauben an Gott, nicht.

Da in den jugendsoziologischen Untersuchungen alternative säkulare Glaubenskonzepte aufgenommen und erfragt wurden, wurden diese auch in unserer Untersuchung angesprochen. Sie erfahren, vor allem was die Liebe anbetrifft, hohe Zustimmung.[339]

Tabelle 10.9: Säkulare Glaubensvorstellungen (sehr stark/stark) (in Prozent)

	Religionsgruppenzugehörigkeit						Gesamt	
	katho-lisch	evan-gelisch	orthodox	islamisch	andere	keine		
Gesamt	(222)	(113)	(252)	(278)	(22)	(63)	100	(950)
übersinnliche Phänomene	19	13	21	17	14	14	18	(169)
Liebe*	91	82	85	81	77	79	84	(800)
Glück*	68	72	61	59	27	68	63	(599)
Schicksal*	52	55	45	64	23	48	53	(502)
Macht des Geldes	22	30	33	33	18	27	30	(280)
mich selbst*	76	70	81	77	41	75	76	(724)

* Signifikante Unterschiede nach Religionsgruppen p ≤ .05.

Religionsgruppen übergreifend erreicht der Glaube an die Liebe die höchste Zustimmung. Er erreicht bei den christlichen Religionsgemeinschaften höhere Werte als der Glaube an Gott, bei der muslimischen Gruppe liegt er mit 81 Prozent knapp unter dem Wert für Gott. Danach folgt der Glaube an sich selbst, dessen Wert bei Angehörigen aller Religionsgruppen mit Ausnahme der „anderen" Werte zwischen 70 und 80 Prozent erreicht. Der Glaube an das Schicksal ist bei Musliminnen besonders stark ausgeprägt. 64 Prozent von ihnen gaben an, „stark bzw. sehr stark" daran zu glauben. Eine geringere Rolle spielt Religionsgruppen übergreifend der Glaube an die Macht des Geldes und kaum eine Rolle im Katalog der Dinge, an die geglaubt werden kann, spielt für die Probandinnen Religionsgruppen übergreifend der Glaube an übersinnliche Phänomene. Eine solche Vorstellung bietet auch keine „Ersatzreligion" für diejenigen, die sich ansonsten „keiner Religionsgemeinschaft" zugehörig fühlen. Die für Jugendliche christlicher Prägung belegte wachsende Orientierung an okkulten Praktiken und „Ersatzreligionen"(Barz 1992a, 1992b), findet keine Entsprechung bei den Mädchen und jungen Frauen mit Migrationshintergrund, die entweder in der Religion, in der sie sozialisiert wurden, stark verwurzelt sind, oder aber kein Interesse an Religion und Religionsersatz besitzen. In der Shell-Jugendstudie wurde in weiterreichendem Maße nach spirituell-okkulten Praktiken gefragt als nur nach „übersinnlichen Phänomenen", wie in der vorliegenden Studie. Hier wurde festgestellt, dass die Ausübung spirituell-okkulter

---

339 Die Faktorenanalyse macht – wie später dargestellt wird – deutlich, dass diese Aussagen nicht dem Faktor „Religiosität" zuzuordnen sind.

Praktiken durchaus mit religiösen Praktiken kompatibel sei und keinesfalls nur zum Milieu der Jugendlichen ohne Religionsgemeinschaft gehörte (Fuchs-Heinritz 2000b, S. 175). Muslimische Jugendliche wiesen hier jedoch die geringsten Anteile auf. Beim Schicksalsglauben hingegen wiesen die türkischen und somit muslimischen Befragten mit 55 Prozent höhere Werte als die italienischen (42%) und deutschen (35%) Befragten auf. In die gleiche Richtung, jedoch noch deutlicher ausgeprägt, verteilt sich der Glaube an eine höhere Gerechtigkeit und an eine höhere Bestimmung auf die genannten Gruppen.

Das Bild von Gott

Religiöser Glaube wird in einem weiteren Schritt über das Gottesbild ermittelt. Drei Items beziehen sich darauf: „Gott ist für mich in erster Linie eine strafende Macht", „Gott ist für mich in erster Linie eine vergebende Macht", „Gott ist eine Erfindung von Menschen für etwas, was ich mir nicht erklären kann". Über das letztgenannte Item sollte die Gruppe ermittelt werden, die trotz Zuordnung zu einer Religionsgemeinschaft agnostisch orientiert ist. Die beiden anderen Items sollten die Unterscheidung zwischen den Religionsgruppen hinsichtlich des Bildes von einem eher autoritären oder einem vergebenden Gott ermöglichen.

Tabelle 10.10:   Gottesbilder (in Prozent)

	Religionsgruppenzugehörigkeit						Gesamt	
	katho-lisch	evan-gelisch	orthodox	islamisch	andere	keine		
Gesamt	(222)	(113)	(252)	(278)	(22)	(63)	100	(950)
Gott als strafende Macht[*][1]								
eher/voll	6	17	14	28	23	13	17	(160)
teilweise	28	26	16	14	13	19	19	(184)
gar nicht/weniger	66	57	70	58	64	68	64	(606)
Gott als vergebende Macht[*]								
eher/voll	49	39	63	71	77	32	57	(547)
teilweise	37	37	23	19	23	20	27	(255)
gar nicht/weniger	14	24	14	10	-	48	16	(148)
Gott als Erfindung von Menschen[*][1]								
eher/voll	22	11	20	12	23	35	18	(170)
teilweise	19	26	15	15	4	21	17	(165)
gar nicht/weniger	59	63	65	73	73	44	65	(615)

* Signifikante Unterschiede nach Religionsgruppen p ≤ .05.
1) Die beiden Items gehören, wie später dargestellt wird, nicht zu dem Faktor Religiosität.

Es zeichnet sich eine gemeinsame Tendenz bei allen Religionsgruppen ab, Gott in erster Linie als vergebende und nicht als strafende Macht wahrzunehmen. Am seltensten sehen katholische Befragte (6%) in Gott eine strafende Macht, am häufigsten (28%) die Musliminnen und die Angehörigen anderer Religionsgemeinschaften (23%). Gleichzeitig nehmen Musliminnen Gott in besonders starkem Maße als vergebende Macht wahr (71%), gefolgt von den anderen Religionsgemeinschaften (77%) und den orthodoxen Befragten (63%). Für die muslimischen Befragten und die Angehörigen anderer Religionsgemeinschaften lässt sich somit ein bipolares Gottesbild ermitteln, das sowohl das Bild eines vergebenden, als auch eines strafenden Gottes in sich vereint. Im Religionsgruppenvergleich sind die evangelischen (11%) und die muslimischen (12%) Befragten am seltensten der Meinung, Gott sei eine Erfindung von Menschen. Dieser Aussage stimmen vor allem diejenigen häufig zu, die „keiner Religionsgemeinschaft" angehören, wobei aber auch hier die Zustimmung nur von einer Minderheit (35%) getragen wird.

Die Angaben zeigen darüber hinaus, dass ein Anteil von elf bis 21 Prozent aller Religionsgruppenangehörigen trotz Selbstzuordnung zu einer Religionsgemeinschaft den zentralen Glaubensinhalt der Religion, nämlich die Existenz von Gott, infrage stellt, indem Gott als eine Erfindung von Menschen bezeichnet wird.

Aufgeschlüsselt nach Religions- und Herkunftsgruppen zeigt sich, dass es innerhalb der Religionsgruppen deutliche herkunftsspezifische Unterschiede gibt.

Von allen Religionszugehörigen wird Gott in erster Linie als vergebende Macht gedeutet, allerdings in unterschiedlicher Intensität. So glauben die befragten Musliminnen türkischer Herkunft in deutlich stärkerem Maße (75%) als die Befragten bosnischer Herkunft (59%) an einen vergebenden Gott und nehmen seltener an, dass Gott eine Erfindung der Menschen ist.

10.2.4 Die Dimension der religiösen Praxis

In den meisten quantitativen Untersuchungen wird dem Aspekt der religiösen Praxis die meiste Aufmerksamkeit gewidmet, da er durch die Bekanntheit der religiösen Pflichten und ihrer von der Religion zumeist eindeutig eingeforderten Quantität empirisch relativ leicht zu erheben ist. Fragen zur Regelmäßigkeit des Gottesdienstbesuchs, des Gebets, der Teilnahme an religiösen Festen und der Lektüre religiöser Literatur fehlen in kaum einer Untersuchung, die Religiosität erfasst.[340] Auch wir haben diese Dimension der Religiosität – allerdings mit einer größeren Zahl von Items – mit Fragen zu den für sie wichtigsten religiösen Feiertagen und Einhaltung religiöser Riten (Lektüre religiöser Literatur bzw. der heiligen Schriften, Gottesdienstbesuch, Häufigkeit der Gebete, Einhalten des Fastens) erhoben.

---

340 Siehe die vorgestellten Studien unter 10.1.

Tabelle 10.11: Gottesbilder (stimme voll/eher zu) (in Prozent)

N = 862**	Gott als strafende Macht	Gott als ver- gebende Macht	Gott als Erfindung von Menschen
Musliminnen **N = 278**	28 (77)	71 (197)*	12 (33)*
jugoslawischer Hintergrund N = 76	28	59	18
türkischer Hintergrund N = 202	28	75	10
Orthodoxe **N = 251**	15 (37)	63 (159)	20 (51)
Aussiedlerinnen N = 21	10	52	33
griechischer Hintergrund N = 181	14	39	18
jugoslawischer Hintergrund N = 49	20	49	23
Katholikinnen **N = 222**	6 (14)	49 (109)	21 (47)
Aussiedlerinnen N = 36	11	39	17
italienischer Hintergrund N = 159	6	48	24
jugoslawischer Hintergrund N = 27	4	67	11
Protestantinnen **N = 111**	17 (19)*	39 (44)*	11 (12)*
Aussiedlerinnen N = 101	19	34	12
italienischer Hintergrund N = 10	-	80	-

* Signifikante Unterschiede nach Religionsgruppen $p \leq .05$.
** Die 862 Fälle beziehen sich nur auf die Mädchen und junge Frauen, die sich eindeutig einer Religionsgruppe zugeordnet haben.

Die Daten nach den drei wichtigsten religiösen Festen wurden mittels einer offenen Frage („Welches sind für die dich die drei wichtigsten religiösen Feste im Jahr?") erhoben.[341] Hier kristallisierte sich folgende Rangfolge heraus:

---

341 Den Interviewerinnen lag eine Liste von 22 christlichen, islamischen und religiös-kulturel- len Festen und Feiertagen vor, darüber hinaus konnte die Kategorie „Sonstiges" oder „Keines" gewählt werden.

Tabelle 10.12:   Wichtigkeit religiöser Feste (in Prozent)

| | Religionsgruppenzugehörigkeit | | | | | | Gesamt | |
	katho-lisch	evan-gelisch	orthodox	islamisch	andere	keine		
Gesamt	(222)	(113)	(252)	(278)	(22)	(63)	100	(950)
Weihnachten*	97	95	96	8	36	71	68	(641)
Ostern*	91	86	95	2	36	65	62	(593)
Neujahr*	57	61	41	18	18	49	40	(382)
Ramadan*	-	-	-	86	9	5	26	(244)
Kurban*	-	-	-	73	9	3	22	(206)
Kandil*	-	-	-	22	-	-	6	(61)

* Signifikante Unterschiede nach Religionsgruppen $p \leq .05$.

Gruppenübergreifend steht Weihnachten an erster Stelle, gefolgt von Ostern und Neujahr. An vierter Stelle steht der Ramadan (der erste Ramadan als Beginn des Fastenmonats und das Ramadanfest als Ende des Fastenmonats wurden zu einem Item zusammengezogen), dann folgt das Kurban- bzw. Opferfest und schließlich Kandil als Geburtstag des Propheten Mohammed. Damit wurden drei Feste christlichen und drei Feste islamischen Ursprungs genannt. Für Musliminnen steht der Ramadan an erster Stelle (86%) gefolgt von dem Opferfest (73%) und dem Kandil (22%). Der Geburtstag des Propheten als eines der wichtigsten drei Feste bzw. Festtage wird von ihnen damit nur knapp häufiger genannt als das (nichtreligiöse) Neujahrsfest (18%). Bezüglich der Überkreuznennungen (Nennungen christlicher Feste durch Musliminnen und umgekehrt) wird auf spätere Ausführungen zum Synkretismus und interreligiösen Dialog verwiesen. Wie die Nennungen bei den Konfessionslosen zeigen, werden ursprünglich religiöse Feste wie Weihnachten und Ostern auch von ihnen als die zwei für sie wichtigsten (religiösen) Feste im Jahr genannt.

Das Feiern religiöser Feste beruht nicht notwendigerweise auf einer religiösen Motivation. Hinsichtlich der Aussiedler und Aussiedlerinnen stellt Boll fest, dass sich in der Wertschätzung kirchlicher Feiertage (insbesondere Weihnachten und Ostern) Religion mit kulturellem Brauchtum verbinde, so dass durch sie das Zugehörigkeitsgefühl zur deutschen Kultur gestärkt werde (Boll 1993, S. 76). Auch nichtreligiöse Aussiedler sähen in dem Feiern von kirchlichen Festen einen Ausdruck ihrer Zugehörigkeit zum Deutschtum. Einen ähnlichen Zusammenhang zwischen der Ausübung religiöser Riten und dem Versuch, eine kulturelle Identität aufrecht zu erhalten, ermittelt die Befragung des Zentrums für Türkeistudien bei Migranten und Migrantinnen türkischer Herkunft (Sauer/Goldberg 2000, S. 116). Dort wird festgestellt, dass vor allem jüngere Befragte religiöse Handlungen, darunter das Feiern des Opferfestes und das Fasten im Ramadan auch praktizieren, wenn sie sich selbst nicht als ausgesprochen religiös definieren. Dies zeige, so Sauer/Goldberg, „dass die Bedeutung der religiösen Riten und Gebräuche auch eine kulturell-gesellschaftliche und nicht nur eine religiöse Ebene berührt". Worbs und Heckmann (2003, S. 145) verwenden das Feiern religiöser Feste als einen Indikator für die subjektiv eingeschätzte Bedeutung von Religion für das eigene Leben. Sie stellen fest, dass das

Feiern religiöser Feste aus dem Herkunftsland der Eltern (vorgegeben war für die muslimischen Befragten das Opferfest, für die christlichen das Osterfest) für junge Muslime und Musliminnen (60% sehr wichtig) eine größere Rolle spielt, als für nicht-muslimische Befragte ihres Samples (49% sehr wichtig).

Die religiöse Praxis wurde in der vorliegenden Untersuchung darüber hinaus durch Fragen nach der Häufigkeit von religiösen Praktiken wie der Lektüre von religiöser Literatur, heiligen Büchern bzw. dem Praktizieren von festen oder freien Gebeten erhoben. Aufgeschlüsselt nach Religions- und Herkunftsgruppen ergibt sich folgendes Bild:

Tabelle 10.13: Praktizierte religiöse Riten (sehr oft/oft) (in Prozent)

N = 862**	Koran/ Bibel- lektüre	Lektüre/ Bücher über eigene Religion	Gottes- dienst- besuch	feste Gebete sprechen	frei beten
Musliminnen N = 278	15 (41)	19 (54)	14 (40)*	37 (103)	43 (118)*
jugoslawischer Hintergrund N = 76	11	20	21	30	32
türkischer Hintergrund N = 202	16	19	12	40	47
Orthodoxe N = 251	2 (5)	5 (13)	16 (39)	30 (74)*	36 (90)
Aussiedlerinnen N = 21	5	5	5	14	29
griechischer Hintergrund N = 181	2	6	18	35	39
jugoslawischer Hintergrund N = 49	-	2	12	16	27
Katholikinnen N = 222	2 (4)*	2 (4)*	18 (40)*	25 (55)*	33 (74)*
Aussiedlerinnen N = 36	-	6	8	14	31
italienischer Hintergrund N = 159	1	1	13	23	35
jugoslawischer Hintergrund N = 27	7	4	59	48	30
Protestantinnen N = 111	11 (12)*	6 (7)*	18 (20)*	17 (19)	35 (38)*
Aussiedlerinnen N = 101	4	3	13	19	31
italienischer Hintergrund N = 10	80	40	70	-	70

* Signifikante Unterschiede nach Religionsgruppen p ≤ .05.
** Die 862 Fälle beziehen sich nur auf die Mädchen und junge Frauen, die sich eindeutig einer Religionsgruppe zugeordnet haben.

Zunächst fällt auf, dass die meisten Religions- und Herkunftsgruppen am häufigsten das freie selbst formulierte Gebet in der Zwiesprache mit Gott praktizieren, am häufigsten tun dies Musliminnen mit türkischem Hintergrund (47%). An zweiter Stelle steht das feste rituelle Gebet. Auch dieses wird am häufigsten von Musliminnen sowohl mit türkischem (40%) als auch mit jugoslawischem (30%) Hintergrund praktiziert. Die Lektüre religiöser Bücher ist seltener und wird im gesamten Spektrum am häufigsten von Musliminnen angegeben (19%). Sehr selten tun dies Katholikinnen und Orthodoxe (1% bis 6%). Auch die Lektüre der jeweils zentralen heiligen Schrift (Bibel/Koran) wird am häufigsten von Musliminnen praktiziert (15%).

Die religiöse Praxis ist demnach bei den Musliminnen deutlich stärker ausgeprägt als bei den Angehörigen der christlichen Konfessionen. Der Gottesdienstbesuch hingegen ist für die Musliminnen mit türkischem Hintergrund eine eher selten durchgeführte Form religiöser Praxis (siehe hierzu auch die gleichen Befunde bei Worbs/Heckmann 2003, S. 145; Wetzels/Brettfeld 2003, S. 85; Sauer/Goldberg 2000, S. 90). Hier sei darauf hingewiesen, dass traditionell im Islam türkischer Prägung der Besuch des Gottesdienstes in der Moschee von den Männern, nicht aber von den Frauen gefordert wird. Dies hindert die Frauen nicht daran, an hohen religiösen Feiertagen die Moschee aufzusuchen bzw. sich zum Begehen religiöser Messen (mevlut) anlässlich einer Hochzeit, Geburt, Beschneidung oder einer Beerdigung in die Moschee zu begeben. Dies sind jedoch Anlässe außerhalb des normalen Alltags, daher ist mit ihnen keine Regelmäßigkeit verbunden. In der Shell-Jugendstudie wird festgestellt, dass muslimische Jugendliche im Vergleich zu christlichen öfter den Gottesdienst besuchen. Unter den christlichen Jugendlichen besuchen protestantische den Gottesdienst besonders selten (Fuchs-Heinritz 2000b, S. 162ff.). Beim Gottesdienstbesuch fällt in dieser Untersuchung ferner die Gruppe der Aussiedlerinnen in allen Konfessionskategorien als besonders wenig praktizierend auf.[342]

Hinsichtlich des Fastens wurde eine gesonderte Frage gestellt, die Abstufungen erlaubte. Beim Fasten ist zu berücksichtigen, dass es sich um ein religiöses Gebot handelt, das in beiden Weltreligionen, dem Islam wie dem Christentum, als Form ritueller Praxis verankert ist, wenn auch als zentrales Glaubenselement (eine der fünf Säulen des Islam) lediglich im Islam. Fasten bedeutet in beiden Religionen auch in der Umsetzung etwas anderes. Während von Christen und Christinnen das Fastengebot den Verzicht auf bestimmte Speisen zwischen Karfreitag und Ostern verlangt, sind Muslime und Musliminnen angehalten, im Monat Ramadan von Sonnenaufgang bis Sonnenuntergang nichts zu essen oder zu trinken. Daneben unterliegen die Gläubigen in beiden Religionen in der Fastenzeit Verboten und Geboten, die sich auf soziales Verhalten beziehen. Wie zu erwarten war, spielt das Fasten als rituelle Praxis für die Musliminnen eine besonders große Rolle.

---

342 Anders die Ergebnisse von Strobl/Kühnel (2000, S. 98). Sie stellten fest, dass Aussiedler in ihrer Befragung ähnlich hohe Werte beim Gottesdienstbesuch aufwiesen wie die befragten „Ausländer", während die einheimischen Deutschen deutlich darunter lagen.

Tabelle 10.14: Fasten bzw. Verzichten auf bestimmte Dinge aus religiösen Gründen in der Fastenzeit (in Prozent)

N = 862**	Fasten aus religiösen Gründen						Gesamt
	faste grundsätzlich	versuche zu fasten	faste manchmal	faste nur an bestimmten Tagen	verzichte nur auf bestimmte Dinge	faste nicht	
Musliminnen*	43 (120)	21 (58)	9 (26)	4 (10)	1 (4)	22 (60)	100 (278)
jugoslawischer Hintergrund	33	20	13	1	-	33	27 (76)
türkischer Hintergrund	47	21	8	5	2	17	73 (202)
Orthodoxe*	6 (15)	15 (39)	25 (61)	20 (50)	3 (7)	31 (79)	100 (251)
Aussiedlerinnen	-	-	-	-	-	100	8 (21)
Griechischer Hintergrund	7	19	27	19	3	25	72 (181)
jugoslawischer Hintergrund	6	8	26	33	-	27	20 (49)
Katholikinnen*	3 (6)	2 (4)	5 (11)	9 (21)	5 (11)	76 (169)	100 (222)
Aussiedlerinnen	-	-	-	-	-	100	16 (36)
italienischer Hintergrund	1	1	4	8	6	80	72 (159)
jugoslawischer Hintergrund	15	7	15	37	4	22	12 (27)
Protestantinnen	1 (1)	-	2 (2)	4 (5)	2 (2)	91 (101)	100 (111)
Aussiedlerinnen	1	-	1	4	2	92	90 (101)
italienischer Hintergrund	-	-	10	10	-	80	10 (10)

* Signifikante Unterschiede nach Religionsgruppen p ≤ .05.
** Die 862 Fälle beziehen sich nur auf die Mädchen und junge Frauen, die sich eindeutig einer Religionsgruppe zugeordnet haben.

Nur für die Musliminnen gehört das Fasten zum festen Repertoire religiöser Praxis. Die Befragten mit türkischem Hintergrund geben zu einem hohen Prozentsatz (47%) an, „grundsätzlich" in der Fastenzeit, also im Monat Ramadan, zu fasten. Noch 21 Prozent dieser Population versuchen in der Fastenzeit „so oft wie möglich" zu fasten. In etwas geringerem Maße als bei den Musliminnen türkischer Herkunft ist diese rituelle Praxis bei den Musliminnen jugoslawischer Herkunft ausgeprägt. Sie fasten zu 33 Prozent „grundsätzlich" im Ramadan, und versuchen zu fast gleich großem Anteil wie die Musliminnen türkischer Herkunft, nämlich zu 20 Prozent, im Ramadan „so oft wie möglich" zu fasten. Deutlich größer ist bei ihnen die Gruppe, die „nur manchmal" (13%) und die „gar nicht" fastet (33%).

Bei den christlichen Befragten hat das Fasten vor allem in der Gruppe der Orthodoxen eine Bedeutung als religiöse Praxis, wenngleich auch mehrheitlich etwas aufgelockerter als bei den Musliminnen. Dies muss aber auch im Zusammenhang mit dem vergleichsweise geringeren Stellenwert dieses Rituals innerhalb des Glaubenskanons betrachtet werden. Am wenigsten Bedeutung hat das Fasten für die Aussiedlerinnen aller Religionsgruppen sowie ebenfalls Religionsgruppen übergreifend auch für die Befragten italienischer Herkunft.

Die Shell-Jugendstudie (Fuchs-Heinritz 2000b, S. 157ff.) stellte hinsichtlich der religiösen Praxis wie dem Gottesdienstbesuch oder dem Lesen religiöser Bücher und auch der Zustimmung zu religiösen Glaubenssätzen wie zum Weiterleben nach dem Tode fest, dass Glaube und Ritus bei türkischen Jugendlichen am häufigsten verbreitet ist, gefolgt von den italienischen Jugendlichen. An dritter Stelle rangieren die deutschen Jugendlichen. Der Autor folgert daraus, dass kirchliche Religiosität bei deutschen Jugendlichen eine Bedeutungsminderung, während sie bei türkisch-muslimischen Jugendlichen eine „Bedeutungsaufladung" erfahren habe. Allerdings fehlen für den Beleg Vergleichsdaten aus früheren Untersuchungen.

In der EFFNATIS-Studie (Heckmann et al. 2000, S. 43) wurde die religiöse Praxis darüber abgefragt, wie oft die Betreffenden ein Gotteshaus (eine Moschee oder eine Kirche) besuchen. Die Mehrheit der befragten türkischen (51,4%) und der befragten jugoslawischen Migrationsjugendlichen (59,9%) antwortete mit „manchmal". Insgesamt besucht etwa nur jeder/jede Zehnte regelmäßig ein Gotteshaus (jugoslawische Jugendliche: 12,1%, türkische Jugendliche: 10,9%). Ferner wurde die Wichtigkeit religiöser Feste des Herkunftslandes der Eltern für die Befragten ermittelt. Die Mehrzahl der Migrantenjugendlichen der zweiten Generation legte großen Wert auf diese Feste, ca. zwei Drittel der türkischen und 47,3 Prozent aller jugoslawischen Migrationsjugendlichen fanden religiöse Feste aus dem Herkunftsland der Eltern „sehr wichtig". Mehr als die Hälfte (56,3%) der in Deutschland aufgewachsenen jugendlichen Migranten und Migrantinnen halten dies für „nicht sehr wichtig" oder sogar „unwichtig" (ebenda).

10.2.5 Die Dimension der Konsequenzen aus religiöser Überzeugung

Religiöse Überzeugungen können sich im Alltagshandeln niederschlagen und zu der Ausprägung spezifischer Verhaltensmuster führen. In unserer Untersuchung werden drei solcher Muster erfasst: die Bedeutung der Religion für die Partnerschaft, für die Erziehung der Kinder und für die Einbindung in soziale Netzwerke.

Die Rolle der Religion in der Partnerschaft

Die Frage, ob man bereit sei, einen Partner zu akzeptieren, der nicht die gleiche Religion besitzt bzw. der religiöser oder weniger religiös ist die Befragte selbst, steht in engem Zusammenhang mit dem eigenen Religiositätsverständnis und hat Auswirkungen auf das zukünftige Familienleben.[343] Dies gilt auch für den Fall, dass die Ehepartner oder einer von beiden sich als nicht religionsgebunden oder nicht religiös empfinden. Bei interreligiösen Partnerschaften und Ehen schließen sich

---

343 Vgl. hierzu die Erfahrungsberichte in Hecht-El Minshawi (1992, S. 193-207).

Fragen nach der Toleranz gegenüber den jeweiligen religiösen Praktiken und Einstellungen des Anderen an, vor allem aber stellt sich die Frage nach der religiösen Sozialisation der Kinder. Während in stark säkularisierten Gesellschaften die Religion des Partners bzw. der Partnerin keine wesentliche Rolle mehr zu spielen scheint, hat sie bei religiös-ethnischen Minderheiten oftmals einen hohen Stellenwert als gruppenkonstituierendes Merkmal behalten. Für junge Musliminnen kann es eine besondere Bedeutung haben, einen Partner aus der gleichen Religionsgruppe zu wählen, da der orthodoxe Islam die Ehe zwischen einer Muslimin und einem Nicht-Muslim nicht erlaubt, selbst wenn sie zu den Schriftbesitzern (gemeint sind außer den Muslimen die Christen und Juden) gehören sollten.

Die Ergebnisse bestätigen die vorher formulierten Überlegungen, ermöglichen aber eine Differenzierung. Die Religionsgruppenzugehörigkeit und die (persönliche) Religiosität des Partners ist für Musliminnen mit türkischem Hintergrund ähnlich wichtig. Mehr als zwei Drittel legen Wert auf die gleiche Religionszugehörigkeit des zukünftigen Partners und mehr als die Hälfte legt Wert auf dessen Religiosität. Weniger wichtig ist die Religionsgruppenzugehörigkeit für Musliminnen mit jugoslawischem Hintergrund. Bei orthodoxen Christinnen mit griechischem Hintergrund ist die Bindung an die Religionsgruppe (60%) wichtiger als die Religiosität des Partners. Wichtig ist für zwei Drittel die religiöse Trauung. Dies ist für einen erheblichen Teil (64%) der Katholikinnen mit italienischem Hintergrund als einziges wichtig, während die Bedeutung von Religionszugehörigkeit und Religiosität nur noch von einem Drittel bis einem Viertel hoch geschätzt wird. Junge Aussiedlerinnen legen weniger Wert auf die gleiche Religionsgruppenzugehörigkeit und auf die Religiosität ihres Partners als Glaubensgleiche mit anderem nationalen Hintergrund, mit Ausnahme der Bedeutung eines religiösen Ehepartners innerhalb der Gruppe der Musliminnen. Diese Eigenschaft ist Musliminnen wichtig; die Unterschiede zwischen denen mit jugoslawischem und türkischem Hintergrund sind nicht signifikant.

Für Aussiedlerinnen ist die Religionsgruppenzugehörigkeit und der religiöse Hintergrund des Partners deutlich unwichtiger, gleich welcher Konfession sie angehören. Ein Teil von ihnen (ca. ein Drittel bis die Hälfte) hält an der religiösen Trauung fest. Für Katholikinnen mit italienischem Hintergrund tritt die Bedeutung von Religion in der Partnerschaft zurück, die kleine Gruppe von Protestantinnen mit italienischem Hintergrund dagegen ist überwiegend auf religiöse Homogenität in der Partnerschaft ausgerichtet.

Vergleichbare Untersuchungen stellen ebenfalls fest, dass die Zugehörigkeit des Partners oder der Partnerin zur gleichen Religion insbesondere für Muslime und Musliminnen ein wichtiges Kriterium bei der Partnerwahl ist.[344] Auch wenn die EFFNATIS-Untersuchung (Worbs/Heckmann 2003, S. 147) in Übereinstimmung mit den Ergebnissen der vorliegenden Untersuchung feststellt, dass die Zugehörigkeit zur gleichen Religion für muslimische Befragte wichtiger ist als für altersgleiche nicht-muslimische Befragte, so sind es in der Nürnberger Befragung nur 50 Prozent der jungen Muslime und Musliminnen, die dies als wichtig bzw. sehr wichtig einstufen. Unsere Untersuchung macht auf die notwendige Differenzierung zwischen Religionsgruppenzugehörigkeit und nationalem Hintergrund aufmerksam.

---

344 Die Untersuchung des Zentrums für Türkeistudien (Sauer/Goldberg 2000, S. 72) fragte nicht nach der Wahl des eigenen Partners sondern nach der Akzeptanz eines nicht-muslimischen Schwiegersohns bzw. einer nicht-muslimischen Schwiegertochter. Zwei Drittel der Befragten würden dies nicht befürworten.

Tabelle 10.15: Religion in der Partnerschaft (in Prozent)

N = 862**	religiöser Ehepartner (sehr wichtig/ eher wichtig)	Religion des Ehepartners egal (stimme weniger/ gar nicht zu)	kaum vorstellbar einen Mann zu heiraten mit anderem Glauben (stimme voll/eher zu)	nur mit religiöser Trauung ein richtige Ehe (stimme voll/ eher zu)
Musliminnen **N = 278**	52 (145)	64 (178)*	48 (132)	51 (141)*
jugoslawischer Hintergrund N = 76	47	51	40	36
türkischer Hintergrund N = 202	54	69	51	57
Orthodoxe **N = 251**	33 (82)*	56 (140)*	36 (91)	61 (153)*
Aussiedlerinnen N = 21	10	38	5	33
griechischer Hintergrund N = 181	39	60	41	69
jugoslawischer Hintergrund N = 49	20	47	33	45
Katholikinnen **N = 222**	24 (54)*	29 (65)*	25 (56)*	60 (134)*
Aussiedlerinnen N = 36	3	11	17	42
italienischer Hintergrund N = 159	25	31	24	64
jugoslawischer Hintergrund N = 27	52	44	44	63
Protestantinnen **N = 111**	19 (22)*	26 (29)*	21 (24)*	50 (56)*
Aussiedlerinnen N = 101	14	21	17	48
italienischer Hintergrund N = 10	80	80	70	80

* Signifikante Unterschiede nach Religionsgruppen p ≤ .05.
** Die 862 Fälle beziehen sich nur auf die Mädchen und junge Frauen, die sich eindeutig einer Religionsgruppe zugeordnet haben.

Wie in der genannten Untersuchung sind ca. die Hälfte der Musliminnen an einer religionshomogenen Ehe interessiert, aber nahezu ebenso viele der Katholikinnen mit jugoslawischem Hintergrund (44%) und nur etwas weniger (41%) der Orthodoxen mit griechischem Hintergrund.[345]

Erziehung der Kinder nach religiösen Werten

Der Wunsch nach der Weitergabe der eigenen religiösen Orientierungen an die nächste Generation kann sich in unterschiedlicher Form zeigen. In unserer Untersuchung wurde zum einen nach der Bedeutung eines religiösen Vornamens für das Kind und der religiösen Initiationsriten (für Christinnen: Taufe, für Musliminnen: Beschneidung des Sohnes) sowie nach der Vorstellung bezüglich der religiösen Erziehung der Kinder gefragt. Dabei ist zu bedenken, dass es sich um Mädchen und junge Frauen handelt, die selbst (noch) keine Kinder haben und daher über ihr für die Zukunft geplantes Verhalten Auskunft geben.

Tabelle 10.16: Religiöse Erziehung (in Prozent)

N = 862**	Befürwortung eines religiösen Vornamens (Kind)	Beschneidung/ Taufe (stimme voll/eher zu)	Kinder religiös erziehen (stimme voll/eher zu)
Musliminnen N = 278	32 (89)	84 (233)*	66 (183)
jugoslawischer Hintergrund N = 76	32	70	62
türkischer Hintergrund N = 202	32	89	66
Orthodoxe N = 251	23 (57)*	81 (202)*	56 (141)*
Aussiedlerinnen N = 21	-	76	29
griechischer Hintergrund N = 181	28	86	62
jugoslawischer Hintergrund N = 49	12	63	47
Katholikinnen N = 222	7 (16)*	80 (177)*	51 (114)*
Aussiedlerinnen N = 36	3	61	22
italienischer Hintergrund N = 159	5	83	56
jugoslawischer Hintergrund N = 27	26	85	63
Protestantinnen N = 111	4 (4)	65 (71)*	34 (37)*
Aussiedlerinnen N = 101	4	67	30
italienischer Hintergrund N = 10	-	30	70

* Signifikante Unterschiede nach Religionsgruppen p ≤ .05.
** Die 862 Fälle beziehen sich nur auf die Mädchen und junge Frauen, die sich eindeutig einer Religionsgruppe zugeordnet haben.

---

345 Berücksichtigt werden hier nur die Items 1 und 3.

Nur ein Drittel der Mädchen und jungen Frauen muslimischer Religion (32%), unabhängig davon, ob sie türkischen oder jugoslawischen Hintergrund haben und griechisch-orthodoxe (28%) wünschen einen religiösen Vornamen für ihr Kind; die meisten wollen jedoch ihren Sohn beschneiden (nur Musliminnen) oder ihre Kinder taufen (nur Christinnen) lassen.

Etwa zwei Drittel der muslimischen Mädchen und jungen Frauen, wiederum unabhängig von dem nationalen Hintergrund und nahezu ebenso viele derjenigen mit griechisch-orthodoxer Religion will die eigenen Kinder religiös erziehen. Ansonsten gibt es kein einheitliches Bild in der Gruppe der katholischen, orthodoxen und protestantischen Befragten zu diesem Thema. Denn nur weniger als ein Drittel der Mädchen und jungen Frauen aus Aussiedlerfamilien, unabhängig von ihrer Religionszugehörigkeit möchte die Kinder religiös erziehen, während zwei Drittel der Befragten mit jugoslawischem Hintergrund und katholischer Religion sowie noch fast die Hälfte dieser Nationalitätengruppe mit orthodoxem Glauben dies wünscht.[346]

Bei allen Religionsgruppen spielen religiöse Passageriuale (Taufe oder Beschneidung) eine deutlich größere Rolle als eine religiöse Erziehung der Kinder; mit Ausnahme der Orientierung in einer Gruppe von Protestantinnen mit italienischem Hintergrund (N = 10).

In der Shell-Jugendstudie wollen drei Viertel der weiblichen türkischen Befragten und damit rund zehn Prozent mehr als ihre männlichen Pendants, ihre Kinder religiös erziehen, bei den italienischen Befragten sind es ebenfalls mehr Mädchen (56%) als Jungen (49%) die dies auf jeden Fall bzw. wahrscheinlich tun möchten. Deutlich geringer ist der Anteil unter den deutschen Befragten, wobei auch hier mehr weibliche als männliche Befragte die religiöse Erziehung ihrer Kinder befürworten (Fuchs-Heinritz 2000b, S. 172). Anders die Ergebnisse nur zu muslimischen Jugendlichen bei Heitmeyer/Müller/Schröder (1997, S. 118): Sie stellen zwar einerseits fest, dass auch hier zwei Drittel der Befragten religiöse Ziele in der Erziehung als wichtig oder sehr wichtig ansehen, dabei aber Jungen dies stärker befürworteten als Mädchen. Ebenfalls befürworten über 50% den Besuch von Korankursen durch die eigenen Kinder, wobei hier erneut die Mädchen weniger stark zustimmten als die Jungen.

Einbindung in religiöse Netzwerke

Die Untersuchung zur Einbindung von Migranten und Migrantinnen in religiöse Netzwerke stellt vor allem im Hinblick auf die Muslime und Musliminnen einen Schwerpunkt im Rahmen der Untersuchung von Religiosität unter Migrationsbedingungen dar (z.B. MAGS 1997a; Heitmeyer/Müller/Schröder 1997; MASSKS 1999; Diehl/Urbahn/Esser 1998; Zentrum für Türkeistudien 2000; Worbs/Heckmann 2003). Die Einbindung in religiöse Netzwerke wird von einem Teil der Forscher und Forscherinnen (z.B. Heitmeyer/Müller/Schröder 1997) als Indiz für Desintegration bewertet. In ihrer Untersuchung zur sozialen und politischen Partizipation von Zuwanderern stellen dagegen Diehl/Urbahn/Esser (1998) fest, dass Personen, die

---

346 In Aussiedlerfamilien z.B., insbesondere bei Angehörigen freikirchlicher Gemeinden, wird die religiöse Erziehung der Kinder quasi als Pflege des „deutschen Brauchtums" verstanden und daher als sehr wichtig erachtet (Boll 1993, S. 76).

kognitiv und identifikativ eine hohe „Assilimation" aufweisen, eine größere Neigung haben, religiöse Veranstaltungen zu besuchen. Je besser sich die befragten Zuwanderer in Deutschland „zurechtfinden", umso größer sei die Wahrscheinlichkeit, dass sie religiös partizipieren. Religiös Partizipierende messen unter den Befragten am stärksten dem Respekt gegenüber Gesetz und Ordnung in Deutschland Wichtigkeit bei. Abschließend bemerkt die Forschungsgruppe in Reaktion auf die Deprivationsthese Heitmeyers/Müller/Schröder (1997), bei einer Betrachtung der „Alltagsreligion" zeigten sich „keine Anzeichen für eine besonders starke Hinwendung zum Islam bei jüngeren und schlecht-assimilierten Zuwanderern" (Diehl/Urbahn/Esser 1998, S. 32). Die einschlägigen Studien zur Religiosität unter Jugendlichen mit Migrationshintergrund kommen zu der Erkenntnis, dass jüngere Befragte eher selten religiös organisiert sind. Worbs/Heckmann (2003, S. 145) stellen fest, dass nur knapp fünf Prozent der muslimischen Migrantenjugendlichen angeben, Mitglied einer islamischen Organisation zu sein. Dies ist, auch wenn berücksichtigt wird, dass in der Regel das Familienoberhaupt als einziges offizielles Mitglied in Moscheevereinen eingetragen ist, eine niedrige Quote gegenüber nicht-muslimischen Befragten der gleichen Altersgruppe, die zu 18 Prozent angaben, Mitglied in einem religiösen Verein oder einer Kirche zu sein. In der Untersuchung des Zentrums für Türkeistudien gab ein Drittel der 18- bis 25-Jährigen an, die Angebote von Moscheevereinen zu nutzen, wobei darauf hingewiesen wird, dass Männer – aus den bereits genannten Gründen – dies häufiger tun als Frauen (Sauer/Goldberg 2000, S. 90). In der Untersuchung von Heitmeyer/Müller/Schröder (1997, S. 260) wird festgestellt, dass 26 Prozent der Befragten 15- bis 21-jährigen Türken und Türkinnen regelmäßig Kontakt zu einem türkischen oder islamischen Verein haben. Hinsichtlich der Aussiedler liegen außer den Daten in den betreffenden Studien zur Verteilung auf Religionen und Konfessionen (Strobl/Kühnel 2000, S. 98) keine vertiefenden Daten zur Einbindung in religiöse Vereine und zur Nutzung des Angebots vor.

Die hier vorliegende Untersuchung befasst sich mit diesem Thema anhand der Frage nach der Einbindung in religiöse peers und religiöse Netzwerke. Dabei wird kein konkreter Bezug auf spezifische politische oder religiöse Ausrichtungen von Vereinen oder Verbänden genommen, vielmehr interessieren hier allgemeine Tendenzen, sich im religiös organisierten Rahmen zu bewegen.

Tabelle 10.17:   Einbindung in religiöse Netzwerke (in Prozent)

N = 862**	fühle mich als Angehörige der Religions-gruppe (sehr stark/stark)	treffe mich in religiösen Einrich-tungen mit Freundin-nen/ Freunden (sehr oft/oft)	die Religion meiner Freunde ist mir egal (stimme gar nicht/weniger zu)
Musliminnen **N = 278**	48 (133)	9 (26)	12 (32)
jugoslawischer Hintergrund N = 76	53	15	8
türkischer Hintergrund N = 202	46	7	13
Orthodoxe **N = 251**	55 (137)*	4 (11)	18 (46)
Aussiedlerinnen N = 21	14	-	24
griechischer Hintergrund N = 181	61	6	18
jugoslawischer Hintergrund N = 49	49	2	16
Katholikinnen **N = 222**	31 (68)*	6 (14)*	10 (21)*
Aussiedlerinnen N = 36	6	3	14
italienischer Hintergrund N = 159	33	6	6
jugoslawischer Hintergrund N = 27	52	15	22
Protestantinnen **N = 111**	17 (18)*	11 (12)*	12 (13)*
Aussiedlerinnen N = 101	11	6	9
italienischer Hintergrund N = 10	70	60	40

* Signifikante Unterschiede nach Religionsgruppen p ≤ .05.
** Die 862 Fälle beziehen sich nur auf die Mädchen und junge Frauen, die sich eindeutig einer Religionsgruppe zugeordnet haben.

Am stärksten identifizieren sich Protestantinnen italienischer Herkunft mit der Religionsgruppe. Es folgen die Orthodoxen mit griechischem Hintergrund (61%). Für die griechisch-orthodoxen Befragten kann die in der Literatur geschilderte enge Verbindung zwischen der ethnischen und der religiösen Zugehörigkeit zur griechisch-orthodoxen Kirche (vgl. bereits Kakaletris 1984, aber auch in jüngster Zeit Pantazis 2002, S. 74) auch für die Mädchen und jungen Frauen bestätigt werden.[347] Mittlere Werte hinsichtlich des Zugehörigkeitsgefühls weisen die Mädchen und jungen Frauen jugoslawischer Herkunft auf, und zwar unabhängig von der Religionsgruppenzugehörigkeit. Für die Musliminnen mit Herkunft aus dem ehemaligen Jugoslawien lässt sich diese Haltung dadurch erklären, dass sich die Gruppe der bosnischen Muslime als „Ethnie" versteht.[348] Auf diese Weise mag das Bewusstsein der Zugehörigkeit zur islamischen Religionsgruppe alle anderen nationalen bzw. ethnischen Faktoren überlagert haben. Auf ähnliche Orientierungen können die Antworten der Katholikinnen (52%) und Orthodoxen (49%) aus dem ehemaligen Jugoslawien beruhen. Im Vielvölkerstaat Jugoslawien war die Identifikation mit einer Religionsgruppe eng verbunden mit einer Identifikation mit der ethnischen Gruppe, die diese Religionsgruppe zahlenmäßig am stärksten repräsentierte. Kaum eine Rolle spielt die Identifikation mit der Religionsgruppe bei den Aussiedlerinnen aller drei Konfessionen (orthodox, evangelisch, katholisch). Unabhängig davon, wie stark sich die Angehörigen der Herkunfts- und Religionsgruppen mit ihrer Religionsgruppe identifizieren, ist ihnen auch die Religion der Freunde und Freundinnen mehrheitlich unwichtig.

Religiöse Einrichtungen scheinen für die befragten jungen Frauen wenig Bedeutung zu haben, wenn es darum geht, sich mit Freunden und Freundinnen zu treffen. Die Daten belegen, dass nur die Zugehörigkeit zu einer Religionsgemeinschaft bei einigen Gruppen stark ausgeprägt ist, nicht aber das Bedürfnis, sich in einem von der gleichen religiösen Orientierung geprägten Milieu zu bewegen. Die eingangs vorgestellten qualitativen Studien zu religiösen Orientierungen bei jungen Muslimen und Musliminnen bestätigen diesen Befund auch für diejenigen, die sich als sehr religiös einstufen und dies habituell z.B. durch das Tragen eines Kopftuches ausdrücken (vgl. hierzu insbesondere Karakaşoğlu-Aydın 2000a; Klinkhammer 2000; Nökel 2002).

10.3 Formen von Synkretismus und religiöse Toleranz

Religiosität unter den Bedingungen der Zuwanderung hat sich mit zusätzlichen Fragen auseinanderzusetzen als in einem monoreligiösen Kontext. Es besteht die Notwendigkeit der Auseinandersetzung mit den religiösen Vorstellungen der Mehrheitsgesellschaft und unter Umständen mit den Vorstellungen anderer Zugewanderter. Daher ist die Frage von Interesse, wie andere Religionen und deren Formen wahrgenommen und bewertet werden.

Wie bereits dargestellt wurde nennen Musliminnen christliche Feste, nicht aber Christinnen muslimische Feste unter den für sie wichtigsten religiösen Festen. Immerhin acht Prozent der Musliminnen nannten Weihnachten und zwei Prozent Ostern als die für sie persönlich wichtigsten religiösen Feste. In diesem Bereich, wie auch beim Glauben an das Christentum weisen Musliminnen stärkere Bezüge zum

---

347 In ihrer Untersuchung stellte Weber (1989, S. 159f.) zwar fest, dass die griechischen Jugendlichen eine distanziertere Haltung zur Religion als ihre Eltern aufweisen, für sie behalte jedoch die Anerkennung der Religion, der Respekt gegenüber der Religion und gegenüber den religiösen Werten weiterhin eine erhebliche Bedeutung.

348 Seit 1993 benutzen die bosnischen Muslime als Eigenbezeichnung nicht mehr „Muslime" sondern „Bosniaken", um damit ihre nationale Identität hervorzuheben (siehe Ikic 2002, S. 90).

Christentum auf als die Christinnen zum Islam. Auch in der Shell-Jugendstudie (Fuchs-Heinritz 2000b, S. 168) wird festgestellt, dass rund 40 Prozent der türkischen Jugendlichen Weihnachten „für wichtig halten"[349] und rund die Hälfte daran teilnimmt. Dies könnte durch den bereits zuvor angesprochenen Zusammenhang begründet sein, dass sich der Islam in seiner Entstehungsgeschichte deutlich auf das Christentum bezieht und dieses als „Vorläufer" betrachtet.[350] Schlüssiger erscheint jedoch die von Thonak (2003, S. 237) vorgeschlagene alternative Interpretationsmöglichkeit über die Zuordnung des Weihnachtsfestes als Ausdruck einer *civil religion*. Somit würden muslimische Mädchen und junge Frauen mit dem Weihnachtsfest an einem im öffentlichen Leben der Bundesrepublik sowohl gesellschaftlich wie auch geschäftlich vermittelten Brauchtum partizipieren, das hier über seine rein religiöse Bedeutung hinaus verankert ist. Außerdem nennen 18 Prozent der Musliminnen Neujahr als wichtiges religiöses Fest. In muslimisch geprägten Herkunftsländern der Familien stellt Neujahr, mit dem die Einführung der christlichen Zeitrechnung assoziiert wird, keinen besonders zu berücksichtigenden Tag dar. Die relativ häufige Nennung ist hier ebenso wie beim Weihnachtsfest mit der Teilnahme am (religiös-) kulturell geprägten Brauchtum der Mehrheitsgesellschaft in Zusammenhang zu bringen. Dies dürfte auch für das Aufstellen eines Weihnachtsbaumes gelten. Immerhin 19 Prozent der Musliminnen gaben an, dass bei ihnen zu Hause zu Weihnachten ein Weihnachtsbaum aufgestellt wurde.[351]

Tabelle 10.18: Aufstellen eines Weihnachtsbaumes zu Hause (in Prozent)

	Religionsgruppenzugehörigkeit						Gesamt	
	katho-lisch	evan-gelisch	orthodox	islamisch	andere	keine		
Gesamt	(222)	(113)	(252)	(278)	(22)	(63)	100	(950)
ja	94	92	91	19	27	86	69	(656)
nein	6	8	9	81	73	14	31	(294)

C = .59   p = .00

Innerhalb der islamischen Gruppen lässt sich dieses Item nach Herkunftsgruppen differenzieren. Es zeigt sich, dass 37 Prozent der Musliminnen mit jugoslawischem Hintergrund gegenüber 13 Prozent der Musliminnen mit türkischem Hintergrund das Aufstellen eines Weihnachtsbaumes von zu Hause kennen. In diesem Zusammenhang soll auch auf die Gruppe derjenigen hingewiesen werden, die „keiner Religionsgemeinschaft" angehören, jedoch überwiegend (86%) einen Weihnachtsbaum

---

349 Es ist ein qualitativer Unterschied, ob Weihnachten „für wichtig gehalten wird" oder ob es als eines der für die Befragte drei wichtigsten religiösen Feste genannt wird. Auf diesen inhaltlichen Unterschied dürften die unterschiedlichen Prozentangaben zwischen der Shell-Jugendstudie und den hier vorgelegten Daten zurückzuführen sein.

350 So wird im Koran in der Sure 19 mit dem Namen „Maria" die muslimische Sicht der unbefleckten Empfängnis Marias wiedergegeben, der zufolge Jesus, als Prophet, nicht als Sohn Gottes auf Sein Geheiß von der jungfräulichen Maria empfangen wurde.

351 Die Tradition des Weihnachtsbaumes – eigentlich eine germanische Tradition – erfreut sich auch in der Türkei unter der Bezeichnung „Neujahrsbaum" wachsenden Zuspruchs. In dem Fragebogen war in der türkischen Version als funktionales Äquivalent für „Weihnachtsbaum" nach dem „Neujahrsbaum" gefragt worden.

von zu Hause kennen. Dies ist ein weiterer Hinweis darauf, dass es sich hier um eine kulturelle und nicht notwendigerweise religiös motivierte Gewohnheit handelt. Dass sie bei Menschen nicht-deutscher Herkunft allerdings derart verbreitet ist, verweist auf eine in diesem Brauchtumsbereich stattfindende kulturelle Angleichung der Zugewanderten hin.

Als nächstes soll der Frage nachgegangen werden, ob es bei den Angehörigen der verschiedenen Religionsgemeinschaften ein unterschiedliches Interesse an den jeweils anderen Religionen gibt. Die Mädchen und jungen Frauen wurden nach ihrem Interesse an Informationen über andere Religionen gefragt:

Tabelle 10.19: Interesse an anderen Religionen (in Prozent)

| | Religionsgruppenzugehörigkeit | | | | | | Gesamt |
	katho-lisch	evan-gelisch	orthodox	islamisch	andere	keine	
	(222)	(113)	(252)	(278)	(22)	(63)	100 (950)
eher/voll vorhanden	35	27	38	44	27	29	37 (351)
teils-teils	33	30	33	34	41	28	33 (313)
weniger/gar nicht vorhanden	32	43	29	22	32	43	30 (286)

C = .20   p = .01

In dieser Aufschlüsselung erweisen sich die Musliminnen am häufigsten (44%) interessiert, mehr über andere Religionen zu erfahren. Es folgen die Orthodoxen (39%) und die Katholikinnen (35%). Am schwächsten ausgeprägt ist das Interesse an Informationen über andere Religionen bei den evangelischen Befragten und bei denjenigen, die einer anderen Religionsgemeinschaft angehören (jeweils 27%).

Neben dem Interesse an anderen Religionen wurden die Ansprüche und Wünsche, die Mädchen und jungen Frauen sowohl hinsichtlich der religiösen Toleranz und Sensibilität der Aufnahmegesellschaft auf der einen und der eigenen Herkunftsgruppe auf der anderen Seite stellen, erfasst.

Tabelle 10.20: Wünsche an religiöse Toleranz der Umwelt (stimme voll/eher zu) (in Prozent)

N = 862**	mehr Verständnis von Ein- heimischen	andere mehr über eigene Religion erfahren	mehr Verständnis von eigenen Leuten	in religiöser Hinsicht an BRD anpassen
Musliminnen **N = 278**	64 (179)	51 (141)	62 (172)*	13 (37)*
jugoslawischer Hintergrund N = 76	61	54	45	20
türkischer Hintergrund N = 202	66	50	68	11
Orthodoxe **N = 251**	24 (60)	31 (78)	27 (68)	14 (34)*
Aussiedlerinnen N = 21	24	19	19	24
griechischer Hintergrund N = 181	23	33	29	12
jugoslawischer Hintergrund N = 49	27	31	22	14
Katholikinnen **N = 222**	11 (24)	19 (42)	14 (30)*	25 (56)
Aussiedlerinnen N = 36	8	8	6	22
italienischer Hintergrund N = 159	10	21	13	27
jugoslawischer Hintergrund N = 27	19	22	30	19
Protestantinnen **N = 111**	17 (19)	23 (26)*	20 (23)	21 (24)*
Aussiedlerinnen N = 101	17	20	18	22
italienischer Hintergrund N = 10	20	60	50	20

* Signifikante Unterschiede nach Religionsgruppen p ≤ .05.
** Die 862 Fälle beziehen sich nur auf die Mädchen und junge Frauen, die sich eindeutig einer Religionsgruppe zugeordnet haben.

Der herkunfts- und religionsgruppenspezifische Vergleich zeigt, dass die Musliminnen sowohl mit türkischem als auch mit jugoslawischem Hintergrund sich besonders häufig mehr Verständnis von einheimischen Deutschen für ihre Form des Glaubens wünschen (64%). Ihnen ist besonders wichtig, dass andere Menschen mehr über ihre Religion erfahren (51%), was angesichts der Diasporasituation des Islam in Deutschland und der in der Mehrheitsgesellschaft verbreiteten Reserven, wenn nicht Ängste gegenüber dem Islam und den Muslimen – nicht zuletzt vor dem Hintergrund islamistischer Terroranschläge – eine besondere Bedeutung erhält.[352] Zu bemerken ist allerdings auch, dass sich vor allem Musliminnen mit türkischem Hintergrund ebenso häufig (68%) auch mehr Verständnis von den Angehörigen ihrer eigenen Herkunftsgruppe gegenüber ihrer Haltung zur Religion wünschen. Dies ist als Hinweis auf entsprechende Erfahrungen mit religiöser Intoleranz in der eigenethnischen Gruppe zu bewerten (vgl. hierzu Berichte in Otyakmaz 1995; Karakaşoğlu-Aydın 2000a; Schröter 2002).

Mädchen und junge Frauen, die dem orthodoxen Christentum angehören, fordern deutlich seltener Verständnis und Wissen von den einheimischen Deutschen oder von den eigenen Landsleuten. Noch seltener stimmen einer solchen Anforderung Protestantinnen und Katholikinnen zu. Den Vorstellungen nach interreligiösem Verständnis und Wissen folgt nicht die Bereitschaft, sich in religiöser Hinsicht der Mehrheitsgesellschaft anzupassen.

Aus keiner Religionsgruppe stimmt dieser Forderung mehr als ein Viertel zu. Am wenigsten Zustimmung erhält die Forderung, dass von jemandem, der schon lange in Deutschland lebt, erwartet werden könne, sich auch in religiöser Hinsicht an die Mehrheitsgesellschaft anzupassen, von den Musliminnen mit türkischem Hintergrund. Sie stimmten dieser Aussage nur zu elf Prozent „voll" bzw. „eher" zu, gefolgt von den Orthodoxen griechischer (12%) und jugoslawischer Herkunft (14%).

Das Ergebnis korrespondiert zu bereits eingangs referierten Befunden qualitativer Untersuchungen, in denen die muslimischen Jugendlichen ihre eigene religiöse Orientierung bewusst als different gegenüber der Mehrheitsgesellschaft (aber auch gegenüber der Elterngeneration) nicht jedoch in Opposition zu ihr stehend begreifen. Wichtig ist ihnen zu betonen, dass sie nicht unter Zwang von außen handeln und dass sie mit ihrer islamischen Identität am gesellschaftlichen Leben in Deutschland teilhaben möchten.

10.4 Religiöse Erziehung in der Herkunftsfamilie

Fraas (1990, S. 35) betont in seinem auf protestantische Religiosität beschränkten, aber von ihm selbst als universell formulierten Überblick über „die Religiosität des Menschen" den engen Zusammenhang zwischen Sozialisationsprozessen und der Annahme des Glaubens. Ihm zufolge tritt „die Vermittlung des Glaubens (...) nicht zu den soziokulturell bedingten Erziehungs- und Sozialisationsprozessen hinzu oder ihnen entgegen, sondern vollzieht sich unter den Bedingungen dieser Entwicklungsprozesse, und zwar so, dass sie nicht anders als in diesen Lebensformen erfahrbar wird", denn für Fraas ist Ausgangspunkt aller Religiosität das religiöse Erleben (ebenda S. 37). Für ihn stellt religiöse Sozialisation „keinen Sonderbereich dar, sondern eine Dimension des allgemeinen Lebensprozesses, der seinerseits nicht

---

352 Dabei ist zu berücksichtigen, dass die Befragung nur ein viertel Jahr nach den Anschlägen vom 11. September 2001 stattfand, die sich insofern auch negativ auf das Verhältnis zwischen Muslimen und Nicht-Muslimen ausgewirkt haben, als Muslime und Musliminnen sich vielfach einem Generalverdacht ausgesetzt fühlten und es vermehrt zu tätlichen Angriffen auf muslimische Mädchen und Frauen mit Kopftuch in der Öffentlichkeit kam. Andererseits wurden in Reaktion auf die Anschläge von gesellschaftlichen Kräften auch viele Anstrengungen unternommen, den Dialog mit den in Deutschland lebenden Muslimen und Musliminnen zu verbessern. Zu beiden Phänomenen siehe Allen/Nielsen 2002.

zwangsläufig religiös verstanden werden muss, wohl aber die religiöse Thematik betrifft" (ebenda S. 76).

Zur Erklärung der religiösen Sozialisation konzentriert sich Schweitzer (1998) auf die psychologischen und soziologischen Ansätze. Er beschränkt sich dabei auf die Phase der Adoleszenz. Der psychoanalytische Ansatz (Ablösung und Selbstwerdung der Jugendlichen) wie auch der der kognitiv-strukturellen Psychologie (Herausbildung eines kritischen Denkens und Erfahrung von Subjektivität) sehen die Adoleszenz als Phase, in der es zur Infragestellung der kindlichen Gottesvorstellungen und schließlich zum Abschied vom Kinderglauben kommt (Schweitzer 1998, S. 82). Fraas (1990) bezieht sich neben den psychologischen und soziologischen zusätzlich auf kulturanthropologische Ansätze. Während der psychologische Ansatz postuliere, dass hinsichtlich der religiösen Sozialisation das Identifikationsbedürfnis des Kindes dessen Orientierung an den Eltern oder anderen Personen, mit denen es gefühlsmäßig verbunden ist, bewirke, entstehe die Orientierung am Elternhaus gemäß dem soziologischen Ansatz durch Verstärkungslernen oder durch das Modell der Rollentheorie (Interaktionismus). Der kulturanthropologische Ansatz gehe von der Religion als Bestandteil des kulturellen Systems aus und verstehe Religion als Mittel der Kontingenzbewältigung. Religiöse Deutungsmuster sollen die Zerbrechlichkeit der Alltagswelt bearbeiten helfen. Den kulturanthropologischen Ansatz hinsichtlich der religiösen Sozialisation definiert er als einen Ansatz, der „sich auf die sozial vermittelte Aneignung von das Verhalten deutenden Anteilen des Alltags" bezieht (Fraas 1990, S. 80). Darüber hinaus müsse der Zusammenhang zwischen Sozialisation und religiöser Entwicklung unter Berücksichtung der jeweiligen Persönlichkeitstypen betrachtet werden (Fraas 1990, S. 134). Diese sind jedoch nicht unabhängig von der Prägung des persönlichen Glaubens durch die familiären Einflüsse, denn es „ist der ‚Lebensglaube' der Bezugspersonen, die Weltdeutungen oder die Quintessenz der elterlichen Lebensgeschichte, die die Weichen für die neue Lebensdeutung stellt. Damit ist gesagt, dass über die soziale bzw. gesellschaftliche Vermittlung immer auch schon bestimmte Wert- oder Sinnkonzepte den Rahmen des kindlichen Lebensweges abstecken, die das soziale Geschehen zwischen Eltern und Kindern als solches überschreiten" (ebenda S. 164). Und daher gilt, dass die sozialen Erlebnisformen des Kindes „sowohl inhaltlich wie auch strukturell (...) Konsequenzen für das mögliche spätere Gottesbild" (Fraas 1990, S. 170) haben. Hinsichtlich der Religiosität von Jugendlichen ist – in anderen Studien bezogen auf die überwiegend christlich geprägte (west-)deutsche Mehrheitsgesellschaft – festgestellt worden, dass nicht nur religiöse Wissensbestände sondern auch der lebendige Nachvollzug religiöser Sachverhalte wie Schuld, Buße, Vergebung sowie deren Tradierung durch die Familie abnehmen (so Wiegand 1994, S. 26f.).

Vor dem Hintergrund dieser Studien, die die Bedeutung der religiösen Sozialisation bei (deutschen) Jugendlichen betonen, wurde dieser Themenbereich in die Studie zu Mädchen und jungen Frauen mit Migrationshintergrund aufgenommen. Es werden Fragen nach der eigenen religiösen Erziehung in der Kindheit, nach dem Ausmaß der familiär vermittelten religiösen Erziehung und der Zufriedenheit damit, aber auch eine Frage zum religiösen Klima in der Familie gestellt, die sich darauf bezog, ob der Glauben in der Familie als Privatsache angesehen wurde. Als weitere Sozialisationsinstanz wurde die Schule einbezogen und nach der schulisch vermittelten Religionserziehung zum einen und der Zufriedenheit damit zum anderen gefragt.

Tabelle 10.21: Religiöse Erziehung in der Kindheit (stimme voll/eher zu) (in Prozent)

N = 862**	von Eltern religiös erzogen	richtige religiöse elterliche Erziehung	Glaube in der Familie keine Privat-sache[1]	in der Schule gerne mehr über eigene Religion erfahren	Religionsunter-richt/religiöse Unterweisung besucht: ja
Musliminnen N = 278	56 (155)	75 (208)	47 (130)*	58 (162)	57 (157)*
jugoslawischer Hintergrund N = 76	49	74	34	54	45
türkischer Hintergrund N = 202	58	75	57	60	61
Orthodoxe N = 251	52 (130)*	77 (194)*	47 (118)*	39 (98)*	60 (151)*
Aussiedlerinnen N = 21	14	52	10	29	29
griechischer Hintergrund N = 181	61	82	49	35	71
jugoslawischer Hintergrund N = 49	33	69	55	59	33
Katholikinnen N = 222	51 (114)*	76 (169)*	35 (77)*	19 (43)	91 (201)*
Aussiedlerinnen N = 36	8	53	28	25	58
italienischer Hintergrund N = 159	56	81	33	18	98
jugoslawischer Hintergrund N = 27	82	82	56	22	93
Protestantinnen N = 111	19 (22)*	50 (56)	19 (21)	12 (14)	69 (76)*
Aussiedlerinnen N = 101	15	49	19	11	65
italienischer Hintergrund N = 10	70	70	20	30	100

* Signifikante Unterschiede nach Religionsgruppen p ≤ .05.
** Die 862 Fälle beziehen sich nur auf die Mädchen und junge Frauen, die sich eindeutig einer Religionsgruppe zugeordnet haben.
1) Das Item war ursprünglich positiv formuliert: „In unserer Familie ist der Glaube Privatsache jedes einzelnen", hier wurde aus inhaltlichen Gründen die Formulierung ins Negative verändert, damit die Antwortkategorie (stimme voll/eher zu) vergleichbar ist.

Musliminnen fühlen sich deutlich zu mehr als der Hälfte von ihren Eltern religiös erzogen, allerdings nicht häufiger als Orthodoxe mit griechischem oder Katholikinnen mit italienischem Hintergrund. Sie sind geringfügig seltener als diese mit der elterlichen Erziehung zufrieden, hätten aber deutlich häufiger in der Schule gerne mehr über ihre Religion erfahren. Ebenso wenig wie in serbisch-orthodoxen oder katholischen Familien mit jugoslawischem Hintergrund war der Glaube bei ihnen Privatsache. Deutlich häufiger wird dagegen in muslimischen Familien mit jugoslawischem Hintergrund der Glaube als Privatsache betrachtet.

In der Gruppe der Orthodoxen sind es vor allem die Griechisch-Orthodoxen, die sich häufig von den Eltern religiös erzogen sehen und diese Erziehung auch als richtig bewerten. Sie haben auch am häufigsten Religionsunterricht besucht. Daran mag es liegen, dass sie im Vergleich zu den serbisch-orthodoxen Befragten, die sich zu 59 Prozent mehr Informationsvermittlung über ihre Religion in der Schule gewünscht hätten, deutlich weniger Interesse (33%) an mehr Information haben.

Katholikinnen (außer Mädchen aus Aussiedlerfamilien, die überwiegend Seiteneinsteigerinnen sind) haben nahezu alle am Religionsunterricht in der Schule teilgenommen und wären ebenfalls nur zu einem geringen Teil interessiert, in der Schule mehr über ihre Religion zu erfahren (19%). Beachtenswert ist der hohe Anteil von Katholikinnen jugoslawischen Hintergrunds (82%), aber noch mehr als die Hälfte der Befragten italienischer Herkunft, die sich als religiös erzogen sehen. Beide Gruppen haben am häufigsten, nämlich zu über 90 Prozent Religionsunterricht in der Schule besucht und wünschen sich dementsprechend nur zu einem Fünftel, mehr in der Schule über ihre Religion zu erfahren.

Die Protestantinnen spalten sich in zwei Gruppen mit deutlich unterschiedlicher religiöser Sozialisation auf. Während die Aussiedlerinnen sich nur zu 15 Prozent als von den Eltern religiös erzogen betrachten, gilt dies für 70 Prozent der Protestantinnen mit italienischem Hintergrund. Mehr als die Hälfte sind mit der religiösen Erziehung durch die Eltern zufrieden. In beiden Fällen war der Glaube nur in einem Fünftel der Familien keine Privatsache. Aufgrund des hohen Prozentsatzes an Seiteneinsteigerinnen verwundert der geringere Anteil an Protestantinnen unter den Aussiedlerinnen, die schulischen Religionsunterricht besucht haben und sich diesen mehr wünschen gegenüber denjenigen mit italienischem Hintergrund nicht.

Im Ergebnis ist festzustellen, dass bei den Aussiedlerinnen unabhängig von ihrer Religionsgruppenzugehörigkeit der Glaube in der Familie in hohem Maße als Privatsache jedes Einzelnen betrachtet wurde. Hier liegen die Werte der Zustimmung bei 64 bis über 70 Prozent. Dabei scheinen sie auch am wenigsten religiös erzogen worden zu sein, denn die Werte liegen hier zwischen acht Prozent (katholische Aussiedlerinnen) und 15 Prozent (evangelische Aussiedlerinnen). Dies bestätigt erneut das Aufwachsen der jungen Aussiedlerinnengeneration aus den GUS-Staaten in einem eher religionsfernen sozialen Milieu. Sie sind jedoch, im Vergleich zu allen anderen ethno-religiösen Gruppen am wenigsten mit der religiösen Erziehung in der Familie zufrieden. Boll (1993, S. 81f.) führt aus, dass die Kinder der mittleren Generation unter Aussiedlern und Aussiedlerinnen (16-50 Jahre) in religiösen Fragen im Herkunftsland zumeist von der Großelterngeneration unterrichtet worden seien, was sie gemessen an ihren Eltern wieder näher an die Religion herangeführt habe. Vor allem freikirchliche Gemeinden, die in unserem Sample unter der Rubrik „andere" subsumiert sind, achteten stark auf eine Binnenbindung und vermieden Kontakte mit Menschen anderer Glaubensrichtungen. In diesem Zusammenhang spricht Boll von generationsspezifischer familialer Religiosität. Während die Großelterngeneration als religiös und Träger der ethnisch-religiösen Werten bezeichnet werden kann, sei die Elterngeneration „ohne (...) eine nähere Beziehung zur Religion, insbesondere zur Kirche" (ebenda, S. 83). Er stellt ferner fest, die Tradierung ethnisch-religiöser Werte bei russlanddeutschen Kinder sei nur dann gewährleistet, wenn die Kinder in mehr oder weniger russlanddeutsch geprägten Gemeinden (d.h. in der Regel: in Gemeinden mit überwiegend russlanddeutschen Mitgliedern) religiös sozialisiert würden. Dieses sei bei den Angehörigen von evangelischen Freikirchen häufig der Fall. Schließen sich die Kinder jedoch einer von Bundesdeutschen dominierten Kirche an, so orientieren sie sich größtenteils an den einheimischen religiösen Traditionen und weitaus weniger an denen ihrer Großeltern (ebenda 1993, S. 84). Wobei hier kritisch angemerkt werden muss, dass mit dieser Umorientierung nicht zwangsläufig ein Verlust der religiösen Bindung verbunden sein muss. Die hohe Zufriedenheit der meisten ethno-religiösen Befragtengruppen mit der familiären religiösen Erziehung zeigt sich gruppenübergreifend.

Vor allem die Musliminnen (58%) sowie die Orthodoxen jugoslawischer (59%) Herkunft sind eher unzufrieden mit der schulischen Religionserziehung. Sie hätten gerne mehr über ihre Religion in der Schule erfahren.[353] Dieser Wunsch wird formuliert vor dem Hintergrund unterschiedlicher Erfahrungen mit Religionsunterricht überhaupt. Während 61 Prozent der türkischen Musliminnen angeben, Religionsunterricht/religiöse Unterweisung gehabt zu haben, sind es bei den jugoslawischen Musliminnen nur 45 Prozent und bei den Orthodoxen jugoslawischer Herkunft lediglich 33 Prozent. Besonders gut versorgt mit diesem Angebot waren die protestantischen und katholischen Befragten. Dies verwundert nicht, handelt es sich doch bei dem konfessionellen christlichen Religionsunterricht um ein reguläres, curriculares Angebot an den meisten Schulen im Bundesgebiet (Ausnahme neue Bundesländer und Länder mit „Bremer Klausel", also Berlin und Bremen). Der religionsbezogene Unterricht für Musliminnen erfolgt als „islamische Unterweisung" im Rahmen des Muttersprachlichen Ergänzungsunterrichts, der in den verschiedenen Bundesländern in unterschiedlich intensiver Abstimmung mit den jeweiligen Herkunftsländern der Migranten und Migrantinnen organisiert ist. Was den geringen Besuch von Religionsunterricht/religiöser Unterweisung der orthodoxen, katholischen und protestantischen Aussiedlerinnen anbelangt, so ist hier erneut darauf hinzuweisen, dass unter den Aussiedlerinnen viele Seiteneinsteigerinnen im Schulsystem vertreten sind und dass es in den Ländern der GUS, aus denen sie kamen, keinen schulisch verankerten Religionsunterricht gab.

---

353 In der Untersuchung des Zentrums für Türkeistudien wurde nur nach dem Wunsch nach konfessionellem Islamunterricht an Schulen in Deutschland gefragt (Sauer/Goldberg 2000, S. 106f.), ohne Bezug zu bereits vorhandenen Erfahrungen mit einem solchen Unterricht herzustellen. Demnach wünschen sich 89 Prozent der Befragten (ohne Differenzierung nach Alter oder Geschlecht) einen konfessionellen islamischen Religionsunterricht an Schulen. Während lediglich sechs Prozent der „religiösen" Befragten dies nicht befürworten, gilt dies für 17 Prozent der so genannten „nichtreligiösen" Befragten. In ihrer Untersuchung von 1997 ermittelten Heitmeyer/Müller/Schröder 1997, S. 260) ohne Differenzierung nach Geschlecht, dass sich 53 Prozent der befragten muslimischen Jugendlichen für „mehr islamischen Unterricht an deutschen Schulen" aussprechen. Diese Ergebnisse bestätigen das hohe Interesse auch bei den Jugendlichen selbst für eine schulisch vermittelte religiöse Unterweisung.

10.5 Stellung der Frau in der Religion

Die Rolle der Frau in den verschiedenen Religionen ist ein in der Öffentlichkeit viel diskutiertes Thema. Vor allem hinsichtlich muslimischer Migrantinnen wird häufig vorgebracht, dass es die Religion sei, die ihren inferioren Status in den Herkunftsgesellschaften aber auch in den Migrantencommunities festschreibe.[354] Es ist nicht einfach, in den Alltagsdiskurs Differenzierung und Relativierungen einzuführen. Dies könnte geschehen durch Verweis auf das laizistische Rechtssystem mit Absicherung der Frau in der Türkei, die unterschiedliche Stellung der Frau in den beiden islamischen Konfessionen (Aleviten und Sunniten), die Differenzierungen schon bei den Eltern im Zuge der Binnenmigration und der Wanderung ins Ausland und die unterschiedlichen Positionen von Frauen in den türkischen Arbeitsmigrantenfamilien (siehe hierzu empirische Befunde bei Nauck 1985a; die Darstellung des Forschungsstandes bei Boos-Nünning 1999 und Karakaşoğlu 2003). Aber auch der Verweis auf die untergeordnete Stellung der Frau in allen abrahamitischen Religionen (siehe dazu Rieplhuber 1986) verringerte die Stereotypisierung der muslimischen Migrantinnen nicht.

In der vorliegenden Studie wurde die Meinung der Mädchen und jungen Frauen in drei unabhängigen Items erfragt, ob sie sich als Frau in ihrer Religion akzeptiert, unterdrückt oder so „gut bzw. schlecht" wie in anderen Religionen behandelt fühlen (Tabelle 10.22).

Die Befragten fühlen sich religionsgruppen- und herkunftsgruppenübergreifend in ihrer Religion überwiegend akzeptiert und nur eine äußerst kleine Minderheit fühlt sich unterdrückt.

Besonders akzeptiert fühlen sich mit Zustimmungswerten zu diesem Item von 80 bis über 90 Prozent die Orthodoxen griechischer und jugoslawischer Herkunft und die Katholikinnen jugoslawischer und italienischer Herkunft. Im mittleren Feld mit 64 Prozent Zustimmung zur Akzeptanz als Frau in der eigenen Religion liegen die Musliminnen. Sie werden gefolgt von orthodoxen Aussiedlerinnen (52%). Am wenigsten anerkannt in ihrer Religion fühlen sich die katholischen Aussiedlerinnen mit 44 Prozent. Auch wenn die türkischen Musliminnen sich deutlich überwiegend in ihrer Religion akzeptiert fühlen, weisen sie dennoch mit 13 Prozent gleichzeitig den höchsten Zustimmungswert zu der Aussage „Ich fühle mich als Frau in meiner Religion unterdrückt" auf, gefolgt von den Musliminnen jugoslawischer Herkunft (8%). Gleichzeitig sehen sich in besonderem Maße sowohl die orthodoxen Befragten jugoslawischer Herkunft sowie die beiden muslimischen Gruppen in ihrer Religion behandelt wie in anderen Religionen auch, wobei diese Aussage keine positive oder negative wertende Konnotation enthält. Deutlich wird an ihr allerdings, in welchem Maße hinsichtlich der Rolle als Frau in der eigenen Religion die Vergleichsperspektive mit anderen Religionen mitgedacht wird. Die verbreitete Vorstellung über die besondere Unterdrückung von Musliminnen durch ihre Religion, den Islam, wird jedoch nur von einer kleinen Minderheit (8 bis 13%) der muslimischen Befragten nachvollzogen. Überwiegend schätzen sie die Stellung der Frau im Islam als genauso ein wie in anderen Religionen auch.

---

354 Vgl. hierzu die Ausführungen zum Thema „Zwangsheirat" im Kapitel 7 und die Ausführungen zur Haltung des Islam zu Sexualität und Körperlichkeit im gleichnamigen Kapitel dieser Untersuchung.

Tabelle 10.22: Rolle der Frau in der eigenen Religion (stimme voll/eher zu) (in Prozent)

N = 862**	akzeptiert	unterdrückt	wie in anderen Religionen auch
Musliminnen **N = 278**	64 (179)	12 (32)*	40 (110)
jugoslawischer Hintergrund N = 76	59	8	39
türkischer Hintergrund N = 202	66	13	40
Orthodoxe **N = 251**	79 (199)*	3 (7)	26 (65)*
Aussiedlerinnen N = 21	52	5	24
griechischer Hintergrund N = 181	80	3	22
jugoslawischer Hintergrund N = 49	88	-	43
Katholikinnen **N = 222**	80 (177)*	2 (5)	23 (52)
Aussiedlerinnen N = 36	44	3	20
italienischer Hintergrund N = 159	86	3	22
jugoslawischer Hintergrund N = 27	93	-	37
Protestantinnen **N = 111**	63 (69)	3 (3)	22 (24)
Aussiedlerinnen N = 101	59	3	23
italienischer Hintergrund N = 10	90	-	10

* Signifikante Unterschiede nach Religionsgruppen $p \leq .05$.
** Die 862 Fälle beziehen sich nur auf die Mädchen und junge Frauen, die sich eindeutig einer Religionsgruppe zugeordnet haben.

10.6 Zum Religionsverständnis und Dimensionen der Religiosität

10.6.1 Instrumente zur Messung von Religiosität

Der religionssoziologischen Diskussion folgend wurde in der Untersuchung Religiosität in vier Dimensionen operationalisiert und gemessen: in der Dimension religiöser Erfahrung (ausgedrückt in religiösen Gemütsbewegungen: Glauben gibt Zuversicht, Glücksgefühl), in der Glaubensdimension (ausgedrückt in der Zustimmung zu Glaubensaussagen und dem Gottesbild), in der rituellen Dimension (ausgedrückt in religiöser Praxis: Beten, Fasten, religiöse Feste feiern) und in der Dimension der Konsequenzen aus religiösen Überzeugungen (ausgedrückt im sozialen Handeln: Wahl des Ehepartners, religiöse Erziehung, Einbindung in religiöse Netzwerke). Hinzu kommen Fragen zur religiösen Erziehung in der Herkunftsfamilie, zur religiösen Toleranz, interreligiösem Austausch und zur Stellung der Frau in der Religion.

Um das Religionsverständnis der Mädchen und jungen Frauen zu ermitteln und um die Dimension der Religiosität empirisch zu prüfen, wurde eine Faktorenanalyse auf der Grundlage der Daten der Gesamtgruppe durchgeführt. Um eventuelle spezifische Religionsvorstellungen der vier Religionsgruppen herauszufinden, wurden vier weitere Faktorenanalysen getrennt für Katholikinnen, Protestantinnen, Orthodoxe und Musliminnen durchgeführt.

Die für die Fragen und Items durchgeführte Faktorenanalyse für die Gesamtgruppe trennt sehr klar zwischen Fragen und Items zur religiösen Orientierung (Religiosität) auf der einen Seite und Fragen, die andere Sinngebungen betreffen. Glück, Liebe und Schicksal, aber auch Geld und der Glaube an sich selbst laden auf anderen Faktoren. Auch die Fragen, die sich auf das Interesse an anderen Religionen und auf Toleranz ihnen gegenüber beziehen, zählen nicht zum Kern religiöser Orientierung. Eigene Faktoren bilden auch die Items, die sich auf die Konsequenzen von Religiosität richten und die familiäre und freundschaftliche Beziehungen in den Mittelpunkt stellen und alle Items, die den interreligiösen Austausch thematisieren.

Entsprechend werden mehrere Faktoren extrahiert. Es zeigt sich erneut, dass die der theoretischen Diskussion und der Fragebogenkonstruktion zugrunde liegenden Dimensionen der Religiosität nicht rekonstruiert werden können.[355] In den Faktor „Religiosität" gehen Glaubensüberzeugungen ebenso ein wie Sinngebungsfragen, aber auch die Beachtung ritueller Regeln, Konsequenzen aus religiösen Einstellungen und Bindungen an die religiöse Gruppe. Der Faktor Religiosität setzt sich aus folgenden Items zusammen (Tabelle 10.23).

Dieser Faktor enthält den Kern religiösen Denkens, Glaubens und Fühlens: Sinngebung, Hilfe in schwierigen Lebenssituationen ist mit dem Glauben an Gott und an die Identifikation mit der religiösen Gruppierung (Christentum, Islam oder Alevitentum) gebunden. Religiöses Erleben, Glaube, religiöse Praxis und Konsequenzen in Form der Wahl des Ehepartners gehören zusammen.

Die nach Religionsgruppen getrennt durchgeführten Faktorenanalysen belegen, dass die Angehörigen aller vier Religionsgruppen ein äußerst ähnliches Bild von Religiosität besitzen, für alle laden – technisch ausgedrückt – dieselben Items auf dem ersten Faktor. Dieses Ergebnis muss hervorgehoben werden, da im Alltagsverständnis und teilweise auch im wissenschaftlichen Diskurs das Bild einer spezifischen „muslimischen Religionsbindung" vermittelt wird. Die Tabelle über die Ladungen auf den Faktor Religiosität nach Items und Konfessionen macht eindrucksvoll deutlich, dass das Verständnis von Religiosität bei allen Religionsgruppen gleich ist. Daher ist es möglich, diese Items in eine Skala „Religiosität" einzubinden.

---

355 Dass die theoretisch abgeleiteten Dimensionen keine empirische Entsprechung finden, wurde für deutsche Katholiken schon von Boos-Nünning 1972 festgestellt.

Tabelle 10.23: Faktor Religiosität (Faktorladungen)

	Gesamt	katho-lisch	evan-gelisch	orthodox	islamisch
Gesamt	950	222	113	252	278
Glaube gibt mir Selbstvertrauen	.84	.78	.85	.82	.84
Glaube hilft mir, in schwierigen Situationen nicht zu verzweifeln	.84	.77	.84	.83	.81
Glaube hilft mir, den richtigen Weg für mein Leben zu finden	.83	.75	.83	.85	.81
Glaube gibt mir das Gefühl von Freiheit	.78	.70	.82	.78	.73
ich bin selbst religiös/gläubig	.78	.84	.87	.70	.77
Religion hat in meinem Leben eine große Bedeutung	.77	.85	.79	.75	.80
Glaube an Gott	.74	.71	.65	.71	.67
Glaube verstärkt Gemeinschaftsgefühl	.73	.72	.79	.65	.74
Identifikation mit religiöser Gruppierung	.71	.79	.69	.73	.74
Gott ist eine vergebende Macht	.69	.56	.61	.67	.68
ich bete frei	.68	.60	.80	.52	.65
ich spreche feste Gebete	.64	.66	.50	.57	.60
wichtig, eigene Kinder nach religiösen Grundsätzen zu erziehen	.63	.71	.76	.54	.67
durch Glauben fühle ich mich der Herkunftsgruppe nahe	.62	.75	.58	.61	.67
Eigenschaften Lebenspartner – religiös/gläubig	.61	.65	.74	.70	.67
Eltern haben mich religiös erzogen	.60	.71	.67	.51	.70
ich fühle mich als Angehörige einer Religionsgruppe	.57	.70	.70	.55	.58
ich besuche Gottesdienste/ Gemein-schaftsgebete	.57	.67	.84	.38	.45
ich lese Bücher über meine Religion	.51	.42	.71	.38	.53

Cronbach's ALPHA = .96 für Gesamt

Nicht so eindeutig sind die Zuordnungen im zweiten Faktor „Religion in engen Beziehungen". Mit den Daten der Gesamtgruppe lässt sich auch dieser Faktor eindeutig herauslösen, aber in den nach Religionsgruppen getrennten faktorenanalytischen Auswertungen zeigen sich deutliche Abweichungen:

Tabelle 10.24: Religion in engen Beziehungen (Faktorladungen)

	Gesamt	katho-lisch[1]	evan-gelisch[2]	orthodox[3]	islamisch[4]
Gesamt	950	222	113	252	278
Religion meines Partners ist mir egal	-.65	-.39	-.60	-.75	-.66
Glaube ist in unserer Familie Privatsache	-.59	-.36	-.40	-.11	-.35
kaum vorstellen, jemanden zu heiraten, der einen anderen Glauben hat	.54	-.32	.41	.76	.61
eine Ehe ist nur mit religiöser Trauung eine richtige Ehe	.46	.58	.57	.54	.56
egal, ob meine Freundinnen/ Freunde religiös sind	-.44	-.31	-.36	-.12	-.28
Taufe/Beschneidung ist mir für meine Kinder wichtig	.42	.50	.21	.49	.52

Cronbach's ALPHA =.72 für Gesamt

Eindeutig und für alle Religionsgruppen in gleicher Anordnung stellt sich der Faktor 3 „Interreligiöser Austausch" dar:

---

1   Bei katholischen Mädchen und jungen Frauen wird die hier angesprochene Ebene der „Religion in engen Beziehungen" nicht von der Religiosität allgemein getrennt; das erste Item lädt allerdings auf einem eigenen Ein-Item-Faktor mit -.48, das zweite auf einem Ein-Item-Faktor mit .58.
2   Bei den evangelischen Mädchen laden Item 4 und 5 auf dem Faktor Religiosität; 5 zusätzlich zusammen mit Item 2 auf einem eigenen Faktor (Faktorladungen .64 und .78). Item 6 lädt mit .21 auf dem Faktor Religiosität mit .72 auf einem Faktor zusammen mit dem Glauben an Übersinnliches und an das Schicksal.
3   Die Items 4, 5 und 6 laden auf einem eigenen Faktor mit Faktorladungen von .42, .41 und .62; das Item 2 lädt mit dem Item „Religion hat in meinem Leben große Bedeutung" (-.75 und .47) auf einem eigenen Faktor; letzteres Item hat auf den Faktor Religiosität die Faktorladung .51.
4   Die Items 1 (-.40), 2 (-.39), 3 (.32), 4 (.50) und 6 (.49) laden auch auf den Faktor Religiosität.

Tabelle 10.25: Interreligiöser Austausch (Faktorladungen)

	Gesamt	katho-lisch[5]	evan-gelisch[5]	orthodox	islamisch
Gesamt	950	222	113	252	278
wünsche mir von Menschen anderer Religionen, dass sie mehr über meine Religion wissen	.73	.53	.62	.68	.69
möchte mehr von anderen Religionen erfahren	.72	.52	.52	.70	.62
wünsche mir von den einheimischen Deutschen mehr Verständnis für meine Form des Glaubens	.61	.54	.70	.50	.59
möchte in der Schule gerne mehr über meine Religion erfahren	.61	.43	.73	.39	.63
wünsche mir von Ange-hörigen meiner Herkunfts-gruppe mehr Verständnis für meine Haltung zur Religion	.60	.47	.70	.66	.52

Cronbach's ALPHA = .77 für Gesamt

Der vierte Faktor „Glück, Liebe als Sinngebung" wird deutlich von den drei ersten Faktoren der Religiosität getrennt:

Tabelle 10.26: Glück, Liebe als Sinngebung (Faktorladungen)

	Gesamt	katholisch[6]	evangelisch[7]	orthodox	islamisch
Gesamt	950	222	113	252	278
Glück	.82	.52	.61	.81	.82
Liebe	.71	.33	.80	.61	.80
Schicksal	.53	.56	-	.69	.44

Cronbach's ALPHA = .60 für Gesamt

Die Akzeptanz als Frau in der eigenen Religion bildet einen eigenen Faktor; er lässt sich in den Antworten der verschiedenen Religionsgruppen nicht rekonstruieren.

---

5   Auf dem Faktor „Interreligiöser Austausch" lädt bei katholischen und evangelischen Mädchen auch das Item „Ich wäre lieber stärker religiös erzogen worden" (Katholiken .44/Protestanten .48).

6   Für die katholischen Mädchen und jungen Frauen verbinden sich diese Fragen mit dem Glauben an Übersinnliches (.45) und an die Macht des Geldes (.44). Da diese Items bei der Gesamtpopulation und den anderen Gruppen nicht auf diesen Faktor laden, wurden nur die obigen Items einbezogen.

7   Für die evangelischen Mädchen und jungen Frauen gehört das Schicksal nicht zu diesem Faktor (.09).

Tabelle 10.27: Stellung der Frau in der Religion (Faktorladungen)

N = 950	Gesamt
als Mädchen/Frau fühle ich mich in meiner Religion unterdrückt	-.78
als Mädchen/Frau fühle ich mich in meiner Religion akzeptiert	.58

Cronbach's ALPHA = .52

Die Interkorrelation zwischen den fünf Faktoren, bezogen auf die Gesamtpopulation, macht einen sehr engen Zusammenhang zwischen dem Faktor „Religiosität" und dem Faktor „Religion in enger Beziehung" und einen engen Zusammenhang zwischen den anderen Faktoren deutlich. Einen deutlich geringeren Zusammenhang geht Religiosität mit dem Faktor „Glück, Liebe als Sinngebung" ein:

Tabelle 10.28: Interkorrelationsmatrix (r)

N = 950	Religiosität	Religion in engen Beziehungen	Inter- religiöser Austausch	Glück, Liebe als Sinngebung	Stellung der Frau in der Religion
Religiosität					
Religion in engen Beziehungen	.66**				
Interreligöser Austausch	.44**	.29**			
Glück, Liebe als Sinngebung	.07*	.08*	.01		
Stellung der Frau in der Religion	.31**	.25**	-.02	.01	

Mit * gekennzeichnete Werte sind auf dem α = .05 Testniveau signifikant von Null verschieden.
Mit ** gekennzeichnete Werte sind auf dem α = .01 Testniveau signifikant von Null verschieden.

Nur die ersten drei Faktoren wurden der weiteren Analyse zugrunde gelegt.

10.6.2 Intensität der religiösen Orientierungen

Religiosität nach Religionsgruppen und nationaler Herkunft

Die Mädchen und jungen Frauen aller Religionsgruppen haben ein einheitliches Verständnis davon, wie und worin sich Religiosität ausdrückt. Der Anteil derjenigen, die religiös sind, ist allerdings in den einzelnen Religionsgruppen sehr unterschiedlich:

Graphik 10.1: Religiöse Orientierungen (Indices)[356]

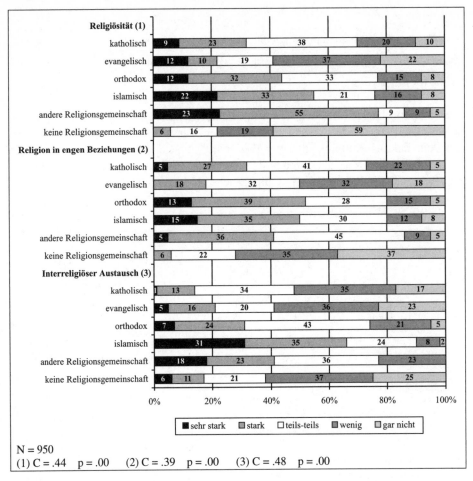

N = 950
(1) C = .44   p = .00   (2) C = .39   p = .00   (3) C = .48   p = .00

Wenn es auch in jeder Religionsgruppe religiöse und nicht religiöse Mädchen und junge Frauen gibt, wird dennoch deutlich, dass Musliminnen weitaus religiöser sind als alle übrigen, gefolgt von den denjenigen, die der orthodoxen Religion angehören. Am stärksten der Religiosität fern stehen die Befragten mit evangelischer Religion, wenn auch nicht unberücksichtigt bleiben darf, dass auch hier eine kleine Gruppe sehr religiös orientiert ist. Die Mädchen und jungen Frauen, die keiner Religionsgemeinschaft angehören, stehen überwiegend religiösen Einstellungen fern.

Die Aufschlüsselung nach Religionsgruppenzugehörigkeit und nationalem Migrationshintergrund erlaubt differenzierende Aussagen.

---

356 Die Dimensionen wurden mittels einer Faktorenanalyse extrahiert (siehe Instrumenten-konstruktion im Anhang).

Tabelle 10.29: Religiosität (Index) (in Prozent)

N = 862**	Religiosität					
	sehr stark	stark	teils-teils	wenig	gar nicht	Gesamt
Musliminnen	22 (61)	33 (91)	21 (60)	16 (44)	8 (22)	100 (278)
jugoslawischer Hintergrund	22	21	25	21	11	27 (76)
türkischer Hintergrund	22	37	20	14	7	73 (202)
Orthodoxe*	12 (29)	32 (81)	33 (83)	16 (39)	7 (19)	100 (251)
Aussiedlerinnen	5	5	38	38	14	8 (21)
griechischer Hintergrund	14	37	31	12	6	72 (181)
jugoslawischer Hintergrund	4	29	39	18	10	20 (49)
Katholikinnen*	9 (19)	23 (51)	38 (85)	20 (45)	10 (22)	100 (222)
Aussiedlerinnen	-	11	28	36	25	16 (36)
italienischer Hintergrund	7	22	43	20	8	72 (159)
jugoslawischer Hintergrund	30	44	22	4	-	12 (27)
Protestantinnen*	12 (13)	10 (11)	19 (21)	37 (41)	22 (25)	100 (111)
Aussiedlerinnen	7	9	20	39	25	90 (101)
italienischer Hintergrund	60	20	-	20	-	10 (10)

* Signifikante Unterschiede nach Religionsgruppen p ≤ .05.
** Die 862 Fälle beziehen sich nur auf die Mädchen und junge Frauen, die sich eindeutig einer Religionsgruppe zugeordnet haben.

Musliminnen türkischer Herkunft und Musliminnen jugoslawischer Herkunft unterscheiden sich nicht in der Stärke der religiösen Orientierung. Orthodoxe Befragte zeigen deutliche Unterschiede nach Migrationshintergrund zugunsten der Mädchen und jungen Frauen griechischer Herkunft (C = .32, p = .00). Katholikinnen jugoslawischer Herkunft erweisen sich deutlich als stärker religiös gebunden (C = .43, p = .00). Die bereits zuvor beschriebene enge Verbindung von Religionsgruppen und ethnischer Zugehörigkeit bei Personen aus Ländern des ehemaligen Jugoslawien scheint sich hier auszudrücken. Eine kleinere Gruppe von Protestantinnen erweist sich ebenfalls als sehr religiös (C = .46, p = .00).

Auch in dem aus den Items des zweiten Faktors gebildeten Index ist es wichtig, die Religionsgruppen nach der nationalen Herkunft zu differenzieren.

Tabelle 10.30: Religion in engen Beziehungen (Index) (in Prozent)

N = 862**	Religion in engen Beziehungen					
	sehr wichtig	eher wichtig	teils-teils	eher un- wichtig	gar nicht wichtig	Gesamt
Musliminnen*	15 (41)	36 (99)	30 (83)	12 (34)	7 (21)	100 (278)
jugoslawischer Hintergrund	15	22	30	16	17	27 (76)
türkischer Hintergrund	15	41	30	10	4	73 (202)
Orthodoxe*	13 (33)	39 (98)	28 (71)	15 (37)	5 (12)	100 (251)
Aussiedlerinnen	-	19	33	43	5	8 (21)
griechischer Hintergrund	16	44	27	10	3	72 (181)
jugoslawischer Hintergrund	8	31	31	20	10	20 (49)
Katholikinnen*	5 (10)	27 (60)	41 (91)	22 (49)	5 (12)	100 (222)
Aussiedlerinnen	-	8	39	36	17	16 (36)
italienischer Hintergrund	4	27	45	20	4	72 (159)
jugoslawischer Hintergrund	11	52	22	15	-	12 (27)
Protestantinnen*	- (0)	18 (21)	32 (36)	32 (34)	18 (20)	100 (111)
Aussiedlerinnen	-	14	34	34	18	90 (101)
italienischer Hintergrund	-	70	20	-	10	10 (10)

* Signifikante Unterschiede nach Religionsgruppen p ≤ .05.
** Die 862 Fälle beziehen sich nur auf die Mädchen und junge Frauen, die sich eindeutig einer Religionsgruppe zugeordnet haben.

Die Aufschlüsselung nach Religionsgruppen und Migrationshintergrund zeigt näm- lich wiederum, dass die nationale Herkunft die Religionsgruppe überlagert: Es sind die griechisch orthodoxen Mädchen und jungen Frauen und die Katholikinnen jugoslawischer Herkunft, die in den engsten Beziehungen Wert auf Gleichklang in religiöser Hinsicht legen.

Geringer sind die Schwankungen innerhalb der Religionsgruppen beim letzten der Religiosität zuzuordnenden Faktor „Interreligiöser Austausch".

Tabelle 10.31: Interreligiöser Austausch (Index) (in Prozent)

N = 862**	Interreligiöser Austausch					
	sehr wichtig	eher wichtig	teils-teils	eher un-wichtig	gar nicht wichtig	Gesamt
Musliminnen	31 (85)	35 (98)	24 (67)	8 (22)	2 (6)	100 (278)
jugoslawischer Hintergrund	30	28	26	12	4	27 (76)
türkischer Hintergrund	31	38	23	6	2	73 (202)
Orthodoxe*	7 (17)	24 (60)	43 (107)	21 (53)	5 (14)	100 (251)
Aussiedlerinnen	5	10	42	19	24	8 (21)
griechischer Hintergrund	7	23	43	22	5	72 (181)
jugoslawischer Hintergrund	6	33	41	20	-	20 (49)
Katholikinnen	1 (3)	13 (28)	34 (75)	35 (78)	17 (38)	100 (222)
Aussiedlerinnen	-	14	33	28	25	16 (36)
italienischer Hintergrund	2	10	34	37	17	72 (159)
jugoslawischer Hintergrund	-	26	33	33	8	12 (27)
Protestantinnen*	5 (6)	16 (18)	20 (22)	36 (40)	23 (26)	100 (111)
Aussiedlerinnen	6	14	18	37	25	90 (101)
italienischer Hintergrund	-	40	40	20	-	10 (10)

* Signifikante Unterschiede nach Religionsgruppen p ≤ .05.
** Die 862 Fälle beziehen sich nur auf die Mädchen und junge Frauen, die sich eindeutig einer Religionsgruppe zugeordnet haben.

Musliminnen sind unabhängig von ihrem nationalen Hintergrund deutlich stärker als die anderen Gruppen am interreligiösen Austausch interessiert. Aussiedlerinnen wiederum haben unabhängig von ihrer Religionsgruppenzugehörigkeit weniger als alle anderen ein solches Interesse.

In den Kernaussagen stimmen die Ergebnisse dieser Untersuchung mit denen anderer Studien überein. Sie belegen, dass die Stärke der Religiosität bei allen Religionsgruppen variiert. In jeder gibt es Mädchen und junge Frauen, die „sehr stark" oder „stark" religiös gebunden sind, in jeder gibt es solche, die „wenig" oder „keine" religiöse Bindung aufweisen. Die Untersuchung belegt, wie die vorher zitierten Untersuchungen auch (vgl. hier insbesondere Wetzels/Brettfeld 2003; Worbs/Heckmann 2003), dass es beachtliche Unterschiede in der Religiosität nach Religionsgruppenzugehörigkeit und innerhalb dieser nach nationalem Hintergrund gibt.

Die konsequente Ausdifferenzierung der Daten sowohl nach Religionszugehörigkeit als auch nach Herkunftsgruppen, die bislang in keiner der referierten
Studien in vergleichbarer Weise vorgenommen wurde, fördert jedoch Erkenntnisse
zutage, die bei einer einseitigen Betrachtung von nur Religionsgruppen oder nur
Herkunftsgruppen untergehen.

Es kann nicht pauschal von der Religiosität der Musliminnen gesprochen werden, da zwischen Musliminnen jugoslawischer auf der einen und türkischer Herkunft auf der anderen Seite durchaus Unterschiede hinsichtlich ihrer religiösen
Orientierung wie auch hinsichtlich der Wünsche bezüglich der Toleranz der Umwelt
bestehen. So zeigen sich Musliminnen mit jugoslawischem Hintergrund in den Einzelitems als weniger religiös orientiert, sowohl was die religiöse Praxis wie auch den
religiösen Glauben anbelangt. In dem Indexwert Religiosität bestehen solche Unterschiede nicht. Das Identifikation mit der eigenen Religionsgruppe ist jedoch bei
muslimischen Mädchen und jungen Frauen mit jugoslawischem Hintergrund stärker
ausgeprägt als bei denjenigen mit türkischem Hintergrund. Beide Gruppen legen in
ähnlich starker Weise Wert darauf, dass die Mehrheitsgesellschaft mehr über ihre
Religion erfährt.

Auch die Gruppe der Mädchen und jungen Frauen aus Aussiedlerfamilien ist
bezüglich der Religiosität auszudifferenzieren. Auch wenn hier überwiegend eine
geringe Religiosität vorherrscht, so wird doch eine religiöse Anpassung an die Aufnahmegesellschaft ebenfalls überwiegend abgelehnt. Ihr Gottesbild differiert je nach
Konfessionszugehörigkeit. Während orthodoxe Aussiedlerinnen in Gott mehrheitlich eher eine vergebende Macht sehen, sieht dies nur etwas mehr als ein Drittel der
protestantischen und katholischen Aussiedlerinnen so. Je nach Konfessionszugehörigkeit unterscheidet sich bei den Aussiedlerinnen auch die Bedeutung, die der
Glaube als Lebenshilfe erhält.

Es lassen sich darüber hinaus religions- und herkunftsgruppenübergreifende
Gemeinsamkeiten herausarbeiten. Während etwa für die Orthodoxen griechischer
Herkunft, Katholikinnen, Orthodoxe und Musliminnen jugoslawischer Herkunft
sowie für Musliminnen türkischer Herkunft ihre Zugehörigkeit zu einer bestimmten
Religionsgruppe von hohem identifikatorischen Wert ist, spielt die Religionsgruppenzugehörigkeit in der Regel bei Aussiedlerinnen (evangelischer, orthodoxer
wie katholischer Religionszugehörigkeit) und bei Katholikinnen italienischer Herkunft nur eine untergeordnete Rolle.

Religionsgruppenübergreifend kann von Religiosität als Ressource zur Lebensbewältigung gesprochen werden und als Faktor zur Gestaltung des familiären
Lebens, sofern Partnerwahl und Erziehung der Kinder betroffen sind. Eine Anpassung an die Mehrheitsgesellschaft hinsichtlich der Religion und Kultur wird von
allen Gruppen eher abgelehnt.

10.7 Binnendifferenzierung von Musliminnen mit türkischem Hintergrund

Jede der Religionsgruppen ist, so wurde vielfach belegt, heterogen. Die Außenwahr-
nehmung konzentriert sich jedoch auf Frauen mit türkischem Migrationshintergrund
und schreibt ihnen religiöse Orthodoxie, wenn nicht religiösen Fundamentalismus
zu. Die Daten machen es möglich, die Gruppe der Mädchen und jungen Frauen mit

türkischem Hintergrund weiter auszudifferenzieren. Eine erste Gruppe bilden die Mädchen, die ein Kopftuch tragen. Die öffentliche Diskussion um das Kopftuchtragen beruht bislang nicht auf empirischen Befunden, sondern spiegelt die Meinungsbildung zur öffentlichen Präsenz des Islam in Deutschland wider, wobei dem Kopftuch symbolische Funktion für die Unterdrückung muslimischer Frauen zugesprochen wird (vgl. hierzu Oebbecke 2003). Darüber hinaus wird allgemein vermutet, dass Kopftuchträgerinnen unter den Musliminnen nicht nur konservativen sondern sogar fundamentalistischen religiösen Orientierungen folgen. Qualitative empirische Studien, die (auch) Kopftuchträgerinnen einbezogen (siehe hierzu vor allem: Karakaşoğlu-Aydın 2000a; Klinkhammer 2000; Nökel 2002) konnten aufzeigen, dass es durchaus unterschiedliche Gründe für das Tragen eines Kopftuches gibt, sie verwiesen auf die Notwendigkeit, hier die individuellen Motive der Betroffenen differenziert zu betrachten. Bisher gab es jedoch keine Möglichkeit zu empirischen Aussagen über den Zusammenhang zwischen dem Tragen eines Kopftuches und der religiösen Orientierung auf der Basis quantitativ erhobener Daten. Einen ersten Ansatz bietet die vorliegende Untersuchung, denn in der Stichprobe waren unter den Musliminnen mit türkischem Hintergrund auch Kopftuchträgerinnen vertreten, nicht jedoch unter denjenigen mit jugoslawischem Hintergrund. Dies kann mit der relativen Größe der jeweiligen Gruppe in Zusammenhang stehen, denn es wurden 202 türkische Musliminnen, jedoch nur 76 Musliminnen aus dem ehemaligen Jugoslawien (Bosnierinnen) befragt. Es kann aber auch als Hinweis darauf betrachtet werden, dass dieses religiös konnotierte Kleidungsstück eher bei der türkischen Herkunftsgruppe eine Rolle spielt. Von den türkischen Musliminnen (N = 202) tragen 25 Befragte, das sind 12 Prozent, ein Kopftuch.

Die aus der Türkei zugewanderte muslimische Bevölkerung teilt sich – wie vorne bereits angesprochen und ausgeführt – darüber hinaus in zwei religiöse Ausprägungen, die Aleviten und Alevitinnen und die Sunniten und Sunnitinnen. In der vorliegenden Untersuchung haben sich von den 213 Mädchen und jungen Frauen mit türkischem Hintergrund 202 als Muslimin bezeichnet, davon sind 33 Alevitinnen,[357] die restlichen 169 Personen sind der Gruppe der Sunnitinnen zuzurechnen, die sich wiederum in 144 derjenigen die kein und 25 derjenigen, die ein Kopftuch tragen, einteilen lassen.[358]

---

357 Dies ergibt einen Prozentsatz von 16 Prozent aller türkischen Musliminnen. Damit liegt die Untersuchung im Rahmen anderer Studien zu Türken und Türkinnen. Zum Vergleich: In der EFFNATIS-Untersuchung (Worbs/Heckmann 2003, S. 142) waren es von den muslimischen Befragten mit türkischem Hintergrund 13 Prozent. Als Alevitin wurden in unserer Untersuchung diejenigen Befragten eingeordnet, die bei der nur an die Befragten mit türkischem Hintergrund gerichtete Frage nach dem Glauben an das Alevilik „stark" und „sehr stark" angegeben haben. Bei Heitmeyer/Müller/Schröder (1997) gaben 13 Prozent der ausschließlich türkischen Jugendlichen an, der alevitischen Religionsgemeinschaft anzugehören (hier waren in der Grundgesamtheit auch Religionslose, Sonstige, Christen und solche enthalten, die sich keiner Gruppe zuordnen konnten). In der Studie des Zentrums für Türkeistudien, die sich nicht auf die Untersuchung jugendlicher Türken beschränkte, sondern alle Altersgruppen ab 18 Jahren umfasste, betrug der Anteil der Aleviten und Alevitinnen an allen befragten Muslimen und Musliminnen 11 Prozent (Sauer/Goldberg 2000, S. 58). Lediglich die letztgenannte Untersuchung differenziert die Daten in anderen Aspekten als der Religionszugehörigkeit auch teilweise nach Aleviten und Sunniten aus, die anderen Untersuchungen verfolgen in ihrer weiteren Auswertung der Daten diese Differenzierung nicht.
358 Die Interviewerinnen waren bezüglich der befragten Musliminnen angehalten auf dem Fragebogen einzutragen, ob die Interviewte ein Kopftuch während des Interviews trug

Die Unterschiede zwischen den hier skizzierten drei Gruppen, Sunnitinnen, die ein Kopftuch tragen, Sunnitinnen ohne Kopftuch und Alevitinnen, sind in dem Index „Religiosität" und „Religion in engen Beziehungen" bedeutsam, keine signifikanten Unterschiede bestehen in den Werten des Index „Interreligiöser Austausch":

Tabelle 10.32: Religiosität (Index) (in Prozent)

-	Sunnitin mit Kopftuch	Sunnitin ohne Kopftuch	Alevitin	Gesamt	
Gesamt	(25)	(144)	(33)	100	(202*)
sehr stark	68	18	3	22	(44)
stark	32	36	46	37	(75)
teils-teils	-	22	30	20	(41)
wenig	-	15	18	14	(28)
gar nicht	-	9	3	7	(14)

C = .43   p = .00
* Die 202 Fälle beziehen sich auf die Mädchen und jungen Frauen türkischer Herkunft, die sich der islamischen Religionsgruppe zugeordnet haben.

Es zeigt sich, dass die in früheren Untersuchungen bereits festgestellte geringere religiöse Orientierung unter Aleviten und Alevitinnen gegenüber Sunniten und Sunnitinnen (vgl. qualitative Untersuchungen: Kehl-Bodrogi 1988; Pfluger-Schindelbeck 1989; Karakaşoğlu-Aydın (2001a); quantitative Daten: Sauer/Goldberg 2000, S. 60) sich auch in der Gruppe der hier befragten Mädchen und jungen Frauen abbildet. Eine „sehr starke" Religiosität weisen lediglich drei Prozent der Alevitinnen, aber 18 Prozent der Sunnitinnen ohne und sogar 68 Prozent der Sunnitinnen mit Kopftuch auf. Der Anteil der drei Gruppen in der Kategorie „starke" Religiosität ist jedoch ähnlich hoch. Zu jeweils ca. einem Drittel und damit gleich stark sind hier die Sunnitinnen mit und ohne Kopftuch und die Alevitinnen sogar zu 46 Prozent vertreten.[359] Während ein Fünftel der Alevitinnen sich als „wenig" bzw. „gar nicht" religiös erweist, gilt dies für ein Viertel der Sunnitinnen ohne Kopftuch. Die Daten machen innerhalb der Gruppe der Sunnitinnen deutlich, dass das Tragen eines Kopftuch in einem engen Zusammenhang mit einer starken Religiosität steht. Kopftuch tragende Sunnitinnen verteilen sich zu einem Drittel auf die Kategorie „starke" und zu zwei Drittel auf die „sehr starke" Religiosität, sie sind in den anderen Kategorien gar nicht vertreten.

Was die Bedeutung der Religion in engen Beziehungen anbelangt, so werden hier die Unterschiede zwischen Alevitinnen und Sunnitinnen noch deutlicher.

---

oder nicht. Auf diese Angaben beziehen sich die ermittelten 25 Kopftuchträgerinnen. Da es sich nicht um eine repräsentative Stichprobe handelt, kann daraus nicht auf die Zahl der Kopftuchträgerinnen in der Grundgesamtheit von Musliminnen mit türkischem Hintergrund geschlossen werden.

359 Damit erweisen sich die alevitischen Mädchen und jungen Frauen dieser Stichprobe als religiöser als dies für die nicht alters- und geschlechtsgruppenspezifisch ausgewiesene Gruppe der Aleviten und Alevitinnen in der Untersuchung des Zentrums für Türkeistudien ermittelt werden konnte. Dort lag der Mittelwert der Religiosität für diese Gruppe auf einer vierstufigen Skala im Bereich des Wertes „eher nicht religiös" (Sauer/Goldberg 2000, S. 60).

Tabelle 10.33: Religion in engen Beziehungen (Index) (in Prozent)

	Sunnitin mit Kopftuch	Sunnitin ohne Kopftuch	Alevitin	Gesamt	
Gesamt	(25)	(144)	(33)	100	(202*)
sehr wichtig	44	13	3	15	(30)
eher wichtig	52	40	33	40	(82)
teils-teils	4	32	40	30	(60)
eher unwichtig	-	11	18	11	(22)
gar nicht wichtig	-	4	6	4	(8)

C = .37   p = .00

* Die 202 Fälle beziehen sich auf die Mädchen und jungen Frauen türkischer Herkunft, die sich der islamischen Religionsgruppe zugeordnet haben.

Während hier die Religion für die Sunnitinnen mit (96%) und ohne Kopftuch (53%) eine „sehr wichtige" bis „wichtige" Rolle spielt, gilt dies lediglich für 36 Prozent der Alevitinnen. Der größte Teil von ihnen (40%) findet Religion in diesem Bereich nur „teilweise" wichtig, aber auch ein Drittel der Sunnitinnen ist in diese Kategorie ein-zuordnen.[360] Damit gibt es eine etwa gleich große Gruppe unter den Sunnitinnen ohne Kopftuch und den Alevitinnen, die sich hinsichtlich einer mittleren Relevanz der Religiosität und der Bedeutung der Religion in engen Beziehungen ähneln. Deutlich setzen sich davon die Sunnitinnen mit Kopftuch ab, für die diese mittlere Kategorie keine Rolle spielt und die in den Kategorien, die nur einen geringen oder keinen Bezug zu Religiosität und Religion ausdrücken im Gegensatz zu den Sunni-tinnen ohne Kopftuch gar nicht vertreten sind

Dabei ist zu berücksichtigen, dass mit der stärkeren Religiosität durchaus ein positives Bild von der Rolle der Frau in der Religion verbunden ist. So wird die Stellung der Frau in der Religion von den Mädchen und jungen Frauen mit Kopftuch deutlich besser bewertet als von denjenigen ohne Kopftuch. Ferner ist im Hinblick auf die aktuelle Diskussion um die Rolle des Islam für die Lebenssituation von Mädchen und jungen Frauen mit türkisch-muslimischem Hintergrund hervor-zuheben, dass es auch unter den Musliminnen türkischer Herkunft ohne Kopftuch einen Teil stark religiöser Mädchen und junger Frauen und unter denen mit Kopf-tuch solche gibt, die religiöse Riten selten oder nie praktizieren.

---

360 In der Untersuchung des Zentrums für Türkeistudien wurde u.a. aus Items, in denen Stellung zur Akzeptanz eines nicht-muslimischen Schwiegersohns/einer Schwiegertochter genommen werden sollte, gemeinsam mit der Befürwortung von Geschlechtertrennung im Sportunterricht und der Kopftuchpflicht für Frauen ein Index „Religiöse Einstellungen" gebildet Das Ergebnis ist: „Aleviten bewerten alle Aussagen im Sinne einer eher moder-nen Einstellung, insbesondere die Frage der Geschlechtertrennung und des Kopftuches" (ebenda, S. 75). Was die Akzeptanz eines nicht-muslimischen Schwiegersohnes/einer nicht-muslimischen Schwiegertochter anbelangt, gehen hier die Werte allerdings eher in Richtung einer Nicht-Akzeptanz. Das heißt, in engen Beziehungen legt auch ein Teil der Aleviten und Alevitinnen Wert auf religiöse Übereinstimmung.

Tabelle 10.34: Seltene oder keine Praxis religiöser Riten (in Prozent)

	Sunnitin mit Kopftuch	Sunnitin ohne Kopftuch	Alevitin	Gesamt
Gesamt	(25)	(144)	(33)	100 (202**)
Koran lesen*	12	70	82	65 (131)
Gottesdienst/Gemein-schaftsgebet besuchen*	16	69	76	64 (129)
feste Gebete sprechen*	4	45	67	44 (88)
frei beten*	8	36	36	33 (66)
faste nicht*[1)	-	17	33	17 (35)

* Signifikante Unterschiede nach Religionsgruppen p ≤ .05.
** Die 202 Fälle beziehen sich auf die Mädchen und jungen Frauen türkischer Herkunft, die sich der islamischen Religionsgruppe zugeordnet haben.
1) Bei diesem Item war keine fünfstufige Skala vorgegeben, sondern sechs Abstufungen zwischen grundsätzlich die ganze Fastenzeit fasten oder nicht fasten. Berücksichtigt wurde hier nur die Kategorie „faste nicht".

11. Beratung: Muss das sein?
Organisierte Freizeit und Hilfen bei Krisen

11.1 Jugendliche mit Migrationshintergrund in der Kinder- und Jugendhilfe

Der Elfte Kinder- und Jugendbericht der Bundesregierung (BMFSFJ 2002) hat ebenso wie sein Vorgänger (BMFSFJ 1998) die Notwendigkeit betont, Kinder und Jugendliche mit Migrationshintergrund in allen Bereichen der Kinder- und Jugendhilfe zu berücksichtigen und darüber hinaus ihrer Unterrepräsentanz in vielen Angeboten nachzugehen. Zwei Aspekte des in diesem Zusammenhang geforderten Wandels des Selbstverständnisses von Einrichtungen sind hervorzuheben: Erstens die Orientierung nicht mehr nur an den schwierigen und auffälligen, sondern an allen Kindern und Jugendlichen, bei denen sie „durch eine direkte personen- und einzelfallbezogene Arbeit bei der Erfüllung ihrer Entwicklungsaufgaben und bei der Bewältigung ihrer Lebensprobleme" helfen (Kraus 2003, S. 183) und zweitens der Blick auf die zunehmende kulturelle Vielfalt in Deutschland. So finden sich im Zehnten wie im Elften Kinder- und Jugendbericht Hinweise darauf, dass Kinder und Jugendliche mit nicht-deutscher ethnisch-kultureller Herkunft schlechter als deutsche mit institutionellen Erziehungs- und Bildungsangeboten versorgt werden (BMFSFJ 2002, S. 212). In diesem Zusammenhang wird darauf verwiesen, dass sich die kulturelle Vielfalt noch nicht in der Ausstattung und im Personal der Einrichtungen der Kinder- und Jugendhilfe widerspiegelt und dass es an interkulturellen Kompetenzen fehlt. Gefordert wird zudem eine Ressourcen- statt der immer noch dominanten Defizitorientierung im Umgang mit dem Wissen und den Lebenserfahrungen von Migrationsjugendlichen und die Abschaffung jeglicher Regelungen, die die Nutzung von Angeboten der Kinder- und Jugendhilfe vom Aufenthaltsrecht der Eltern abhängig machen (BMFSFJ 2002, S. 211).

Mädchen und junge Frauen mit Migrationshintergrund – so heißt es – erfahren besonders starke Einschränkungen und Grenzen, wenn sie an Angeboten und Maßnahmen der Jugendhilfe teilnehmen wollen. Diese seien einerseits auf ihre Rolle als Frauen, andererseits auf ihren Status als Ausländerinnen zurückzuführen. Dem ist entgegenzuhalten, dass keine grundsätzlichen rechtlichen Barrieren für die Inanspruchnahme der Angebote durch Migrantinnen bestehen. Im §9 Abs. 3 KJHG heißt es: „Die unterschiedlichen Lebenslagen von Mädchen und Jungen sind zu berücksichtigen, Benachteiligungen abzubauen und die Gleichberechtigung von Mädchen und Jungen ist zu fördern." In §1 Abs. 1 betont das KJHG: „Jeder junge Mensch hat ein Recht auf Förderung seiner Entwicklung und auf Erziehung zu einer eigenverantwortlichen und gemeinschaftsfähigen Persönlichkeit." Um deutlich zu machen, dass damit auch Jugendliche mit Migrationshintergrund einbezogen sind, benennt das Gesetz in §6 Abs. 1 dieses Recht ausdrücklich: „Leistungen nach diesem Buch werden jungen Menschen, Müttern, Vätern und Personensorgeberechtigten von Kindern und Jugendlichen gewährt, die ihren tatsächlichen Aufenthalt im Inland haben." Eine weitere Spezifizierung des anspruchsberechtigten Personenkreises unter der nicht-deutschen Bevölkerung enthält Abs. 2, der besagt: „Ausländer können Leistungen nach diesem Buch nur beanspruchen, wenn sie rechtmäßig oder aufgrund einer ausländerrechtlichen Duldung ihren gewöhnlichen Aufenthalt im Inland haben." Damit wird der Geltungsbereich des Gesetzes räumlich geregelt und an den tatsächlichen Aufenthalt geknüpft. Wenn auch durch diese Einschränkung ein Teil der Kinder mit ausländischem Pass von Hilfen ausgeschlossen ist (vgl. Renner 2002), gilt dies nicht für die hier angesprochene Gruppe der Kinder und Enkel von Arbeitsmigranten und Arbeitsmigrantinnen. Diese können ebenso wie die Jugendlichen aus Aussiedlerfamilien an allen Formen der Jugendhilfe partizipieren. Aus dem Kinder- und Jugendhilfegesetz ist zudem zu folgern, dass die Angebote sowohl die Interessen und Belange der weiblichen Jugendlichen als auch die Interessen und Belange der Jugendlichen mit Migrationshintergrund berücksichtigen müssten.

Dass dieses nicht so ist, wird seit langem beklagt. Die fehlende Repräsentanz von Kindern und Jugendlichen mit Migrationshintergrund in vielen Angeboten der Kinder- und Jugendhilfe wird konstatiert: bei institutionell angebotenen Freizeitbeschäftigungen, bei Beratungsangeboten der Kinder- und Jugendhilfe bis hin zu Teilbereichen der Krisenintervention. Dieser Sachverhalt ist hinreichend bekannt und belegt[361] und wird insbesondere auf die Inanspruchnahmebarriere zurückgeführt.[362] Ebenso ist die Unterrepräsentanz von Familien mit Migrationshintergrund in allen Formen der Hilfen zur Erziehung festzustellen. Die Gruppe der jugendlichen Aussiedler und Aussiedlerinnen wird von der offenen Jugendarbeit noch seltener erreicht als die Migrationsjugendlichen mit Herkunft aus den ehemaligen Anwerbeländern (Krafeld 2001, S. 32). Auffällig ist ein hoher Ausländeranteil in spezifischen Jugendhilfeeinrichtungen wie der Jugendgerichtshilfe oder der Jugendberufshilfe sowie in den Jugendheimen und in Notunterkünften für Frauen und Mädchen.

Offenbar werden Jugendliche mit Migrationshintergrund erst bei massiven Konflikten von den Hilfeangeboten erreicht, dann allerdings in kostenintensiven „Endstationen der Versorgung" (Pavković 1999). Dies belegen Zahlen zur Inanspruchnahme von Angeboten der Jugendhilfe aus dem Jahr 1998 durch Personen mit ausländischem Pass. Während die nicht-deutschen 1998 im KJHG-relevanten Alter der bis 27-Jährigen 1998 13 Prozent ausmachten, lag ihr Anteil an der Erziehungsberatung bei sechs Prozent, an Tagesgruppen bei 8 Prozent, hingegen lag ihr Anteil an sozialer Gruppenarbeit (25%), Inobhutnahme (21%) und Herausnahme (19%) deutlich darüber (Renner 2002, S. 110f.). Auch eine neuere empirische Untersuchung zu „jungen Migrantinnen in Hilfen zur Erziehung" (Finkel 1998) bestätigt diesen Befund.

In einer Studie der Jugendhilfe (van Santen et al. 2003, S. 322ff.) wird ermittelt, dass es zwar vor allem in den Großstädten Westdeutschlands spezifische ausländerpädagogische Angebote insbesondere in der Jugendarbeit gibt, dass aber die Jugendhilfeplanung diese Zielgruppe bisher nicht systematisch einbezieht. Es werden kaum Anstrengungen unternommen, die Zugangsbarrieren der Familien und der Jugendlichen mit Migrationshintergrund abzubauen, etwa indem die Einrichtungen interkulturell geöffnet werden. Für die fehlenden Fortschritte, so folgern die Autoren und Autorinnen der Studie[363], „bei der interkulturellen Öffnung der Kinder-

---

361 Zu der Unterpräsentation von Kindern und Jugendlichen mit ausländischem Pass in der Kinder und Jugendhilfe siehe Schwarz 1992; Rauschenbach/Schilling 1997; Schilling/Krahl 1999; Renner 2002; van Santen et al. 2003; Hamburger 2002.
362 Zu Inanspruchnahmebarrieren siehe Koderisch 1996; Boos-Nünning 2000b; Koch/Schepker/Taneli 2000.
363 In die Erhebung wurden die Jugendämter, die Freien Träger der Kinder- und Jugendhilfe und die Einrichtungen der erzieherischen Hilfen einbezogen. Empirische Ergebnisse zu

und Jugendhilfe wird hinter vorgehaltener Hand die finanzielle Situation der Kommunen angeführt. In Zeiten, in denen man um den Erhalt des Status quo kämpfen muss, sei es nicht möglich, neue Aufgabengebiete zu bearbeiten, auch wenn dies fachlich dringend geboten sei, so die Aussagen von Jugendamtsleitern in Interviews" (ebenda, S. 326).

Die Perspektive der Jugendlichen mit Migrationshintergrund selbst wurde bisher kaum untersucht und eingebracht[364], daher finden auch die Wünsche und Vorstellungen der Mädchen und jungen Frauen mit Migrationshintergrund keine Berücksichtigung. Die Kenntnis darüber ist jedoch wichtig, um ein zielgruppenspezifisches Angebot zu entwickeln bzw. um bestehende Angebote besser an den Bedürfnissen der Zielgruppe zu orientieren. In zwei Bereichen, den organisierten Freizeitangeboten und der Hilfe in Krisensituationen, bietet die vorliegende Analyse weiterführende Informationen. Die Daten geben nicht nur Hinweise auf die Wünsche, sondern auch auf die Hindernisse für die Inanspruchnahme aus Sicht der Mädchen und jungen Frauen mit Migrationshintergrund.

11.2 Freizeit im organisierten Kontext[365]

11.2.1 Organisierte Freizeit für Jugendliche

Organisierte Freizeitangebote für Jugendliche müssen sich zwischen oft attraktiven, weil mit großem Mittelaufwand gestalteten, kommerziellen Angeboten und der Flüchtigkeit und Unverbindlichkeit der neuen Cliquen ihren Raum suchen. Sie sehen sich einem steigenden Legitimations- und Konkurrenzdruck ausgesetzt, vor allem im Bereich der Freizeiten und Ferienfahrten, der Discos und der Cafés bzw. Kneipen. Durch die kommerzielle Konkurrenz werden die Erwartungen, denen die Angebote der Jugendarbeit ausgesetzt sind, verändert und erhöht. Die Werte, die – so der Achte Jugendbericht (BMJFFG 1990, S. 110) – die Kinder- und Jugendverbandsarbeit anspruchsvoll machen, das heißt, deren „Ansprüche (...), was Verbindlichkeit, Ehrenamtlichkeit, Bereitschaft zu sozialem und politischem Engagement betrifft", sind nicht die, die sie für Jugendliche attraktiv machen. In der immer größeren Bandbreite von verfügbaren Freizeitbeschäftigungen und der Attraktivitätskonkurrenzen (auch der Medien) müssen sie sich also ihren Platz neu erobern und ihre Erfolge weniger an kaum nachprüfbaren Zahlen, sondern an ihren Konzepten und deren Verwirklichung messen lassen.

Dennoch gilt: Für Mädchen wie Jungen, für Jugendliche mit Migrationshintergrund wie für deutsche besteht ein Bedürfnis nach gestalteten Freizeitangeboten und nach Orten, an denen sie sich treffen, miteinander reden und etwas unternehmen können. Dafür ist die Kinder- und Jugendarbeit zuständig. Sie umfasst – so Thole (1997, S. 290) – „alle außerschulischen und nicht ausschließlich berufs-

---

den Alltagsdeutungen von Mitarbeitern und Mitarbeiterinnen in der Jugendhilfe und in den Migrationsdiensten siehe Zitzmann (2002, S. 128ff.).

364 Es gibt einige wenige qualitative Studien zu den Sichtweisen der Jugendlichen mit Migrationshintergrund. Mädchen und junge Frauen in Heimen und Wohngruppen untersuchen Beinzger et al. (1995), männliche türkische Jugendliche in Einrichtungen der öffentlichen Erziehung Deniz (2001). Beide Studien untersuchen mittels qualitativer Verfahren.

365 Vgl. hierzu auch Kapitel 4.

bildenden, mehr oder weniger pädagogisch gerahmten, nicht kommerziellen, erlebnis- und erfahrungsbezogenen Sozialisationsfelder von freien und öffentlichen Trägern, Initiativen und Arbeitsgemeinschaften, in denen Kinder und Jugendliche ab dem Schulalter selbständig, mit Unterstützung oder in Begleitung von ehrenamtlichen und/oder beruflichen Mitarbeitern und Mitarbeiterinnen individuell oder in Gleichaltrigengruppen zum Zweck der Freizeit, Bildung und Erholung einmalig, sporadisch, über einen turnusmäßigen Zeitraum oder für eine längere, zusammenhängende Dauer zusammen kommen können." Der Anteil von Jugendlichen mit ausländischem Pass, die Mitglied in einem Verein oder einer Organisation sind, ist nach der Shell-Jugendstudie 2000 (Fischer 2000, S. 275) deutlich geringer als der deutscher Jugendlicher (32% gegenüber 43%), dabei ist der Anteil der Mädchen noch einmal deutlich geringer als der der Jungen (35% gegenüber 49%). Für Mädchen und junge Frauen mit Migrationshintergrund liegen weder aus dieser Studie noch aus anderen Erhebungen Zahlen vor.

Die wichtigsten Felder, die der offenen Arbeit zugerechnet werden, sind die Freizeiteinrichtungen (Kinder- und Jugendfreizeitzentren, Jugendhäuser, Jugendcafés); die Jugendverbandsarbeit, die Jugendkulturarbeit als ästhetisch-kulturelle Angebote, Angebote der Jugendmedienarbeit und Jugendzentren. Die organisierte Jugendarbeit wird vorwiegend von den Jugendverbänden getragen. Schäfer (1996, S. 338) schätzt, dass etwa 30 bis 40 Prozent aller Kinder und Jugendlichen von den Jugendverbänden erreicht werden, Mädchen weniger als Jungen, einheimische mehr als ausländische Kinder. Ein erheblicher Teil der Mitglieder entfällt auf die Sportverbände, wobei die Mitgliedschaft nicht notwendiger Weise auf aktive Teilnahme schließen lässt.

Eine besondere Expertise im Umgang mit Migrationsjugendlichen besitzt das relativ dichte Netz von bundesweit derzeit 272 Jugendgemeinschaftswerken (JGW) (Seiderer/Mies-van Engelshoven 2002, S. 7): „Diese sind nach dem Krieg als offene Form der Jugendhilfe entstanden, die Soforthilfe für elternlose oder heimatlose Jugendliche und für Jugendliche ohne Ausbildung und Arbeit leisteten" (Mies-van Engelshoven 2001, S. 25). Sie waren bislang auf die Zielgruppe der jugendlichen Aussiedler spezialisiert, haben sich aber seit in Kraft treten der neuen Richtlinien des Kinder- und Jugendplans des Bundes im Jahr 2001 auch für andere Migrantengruppen geöffnet. Bezüglich der Nutzung der Angebote durch junge Aussiedlerinnen stellt Mies-van Engelshoven in einer Befragung von Mitarbeiterinnen der JGW fest, „dass Identitätsfindung und Lebensplanung, Berufswahlorientierung sowie sprachliche Förderung und Beziehungsfragen einen hohen Stellenwert haben." (Mies-van Engelshoven 1994, S. 39) Mehr als die Hälfte der erfassten Einrichtungen schätzte das Angebot für die Mädchen und jungen Frauen als nicht ausreichend ein.

11.2.2 Die Wahrnehmung organisierter Freizeitangebote

Bei der Beschreibung des Freizeitverhaltens (Kapitel 4) wurde bereits auf die geringe Bedeutung institutioneller Angebote hingewiesen: Nur wenige Mädchen und junge Frauen mit Migrationshintergrund besuchen „sehr oft" bzw. „oft" Jugendeinrichtungen, Einrichtungen speziell für Mädchen, Einrichtungen mit religiösen Angeboten, Vereine/Zentren der Herkunftskulturen oder treiben Sport. Institutionelle Angebote werden von Mädchen aller nationaler Herkünfte am wenigsten genutzt, wenn auch Jugendeinrichtungen etwas stärker von Mädchen aus Aussiedlerfamilien und eigenethnische Zentren stärker von Mädchen mit griechischem Hintergrund besucht werden.[366]

Nichtorganisierte Angebote, das heißt Treffen in privaten Räumen sowie an öffentlichen Plätzen spielen für alle von uns befragten Mädchen eine weitaus größere Rolle. Orte für informelle Freizeitgestaltung sind also für weitaus mehr Mädchen und junge Frauen präsent als organisierte Angebote. Sie werden auch häufiger genutzt und es werden mehr davon gewünscht. Dabei muss berücksichtigt werden, dass das Vorhandensein von Einrichtungen nicht objektive Umstände, sondern die diesbezügliche Wahrnehmung der Befragten wiedergibt.

Tabelle 11.1: Einrichtungen und Möglichkeiten in der Wohngegend (in Prozent)

N = 950	vorhanden	genutzt	(mehr) davon gewünscht
Institutionelle Angebote			
Jugendeinrichtungen	69	11	19
kulturelle Vereine	41	13	30
religiöse Angebote	57	19	12
spezielle Angebote für Mädchen	28	5	28
Sportmöglichkeiten	74	23	24
Informelle, kommerzielle Treffpunkte			
Cafés, Kneipen, McDonalds u.ä.	82	63	34
Kino	47	40	34
Fußgängerzone	81	64	15
Kaufhäuser	67	62	38
Diskothek	38	17	34
Informelle, nicht kommerzielle Angebote			
Grünanlagen, Parks	89	47	18

366 Was die Mitgliedschaft in Vereinen als Ort der organisierten Freizeitbeschäftigung anbelangt, so wurden in unserer Untersuchung hierzu keine Daten erhoben, da dies Gegentand differenzierter Fragen im Ausländersurvey des DJI (Weidacher 2000b, S. 96) war. Als Ergebnis zeigt sich, dass der Wunsch nach eigenethnischen Bildungseinrichtungen häufiger genannt wird als nach Freizeiteinrichtungen. (Nicht berücksichtigt sind Fragen zur gewünschten Organisation religiösen Lebens und religiöser Bildung.) Im Vergleich der ethnischen Gruppen zeigt sich, dass deutlich mehr Befragte türkischer Herkunft als Befragte griechischer sowie italienischer Herkunft sich eigenethnische Einrichtungen wünschen (ebenda). Eine Darstellung aufgeschlüsselt nach Geschlecht zeigt, dass Frauen im Vergleich zu Männern eher Interesse für eigenethnische Einrichtungen haben (ebenda, S. 98). Insbesondere junge Frauen türkischer Herkunft sind deutlich seltener Mitglied in eigenethnischen Organisationen (insbesondere selten Mitglied in deutschen Vereinen (ebenda, S. 102f.)). Sportverbandsmitgliedschaften nehmen auch für die jungen Frauen den wichtigsten Platz ein.

Am meisten vorhanden sind kommerzielle, öffentliche Treffpunkte, deren Nutzung teilweise kostenfrei ist bzw. bei denen es zumindest möglich ist, sich ohne Kosten aufzuhalten, etwa in Fußgängerzonen und Kaufhäusern. Sie werden auch am meisten in Anspruch genommen. Städte, in denen institutionelle und organisierte Freizeitbeschäftigungen angeboten werden, sind seltener, Jugendeinrichtungen und religiöse Angebote sind zwar in den meisten Fällen vorhanden, aber sie werden kaum genutzt. Nur elf Prozent der Mädchen und jungen Frauen nutzen Jugend-einrichtungen, Mädchen aus Aussiedlerfamilien mit 16 Prozent häufiger und Mädchen mit italienischem Migrationshintergrund mit sieben Prozent seltener als die übrigen. Religiöse Einrichtungen, von 57 Prozent als vorhanden registriert, nutzen 19 Prozent – mit 31 Prozent stärker die Mädchen mit türkischem und mit 26 Prozent die mit jugoslawischem Hintergrund. Kulturelle Einrichtungen sind mit 41 Prozent Nennung relativ selten vorhanden, werden aber auch nicht sehr häufig genutzt (von nur 13%). Selten vorhanden (29%) und auch nur selten genutzt (von 5%) werden spezielle Angebote für Mädchen. Vor allem Mädchen und junge Frauen mit griechischem (32%), italienischem (33%) und türkischem (37%) Hintergrund nehmen sie in ihrer Wohngegend wahr und Mädchen türkischer Herkunft nutzen sie mit acht Prozent mehr als andere Mädchen.

Sport ist im Grenzbereich von persönlich gestalteten und organisierten Ange-boten anzusiedeln. Die Möglichkeiten sind in der Wohnumgebung offenbar vor-handen. Sie werden mehr als andere institutionelle Angebote, aber dennoch nur von einem Viertel der befragten Mädchen und jungen Frauen genutzt. Über die Beteili-gung von Kindern und Jugendlichen mit Migrationshintergrund am organisierten Sport gibt es keine bundesweiten Zahlen, da die nationale oder ethnische Zuge-hörigkeit in Mitgliedererhebungen nicht erfasst wird. Schätzungen auf der Grund-lage differenzierender Erhebungen in einzelnen Bundesländern gehen von einem Organisationsgrad der zugewanderten Ausländer und Ausländerinnen von fünf bis zehn Prozent aus (Deutsche: ca. 30%) (vgl. Schwarz 1988, S. 88; Zentrum für Türkeistudien 1995, S. 8 nach Daten des Landessportbundes). Nach den vorliegen-den Untersuchungen spielt Sport jedoch in der Freizeit von Kindern und Jugend-lichen mit Migrationshintergrund eine wichtige Rolle, allerdings nur für die Jungen. Eine Untersuchung des Deutschen Jugendinstituts „Wie Kinder ihren multikulturel-len Alltag erleben" fragte 5- bis 11-jährige Kinder nicht-deutscher Staatsangehörig-keit in Köln, Frankfurt und München nach der Teilnahme an organisierten Freizeit-aktivitäten. In allen Regionen steht der Sport an erster Stelle. Dabei war ein Drittel der Jungen sportlich engagiert, aber nur jedes siebte Mädchen. Im Alter von 10 bis 11 Jahren betreiben 52 Prozent der Jungen und 21 Prozent der Mädchen organisier-ten Sport. Während sich damit die Jungen aus Migrantenfamilien kaum von deut-schen Jungen unterscheiden, sind die Mädchen deutlich weniger organisiert sportlich aktiv als die vergleichbare Gruppe deutscher Mädchen (58% der 10- bis 13-jährigen deutschen Mädchen) (DJI 2000, S. 27). Im DJI-Ausländersurvey (Weidacher 2000b) wird festgestellt, dass bei griechischen und italienischen Befragten die jungen Frauen halb so oft, türkische junge Frauen lediglich ein Drittel so oft in deutschen Sportvereinen organisiert sind wie die jeweiligen männlichen Populationen. Noch weniger organisiert sind die jungen Frauen in ethnischen Sportvereinen. Hier sind die jungen Männer vier- bis sechsmal so häufig vertreten wie ihr weiblicher Gegen-part (ebenda, S. 102).

Die Shell-Jugendstudie 2000 (Fritzsche 2000b, S. 206) vergleicht Freizeitaktivitäten deutscher Jugendlicher und Jugendlicher mit Migrationshintergrund. Gar keinen Sport treiben 15 Prozent der deutschen Jungen und 24 Prozent der Mädchen; von den Jugendlichen mit türkischem Migrationshintergrund 16 Prozent der Jungen und 47 Prozent der Mädchen. Sport verbindet Jugendliche miteinander, nur neun Prozent der westdeutschen Jugendlichen und sechs Prozent der Jugendlichen mit Migrationshintergrund üben ihn allein aus. Sport verbindet verschiedene Ethnien: 41 Prozent der westdeutschen Jugendlichen treiben Sport in ethnisch gemischten Gruppen, bei den Jugendlichen mit Migrationshintergrund sind es 65 Prozent (73% mit italienischem und 68% mit türkischem Hintergrund). Sportaktivitäten ausschließlich mit ausländischen Freunden nennen 14 Prozent der Jugendlichen mit italienischem und 19 Prozent mit türkischem Hintergrund, Letztere mit beachtlichen geschlechtsspezifischen Differenzen (Münchmeier 2000, S. 231ff.). Ein Teil der Kinder und Jugendlichen mit Migrationshintergrund verbringt seine Freizeit und damit auch sportliche Aktivitäten vorrangig im Kontext der eigenen Ethnie bzw. der (erweiterten) Familie. Als Gründe lassen sich ein relativ hohes Maß an räumlicher Segregation nennen und ein Leben in Regionen, die aufgrund ihrer unzureichenden Infrastruktur wenig Möglichkeiten zu gemeinsamen Freizeitaktivitäten bieten. Hinzu kommen fehlende materielle Ressourcen. Auffällig ist auch die geschlechtsspezifische Differenzierung: Mädchen verbringen ihre Freizeit in stärkerem Maße als Jungen zu Hause bzw. im Familienkreis. Eine weitere Untersuchung (Kleindienst-Cachey 1998b, S. 101f.) belegt den mit acht Prozent geringen Organisationsgrad von Hauptschülerinnen türkischer und italienischer Herkunft und führt dieses – konzentriert auf die jungen Türkinnen – undifferenziert auf den anderen Kulturkreis zurück. Es wird in den Erhebungen nicht unterschieden, ob es sich um Mitgliedschaft in deutschen oder in ethnischen Vereinen handelt. Diese Untersuchungsergebnisse belegen, dass es sich bei der Abstinenz auch im Hinblick auf Sportvereine nicht um ein Spezifikum unserer Untersuchung handelt.

Die Mädchen und jungen Frauen unserer Untersuchung sind mit den meisten institutionellen Freizeitbedingungen in ihrem Stadtteil zufrieden, sei es, weil – wie bei Jugendeinrichtungen und Sportstätten – genügend vorhanden sind und sie sich nicht mehr wünschen, oder sei es, weil sie keine entsprechenden Bedürfnisse bzw. Wünsche äußern. Etwa nur jeweils ein Drittel ist unzufrieden mit den Angeboten an eigenethnischen kulturellen Treffpunkten und Zentren. Gut versorgt mit mädchenspezifischen Angeboten sieht sich rund ein Viertel. Sie nehmen derartige Angebote als vorhanden wahr und wünschen sich nicht mehr davon. Nahezu die Hälfte der Befragten hat kein Interesse an mädchenspezifischen Angeboten, denn obwohl keine derartigen Angebote in ihrer Wohngegend vorhanden sind, äußern sich auch keine Wünsche nach einer Etablierung derselben. Nur 28 Prozent sind mit dem diesbezüglichen Angebot unzufrieden. Von ihnen ist es ein Bruchteil (4%), der trotz des Vorhandenseins von mädchenspezifischen Angeboten noch mehr wünscht, während 24 Prozent solche Angebote vermissen.

Tabelle 11.2: Zufriedenheit mit der institutionellen Freizeitgestaltung (in Prozent)

N = 950	Zufrieden		Unzufrieden	
	vorhanden und wünsche nicht mehr	nicht vorhanden und wünsche nicht mehr	vorhanden und wünsche mehr	nicht vorhanden und wünsche mehr
Jugendeinrichtungen*	61	20	8	11
kulturelle Vereine*	35	35	6	24
religiöse Angebote*	54	34	3	9
spezielle Mädchen-angebote*	24	48	4	24
Sport	63	13	11	13

* Signifikante Unterschiede nach nationaler Herkunft p ≤ .05

Außer im Bereich des Sports, in dem sich ca. ein Viertel der Mädchen aller Herkunftsgruppen ein besseres Angebot wünschen, bestehen nationalitätenspezifische Unterschiede. Die folgende Tabelle verdeutlicht, inwiefern diejenigen Befragten, die angegeben haben, es gebe die entsprechenden Angebote, bzw. es gebe sie nicht, sich ein solches Angebot institutioneller Freizeitgestaltung wünschen:

Tabelle 11.3: Wünsche nach einem Mehr an institutioneller Freizeitgestaltung (in Prozent)

N = 950	Migrationshintergrund																	
	Aussiedl.			griech.			ital.			jugosl.			türk.			Gesamt		
	Gesamt	vorhanden	nicht vorhanden	Gesamt	vorhanden	nicht vorhanden	Gesamt	vorhanden	nicht vorhanden	Gesamt	vorhanden	nicht vorhanden	Gesamt	vorhanden	nicht vorhanden	Gesamt	vorhanden	nicht vorhanden
Jugendein-richtungen*	22 (42)	10	12	23 (42)	7	16	18 (32)	12	6	16 (27)	4	12	19 (39)	9	10	19 (182)	8	11
kulturelle Vereine*	37 (74)	8	29	33 (60)	6	27	29 (52)	5	24	28 (47)	5	23	25 (53)	6	19	30 (286)	6	24
religiöse Angebote*	6 (11)	1	5	19 (34)	2	17	4 (7)	2	2	16 (28)	2	14	17 (37)	9	8	12 (117)	3	9
spezielle Mädchen-angebote*	28 (56)	3	25	29 (53)	4	25	19 (35)	4	15	32 (55)	2	30	31 (64)	7	24	28 (263)	4	24
Sport	23 (46)	11	12	25 (45)	9	16	23 (42)	13	10	21 (37)	9	12	24 (51)	12	12	24 (221)	11	13

* Signifikante Unterschiede nach nationaler Herkunft p ≤ .05

Ein größerer Anteil von Mädchen mit griechischem Hintergrund und aus Aussiedler-familien wünscht sich mehr kulturelle Einrichtungen, am wenigsten werden diese von Mädchen türkischer Herkunft gewünscht, auch nicht häufiger von denjenigen, die über kein solches Angebot verfügen. Mädchen griechischer und türkischer Herkunft sowie die aus dem ehemaligen Jugoslawien wünschen deutlich häufiger religi-öse Angebote als solche mit italienischem oder Aussiedlerhintergrund. Angebote speziell für Mädchen werden von allen relativ häufig gewünscht. In der Zahl der Nennungen rangieren sie zwischen den Favoriten, den kulturellen Vereinen und dem Sport, der erst an dritter Stelle genannt wird. Die wenigsten Nennungen erhalten spezielle Angebote für Mädchen von den Mädchen mit italienischem Hintergrund (19%).

Im Hinblick auf die Freizeitgestaltung muss als Fazit herausgestellt werden, dass organisierte Angebote in der Freizeitgestaltung von Mädchen und jungen Frauen mit Migrationshintergrund eine relativ bedeutungslose Rolle spielen. Am ehesten wer-den kulturelle Vereine, Zentren oder Treffpunkte, jedoch nicht in Form religiöser Angebote, sowie spezielle Angebote für Mädchen und Sportmöglichkeiten vermisst. Im Vergleich mit anderen unorganisierten Formen der Gestaltung von Freizeit spielen sie aber nur eine untergeordnete Rolle.

11.2.3 Jugendeinrichtungen in der Bewertung

In jeder Stadt werden Zentren/Häuser für Jugendliche als Möglichkeiten für Frei-zeitgestaltung angeboten, in vielen Städten gibt es spezifische Räume für Mädchen oder Nutzungszeiten ausschließlich für Mädchen (z.B. Mädchentage). Dadurch ver-sprechen sich die ansonsten zwar koedukativ ausgerichteten, aber überwiegend von männlichen Jugendlichen besuchten Einrichtungen eine Senkung der Nutzungs-barriere für Mädchen. Unsere Frage richtete sich darauf, ob und inwieweit Mädchen und junge Frauen mit Migrationshintergrund solche Räume besetzen und besetzen wollen und was sie gegebenenfalls an einer Nutzung hindert.

Nur sieben Prozent der Mädchen und jungen Frauen nutzen „sehr oft" oder „oft" Jugendeinrichtungen; Mädchen aus Aussiedlerfamilien mit 13 Prozent häufiger, Mädchen mit jugoslawischem und türkischem Migrationshintergrund mit jeweils fünf Prozent seltener als die übrigen, obgleich zwei Drittel der Mädchen sie als vor-handen benennen. Ca. ein Fünftel wünschen sich solche Einrichtungen oder wün-schen sich mehr davon. Die häufigere Nutzung von Jugendeinrichtungen von Seiten der Mädchen aus Aussiedlerfamilien, die auch von dem Anbieter selbst konstatiert wird, kann darauf zurückgeführt werden, dass vor allem die Jugendgemeinschafts-werke unter dieser Personengruppe einen hohen Bekanntheits- und Akzeptanzgrad besitzen, da im Sinne einer gezielten Integrationspolitik für ihre Nutzung bereits in den Herkunftsländern der Aussiedlerinnen Öffentlichkeitsarbeit betrieben wird (Seiderer/Mies-van Engelshoven 2002, S. 10).

Von Interesse ist, zu erfahren, wie Mädchen mit Migrationshintergrund die Jugendeinrichtungen bewerten und was sie davon abhält, sie zu besuchen. Die geringe Frequentierung von Jugendeinrichtungen entspricht den in der Literatur ge-schilderten Befunden aus der Sicht der Einrichtungen: Am stärksten präsent sind Kinder und Jugendliche mit Migrationshintergrund in der offenen Arbeit. In den Kinder- und Jugendzentren der Großstädte sind in manchen Stadtteilen nicht selten

80 oder sogar mehr Prozent der Teilnehmer und Teilnehmerinnen Kinder aus Familien mit Migrationshintergrund. Es sind allerdings überwiegend Jungen, die teilnehmen. Mädchen sind, wie Bendit (1997, S. 219) anführt, „als Besucherinnen in fast allen Freizeiteinrichtungen (...) die Ausnahme, bzw. ab dem 12. Lebensjahr in der Regel schlicht nicht mehr anzutreffen. Zwar gibt es in einzelnen Häusern in den meisten Städten (z.B. in Berlin, Frankfurt, Düsseldorf, Köln, München oder Hamburg) Versuche mit geschlossenen Strick- und Nähgruppen[367] für Mütter und Töchter und mit einem speziellen Mädchentag, wo das Haus für die übrigen Besucher geschlossen ist, diese Zielgruppe anzusprechen, eine Integration in den allgemeinen Freizeitheimbetrieb gelingt aber fast nirgends." Noch weniger präsent sind sie – nach Aussage der Jugendverbände – in deren Einrichtungen und Angeboten. Es muss allerdings angenommen werden, dass dieses Bild eine Verzerrung enthält. So werden häufig an den Angeboten teilnehmende Mädchen mit Migrationshintergrund, die in Verhalten und Aussehen nicht den gängigen Stereotypen entsprechen, im Verständnis der Pädagogen und Pädagoginnen nicht als „Ausländerinnen" wahrgenommen. Von einer deutlichen Unterrepräsentanz insbesondere bei koedukativen Aktivitäten ist jedoch auszugehen.

Für alle Formen der Jugendarbeit werden demnach, was die Einbeziehung der Mädchen und jungen Frauen und was die Einbeziehung der Jugendlichen mit Migrationshintergrund anbetrifft, Defizite festgestellt. Die Angebote erreichen die beiden Zielgruppen zu wenig; Mädchen und junge Frauen mit Migrationshintergrund sind deutlich unterrepräsentiert; es gibt zu wenige geschlechtsspezifische Alternativen zu koedukativen Angeboten und kaum interkulturell ausgerichtete Angebote. Weder Mädchen und Frauen noch Arbeitsmigranten und Arbeitsmigrantinnen oder ihre Interessenvertretungen (ethnische Vereine, ethnische Communities) sind in den Trägerstrukturen repräsentiert. Dieses gilt in doppelter Weise für Migrantinnen und ihre Organisationen.[368]

Der letzte Punkt verlangt eine Auseinandersetzung mit einer Entwicklung in der neueren Zeit. Es ist eine wachsende Tendenz von Migranten und Migrantinnen und ihren Kindern zu registrieren, sich in eigenen Vereinen zu organisieren. In diesem Zusammenhang sind auch Mädchen- und Frauengruppen in ethnischen Vereinen entstanden. Als Beispiel können hier Formen des Zusammenschlusses in islamischen Vereinen genannt werden. So stieß Nökel (2002, S. 17) bei ihren Recherchen über Kopftuch tragende Musliminnen in Deutschland auf die Existenz von Mädchengruppen in den Moscheen. Daneben traf sie aber auch auf privat organisierte, religiös orientierte Mädchengruppen wie einen „rotierenden Mädchentreff", bei dem sich die Mitglieder in mehrwöchigem Abstand oder an Wochenenden in privaten Räumen treffen (ebenda, S. 46f., vor allem aber S. 52-61). Ein anderes Beispiel für weibliche Selbstorganisation im Freizeitbereich jenseits der etablierten Moscheevereine, das Begegnungs- und Fortbildungszentrum muslimischer Frauen in Köln, beschreiben Karakaşoğlu/Waltz (2002, S. 153f.). In all diesen Fällen geht es um selbstbestimmte Formen von Freizeitgestaltung „in islamischen Grenzen".

In den Hierarchien der Jugendverbände und deren Organisationsformen spielen die Mädchen und Frauen mit Migrationshintergrund bisher keine Rolle. Die Bedeu-

---

367 Hier ist nach der Zielgruppenadäquanz der Angebote zu fragen. In unserer Untersuchung wurde „Handarbeiten" als Freizeitbeschäftigung von den Mädchen nur äußerst selten angegeben (5% „sehr oft"/„oft").
368 Am Beispiel der Sportvereine dargestellt bei Boos-Nünning/Karakaşoğlu (2003, S. 324f.).

tung des Aufbaus eigener (ethnischer) Organisationen und Verbände und die Forderung nach Teilhabe an der Landes- und kommunalen Förderung ist bisher kaum diskutiert worden. Unter den freien Trägern (Jugendgruppen, -verbände, -ringe; Wohlfahrtsverbände; Kirchen/Religionsgemeinschaften und sonstige Träger), die in Nordrhein-Westfalen über 90 Prozent der Jugendarbeit durchführen (Thole 1997, S. 297) sind die Vereine und Organisationen der Migranten und Migrantinnen kaum vertreten. Deutsche Organisationen und Verbände nehmen vielmehr quasi kommissarisch ihre Interessen wahr. Damit ist die Behandlung von Kindern und Jugendlichen mit Migrationshintergrund in der Jugendarbeit (nicht nur der Jugendverbandsarbeit) in eine Reihe mit anderen Maßnahmen paternalistischer Formen der Politikbewältigung zu stellen. Weder die Zugewanderten selbst noch ihre Vereine und Organisationen haben Einfluss auf Konzeption und Gestaltung der Arbeit, selbst nicht auf die zuwandererspezifischen und antirassistischen Aktivitäten der Vereine.

In Untersuchungen von Mädchen mit Migrationshintergrund werden als Gründe für die Teilnahmeabstinenz die fehlende räumliche Nähe oder Transportprobleme, sowie ungenügende finanzielle Mittel der Zielgruppe oder das Fehlen von passenden Angeboten genannt. Jugendliche können jedoch nur die Angebote nutzen, für die sie über die zeitlichen, finanziellen und raummobilen Ressourcen verfügen. Sie müssen im Nahraum oder in der Region zur Verfügung stehen. Mädchen und jungen Frauen wird zudem zugeschrieben, dass sie über einen besonders geringen Bewegungsradius verfügen.

In unserer Untersuchung wird ermittelt, wie Mädchen mit Migrationshintergrund selbst die Jugendeinrichtungen bewerten und was sie davon abhält, sie zu besuchen. Auf das allgemeine Item „Jugendzentren, Jugendhäuser oder Jugendgemeinschaftswerke – finde ich gut" antwortet der überwiegende Teil der Mädchen und jungen Frauen (60%) positiv („stimme voll" oder „eher zu") und zwar unabhängig vom jeweiligen Migrationshintergrund. Gründe für Abwehr liegen auf zwei Ebenen: in einer negativen Bewertung dessen, was sich in solchen Häusern abspielen soll auf der einen und nicht adäquaten Angeboten bzw. Ausrichtung auf alternative Angebote auf der anderen Seite.[369]

---

369 Die Dimensionen wurden durch eine Faktorenanalyse extrahiert (siehe Instrumentenkonstruktion im Anhang).

Tabelle 11.4: Bewertung von Einrichtungen für Jugendliche (in Prozent)

N = 950	stimme voll zu	stimme eher zu	stimme teilweise zu	stimme weniger zu	stimme gar nicht zu	arith. Mittel**
Allgemeine Bewertung						
Finde ich gut	30	30	29	7	4	2,3
Milieu der Einrichtung als Hindernis						
Sind kein Ort für Mädchen	5	6	19	29	41	4,0
Dort werden Dinge getan, die ich nicht mag (Alkohol, Rauchen, Knutschen)*	8	9	26	27	30	3,6
Ich mag die Jugendlichen nicht, die dort sind*	10	10	32	25	23	3,4
Fehlen adäquater Angeboten als Hindernis						
Ich verbringe meine Freizeit lieber privat	40	25	20	10	5	2,2
Es gibt dort keine interessanten Angebote für mich*	21	22	29	18	10	2,8
Dafür fühle ich mich zu alt*	17	14	19	25	25	3,3
Haltung der Eltern						
Das erlauben meine Eltern nicht*	2	3	10	15	70	4,5

* Signifikante Unterschiede nach nationaler Herkunft p ≤ .05.
** Das arithmetische Mittel kann einen Wert zwischen 1 „stimme voll zu" und 5 „stimme gar nicht zu" annehmen.

Die Interkorrelationen machen deutlich, dass die negative Bewertung von Jugendeinrichtungen mit den Vorstellungen zusammenhängt, dass dort unerwünschte Dinge getan werden, interessante Angebote fehlen, diese keine passenden Orte für Mädchen darstellen und sich dort nicht akzeptierte Jugendliche aufhalten. Diese Bilder zeigen sich bei Mädchen mit türkischem Hintergrund verstärkt, wie die folgende Gegenüberstellung der Korrelationen deutlich macht:

Tabelle 11.5: Interkorrelation „Finde ich gut" mit den Angaben

	alle Mädchen und jungen Frauen (N = 950)	Mädchen und junge Frauen mit türkischem Migrationshintergrund (N = 213)
kein Ort für Mädchen	-.29**	-.44**
geschehen unakzeptierter Dinge	-.25**	-.37**
keine Akzeptanz des Publikums	-.26**	-.32**
Freizeit lieber privat	-.22**	-.28**
keine interessanten Angebote	-.25**	-.39**
Erlaubnis der Eltern	-.11**	-.10

Mit ** gekennzeichnete Werte sind auf dem α = .01 Testniveau signifikant von Null verschieden.

Bei Mädchen mit türkischem Migrationshintergrund verstärken sich die Bedenken, aber auch bei ihnen wird, entgegen den Verlautbarungen früherer Untersuchungen (Pfänder/Turhan 1990) die fehlende Erlaubnis der Eltern kaum als Grund genannt. Fehlende Attraktivität und die Priorität der Freizeit im persönlichen Rahmen bleiben die wichtigsten Hinderungsgründe für die Distanz zu Jugendeinrichtungen bei Mädchen mit Migrationshintergrund.

Aus den Ablehnungsgründen wurden die Indices „Milieu der Einrichtung als Hindernis" und „Fehlen adäquater Angebote" gebildet (zur Instrumentenkonstruktion siehe Anhang).

Grundsätzlich ist festzustellen, dass es nicht das Milieu der Einrichtung ist, welches die Mädchen in erster Linie daran hindert, sie zu nutzen. Allerdings gibt es Unterschiede zwischen den Mädchen und jungen Frauen türkischer Herkunft und den restlichen Gruppen:

Tabelle 11.6: Milieu der Einrichtung als Hindernis (Index) (in Prozent)

| | Migrationshintergrund | | | | | Gesamt | |
	Aussiedl.	griech.	ital.	jugosl.	türk.		
Gesamt	(200)	(182)	(183)	(172)	(213)	100	(950)
sehr starkes Hindernis	5	5	8	6	12	7	(70)
starkes Hindernis	8	10	11	13	14	11	(106)
teils-teils	21	17	19	22	21	20	(190)
geringes Hindernis	30	28	32	28	25	29	(271)
kein Hindernis	36	40	30	31	28	33	(313)

C = .16   p = .10 (ns)
Nur Mädchen mit türkischem Hintergrund/übrige: C = .12   p = .01

Während das Milieu der Einrichtung von lediglich einem Viertel der Mädchen und jungen Frauen mit türkischem Hintergrund als „starkes" bzw. „sehr starkes" Hindernis betrachtet wird, gilt dies in noch geringerem Umfang, nämlich für ein Fünftel der Mädchen und jungen Frauen mit italienischem und ehemals jugoslawischem Hintergrund. Nur 15 Prozent der Befragten mit griechischem und 13 Prozent derjenigen mit Aussiedlerhintergrund sehen in diesem Faktor einen wichtigen Grund für eine Distanz zu Jugendeinrichtungen.

Die Korrelationen zwischen dem Index „Milieuspezifische Ablehnungsgründe" und der Haltung der Eltern zum Besuch von Jugendeinrichtungen sind bei allen nationalen Gruppen signifikant, aber die Stärke des Zusammenhanges variiert deutlich:

Tabelle 11.7:   Korrelationen Milieuspezifische Ablehnungsgründe (Index) und Elternmeinung

	Produktmoment r
Aussiedlerinnen	.41**
griechischer Hintergrund	.18*
italienischer Hintergrund	.27**
jugoslawischer Hintergrund	.19*
türkischer Hintergrund	.16*

Mit * gekennzeichnete Werte sind auf dem $\alpha = .05$ Testniveau signifikant von Null verschieden.
Mit ** gekennzeichnete Werte sind auf dem $\alpha = .01$ Testniveau signifikant von Null verschieden.

Besonders hoch ist die Korrelation bei den jungen Aussiedlerinnen, ihnen folgen mit weitem Abstand die Mädchen und jungen Frauen italienischer Herkunft. Am wenigsten korreliert der Index „Milieuspezifische Ablehnungsgründe" mit der Elternmeinung bei den Befragten türkischer Herkunft. Dies verdeutlicht, dass die Ablehnung der jungen Frauen hinsichtlich milieuspezifischer Rahmenbedingungen der Einrichtungen in ihrer eigenen Wahrnehmung weniger auf der Elternmeinung beruht.

Nach dem zweiten Index „Fehlen adäquater Angebote" ergibt sich folgende Verteilung nach nationalem Hintergrund:

Tabelle 11.8: Fehlen adäquater Angebote (Index) (in Prozent)

| | Migrationshintergrund | | | | | Gesamt | |
	Aussiedl.	griech.	ital.	jugosl.	türk.		
Gesamt	(200)	(182)	(183)	(172)	(213)	100	(950)
sehr stark registriert	7	23	16	26	23	19	(177)
stark registriert	16	20	25	28	18	21	(201)
teilweise registriert	13	9	15	11	16	13	(122)
kaum registriert	30	27	27	19	27	26	(250)
gar nicht registriert	34	21	17	16	16	21	(200)

C = .25   p = .00

Etwa ebenso vielen Mädchen und jungen Frauen fehlen adäquate Angebote (40%) wie angaben, dass es nicht der Fall ist (47%). Aber auch hier zeigen sich herkunftsspezifische Unterschiede in der Intensität, in der diese Begründung genannt wird. Mädchen und junge Frauen aus Aussiedlerfamilien fallen hier aus dem Gesamtbild heraus. Sie machen das Fehlen ihnen entsprechender Angebote deutlich mehr als alle übrigen Herkunftsgruppen als Grund für die Distanz zu den Jugendeinrichtungen geltend.

11.2.4 Wünsche nach organisierten Freizeitangeboten

Es gibt eine Gruppe von Mädchen und jungen Frauen mit Migrationshintergrund, die sich (mehr) organisierte Angebote wünscht. Darüber hinaus kann als Ergebnis unserer Datenanalyse festgestellt werden, dass die Wünsche nach Sportmöglichkeiten, nach Diskotheken, nach Jugendeinrichtungen, kulturellen Zentren, religiösen Angeboten und speziellen Angeboten für Mädchen zusammenhängen. Dieses deutet darauf hin, dass spezifische Formen des Sports bzw. von Diskotheken gewünscht werden, und zwar solche, die sich an den Bedürfnissen der Mädchen orientieren. Jugendeinrichtungen werden zum Beispiel im Zusammenhang mit religiösen und mädchenspezifischen Angeboten gesehen, Sportangebote werden ebenfalls in Zusammenhang mit speziellen Angeboten für Mädchen gesehen.

Im Herkunftsgruppenvergleich stellt sich die Verteilung des Index „Wunsch nach organisierten Freizeitmöglichkeiten" (zur Instrumentenkonstruktion siehe Anhang) wie folgt dar:

Tabelle 11.9: Wunsch nach organisierten Freizeitangeboten (Index) (in Prozent)

| | Migrationshintergrund | | | | | Gesamt |
	Aussiedl.	griech.	ital.	jugosl.	türk.	
Gesamt	(200)	(182)	(183)	(172)	(213)	100 (950)
sehr starker Wunsch	16	17	8	13	11	13 (123)
starker Wunsch	17	11	8	12	12	12 (113)
teils-teils	11	16	20	15	14	15 (146)
geringer Wunsch	23	21	24	21	16	21 (199)
kein Wunsch	33	35	40	39	47	39 (369)

C = .18   p = .02

Das Bedürfnis nach organisierten Freizeitangeboten ist insgesamt sehr niedrig. Besonders wenig wünschen sich derartige Angebote Mädchen und junge Frauen mit türkischem Migrationshintergrund (47% haben keine solchen Wünsche). Mit 33 Prozent („sehr starker" oder „starker Wunsch") ist der Wunsch nach organisierten Freizeitaktivitäten bei jungen Aussiedlerinnen im Gruppenvergleich noch am ausgeprägtesten vorhanden.

Inhaltlich bevorzugen Mädchen mit türkischem Migrationshintergrund vor allem Sportveranstaltungen, Tanzkurse und Mädchengesprächskreise. Sie haben – was die hierfür zur Verfügung stehende Zeit anbetrifft – die nötigen Freiräume. Dies wird durch andere Ergebnisse unserer Untersuchung belegt, denen zufolge sich die Mädchen und jungen Frauen durch Mithilfe im Haushalt oder bei der Betreuung jüngerer Geschwister nicht als übermäßig belastet empfinden.[370] Der Zeit- oder Belastungsfaktor stellt demnach kein wesentliches Hindernis bei der Nutzung von Freizeitangeboten dar. Bedeutsamer sind Einschränkungen aufgrund des Milieus, noch wichtiger ist das Fehlen entsprechender Angebote.

11.2.5 Spezielle Einrichtungen für Mädchen

Wenn in Verbänden oder Kommunen die Frage der Einbeziehung von Mädchen und jungen Frauen mit Migrationshintergrund, insbesondere muslimischer Mädchen, in Freizeitaktivitäten aufkommt, werden mädchenspezifische Angebote unter Ausschluss der Jungen und in separaten Frauenräumen als Lösung zur Aufhebung von Nutzungsbarrieren diskutiert. Seitdem die Freizeit dieser Zielgruppe thematisiert wird, stehen die familiären und sozialen Einschränkungen im Mittelpunkt, die bereits von Pfänder und Turhan (1990, S. 62) in ihrer Studie aufgelistet und auch heute noch von vielen Pädagoginnen aufgeführt werden.

Einschränkungen seien vor allem dann vorhanden, wenn das Jugendzentrum bei den Eltern bzw. im Stadtteil einen schlechten Ruf habe, wenn es unüberschaubar und anonym anmute, wenn ein Zugang für Mädchen und Jungen unkontrolliert möglich sei, wenn Eltern und Kindern nicht das Gefühl vermittelt werde, dass in

---

370 Vgl. hierzu die Daten in den Kapiteln 3 und 4.

dem Zentrum ein ernsthaftes Interesse an ihnen bestehe, wenn Kinder mit Migrationshintergrund nicht in die konzeptionellen Überlegungen einbezogen würden, wenn qualifizierte Mitarbeiter und Mitarbeiterinnen fehlten, die sich mit der besonderen Situation von Kindern, insbesondere Mädchen mit Migrationshintergrund auskennen. Unter diesen Gegebenheiten seien Eltern nur bedingt, wenn überhaupt, zu motivieren, ihre Tochter in einer solchen Einrichtung ihre Freizeit verbringen zu lassen. Die Ängste der Eltern behinderten außerhäusliche Aktivitäten der Tochter. Dabei gibt es Ängste, die auch deutsche Eltern besitzen und die das Freizeitverhalten von Mädchen weitaus stärker reglementieren und ihnen weniger Freiräume lassen als Jungen. Es bestehen aber auch spezifische Ängste, z.B. die Angst um den Ruf der Tochter: „Sie könnte ins Gerede kommen" oder um den Verlust an Moral: „Sie könnte schlecht werden" sowie die Sorge, die Mädchen an die deutsche Gesellschaft zu verlieren, wenn die Mädchen deutsche Vorstellungen annehmen. Nicht zuletzt könnte auch die Angst vor Sanktionen durch die ethnische Community Barrieren aufbauen. Derartige Vorbehalte der Eltern, so hat unsere Befragung gezeigt, scheinen jedoch nicht – wie in der Literatur vielfach angenommen – das wesentliche Hindernis bei der Nutzung von Jugendfreizeiteinrichtungen darzustellen, zumindest nicht in der Wahrnehmung der Mädchen und jungen Frauen.

Daher ist es von Interesse, genauer zu ermitteln, ob und welche mädchenspezifischen Angebote Anklang und Interesse finden. Bei der Darstellung der Zustimmung zu organisierten Angeboten wurde herausgestellt, dass Orte speziell für Mädchen und junge Frauen im Vergleich zu Jugendeinrichtungen von wenigen Mädchen genutzt (lediglich 5% mit geringen nationalitätenspezifischen Unterschieden) aber mit 28 Prozent von relativ vielen gewünscht werden. Werden Angebote und Einrichtungen für Mädchen ausdifferenziert, wird deutlich, dass vor allem Selbstverteidigungskurse für Mädchen bekannt sind (64%), wenn auch nur selten genutzt (12%). Dennoch stehen sie in der Rangfolge der Angebote, von denen sich die Mädchen mehr wünschen, mit 29 Prozent an der Spitze. Etwa die Hälfte der Mädchen kennt eine Beratung für Mädchen und Mädchensportgruppen, ersteres wird mehr als letzteres gewünscht. Bei allen anderen Formen sinkt die Bekanntheit auf ein Drittel oder weniger, aber auch der Wunsch nach solchen Einrichtungen ist mit 17 (Mädchencafé, Mädchenzentrum) bis 12 Prozent (Mädchengruppe) eher gering. Mit 18 Prozent ist die Mädchensportgruppe von den genannten Angeboten am häufigsten schon tatsächlich genutzt worden.

Tabelle 11.10: Bekanntheit, Nutzung und Wunsch nach mädchenspezifischen Angeboten (in Prozent)

N = 950	kenne ich	habe ich schon besucht	davon wünsche ich mir (mehr)
Mädchencafé, Mädchenzentrum	34*	12*	17*
Mädchengruppe	32*	10*	12*
Mädchentag im Jugendzentrum	28*	7*	13
Beratung für Mädchen	48	9*	22*
Mädchensportgruppe	44*	18*	16*
Selbstbehauptungs-kurse für Mädchen	26*	4*	19*
Selbstverteidigungs-kurse für Mädchen	64*	12	29

* Signifikante Unterschiede nach nationaler Herkunft p ≤ .05.

Die Interkorrelationen belegen, dass die Kenntnisse über die verschiedenen Möglichkeiten für Mädchen eng zusammenhängen. Dies bedeutet, das Wissen um die Freizeit- und Beratungsmöglichkeiten bündelt sich. Wer schon Zugang zu einer Einrichtung oder einem Angebot hat, der hat diesen Zugang offenbar auch leichter zu anderen. Dem entspricht, dass immerhin 16 Prozent keine der Einrichtungen für Mädchen kennen, 35 Prozent eine oder zwei, 27 Prozent vier und immerhin 22 Prozent fünf und mehr, mit Unterschieden nach Migrationshintergrund. Am wenigsten bekannt sind derartige Angebote und Einrichtungen bei Mädchen und jungen Frauen aus Aussiedlerfamilien, 20 Prozent von ihnen kennen keine (bei den übrigen Mädchen macht diese Gruppe 14% bis 16% aus), zusammen mit den Mädchen italienischer und jugoslawischer Herkunft kennt nur ein Viertel von ihnen drei bis vier Angebote. Bei der Nennung von fünf und mehr Angeboten als bekannt liegen die jungen Aussiedlerinnen mit 12 Prozent weit hinter den übrigen Mädchen (21% bis 27%). Lediglich bei der Nennung von ein bis zwei Angeboten als bekannt liegen sie mit 43 Prozent der Nennungen weit vor den übrigen Herkunftsgruppen (35% bis 28%). Es muss offen bleiben, ob dies darauf zurückzuführen ist, dass es in ihrem Wohnumfeld weniger Angebote und Einrichtungen gibt.

Was die Inhalte anbetrifft, so erfreuen sich bei allen Herkunftsgruppen Selbstverteidigungskurse für Mädchen besonderer Bekanntheit, allerdings wie bei nahezu allen anderen mädchenspezifischen Einrichtungen mit Unterschieden nach nationaler Herkunft.

Tabelle 11.11: Kennen von Angeboten für Mädchen (in Prozent)

| | Migrationshintergrund | | | | | Gesamt | |
	Aussiedl.	griech.	ital.	jugosl.	türk.		
Gesamt	(200)	(182)	(183)	(172)	(213)	100	(950)
Mädchencafé, Mädchenzentrum*	23	39	33	34	42	34	(324)
Mädchengruppe*	20	37	36	30	40	32	(308)
Mädchentag im Jugendzentrum*	14	28	31	32	34	28	(264)
Beratung für Mädchen	45	53	49	51	45	48	(458)
Mädchensportgruppe*	37	57	48	48	34	44	(419)
Selbstbehauptungs- kurse für Mädchen*	21	35	24	32	20	26	(245)
Selbstverteidigungs- kurse für Mädchen	54	67	69	70	62	64	(609)

* Signifikante Unterschiede nach nationaler Herkunft p ≤ .05.

Selbstbehauptungskurse sind bei Mädchen und jungen Frauen mit griechischem (35%) und jugoslawischem Hintergrund (32%) bekannter als bei den übrigen. Diese beiden Gruppen kennen, zusammen mit den Befragten italienischer Herkunft auch häufiger das Angebot von Mädchensportgruppen. Deutlich seltener bekannt sind Mädchenzentren, -cafés, -gruppen und Mädchentage im Jugendzentrum bei jungen Aussiedlerinnen, während gerade diese Angebote bei Befragten mit türkischem Hintergrund besonders bekannt sind.

59 Prozent der Mädchen und jungen Frauen haben zum Untersuchungszeitpunkt bislang keine mädchenspezifische Einrichtung besucht, bzw. ein spezifisches Angebot wahrgenommen, 24 Prozent eine, neun Prozent zwei und nur acht Prozent mehr als zwei. Auch hier zeigen sich deutliche Unterschiede nach Migrationshintergrund. 65 Prozent der Aussiedlerinnen und 51 Prozent der Mädchen mit türkischem Hintergrund haben bislang keine der genannten Einrichtungen besucht. Die übrigen Gruppen ordnen sich zwischen diesen beiden Polen ein. Im Herkunftsgruppenvergleich nutzen Befragte mit türkischem Hintergrund mit Abstand mehr Einrichtungen als die anderen. Bei ihnen haben 15 Prozent drei und mehr Einrichtungen besucht, dies gilt für neun Prozent mit italienischem, sieben Prozent mit Aussiedler-, sechs Prozent mit jugoslawischem und drei Prozent mit griechischem Hintergrund.

Welche Angebote oder Einrichtungen von Mädchen und jungen Frauen differenziert nach Herkunftsgruppen genutzt oder besucht werden, macht die folgende Übersicht deutlich:

Tabelle 11.12: Genutzte Angebote für Mädchen (in Prozent)

| | Migrationshintergrund | | | | | Gesamt | |
	Aussiedl.	griech.	ital.	jugosl.	türk.		
Gesamt	(200)	(182)	(183)	(172)	(213)	100	(950)
Mädchencafé, Mädchenzentrum*	8	8	12	9	21	12	(112)
Mädchengruppe*	7	4	14	5	20	10	(97)
Mädchentag im Jugendzentrum*	3	3	10	5	12	7	(64)
Beratung für Mädchen*	14	5	7	8	9	9	(82)
Mädchensportgruppe*	10	20	22	18	18	18	(166)
Selbstbehauptungs- kurse für Mädchen*	8	1	2	5	3	4	(37)
Selbstverteidigungs- kurse für Mädchen	13	9	12	13	13	12	(115)

* Signifikante Unterschiede nach nationaler Herkunft $p \leq .05$.

Nur die Mädchensportgruppe wird von etwa einem Fünftel der Mädchen und jungen Frauen genutzt, alle anderen Angebote und Einrichtungen haben nur marginale Bedeutung, und dieses, obgleich die Formulierung „habe ich schon besucht" kein intensives Engagement verlangt. Mädchen mit türkischem Hintergrund nehmen im Freizeitbereich mädchenspezifische Angebote häufiger als die übrigen, auch häufiger als die Mädchensportgruppe, aber dennoch nur zu einem Fünftel wahr.

Über die Hälfte der Mädchen und jungen Frauen wünschen sich keine mädchen-spezifischen Angebote, mit Unterschieden nach Migrationshintergrund, was die vertretenen Inhalte anbetrifft:

Tabelle 11.13: Gewünschte Angebote für Mädchen (in Prozent)

| | Migrationshintergrund | | | | | Gesamt | |
	Aussiedl.	griech.	ital.	jugosl.	türk.		
Gesamt	(200)	(182)	(183)	(172)	(213)	100	(950)
Mädchencafé, Mädchenzentrum*	17	13	13	17	24	17	(162)
Mädchengruppe*	13	7	6	15	16	12	(109)
Mädchentag im Jugendzentrum	16	13	9	12	16	13	(127)
Beratung für Mädchen*	23	27	13	20	27	22	(209)
Mädchensportgruppe*	18	11	10	16	24	16	(155)
Selbstbehauptungs- kurse für Mädchen*	18	17	12	22	26	19	(180)
Selbstverteidigungs- kurse für Mädchen	26	29	25	30	35	29	(276)

* Signifikante Unterschiede nach nationaler Herkunft $p \leq .05$.

Das Ergebnis entspricht nicht der Bedeutung, die den mädchenspezifischen Angeboten in der Diskussion um die Jugendhilfe gegeben wird. Der größte Teil der Mädchen und jungen Frauen wünscht sich keine oder nicht mehr davon, obgleich die meisten von ihnen bisher solche nicht wahrnehmen. Am meisten, aber dennoch nur bei einem Drittel finden Selbstverteidigungskurse für Mädchen Interesse, und zwar ohne Differenzierung nach Herkunftsgruppen. An anderen Bereichen („Sportgruppe" und „Selbstbehauptungskurse") sind Mädchen mit türkischem Hintergrund geringfügig mehr interessiert als die übrigen, Mädchen mit italienischem Hintergrund weisen das geringste Interesse auf.

Die Wünsche nach den einzelnen Formen mädchenspezifischer Angebote und Einrichtungen laden auf einem Faktor und besitzen einen engen Zusammenhang, so dass sich ein Index „Wunsch nach mädchenspezifischen Angeboten" konstruieren lässt (siehe Instrumentenkonstruktion im Anhang).

Tabelle 11.14: Wunsch nach mädchenspezifischen Angeboten (Index) (in Prozent)

	Migrationshintergrund					Gesamt	
	Aussiedl.	griech.	ital.	jugosl.	türk.		
Gesamt	(200)	(182)	(183)	(172)	(213)	100	(950)
sehr stark	13	12	10	16	22	15	(141)
stark	8	8	3	8	8	7	(64)
teils-teils	9	11	6	7	8	8	(80)
wenig	17	13	18	16	12	15	(144)
gar nicht	53	56	63	53	50	55	(521)

C = .17   p = .04

Der Wunsch nach mädchenspezifischen Angeboten drückt sich wie bei den Einzelitems auch in dem Index insgesamt als sehr gering aus. Jeweils die Hälfte bis weit über die Hälfte (63% Mädchen italienischer Herkunft) wünschen sich solche gar nicht. Die türkische Herkunftsgruppe fällt mit 22 Prozent derjenigen, die sich sehr stark mädchenspezifische Angebote wünschen, etwas aus der eher desinteressierten Gesamtgruppe heraus.

Mädchen mit Migrationshintergrund nehmen selten an organisierten Angeboten teil – in diesem Punkt stimmen die Ergebnisse dieser Untersuchung mit denen anderer Studien und mit der Diskussion in der Fachliteratur und in der Praxis überein. Anders als üblich können die Gründe aber nicht im Fehlen mädchenspezifischer Bedingungen oder spezifischer Angebote für Mädchen und erst recht nicht in Ver- oder Geboten der Eltern gesehen werden. Mädchen und junge Frauen bleiben fern, weil sie ihre Freizeit lieber im privaten Raum verbringen und weil es keine Angebote gibt, die sie als interessant einstufen. Aber ein Fünftel der Mädchen und jungen Frauen und ein Viertel derer mit türkischem Hintergrund kann durch frauenspezifische Angebote oder durch Einrichtungen für Frauen erreicht werden.

11.3 Hilfen in Konfliktlagen

11.3.1 Inanspruchnahme und Inanspruchnahmebarrieren

Mädchen mit Migrationshintergrund geraten – wie deutsche Mädchen auch – in Konfliktlagen, die sie ohne Hilfe nicht bewältigen können. Es kann aufgrund unterschiedlicher Erwartungen zwischen der Tochter und den Eltern zu Situationen kommen, die für die Tochter im familiären Kontext nicht lösbar sind. Konflikte außerhalb der Familie können ebenfalls zu Belastungen führen. Wie oft solche Problemlagen vorkommen, ist nicht bekannt. Die wenigen Darstellungen beschränken sich auf Einzelfallschilderungen, meist von Zuhause weggelaufener Mädchen mit Migrationshintergrund (Böge 1989; PAPATYA 1993; Beinzger/Kallert/Kolmer 1995). Auch die Erfahrungen in Beratungsstellen beziehen sich nur auf eine begrenzte Zahl von Fällen.

Die Inanspruchnahme einer Beratungsstelle ist selbst bei massiver Wahrnehmung von Bedrohung keineswegs selbstverständlich, selbst nicht bei besonderen Konfliktlagen wie sexuellem Missbrauch und Misshandlungen. Nach den Ergebnissen einer Studie des Ministeriums für Arbeit, Gesundheit und Soziales des Landes Nordrhein-Westfalen gelten sie in diesem Bereich ebenfalls als unterversorgte Bevölkerungsgruppe: „Der spezifische Bedarf von jugendlichen Ausländern wie er (....) aus der Sicht der Experten sowie als Befund der Literaturanalyse festgestellt wurde, wiederholt sich in den Hinweisen der Sozialdezernenten und Amtsleitungen: Generationskonflikte in den Familien, Suchtprobleme, Gewalterfahrungen, sexueller Missbrauch etc. machen zunächst einmal konzeptionelle Überlegungen zum Beratungsangebot notwenig" (MAGS 1997b, S. 125). Eine Bestandsaufnahme der sozialen Beratungseinrichtungen in Nordrhein-Westfalen stellt fest, „dass in allen Bereichen, mit Ausnahme der Ausländersozialberatung, nichtdeutsche Klienten und Klientinnen stark unterrepräsentiert sind" (ebenda, S. 74).

Zu den Gründen für die geringe Inanspruchnahme von Hilfen wird auf Grundlage einer bundesweiten Erhebung bei Beratungsstellen ausgeführt: „Bei den jungen Ausländerinnen stehen Beziehungsprobleme mit 36 Prozent an der Spitze der Nennungen, gefolgt von Entwicklungsproblemen mit 25,8 Prozent und Schulproblemen mit 20,4 Prozent. Gegenüber deutschen Mädchen und jungen Frauen wird für sie mit 1,9 Prozent etwas häufiger eine Straftat als Beratungsanlass benannt. Anzeichen für Kindesmisshandlung sind mit 2,8 Prozent doppelt so oft Beratungsanlass als es ihrem Anteil an den weiblichen Ratsuchenden entspricht. Wohnungsprobleme werden mit 4,8 Prozent ebenfalls doppelt so hoch benannt." (Menne 1997, S. 218)

Die Kapazitäten der spezifisch für Migrationsfamilien zuständigen Ausländerberatungsstellen sind stark eingeschränkt. Im Vergleich zu anderen Beratungseinrichtungen haben diese Stellen die geringste durchschnittliche Öffnungsdauer, vor allen Dingen deshalb, weil sie personell häufig nur mit einer einzigen Vollzeitstelle ausgestattet sind (vgl. MAGS 1997b, S. 60). Der aus der Gründungssituation resultierende Sachverhalt, dass die Beratungsstellen nicht nach fachlichen Aspekten spezialisiert, sondern nationalitätenspezifisch ausgerichtet sind, führt darüber hinaus zu einem qualitativen Mangel: „Die bisherigen migrantenspezifischen Dienste sind – bei allem anerkennenswerten Engagement der Mitarbeiter und der Träger – in quantitativer und qualitativer Hinsicht mit den Möglichkeiten der Regeldienste nicht vergleichbar. (...) Die real existierenden migrantenspezifischen Dienste sind bis auf wenige modellhafte Fachdienste im Bereich der psychosozialen Beratung – ‚all-zuständige‘, generalistische Beratungsstellen" (Gaitanides 1996b, S. 42). Von aus-länderrechtlichen Fragen bis hin zu Ehe- oder Erziehungsschwierigkeiten sind die Mitarbeiter und Mitarbeiterinnen dieser Einrichtungen für alle sozialen, psycho-logischen und pädagogischen Probleme ihrer Klientel mit Migrationshintergrund zuständig. Die seit 1999 zumindest *de jure* erfolgte interkulturelle Öffnung der Regeldienste sollte hier Abhilfe schaffen. Aufgrund fehlenden sprachlich und inter-kulturell geschulten Personals können viele Regeldienste jedoch den Bedürfnissen der Klientel mit Migrationshintergrund nicht oder nicht ausreichend gerecht werden, so dass die Regeldienste durch Migranten und Migrantinnen immer noch unter-durchschnittlich genutzt werden (können).

Nach dem Kinder- und Jugendhilfegesetz gehört die institutionelle Beratung zu den zentralen Aufgaben der Jugendhilfe. „Ihre fachliche Kompetenz wird vor allem in der Hilfe zur Bewältigung individueller psychischer Probleme, die aber auch Interventionen im sozialen Umfeld nicht ausschließen sollen, gesehen. Ferner bietet sich die Erziehungsberatung verstärkt zur Beratung und Therapie von Familien-konflikten und Krisen an" (Abel 1996, S. 51). Erziehungsberatung stellt nicht nur eine Pflichtaufgabe der Jugendhilfe dar, sondern es besteht ein festgeschriebener Rechtsanspruch von Seiten der Erziehungsberechtigten auf Hilfen zur Erziehung. Sie wird von Familien mit Migrationshintergrund deutlich seltener wahrgenommen als von deutschen Familien.

Auch die ambulante Familienhilfe, die einer Heimunterbringung vorbeugen soll, wird wesentlich seltener eingesetzt (Beinzger/Kallert/Kolmer 1995, S. 29). Es wird seltener versucht, die Konflikte in und mit der Familie zu lösen. Erst dann, wenn die Konflikte sich zugespitzt haben, werden Aktivitäten eingeleiten, die die Mädchen aus ihren Familien herausholen sollen. Die verspätete Reaktion der Jugendämter wird durch eine Untersuchung auf der Grundlage der Analyse der Jugendamtsakten von 67 jungen Migrantinnen und Migranten (Finkel 1998) bestätigt. Sie ergab, dass Migranten und Migrantinnen in ambulanten und präventiv stützenden Angeboten der Jugendhilfe, die vor der Aufnahme in eine stationäre oder teilstationäre Maß-nahme angeboten wird, unterpräsentiert sind. Die Hilfen für junge MigrantInnen be-ginnen häufig erst, wenn die Jugendlichen bereits älter als 15 Jahre sind und wenn die Problemlagen sich krisenhaft zugespitzt haben. Bei jungen Frauen aus Migra-tionsfamilien geht die Inanspruchnahme externer Hilfe überwiegend auf deren eigene Initiative zurück. Die Hilfeverläufe von Migranten und Migrantinnen werden dann selten positiv abgeschlossen (ebenda, S. 410f.). Unter Berücksichtigung der geschlechtsspezifischen Perspektive stellt die Autorin (ebenda, S. 413) fest: „Gerade bei Mädchen aus Migrantenfamilien stellt sich die Verdeckung weiblicher Lebens-realität in besonderer, gleichsam zweifacher Weise dar. Zum einen handelt es sich um Mädchen, deren spezifische Problemlagen weniger professionelle Wahrnehmung erfahren. Zum anderen sind sie aufgrund der meist sehr traditionellen Rolle der Frau in diesen Kulturen strenger Beaufsichtigung und Reglementierungen durch ihre Familie ausgesetzt. Für die pädagogischen Fachkräfte bedeutet dies, dass sie über die reale Lebenssituation, über Nöte und Bedürfnisse junger Migrantinnen wenig wissen und damit auch wenig adäquate Umgehensweisen zur Verfügung haben." Richtig ist, dass Mädchen mit Migrationshintergrund nicht oder sehr spät profes-sionelle Hilfe erfahren. Der zweite Teil der hier wiedergegebenen Aussage, der sich auf die Reaktionsweisen der Migrationsfamilie bezieht, folgt jedoch den im Rahmen

unserer Untersuchung bereits mehrfach von uns kritisierten stereotypisierenden Alltagsdeutungen, wie sie in der deutschen Öffentlichkeit vielfach vertreten werden.

11.3.2 Gründe für die Inanspruchnahme von Hilfen

Hier setzt die Untersuchung ein, die differenziert zu ermitteln sucht, in welchen
Problemlagen Mädchen und junge Frauen Hilfe wünschen. Es wurden 12 mögliche
Krisensituationen vorgegeben und gefragt, in welchen der Fälle sie sich vorstellen
könnten, eine der Beratungsstellen aufzusuchen. Die Bereitschaft, Hilfe zu suchen,
ist abhängig von der Art der Probleme, die Hilfe erforderlich machen:

Graphik 11.1: Problemlagen für die Inanspruchnahme von Hilfen (in Prozent)

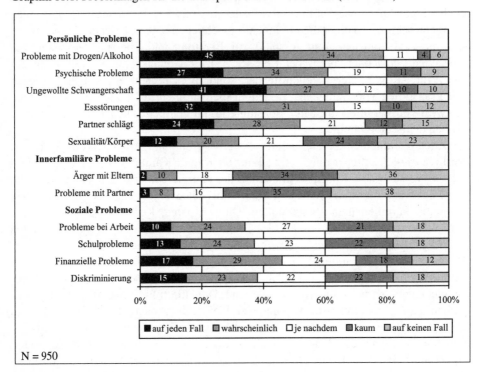

N = 950

Die Faktorenanalyse ermittelte drei Faktoren: Problemlagen, die mit der Psyche und
dem Körper und damit mit dem persönlichen Bereich zusammenhängen, Problemlagen, die sich auf innerfamiliäre Schwierigkeiten beziehen und von außen heran-
getragene soziale Probleme. Körperliche Gewalt durch den Partner wird nicht dem
innerfamiliären Kontext zugeordnet, sondern in Zusammenhang mit der Verletzung
des Körpers und der Psyche gesehen.

Bei Problemen mit sich selbst, dem eigenen Körper oder der Psyche, insbesondere bei Problemen mit Drogen, ungewollter Schwangerschaft, Essstörungen und
psychischen Problemen, ist die Bereitschaft, Beratung zu suchen und Beratungsstellen aufzusuchen mit 60 bis 80 Prozent Zustimmung zu den Antwortalternativen
„auf jeden Fall" und „wahrscheinlich" groß. Eine Ausnahme stellen Schwierigkeiten
mit der Sexualität und dem Körper dar; bei diesen Problemlagen geht die Bereit-

schaft mit 52 Prozent der Nennungen deutlich zurück (vgl. hierzu auch Kapitel 8). Verweigert wird allgemein die Inanspruchnahme von externen Hilfen bei Problemen im familiären Bereich. Eine Ausnahme stellt die Erfahrung von körperlicher Gewalt durch den Partner oder Ehemann dar. In diesem Fall steigt die Bereitschaft, professionelle Hilfe in Anspruch zu nehmen. Bei gesellschaftlichen Problemen wie etwa mit der Arbeit, der Schule oder den Finanzen erwarten die Mädchen weniger Hilfe von Außen.

In der Bereitschaft, in spezifischen Problemlagen Beratung und Hilfe in Anspruch zu nehmen, gibt es in vielen Bereichen herkunftsspezifische Unterschiede.

Tabelle 11.15: Problemlagen für die Inanspruchnahme von Hilfen
(auf jeden Fall/wahrscheinlich) (in Prozent)

	Migrationshintergrund					Gesamt	
	Aussiedl.	griech.	ital.	jugosl.	türk.		
Gesamt	200	182	183	172	213	100	(950)
Persönliche Probleme							
Probleme mit Drogen/Alkohol	72	85	80	79	79	79	(748)
Psychische Probleme*	50	61	65	64	66	61	(580)
Ungewollte Schwangerschaft	67	63	65	74	72	68	(649)
Essstörungen*	36	66	72	76	66	63	(594)
Partner schlägt	50	56	53	54	49	52	(495)
Sexualität/Körper*	29	32	31	24	41	32	(300)
Innerfamiliäre Probleme							
Ärger mit Eltern	14	11	9	12	13	12	(111)
Probleme mit Partner*	12	5	6	12	17	11	(101)
Soziale Probleme							
Probleme bei Arbeit	40	29	30	34	37	34	(323)
Schulprobleme	34	34	36	38	43	37	(354)
Finanzielle Probleme	46	42	49	52	45	47	(442)
Diskriminierung	35	35	39	40	40	38	(359)

* Signifikante Unterschiede nach nationaler Herkunft $p \leq .05$

In persönlichen Problemlagen mit signifikanten Unterschieden sind es die Mädchen und jungen Frauen aus Aussiedlerfamilien, die seltener professionelle Hilfe in Anspruch nehmen wollen; besonders deutlich sind die Differenzen zu den übrigen Gruppen im Bereich der Essstörungen (36% gegenüber 63% insgesamt) und der psychischen Probleme (50% gegenüber 61%). Bei der Inanspruchnahme von Hilfen bei innerfamiliären Problemen gibt es nur geringe Unterschiede und dann nur bei Partnerschaftsfragen, nicht bei Ärger mit den Eltern. Auf soziale Problemlagen reagieren die verschiedenen Herkunftsgruppen nicht mit unterschiedlicher Bereitschaft zur Inanspruchnahme von Hilfen.

Die Problemlösungen der Mädchen sind vielfältig und hängen unter anderem von ihrer Persönlichkeit, von ihrem familiären Umfeld, aber auch von ihren außerfamiliären Kontakten ab. Expertinnen und Experten benennen als Problemlösungswege der Mädchen bei Gewalt in der Familie u.a. Folgende:[371]

- Anpassung an die elterlichen Anforderungen und Ansprüche ist ein Weg, den die Mehrzahl der Mädchen geht, um das Entstehen von Situationen zu verhindern, die Gewalt auslösen könnten.

- Bei starker Sanktionierung, bei zu harten Einschränkungen, bei massiven Gewalterfahrungen und auch bei sexuellen Übergriffen ist „schnelles Heiraten" ein Mittel, um solchen Situationen zu entgehen.

- Eine Hilfe stellen Gespräche über Gewalterfahrungen mit Freundinnen oder mit Vertrauens- und Bezugspersonen in den sozialen Einrichtungen dar, falls das Mädchen hier Gruppenangebote u.ä. in Anspruch nimmt. Sprechen verschafft dem Mädchen zum einen eine psychische Entlastung, zum anderen kann es durch die „persönliche Stärkung", die es in Gesprächen erfährt, seine Grenzen innerhalb der Familie besser ziehen und sich dadurch besser gegen Übergriffe schützen.

- Mädchen, vor allem sexuell missbrauchte Mädchen ab etwa 17 Jahren, die sich mit Hilfe einer Vertrauensperson (Lehrer und Lehrerinnen, Freunde und Freundinnen, „deutscher" Freund) an eine Beratungsstelle wenden, entscheiden sich oft erst nach einem langen Beratungs- und Therapieprozess bewusst dafür, aus dem Elternhaus auszuziehen. Bevor sie jedoch ihre Familie verlassen, schaffen sie sich sozial und materiell die notwendigen Rahmenbedingungen für ein unabhängiges Leben.

- Mädchen, die selbst oder mit Hilfe von Vertrauenspersonen oder auch aus einer akuten Situation heraus einen Schutz in Zufluchtsstätten finden, sind nach Aussage einiger Gesprächspartnerinnen nicht unter 16 oder 17 Jahren alt. Daher liegt das durchschnittliche Alter der Mädchen mit Migrationshintergrund in Zufluchtsstätten über dem der deutschen Mädchen (vgl. Finkel 1998, S. 397). Begründet wird das höhere Alter damit, dass sich erst Mädchen dieser Altersgruppe ein Leben ohne Familie vorstellen können. 50 bis 80 Prozent der Mädchen geht später wieder ins Elternhaus zurück.

- In Berichten (so Köse 1995, S. 118f.) wird die Möglichkeit von Kindern und Jugendlichen aus Familien mit (türkischem) Migrationshintergrund genannt, zu Verwandten zu flüchten, um familiären Konflikten vorübergehend zu entgehen. Ob diese Möglichkeit der Konfliktlösung in gleichem Maße wie den Jungen auch den Mädchen aus Familien mit (türkischem) Migrationshintergrund zusteht, kann angezweifelt werden. Zwar wird auch ein Mädchen in ihrem näheren Familienumfeld Vertrauenspersonen – in der Regel eine Frau – finden, bei der sie ihr „Herz" ausschütten und „Trost" finden kann. Wenn es sich bei dem Kon-

---

371 Die folgende Auflistung beruht größtenteils auf in anderem Zusammenhang aus Sicht von Expertinnen ermittelten Problemlösungsstrategien der Mädchen mit Migrationshintergrund bei Gewalt in der Familie. Es wurden Ende 1997 zehn Expertinnen in sieben Einrichtungen in Nordrhein-Westfalen (Raum Ruhrgebiet) mittels Leitfadeninterviews befragt; fünf waren deutscher, fünf türkischer Nationalität bzw. Herkunft (Boos-Nünning/Otyakmaz 2000, S. 97f.).

flikt allerdings um eine Gewaltproblematik handelt, sei es nach Normverstößen oder als willkürlicher Akt, werden sich diese Vertrauenspersonen mit einer aktiven Unterstützung wie etwa einer vorübergehenden Unterkunft zurückhalten. Der Grund dafür liegt in der Tatsache, dass Gewalt (nicht sexuelle Gewalt) gegen Kinder als Erziehungsmittel gesellschaftlich nicht grundsätzlich in Frage gestellt wird, und viele Eltern daher eine „Fremdunterbringung" auch in dieser Form nur schwer akzeptieren würden.

- Hat das Mädchen allerdings bereits eine Zuflucht bei einer offiziellen Stelle gefunden, und ist der Familie eindeutig klar, dass sie auf keinen Fall wieder zurückkommen würde, akzeptieren die Eltern eher eine Unterbringung bei der Verwandtschaft als in einem Heim. Auch in den Gesprächen wird diese Möglichkeit als eine Alternative zur Fremdunterbringung von Mädchen genannt.

In unserer Untersuchung wurde nicht nach der Reaktion auf Gewalt von Seiten der Eltern gefragt, sondern die weichere Formulierung „wenn ich Ärger mit meinen Eltern habe" gewählt. Die Ergebnisse lassen sich im Zusammenhang mit der Expertinnenbefragung als Barriere interpretieren, bei innerfamiliären Problemen eine Beratung von außen zu suchen, die zudem meist nicht – wie bereits geschildert – auf besondere Aspekte der Beratung für jugendliche Migrantinnen in Konfliktlagen wie sexuellem Missbrauch und Misshandlungen eingerichtet ist. Sie gelten hier ebenfalls als eine unterversorgte Bevölkerungsgruppe.

Aus den gesamten Items zu diesem Bereich, die alle positiv interkorrelieren, wurde die Skala „Inanspruchnahme von Hilfen" entwickelt (zur Instrumentenkonstruktion siehe Anhang).[372] Sie misst die Bereitschaft, professionelle Hilfen in persönlichen, familiären und sozialen Problemlagen in Anspruch zu nehmen.

Tabelle 11.16: Bereitschaft zur Inanspruchnahme von Hilfen (Index) (in Prozent)

| | Migrationshintergrund | | | | | Gesamt | |
	Aussiedl.	griech.	ital.	jugosl.	türk.		
Gesamt	(200)	(182)	(183)	(172)	(213)	100	(950)
sehr große Bereitschaft	11	14	14	19	20	15	(148)
große Bereitschaft	15	21	25	21	23	21	(198)
mittlere Bereitschaft	30	29	23	30	27	28	(265)
niedrige Bereitschaft	21	19	22	17	14	19	(177)
sehr niedrige Bereitschaft	23	17	16	13	16	17	(162)

C = .16   p = .05

---

372 Zwar enthält die Frage nach der Faktorenanalyse drei Dimensionen, aber die Interkorrelationen erlauben die Bildung eines Messinstrumentes mit ALPHA = .85; in dem stimmt die Faktorenanalyse getrennt nach nationaler Herkunft nicht überein; während das Antwortmuster der Mädchen und jungen Frauen aus Aussiedlerfamilien voll dem der Gesamtgruppe folgt, liegt bei den Mädchen mit griechischem Hintergrund das Item „Diskriminierung" auf dem ersten Faktor „persönliche Probleme", bei den Mädchen mit türkischem Hintergrund das Item Schläge vom Partner auf dem Faktor „Familie", die Einteilung der übrigen Items folgt einer teilweise anderen Faktorenstruktur.

Die grundsätzliche Bereitschaft, Hilfen aufzusuchen, liegt für etwas mehr als ein Drittel der Befragten im hohen und für ebenso viele im niedrigen Bereich. Etwas weniger als ein Drittel zeigt eine mittlere Bereitschaft zur Inanspruchnahme professioneller Hilfen.

Diese Ergebnisse machen deutlich, dass es durchaus möglich ist, einen erheblichen Teil der Mädchen und jungen Frauen durch professionelle Hilfsangebote zu erreichen, am häufigsten die mit türkischem Hintergrund, am wenigsten häufig und damit am schwierigsten die aus Aussiedlerfamilien.

11.3.3 Inanspruchnahme von Beratungs- und Hilfeangeboten

Personen mit Migrationshintergrund nehmen, wie bereits angesprochen, Angebote des in Deutschland existierenden Hilfesystems deutlich weniger als deutsche Ratsuchende an. Ein Grund, so könnte vermutet werden, ist darin zu sehen, dass das in Deutschland bestehende, sehr ausdifferenzierte Hilfesystem für Kinder und Jugendliche, das im wesentlichen aus Angeboten und Hilfen im Umfeld von Schule und Beruf, speziellen Hilfen für Mädchen, Hilfen (auch präventiver Art) in spezifischen, bedrohlichen Lebenslagen (Drogen, Schulden) und in psychischen Konfliktlagen besteht, bei den Jugendlichen mit Migrationshintergrund nicht bekannt ist. Eher könnten sie Zugang zu den speziellen Beratungsdiensten für Migranten und Migrantinnen haben. Im Folgenden sollen beide Formen von Hilfen aus Sicht der Mädchen und jungen Frauen einer genaueren Betrachtung unterzogen werden, um ein detaillierteres Bild davon zu bekommen, welche Hilfen eher und welche weniger bekannt sind sowie welche angenommen werden. Unsere Fragebatterie zu den bekannten und/oder besuchten Beratungseinrichtungen enthielt daher ein relativ großes Spektrum von 19 Beratungs- und Hilfsangeboten. Ihnen sollten die Befragten Bekanntheit und Besuch zuordnen. Die Items lassen sich – einer Faktorenanalyse folgend – drei Ebenen zuordnen (Tabelle 11.17).

Mehr als drei Viertel der Mädchen kennen Formen institutioneller Beratung: An erster Stelle der Bekanntheit steht mit 87 Prozent die Berufsberatung, gefolgt von dem Jugendamt (84%), dem Vertrauenslehrer/der Vertrauenslehrerin und der Hausaufgabenhilfe mit je 79 Prozent. Bereits an fünfter Stelle steht die Drogenberatung (74%). Einen hohen Bekanntheitsgrad mit zum Teil weit über 50 Prozent hat auch die Institution der Schwangerschafts- und Sexualberatung und die Ausländer-/Aussiedlerberatungsstellen (je 69%), das Frauen- und Mädchenhaus und die Erziehungs-/Familienberatung (je 61%) sowie die Ehe- und Partnerschaftsberatung (60%). Es folgen die Jugendberufshilfe (59%), die Beratungsstelle für Essstörungen (56%) sowie die Beratungsstelle gegen sexuelle Gewalt (54%) und der Schulpsychologische Dienst bzw. die Jugendgemeinschaftswerke mit je 53 Prozent. Stets gibt es einen nicht unerheblichen Anteil, der die entsprechenden Einrichtungen nicht kennt.

Tabelle 11.17: Inanspruchnahme von Beratungs- und Hilfeangeboten (in Prozent)

N = 950	nicht bekannt und nicht besucht	bekannt und nicht besucht	bekannt und besucht
Hilfe bei persönlichen Krisen			
Ehe- und Partnerschaftsberatung	40	60	0
Beratungsstelle gegen sexuelle Gewalt	46	53	1
Beratungsstelle für Essstörungen	44	54	2
Drogenberatung	26	70	4
Frauenhaus/Mädchenhaus	39	58	3
Schwangerschafts- und Sexualberatung	31	63	6
Erziehungs-/Familienberatung	39	58	3
Schuldnerberatung	62	38	0
Schulpsychologischer Dienst	47	49	4
Bildungs- und Berufsberatung			
Berufsberatung	13	34	53
Vertrauenslehrer	21	61	18
Hausaufgabenhilfe	21	53	26
Jugendberufshilfe	41	44	15
Hilfe in Einrichtungen			
Einrichtungen für Schulschwänzer	82	17	1
Mädchenwohnprojekte	65	33	2
Ausländerbeirat	58	38	4
Jugendgemeinschaftswerke	47	38	15
Jugendamt	16	72	12
Ausländer-/Aussiedlerberatungsstellen (z.B. Caritas, AWO)	31	53	16

Von den bekannten Einrichtungen wurde die Berufsberatung mit 53 Prozent am häufigsten aufgesucht, gefolgt von der Hausaufgabenhilfe mit 26 Prozent, dem Vertrauenslehrer oder der Vertrauenslehrerin mit 18 Prozent und den Ausländer- oder Aussiedlerberatungsstellen mit 16 Prozent. Je 15 Prozent nutzten bereits das Angebot der Jugendberufshilfe und der Jugendgemeinschaftswerke. Angesichts der Tatsache, dass – wie bereits angemerkt – die Jugendgemeinschaftswerke ihr Angebot erst seit kurzem von den Aussiedlern und Aussiedlerinnen auf alle Kinder und Jugendliche mit Migrationshintergrund ausgeweitet haben, ist der geringe Nutzungsgrad nicht erstaunlich. Die restlichen Beratungseinrichtungen fallen mit einem (Beratungsstelle gegen sexuelle Gewalt, Einrichtung für Schuleschwänzer) bis vier Prozent (Drogenberatung, Ausländerbeirat) Nennungen kaum ins Gewicht. Gemessen daran erhält mit sechs Prozent Nennungen die Schwangerschafts- und Sexualberatung noch ein gewisses, wenn auch im Gesamtbild eher geringes Gewicht.

In dem stark an der Berufsberatung und Hilfe in Bildungsfragen ausgerichteten Nutzungsprofil spiegelt sich die Lebensphase der Mädchen, die sich zumeist im Übergang von der Schule in den Beruf bzw. in der beruflichen Orientierungsphase befinden. Der relativ hohe Prozentsatz von Nennungen bei den Migranten-beratungsstellen im Vergleich zu den Regeldiensten kann als Hinweis darauf gewertet werden, dass diese ihre generalistische Beratungsfunktion auch für die junge Migrantinnengeneration behalten haben und für sie auch nach der bereits erwähnten Öffnung der Regeldienste eine Anlaufstelle darstellen. Auch die geringe Nennung einer Nutzung von Ehe- und Partnerschaftsberatungsstellen, der Schuldnerberatung sowie der Familienberatung muss im Zusammenhang mit den Lebensumständen und der Lebensphase der befragten Mädchen und jungen Frauen gesehen werden, die noch keine eigene Familie gegründet haben.

Wenn auch die Berufsberatung die von den Mädchen und jungen Frauen am meisten frequentierte Beratungsstelle ist, wird deren Wirkung eher als gering erachtet. Von den 352 Mädchen, die in ihrem jeweiligen letzten Schuljahr beruflich informiert wurden, bezeichnen den Berufsberater bzw. die Berufsberaterin des Arbeitsamtes oder das Berufsinformationszentrum (BIZ) nur neun Prozent als „sehr starken", 15 Prozent als „starken", 19 Prozent als „mittleren", 19 Prozent als „wenig" und 38 Prozent als „gar nicht vorhandenen" Einflussfaktor. Noch weniger Einfluss haben Sozialpädagogen bzw. Sozialpädagoginnen, weitaus größeren die Mutter, Freunde und Lehrer bzw. Lehrerinnen (siehe Kapitel 5).

Eine Gegenüberstellung der Daten von Aussiedlerinnen und sonstigen Befragten mit ausgewählten Beratungs- und Hilfeeinrichtungen verdeutlicht das unterschiedliche Profil der Inanspruchnahme von Hilfen bei diesen beiden Gruppen mit Migrationshintergrund. Auch wenn die ursprünglich nur auf Aussiedlerjugendliche spezialisierten Jugendgemeinschaftswerke (JGW) sowohl bei knapp der Hälfte der Aussiedlerinnen wie auch der sonstigen Befragten unbekannt sind, werden sie von den Aussiedlerinnen mehr als doppelt so häufig aufgesucht als dies bei den sonstigen Befragten der Fall ist. Daraus ist zu erkennen, dass die JGW ihre Bedeutung für einen Teil der deutschstämmigen Migrantinnen behalten haben. Dagegen ist der Ausländerbeirat bei jungen Aussiedlerinnen deutlich weniger bekannt als bei den Mädchen nicht-deutscher Herkunft. Die spezifische Situation der Seiteneinsteigerinnen spiegelt sich in einer deutlich höheren Frequentierung des Jugendamtes und der Ausländer- und Aussiedlerberatungsstellen durch die jungen Aussiedlerinnen wider.

Die folgende Tabelle verdeutlicht darüber hinaus, dass nicht spezifisch auf die Gruppe junger Migrantinnen ausgerichtete Einrichtungen für Hilfen in spezifischen Problemlagen (Einrichtungen für Schulschwänzer und Mädchenwohnprojekte) sowohl bei den jungen Aussiedlerinnen wie auch bei den sonstigen Befragten einen sehr geringen Bekanntheits- und einen noch geringeren Nutzungsgrad haben, wobei die Aussiedlerinnen deutlich weniger informiert sind über derartige Hilfeangebote als die übrigen Mädchen und jungen Frauen mit Migrationshintergrund.

Tabelle 11.18: Inanspruchnahme von Hilfen in Einrichtungen (in Prozent)

Hilfe in Einrichtungen	Aussiedlerinnen (N = 200)			Sonstige (N = 750)		
	nicht bekannt und nicht besucht	bekannt und nicht besucht	bekannt und besucht	nicht bekannt und nicht besucht	bekannt und nicht besucht	bekannt und besucht
Einrichtungen für Schulschwänzer	87	12	1	80	19	1
Mädchenwohnprojekte	81	16	3	61	38	1
Ausländerbeirat	74	23	3	54	42	4
Jugendgemeinschaftswerke	48	26	26	48	41	11
Jugendamt	17	54	29	15	77	8
Ausländer-/Aussiedlerberatungsstellen (z.B. Caritas, AWO)	21	36	43	33	58	9

Mädchen und junge Frauen aus Aussiedlerfamilien sind vertrauter als die übrigen mit spezifischen „Migrationseinrichtungen" und dem Jugendamt; sie haben sie deutlich häufiger in Anspruch genommen.

Dieses gilt auch für den Zugang zu Beratungseinrichtungen und Hilfen in persönlichen Krisen. Auch hier haben die jungen Aussiedlerinnen gegenüber den Mädchen und jungen Frauen mit Herkunft aus den klassischen Anwerbestaaten weniger Zugang. Innerhalb der Gruppe der Mädchen aus Arbeitsmigrationsfamilien sind es diejenigen mit türkischem Migrationshintergrund, die vergleichsweise etwas schlechter mit Hilfen in persönlichen Krisen versorgt sind.

11.3.4 Anforderungen an Beratung und Hilfe

Die Daten lassen darauf schließen, dass Mädchen und junge Frauen mit Migrationshintergrund Beratungsangeboten mit Ausnahme der Bildungs- und Berufsberatung eher distanziert gegenüberstehen. Dieser Befund deckt sich mit der Annahme über Inanspruchnahmebarrieren. Als Gründe hierfür werden folgende drei Reaktionen der Zugewanderten vermutet (nach Gaitanides 1994, 1999; siehe auch Boos-Nünning 2000b):

- die Distanz, wenn nicht Angst vor deutschen Beratungseinrichtungen allgemein, die aus dem in allen Bereichen nachzuweisenden schwierigen Verhältnis der ausländischen Familien zu deutschen Ämtern und aus dem Misstrauen der Minderheitenangehörigen gegenüber den Repräsentanten und Repräsentantinnen der dominanten Mehrheitsgesellschaft erklärt wird;
- die Sprachbarriere und Reserven, sich gegenüber dem deutschsprachigen Personal zu öffnen und sich ihm anzuvertrauen sowie mangelndes Vertrauen in die interkulturellen Kompetenzen des Personals;

- Schwierigkeiten im Umgang mit einem segmentierten, nicht ganzheitlichen Problemlösungsansatz (z.B. isolierte psychologische Beratung).

In der Untersuchung wurde die Frage gestellt, was für die Mädchen und jungen Frauen wichtig wäre, falls sie eine Beratungsstelle aufsuchen und es wurden sechs Bedingungen vorgegeben, die sich auf das Personal der Beratungsstelle und die äußeren Rahmenbedingungen richten.

Die folgende Tabelle verdeutlicht die Bewertung von Merkmalen einer Beratungsstelle nach Wichtigkeit in der Einschätzung der befragten Mädchen und jungen Frauen.

Tabelle 11.19: Merkmale einer Beratungsstelle aus Sicht der Mädchen (in Prozent)

N = 950	sehr wichtig	eher wichtig	teils-teils	weniger wichtig	gar nicht wichtig	arith. Mittel*
... dass die Beratung auch in der Herkunftssprache angeboten wird	9	11	19	32	29	3,6
... dass die Berater/innen den gleichen kulturellen Hintergrund haben wie ich	6	15	22	34	23	3,5
... dass die Berater/innen mit meiner Kultur und Religion vertraut sind	13	25	28	23	11	2,9
... dass die Beratung von Frauen durchgeführt wird	14	23	26	23	14	3,0
... dass die Beratungsstelle in der Nähe meines Wohnortes liegt	11	23	26	26	14	3,1
... dass meine Eltern/mein Partner die Beratungseinrichtung akzeptieren	10	23	26	23	18	3,2

* Das arithmetische Mittel kann einen Wert zwischen 1 „sehr wichtig" und 5 „gar nicht wichtig" annehmen.

Alle Voraussetzungen sind für ein Fünftel bis ein Drittel der Befragten „sehr" oder „eher wichtig". Am relativ häufigsten wird gewünscht, dass die beratenden Personen mit der Kultur und Religion der Mädchen und jungen Frauen vertraut sind. Dagegen treten die Beratung in der Herkunftssprache und von Personen mit dem gleichen kulturellen Hintergrund deutlich zurück. Es sei daran erinnert, dass es sich mit Ausnahme der Mädchen und jungen Frauen aus Aussiedlerfamilien bei den hier Befragten überwiegend um in Deutschland geborene und aufgewachsene Personen handelt. Wichtig ist ebenfalls für etwa ein Drittel, dass die Beratung von Frauen durchgeführt wird. In diesem Punkt gibt es keine Unterschiede nach Herkunftsgruppen, wohl aber in allen übrigen Bereichen, wie die folgende Tabelle zeigt:

Tabelle 11.20: Merkmale von Beratungsstellen (sehr wichtig/eher wichtig) (in Prozent)

| | Migrationshintergrund | | | | | Gesamt | |
	Aussiedl.	griech.	ital.	jugosl.	türk.		
Gesamt	(200)	(182)	(183)	(172)	(213)	100	(950)
... dass die Beratung auch in der Herkunftssprache angeboten wird*	29	29	14	11	17	20	(189)
... dass die Berater/innen den gleichen kulturellen Hintergrund haben wie ich*	30	21	13	15	24	21	(198)
... dass die Berater/innen mit meiner Kultur und Religion vertraut sind*	26	42	27	36	59	38	(364)
... dass die Beratung von Frauen durchgeführt wird	34	40	36	35	40	37	(353)
... dass die Beratungsstelle in der Nähe meines Wohnortes liegt*	27	29	39	45	34	35	(327)
... dass meine Eltern/ mein Partner die Beratungseinrichtung akzeptieren*	23	34	36	34	37	34	(310)

* Signifikante Unterschiede nach nationaler Herkunft $p \leq .05$.

Aussiedlerfamilien wünschen ebenso wie diejenigen griechischer Herkunft aber mehr als die übrigen eine Beratung auch in der Herkunftssprache und von Personen gleichen kulturellen Hintergrunds. Für Mädchen mit griechischem Hintergrund ist darüber hinaus die Vertrautheit des Beraters oder der Beraterin mit ihrer Kultur und Religion von größerer Bedeutung. Mädchen mit italienischem Hintergrund haben an die herkunftskulturellen Orientierung und Sprache der Beraterinnen deutlich weniger Erwartungen, wünschen aber häufiger eine Beratung in der Nähe des Wohnortes. Mädchen jugoslawischer Herkunft haben, ebenso wie die Mädchen mit italienischem Hintergrund weniger Interesse an Beratung in der Herkunftssprache und an Personen mit demselben kulturellen Hintergrund, wohl aber daran, dass die Berater und Beraterinnen mit der Kultur und Religion der Mädchen und jungen Frauen vertraut sind und dass die Beratungsstelle in der Nähe des Wohnortes liegt. Mädchen mit türkischem Hintergrund wünschen deutlich häufiger als alle anderen die Vertrautheit der Berater und Beraterinnen mit der Herkunftskultur und Religion, hingegen tritt für sie die Beratung in der Herkunftssprache und der kulturelle Hintergrund der Beratungspersonen zurück, wenn diese hier auch eine etwas größere Rolle spielt als bei den Mädchen mit italienischem und jugoslawischem Hintergrund.

Vier der Items[373] bilden die Skala „Wunsch nach kultursensibler[374] Beratung" (zur Instrumentenkonstruktion siehe Anhang). Sie misst den Wunsch nach Berücksichtigung spezifischer Bedingungen für die Beratung.

Tabelle 11.21: Wunsch nach kultursensibler Beratung (Index) (in Prozent)

| | Migrationshintergrund | | | | | Gesamt | |
	Aussiedl.	griech.	ital.	jugosl.	türk.		
Gesamt	(200)	(182)	(183)	(172)	(213)	100	(950)
sehr stark	11	17	9	11	21	14	(132)
stark	15	17	14	11	19	15	(143)
mittel	24	20	20	21	21	21	(202)
schwach	22	21	29	26	22	24	(230)
sehr schwach	28	25	28	31	17	26	(243)

C = .18   p = .01

Wie erwartet, ist der Wunsch nach kultursensibler Beratung am stärksten bei Mädchen und jungen Frauen mit türkischem Hintergrund ausgeprägt, wobei der Anteil derer, die sich eine solche wünschen mit 40 Prozent genauso groß ist, wie der Anteil derjenigen, denen dies nicht wichtig ist. Am wenigsten ist dieser Wunsch mit nur 22 Prozent „starker" bzw. „sehr starker" Ausprägung bei Mädchen und jungen Frauen mit jugoslawischem Hintergrund vorhanden.

Bei einer genaueren Betrachtung des Index „Wunsch nach kultursensibler Beratung" im Hinblick auf die Migrationsbiographien der befragten Mädchen und jungen Frauen zeigt sich, dass es keine signifikanten Unterschiede zwischen denjenigen gibt, die bereits in Deutschland geboren oder überwiegend hier aufgewachsen sind und denjenigen, die erst ab dem 7. Lebensjahr oder später eingereist sind. In beiden Gruppen gibt es einen kleineren Teil, der kultursensible Beratung für erforderlich hält und einen größeren Teil, der darauf nicht so großen Wert legt.

11.4   Bedürfnisse und Inanspruchnahme

Organisierte oder institutionelle Freizeitangebote werden kaum genutzt, auch Sporteinrichtungen finden nur bei knapp einem Viertel und religiöse Angebote bei einem Fünftel der Mädchen und jungen Frauen Anklang. Die Freizeit lässt sich – wie das Verhalten der Mädchen belegt – auch außerhalb organisierter Aktivitäten und ohne spezifische Räume verbringen, in Kaufhäusern und Cafés, Fußgängerzonen, mit

---

373 Nach einer Faktorenanalyse entfallen die Items, die sich auf die Beratung durch Frauen und auf die Wohnortnähe richten. Die Akzeptanz der Eltern oder des Partners ordnet sich der kulturellen Nähe der Beratung zu. Der Alpha Koeffizient der Skala beträgt .67.

374 Teuber (2002, S. 75) spricht von „migrationssensiblem Handeln in der Kinder- und Jugendhilfe". Sie meint damit die Notwendigkeit, dass die im Bereich des KJHG tätigen Personen über interkulturelle Kompetenzen verfügen und die Arbeitshaltungen und -strukturen die Interkulturalität des Ansatzes spiegeln.

Freundinnen zu Hause oder in deren Familien. Die Mehrheit der Mädchen ist zufrieden mit ihren Rahmenbedingungen für Freizeit, die Wünsche nach organisierten Freizeitangeboten sind wenig ausgeprägt.

Wenn die Mädchen und jungen Frauen mit Migrationshintergrund ein Bedürfnis nach (mehr) organisierten Freizeitangeboten haben, sind sie stark an mädchenspezifischen Angeboten interessiert (r = .45, p = .00).

Kaum in Anspruch genommen werden Beratungs- und Hilfeangebote in persönlichen Krisen oder von Einrichtungen, obgleich die Bereitschaft in Schwierigkeiten um Hilfe nachzusuchen grundsätzlich größer ist als bei der Inanspruchnahme von organisierten Freizeitangeboten. Stärker als im Freizeitbereich enthält diese Verweigerungshaltung oder die fehlende Bereitschaft, solche Hilfen in Betracht zu ziehen, Risiken für das Aufwachsen und das Leben der Mädchen und jungen Frauen. Daher interessiert, ob die Bereitschaft auch bei denjenigen fehlt, die sich selbst als belastet einordnen. Zwischen einem geringen Maß an psychischer Stärke und der Bereitschaft zur Annahme von Hilfen besteht kein Zusammenhang (r = .05, ns), wohl aber zwischen Konzentrations- und Schlafstörungen und der Bereitschaft zur Annahme von Hilfen (r = .13, p = .00), diese wird nicht mit dem Wunsch nach kultursensibler Beratung verbunden (r = .04, ns).

Auch Belastungserfahrungen durch Diskriminierung, schulische oder berufliche Misserfolge und Mobilität verbinden sich nicht mit der Bereitschaft, um Hilfe nachzusuchen, wohl aber besteht ein geringer Zusammenhang bei einer Belastung durch Verluste (r = .07, p = .03). Der Wunsch nach kultursensibler Beratung ist nicht so verbreitet wie nach der Diskussion im Fachkontext vermutet werden könnte. Es besteht zwar ein Zusammenhang dieses Wunsches mit anderen Einstellungen, aber er ist nicht sehr stark ausgeprägt. Geringe psychische Stärke erhöht den Wunsch (r = .09, p = .01), ebenso Belastung durch Diskriminierung (r = .09, p = .01); kein Zusammenhang besteht mit anderen Belastungsformen (durch schulische und berufliche Misserfolge, durch Mobilität oder durch Verluste). Weitere Auswertungen werden es möglich machen, den Wünschen und Vorstellungen der Mädchen und jungen Frauen näher zu kommen. Diese Beschreibungen erster Zusammenhänge sollen verdeutlichen, dass nicht davon ausgegangen werden kann, dass diejenigen, die Hilfe brauchen auch bereit sind, die Form der Hilfe anzunehmen, die das deutsche Beratungssystem für sie bereitstellt.

Einige Folgerungen für Politik und Pädagogik

Die in Teil 2 in großer Datenfülle und in vielen Einzelfacetten geschilderten Ergebnisse unserer Untersuchung zu Mädchen und jungen Frauen mit Migrationshintergrund in Deutschland weisen zwei Besonderheiten auf: Es wird erstens ein großes Themenspektrum sehr unterschiedlicher Gebiete behandelt und es ist – auf Grund der spezifischen Anlage der Stichprobe – möglich, herkunftsspezifische Unterschiede oder herkunftsübergreifende Gemeinsamkeiten zu beschreiben. In vielen Bereichen lassen sich signifikante Unterschiede nach ethnischer Herkunft nachweisen, in anderen ist der nationale Hintergrund wichtiger als andere zunächst untersuchten Variablen, wie zum Beispiel die Religionsgruppenzugehörigkeit. Weitere Untersuchungsschritte sollen sowohl die aus anderen Umfragen gewonnenen Ergebnisse von deutsch-autochthonen Mädchen und jungen Frauen einbeziehen, als auch mittels multivariater Verfahren den Erklärungsanteil des nationalen Hintergrundes im Vergleich zu anderen Variablen ermitteln.

Viele Ergebnisse der Untersuchung lassen Konsequenzen für pädagogisches und politisches Handeln erkennen, die sich teilweise in die Fachdiskussion einfügen, teils Korrekturen der Sichtweisen verlangen. Die Vielzahl der angesprochenen Themengebiete und die zuvor differenziert dargestellten Unterschiede zwischen den Mädchen und jungen Frauen verschiedener nationaler Herkünfte übergreifend, sollen einige grundlegende Aspekte herausgegriffen werden. Es geht dabei um die aus der Untersuchung herzuleitenden abstrakten Ziele oder Leitideen für pädagogisches und politisches Handeln.

Ressourcen stärken

In verschiedenen Zusammenhängen ist auf die Ressourcen der Mädchen und jungen Frauen hingewiesen worden, über die sie zur eigenen Lebensgestaltung, aber auch bereichernd für die Gesamtgesellschaft verfügen: das Frauenbild, das die Vereinbarkeit von Familienarbeit und Beruf enthält, die Mehrsprachigkeit, der Wunsch der meisten Mädchen und jungen Frauen, dies auch für die nächste Generation zu erhalten, indem sie die eigenen Kinder zweisprachig zu erziehen gedenken und nicht zuletzt die psychische Stärke des weitaus größten Teils. Auch der durchgehende Wunsch nach Kindern, heute als wichtige Grundlage für die Zukunft der Gesellschaft thematisiert, der familiäre Zusammenhalt und die emotionale Bindung an die Herkunftsfamilie stellen als soziale Kompetenzen wichtige Ressourcen für die Gesellschaft dar, deren Solidarität sich immer weniger auf den finanziellen Generationenausgleich verlassen kann. Die engen innerfamiliären Bindungen sollten nicht als Hemmnis, auf die Familien oder einzelne Mitglieder integrativ einwirken zu können, betrachtet werden, sondern Konzepte sollten diese innerfamiliäre

Kohäsion nutzen. Das würde verlangen, dass Beratungskonzepte stärker systemisch orientiert sein müssten. Es hilft wenig, die Mädchen stärken zu wollen, ohne gleichzeitig die Familie als System mit einzubeziehen und den Jungen ein entsprechendes Angebot zum Überdenken und zur alternativen Ausgestaltung ihrer geschlechtsspezifischen Rollenmuster zu machen. Mädchen- und Frauenarbeit muss, insbesondere vor dem Hintergrund einer starken Orientierung an Ehe und Familie, auch die zukünftigen Partner in den Blick nehmen.

Als Ressource kann auch die hohe Lebenszufriedenheit trotz insgesamt eher ungünstiger sozialer Rahmenbedingungen (Wohnsituation, finanzielle Ausstattung) betrachtet werden. Sie verweist auf eine hohe Frustrationstoleranz dieser Gruppe von jungen Frauen. Die erhebliche Zahl an Bildungsaufsteigerinnen, die unsere Stichprobe ausweist, die trotz hemmender Erfahrungen mit dem „Sitzen bleiben" (sogar in der Sekundarstufe II) und trotz Diskriminierungserfahrungen auch innerhalb der Schule ihren schulischen Weg erfolgreich weiterverfolgen, sind Hoffnungsträgerinnen und role-models nicht nur für die ethnische Community sondern auch für den deutschen Bildungs- und Arbeitsmarkt, der den Individuen immer mehr Eigeninitiative, Frustrationstoleranz und nicht zuletzt Mobilität abverlangt. Hier bringt der erhebliche Teil von jungen Frauen einzelner Migrantinnenpopulationen, die berufliche Perspektiven auch im Herkunftsland der Familie mitdenken, einiges an Motivation und Durchsetzungsvermögen mit.

Das Ziel der Familiengründung, das einhergeht mit Vorstellungen der Vereinbarkeit von Beruf und Familie kann aufgegriffen und unterstützt werden. Auch diejenigen jungen Frauen unserer Untersuchung, die in den nächsten Jahren heiraten, Mutter werden und eventuell nicht oder phasenweise nicht berufstätig sein werden (bzw. wollen), sollten in ihren spezifischen Bedürfnissen und Interessen gefördert werden. Ihr Ziel der zweisprachigen Erziehung ihrer Kinder sollte positiv aufgenommen und es sollten Hilfen in Form von Mutter-Kind-Einrichtungen für Kinder im Vorschulalter angeboten werden. Dieses könnte z.B. in Form von „Mütterschulen" in Stadtteil orientierten Frauenzentren oder durch die Öffnung von Kindertageseinrichtungen im Hinblick auf Bildungsangebote für die Eltern geschehen. Diese Angebote sind wohnortnah anzusiedeln.

Da Familialismus die Generationenbeziehungen und Zukunftsplanungen der Einzelnen in einem nicht unerheblichen Teil von Migrationsfamilien prägt, sollte er als ein stützendes und förderndes Element, also als Ressource wahrgenommen und als solche behandelt werden. Jede Pädagogin und jeder Pädagoge sollte mit seinen verschiedenen Ausprägungen und Wirkungsfeldern vertraut sein und ihm vorurteilsfrei begegnen. Dazu bedarf es der Einbindung von Wissen über Familienorientierungen, die nicht denen einer durchschnittlichen deutschen Mittelschichtsfamilie entsprechen, in die pädagogische Aus- und Weiterbildung, aber auch ihrer Thematisierung in der Öffentlichkeit (z.B. von Seiten der Familienpolitik). Notwendig wäre hier eine verbesserte Ausbildung des pädagogischen Fachpersonals im Hinblick auf interkulturelle Kompetenzen und somit auf kultursensible Arbeit. Die fehlende Inanspruchnahme von Hilfen bei familiären Problemen deutet darauf hin, dass sich die Mädchen und jungen Frauen in den bestehenden Angeboten nicht aufgehoben fühlen und in der öffentlichen Thematisierung nicht wieder finden.

Chancen aufrechterhalten

Die Familien der meisten Mädchen und jungen Frauen wie auch diese selbst sind an einer guten Schulbildung interessiert; auch dies stellt eine Ressource dar. Vor diesem Hintergrund sind die diskontinuierlichen Bildungskarrieren, über die ein erheblicher Teil der Mädchen verfügt, zerstörend und Chancen verletzend. Ebenso wie deutsche Mädchen gelten Mädchen mit Migrationshintergrund – im Vergleich zu Jungen desselben Hintergrundes – in der Schule als eher angepasst, kaum auffällig und leicht zu handhaben, mit Ausnahme von Problemen im Schulalltag, die durch religiös bedingte Verhaltensweisen einzelner Mädchen auf Seiten der Schulverantwortlichen konstatiert werden: z.B. bei dem Wunsch nach Befreiung vom Sexualkunde-, Sport- oder Schwimmunterricht und in Fragen des Kopftuchtragens, sowie der Verweigerung einer Teilnahme an Klassenfahrten. Einzelfallhilfen für die Mädchen werden oftmals zu sehr auf die Hinführung zu einer selbst bestimmten, modernen Lebensführung fokussiert, die nach gängiger Auffassung scheinbar zwangsläufig mit einer Ablösung von der Familie verbunden sein muss. Zu wenig werden die von den Mädchen und jungen Frauen selbst gewünschten Ziele im Hinblick auf eine Beibehaltung traditioneller/religiöser Verhaltensweisen auf der einen und bildungs- und berufsbezogener Aufstiegswünsche auf der anderen Seite betrachtet. Auch Mädchen mit enger Familienbindung, bei denen die Gründung einer eigenen Familie keine Loslösung vom (auch räumlichen) familiären Kontext bedeutet, sind bildungs- und berufsorientiert. In der Umsetzung dieser Ansprüche in Bildungs- und Berufschancen liegt der Beitrag, den die deutschen Bildungseinrichtungen und die deutsche Gesellschaft für die Integration der Mädchen und jungen Frauen mit Migrationshintergrund leisten könnten und leisten müssten. Dabei sollte die Familie nicht als Hemmschuh angesehen werden, sondern für die (zumindest) mentale wie auch finanzielle Unterstützung Achtung erfahren. Über die Bildung wird ein soziales Milieu für das Aufwachsen der künftigen Generation(en) von Kindern geschaffen, das eine eigene wirtschaftliche Existenz ermöglicht und ein kooperatives und friedliches Zusammenleben von Einheimischen und Zugewanderten möglich macht, auch wenn die Mädchen und jungen Frauen zu einem erheblichen Teil ihrer ethnischen Gruppe verbunden bleiben.

Hindernisse abbauen und Gemeinsamkeiten schaffen

Viele in Politik oder in pädagogischer Praxis tätige Menschen mögen bedauern, dass ihre Vorstellungen von Annäherung im Zusammenleben zwischen Einheimischen und Zugewanderten in den letzten 50 Jahren (1955 wurden die ersten Anwerbeverträge mit Italien abgeschlossen) zu einem größeren Teil nicht der heutigen Realität entsprechen. Es gibt wenig gemeinsame Aktivitäten zwischen Jugendlichen Zuwanderungsfamilien und deutschen Jugendlichen, kaum interethnische Freundschaften, (wechselseitig) wenig Bereitschaft, sich mit den Werten und Orientierungen der jeweils anderen Kultur auseinander zu setzen, noch weniger eine interethnische Ehe einzugehen. Es lohnt wenig, Versäumnisse der Vergangenheit zu beklagen. Stattdessen sollte eine realistische Auseinandersetzung mit den Gegebenheiten einsetzen, die unsere Untersuchung in vielen Einzelpunkten eindrucksvoll belegt: Ein erheblicher Teil der Mädchen und jungen Frauen lebt im Zuwanderungs-

oder ethnischen Wohnumfeld, hat in der Freizeit wenig oder keine Kontakte zu deutschen Gleichaltrigen und verkehrt in einem inneren Kreis von Personen der eigenen Ethnie (beste Freunde oder Freundinnen). Aber auch in der Selbstdefinition (Ethnizität) ist ein erheblicher Teil auf die Herkunftsgruppe und nur sehr wenige auf Deutsches oder die Deutschen ausgerichtet. Die Entwicklung ist fortgeschritten. Anstatt sie als „Parallelgesellschaft" zu diffamieren oder als „ethnisches Getto" zu beklagen, sollten Ansatzpunkte gefunden werden, das ethnische Umfeld mit dem deutschen zu verzahnen. Die Daten verweisen auf ein bereits in früheren Jugend-studien festgestelltes Interesse bei Mädchen und jungen Frauen aus Zuwanderungs-familien gegenüber Kontakten zu Deutschen und am Erlernen der deutschen Sprache. In krassem Gegensatz dazu stehen die tatsächlich bestehenden Bezie-hungen. Es muss also davon ausgegangen werden, dass fehlende Kontakte kein selbst gewähltes „Schicksal" sind, sondern mit dem Wohnumfeld und nicht zuletzt mit dem teilweise sehr unterschiedlichen Freizeitverhalten zusammenhängen. Es ergeben sich schlicht keine alltäglichen Möglichkeiten zur Intensivierung der Begegnungen und Bekanntschaften, die in der Schule oder am Arbeitsplatz selbst-verständlich gegeben sind. Es ist nötig und möglich, an diese Ressourcen anzu-knüpfen und einen Beitrag zur Stabilisierung und Stärkung interethnischer Bezie-hungen zu leisten.

Angesetzt werden kann an dem Befund, dass auch in ethnisch homogenen Gruppen Deutsch eine der üblichen, wenn auch nicht die einzige Verkehrssprache ist. Wichtig ist das Erkennen von gemeinsamen Interessen einheimischer und zuge-wanderter Mädchen und jungen Frauen. Selbstbehauptungs- und -verteidigungs-kurse, sportliche Angebote nur für Mädchen sowie Computer- oder Fotokurse setzen an Interessen an, über die Gemeinsamkeit geschaffen oder verstärkt werden kann. Der Wunsch der Mädchen, kultursensible Beratung zu erhalten, sollte auf die Frei-zeitangebote bezogen von den Pädagogen und Pädagoginnen so umgesetzt werden, dass der Faktor „Ethnizität" den von den Beteiligten gewünschten Stellenwert erhält. Er darf weder von außen aufgezwungen (im Sinne der offensiven Thematisierung von kulturellen Differenzen) noch negiert werden (im Sinne einer falsch verstan-denen „Gleichbehandlung"). Die Tatsache, dass die Mädchen und jungen Frauen überwiegend keinen Wert auf die gleiche kulturelle und religiöse Herkunft der Be-raterin oder des Beraters legen, aber zu immerhin einem Drittel auf deren Wissen und Sensibilität hinsichtlich der eigenen kulturellen Prägungen verweist darauf, dass diese Personengruppe nicht ethnozentrisch orientiert ist, sondern die Akzeptanz ihrer ethnischen Herkunft widergespiegelt sehen will in der kultursensiblen Haltung der pädagogisch und beraterisch Handelnden.

Die Untersuchung hat nicht nur differenziert die in einzelnen Bereichen bestehenden Unterschiede zwischen den verschiedenen Herkunftsgruppen heraus-gearbeitet, sondern auch gezeigt, dass innerhalb der nationalen Herkünfte die Mädchen und jungen Frauen eine große Pluralität an Orientierungen und Einstel-lungen aufweisen. Dies sollte einmal mehr Anlass dazu sein, in der pädagogischen Arbeit mit diesen Mädchen und jungen Frauen sie nicht in erster Linie als Zuge-hörige zu einer bestimmten Ethnie, Religion oder nationalen Herkunftsgruppe zu betrachten und damit scheinbar eindeutig zuzuordnen, sondern offen zu sein für individuelle oder gruppenspezifische Orientierungen, die im Zusammenhang mit dem Alter, dem Bildungsstand, dem sozialen Status der Familie und vielen anderen Variablen stehen.

Kompensatorische Angebote für bestimmte Gruppen entwickeln

Es gibt zwei Problemgruppen in unserer Untersuchung: Eine erste bilden Mädchen und junge Frauen, die in beiden Sprachen Mängel haben. Dabei handelt es sich vor allem um Mädchen mit türkischem Hintergrund und aus Aussiedlerfamilien. Hier ist die Sprachwissenschaft gefragt, Fördermodelle zu entwickeln, die dem spezifischen, individuellen Förderbedarf der Mädchen und jungen Frauen aus mehrsprachigen Milieus gerecht werden. Es hat sich in unserer Untersuchung herausgestellt, dass im Kindergarten und in der Schule für den überwiegenden Teil dieser Mädchen die erste intensivere Begegnung mit der deutschen Sprache erfolgt. Die Institutionen müssen diesen Fakt annehmen und mit ihm umzugehen lernen. Es ist ihre Aufgabe, die Sprachvermittlung in mehrsprachigen Milieus ernsthafter und konsequenter anzugehen, als es derzeit überwiegend ausschließlich auf der Basis zeitlich und regional befristeter Modellprojekte geschieht.

Eine zweite Gruppe bildet das ca. ein Fünftel der Befragten, das sich psychisch als wenig stabil beschreibt. Für diesen Kreis ist die Inanspruchnahmebarriere gegenüber bestehenden Hilfeangeboten der Regeldienste problematisch. An Schulen und anderen Bildungseinrichtungen, die die Mädchen und jungen Frauen pflichtgemäß besuchen, könnten „Beratungs-Transferstellen" eingerichtet werden, über die die Mädchen die für ihren spezifischen Bedarf notwendigen Personen oder Einrichtungen schnell erreichen könnten. Dies könnte ein Vertrauenslehrer oder eine Vertrauenslehrerin, ein Sozialpädagoge oder eine Sozialpädagogin sein, der bzw. die für die Vernetzungsaufgabe sowohl in fachlicher Hinsicht wie auch bezogen auf kultursensible Kompetenzen geschult ist.

Neukonzeption von Hilfen in der multikulturellen Gesellschaft

Organisierte Freizeitangebote sind wenig bekannt und werden kaum wahrgenommen, dies gilt ebenso für Hilfen in Konfliktlagen. Unsere Untersuchung belegt, wie fern die Mädchen und jungen Frauen solchen Einrichtungen stehen. Sie zeigt auch, dass entgegen der fachwissenschaftlichen Diskussion allein eine interkulturelle Öffnung der Einrichtungen nicht ausreicht. Die Barrieren der Mädchen und jungen Frauen gegenüber Hilfen variieren bereichsspezifisch, sie sind besonders hoch bei Schwierigkeiten im familiären Umfeld. Hier bedarf es einer völligen Neuausrichtung der Hilfen. Systemisch arbeitende Ansätze in interkulturell orientierten, familientherapeutischen Programmen haben sich z.B. als erfolgreich erwiesen. Solche Ansätze müssten zusammengeführt und als Grundlage der Neukonzeption miteinbezogen werden.

Rassismus bei Mitgliedern der Mehrheitsgesellschaft abbauen

In diesem Zusammenhang muss auf die Erfahrungen eines Teils der Mädchen und jungen Frauen aus Aussiedlerfamilien und türkischer Herkunft mit Rassismus und Diskriminierung hingewiesen werden. Wenn es um das Ziel geht, Mädchen und junge Frauen für die Herausforderungen in der Gesellschaft zu stärken, dann gehört unbedingt dazu, ihnen zu helfen, individuelle Strategien für den Umgang mit solchen Ausgrenzungserfahrungen zu entwickeln. Ausgrenzungen müssen als Teil der alltäglichen Lebenserfahrungen einer nicht unerheblichen Anzahl dieser Mädchen und Frauen mit Migrationshintergrund wahrgenommen werden. Zu diesem Thema lassen sich auch interethnische Erfahrungsaustausche initiieren, etwa wenn es um die in manchen Regionen um öffentliche Ressourcen (Fördergelder, Freizeiteinrichtungen etc.) konkurrierenden Gruppen der (Spät-)Aussiedlerinnen und jungen Frauen türkischer Herkunft geht. Hier ist auch die Politik gefragt, für die Mädchen und jungen Frauen Anreize zu schaffen, vor dem Hintergrund ihrer eigenen Erfahrungen mit Rassismus und Diskriminierung sich an der Bekämpfung von destruktiven Strukturen und Einstellungen aktiv zu beteiligen.

Unterschiede wahrnehmen und respektieren

Unterschiede in den Orientierungen von Mädchen und jungen Frauen innerhalb der Herkunftsgruppen zwischen einigen Untersuchungsgruppen und – wie aus anderen Untersuchungen bekannt – deutschen Mädchen bestehen vor allem in der Stärke der religiösen Orientierung, dem Familialismus und in den Sexualvorstellungen. Der in der Öffentlichkeit stattfindende Diskurs (auf Tagungen und in den Medien) enthält nicht selten eine latente oder offene Abwertung der Orientierungen der Mädchen: Religiosität (mehr noch als die ebenfalls als „traditioneller" Wert gesehene Familienorientierung) wird bei Muslimen und Musliminnen häufig mit religiösem Fanatismus bis hin zu Fundamentalismus gleichgesetzt, die Wertschätzung der Jungfräulichkeit und des Familialismus mit Traditionalismus und fehlender Modernität assoziiert. Es sollte akzeptiert werden, dass für einen Teil der Mädchen mit Migrationshintergrund die jeweilige Religion ebenso eine Ressource in schwierigen Lebenssituationen und einen ethisch-moralischer Maßstab darstellt, wie auch ein positives kulturelles Identifikationsmerkmal, ohne dass damit eine einseitige Überhöhung ihrer religiösen Orientierung gegenüber Andersgläubigen und -denkenden verbunden ist. Um den Zugang zu den Mädchen und jungen Frauen zu bekommen, ist es notwendig, Respekt vor den ihnen wichtigen Werten zu zeigen. Es muss deutlich zum Ausdruck gebracht und auf vielfältige Weise vermittelt werden, dass Religiosität, Traditionalismus und Familialismus innerhalb des akzeptierten Spektrums von Orientierungen in einer pluralistischen Gesellschaft liegen und dass sie Anerkennung verlangen können.

So sollte das differente Freizeitverhalten mancher Gruppen von Mädchen und jungen Frauen mit Migrationshintergrund, das weniger auf gemischtgeschlechtliche Freizeitgestaltung, kaum Besuch von Diskotheken und organisierten Freizeitangeboten ausgerichtet ist, nicht in einer Messung am deutschen „Durchschnitt" als per se defizitär bewertet werden, sondern die Möglichkeiten und Wünsche der Mädchen sollten den Rahmen für diesbezügliche, den Aktionsradius und Handlungsspielraum der Mädchen vergrößernde Aktivitäten bilden. Gemeinsame Aktivitäten einer aus einheimischen deutschen und Mädchen aus Zuwanderungsfamilien bestehenden Gruppe können beispielsweise Ausflüge in der näheren Umgebung des Stadtteils, gemeinsame Besuche von Kinoveranstaltungen sowie wohnortnahe Angebote im Bereich der Selbstverteidigung/-behauptung sein.

Verletzungen, die lange, vielleicht lebenslang nachwirken, entstehen nicht nur aus bewussten Kränkungen. Das Verbot der Verwendung der Herkunftssprache in der Schule und damit verbunden das Gefühl einer Abwertung der Sprache, der Kultur und auch der Person, die fehlende Unterstützung in der Bildungslaufbahn, vermitteln den Jugendlichen mit Migrationshintergrund den Eindruck, Schule, Beratung und Hilfen seien nicht auf sie eingerichtet. Deswegen fordert ein Teil von ihnen eine kultursensible Beratung, die dann möglich ist, wenn die Berater und Beraterinnen über interkulturelle Kompetenzen verfügen. Nun wird der Begriff und das mit ihm verbundene Anersinnen heftig kritisiert – wie alles in der Migrationspädagogik – und auf die Gefahr des Kulturalismus und der Betonung oder Überbewertung kultureller Muster verwiesen. Solange Mädchen und junge Frauen mit Migrationshintergrund sich durch Bedingungen in Bildungseinrichtungen diskriminiert fühlen, solange sie Hilfen meiden, weil sie sich nicht aufgenommen wissen und solange sie den Wunsch nach kultursensibler Beratung äußern, wie auch die Vorstellung, dass die anderen mehr über ihre Religion wissen sollten, ist es berechtigt, interkulturelle Kompetenzen zu fordern, und zwar für alle Personen, die im beruflichen Kontext mit Deutschen und Zugewanderten zu tun haben.

Notwendig ist eine verbesserte Ausbildung des pädagogischen Fachpersonals im Hinblick auf interkulturelle Kompetenzen und somit auf kultursensible Arbeit. Die fehlende Inanspruchnahme von Hilfen bei familiären Problemen deutet darauf hin, dass sich die Mädchen und jungen Frauen in den bestehenden Angeboten nicht aufgehoben fühlen und in der öffentlichen Thematisierung nicht wiederfinden.

Cultural mainstreaming in Forschung und Pädagogik

Mädchen und junge Frauen mit Migrationshintergrund machen in den Großstädten heute schon bis zu 30 Prozent der weiblichen Jugendlichen aus und sie gehören – teilweise in Form einer Minderheitensubkultur – zur deutschen Gesellschaft. Ein Teil von ihnen, den zu beschreiben unsere Untersuchung erlaubt, wird sich mittelfristig nicht an die Orientierungen der Mehrheitskultur anpassen. Jugendliche mit Migrationshintergrund müssten in allen Jugenduntersuchungen, die in Deutschland durchgeführt werden, spezifisch (d.h. mit ihrer Zuwanderungssituation angemessenen Methoden) berücksichtigt werden. Da für sie weitaus weniger Daten als für einheimische Deutsche vorliegen, sind zusätzliche empirische Untersuchungen für diese Zielgruppe zu speziellen Bereichen sinnvoll und notwendig (z.B. zum weiblichen und männlichen Identitätsbildungsprozess in der Adoleszenz, zum weiblichen und männlichen Rollenverständnis, zu Fragen der Körperlichkeit, Sexualität und Verhütung, zu Gesellschaftsbildern und der damit verbundenen sozialen Selbstverortung, zur Inanspruchnahme professioneller Hilfsangebote, zur Existenz und Herausbildung inter- und intraethnischer Vorurteile etc.). Dabei ist grundsätzlich die Differenzierung zwischen männlichen und weiblichen Jugendlichen zu berücksichtigen. Auch Konzepte für die pädagogische Praxis sind stets danach zu befragen, ob sie sowohl den Unterschieden nach Geschlecht als auch den möglichen Unterschieden nach Migrationshintergrund Rechnung tragen. Dies müsste sich darin niederschlagen, dass neben dem Prinzip des gender mainstreaming, auch das Prinzip des cultural mainstreaming anerkannt und etabliert wird.

Literatur

Abel, Andreas H. (1996)
  Beratung in der Jugendhilfe, in: Deutsche Gesellschaft für Verhaltenstherapie (Hg.) Verhaltenstherapie & psychosoziale Praxis. Tübingen, S. 49-69.

Akashe-Böhme, Farideh (1997)
  Mädchen zwischen den Kulturen, in: Ehlers, Johanna/Bentner, Ariane/Kowalczyk, Monika (Hg.) Mädchen zwischen den Kulturen: Anforderungen an eine interkulturelle Pädagogik. Frankfurt/Main, S. 33-46.

Aktaş, Nurşen (2000)
  Let's talk about sex: Erfahrungen und Eindrücke aus einer sexualpädagogischen Beratungsstelle, in: Attia, Iman/Marburger, Helga (Hg.) Alltag und Lebenswelten von Migrantenjugendlichen. Frankfurt/Main, S. 157-171.

Alacacıoğlu, Hasan (2000)
  Deutsche Heimat Islam. Münster.

Alacacıoğlu, Hasan (2002)
  Muslimische Religiosität in einer säkularen Gesellschaft: Abschlussbericht, gefördert vom Islamrat der Bundesrepublik Deutschland. Münster.

Alamdar-Niemann, Monika (1992)
  Türkische Jugendliche im Eingliederungsprozess: Eine empirische Untersuchung zur Erziehung und Eingliederung türkischer Jugendlicher in Berlin (West) und der Bedeutung ausgewählter individueller und kontextueller Faktoren im Lebenslauf. Hamburg.

Alba, Richard D./Handl, Johann/Müller, Walter (1994)
  Ethnische Ungleichheit im deutschen Bildungssystem, in: Kölner Zeitschrift für Soziologie und Sozialpsychologie. 46/2, S. 209-237.

Albrecht, Georg (Hg.) (1976)
  Das Düsseldorfer Reformprogramm zum Ausländerrecht (AuslG E 76). Vorgelegt vom Initiativkreis für die Reform des Ausländerrechts beim Diakonischen Werk der Evangelischen Kirche im Rheinland. Bonn.

Alisch, Monika/Dangenschat, Jens S. (1998)
  Armut und soziale Integration. Strategien sozialer Städteentwicklung und lokaler Nachhaltigkeit. Opladen.

Allen, Christoher/Nielsen, Jorgen S. (2002)
  Summary Report on Islamophobia in the EU after 11 September 2001, in: European Monitoring Centre on Racism and Xenophobia (EUMC). Vienna.

Amiraux, Valerie/Bröskamp, Bernd (1996)
  Sportangebote islamischer Organisationen in Berlin, in: Bröskamp, Bernd/Alkemeyer, Thomas (Hg.) Fremdheit und Rassismus im Sport, Berlin 1996, S. 109-129.

Anhut, Reimund/Heitmeyer, Wilhelm (2000)
  Desintegration, Konflikt und Ethnisierung: Eine Problemanalyse und theoretische Rahmenkonzeption, in: dies. (Hg.) Bedrohte Stadtgesellschaft: Soziale Desintegrationsprozesse und ethnisch-kulturelle Konfliktkonstellationen. Weinheim, S. 17-25.

Apelidou, Meropi/Bahnmüller, Elsa/Bischoff, Elke/Fischer, Heike/Schäfer, Kornelia/ Walzok, Barbara (1993)
  Arbeit mit jungen Migrantinnen im Verein zur beruflichen Förderung von Frauen e.V., in: Informationsdienst zur Ausländerarbeit. 1-2, S. 63-69.

Apitzsch, Ursula (1990a)
  Besser integriert und doch nicht gleich. Bildungsbiographien jugendlicher Migrantinnen als Dokumente widersprüchlicher Modernisierungsprozesse, in: Rabe-Kleberg, Ursula (Hg.) Besser gebildet und doch nicht gleich! Frauen und Bildung in der Arbeitsgesellschaft. Bielefeld, S. 197-217.

Apitzsch, Ursula (1990b)
Migration und Biographie: Zur Konstitution des Interkulturellen in den Bildungsgängen junger Erwachsener der 2. Migrantengeneration. (Ms.).

Apitzsch, Ursula (1996a)
Migration und Traditionsbildung: Biographien Jugendlicher ausländischer Herkunft, in: Karpf, Ernst/Kiesel, Doron (Hg.) Politische Kultur und politische Bildung Jugendlicher ausländischer Herkunft. Arnoldshainer Texte. 91. Frankfurt/Main, S. 11-30.

Apitzsch, Ursula (1996b)
Frauen in der Migration, in: Frauen in der Einen Welt. 7/1, S. 9-25.

Apitzsch, Ursula (Hg.) (1999)
Migration und Traditionsbildung. Opladen.

Atabay, Ilhami (1998)
Zwischen Tradition und Assimilation: Die zweite Generation türkischer Migranten in der Bundesrepublik. Freiburg.

Atabay, Ilhami (2001)
Ist dies mein Land? Identitätsentwicklung türkischer Migrantenkinder und -jugendlicher in der Bundesrepublik. Herbolzheim.

Auernheimer, Georg (1988)
Der sogenannte Kulturkonflikt: Orientierungsprobleme ausländischer Jugendlicher. Frankfurt/Main.

Ausländerbeauftragte des Senats von Berlin (1997)
Türkische Jugendliche in Berlin. (Ms.).

Baacke, Dieter (1994)
„Individualisierung und Privatisierung von Religion: Neue religiöse Ausdrucksformen bei Jugendlichen", in: Lohmann, Ingrid/Weiße, Wolfram (Hg.) Dialog zwischen den Kulturen: Erziehungshistorische und religionspädagogische Gesichtspunkte interkultureller Bildung. Münster, S. 187-194.

Baaden, Andreas (1997)
Aussiedler-Migration: Historische und aktuelle Entwicklungen. Berlin.

Badawia, Tarek (2002)
„Der dritte Stuhl": eine Grounded Theory-Studie zum kreativen Umgang bildungserfolgreicher Immigrantenjugendlicher mit kultureller Differenz. Frankfurt/Main.

Badawia, Tarek/Hamburger, Franz/Hummrich, Merle (Hg.) (2003)
Wider die Ethnisierung einer Generation: Beiträge zur qualitativen Migrationsforschung. Frankfurt/Main u.a.

Bade, Klaus J. (2000)
Europa in Bewegung: Migration vom späten 18. Jahrhundert bis zur Gegenwart. München.

Bade, Klaus J./Oltmer, Jochen (Hg.) (1999)
Aussiedler: Deutsche Einwanderer aus Osteuropa. Osnabrück.

Baker, David/Lenhardt, Gero (1988)
Ausländerintegration, Schule und Staat. In: Kölner Zeitschrift für Soziologie und Sozialpsychologie, S. 40-61.

Balibar, Etienne (1989)
Gibt es einen „neuen Rassismus"? in: Das Argument: Zeitschrift für Philosophie und Sozialwissenschaften. 3, S. 369-380.

Baros, Wassilios (2001)
Familien in der Migration: Eine qualitative Analyse zum Beziehungsgefüge zwischen griechischen Adoleszenten und ihren Eltern im Migrationskontext. Frankfurt/Main u.a.

Barz, Heiner (1992a)
Jugend und Religion, Teil 1: Religion ohne Institution? Eine Bilanz der sozialwissenschaftlichen Jugendforschung. Opladen.

Barz, Heiner (1992b)
Jugend und Religion, Teil 2: Postmoderne Religion, Die junge Generation in den Alten Bundesländern. Opladen.

Barz, Heiner (2001)
Wertewandel und Religion im Spiegel der Jugendforschung, in: deutsche Jugend 49. 7/8, S. 307-313.

Baum, Detlev (1996)
Wie kann Integration gelingen? – Städtische Kindheit und Jugend im sozialen Brennpunkt – Bedingungen und Folgen räumlicher und sozialer Segregation, in: Kind – Jugend – Gesellschaft, 2.

Baum, Detlev (1997)
Armut durch die Stadt oder die Urbanisierung der Armut. Städtische Jugend im sozialen Brennpunkt – Bedingungen und Folgen räumlicher und sozialer Segregation in einem städtischen Kontext, unveröffentl. Ms.

Baumann, Urs (Hg.) (2001)
Islamischer Religionsunterricht – Grundlagen, Begründungen, Berichte, Projekte, Dokumentationen. Frankfurt/Main.

Baumert, Jürgen/Bos, Wilfried/Lehmann, Rainer H. (2000)
TIMSS III: Mathematische und naturwissenschaftliche Grundbildung am Ende der Pflichtschulzeit. Opladen.

Baumgartner-Karabak, Andrea/Landesberger, Gisela (1978)
Die verkauften Bräute: Türkische Frauen zwischen Kreuzberg und Anatolien. Reinbeck.

Baur, Siegfried (1992)
Die Konflikte zwischen Serben und Kroaten in Jugoslawien und ihre Auswirkungen auf den muttersprachlichen Unterricht für Jugoslawen im Ausland, in: Baur, Siegfried et al. (Hg.) Interkulturelle Erziehung und Zweisprachigkeit. Hohengehren, S. 141-167.

Bawer, Bruce (2003)
„A trap for muslim women in Europe. Arranged marriages prevent integration", in: Herald Tribune 27.06.2003.

Beauftragte der Bundesregierung für Ausländerfragen (Hg.) (2002)
Bericht der Beauftragten der Bundesregierung für Ausländerfragen über die Lage der Ausländer in der Bundesregierung in Deutschland. Berlin u.a.

Beauftragte der Bundesregierung für Migration, Flüchtlinge und Integration (Hg.) (2004)
Migrationsbericht der Integrationsbeauftragten. Berlin u.a.

Beauftragte der Bundesregierung für die Belange der Ausländer (Hg.) (1997)
Deutsch lernen – (K)ein Problem. Bonn.

Bedeković, Franja (1983)
Zur Situation jugoslawischer Schulkinder, in: Informationsdienst zur Ausländerarbeit. 2/3, S. 45-47.

Beer-Kern, Dagmar (1994)
Zur Lebens- und Berufssituation von griechischen Jugendlichen in Deutschland. Berlin.

Beinzger, Dagmar/Kallert, Heide/Kolmer, Christine (1995)
„Ich meine, man muss kämpfen können. Gerade als Ausländerin": ausländische Mädchen und junge Frauen in Heimen und Wohngruppen. Frankfurt/Main.

Bellenberg, Gabriele (1999)
Individuelle Schullaufbahnen. Eine empirische Untersuchung über Bildungsverläufe von der Einschulung bis zum Abschluß. Weinheim u.a.

Bellenberg, Gabrielle (2001)

Wie Kinder aufwachsen", in: Böttcher, Wolfgang/Klemm, Klaus/Rauschenbach, Thomas (Hg.) Bildung und Soziales in Zahlen. Weinheim, S. 21-37.

Belošević, Danijela/Stanisavljević, Andre (1995)

Die ehemaligen jugoslawischen Minderheiten, in: Schmalz-Jacobsen, Cornelia/Hansen, Georg (Hg.) Ethnische Minderheiten in der Bundesrepublik Deutschland: ein Lexikon. München, S. 269-285.

Below, Susanne von (2003)

Schulische Bildung, berufliche Ausbildung und Erwerbstätigkeit junger Migranten, in: BiB – Materialien zur Bevölkerungswissenschaft: Ergebnisse des Integrationssurveys des BiB. 105b.

Ben Kalifa-Schor, Geula (2002)

Migranten-Jugendliche zwischen zwei Welten, in: Rohr, Elisabeth/Jansen, Mechthild M. (Hg.) Grenzgängerinnen: Frauen auf der Flucht, im Exil und in der Migration. Giessen, S. 195-210.

Bender-Szymanski, Dorothea (2001)

Kulturkonflikt als Chance für Entwicklung?, in: Auernheimer, Georg/Dick, van Rolf/Petzel, Thomas/Wagner, Ulrich (Hg.) Interkulturalität im Arbeitsfeld Schule. Empirische Untersuchungen über Lehrer und Schüler. Interkulturelle Studien, Band 8. Opladen, S. 63-97.

Bender-Zymanski, Dorothea/Hesse, Hermann-Günter (1987)

Migrationsforschung. Eine kritische Analyse deutschsprachiger empirischer Untersuchungen aus psychologischer Sicht. Köln u.a.

Bendit, Rene (1997)

Wir wollen so unsere Zukunft sichern": Der Zusammenhang von beruflicher Ausbildung und Lebensbewältigung bei jungen Arbeitsmigranten in Deutschland. Aachen.

Berliner Landesinstitut für Schule und Medien (2002)

Aussiedler in der Berliner Schule – Chancen und Probleme. Berlin.

Bermani, Cesare/Bologna, Sergio/Mantelli, Brunello (1997)

Proletarier der „Achse": Sozialgeschichte der italienischen Fremdarbeit in NS-Deutschland 1937 bis 1943. Berlin.

Bhabha, Homi (2000)

Die Verortung der Kultur. Tübingen.

Biernacki, Patrick/Waldorf, Dan (1981)

Snowball Sampling: Problems and Techniques of Chain Referral Sampling, in: Sociological Methods and Research. 10/2, S. 141-163.

Bilden, Helga (1989)

Geschlechterverhältnis und Individualität im gesellschaftlichen Umbruch, in: Keupp, Heiner/Bilden, Helga (Hg.) Verunsicherungen – Das Subjekt im gesellschaftlichen Wandel. Göttingen, S. 19-46.

Birsl, Ursula/Ottens, Svenja/Sturhan, Katrin (1999)

Männlich – Weiblich: Deutsch – Türkisch: Lebensverhältnisse und Orientierungen von Industriebeschäftigten. Unter Mitarbeit von Joachim Bons. Opladen.

Blank, Renate (2000)

Qualitative Studie: „Jugend 2000 – Fremde hier wie dort", in: Deutsche Shell (Hg.) Jugend 2000. Opladen, S. 7-38.

Blaschke, Jochen (1997)

Migration: ein Bericht über den Forschungsstand unter besonderer Berücksichtigung internationaler Publikationen zur Arbeitsmigration seit 1991. Wiesbaden.

Blohm, Michael/Diehl, Claudia (2001)

Wenn Migranten Migranten befragen: Zum Teilnahmeverhalten von Einwanderern bei Bevölkerungsbefragungen, in: Zeitschrift für Soziologie. 30/3, S. 223-242.

Böge, Semi (1989)

Lebensschwierigkeiten türkischer Frauen und Mädchen in der Migration. Essen (unveröffentlichte Diplomarbeit).

Boll, Klaus (1993)

Kulturwandel der Deutschen aus der Sowjetunion: Eine empirische Studie zur Lebenswelt Russlanddeutscher Aussiedler in der Bundesrepublik. Marburg.

Böltken, Ferdinand (2000)

Soziale Distanz und räumliche Nähe: Einstellungen und Erfahrungen im alltäglichen Zusammenleben von Ausländern und Deutschen im Wohngebiet, in: Alba, Richard/Schmidt, Peter/Wasmer, Martina (Hg.) Deutsche und Ausländer: Freunde, Fremde oder Feinde? Empirische Befunde und theoretische Erklärungen. Wiesbaden, S. 147-194.

Bommes, Michael (1993)

Migration und Sprachverhalten: Eine ethnographisch-sprachwissenschaftliche Fallstudie. Wiesbaden.

Bommes, Michael/Scherr, Albert (1991)

Der Gebrauchswert von Selbst- und Fremdethnisierung in Strukturen sozialer Ungleichheit, in: Prokla: Zeitschrift für politische Ökonomie und sozialistische Politik. 21/83, S. 291-316.

Boos-Nünning, Ursula (1972)

Dimensionen der Religiosität: Zur Operationalisierung und Messung religiöser Einstellungen. München.

Boos-Nünning, Ursula (1976)

„Situationsanalyse", in: Boos-Nünning, Ursula/Hohmann, Manfred/Reich, Hans H. (Hg.) Integration ausländischer Arbeitnehmer. Schulbildung ausländischer Kinder. Bonn, S. 3-132.

Boos-Nünning, Ursula (1986)

Lebenssituation und Deutungsmuster türkischer Mädchen in der Bundesrepublik Deutschland, in: Yakut, Atilla/Reich, Hans H./Neumann, Ursula/Boos-Nünning, Ursula (Hg.) Zwischen Elternhaus und Arbeitsamt: Türkische Jugendliche suchen einen Beruf. Berlin, S. 67-106.

Boos-Nünning, Ursula (1989)

Berufswahl türkischer Jugendlicher. Beiträge zur Arbeitsmarkt- und Berufsforschung. Nürnberg.

Boos-Nünning, Ursula (1990a)

Berufswahlsituation und Berufswahlprozesse griechischer, italienischer und portugiesischer Jugendlicher. Nürnberg.

Boos-Nünning, Ursula (1990b)

Eingliederungsprobleme bei behinderten ausländischen Kindern. In: Speck, Otto/Martin, Klaus R. (Hg.) Sonderpädagogik und Sozialarbeit: Handbuch der Sonderpädagogik. Berlin, S. 556-573.

Boos-Nünning, Ursula (1990c)

Einwanderung ohne Einwanderungsentscheidung: ausländische Familien in der Bundesrepublik Deutschland, in: Aus Politik und Zeitgeschichte. B23-24, S. 16-25.

Boos-Nünning, Ursula (1994)

Die Definition von Mädchen türkischer Herkunft als Außenseiterinnen, in: Nestvogel, Renate (Hg.) „Fremdes" oder „Eigenes"? Rassismus, Antisemitismus, Kolonialismus, Rechtsextremismus aus Frauensicht. Frankfurt/Main, S. 165-184.

Boos-Nünning, Ursula (1998a)

Arbeiten und Wohnen als Lebensgrundlage. Die Situation der Arbeitsmigranten und Arbeitsmigrantinnen und ihrer Kinder von 1968 bis 1995, in: Eryılmaz, Aytaç/Jamin, Mathilde (Hg.) Fremde Heimat: Eine Geschichte der Einwanderung aus der Türkei. Essen, S. 337-357.

Boos-Nünning, Ursula (1998b)

Migrationsforschung unter geschlechtsspezifischer Perspektive, in: Koch, Eckhardt/ Özek, Metin/Pfeiffer, Wolfgang M./Schepker, Renate (Hg.) Chancen und Risiken der Migration. Freiburg, S. 304-316.

Boos-Nünning, Ursula (1999)

Mädchen türkischer Herkunft: Chancen in der multikulturellen Gesellschaft, in: Gieseke, Heide/Kuhns, Katharina (Hg.) Frauen und Mädchen in der Migration: Lebenshintergründe und Lebensbewältigung. Frankfurt/Main. S. 17-43.

Boos-Nünning, Ursula (2000a)

Armut von Kindern aus Zuwandererfamilien, in: Butterwegge, Christoph (Hg.) Kinderarmut in Deutschland: Ursachen, Erscheinungsformen und Gegenmaßnahmen. Frankfurt/Main u.a., S. 150-173.

Boos-Nünning, Ursula (2000b)

Familien in der Migration – Lebens- und Wohnsituation und Auswirkungen für soziale Versorgungsstrukturen, in: David, Mathias/Borde, Theda/Kentenich, Heribert (Hg.) Migration – Frauen – Gesundheit: Perspektiven im europäischen Kontext. Frankfurt/Main, S. 13-26.

Boos-Nünning, Ursula/Grube, Renate/Reich, Hans H. (1990)

„Die türkische Migration in deutschsprachigen Büchern 1961-1984". Opladen.

Boos-Nünning, Ursula/Henscheid, Renate (1999)

Die schulische und berufliche Bildung von Schülern und Schülerinnen türkischer Herkunft, herausgegeben vom Türkischen Elternverein in Berlin-Brandenburg e.V. Berlin.

Boos-Nünning, Ursula/Karakaşoğlu, Yasemin (2003)

Kinder und Jugendliche mit Migrationshintergrund und Sport, in: Schmidt, Werner/ Hartmann-Tews, Ilse/Brettschneider, Wolf-D. (Hg.) Erster Kinder- und Jugendsportbericht. Schorndorf, S. 319-338.

Boos-Nünning, Ursula/Otyakmaz, Berrin Ö. (2000) unter Mitarbeit von Karakaşoğlu-Aydin, Yasemin

Multikultiviert oder doppelt benachteiligt? Die Lebenslagen von Mädchen und jungen Frauen aus Arbeitsmigrationsfamilien in Nordrhein-Westfalen. Düsseldorf.

Boos-Nünning, Ursula/Reich, Hans H. (1986)

Kommunikation und Berufsorientierung in türkischen Familien, in: Yakut, Atilla/Reich, Hans H./Neumann, Ursula/Boos-Nünning, Ursula (Hg.) Zwischen Elternhaus und Arbeitsamt: Türkische Jugendliche suchen einen Beruf. Berlin, S. 133-342.

Boos-Nünning, Ursula/Schwarz, Thomas (2004)

Traditionen der Eingliederung von Migranten in der Bundesrepublik Deutschland am Beispiel der Bildungs- und Sozialpolitik, in: Informationen Deutsch als Fremdsprache 31/4, S. 400-421.

Borde, Theda (2000)

Brauchen wir eine spezifische Gesundheits- und Sexualaufklärung für Migrantinnen? in: Bundeszentrale für gesundheitliche Aufklärung (Hg.) Dokumentation: Fachtagung zur sexualpädagogischen Mädchenarbeit, S. 165-176.

Bos, Wilfried/Lankes, Eva-Maria/Prenzel, Manfred/Schwippert, Knut/Valtin, Renate/Walther, Gerd (2003)

Erste Ergebnisse aus „Internationale Grundschul-Lese-Untersuchung" (IGLU): Schülerleistungen am Ende der vierten Jahrgangsstufe im internationalen Vergleich. Zusammenfassung ausgewählter Ergebnisse. Münster.

Bos, Wilfried/Lankes, Eva-Maria/Prenzel, Manfred/Schwippert, Knut/Valtin, Renate/Walther, Gerd (2004)
IGLU: Einige Länder der Bundesrepublik Deutschland im nationalen und internationalen Vergleich. Münster.

Bourdieu, Pierre (1983)
Ökonomisches Kapital, kulturelles Kapital, soziales Kapital, in: Kreckel, Reinhard (Hg.) Soziale Ungleichheiten. Göttingen, S. 183-198.

Bourdieu, Pierre (1988)
Die feinen Unterschiede. Frankfurt/Main.

Branik, Emil (1982)
Psychische Störungen und soziale Probleme von Kindern und Jugendlichen aus Spätaussiedlerfamilien: Ein Beitrag zur Psychiatrie der Migration. Weinheim u.a.

Brčic, Karmen/Podgoreclec, Sonja /Schedlich, Bosilijka /Švob, Melita (1989)
Jugoslawische Frauen: Berufliche Weiterbildung in der Arbeitsmigration, in: Informationsdienst zur Ausländerarbeit. 4, S. 25-26.

Breitenbach, Barbara von (1982)
Italiener und Spanier als Arbeitnehmer in der Bundesrepublik Deutschland: Eine vergleichende Untersuchung zur europäischen Arbeitsmigration. München u.a.

Breitenbach, Eva (2000)
Mädchenfreundschaften in der Adoleszenz: Eine fallkonstruktive Untersuchung von Gleichaltrigengruppen. Opladen.

Bremer, Peter (2000)
Ausgrenzungsprozesse und die Spaltung der Städte: Zur Lebenssituation von Migranten. Opladen.

Brettschneider, Wolf-Dietrich/Brandl-Bredenbeck, Hans P. (1997)
Sportkultur und jugendliches Selbstkonzept: Eine interkulturell vergleichende Studie über Deutschland und die USA. Weinheim u.a.

Breuer, Rita (1998)
Familienleben im Islam. Freiburg u.a.

Brieden, Thomas (1996)
Konfliktimport durch Immigration: Auswirkungen ethnischer Konflikte im Herkunftsland auf die Integrations- und Identitätsentwicklung von Immigranten in der Bundesrepublik Deutschland. Hamburg.

Britschgi-Schimmer, Ina (1996)
Die wirtschaftliche und soziale Lage der italienischen Arbeiter in Deutschland: ein Beitrag zur ausländischen Arbeiterfrage. Nachdruck der Erstausgabe von 1916. Essen.

Bröskamp, Bernd (1994)
Körperliche Fremdheit: Zum Problem der interkulturellen Begegnung im Sport. Sankt Augustin.

Bründel, Heidrun/Hurrelmann, Klaus (1994)
Bewältigungsstrategien deutscher und ausländischer Jugendlicher: eine Pilotstudie, in: Zeitschrift für Sozialisationsforschung und Erziehungssoziologie. 14/1, S. 2-19.

Büchel, Felix/Wagner, Gert (1996)
Soziale Differenzen der Bildungschancen in Westdeutschland – Unter besonderer Berücksichtigung von Zuwandererkindern, in: Zapf, Wolfgang/Habich, Roland/Schupp, Jürgen (Hg.) Lebenslagen im Wandel: Sozialberichterstattung im Längsschnitt. Frankfurt/Main, S. 80-96.

Bukow, Wolf-Dietrich/Nikodem, Claudia/Schule, Erika/Yildiz, Erol (2001)
Die multikulturelle Stadt. Von der Selbstverständlichkeit im städtischen Alltag. Opladen.

Bundesarbeitsgemeinschaft der Immigrantenverbände in der Bundesrepublik und Berlin (West) (BAGIV) e.V. (Hg.) (1985)
Muttersprachlicher Unterricht in der Bundesrepublik Deutschland. Hamburg.

Bundesminister für Jugend, Familie, Frauen und Gesundheit (BMJFFG) (Hg.) (1990)
Bericht über Bestrebungen und Leistungen der Jugendhilfe, Achter Jugendbericht – Drucksache 11/6576. Bonn.

Bundesministerium des Inneren (BMI) (Hg.) (1999)
Zur Situation der Ausländerinnen und Ausländer in Bayern. Bericht der interministeriellen „Arbeitsgruppe Ausländerintegration". Bayern.

Bundesministerium des Inneren (BMI) (Hg.) (2001)
Zuwanderung gestalten – Integration fördern. Zusammenfassung. Bericht der Unabhängigen Kommission „Zuwanderung". Berlin.

Bundesministerium für Arbeit und Sozialordnung (BMA) (Hg.) (1996)
Situation der ausländischen Arbeitnehmer und ihrer Familienangehörigen in der Bundesrepublik Deutschland: Forschungsbericht 263, erstellt von Sigma/FES. Bonn.

Bundesministerium für Arbeit und Sozialordnung (BMA) (Hg.) (2001)
Lebenslagen in Deutschland, der erste Armuts- und Reichtumsbericht der Bundesregierung. Bonn.

Bundesministerium für Arbeit und Sozialordnung (BMA) (Hg.) (2002)
Situation der ausländischen Arbeitnehmer und ihrer Familienangehörigen in der Bundesrepublik Deutschland: Repräsentativuntersuchung 2002. Offenbach u.a.

Bundesministerium für Familie, Senioren, Frauen und Jugend (BMFSFJ) (Hg.) (1998)
Zehnter Kinder- und Jugendbericht: Bericht über die Lebenssituation von Kindern und die Leistungen der Kinderhilfen in Deutschland. Bonn.

Bundesministerium für Familie, Senioren, Frauen und Jugend (BMFSFJ) (Hg.) (2000)
Familien ausländischer Herkunft in Deutschland: Leistungen, Belastungen, Herausforderungen. Sechster Familienbericht. Berlin.

Bundesministerium für Familie, Senioren, Frauen und Jugend (BMFSFJ) (Hg.) (2002)
Elfter Kinder- und Jugendbericht: Bericht über die Lebenssituation junger Menschen und die Leistungen der Kinder- und Jugendhilfe in Deutschland. Bonn.

Bundeszentrale für gesundheitliche Aufklärung (BzgA) (Hg.) (1998)
Sexual- und Verhütungsverhalten 16- bis 24-jähriger Jugendlicher und junger Erwachsener: Eine repräsentative Wiederholungsbefragung im Auftrag der BzgA aus dem Jahr 1996. Köln.

Bundeszentrale für gesundheitliche Aufklärung (BzgA) (Hg.) (2001)
Jugendsexualität: Wiederholungsbefragung von 14- bis 17-jährigen und ihren Eltern: Ergebnisse der Repräsentativbefragung aus 2001. Köln.

Burri, Alex (Hg.) (1997)
Sprache und Denken: Language and Thought. Berlin u.a.

Butler, Judith (1991)
Das Unbehagen der Geschlechter. Gender Studies. Frankfurt/Main.

Bütow, Birgit/Nentwig-Gesemann, Iris (2002)
Mädchen – Cliquen – öffentliche Räume, in: Hammer, Veronika/Lutz, Ronald (Hg.) Weibliche Lebenslagen und soziale Benachteiligung. Theoretische Ansätze und empirische Beispiele. Frankfurt/Main u.a., S. 192-236.

Cavalli-Wordel, Alessandra (1989)
Schicksale italienischer Migrantenkinder: Eine Fallstudie zur Schul- und Familiensituation. Weinheim.

Chlosta, Christoph/Ostermann, Thorsten/Schroeder, Christoph (Hg.) (2003)
Die „Durchschnittsschule" und ihre Sprachen. Ergebnisse des Projekts „Sprachen-erhebung an Essener Grundschulen" (SPREEG), in: ELiS_e (Essener linguistische Skripte – elektronisch) 1, z.P.v.: Juni 2003; http://www.elise.uni-essen.de.

Çinar, Dilek/Gürses, Hakan/Herzog-Punzenberger, Barbara/Reiser, Karl/Strasser, Sabine (2000)
Die notwendige Unmöglichkeit: Identitätsprozesse von Jugendlichen unterschiedlicher Herkunft in Wien, in: Berghold, Josef/Menasse, Elisabeth/Ottomeyer, Klaus (Hg.) Trennlinien. Imagination des Fremden und Konstruktion des Eigenen. Klagenfurt, S. 149-178.

Cindoğdu, Dilek (2000)
Virginity Tests and Artificial Virginity in Modern Turkish Medicine, in: Ilkkaracan, Pınar (Hg.) Women and Sexuality in Muslim Societies, Istanbul, S. 215-228.

Cornelißen, Waltraud/Gille, Martina/Knothe, Holger/Meier, Petra/Queisser, Hannelore/ Stürzer, Monika (2002)
Junge Frauen – junge Männer. Daten zu Lebensführung und Chancengleichheit, Opladen.

Damanakis, Michael (1987)
Bildungsvorstellungen griechischer Eltern, in: Deutsch lernen. 1, S. 22-53.

Dannenbeck, Clemens (2002)
Selbst- und Fremdzuschreibungen als Aspekte kultureller Identitätsarbeit: ein Beitrag zur Dekonstruktion kultureller Identitäten. Opladen.

Dannenbeck, Clemens/Esser, Felicitas/Lösch, Hans (1999)
Herkunft (er)zählt: Befunde über Zugehörigkeiten Jugendlicher. Münster.

Del Fabbro, René (1996)
Transalpini: Italienische Arbeitswanderung nach Süddeutschland im Kaiserreich 1870-1918. Osnabrück.

Deniz, Cengiz (2001)
Migration, Jugendhilfe und Heimerziehung: Rekonstruktion biographischer Erzählungen männlicher türkischer Jugendlicher in Einrichtungen der öffentlichen Erziehung. Frankfurt/Main.

Deutsche Presse-Agentur (dpa) (2002)
Deutsch schon im Kindergarten – Keine SPD-PISA Erklärung. Pressemitteilung der Bundesbildungsministerin Edelgard Bulmahn vom 09.06.2002.

Deutsche Shell (Hg.) (2000)
Jugend 2000: 13. Shell-Jugendstudie. Opladen.

Deutsche Shell (Hg.) (2002)
Jugend 2002: Zwischen pragmatischem Idealismus und robustem Materialismus. Frankfurt/Main.

Deutsches Jugendinstitut (DJI) (Hg.) (2000)
Wie Kinder ihren multikulturellen Alltag erleben: Ergebnisse einer Kinderbefragung. München.

Deutsches PISA-Konsortium (2001)
PISA 2000: Basiskompetenzen von Schülerinnen und Schülern im internationalen Vergleich. Opladen.

Deutsches PISA-Konsortium (2002)
PISA 2000-E: Die Länder der Bundesrepublik Deutschland im Vergleich. Opladen.

Deutsches PISA-Konsortium (2003)
PISA 2000 – Ein differenzierter Blick auf die Länder der Bundesrepublik Deutschland. Opladen.

Dewran, Hasan (1989)

Belastungen und Bewältigungsstrategien bei Jugendlichen aus der Türkei: eine theoretische und empirische Studie. München.

Diallina, Maria (1984)

Psychische Erkrankungen bei griechischen Jugendlichen in München und im Heimatland (Veria): Eine empirische Untersuchung zur Prävalenz psychischer Erkrankungen und Analyse soziokultureller Einflüsse. Unveröffentlichte Dissertation. München.

Diamantopoulos, Panagiotis (1987)

Die Rolle der Schule und des Geschlechts beim Freizeitverhalten der griechischen Kinder, in: Ausländerkinder. 32, S. 67-80.

Diefenbach, Heike (2002)

Bildungsbeteiligung und Berufseinmündung von Kindern und Jugendlichen aus Migrantenfamilien. Eine Fortschreibung der Daten des Sozio-Ökonomischen Panels (SOEP), in: Diefenbach, Heike/Renner, Günter/Schulte, Bernd (Hg.) Migration und die europäische Integration: Herausforderungen für die Kinder- und Jugendhilfe. München, S. 9-70.

Diehl, Claudia (2002)

Die Auswirkungen längerer Herkunftlandaufenthalte auf den Bildungserfolg türkisch- und italienischstämmiger Schülerinnen und Schüler, in: Zeitschrift für Bevölkerungswissenschaft. 27/2, S. 165-184.

Diehl, Claudia/Urbahn, Julia/Esser, Hartmut (1998)

Die soziale und politische Partizipation von Zuwanderern in der Bundesrepublik Deutschland. Bonn.

Diehm, Isabell/Radtke, Frank-Olaf (1999)

Erziehung und Migration. Eine Einführung. Stuttgart.

Dietz, Barbara (1997)

Jugendliche Aussiedler: Ausreise, Aufnahme, Integration. Berlin.

Dietz, Barbara (1999)

Jugendliche Aussiedler in Deutschland: Risiken und Chancen der Integration, in: Bade, Klaus J./Oltmer, Jochen (Hg.) Aussiedler, deutsche Einwanderer aus Osteuropa. Osnabrück, S. 153-176.

Dietz, Barbara/Roll, Heike (1998)

Jugendliche Aussiedler: Porträt einer Zuwanderergeneration. Frankfurt/Main u.a.

Dietzel-Papakyriakou, Maria/Leist, Anja (2001)

40 Jahre griechische Migration in Schriften deutscher Sprache: eine annotierte Bibliographie. Frankfurt/Main.

Dittmann, R.W./Krönig-Hammer, A. (1986)

Interkulturelle Konflikte bei 10- bis 18-jährigen Mädchen türkischer Herkunft, in: Praxis der Kinderpsychologie und Kinderpsychiatrie. 35, S. 170-177.

Doedens, Folkert/Weiße, Wolfram (1997)

Religionsunterricht für alle. Hamburger Perspektiven zur Religionsdidaktik. Münster u.a.

Dollase, Rainer (1994)

Wann ist der Ausländeranteil zu hoch? Zur Normalität und Pathologie soziometrischer Beziehungen in Gruppen, in: Heitmeyer, Wilhelm (Hg.) Das Gewalt-Dilemma: Gesellschaftliche Reaktionen auf fremdenfeindliche Gewalt und Rechtsextremismus. Frankfurt/Main, S. 404-434.

Durugönül, Esma (1999)

Die Funktion der Konstruktion von ethnischen Minderheiten, in: Kürsat-Ahlers, Elcin/Tan, Dursun/Waldhoff, Hans-Peter (Hg.) Globalisierung, Migration und Multikulturalität. Werden zwischenstaatliche Grenzen in innerstaatliche Demarkationslinien verwandelt?, Frankfurt/Main, S. 139-147.

Dworschak, Franz (1985)

Wenn Deutsche Ausländer befragen – Zum Zusammenhang zwischen Interviewermerkmalen und Interviewereffekten, in: Sievering, Ulrich O. (Hg.) Methodenprobleme der Datenerhebung. Frankfurt/Main, S. 64-127.

Eberding, Angela (1998)

Arm – hilflos – ausgeliefert? Zu stereotypen Überzeugungen über Mädchen türkischer Herkunft, in: Koch, Eckhardt/Özek, Metin/Pfeiffer, Wolfgang/Schepker, Renate (Hg.) Chancen und Risiken von Migration. Deutsch-türkische Perspektiven. Freiburg, S. 317-325.

Eckert, Josef/Kißler, Mechthild (1997)

Südstadt, wat es dat? Kulturelle und ethnische Pluralität in modernen urbanen Gesellschaften am Beispiel eines innerstädtischen Wohngebiets in Köln. Köln.

Eder, Klaus/Schmidtke, Oliver (1998)

Ethnische Mobilisierung und die Logik von Identitätskämpfen, in: Zeitschrift für Soziologie. 27/6, S. 418-437.

Ehlers, Johanna/Bentner, Ariane/Kowalcyk, Monika (Hg.) (1997)

Mädchen zwischen den Kulturen: Anforderungen an eine interkulturelle Pädagogik: mit Beiträgen und einer Literaturliste zum Thema Jungenarbeit. Frankfurt/Main.

Eichener, Volker (1988)

Ausländer im Wohnbereich: Theoretische Modelle, empirische Analysen und politisch-praktische Maßnahmevorschläge zur Eingliederung einer gesellschaftlichen Außenseitergruppe. Regensburg, S. 23-45, S. 120-178.

Elwert, Georg (1982)

Probleme der Ausländerintegration: Gesellschaftliche Integration durch Binnenintegration? In: Kölner Zeitschrift für Soziologie und Sozialpsychologie. 34, S. 711-731.

Endrikat, Kirsten/Schäfer, Dagmar/Mansel, Jürgen/Heitmeyer, Wilhelm (2002)

Soziale Desintegration. Die riskanten Folgen negativer Anerkennungsbilanzen, in: Heitmeyer, Wilhelm (Hg.) Deutsche Zustände. Folge 1. Frankfurt/Main, S. 37-58.

Engin, Havva (2003)

Kein institutioneller Wandel von Schule? Frankfurt/Main.

Esser, Elke (1982)

Ausländerinnen in der Bundesrepublik Deutschland: Eine soziologische Analyse des Eingliederungsverhaltens ausländischer Frauen. Frankfurt/Main.

Esser, Hartmut (1980)

Aspekte der Wanderungssoziologie: Assimilation und Integration von Wanderern, ethnischen Gruppen und Minderheiten: Eine handlungstheoretische Analyse. Darmstadt u.a.

Esser, Hartmut (1982)

Sozialräumliche Bedingungen der sprachlichen Assimilation von Arbeitsmigranten, in: Zeitschrift für Soziologie (ZfS). 11/3, S. 279-306.

Esser, Hartmut (1989)

Familienmigration, Schulsituation und interethnische Beziehungen: Prozesse der „Integration" bei der zweiten Generation von Arbeitsmigranten, in: Zeitschrift für Pädagogik. 35, S. 317-336.

Esser, Hartmut (1990a)

Familienmigration und Schulkarriere ausländischer Kinder und Jugendlicher, in: Esser, Hartmut/Friedrichs, Jürgen (Hg.) Generation und Identität: Theoretische und empirische Beiträge zur Migrationssoziologie. Opladen, S. 127-146.

Esser, Hartmut (1990b)

Interethnische Freundschaften, in: Esser, Hartmut/Friedrichs, Jürgen (Hg.) Generation und Identität: Theoretische und empirische Beiträge zur Migrationssoziologie, S. 185-205.

Esser, Hartmut (1999)

Inklusion, Integration und ethnische Schichtung, in: Journal für Konflikt- und Gewaltforschung. 1, S. 5-34.

Esser, Hartmut (2001)

Integration und Ethnische Schichtung, in: Mannheimer Zentrum für Europäische Sozialforschung, Arbeitspapier Nr. 20.

Faulstich-Wieland, Hannelore (1999)

Weibliche Sozialisation zwischen geschlechterstereotyper Einengung und geschlechtsbezogener Identität, in: Scarbath, Horst/Schlotau, Heike/Straub, Veronika/Waldmann, Klaus (Hg.) Geschlechter. Zur Kritik und Neubestimmung geschlechterbezogener Sozialisation und Bildung. Opladen, S. 7-62.

Finkel, Margarete (1998)

Zufrieden und doch nicht ganz zu Hause? Junge MigrantInnen in Hilfen zur Erziehung, in: Baur, Dieter/Finkel, Margarete/Hamberger, Matthias/Kuhn, Axel D. (Hg.) Leistungen und Grenzen von Heimerziehung. Ergebnisse einer Evaluation stationärer und teilstationärer Erziehungshilfe. Stuttgart, S. 386-421.

Fischer, Arthur (2000)

Jugend und Politik, in: Deutsche Shell (Hg.) Jugend 2000. 13. Shell Jugendstudie, Bd. 1. Opladen, S. 261-282.

Fischer, Erica (1997)

Am Anfang war die Wut. Monica Hauser und Medica mondiale. Ein Frauenprojekt im Krieg. Köln.

Flaake, Karin (2001)

Körper, Sexualität und Geschlecht. Studien zur Adoleszenz junger Frauen. Gießen.

Flaake, Karin/King, Vera (Hg.) (2003)

Weibliche Adoleszenz. Zur Sozialisation junger Frauen. Weinheim u.a.

Föhl, Carl (1967)

Stabilisierung und Wachstum bei Einsatz von Gastarbeitern, in: Kyklos. 20/1, S. 119-146.

Foucault, Michel (1983)

Der Wille zum Wissen. Sexualität und Wahrheit. Frankfurt/Main.

Fraas, Hans-J. (1990)

Die Religiosität des Menschen: ein Grundriss der Religionspsychologie. Göttingen.

Frank, Susanne (1997)

Stadtlandschaften und GeschlechterGeographien: Aspekte einer geschlechterbezogenen Stadt- und Raumforschung, in: Keisky, Eva/Sauer, Birgit (Hg.) Geschlechterverhältnisse im Kontext politischer Transformation. Opladen, S. 334-355.

Freitag, Christine M. (2000)

Sozialstatus und Verhaltensstörungen: Ein Vergleich zwischen Jugendlichen aus deutschen und ausländischen Familien. Eschborn.

Frese, Hans-L. (2002)

Den Islam ausleben: Konzepte authentischer Lebensführung junger türkischer Muslime in der Diaspora. Bielefeld.

Fricke, Peter (1998)

„Integriert oder desintegriert?" – Berufliche, schulische und sprachliche Situation jugendlicher Spätaussiedler, in: Friedrich-Ebert-Stiftung (Hg.) Deutsch sein und doch fremd sein: Lebenssituation und -perspektiven jugendlicher Aussiedler. Gesprächskreis Arbeit und Soziales. Nr. 84. Bonn, S. 31-41.

Friedrichs, Jürgen/Blasius, Jörg (2000)
Leben in benachteiligten Wohngebieten. Opladen, S. 9-31.

Frigessi Castelnuovi, Delia (1990)
Das Konzept Kulturkonflikt – Vom biologischen Denken zum Kulturdeterminismus, in: Dittrich, Eckhard J./Radtke, Frank-Olaf (Hg.) Ethnizität – Wissenschaft und Minderheiten. Opladen, S. 299-309.

Fritzsche, Yvonne (2000a)
Die quantitative Studie: Stichproben, Struktur und Feldarbeit, in: Deutsche Shell (Hg.) Jugend 2000: 13. Shell-Jugendstudie. Opladen, S. 349-378.

Fritzsche, Yvonne (2000b)
Modernes Leben: Gewandelt, vernetzt und verkabelt, in: Deutsche Shell (Hg.) Jugend 2000. 13. Shell-Jugendstudie, Bd. 1. Opladen, S. 181-219.

Fthenakis, Wassilios E./Sonner, Adelheid/Thrul, Rosemarie/Walbiner, Waltraud (1985)
Bilingual – bikulturelle Entwicklung des Kindes: Ein Handbuch für Psychologen, Pädagogen und Linguisten. München.

Fuchs, Marek (1999)
Die Wohnungssituation der Aussiedler, in: Silbereisen, Rainer K./Lantermann, Ernst-Dieter/Schmitt-Rodermund, Eva (Hg.) Aussiedler in Deutschland: Akkulturation von Persönlichkeit und Verhalten. Opladen, S. 91-104.

Fuchs, Marek/Schwietring, Thomas/Weiß, Johannes (1999)
Kulturelle Identität, in: Silbereisen, Rainer K./Lamtermann, Ernst-Dieter/Schmitt-Rodermund, Eva (Hg.) Aussiedler in Deutschland. Akkulturation von Persönlichkeit und Verhalten. Opladen, S. 203-232.

Fuchs-Heinritz, Werner (2000a)
Zukunftsorientierungen und Verhältnis zu den Eltern, in: Deutsche Shell (Hg.) Jugend 2000: Shell-Jugendstudie. Opladen, S. 23-92.

Fuchs-Heinritz, Werner (2000b)
Religion, in: Deutsche Shell (Hg.) Jugend 2000: Shell Jugendstudie. Opladen, S. 157-180.

Fürstenaus, Sara/Gogolin, Ingrid/Yağmur, Kutlay (Hg.) (2003)
Mehrsprachigkeit in Hamburg: Ergebnisse einer Sprachenerhebung an den Grundschulen. Münster u.a.

Gabler, Siegfried (1992)
Schneeballverfahren und verwandte Stichprobendesigns, in: ZUMA-Nachrichten. 31, S. 47-69.

Gaitanides, Stefan (1994)
Interkulturelle Öffnung der Sozialen Dienste, in: Deutsch lernen. 1, S. 66-79.

Gaitanides, Stefan (1996a)
Probleme der Identitätsfindung der zweiten Einwanderergeneration, in: iza. Zeitschrift für Migration und Soziale Arbeit. 1, S. 32-39.

Gaitanides, Stefan (1996b)
Stolpersteine auf dem Weg zur interkulturellen Öffnung der Sozialen Dienste, in: Zeitschrift für Migration und soziale Arbeit (IZA). 3-4, S. 42-46.

Gaitanides, Stefan (1999)
Zugangsbarrieren von MigrantInnen zu den sozialen und Psychosozialen Diensten und Strategien interkultureller Öffnung, in: Zeitschrift für Migration und soziale Arbeit (IZA). 3-4, S. 41-45.

Galanis, Georgios (1984)
Griechische Migrantenmädchen im Alter von 15-18 Jahren in Deutschland. Berlin.

Geck, Hinrich M. (1979)
Die griechische Migration: Eine Analyse ihrer Ursachen und Wirkungen. Königstein.

Gemende, Marion/Schröer, Wolfgang/Sting, Stephan (Hg.) (1999)
Zwischen den Kulturen: Pädagogische und sozialpädagogische Zugänge zur Interkulturalität. Weinheim.

Gieseke, Heide/Kuhs, Katharina (Hg.) (1999)
Frauen und Mädchen in der Migration: Lebenshintergründe und Lebensbewältigung. Frankfurt/Main.

Giordano, Christian (1995)
Die italienische Minderheit, in: Schmalz-Jacobsen, Cornelia/Hansen, Georg (Hg.) Ethnische Minderheiten in der Bundesrepublik Deutschland: Ein Lexikon. München, S. 229-242.

Glock, Charles Y. (1969)
„Über die Dimensionen der Religiosität", in: Matthes, Joachim (Hg.) Kirche und Gesellschaft. Einführung in die Religionssoziologie II. Hamburg, S. 150-168.

Gogolin, Ingrid (1994)
Der monolinguale Habitus der multilingualen Schule. Münster u.a.

Gogolin, Ingrid (2000)
Bildung und ausländische Familien, in: Sachverständigenkommission 6. Familienbericht (Hg.) Familien ausländischer Herkunft in Deutschland: Lebensalltag. Opladen.

Gogolin, Ingrid (2001)
Die Verantwortung der Grundschule für Bildungserfolge und -misserfolge, in: Forum Bildung (Hg.) Bildung und Qualifizierung von Migrantinnen und Migranten. Anhörung des Forum Bildung am 21. Juni 2001 in Berlin, S. 18-32.

Gogolin, Ingrid/Neumann, Ursula/Roth, Hans-Joachim (2003)
Förderung von Kindern und Jugendlichen mit Migrationshintergrund: Gutachten im Auftrag der Bund- Länder Kommission für Bildungsplanung (BLK). Hamburg.

Gomolla, Mechthild/Radtke, Frank-O. (2002)
Institutionelle Diskriminierung: Die Herstellung ethnischer Differenz in der Schule. Opladen.

Göpel, Andrea/Oelschlägel, Karin (1985)
Jugendarbeit mit türkischen Mädchen: Ein Versuch aufeinander zuzugehen, einander zu verstehen, voneinander zu lernen. Berlin.

Gottwald, Eckhart/Siedler, Dirk Chr. (2001)
„Islamische Unterweisung" in Deutscher Sprache: Eine erste Zwischenbilanz des Schulversuchs in Nordrhein-Westfalen. Neukirchen-Vluyn.

Goudiras, Dimitrios (1997)
Wertorientierung und Verhaltensnormen griechischer Jugendlicher in der erzieherischen Lebenswelt: Ein Vergleich von Stichproben in Deutschland und Griechenland. Frankfurt/Main.

Gözlü, Lale (1986)
Türkische Mädchen im Kulturkonflikt, in: Zeitschrift für Ausländerfragen und -kultur. 2, S. 39-44.

Granato, Mona (1994)
Bildungs- und Lebenssituation junger Italiener. Bielefeld.

Granato, Mona (1995)
Integration und Ausgrenzung: Junge Italiener in Deutschland, in: Wissenschaftszentrum Berlin (Hg.) Wie Migranten leben: Lebensbedingungen und soziale Lage der ausländischen Bevölkerung in der Bundesrepublik: Dokumentation eines Workshops. Berlin.

Granato, Mona (1997)
Ausbildung und Beruf im Leben junger Frauen der zweiten Generation: Selbstbild und Fremdbild: Die Bedeutung von Arbeit und Beruf im Leben von Migrantinnen, in: Zeitschrift für Migration und soziale Arbeit (IZA). 2, S. 19-25.

Granato, Mona (2002)

Die berufliche Ausbildung von Jugendlichen aus Zuwandererfamilien in Nordrhein-Westfalen – Analysen und Schlussfolgerungen, in: Granato, Mona (Hg.) Die berufliche Qualifikation von Jugendlichen aus Zuwandererfamilien in Nordrhein-Westfalen – Situationsanalyse und Empfehlungen. Düsseldorf, S. 6-49.

Granato, Mona/Meissner, Vera (1994)

Hochmotiviert und abgebremst: junge Frauen ausländischer Herkunft in der Bundesrepublik Deutschland: eine geschlechtsspezifische Analyse ihrer Bildungs- und Lebenssituation. Bielefeld.

Granato, Nadia (1999)

Die Befragung von Arbeitsmigranten: Einwohnermeldeamt-Stichprobe und telefonische Befragung, in: ZUMA-Nachrichten. 45, S. 44-60.

Graudenz, Ines/Römhild, Regina (Hg.) (1996)

Forschungsfeld Aussiedler: Ansichten aus Deutschland. Frankfurt/Main u.a.

Gröne, Markus (2001)

Identitätspolitiken und Konfliktwahrnehmungen alevitischer Kurden in Deutschland, in: Journal für Konflikt- und Gewaltforschung (JKG). 3/2, S. 70-83.

Grottian, Gieselind (1991)

Gesundheit und Kranksein in der Migration: Sozialisations- und Lebensbedingungen bei Frauen aus der Türkei. Frankfurt/Main.

Gültekin, Nevâl (2003)

Bildung, Autonomie, Tradition und Migration: Doppelperspektivität biographischer Prozesse junger Frauen aus der Türkei. Opladen.

Gümen, Sedef (1995)

Frauenbilder und geschlechtsspezifische Selbstbilder in interkulturell-vergleichender Perspektive, in: Zeitschrift für Frauenforschung. 13/3, S. 41-55.

Gümen, Sedef (2000)

Wechselseitige Stereotype von Frauen, in: Herwartz-Emden, Leonie (Hg.) Einwandererfamilien: Geschlechterverhältnisse, Erziehung und Akkulturation. Osnabrück, S. 351-371.

Gümen, Sedef/Herwartz-Emden, Leonie/Westphal, Manuela (1994)

Die Vereinbarkeit von Beruf und Familie als weibliches Lebenskonzept: eingewanderte und westdeutsche Frauen im Vergleich, in: Zeitschrift für Pädagogik. 1, S. 63-80.

Gümen, Sedef/Herwartz-Emden, Leonie/Westphal, Manuela (2000)

Vereinbarkeit von Beruf und Familie als weibliches Selbstkonzept, in: Herwartz-Emden, Leonie (Hg.) Einwandererfamilien: Geschlechterverhältnisse, Erziehung und Akkulturation. Osnabrück, S. 207-231.

Güntürk, Reyhan (2000)

Mediennutzung der türkischen Migranten, in: Schatz, Heribert/Holtz-Bacha, Christina/Nieland, Jörg-U. (Hg.) Migranten und Medien. Neue Herausforderungen an die Integrationsfunktion von Presse und Rundfunk. Wiesbaden, S. 272-280.

Gutiérrez Rodriguez, Encarnación (1999)

Intellektuelle Migrantinnen: Subjektivitäten im Zeitalter von Globalisierung, eine postkoloniale dekonstruktive Analyse von Biographien im Spannungsverhältnis von Ethnisierung und Vergeschlechtlichung. Opladen.

Haller, Verena (Hg.) (1994)

Mädchen zwischen Tradition und Moderne. Folge des Werte- und Normenwandels für die Geschlechtsidentität der Mädchen am Beispiel unterschiedlicher kultureller Ausgangsbedingungen. Interdisziplinäre Tagung zur vergleichenden Sozialforschung vom 11.06-12.06.1993 am Institut für Erziehungswissenschaften an der Universität Innsbruck. Innsbruck.

Hamburger, Franz (1990)

Der Kulturkonflikt und seine pädagogische Kompensation, in: Dittrich, Eckhard J./ Radtke, Frank-Olaf (Hg.) Ethnizität, Wissenschaft und Minderheiten. Opladen, S. 311-325.

Hamburger, Franz (1999)

Modernisierung, Migration und Ethnisierung, in: Gemende, Marion/Schröer, Wolfgang/ Sting Stephan (Hg.) Zwischen den Kulturen: Pädagogische und sozialpädagogische Zugänge zur Interkulturalität. Weinheim u.a., S. 37-54.

Hamburger, Franz (2002)

Migrantenkinder in der Jugendhilfe. München.

Hänze, Martin/Lantermann, Ernst D. (1999)

Familiäre, soziale und materielle Ressourcen bei Aussiedlern, in: Silbereisen, Rainer K./Lantermann, Ernst-D./Schmitt-Rodermund, Eva (Hg.) Aussiedler in Deutschland: Akkulturation von Persönlichkeit und Verhalten. Opladen, S. 143-161.

Haug, Sonja (2002a)

Familienstand, Schulbildung und Erwerbstätigkeit junger Erwachsener: Eine Analyse der ethnischen und geschlechtsspezifischen Ungleichheiten – Erste Ergebnisse des Integrationssurveys des Bundesinstituts für Bevölkerungsforschung (BiB), in: Zeitschrift für Bevölkerungswissenschaft. 27/1, S. 115-144.

Haug, Sonja (2002b)

Kettenmigration am Beispiel italienischer Arbeitsmigranten in Deutschland 1955-2000, in: Archiv für Sozialgeschichte. 42, S. 123-143.

Haug, Sonja (2003)

Interethnische Freundschaftsbeziehungen und soziale Integration. Unterschiede in der Ausstattung mit sozialem Kapital bei jungen Deutschen und Immigranten, in: Kölner Zeitschrift für Soziologie und Sozialpsychologie. 55/4, S. 716-736.

Häußermann, Hartmut/Kapphan, Andreas (2002)

Von der geteilten zur gespaltenen Stadt? Sozialräumlicher Wandel seit 1990. Opladen.

Hebenstreit, Sabine (1986)

Frauenräume und weibliche Identität: Ein Beitrag zu einem ökologisch orientierten Perspektivenwechsel in der sozialpädagogischen Arbeit mit Migrantinnen. Berlin.

Hecht-El Minshawi, Beatrice (1992)

Zwei Welten, eine Liebe: Leben mit Partnern aus anderen Kulturen. Hamburg, S. 193-207.

Heckmann, Friedrich (1992)

Ethnische Minderheiten, Volk und Nation: Soziologie interethnischer Beziehungen. Stuttgart.

Heckmann, Friedrich (1998)

Ethnische Kolonien: Schonraum für Integration oder Verstärker der Ausgrenzung? In: Forschungsinstitut der Friedrich-Ebert-Stiftung (Hg.) Ghettos oder ethnische Kolonien? Entwicklungschancen von Stadtteilen mit hohen Zuwanderungsanteilen. Bonn, S. 29-41.

Heckmann, Friedrich/Wunderlich, Tanja/Worbs, Susanne/Lederer, Harald W. (2000)

Integrationspolitische Aspekte einer gesteuerten Zuwanderung: Gutachten für die interministerielle Arbeitsgruppe der Bayerischen Staatsregierung zu Fragen der Zuwanderungssteuerung und Zuwanderungsbegrenzung. Bamberg. (Ms.).

Heidarpur, Ali (1990)

„Bei uns spricht man nicht über Sexualität!": Erklärungen zu einem Sexualkonflikt bei muslimischen Kindern in der deutschen Schule, in: Sachunterricht und Mathematik in der Primarstufe. 3, S. 130-136.

Heidarpur-Ghazwini, Ali (1986)

Kulturkonflikt und Sexualentwicklung. Sexualentwicklung islamischer Heranwachsender in der Bundesrepublik Deutschland. Frankfurt/Main.

Heitmeyer, Wilhelm/Anhut, Reimund (Hg.) (2000)

Bedrohte Stadtgesellschaft: Soziale Desintegrationsprozesse und ethnisch-kulturelle Konfliktkonstellationen. Weinheim.

Heitmeyer, Wilhelm/Dollase, Rainer/Backes, Otto (Hg.) (1998)

Die Krise der Städte: Analysen zu den Folgen desintegrativer Stadtentwicklung für das ethnisch-kulturelle Zusammenleben. Frankfurt/Main.

Heitmeyer, Wilhelm/Müller, Joachim /Schröder, Helmut (1997)

Verlockender Fundamentalismus: Türkische Jugendliche in Deutschland. Frankfurt/Main.

Heller, Erdmute/Mosbahi, Hassouna (1994)

Hinter den Schleiern des Islam. Erotik und Sexualität in der arabischen Kultur, München.

Helmke, Andreas/Jäger, Reinhold S. (Hg.) (2001)

MARKUS: Mathematik-Gesamterhebung Rheinland-Pfalz: Kompetenzen, Unterrichtsmerkmale, Schulkontext. Landau.

Helmke, Andreas/Reich, Hans H. (2001)

Die Bedeutung der sprachlichen Herkunft für die Schulleistung, in: Empirische Pädagogik: Zeitschrift zu Theorie und Praxis erziehungswissenschaftlicher Forschung. 15/4, S. 567-600.

Hemmati, Minu/Wintermantel, Margret/Paul, Markus (1999)

Wie wirken ausländerfeindliche Ergebnisse auf die Betroffenen? Empirische Untersuchungen kognitiver, emotionaler und handlungsbezogener Konsequenzen, in: Dollase, Rainer/Kliche, Thomas/Moser, Helmut (Hg.) Politische Psychologie der Fremdenfeindlichkeit: Opfer – Täter – Mittäter. Weinheim, S. 19-36.

Herbert, Ulrich (2001)

Geschichte der Ausländerpolitik in Deutschland: Saisonarbeiter, Zwangsarbeiter, Gastarbeiter, Flüchtlinge. München.

Herkendell, Beate (2003)

Schmutzige Gedanken. Viele Jugendliche aus Migrantenfamilien sind mit dem liberalen Aufklärungsunterricht an deutschen Schulen überfordert. Sexualpädagogen setzen auf einen neuen interkulturellen Ansatz, in: Die Zeit. 09.01.2003.

Herwartz-Emden, Leonie (1995a)

Konzepte von Mutterschaft und Weiblichkeit – ein Vergleich der Einstellung von Aussiedlerinnen, Migrantinnen und westdeutschen Frauen, in: Zeitschrift für Frauenforschung. 13, S. 56-70.

Herwartz-Emden, Leonie (1995b)

Mutterschaft und weibliches Selbstkonzept: Eine interkulturell vergleichende Untersuchung. Weinheim.

Herwartz-Emden, Leonie (1997a)

Die Bedeutung der sozialen Kategorien Geschlecht und Ethnizität für die Erforschung des Themenbereiches Jugend und Einwanderung, in: Zeitschrift für Pädagogik. 43/6, S. 895-914.

Herwartz-Emden, Leonie (1997b)

Erziehung und Sozialisation in Aussiedlerfamilien: Einwanderungskontext, familiäre Situation und elterliche Orientierungen, in: Aus Politik und Zeitgeschichte. Beilage zur Wochenzeitschrift Das Parlament, B 7-8, S. 3-9.

Herwartz-Emden, Leonie (1997c)
Interkulturelle Forschungsfragen: Eine Herausforderung an die Methoden der empirischen Erziehungswissenschaft, in: Schmidt, Folker (Hg.) Methodische Probleme der empirischen Erziehungswissenschaft. Hohengehren, S. 165-180.

Herwartz-Emden, Leonie (Hg.) (2000)
Einwandererfamilien: Geschlechterverhältnisse, Erziehung und Akkulturation. Osnabrück.

Herwartz-Emden, Leonie (2003)
Einwanderungskinder im deutschen Bildungswesen, in: Cortina, Kai S./Baumert, Jürgen/Leschinsky, Achim/Mayer, Karl U./Trommer, Luitgard (Hg) Das Bildungswesen in der Bundesrepublik Deutschland: Strukturen und Entwicklungen im Überblick. Reinbek b. Hamburg, S. 661-709.

Herwartz-Emden, Leonie/Westphal, Manuela (1993)
Bildungserwartungen und Berufsmotivation von Aussiedlerinnen aus der ehemaligen Sowjetunion, in: Unterrichtswissenschaft. 21/2, S. 106-125.

Herwartz-Emden, Leonie/Westphal, Manuela (2000a)
Konzepte mütterliche Erziehung, in: Herwartz-Emden, Leonie (2000) Einwandererfamilien: Geschlechterverhältnisse, Erziehung und Akkulturation. Osnabrück, S. 99-120.

Herwartz-Emden, Leonie/Westphal, Manuela (2000b)
Akkulturationsstrategien im Generationen- und Geschlechtervergleich bei eingewanderten Familien, in: Sachverständigenkommission 6. Familienbericht (Hg.) Familien ausländischer Herkunft in Deutschland: Empirische Beiträge zur Familienentwicklung und Akkulturation, Bd. I. Opladen, S. 229-271.

Herwartz-Emden, Leonie/Westphal, Manuela (2002)
Integration junger Aussiedler: Entwicklungsbedingungen und Akkulturationsprozesse, in: Oltmer, Jochen (Hg.) Migrationsforschung und Interkulturelle Studien. Osnabrück, S. 229-259.

Hess, Sabine/Lenz, Ramona (2001)
Ein kulturwissenschaftlicher Streifzug durch transnationale Räume. Königstein.

Hock, Beate/Holz, Gerda/Wüstendörfer, Werner (2000a)
Folgen familiärer Armut im frühen Kindesalter: Eine Annäherung anhand von Fallbeispielen. Dritter Zwischenbericht zu einer Studie im Auftrag des Bundesverbandes der Arbeiterwohlfahrt. Frankfurt/Main.

Hock, Beate/Holz, Gerda/Wüstendörfer, Werner (2000b)
Frühe Folgen – langfristige Konsequenzen? Armut und Benachteiligung im Vorschulalter. Vierter Zwischenbericht zu einer Studie im Auftrag des Bundesverbandes der Arbeiterwohlfahrt. Frankfurt/Main.

Hoffmann, Lutz (1996)
Der Volksbegriff und seine verschiedenen Bedeutungen: Überlegungen zu einer grundlegenden Kategorie der Moderne, in: Bade, Klaus J. (Hg.) Migration – Ethnizität – Konflikt: Systemfragen und Fallstudien. IMIS-Schriften, Bd. I. Osnabrück, S. 149-170.

Hoffmann-Nowotny, Hans-J. (1975)
Sozialstrukturelle Konsequenzen der Kompensation eines Geburtenrückgangs durch Einwanderung, in: Kaufmann, Franz-Xaver (Hg.) Bevölkerungsbewegung zwischen Quantität und Qualität – Beiträge zum Problem einer Bevölkerungspolitik in industriellen Gesellschaften. Stuttgart, S. 72-81.

Hoffmann-Nowotny, Hans-J. (1976)
Gastarbeiterbewegungen und Soziale Spannungen, in: Reimann, Helga/Reimann, Horst (Hg.) Gastarbeiter. München, S. 43-62.

Hoffmeyer-Zlotnik, Jürgen H.P. (1985)
Möglichkeiten und Grenzen der Datenerhebung bei Arbeitsmigranten, in: Sievering, Ulrich O. (Hg.) Methodenprobleme der Datenerhebung. Frankfurt/Main, S. 5-24.

Hoffmeyer-Zlotnik, Jürgen H.P. (Hg.) (1986)
Qualitative Methoden der Datenerhebung in der Arbeitsmigrantenforschung. Mannheim.

Hofstede, Geert (1993)
Interkulturelle Zusammenarbeit: Kulturen, Organisationen, Management. Wiesbaden.

Holtbrügge, Heiner (1975)
Türkische Familien in der Bundesrepublik: Erziehungsvorstellungen und familiale Rollen- und Autoritätsstruktur. Duisburg.

Holzkamp, Christine (1994)
Wir – nicht nur die anderen... – Rassismus, Dominanzkultur, Geschlechterverhältnisse, in: Tillner, Christiane (Hg.) Frauen – Rechtsextremismus, Rassismus, Gewalt. Feministische Beiträge. Münster, S. 37-47.

Honneth, Axel (1992)
Kampf um Anerkennung: zur moralischen Grammatik sozialer Konflikte. Frankfurt/Main.

Hotamanidis, Stefanos (1974)
Sozialpsychologische Probleme griechischer Gastarbeiterfamilien in der Bundesrepublik Deutschland. Kiel.

Hummrich, Merle (2002)
Bildungserfolg und Migration: Biographien junger Frauen in der Einwanderungsgesellschaft. Opladen.

Hunger, Uwe/Thränhardt, Dietrich (2001)
Vom „katholischen Arbeitermädchen vom Lande" zum „italienischen ‚Gastarbeiterjungen' aus dem Bayerischen Wald", in: Rat für Migration e.V. (RfM) (Hg.) Integration und Illegalität in Deutschland. Osnabrück, S. 51-61.

Hunnius, Gerhard/Kuchenbuch, Rüdiger (1985)
Arbeitsmigrantenforschung – Erfahrung aus der Praxis eines Sozialforschungsinstitutes, in: Sievering, Ulrich O. (Hg.) Methodenprobleme der Datenerhebung. Frankfurt/Main, S. 51-63.

Hupka, Sandra/Karataş, Meral/Reinders, Heinz (2001)
Soziale Identität und personenbezogene Zukunftsperspektiven bei türkischen Jugendlichen, in: Mansel, Jürgen/Schweins, Wolfgang/Ulbrich-Herrmann, Matthias (Hg.) Zukunftsperspektiven Jugendlicher. Weinheim, S. 256-264.

Hurrelmann, Klaus (1995)
Einführung in die Sozialisationstheorie. Über den Zusammenhang von Sozialstruktur und Persönlichkeit, Weinheim u.a.

Hüser, Marija (1983)
Die Lage der Migrantenkinder, in: Informationsdienst zur Ausländerarbeit. 2/3, S. 44-45.

Huth-Hildebrandt, Christine (2002)
Das Bild von der Migrantin. Auf den Spuren eines Konstrukts. Frankfurt/Main.

Ikic, Niko (2002)
Islamische Tendenzen im Dialog der Religionen und Kulturen in Bosnien und Herzegowina: Nebeneinander und Miteinander von Muslimen und Christen in Bosnien und Herzegowina, in: Kandel, Johannes/Pulsfort, Ernst/Sundhausen, Holm (Hg.) Religionen und Kulturen in Südosteuropa. Friedrich-Ebert-Stiftung Berlin, S. 87-97.

Ilkkaracan, Pınar (2000)
Introduction, in: Ilkkaracan, Pınar (Hg.): Women and Sexuality in Muslim Societies, Istanbul, S. 1-16.

Ingenhorst, Heinz (1997)

    Die Russlanddeutschen: Aussiedler zwischen Tradition und Moderne. Frankfurt/Main u.a.

Jäger, Alice (1990)

    Berufsorientierung und Berufswahlprozeß italienischer Jugendlicher, in: Boos-Nünning, Ursula/Jäger, Alice/Henscheid, Renate/Sieber, Wolfgang/Becker, Heike (Hg.) Berufswahlsituation und Berufswahlprozesse griechischer, italienischer und portugiesischer Jugendlicher. Nürnberg, S. 67-90.

Jäger, Siegfried (1993)

    BrandSätze, Rassismus im Alltag. Duisburger Institut für Sprach- und Sozialforschung (DISS). Duisburg.

Jamin, Mathilde (1998)

    Die deutsch-türkische Anwerbevereinbarung von 1961 und 1964, in: Jamin, Mathilde/Eryılmaz, Aytaç (Hg.) Fremde Heimat: Eine Geschichte der Einwanderung aus der Türkei. Essen, S. 69-92.

Jesse, Anja (2002)

    Gesundheitliche Belastungen von Frauen, in: Hammer, Veronika/Lutz, Ronald (Hg.) Weibliche Lebenslagen und soziale Benachteiligung: Theoretische Ansätze und empirische Beiträge. Frankfurt/Main, S. 288-314.

Kakaletris, Georgios (1984)

    Kulturelle Probleme der griechischen Familien in der Bundesrepublik und die Rolle der Kirche. Univ. Diss. Tübingen.

Kalpaka, Anita (1986)

    Handlungsfähigkeit statt Integration: Schulische und außerschulische Lebensbedingungen und Entwicklungsmöglichkeiten griechischer Jugendlicher. München.

Kalpaka, Annita/Räthzel, Nora (1990)

    Die Schwierigkeit, nicht rassistisch zu sein. Leer.

Kanavakis, Michalis (1989)

    Griechische Schulinitiativen in der Bundesrepublik Deutschland: eine Untersuchung über ihre Entstehungshintergründe und -bedingungen sowie über die pädagogischen Motive griechischer Auswanderer. Frankfurt/Main.

Karakaşoğlu, Yasemin (2002)

    Die „Kopftuch-Frage" an deutschen Schulen und Hochschulen. interkulturelle Studien (iks) – Querformat Nr. 6. Münster.

Karakaşoğlu, Yasemin (2003)

    „Geschlechtsidentitäten (gender) unter türkischen Migranten und Migrantinnen in der Bundesrepublik", in: Körber-Stiftung (Hg.) Argumente zum deutsch-türkischen Dialog Nr. 8., Geschlecht und Recht. Hamburg, S. 34-50.

Karakaşoğlu, Yasemin/Waltz, Viktoria (2002)

    Muslimische Frauen schaffen sich Räume: Anforderungen an Stadtstrukturen in der Herkunftsgesellschaft und der Emigration, in: Informationskreis für Raumplanung. 102, S. 150-154.

Karakaşoğlu-Aydın, Yasemin (1998)

    Jung, muslimisch = gewaltbereit? Kritische Anmerkungen zur Heitmeyer-Studie, in: Das Argument. Zeitschrift für Philosophie und Sozialwissenschaften.1/2, S. 145-157.

Karakaşoğlu-Aydın, Yasemin (1999)

    „Eine Lehrerin mit Kopftuch an einer deutschen Schule? Eine Analyse der Behandlung des ‚Falls Ludin' in den Medien und in der politischen Öffentlichkeit", in: Akkent, Meral/Bala, Elisabeth/Franger, Gaby/Gillmeister-Geisenhof, Evelyn/Yalçın-Heckmann, Lale (Hg.) Kopftuch-Kulturen. Begleitbuch zur Ausstellung: Das Kopftuch. Nur ein Stückchen Stoff in Geschichte und Gegenwart. Nürnberg, S. 194-207.

Karakaşoğlu-Aydin, Yasemin (2000a)
Muslimische Religiosität und Erziehungsvorstellungen: eine empirische Untersuchung zu Orientierungen bei türkischen Lehramts- und Pädagogik-Studentinnen in Deutschland. Frankfurt/Main.

Karakaşoğlu-Aydın, Yasemin (2000b)
„Das Grundgesetz, die Pädagogik und orthodoxe Muslime. Kontroverse Positionen in der aktuellen Debatte um die Grenzen der Toleranz", in: Zeitschrift für Türkeistudien. 13/1, S. 27-57.

Karakaşoğlu-Aydın, Yasemin (2000c)
Studentinnen türkischer Herkunft an deutschen Universitäten unter besonderer Berücksichtigung der Studierenden pädagogischer Fächer, in: Attia, Iman/Marburger, Helga (Hg.) Alltag und Lebenswelten von Migrantenjugendlichen. Frankfurt/Main, S. 101-126.

Karakaşoğlu-Aydın, Yasemin (2001a)
„‚Unsere Leute sind nicht so' – Alevitische und sunnitische Studentinnen in Deutschland", in: Pusch, Barbara (Hg.) Die neue muslimische Frau. Standpunkte und Analysen, Istanbul 2001, S. 295-322.

Karakaşoğlu-Aydın, Yasemin (2001b)
Kinder aus Zuwandererfamilien im Bildungssystem, in: Böttcher, Wolfgang/Klemm, Klaus/Rauschenbach, Thomas (Hg.) Bildung und Soziales in Zahlen. Weinheim u.a., S. 273-302.

Kehl-Bodrogi, Krisztina (1988)
Die Kızılbaş/Aleviten: Untersuchungen über eine esoterische Glaubensgemeinschaft in Anatolien. Berlin.

Kelek, Necla (2002)
Islam im Alltag: Islamische Religiosität und ihre Bedeutung in der Lebenswelt von Schülerinnen und Schülern türkischer Herkunft. Münster.

Keupp, Heiner (1989)
Auf der Suche nach der verlorenen Identität, in: Keupp, Heiner/Bilden, Helga Verunsicherungen – Das Subjekt im gesellschaftlichen Wandel. Göttingen, S. 47-69.

Keupp, Heiner (1993)
Zugänge zum Subjekt: Perspektiven einer reflexiven Sozialpsychologie. Frankfurt/Main.

Keupp, Heiner (2002)
Identitätskonstruktionen: Das Patchwork der Identitäten in der Spätmoderne. Reinbek.

Keupp, Heiner (Hg.) (1989)
Verunsicherungen: das Subjekt im gesellschaftlichen Wandel: Münchner Beiträge zur Sozialpsychologie. Göttingen.

Klees, Renate/Marburger, Helga/Schumacher, Michaela (1997)
Mädchenarbeit. Ein Praxishandbuch für die Jugendarbeit, Weinheim u.a.

Klein, Michael (2002)
Stadt, Geschlecht, soziale Ungleichheit, in: Hammer, Veronika/Lutz, Ronald (Hg.) (2002) Weibliche Lebenslagen und soziale Benachteiligung: Theoretische Ansätze und empirische Beispiele. Frankfurt u.a., S. 86-105.

Kleindienst-Cachay, Christa (1998a)
Sportengagement muslimischer Mädchen und Frauen in der Bundesrepublik Deutschland – Forschungsdesiderate und erste Ergebnisse eines Projekts, in: Klein, Marie-Luise/Kothy, Jürgen (Hg.): Ethnisch-kulturelle Konflikte im Sport, Hamburg, S. 113-124.

Kleindienst-Cachay, Christa (1998b)
Breitensport im Sportverein: Erwartungen und Wünsche ausländischer Frauen und Frauen unterer sozialer Schichten, in: Ministerium für Stadtentwicklung, Kultur und

Sport des Landes Nordrhein-Westfalen (MSKS) (Hg.) Zwischen Utopie und Wirklichkeit: Breitensport aus Frauensicht. Düsseldorf, S. 99-122.

Klemm, Klaus (2001)

13. Bildungsexpansion, Erfolge und Misserfolge sowie Bildungsbeteiligung, in: Böttcher, Wolfgang/Klemm, Klaus/Rauschenbach, Thomas (Hg.) Bildung und Soziales in Zahlen: Statistisches Handbuch zu Daten und Trends im Bildungsbereich, Weinheim u.a., S. 331-342.

Klinkhammer, Gritt (2000)

Moderne Formen islamischer Lebensführung: Eine qualitativ empirische Untersuchung zur Religiosität sunnitisch geprägter Türkinnen in Deutschland. Marburg.

Klitzing, Kai von (1983)

Risiken und Formen psychischer Störungen bei ausländischen Arbeiterkindern: Ein Beitrag zur Psychiatrie der Migration. Weinheim.

Knothe, Holger (2002)

Junge Frauen und Männer zwischen Herkunftsfamilie und eigener Lebensform, in: Cornelißen, Waltraud/Gille, Martina/Knothe, Holger/Meier, Petra/Queisser, Hannelore/Stürzer, Monika (Hg.) Junge Frauen – junge Männer: Daten zur Lebensführung und Chancengleichheit. Opladen, S. 89-134.

Koch, Achim (1997)

Teilnahmeverhalten im ALLBUS 1994. Soziodemographische Determinanten von Erreichbarkeit, Befragungsfähigkeit und Kooperationsbereitschaft, in: Kölner Zeitschrift für Soziologie und Sozialpsychologie. 49/1, S. 99-122.

Koch, Eckhardt/Schepker, Renate/Taneli, Suna (Hg.) (2000)

Psychosoziale Versorgung in der Migrationsgesellschaft: Deutsch-türkische Perspektiven. Freiburg.

Koderisch, Andreas (1996)

Interkulturelle Öffnung – aber wie? – Familienbildung und Elternarbeit in der Einwanderungsgesellschaft. Bonn.

Kohlmann, Annette (2000)

Entscheidungsmacht und Aufgabenallokation in Migrantenfamilien, in: Sachverständigenkommission 6. Familienbericht (Hg.) Familien ausländischer Herkunft in Deutschland: Empirische Beiträge zur Familienentwicklung und Akkulturation, Bd. I. Opladen, S. 273-302.

Kohnen, Brigitte (1998)

Akkulturation und kognitive Kompetenz: Ein Beitrag zu einem grundlagentheoretischen Perspektivenwechsel in der sozialisationstheoretischen Migrationsforschung. Münster.

Kolip, Petra (1994)

Freundschaften im Jugendalter: Mädchen und Jungen im Vergleich, in: Zeitschrift für Sozialisationsforschung und Erziehungssoziologie. 14/1, S. 21-37.

Kolip, Petra (1997)

Geschlecht und Gesundheit im Jugendalter. Die Konstruktion von Geschlechtlichkeit über somatische Kulturen. Opladen.

König, Karin (1989)

Tschador, Ehre und Kulturkonflikt: Veränderungsprozesse türkischer Frauen und Mädchen durch die Emigration und ihre soziokulturellen Folgen. Frankfurt/Main.

Konrad-Adenauer-Stiftung (KAS) (2001)

„Türken in Deutschland".

Korte, Elke (1990)

Die Rückkehrorientierung im Eingliederungsprozeß von Migrantenfamilien, in: Esser, Hartmut/Friedrichs, Jürgen (Hg.) Generation und Identität. Theoretische und empirische Beiträge zur Migrationssoziologie. Opladen, S. 207-259.

Köse, Birsen (1995)

Psychotherapie als „Glaubenssystem": Probleme der psychosozialen Versorgung am Beispiel der Arbeitsmigrantinnen aus der Türkei, in: Attia, Iman (Hg.) Multikulturelle Gesellschaften – monokulturelle Psychologie? Antisemitismus und Rassismus in der psychosozialen Arbeit. Tübingen, S. 112-135.

Kossolapow, Line (1987)

Aussiedler – Jugendliche: Ein Beitrag zur Integration Deutscher aus dem Osten. Weinheim.

Krafeld, Franz Josef (2001)

Cliquenorientierte Jugendarbeit mit Aussiedlerjugendlichen, in: Zeitschrift für Migration und soziale Arbeit (IZA). 2, S. 32-36.

Kraheck, Nicole (1997)

Interkulturelle Mädchenarbeit: Mädchenförderung innerhalb und außerhalb der Schule, in: Ehlers, Johanna/Bentner, Ariane/Kowalczyk, Monika (Hg.) Mädchen zwischen den Kulturen: Anforderungen an eine Interkulturelle Pädagogik: mit Beiträgen und einer Literaturliste zum Thema Jungenarbeit. Frankfurt/Main, S. 87-102.

Krasberg, Ulrike (2000)

„Bedauernswert frei" oder „geborgen und unfrei". Zur Wahrnehmung weiblicher Identität im west-östlichen Kulturvergleich, in: Schlehe, Judith (Hg.) Zwischen den Kulturen. Zwischen den Geschlechtern. Münster, S. 53-62.

Kraus, Rudolf (2003)

Kinder- und Jugendhilfe für Zugewanderte, in: Zeitschrift für Ausländerpolitik und Ausländerrecht (ZAR). 5-6, S. 183-189.

Kristen, Cornelia (2002)

Hauptschule, Realschule oder Gymnasium? Ethnische Unterschiede am ersten Bildungsübergang, in: Kölner Zeitschrift für Soziologie und Sozialpsychologie. 54/3, S. 534-552.

Krüger, Dorothea/Potts, Lydia (1995)

Aspekte generativen Wandels in der Migration: Bildung, Beruf und Familie aus der Sicht türkischer Migrantinnen der ersten Generation, in: Zeitschrift für Frauenforschung. 13/1+2, S. 159-173.

Krummacher, Michael/Waltz, Viktoria (1996)

Einwanderer in der Kommune: Analysen, Aufgaben und Modelle für eine multikulturelle Stadtpolitik. Essen.

Kultusministerkonferenz (2001)

Die Kultusministerkonferenz beschließt konkrete Maßnahmen zur Verbesserung der schulischen Bildung in Deutschland. Pressemitteilung der Kultusministerkonferenz vom 06.12.2001.

Kultusministerkonferenz (2002)

Ausländische Schüler und Schulabsolventen 1991 bis 2000. Statistische Veröffentlichungen der Kultusministerkonferenz. Bonn.

Kürşat-Ahlers, Elçin (1986)

Die Bedeutung der Mutter im bikulturellen Identitätsfindungsprozess türkischer Mädchen, in: Informationsdienst zur Ausländerarbeit. 4, S. 82-85.

Lajios, Konstantin (1991)

Die zweite und dritte Ausländergeneration: Ihre Situation und Zukunft in der Bundesrepublik Deutschland. Opladen.

Lajios, Konstantin/Kiotsoukis, Simeon (1984)

Ausländische Jugendliche: Probleme der Pubertät und der bikulturellen Erziehung. Opladen.

Lanfranchi, Andrea (1995)

Immigranten und Schule: Transformationsprozesse in traditionalen Familienwelten als Voraussetzung für schulisches Überleben von Immigrantenkindern. Opladen.

Langenfeld, Christine (2001)

Integration und kulturelle Identität zugewanderter Minderheiten. Eine Untersuchung am Beispiel des allgemeinbildenden Schulwesens in der Bundesrepublik Deutschland. Augsburg.

Laubenthal, Barbara (1999)

Vergewaltigung von Frauen als Asylgrund. Frankfurt/Main.

Lawton, Denis (1970)

Soziale Klasse, Sprache und Erziehung. Düsseldorf.

Lederer, Harald W. (1997)

Migration und Integration in Zahlen. Ein Handbuch. Herausgegeben von der Beauftragten der Bundesregierung für Ausländerfragen. Bonn.

Leenen, Wolf R./Grosch, Harald/Kreidt, Ulrich (1990)

Bildungsverständnis, Platzierungsverhalten und Generationenkonflikt in türkischen Migrantenfamilien: Ergebnisse qualitativer Interviews mit „bildungserfolgreichen" Migranten der zweiten Generation, in: Zeitschrift für Pädagogik. 4, S. 753-771.

Lehmann, Rainer H./Gänsfuß, Rüdiger/Peek, Rainer (1997)

Aspekte der Lernausgangslage und der Lernentwicklung von Schülerinnen und Schülern an Hamburger Schulen: Klassenstufe 5. Bericht über die Untersuchung im September 1996. Hamburg.

Lehmann, Rainer H./Gänsfuß, Rüdiger/Peek, Rainer (1999)

Aspekte der Lernausgangslage und der Lernentwicklung von Schülerinnen und Schülern an Hamburger Schulen: Klassenstufe 7. Bericht über die Untersuchung im September 1998. Hamburg.

Lehmann, Rainer H./Gänsfuß, Rüdiger/Peek, Rainer (2001)

Aspekte der Lernausgangslage und der Lernentwicklung von Schülerinnen und Schülern an Hamburger Schulen: Klassenstufe 9. Ergebnisse einer längsschnittlichen Untersuchung, Hamburg. (http://www.hamburger-bildungsserver.de/schulentwicklung/lau/lau9.pdf)

Leiprecht, Rudolf (2001)

Alltagsrassismus: Eine Untersuchung bei Jugendlichen in Deutschland und den Niederlanden. Münster u.a.

Ligouras, Sissis (1981)

Familien zwischen zwei Kulturen: eine Untersuchung zum soziokulturellen Wandel griechischer Familien in der Bundesrepublik Deutschland. Frankfurt/Main.

Löneke, Regina (2000)

Die „Hiesigen" und die „Unsrigen". Werteverständnis mennonitischer Aussiedlerfamilien aus Dörfern der Region Orenburg/Ural. Marburg.

Loof, Sabine (2002)

Psychosoziale und psychische Störungen von Spätaussiedlern, in: Collatz, Jürgen/Heise, Thomas (Hg.) Psychosoziale Betreuung und psychiatrische Behandlung von Spätaussiedlern. Berlin, S. 261-269.

Luchtenberg, Sigrid (1995)

Interkulturelle Sprachliche Bildung: Zur Bedeutung von Zwei- und Mehrsprachigkeit für Schule und Unterricht. Münster u.a.

Luchtenberg, Sigrid (1999)

Interkulturelle kommunikative Kompetenz: Kommunikationsfelder in Schule und Gesellschaft. Opladen.

Lutz, Helma (1989a)
Orientalische Weiblichkeit: Das Bild der Türkin in der Literatur konfrontiert mit Selbstbildern, in: Informationsdienst zur Ausländerarbeit. 4, S. 32-38.

Lutz, Helma (1989b)
Unsichtbare Schatten? Die „orientalische" Frau in westlichen Diskursen – Zur Konzeptualisierung einer Opferfigur (1), in: Peripherie: Zeitschrift für Politik und Ökonomie in der Dritten Welt. 37, S. 51-65.

Lutz, Helma (1991)
Welten Verbinden – Türkische Sozialarbeiterinnen in den Niederlanden und der Bundesrepublik Deutschland. Frankfurt/Main.

Lutz, Helma (1994)
Konstruktion von Fremdheit: Ein „blinder Fleck" in der Frauenforschung? in: Nestvogel, Renate (Hg.) Fremdes oder Eigenes? Rassismus, Antisemitismus, Kolonialismus, Rechtsextremismus aus Frauensicht. Frankfurt/Main, S. 138-152.

Lutz, Helma/Huth-Hildebrandt, Christine (1998)
Geschlecht im Migrationsdiskurs: Neue Gedanken über ein altes Thema, in: Das Argument. 224, S. 159-173.

Macha, Hildegard/Fahrenwald, Claudia (2003)
Körperbilder zwischen Natur und Kultur. Interdisziplinäre Beiträge zur Genderforschung, Opladen.

Mammey, Ulrich (2001)
Die zweite Einwanderergeneration verliert ihre muttersprachliche Kompetenz, in: BIB-Mitteilungen. Informationen aus dem Bundesinstitut für Bevölkerungsforschung beim Statistischen Bundesamt 22.

Mammey, Ulrich/Ristau, Yan (2001)
Der Kinderwunsch in drei Nationalitätengruppen in Deutschland, in: Bundesinstitut für Bevölkerungsforschung (BIB Mitteilungen). 4, S. 10-13.

Mammey, Ulrich/Schiener, Rolf (1998)
Zur Eingliederung der Aussiedler in die Gesellschaft der Bundesrepublik Deutschland. Ergebnisse einer Panelstudie des Bundesinstituts für Bevölkerungsforschung. Opladen.

Mansel, Jürgen/Hurrelmann, Klaus (1993)
Psychosoziale Befindlichkeit junger Ausländer in der Bundesrepublik Deutschland, in: Soziale Probleme. 4/2, S. 167-192.

Mansfeld, Cornelia (1979)
Zwischen zwei Kulturen, in: epd-Entwicklungspolitik. 20+21, S. 8-10.

Marburger, Helga (1987)
Schulische Sexualerziehung bei türkischen Migrantenkindern: eine Sondierung des soziokulturellen Bedingungsfeldes. Frankfurt/Main.

Marburger, Helga (1999)
Ayşe fehlt immer in Sexualkunde. Sexualerziehung zwischen Elternhaus und Schule, in: Bundeszentrale für gesundheitliche Aufklärung (BzgA) (Hg.) Forum Sexualaufklärung und Familienplanung – Schwerpunktheft Interkulturell, S. 27-30.

Marburger, Helga/Helbig, Gisela/Kienast, Eckhard (1997)
Sichtweisen und Orientierungen Berliner Grundschullehrerinnen und -lehrer zur Multiethnizität der bundesdeutschen Gesellschaft und den Konsequenzen für Schule und Unterricht, in: Heintze, Andreas/Helbig, Gisela/Jungbluth, Paul/Kienast, Eckhard/Marburger, Helga (Hg.) Schule und multiethnische Schülerschaft. Sichtweisen, Orientierungen und Handlungsmuster von Lehrerinnen und Lehrern, Frankfurt/Main, S. 4-62.

Marinescu, Marina/Kiefl, Walter (1987)
Unauffällige Fremde: Zur geringen Prägnanz des ethnischen Stereotyps der Griechen in der Bundesrepublik Deutschland, in: Zeitschrift für Volkskunde, S. 32-47.

Martini, Claudia (2001)

Italienische Migranten in Deutschland. Transnationale Diskurse. Berlin.

Mattes, Monika (1999)

Zum Verhältnis von Migration und Geschlecht: Anwerbung und Beschäftigung von „Gastarbeiterinnen" 1960-1973, in: Motte, Jan/Ohliger, Rainer/Oswald, Anne von (Hg.) 50 Jahre Bundesrepublik – 50 Jahre Einwanderung: Nachkriegsgeschichte als Migrationsgeschichte. Frankfurt/Main u.a., S. 285-309.

Mazza Moneta, Elisabeth (2000)

Deutsche und Italiener: Der Einfluß von Stereotypen auf interkulturelle Kommunikation: Deutsche und italienische Selbst- und Fremdbilder und ihre Wirkung auf die Wahrnehmung von Italienern in Deutschland. Frankfurt/Main.

Mebus, Gudula (1995)

Ausländische Eltern. Eine vernachlässigte Minderheit in der Schule, in: Pädagogik. 5, S. 48.

Mecheril, Paul (1995)

Rassismuserfahrungen von Anderen Deutschen – einige Überlegungen (auch) im Hinblick der psychotherapeutischen Auseinandersetzung, in: Attia, Iman (Hg.) Multikulturelle Gesellschaft – monokulturelle Psychologie? Antisemitismus und Rassismus in der psychosozialen Arbeit. Tübingen, S. 99-111.

Mecheril, Paul (2000)

Zugehörigkeitsmanagement. Aspekte der Lebensführung von Anderen Deutschen, in: Attia, Iman/Marburger, Helga (Hg.) Alltag und Lebenswelten von Migrantenjugendlichen. Frankfurt/Main. S. 27-48.

Mecheril, Paul (2003)

Prekäre Verhältnisse: Über natio-ethno-kulturelle (Mehrfach-)Zugehörigkeit. Münster u.a.

Mecheril, Paul/Teo, Thomas (1997)

Psychologie und Rassismus. Reinbek.

Medica mondiale e.V./Fröse, Marlies W./Volpp-Teuscher, Ina (Hg.) (1999)

Krieg, Geschlecht und Traumatisierung. Erfahrungen und Reflexionen in der Arbeit mit traumatisierten Frauen in Kriegs- und Krisengebieten. Frankfurt/Main.

Meister, Dorothee M. (1997)

Zwischenwelten der Migration: Biographische Übergänge jugendlicher Aussiedler aus Polen. Weinheim u.a.

Meng, Katharina (2001)

Russlanddeutsche Sprachbiografien: Untersuchung zur sprachlichen Integration von Aussiedlerfamilien. Tübingen.

Menne, Klaus (1997)

Institutionelle Beratung, Möglichkeiten und Grenzen ihrer quantitativen Erfassung, in: Rauschenbach, Thomas/Schilling, Matthias (Hg.) Die Kinder- und Jugendhilfestatistik, Bd. 2: Analysen, Befunde und Perspektiven. Neuwied, S. 201-264.

Merkens, Hans/Nauck, Bernhard (1993)

Ausländerkinder, in: Markefka, Manfred/Nauck, Bernhard (Hg.) Handbuch der Kindheitsforschung. Neuwied u.a., 447-457.

Mernissi, Fatima (1987)

Geschlecht – Ideologie – Islam. München.

Mernissi, Fatima (1993)

Die vergessene Macht: Frauen im Wandel der islamischen Welt. Berlin.

Mies-van Engelshoven, Brigitte (1994)

Zur Situation der Mädchen- und Frauenarbeit in der Eingliederungsarbeit der Jugendgemeinschaftswerke, in: BAG JAW (Hg.) Beratungs- und Betreuungsarbeit für junge Aus- und Übersiedlerinnen, 32. Sozialanalyse. Bonn, S. 33-41.

Mies-van Engelshoven, Brigitte (2001)
Partizipation und Chancengleichheit von jugendlichen Aussiedlerinnen und Aussiedlern in Deutschland, in: Zeitschrift für Migration und Soziale Arbeit (IZA). 2, S. 20-27.

Mıh, Emine (1999)
„...nicht nur an unserem Körper ändert sich etwas!" – Immigrantinnen in den Wechseljahren, in: Clio. 48, S. 13-15.

Mıhçıyazgan, Ursula (1993)
„Ich faß' doch keinen Jungen an!" – Überlegungen zum Geschlechtsspezifischen Verhalten türkischer Jungen und Mädchen, in: Pfister, Gertrud/Valtin, Renate (Hg.) Mädchenstärken: Probleme der Koedukation in der Grundschule. Frankfurt/Main, S. 97-110.

Mihelič, Marian (1984)
Jugoslawische Jugendliche: Intraethnische Beziehungen und ethnisches Selbstbewusstsein. München.

Ministerium für Arbeit, Gesundheit und Soziales des Landes NRW (MAGS) (Hg.) (1992a)
Situation erwerbstätiger Ausländerinnen: Schlussbericht einer Untersuchung in Nordrhein-Westfalen. Köln.

Ministerium für Arbeit, Gesundheit und Soziales des Landes NRW (MAGS) (Hg.) (1992b)
Ausländer, Aussiedler und Einheimische als Nachbarn. Ermittlung von Konfliktpotentialen und exemplarischen Konfliktlösungen. Wuppertal.

Ministerium für Arbeit, Gesundheit und Soziales des Landes NRW (MAGS) (Hg.) (1994a)
Unterbringung von Flüchtlingen in Nachbarschaft zu Einheimischen. Probleme und Lösungsstrategien. Bönen.

Ministerium für Arbeit, Gesundheit und Soziales des Landes NRW (MAGS) (Hg.) (1994b)
Landessozialbericht: Ausländerinnen und Ausländer in Nordrhein-Westfalen: Die Lebenslagen der Menschen aus den ehemaligen Anwerbeländern und die Handlungsmöglichkeiten der Politik. Neuss.

Ministerium für Arbeit, Gesundheit und Soziales des Landes NRW (MAGS) (1997a)
Türkische Muslime in Nordrhein-Westfalen. Essen.

Ministerium für Arbeit, Gesundheit und Soziales des Landes NRW (MAGS) (Hg.) (1997b)
Soziale Beratungseinrichtungen in Nordrhein-Westfalen. Düsseldorf.

Ministerium für Arbeit, Soziales und Stadtentwicklung, Kultur und Sport des Landes Nordrhein-Westfalen (MASSKS) (1999)
Selbstorganisationen von Migrantinnen und Migranten in NRW: Wissenschaftliche Bestandsaufnahme. Düsseldorf.

Ministerium für Schule, Wissenschaft und Forschung des Landes Nordrhein-Westfalen (Hg.) (MSWF) (2001)
Richtlinien für die Sexualerziehung in Nordrhein-Westfalen. Übergreifende Richtlinien.

Mittag, Hartmut/Weidacher, Alois (2000)
Methodische Aspekte der Untersuchung: Stichproben, Erhebungsinstrument, Analyseverfahren, in: Weidacher, Alois (Hg.) (2000) In Deutschland zu Hause: Politische Orientierung griechischer, italienischer, türkischer und deutscher junger Erwachsener im Vergleich. Opladen, S. 273-283.

Mitulla, Claudia (1997)
Die Barriere im Kopf: Stereotype und Vorurteile bei Kindern gegenüber Ausländern. Opladen.

Moré, Angela (1999)
Adoleszenzkonflikte türkischer Mädchen in Deutschland, in: Kürşat-Ahlers, Elçin/Tan, Dursun/Waldhoff, Hans-Peter (Hg.) Globalisierung, Migration und Multikulturalität: Werden zwischenstaatliche Grenzen in innerstaatliche Demarkationslinien verwandelt? Frankfurt/Main, S. 103-112.

Morgenroth, Olaf (1997)

Zwei methodische Aspekte der Datenerhebung in multikulturellen Lebenswelten: Sprache und Antwortstile, in: Schmidt, Folker (Hg.) Methodische Probleme der empirischen Erziehungswissenschaft. Hohengehren, S. 265-277.

Morokvašić, Mirjana (1987a)

Jugoslawische Frauen: Die Emigration – und danach. Basel u.a.

Morokvašić, Mirjana (1987b)

Von nicht wahrgenommener zu wahrgenommener Präsenz, in: Deutsches Jugendinstitut (Hg.) Ausländerarbeit und Integrationsforschung – Bilanz und Perspektiven. Weinheim u.a., S. 409-428.

Morone, Tommaso (1993)

Migrantenschicksal. Sizilianische Familien in Reutlingen. Heimat(en) und Zwischenwelt: Eine empirische Untersuchung. Bonn.

Münchmeier, Richard (2000)

Miteinander – Nebeneinander – Gegeneinander? Zum Verhältnis zwischen deutschen und ausländischen Jugendlichen, in: Deutsche Shell (Hg.) Jugend 2000. Opladen, S. 221-260.

Nauck, Bernhard (1985a)

„Heimliches Matriarchat" in Familien türkischer Arbeitsmigranten? Empirische Ergebnisse zu Veränderungen der Entscheidungsmacht und Aufgabenallokation, in: Zeitschrift für Soziologie. 14/6, S. 450-465.

Nauck, Bernhard (1985b)

Arbeitsmigration und Familienstruktur: Eine soziologische Analyse der mikrosozialen Folgen von Migrationsprozessen. Frankfurt/Main u.a.

Nauck, Bernhard (1993)

Dreifach diskriminiert?: Ausländerinnen in Westdeutschland, in: Helwig, Gisela /Nickel, Hildegard M. (Hg.) Frauen in Deutschland 1945-1992. Berlin, S. 364-395.

Nauck, Bernhard (1994)

Bildungsverhalten in Migrantenfamilien, in: Büchner, Peter/Grundmann, Matthias/ Huinink, Johannes/Krappmann, Lothar/Nauck, Bernhard/Meyer, Dagmar/Rothe, Sabine (Hg.) Kindliche Lebenswelten, Bildung und innerfamiliale Beziehungen. München, S. 105-141.

Nauck, Bernhard (1997a)

Sozialer Wandel, Migration und Familienbildung bei türkischen Frauen, in: Nauck, Bernhard/Schönpflug, Ute (Hg.) Familien in verschiedenen Kulturen. Stuttgart, S. 162-199.

Nauck, Bernhard (1997b)

Intergenerative Konflikte und gesundheitliches Wohlbefinden in türkischen Familien: ein interkultureller und interkontextueller Vergleich, in: Nauck, Bernhard/Schönpflug, Ute (Hg.) Familien in verschiedenen Kulturen. Stuttgart, S. 324-352.

Nauck, Bernhard (1998)

Eltern-Kind-Beziehungen in Migrantenfamilien – ein Vergleich zwischen griechischen, italienischen, türkischen und vietnamesischen Familien in Deutschland. Survey intergenerative Beziehungen in Migrantenfamilien. Expertise zum 6. Familienbericht.

Nauck, Bernhard (2000)

Eltern-Kind-Beziehungen in Migrantenfamilien: Ein Vergleich zwischen griechischen, italienischen, türkischen und vietnamesischen Familien in Deutschland, in: Sachverständigenkommission 6. Familienbericht (Hg.) Familien ausländischer Herkunft in Deutschland: Empirische Beiträge zur Familienentwicklung und Akkulturation, Bd. I. Opladen, S. 347-392.

Nauck, Bernhard/Diefenbach, Heike (1997a)
Bildungsbeteiligung von Kindern aus Familien ausländischer Herkunft: Eine methodische Diskussion des Forschungsstands und eine empirische Bestandsaufnahme, in: Schmidt, Folker (Hg.) Methodische Probleme der empirischen Erziehungswissenschaft. Hohengehren, S. 289-307.

Nauck, Bernhard/Diefenbach, Heike (1997b)
Bildungsverhalten als „strategische Praxis", ein Modell zur Erklärung der Reproduktion von Humankapital in Migrantenfamilien, in: Pries, Ludger (Hg.) Transnationale Migration. Baden-Baden, S. 276-291.

Nauck, Bernhard/Diefenbach, Heike/Petri, Kornelia (1998)
Intergenerationale Transmission von kulturellem Kapital unter Migrationbedingungen: Zum Bildungserfolg von Kinder und Jugendlichen aus Migrantenfamilien in Deutschland, in: Zeitschrift für Pädagogik. 44/5, S. 701-736.

Nauck, Bernhard/Kohlmann, Annette (1998)
Verwandschaft als soziales Kapital – Netzwerkbeziehungen in türkischen Migrantenfamilien, in: Wagner. Michael/Schütze, Yvonne (Hg.) Verwandtschaft. Sozialwissenschaftliche Beiträge zu einem vernachlässigten Thema. Stuttgart, S. 203-235.

Nauck, Bernhard/Kohlmann, Annette/Diefenbach, Heike (1997)
Familiäre Netzwerke, intergenerative Transmission und Assimilationsprozesse bei türkischen Migrantenfamilien, in: Kölner Zeitschrift für Soziologie und Sozialpsychologie. 3, S. 477-499

Nauck, Bernhard/Özel, Sule (1986)
Erziehungsvorstellungen und Sozialisationspraktiken in türkischen Migrantenfamilien, in: Zeitschrift für Sozialisationsforschung und Erziehungssoziologie. 2, S. 285-312.

Nestvogel, Renate (Hg.) (1994)
„Fremdes" oder „Eigenes"? Rassismus, Antisemitismus, Kolonialismus und Rechtsextremismus aus Frauensicht. Frankfurt/Main.

Nestvogel, Renate (2002)
Aufwachsen in verschiedenen Kulturen. Weibliche Sozialisation und Geschlechterverhältnisse in Kindheit und Jugend. Weinheim.

Neue Ruhr Zeitung (NRZ) (2003)
Mit Migranten mangelhaft? Bildungsstuie sieht Probleme bei Förderung von Ausländern und bei der Notengebung. Essen. (05.03.2003).

Neumann, Ursula (1981)
Berufswahlprozesse türkischer Mädchen: Zwei Einzelfallstudien, in: Unterrichtswissenschaft. 9/1, S. 148-157.

Neumann, Ursula (1986)
Der geschlechtsspezifische Aspekt in der Berufswahl türkischer Mädchen, in: Yakut, Atilla/Reich, Hans H./Neumann, Ursula/Boos-Nünning, Ursula (Hg.) Zwischen Elternhaus und Arbeitsamt: Türkische Jugendliche suchen einen Beruf. Berlin, S. 107-131.

Neumann, Ursula (1989)
Die Töchter der Migranten: Zur Situation in Schule, Familie, Beruf, in: Interkulturell: Forum für interkulturelles Lerner in Schule und Sozialpädagogik, Freiburg, S. 8-48.

Nieke, Wolfgang (2000)
Interkulturelle Erziehung und Bildung: Wertorientierung im Alltag. Opladen

Nieke, Wolfgang (Hg.) (1991)
Ausländische Jugendliche in der Berufsausbildung: auf dem Weg zur Chancengleichheit? Opladen.

Nökel, Sigrid (2002)
Die Töchter der Gastarbeiter und der Islam. Zur Soziologie alltagsweltlicher Anerkennungspolitiken: Eine Fallstudie. Bielefeld.

Nuber, Franz (1984)
Italienische Kinder in Schulen für Lernbehinderte: Zur Situation in Baden-Württemberg, in: Zeitschrift für Heilpädagogik. 35, S. 692-700.

Oebbecke, Janbernd (2003)
Das „islamische Kopftuch" als Symbol, in: Muckel, Stefan (Hg.) Kirche und Religion im sozialen Rechtsstaat: Festschrift für Wolfgang Rüfner zum 70. Geburtstag. Berlin, S. 593-606.

Oerter, Rolf/Montada, Leo (Hg.) (1995)
Entwicklungspsychologie: Ein Lehrbuch. Weinheim.

Offermann, Claudia (2001)
Risikofaktoren der Entstehung von Essstörungen bei Migrantinnen. Landau.

Ofner, Ulrike S. (2003)
Akademikerinnen türkischer Herkunft: Narrative Interviews mit Töchtern aus zugewanderten Familien. Berlin.

Oksaar, Els (2003)
Zweitspracherwerb: Wege zur Mehrsprachigkeit und zur interkulturellen Verständigung. Stuttgart.

Oswald, Anne von (2002)
Volkswagen, Wolfsburg und die italienischen „Gastarbeiter" 1962-1975. Die gegenseitige Verstärkung des Provisoriums, in: Archiv für Sozialgeschichte. 42, S. 55-79.

Otyakmaz, Berrin Ö. (1995)
Auf allen Stühlen: Das Selbstverständnis junger türkischer Migrantinnen in Deutschland. Köln.

Otyakmaz, Berrin Ö. (1999)
„Und die denken dann von vornherein, das läuft irgendwie ganz anders ab": Selbst- und Fremdbilder junger türkischer Migrantinnen türkischer Herkunft, in: beiträge zur feministischen theorie und praxis. 51/22, S. 79-92.

Özdalga, Elisabeth (1998)
The Veiling Issue: Official Secularism and Popular Islam in Modern Turkey. Richmond.

Özelsel, Michaela (1990)
Gesundheit und Migration: eine psychologisch-empirische Untersuchung an Deutschen sowie Türken in Deutschland und in der Türkei. München.

Özelsel, Michaela Mihriban (1992)
Frauen im Islam. Betrachtungen aus kulturanthropologischer Perspektive, in: Islam im Abendland. Sonderband 1 der Zeitschrift „Die Brücke", S. 79-91.

Panayotidis, Gregoris (2001)
Griechen in Bremen: Bildung und soziale Integration einer ausländischen Bevölkerungsgruppe. Münster.

Pantazis, Spyridon (1989)
Die pädagogische Förderung griechischer Gastarbeiterkinder in Elternhaus und Kindergarten. Eine empirische Untersuchung bei griechischen Eltern und bei Erzieherinnen im Raum Nordrhein-Westfalen. Diss. Bonn.

Pantazis, Vassilios (2002)
Der Geschichtsunterricht in der multikulturellen Gesellschaft: Das Beispiel der griechischen Migrantenkinder. Frankfurt/Main u.a.

PAPATYA (1993)
„Meine Eltern hatten ja die Chance zu entscheiden: Entweder ich behalte meine Ehre oder meine Töchter": Erfahrungen in einer Kriseneinrichtung für Mädchen aus der Türkei, in: Informationsdienst zur Ausländerarbeit (IZA). 1/2, S. 80-86.

Pavković, Gari (1993)
Psychosoziale Beratung von Arbeitsmigranten aus dem ehemaligen Jugoslawien: Werte, Neutralität und Parteilichkeit in der psychosozialen Ausländerberatung am Beispiel der Familien aus dem ehemaligen Jugoslawien, in: Lajios, Konstantin (Hg.) Die psychosoziale Situation von Ausländern in der Bundesrepublik Deutschland: Integrationsprobleme ausländischer Familien und die seelischen Folgen. Opladen, S. 35-44.

Pavković, Gari (1999)
Interkulturelle Kompetenz in der Erziehungsberatung, in: Zeitschrift für Migration und soziale Arbeit (IZA). 2, S. 22-29.

Peponis, Michaela (1994)
Psychosomatische Belastungsindikatoren bei Jugendlichen im Kulturvergleich. Bochum.

Pfänder, Petra/Turhan, Fügen (1990)
Türkische Mädchen und Freizeit: Eine Untersuchung zum Thema Stellenwert von freier Zeit und „Frei-Zeit"-Angeboten aus Sicht türkischer Mädchen. Düsseldorf.

Pfluger-Schindlbeck, Ingrid (1989)
„Achte die Älteren, liebe die Jüngeren" Sozialisation türkisch-alevitischer Kinder im Heimatland und in der Migration. Frankfurt/Main.

Polat, Ülger (1997)
Soziale und kulturelle Identität türkischer Migranten der zweiten Generation in Deutschland, Hamburg.

Polat, Ülger (1998)
Die soziale Identität türkischer Jugendlicher in Deutschland, in: Frauen in der Einen Welt. 9/1, S. 19-30.

Popp, Ulrike (1996a)
Etikettierung und Lebensentwürfe türkischer Jugendlicher, in: Mansel, Jürgen/Klocke, Andreas (Hg.) Die Jugend von heute: Selbstanspruch, Stigma und Wirklichkeit, Weinheim u.a.

Popp, Ulrike (1996b)
Kultur ist nicht Geschlechtslos: Geschlechtsverhältnisse aus der Sicht deutscher und türkischer Mädchen, in: Beispiele: Schwerpunkt Interkulturelle Schule. 4, S. 38-43.

Portera, Agostino (1995)
Interkulturelle Identitäten. Faktoren der Identitätsbildung Jugendlicher italienischer Herkunft in Südbaden und Süditalien. Köln u.a.

Portera, Agostino (1996)
Identitätsbildung im multikulturellen Raum. Empirische Untersuchung über Risiko- und Schutzfaktoren der Identitätsbildung Jugendlicher italienischer Herkunft in Südbaden und Süditalien, in: Zeitschrift für Migration und Soziale Arbeit 2, S. 54-57.

Portera, Agostino (1998)
Jugendliche italienischer Herkunft im multikulturellen Kontext: Ergebnisse einer Längsschnittuntersuchung in Südbaden und in Süditalien, in: Alborino, Roberto/Pölzl, Konrad (Hg.) Italiener in Deutschland. Teilhabe oder Ausgrenzung. Freiburg, S. 127-146.

Pott, Andreas (1999)
Ethnizität und Migrationsgewinner, in: Bukow, Wolf-Dietrich/Ottersbach, Markus (Hg.) Fundamentalismusverdacht: Plädoyer für eine Neuorientierung der Forschung im Umgang mit allochthonen Jugendlichen. Opladen, S. 178-193.

Pott, Andreas (2001)
Der räumliche Blick: Zum Zusammenhang von Raum und städtischer Segregation von Migranten, in: Gestring, Norbert/Glasauer, Herbert/Hannemann, Christine/Petrowsky, Werner/Pohlan, Jörg (Hg.) Jahrbuch Stadt Region 2001. Schwerpunkt: Einwanderungsstadt. Opladen, S. 57-74.

Pott, Andreas (2002)
Ethnizität und Raum im Aufstiegsprozeß: Eine Untersuchung zum Bildungsaufstieg in der zweiten türkischen Migrantengeneration. Opladen.

Pourgholam-Ernst, Azra (2002)
Das Gesundheitserleben von Frauen aus verschiedenen Kulturen. Frauen und Gesundheit: Eine empirische Untersuchung zum Gesundheitserleben ausländischer Frauen in Deutschland aus salutogenetischer Sicht. Münster.

Poustka, Fritz (1984)
Psychiatrische Störungen bei Kindern ausländischer Arbeitnehmer. Eine epidemologische Untersuchung. Stuttgart.

Previšić, Vlatko (1988)
Leben die Migranten eigentlich – oder arbeiten sie nur? Die jugoslawische Familie im Ausland, in: Interkulturell: Forum für interkulturelles Lernen in Schule und Sozialpädagogik. 3/4, S. 87-99.

Prodolliet, Simone (1999)
Spezifisch weiblich: Geschlecht und Migration. Ein Rückblick auf die Migrationsforschung, in: Zeitschrift für Frauenforschung. 1+2, S. 26-42.

Pupeter, Monika (2000)
Migrationssoziologische und soziokulturelle Aspekte der Lebenssituation deutscher und ausländischer junger Erwachsener, in: Alois Weidacher (Hg.) In Deutschland zu Hause: Politische Orientierung griechischer, italienischer, türkischer und deutscher junger Erwachsener im Vergleich. Opladen.

Pusić, Petar (1983a)
Gegenwärtige Entwicklung der Familie in Jugoslawien, in: Informationsdienst zur Ausländerarbeit. 2/3, S. 31-35.

Pusić, Petar (1983b)
Veränderungsprozesse jugoslawischer Familien, in: Informationsdienst zur Ausländerarbeit. 2/3, S. 42-43.

Puskeppeleit, Jürgen/Krüger-Potratz, Marianne (1999)
Bildungspolitik und Migration: Texte und Dokumente zur Beschulung ausländischer und ausgesiedelter Kinder und Jugendliche 1950-1999. 31/32. Münster.

Radtke, Frank-O. (1995)
Migration und Ethnizität, in: Flick, Uwe/Kardoff, Ernst von/Keupp, Heiner/Wolff, Stephan (Hg.) Handbuch Qualitative Sozialforschung. Weinheim. S. 391-394.

Ramachers, Günter (1996)
Konflikte und Konfliktbewältigung in intra- und interkulturellen Freundschaften. Frankfurt/Main u.a.

Räthzel, Nora (Hg.) (2000)
Theorie über Rassismus. Hamburg.

Rauschenbach, Thomas/Schilling, Matthias (Hg.) (1997)
Die Kinder- und Jugendhilfe und ihre Statistik, Analysen, Befunde und Perspektiven, Bd. 2. Neuwied.

Reh, Sabine/Schelle, Carla (2000)
Schule als Lebensbereich der Jugend, in: Sander, Uwe/Vollbrecht, Ralf (Hg.) Jugend im 20. Jahrhundert. Neuwied, Berlin, S. 158-175.

Reich, Hans H. (2001)
Sprache und Integration, in: Bade, Klaus J. (Hg.) Integration und Illegalität in Deutschland. Osnabrück, S. 41-49.

Reich, Hans H./Pörnbacher, Ulrike (1995)
Zur quantitativen Entwicklung des Muttersprachlichen Ergänzungsunterrichts in der Bundesrepublik Deutschland, in: Deutsch lernen 2, S. 136-159.

Reich, Hans H./Roth, Hans J. (2002)
Spracherwerb zweisprachig aufgewachsener Kinder und Jugendlicher: Ein Überblick über den Stand der nationalen und internationalen Forschung. Hamburg.

Reinders, Heinz (2003)
Interethnische Freundschaften bei Jugendlichen 2002: Ergebnisse einer Pilotstudie bei Hauptschülern. Hamburg.

Reinders, Heinz (2004)
Entstehungskontexte interethnischer Freundschaften in der Adoleszenz, in: Zeitschrift für Erziehungswissenschaft (ZfE). 1, S. 121-145.

Reinecke, Jost (1991)
Interviewer- und Befragtenverhalten. Theoretische Ansätze und methodische Konzepte. Opladen.

Remschmidt, Helmut/Walter, Reinhard (1990)
Psychische Auffälligkeiten bei Schulkindern: eine epidemiologische Untersuchung. Göttingen.

Renner, Erich (1975)
Erziehungs- und Sozialisationsbedingungen türkischer Kinder: Ein Vergleich zwischen Deutschland und der Türkei. Heidelberg.

Renner, Erich (1986)
Sozialisation in zwei Kulturen: Analyse autobiographischer Texte. Frankfurt/Main.

Renner, Günter (2002)
Kinder ausländischer Eltern in der Jugendhilfe, in: Diefenbach, Heike/Renner, Günter/ Schulte, Bernd (Hg.) (2002) Migration und die europäische Integration. Herausforderungen für die Kinder- und Jugendhilfe. München, S. 73-126.

Renz, Meral (2000)
Befriedigt die Sexualpädagogik auch Bedürfnisse nicht-deutscher Mädchen?, in: Bundeszentrale für gesundheitliche Aufklärung (Hg.) Dokumentation der Fachtagung zur Sexualpädagogischen Mädchenarbeit, S. 179-183.

Renz, Meral (2002)
Zwischen allen Stühlen – Sexualität ausländischer Kinder und Jugendlicher in Deutschland, in: profamilia Magazin. 2, S. 26-28.

Rieplhuber, Rita (1986)
Die Stellung der Frau in den neutestamentalischen Schriften und im Koran. Altenberge.

Riesner, Silke (1991)
Junge türkische Frauen der zweiten Generation in der Bundesrepublik Deutschland: Eine Analyse von Sozialisationsbedingungen und Lebensentwürfen anhand lebensgeschichtlich orientierter Interviews. Frankfurt/Main.

Rohr, Elisabeth (2001a)
Ganz anders und doch gleich. Weibliche Lebensentwürfe junger Migrantinnen in der Adoleszenz, in: Rohrmann, Eckhard (Hg.) Mehr Ungleichheit für alle: Fakten, Analysen und Berichte zur sozialen Lage der Republik am Anfang des 21. Jahrhunderts. Heidelberg, S. 115-134.

Rohr, Elisabeth (2001b)
Die Liebe der Töchter: Weibliche Adoleszenz in der Migration, in: Sturm, Gabriele/ Schachtner, Christina/Rausch, Renate/Maltry, Karala (Hg.) Zukunfts(t)räume: Geschlechterverhältnisse im Globalisierungsprozess. Königstein, S. 138-162.

Roll, Heike (1997)
Deutsch sein und doch fremd sein – Jugendliche Aussiedler suchen ihre Identität, in: Forschungsinstitut der Friedrich-Ebert-Stiftung (Hg.) Identitätsstabilisierend oder konfliktfördernd?: Ethnische Orientierungen in Jugendgruppen. Bonn, S. 39-50.

Rommelspacher, Birgit (1995)
Dominanzkultur. Texte zur Fremdheit und Macht. Berlin.

Rosen, Rita (1997)
Leben in zwei Welten: Migrantinnen und Studium. Frankfurt/Main.

Ruttmann, Hermann (1998)
Kirche und Religion von Aussiedlern aus den GUS-Staaten, in: Landesbildstelle Bremen (Hg.) Dokumentation Russlanddeutsche in Bremen, S. 115-123.

Sachverständigenkommission 6. Familienbericht (Hg.) (2000)
Familien ausländischer Herkunft in Deutschland: Empirische Beiträge zur Familienentwicklung und Akkulturation: Materialien zum 6. Familienbericht. Band I. Opladen.

Sackmann, Rosemarie (2001)
Türkische Muslime in Deutschland – Zur Bedeutung der Religion, in: Zeitschrift für Türkeistudien. 1+2. S. 187-206.

Salentin, Kurt (1999)
Die Stichprobenziehung bei Zuwandererbefragungen, in: ZUMA-Nachrichten. 23, S. 115-135.

Salentin, Kurt (2002)
Zuwandererstichproben aus dem Telefonbuch: Möglichkeiten und Grenzen, in: Gabler, Sigfried/Häder, Sabine (Hg.) Telefonstichproben: Methodische Innovationen und Anwendungen in Deutschland. Münster, S. 164-186.

Salentin, Kurt/Wilkening, Frank (2003)
Ausländer, Eingebürgerte und das Problem einer realistischen Zuwanderer-Integrationsbilanz, in: Kölner Zeitschrift für Soziologie und Sozialpsychologie. 55/2, S. 278-298.

Salisch, Maria von (1990)
Sexualität und interpersonale Intimität. Ein Vergleich zwischen Berliner Jugendlichen deutscher und türkischer Herkunft, in: Zeitschrift für Sozialisationsforschung und Erziehungssoziologie. 1, S. 14-32.

Salman, Ramazan (1999)
Sexualität und Migration am Beispiel türkischer MigrantInnen, in: Bundeszentrale für gesundheitliche Aufklärung (BzgA) (Hg.) Forum Sexualaufklärung und Familienplanung – Schwerpunktheft Interkulturell, S. 7-11.

Sander, Uwe/Vollbrecht, Ralf (Hg.)
Jugend im 20. Jahrhundert. Sichtweisen-Orientierungen-Risiken. Neuwied u.a.

Sandt, Fred-Ole (1996)
Religiosität von Jugendlichen in der multikulturellen Gesellschaft: Eine qualitative Untersuchung zu atheistischen, christlichen, spiritualistischen und muslimischen Organisationen. Münster.

Santen, Eric van/Mamier, Jasmin/Pluto, Liane/Seckinger, Mike/Zink, Gabriele (2003)
Kinder- und Jugendhilfe in Bewegung – Aktion oder Reaktion? Eine empirische Analyse. München.

Sarı, Maksut (1995)
Der Einfluß der Zweitsprache (Deutsch) auf die Sprachentwicklung türkischer Gastarbeiterkinder in der Bundesrepublik. Frankfurt/Main u.a.

Sauer, Martina/Goldberg, Andreas (2001)
Der Islam etabliert sich in Deutschland: Ergebnisse einer telefonischen Meinungsumfrage von türkischen Migranten zu ihrer religiösen Einstellung, zu Problemen und Erwartungen an die deutsche Gesellschaft. Essen.

Sauter, Sven (2000)
Wir sind „Frankfurter Türken": Adoleszente Ablösungsprozesse in der deutschen Einwanderungsgesellschaft. Frankfurt/Main.

Schaefer, Markus/Thränhardt, Dietrich (1998)
Inklusion und Exklusion: Die Italiener in Deutschland, in: Thränhardt, Dietrich (Hg.) Einwanderung und Einbürgerung in Deutschland: Jahrbuch Migration – Yearbook Migration 1997/98. Münster, S. 149-178.

Schäfer, Klaus (1996)
Jugendverbände, in: Kreft, Dieter/Mielenz, Ingrid (Hg.) Wörterbuch soziale Arbeit. Aufgaben, Praxisfelder, Begriffe und Methoden der Sozialarbeit und Sozialpädagogik. Weinheim, S. 337-339.

Schaumann, Lena/Haller, Ingrid/Geiger, Klaus F./Hermanns, Harry (1988)
Lebenssituation und Lebensentwürfe junger türkischer Frauen der zweiten Migrantengeneration: Forschungsbericht. Wiesbaden.

Schepker, Renate (1995)
İnşallah oder: packen wir's an: Zu Kontrollüberzeugungen von deutschen und türkischen Schülern im Ruhrgebiet. Unter Mitarbeit von Angela Eberding. Münster u.a.

Schilling, Matthias/Krahl, Petra (1999)
Kinder in der Kinder- und Jugendhilfe: Eine Auswertung der amtlichen Kinder- und Jugendhilfestatistik, in: Weigel, Georg/Winkler, Michael (Hg.) Kinder und Jugendhilfe: Kinder in Maßnahmen – Verbandliche Stellungnahmen. München, S. 291-345.

Schlehe, Judith (2000)
Gender als transkulturelle Konstruktion, in: Schlehe, Judith (Hg.) Zwischen den Kulturen zwischen den Geschlechtern: Kulturkontakte und Genderkonstrukte. Münchener Beiträge zur Interkulturellen Kommunikation, Bd. 8. Münster u.a., S. 7-15.

Schlüter-Müller, Susanne (1992)
Psychische Probleme von jungen Türken in Deutschland: Psychiatrische Auffälligkeit von ausländischen Jugendlichen in der Adoleszenz – Schwerpunkt türkische Jugendliche: Eine epidemiologische Längsschnittuntersuchung. Eschborn.

Schmeling-Kludas, Christoph/Boll-Klatt, Annegret/Fröschlin, Reinhard (2002)
Was lässt türkische Migranten psychosomatisch erkranken? – Rückschlüsse aus einer retrospektiven Aktenanalyse, in: Dettmers, Christian/Albrecht, Niels J./Weiller, Cornelius (Hg.) Gesundheit. Migration. Krankheit: Sozialmedizinische Probleme und Aufgaben der Nervenheilkunde, S. 195-203.

Schmid, Georg: (1992)
Vorwort zum Forschungsbericht von Heiner Barz: Teil 1. Religion ohne Institution? Eine Bilanz der sozialwissenschaftlichen Jugendforschung. Opladen, S. 9-10.

Schmidt, Susanne (2000)
Kurdisch-Sein, mit deutschem Pass! Formale Integration, kulturelle Identität und lebensweltliche Bezüge von Jugendlichen kurdischer Herkunft in Nordrhein-Westfalen: Eine quantitative Studie. Bonn.

Schmidt-Koddenberg, Angelika (1989)
Akkulturation von Migrantinnen: Eine Studie zur Bedeutsamkeit sozialer Vergleichsprozesse von Türkinnen und deutschen Frauen. Opladen.

Schmidt-Koddenberg, Angelika (1999)
Psychosomatische Reaktionen bei Migrantinnen, in: Gieseke, Heide/Kuhs, Katharina (Hg.) Frauen und Mädchen in der Migration. Lebenshintergründe und Lebensbewältigung, Frankfurt/Main, S. 73-94.

Schmitt-Rodermund, Eva (1997)
Akkulturation und Entwicklung: Eine Studie unter jungen Aussiedlern. Weinheim.

Schnell, Rainer (1997)
Nonresponse in Bevölkerungsumfragen: Ausmaß, Entwicklung und Ursachen. Opladen.

Schnell, Rainer/Hill, Paul B./Esser, Elke (1999)
Methoden der empirischen Sozialforschung. München.

Schöneberg, Ulrike (1985)
Probleme der inhaltlichen und sprachlichen Gestaltung standardisierter Befragungsinstrumente und deren Übersetzung in Untersuchungen über Arbeitsmigranten, in: Sievering, Ulrich O. (Hg.) Methodenprobleme der Datenerhebung. Frankfurt/Main, S. 128-156.

Schrader, Achim/Nikles, Bruno W./Griese, Hartmut M. (1976)
Die zweite Generation: Sozialisation und Akkulturation ausländischer Kinder in der Bundesrepublik. Kronberg.

Schreiber, Monika (2001)
Krankheitskonzepte türkischer und deutscher Mädchen: Untersuchung der Kausal- und Kontrollattributionen bezüglich Krankheit. Dissertation. Berlin.

Schröder, Helmut/Conrads, Jutta/Testrot, Anke/Ulbrich-Herrmann, Matthias (2000)
Ursachen interethnischer Konfliktpotentiale: Ergebnisse einer Bevölkerungsbefragung von deutscher Mehrheitsbevölkerung und türkischer Minderheit, in: Anhut, Reimund/ Heitmeyer, Wilhelm (Hg.) Bedrohte Staatsgesellschaft: Soziale Desintegrationsprozesse und ethnisch-kulturelle Konfliktkonstellationen. Weinheim u.a., S. 101-198.

Schröter, Hiltrud (2002)
Mohammeds deutsche Töchter: Bildungsprozesse, Hindernisse, Hintergründe. Königstein.

Schubert, Collin (2003)
Schutz vor Zwangsheirat, in: TDF – Menschenrechte für die Frau. 2, S. 6f.

Schultze, Günther (1990)
Griechische Jugendliche in Nordrhein-Westfalen: eine Untersuchung in Zusammenarbeit mit dem Diakonischem Werk in Rheinland. Bonn.

Schulz, Marion (1992)
Fremde Frauen: Von der Gastarbeiterin zur Bürgerin. Frankfurt/Main.

Schwarz, Thomas (1988)
Türkischer Sport in Berlin. Bilanzen und Perspektiven. Arbeitsheft des Berliner Instituts für vergleichende Sozialforschung. Berlin.

Schwarz, Thomas (1992)
Zuwanderer im Netz des Wohlfahrtsstaates: Türkische Jugendliche und die Berliner Kommunalpolitik. Berlin.

Schweitzer, Friedrich (1998)
Die Suche nach eigenem Glauben: Einführung in die Religionspädagogik des Jugendalters. Gütersloh.

Seiderer, Irene/Mies-van Engelshoven, Brigitte (2002)
40. Sozialanalyse der Bundesarbeitsgemeinschaft Jugendsozialarbeit zur Situation junger AussiedlerInnen für den Zeitraum vom 01.01.2001 bis 31.12.2001, in: BAG JAW (Hg.) Beratungs- und Betreuungsarbeit für Jugendliche mit Migrationshintergrund, 40. Sozialanalyse. Bonn, S. 5-18.

Seifert, Wolfgang (1992)
Die zweite Ausländergeneration in der Bundesrepublik. Längsschnittbeobachtungen in der Berufseinstiegsphase, in: Kölner Zeitschrift für Soziologie und Sozialpsychologie 4, S. 677-696.

Seifert, Wolfgang (1995)
Die Mobilität der Migranten: Die berufliche, ökonomische und soziale Stellung ausländischer Arbeitnehmer in der Bundesrepublik. Berlin.

Şen, Faruk (2001)
Türkische Fernsehsender in der deutschen Fernsehlandschaft – Zur Mediennutzung türkischer Migranten in Deutschland, in: Ausländerbeauftragte der Freien und Hansestadt Hamburg und der Hamburgischen Anstalt für neue Medien (HAM) (Hg.) Medien, Migranten, Integration. Berlin, S. 101-110.

Shankland, David (1993)
„Alevi and Sunni in Rural Anatolia", in: Stirling, Paul (Hg.) Culture and Economy. Changes in Turkish Villages. Cambridgeshire, S. 46-64.

Siefen, Rainer G. (2002)
Psychosomatische und psychische Störungen von Spätaussiedlerjugendlichen, in: Collatz, Jürgen/Heise, Thomas (Hg.) Psychosoziale Betreuung und psychiatrische Behandlung von Spätaussiedlern. Berlin, S. 271-280.

Siefen, Rainer G./Brähler, Elmar (1996)
Körperbeschwerden bei griechischen Migranten- und deutschen Aussiedlerkindern und -jugendlichen, in: Psychosozial. 19/1, S. 29-36.

Siefen, Rainer G./Peponis, Michaela/Loof, Sabine (1998)
Zur Situation von Migrantenkindern in der BRD. Die psychosoziale Integration von griechischen und Aussiedlerkindern und -jugendlichen, in: Lajios, Konstantin (Hg.) Die ausländische Familie. Ihre Situation und Zukunft in Deutschland. Opladen, S. 63-70.

Siefen, Rainer G./Taneli, Yesim/Taneli, Suna/Mutlu, Gökay/Brähler, Elmar (1998)
Körperbeschwerden bei türkischen Migrantenkindern und jugendlichen Migranten, in: Koch, Eckhardt/Özek, Metin/Pfeiffer, Wolfgang M./Schepker, Renate (Hg.) Chancen und Risiken der Migration. Deutsch-türkische Perspektiven, Freiburg/Breisgau, S. 134-139.

Silbereisen, Rainer K./Lantermann, Ernst-D./Schmitt-Rodermund, Eva (Hg.) (1999)
Aussiedler in Deutschland. Akkulturation von Persönlichkeit und Verhalten. Opladen.

Spitthöver, Maria (2000)
Geschlecht und Freiraumverhalten – Geschlecht und Freiraumverfügbarkeit, in: Harth, Annette/Scheller, Gitta/Tessin, Wulf (Hg.) Stadt und soziale Ungleichheit. Opladen, S. 217-231.

Stadt Köln. Der Oberbürgermeister – Amt für Stadtentwicklung und Statistik (Hg.) (2003)
Kölner Statistiche Nachrichten: Einwohner in Köln 2002. Köln.

Stadt-Revue (Hg.) (2003)
Kölner Stadt Magazin: Familienehre ist die Bringschuld der Frau. Zwangsheirat. Köln.

Stanger, Barbara (1994)
Leben zwischen zwei Stühlen? Türkische Mädchen in Deutschland. Mannheim.

Stavrinoudi, Athina (1992)
Die griechische Arbeitsmigration in die Bundesrepublik. Berlin.

Steiger, Horst (1985)
Arbeitsmigrantenforschung – Erfahrungen aus den Mikrozensuserhebungen, in: Sievering, Ulrich O. (Hg.) Methodenprobleme der Datenerhebung. Frankfurt/Main, S. 25-50.

Steinhausen, Hans-C. et al. (1990)
Child Psychiatric disorders and family dysfunction in migrant workers' and military families, in: European Archives of Psychiatry and Neurological Sciences. 239/4, S. 257-262.

Steinhausen, Hans-C./Remschmidt Helmut (1982)
Migration und psychischen Störung: ein Vergleich von Kindern griechischer Gastarbeiter und deutschen Kinder in West-Berlin, in: Zeitschrift Kinder- und Jugendpsychiatrie. 10, S. 344-364.

Stojanovic, Ilija (1983)
Probleme der Zweisprachigkeit jugoslawischer Schüler, in: Informationsdienst zur Ausländerarbeit. 2-3, S. 61-63.

Stölting, Wilfried (1980)
Die Zweisprachigkeit jugoslawischer Schüler in der Bundesrepublik Deutschland, Bd. 3. Wiesbaden.

Stouthamer-Loeber, Magda/Kammen, Welmoet B. van (1995)
Data Collection and Management: A practical guide. Thousand Oaks u.a.

Straßburger, Gaby (2000)

Das Heiratsverhalten von Personen ausländischer Nationalität oder Herkunft in Deutschland, in: Sachverständigenkommission 6. Familienbericht (Hg.) Familien ausländischer Herkunft in Deutschland: Empirische Beiträge zur Familienentwicklung und Akkulturation. Materialien zum 6. Familienbericht, Bd 1. Opladen. S. 9-48.

Straßburger, Gaby (2001a)

Evaluation von Integrationsprozessen in Frankfurt am Main: Studie zur Erforschung des Standes der Integration von Zuwanderern und Deutschen in Frankfurt am Main am Beispiel von drei ausgewählten Stadtteilen. Im Auftrag des Amtes für Multikulturelle Angelegenheiten der Stadt Frankfurt am Main. Frankfurt/Main.

Straßburger, Gaby (2001b)

Warum aus der Türkei? Zum Hintergrund transnationaler Ehen der zweiten Migrantengeneration, in: Migration und Soziale Arbeit. 1, S. 34-39.

Straßburger, Gaby (2003)

Heiratsverhalten und Partnerwahl im Einwanderungskontext: Eheschließungen der zweiten Migrantengeneration türkischer Herkunft. Würzburg.

Strasser, Sabine (1995)

Die Unreinheit ist fruchtbar! Grenzüberschreitungen in einem türkischen Dorf am Schwarzen Meer. Wien.

Strobl, Rainer/Kühnel, Wolfgang (2000)

Dazugehörig und ausgegrenzt. Analysen zu Integrationschancen junger Aussiedler. Weinheim u.a.

Stüwe, Gerd (1998)

Zukunftsperspektiven von Migrantenfamilien aus der Perspektive ihrer Kindern, in: Lajios, Konstantin (Hg.) Die ausländische Familie: Ihre Situation und Zukunft in Deutschland. Opladen, S. 117-131.

van Suntum, Ulrich/Schlotböller, Dirk (2002)

Arbeitsmarktintegration von Zuwanderern. Einflussfaktoren, internationale Erfahrungen und Handlungsempfehlungen. Gütersloh.

Swietlik, Gabriele (2000)

„Als ob man zwei verschiedene Köpfe in einem hätte..." – Religiöse Sozialisation zwischen Islam und Christentum, in: Attia, Iman/Marburger, Helga (Hg.) Alltag und Lebenswelten von Migrantenjugendlichen. Frankfurt/Main, S. 139-155.

Tajfel, Henri (1982)

Gruppenkonflikt und Vorurteil, Entstehung und Funktion sozialer Stereotypen. Bern.

Teuber, Kristin (2002)

Migrationssensibles Handeln in der Kinder- und Jugendhilfe, in: Sozialpädagogisches Institut im SOS-Kinderdorf e.V. München (Hg.) Migrantenkinder in der Jugendhilfe. Autorenband 6. München, S. 75-134.

Thole, Werner (1997)

Jugendarbeit – ein Stiefkind der Statistik, in: Rauschenbach, Thomas/Schilling, Matthias (Hg.) Die Kinder- und Jugendhilfe und ihre Statistik, Bd. II: Analysen, Befunde, Perspektiven. Berlin, S. 279-320.

Thonak, Sylvia (2003)

Religion in der Jugendforschung: Eine kritische Analyse der Shell Jugendstudien in religionspädagogischer Absicht. Münster.

Thränhardt, Dietrich (1998)

Inklusion und Exklusion: Die Italiener in Deutschland, in: Alborino, Roberto/Pölzl, Konrad (Hg.) Italiener in Deutschland: Teilhabe oder Ausgrenzung. Freiburg, S. 15-46.

Thränhardt, Dietrich (1999)
Integrationsprozesse in der Bundesrepublik Deutschland – Institutionelle und soziale Rahmenbedingungen, in: Forschungsinstitut Friedrich-Ebert-Stiftung (Hg.) Integration und Integrationsförderung in der Einwanderungsgesellschaft. Bonn, S. 13-45.

Tietze, Nikola (2001)
Islamische Identitäten: Formen muslimischer Religiosität junger Männer in Deutschland und Frankreich. Hamburg.

Tilkeridoy, Fotini (1998)
„Zwischen Tradition und Moderne": Identitätsbildung im Spannungsfeld zweier Kulturen am Beispiel der zweiten Generation von Griechen in Deutschland, in: Lajios, Konstantin (Hg.) Die ausländische Familie: ihre Situation und Zukunft in Deutschland. Opladen, S. 25-62.

Tillman, Klaus-Jürgen (1997)
Sozialisationstheorien. Eine Einführung in den Zusammenhang von Gesellschaft, Institution und Subjektwerden, Reinbek bei Hamburg.

Todd, Emmanuel (1998)
Das Schicksal der Immigranten: Deutschland, USA, Frankreich, Großbritannien. Hildesheim.

Toprak, Ahmet (2000)
Sozialisation und Sprachprobleme: Eine qualitative Untersuchung über das Sprachverhalten türkischer Migranten der zweiten Generation. Frankfurt/Main.

Treibel, Annette (1988)
Engagement und Distanzierung in der westdeutschen Ausländerforschung: Eine Untersuchung ihrer soziologischen Beiträge. Stuttgart.

Turgut, Ahmet (1996)
Untersuchungen zur Entwicklung der sprachlichen Kompetenz in der Erst- und Zweitsprache bei türkischen Gymnasiasten. Köln.

Unabhängige Kommission „Zuwanderung" (2001)
Zuwanderung gestalten – Integration fördern. Berlin.

Vorhoff, Karin (1995)
Zwischen Glaube, Nation und neuer Gemeinschaft: Alevitische Identität in der Türkei der Gegenwart. Berlin.

Vucelic, Svetlana (2002)
Im Spannungsfeld von Therapie und Gesetzgebung. Zur Situation von bosnischen Flüchtlingsfrauen, in: Rohr, Elisabeth/Jansen, Mechthild M. (Hg.) Grenzgängerinnen. Frauen auf der Flucht, im Exil und in der Migration. Giessen.

Wacquant, Loic J.D.(1998)
Drei irreführende Prämissen bei dei Untersuchung der amerikanischen Ghettos, in: Heitmeyer, Wilhelm/Dollase, Rainer/Backes, Otto (Hg.) Die Krise der Städte. Frankfurt/Main.

Walz, Markus (2002)
Region – Profession – Migration: Italienische Zinngießer in Rheinland-Westfalen. Osnabrück.

Weber, Cora (1989)
Selbstkonzept, Identität und Integration: eine Untersuchung türkischer, griechischer und deutscher Jugendlicher in der Bundesrepublik Deutschland. Berlin.

Weber, Martina (1999)
Zuschreibungen gegenüber Mädchen aus eingewanderten türkischen Familien in der gymnasialen Oberstufe, in: Gieseke, Heide/Kuhs, Katharina (Hg.) Frauen und Mädchen in der Migration, Frankfurt/Main, S. 45-72.

Weber, Martina (2003)
Heterogenität im Schulalltag. Konstruktion ethnischer und geschlechtlicher Unterschiede. Opladen.

Wehmann, Mareike (1999)
Freizeitorientierungen jugendlicher Aussiedler und Aussiedlerinnen, in: Bade, Klaus J./Oltmer, Jochen (Hg.) Aussiedler: deutsche Einwanderer aus Osteuropa. Osnabrück, S. 207-226.

Weidacher, Alois (2000a)
Migrationsspezifische Bedingungen und soziokulturelle Orientierung, in: Weidacher, Alois (Hg.) In Deutschland zu Hause: Politische Orientierungen griechischer, italienischer, türkischer und deutscher junger Erwachsener im Vergleich. Opladen, S. 67-128.

Weidacher, Alois (Hg.) (2000b)
In Deutschland zu Hause: Politische Orientierungen griechischer, italienischer, türkischer und deutscher junger Erwachsener im Vergleich. Opladen.

Weidacher, Alois/Gille, Martina/Heß-Meining, Ulrike/Krüger, Winfried/Mittag, Hartmut/Pupeter, Monika (2000)
Bereit zur politischen Teilhabe: Orientierungen und Handlungsbereitschaften ausländischer Jugendlicher und junger Erwachsener in Deutschland, in: Sachverständigenkommission 6. Familienbericht (Hg.) Familien ausländischer Herkunft in Deutschland: Empirische Beiträge zur Familienentwicklung und Akkulturation, Bd. I. Opladen, S. 147-192.

Weische-Alexa, Pia (1977)
Sozial-kulturelle Probleme junger Türkinnen in der Bundesrepublik Deutschland: mit einer Studie zum Freizeitverhalten türkischer Mädchen in Köln. Köln.

Weiss, Regula (2003)
Macht Migration krank? Eine transdisziplinäre Analyse der Gesundheit von Migrantinnen und Migranten. Zürich.

Weißköppel Cordula (2001)
Ausländer und Kartoffeldeutsche: Identitätsperformanz im Alltag einer ethnisch gemischten Realschulklasse. Weinheim u.a.

Weltz, Giesela (1996)
Inszenierung kultureller Vielfalt. Frankfurt/Main u.a.

Wennemann, Adolf (1997)
Arbeit im Norden: Italiener im Rheinland und Westfalen des späten 19. und frühen 20. Jahrhunderts. Osnabrück.

Werbner, Pnina/Modood, Tariq (Hg.) (2000)
Debating Cultural Hybridity: Multi-Cultural Identities and the Politics of Anti-Racism. London.

Werner, Paul (2001)
Schule in der kulturellen Vielfalt: Beobachtungen und Wahrnehmungen interkulturellen Unterrichts. Opladen.

Westdeutsche Allgemeine Zeitung (WAZ) (2003)
Hoher Ausländeranteil erschwert Lernen: PISA-Studie 3: Quote über 20% hat Folgen. Essen (05.03.2003).

Westphal, Manuela (1997)
Aussiedlerinnen: Geschlecht, Beruf und Bildung unter Einwanderungsbedingungen. Bielefeld.

Westphal, Manuela (1999)
Familiäre und berufliche Orientierungen von Aussiedlerinnen, in: Bade, Klaus J. (Hg.) Aussiedler: deutsche Einwanderer aus Osteuropa. Osnabrück, S. 127-149.

Wetzels, Peter/Brettfeld, Katrin (2003)

Auge um Auge, Zahn um Zahn? Migration, Religion und Gewalt junger Menschen – Eine empirisch-kriminologische Analyse der Bedeutung persönlicher Religiosität für Gewalterfahrungen, -einstellungen und -handeln muslimischer junger Migranten im Vergleich zu Jugendlichen anderer religiöser Bekenntnisse. Münster.

Wiegand, Wolfgang (1994)

Religiöse Erziehung in der Lebenswelt der Moderne: Zur sozialwissenschaftlichen und theologischen Grundlegung eines pragmatischen Modells religiöser Erziehung. Wilhelmsfeld.

Wilamowitz-Moellendorff, Ulrich von (2001)

Türken in Deutschland: Einstellungen zu Staat und Gesellschaft. Konrad-Adenauer-Stiftung e.V. (Hg.) Arbeitspapier. Sankt Augustin.

Wilamowitz-Moellendorff, Ulrich von (2002)

Türken in Deutschland II: Individuelle Perspektiven und Problemlagen. Konrad-Adenauer-Stiftung e.V. (Hg.) Arbeitspapier. Sankt Augustin.

Wilpert, Czarina (1980)

Die Zukunft der Zweiten Generation: Erwartungen und Verhaltenmöglichkeiten ausländischer Kinder. Königstein.

Worbs, Susanne/Heckmann, Friedrich (2003)

Islam in Deutschland: Aufarbeitung des gegenwärtigen Forschungstandes und Auswertung eines Datensatzes zur zweiten Migrantengeneration, in: Bundesministerium des Inneren (BMI) (Hg.) Texte zur Inneren Sicherheit. Islamismus. Berlin, S. 133-220.

Würtz, Stefanie (2000)

Wie fremdenfeindlich sind Schüler? Eine qualitative Studie über Jugendliche und ihre Erfahrungen mit dem Fremden. Weinheim u.a.

Wygotski, Lew-S. (1969)

Denken und Sprechen. Stuttgart.

Yakut, Atilla/Reich, Hans H./Neumann, Ursula/Boos-Nünning, Ursula (1986)

Zwischen Elternhaus und Arbeitsamt: Türkische Jugendliche suchen einen Beruf. Berlin.

Zentrum für Türkeistudien (1995)

Teilnahme von Menschen ausländischer Herkunft, insbesondere muslimischer Frauen, an den Angeboten der Sportvereine in der Bundesrepublik Deutschland. Essen.

Zentrum für Türkeistudien (1998)

Das ethnische und religiöse Mosaik der Türkei und seine Reflexionen auf Deutschland. Münster.

Zentrum für Türkeistudien (Hg.) (2000)

Lebenssituation und Partizipation türkischer Migranten in Nordrhein-Westfalen. Essen.

Zentrum für Türkeistudien (2002)

Perspektiven der Integration der türkischstämmigen Migranten in Nordrhein-Westfalen: Zusammenfassung der vierten Mehrthemenbefragung 2002. Essen.

Zentrum für Türkeistudien (2003)

Medienaneignung und kulturelle Identität bei Jugendlichen türkischer Herkunft in NRW, in: Türkei-Jahrbuch des Zentrum für Türkeistudien 2002/2003, Münster u.a., S. 175-182.

Zentrum für Umfragen, Methoden und Analysen (ZUMA)

Unter dieser Adresse finden sich die Codebücher zum ALLBUS 1980-1998. Sie beinhalten Informationen über die Umfragen, deutsche Fragetexte, die ungewichteten Häufigkeiten im Datensatz, sowie getrennte Prozentauszählungen für die alten und neuen Bundesländer ab Erhebungsjahr 1991: http://www.gesis.org/Datenservice/ALLBUS/Suche/index.htm (abgerufen am 08.09.2003).

Ziegler, Dagmar (1994)

Zwischen Familientradition und Schulversagen: Zur Bildungssituation der zweiten Generation süditalienischer Arbeitsmigranten in der Bundesrepublik Deutschland. Frankfurt/Main.

Zimmermann, Emil (1984)

Macht die Fremde krank? Gesundheitsrisiken und medizinische Versorgungsprobleme ausländischer Kinder, in: Geiger, Andreas/Hamburger, Franz (Hg.) Krankheit in der Fremde. Berlin, S. 69-80.

Zimmermann, Emil (1995)

Erkrankungen von Migrantenkindern, in: Kiesel, Doron/Kriechhammer-Yagmur, Sabine/Lüpke, Hans von (Hg.) Bittersüße Herkunft: Zur Bedeutung ethnisch-kultureller Aspekte bei Erkrankungen von Migranten. Frankfurt/Main, S. 35-39.

Zinnecker, Jürgen/Behnken, Imbke /Maschke, Sabine /Stecher, Ludwig (2002)

null zoff & voll busy. Die erste Jugendgeneration des neuen Jahrhunderts. Opladen.

Zitzmann, Thomas (2002)

Alltagstheorien von Mitarbeiter(inne)n in der Jugendhilfe und in Migrationsdiensten, in: Auernheimer, Georg (Hg.) Interkulturelle Kompetenz und pädagogische Professionalität. Opladen, S. 128-152.

Zografou, Andreas (1981)

Zwischen zwei Kulturen: griechische Kinder in der Bundesrepublik. Frankfurt/Main.

Zwick, Martin (2003)

Von der Baracke zum Eigenheim. Zur Veränderung der Wohnsituation von Ausländern in Deutschland, in: Ausländer in Deutschland. 2, S. 3f.

Anhang

1. Tabellen- und Graphikenverzeichnis

Kapitel 6   **Zuhause in zwei Sprachen:
                Mehrsprachigkeit und Sprachmilieu**

Kapitel 7 **Selbstverständlich gleichberechtigt: Partnerschaft und Geschlechterrollen**

Kapitel 8   Körperlust: Körperbewusstsein und Sexualität

Kapitel 9   Herkunft zählt: Ethnizität und psychische Stabilität

2. Instrumentenkonstruktion

Teil 2 – Kapitel 2: Wie sie leben

Index „Wohnqualität"

Der Index Wohnqualität setzt sich aus folgenden Variablen zusammen:

Variable	Antwortkategorien
Durchschnittliche Anzahl der Zimmer pro Person	1 = mindestens 1 Raum 2 = 0.8 bis 0.9 Räume 3 = 0.2 bis 0.7 Räume
Qualität des Wohnverhältnisses	1 = gut (Eigentum, zur Miete im Einfamilienhaus) 2 = mittelmäßig (zur Miete im Mehrfamilienhaus – bis zu 7 Wohnparteien) 3 = schlecht (zur Miete im Mehrfamilienhaus – mehr als 7 Wohnparteien, Übergangswohnheim, sonstiges)
Wie viel Platz steht dir persönlich in der Wohnung zur Verfügung?	1 = habe ein eigenes Zimmer 2 = habe kein eigenes Zimmer, aber einen eigenen, abgetrennten Bereich 3 = habe keinen eigenen Bereich
Minimale Punktzahl = 3 • Maximale Punktzahl = 9	

	Häufigkeit	Prozent
sehr gut (3-4)	292	30,7
gut (5)	260	27,4
mittelmäßig (6)	151	15,9
schlecht (7)	127	13,4
sehr schlecht (8-9)	120	12,6
Gesamt	950	100,0

Cronbach's ALPHA = .52

Index „Wohnmilieu"

Der Index Wohnmilieu setzt sich aus folgenden Variablen zusammen:

Variable	Antwortkategorien
Leben in deiner Wohngegend ...	1 = fast nur/überwiegend Deutsche 2 = ungefähr genauso viele Deutsche wie Ausländer und Aussiedler 3 = überwiegend/fast nur Ausländer und Aussiedler 4 = weiß nicht
Ich wohne in einem ...	1 = Mehrfamilienhaus mit überwiegend deutschen Familien oder Einfamilienhaus 2 = Mehrfamilienhaus mit Deutschen/Aussiedlern und Ausländern gemischt 3 = Mehrfamilienhaus mit überwiegend Familien aus unterschiedlichen Ländern oder Übergangswohnheim oder Sonstiges 4 = Mehrfamilienhaus mit überwiegend Familien aus dem Herkunftsland

	Häufigkeit	Prozent
deutsches Umfeld	244	25,7
gemischtes Umfeld	561	59,1
Zuwanderungsmilieu	102	10,7
ethnisches Milieu	43	4,5
Gesamt	950	100,0

Cronbach's ALPHA = .45

Index „Einstellung zum Wohnumfeld"

Der Index Einstellung zum Wohnumfeld setzt sich aus folgenden Variablen zusammen:

Variable	Antwortkategorien
Ich fühle mich in unserer Gegend wohl.	1 = gar nicht 5 = voll (umgepolt)
Ich würde lieber in einer anderen Gegend wohnen.	1 = voll 5 = gar nicht
In unserer Gegend gibt es häufig Konflikte zwischen Deutschen und Ausländern bzw. Aussiedlern.	1 = voll 5 = gar nicht
In unserer Gegend gibt es häufig Probleme mit Drogen, Alkohol und Gewalt.	1 = voll 5 = gar nicht
In unserer Gegend ist der Kontakt zwischen Deutschen und Ausländern/Aussiedlern gut.	1 = gar nicht 5 = voll (umgepolt)
Minimale Punktzahl = 5 • Maximale Punktzahl = 25	

	Häufigkeit	Prozent
sehr negativ (5-13)	93	9,8
eher negativ (14-16)	120	12,6
teils-teils (17-19)	231	24,3
eher positiv (20-22)	284	29,9
sehr positiv (23-25)	222	23,4
Gesamt	950	100,0

Cronbach's ALPHA = .73

Index „Sozialer Status der Herkunftsfamilie"

Der Index Sozialer Status der Herkunftsfamilie setzt sich aus folgenden Variablen zusammen:

Variable	Antwortkategorien
Wie viele Jahre ist dein Vater zur Schule gegangen?	1 = bis 8 Jahre, weiß nicht oder keine Angabe 2 = 9 und mehr Jahre
Wie viele Jahre ist deine Mutter zur Schule gegangen?	1 = bis 8 Jahre, weiß nicht oder keine Angabe 2 = 9 und mehr Jahre
Welchen höchsten Schulabschluss hat dein Vater?	1 = keinen Schulabschluss, Grundschulabschluss, Mittelschulabschluss, sonstiges, weiß nicht oder keine Angabe 2 = berufliche Fachschule, Fachabitur/Abitur, Fachhochschulabschluss oder Universitätsabschluss
Welchen höchsten Schulabschluss hat deine Mutter?	1 = keinen Schulabschluss, Grundschulabschluss, Mittelschulabschluss, sonstiges, weiß nicht oder keine Angabe 2 = berufliche Fachschule, Fachabitur/Abitur, Fachhochschulabschluss oder Universitätsabschluss
Welche berufliche Stellung hat dein Vater jetzt in Deutschland?	1 = an-, ungelernter Arbeiter, einfacher Angestellter, sonstiges, weiß nicht oder keine Angabe 2 = mithelfender Familienangehöriger, Facharbeiter, Fachangestellter (im erlernten Beruf), Beamter, freiberuflich tätig oder selbständiger Gewerbetreibender
Welche berufliche Stellung hat deine Mutter jetzt in Deutschland?	1 = an-, ungelernte Arbeiterin, einfache Angestellte, sonstiges, sie war immer Hausfrau, weiß nicht oder keine Angabe 2 = mithelfende Familienangehörige, Facharbeiterin, Fachangestellte (im erlernten Beruf), Beamtin, freiberuflich tätig oder selbstständige Gewerbetreibende
Minimale Punktzahl = 6 • Maximale Punktzahl = 12	

	Häufigkeit	Prozent
sehr niedrig (6-7)	458	48,2
niedrig (8)	174	18,3
mittelmäßig (9)	112	11,8
hoch (10)	114	12,0
sehr hoch (11-12)	92	9,7
Gesamt	950	100,0

Cronbach's ALPHA = .70

Index „Individualistische Durchsetzungsmuster"

Der Index Individualistische Durchsetzungsmuster setzt sich aus folgenden Variablen zusammen:

Variable	Antwortkategorien
Ich mache, was meine Eltern wollen.	1 = gar nicht 5 = voll (umgepolt)
Ich mache es heimlich.	1 = voll 5 = gar nicht
Ich streite und versuche mich durchzusetzen.	1 = voll 5 = gar nicht
Ich mache einfach, was ich will.	1 = voll 5 = gar nicht
Minimale Punktzahl = 4 • Maximale Punktzahl = 20	

	Häufigkeit	Prozent
sehr stark (4-7)	45	4,7
eher stark (8-10)	134	14,1
mittelmäßig (11-13)	298	31,4
eher gering (14-16)	332	34,9
sehr gering (17-20)	141	14,8
Gesamt	950	100,0

Cronbach's ALPHA = .59

Dimensionen des „Verhältnisses zwischen Mädchen und Eltern"

Rotierte Komponentenmatrix

N = 950	Komponente 1	Komponente 2	Komponente 3	Komponente 4
V12A	-,017	,667	-,010	,106
V12B	,232	,668	-,145	,106
V12C	,087	,428	,566	-,119
V12D	-,454	-,154	,623	,108
V12E	,378	,523	,152	,007
V12F	-,264	-,281	,688	,048
V12G	,334	,146	,055	,627
V12H	,234	,584	-,362	,146
V12I	,040	,026	,744	-,040
V12J	,675	-,124	-,166	,160
V12K	,765	,200	-,116	,105
V12L	,078	,069	-,120	,817
V12M	-,202	,455	,167	,429
V12N	,729	,355	-,004	,062

Extraktionsmethode: Hauptkomponentenanalyse.
Rotationsmethode: Varimax mit Kaiser-Normalisierung.

V12A: Meine Eltern setzen große Hoffnungen in mich • V12B: Der Zusammenhalt ist in unserer Familie viel stärker als in anderen Familien • V12C: Meine Eltern machen sich viel Sorgen um mich • V12D: Meine Eltern meckern dauernd an mir herum • V12E: Für mich kommen meine Eltern an erster Stelle • V12F: Ich muss mir immer von meinen Eltern anhören, dass ich nichts richtig mache • V12G: Ich bekomme von meinen Eltern wirklich alles, was ich will • V12H: Meine Eltern sind sehr stolz auf mich • V12I: Meine Eltern machen sich manchmal Sorgen, was wohl aus mir wird • V12J: Meine Eltern lassen mich immer tun, was ich für wichtig halte • V12K: Meine Eltern versuchen immer, mich zu verstehen • V12L: In meiner Familie haben/hatten wir immer genug Geld, um unsere Wünsche zu erfüllen • V12M: In meiner Familie wird/wurde auf meine Schulnoten geachtet • V12N: Von meinen Eltern fühle ich mich am besten verstanden (1 „stimme voll zu"-5 „stimme gar nicht zu").

Index „Erziehung im Elternhaus: Anspruchsniveau"

Der Index Erziehung im Elternhaus: Anspruchsniveau setzt sich aus folgenden Variablen zusammen:

Variable	Antwortkategorien
Meine Eltern setzen große Hoffnungen in mich.	1 = voll 5 = gar nicht
Der Zusammenhalt ist in unserer Familie viel stärker als in anderen Familien.	1 = voll 5 = gar nicht
Für mich kommen meine Eltern an erster Stelle.	1 = voll 5 = gar nicht
Meine Eltern sind sehr stolz auf mich.	1 = voll 5 = gar nicht
In meiner Familie wird/wurde auf meine Schulnoten geachtet.	1 = voll 5 = gar nicht
Minimale Punktzahl = 5 • Maximale Punktzahl = 25	

	Häufigkeit	Prozent
sehr hoch (5-7)	281	29,6
hoch (8-10)	335	35,3
mittel (11-13)	231	24,3
niedrig (14-16)	78	8,2
sehr niedrig (17-25)	25	2,6
Gesamt	950	100,0

Cronbach's ALPHA = .62

Index „Erziehung im Elternhaus: Verständnisvolle Erziehung"

Der Index Erziehung im Elternhaus: Verständnisvolle Erziehung setzt sich aus folgenden Variablen zusammen:

Variable	Antwortkategorien
Meine Eltern meckern dauernd an mir herum.	1 = gar nicht 5 = voll (umgepolt)
Meine Eltern lassen mich immer tun, was ich für wichtig halte.	1 = voll 5 = gar nicht
Meine Eltern versuchen immer mich zu verstehen.	1 = voll 5 = gar nicht
Von meinen Eltern fühle ich mich am besten verstanden.	1 = voll 5 = gar nicht
Minimale Punktzahl = 4 • Maximale Punktzahl = 20	

	Häufigkeit	Prozent
sehr verständnisvoll (4-7)	212	22,3
verständnisvoll (8-10)	320	33,7
teilweise verständnisvoll (11-13)	268	28,2
wenig verständnisvoll (14-16)	111	11,7
nicht verständnisvoll (17-20)	39	4,1
Gesamt	950	100,0

Cronbach's ALPHA = .72

Index „Erziehung im Elternhaus: Besorgte Erziehung"

Der Index Erziehung im Elternhaus: Besorgte Erziehung setzt sich aus folgenden Variablen zusammen:

Variable	Antwortkategorien
Meine Eltern machen sich viel Sorgen um mich.	1 = voll 5 = gar nicht
Meine Eltern meckern dauernd an mir herum.	1 = voll 5 = gar nicht
Ich muss mir immer von meinen Eltern anhören, dass ich nichts richtig mache.	1 = voll 5 = gar nicht
Meine Eltern machen sich manchmal Sorgen, was wohl aus mir wird.	1 = voll 5 = gar nicht
Minimale Punktzahl = 4 • Maximale Punktzahl = 20	

	Häufigkeit	Prozent
sehr besorgte Erziehung (4-6)	53	5,6
eher besorgte Erziehung (7-9)	194	20,4
teilweise besorgte Erziehung (10-12)	331	34,8
eher nicht besorgte Erziehung (13-15)	252	26,5
nicht besorgte Erziehung (16-20)	120	12,6
Gesamt	950	100,0

Cronbach's ALPHA = .63

Index „Religiöse Erziehung in der Familie"

Der Index Religiöse Erziehung in der Familie setzt sich aus folgenden Variablen zusammen:

Variable	Antwortkategorien
Meine Eltern haben mich religiös erzogen.	1 = stimme voll zu 5 = stimme gar nicht zu
Ich finde es gut, wie meine Eltern mich in religiöser Hinsicht erzogen haben.	1 = stimme voll zu 5 = stimme gar nicht zu
In unserer Familie ist der Glaube Privatsache jedes einzelnen.	1 = stimme gar nicht zu 5 = stimme voll zu (umgepolt)
Minimale Punktzahl = 3 • Maximale Punktzahl = 15	

	Häufigkeit	Prozent
stark (3-5)	240	25,3
mittel (6-9)	420	44,2
schwach (10-15)	290	30,5
Gesamt	950	100,0

Cronbach's ALPHA = .58

Variable „Einverständnis der Eltern mit der Heirat eines Deutschen"

Die neu konstruierte Variable Einverständnis der Eltern mit der Heirat eines Deutschen setzt sich aus folgenden Variablen zusammen:

Variable	Antwortkategorien
Wie ist deine Mutter zu einer möglichen Heirat mit Deutschen eingestellt?	1 = voll 5 = gar nicht
Wie ist dein Vater zu einer möglichen Heirat mit Deutschen eingestellt?	1 = voll 5 = gar nicht

	Häufigkeit	Prozent
völlig/größtenteils	198	20,8
teils-teils	463	48,7
weniger/gar nicht	289	30,4
Gesamt	950	100,0

Cronbach's ALPHA = .92

Dimensionen „Ausgeübte Freizeitaktivitäten"

Rotierte Komponentenmatrix

N = 950	Komponente 1	Komponente 2	Komponente 3	Komponente 4	Komponente 5
V107A	,107	,235	-,050	,368	-,489
V107B	-,003	,093	-,098	,699	-,166
V107C	,041	,497	,185	-,059	,108
V107D	,581	,220	,049	,225	-,039
V107E	,340	,187	-,200	,433	,166
V107F	,267	,346	,360	-,104	,204
V107G	-,021	-,003	,743	-,015	,064
V107H	-,067	,084	,532	,086	,185
V107I	,050	,658	-,015	,087	-,120
V107J	,695	-,036	-,042	-,012	-,309
V107K	,470	-,121	,027	-,192	,486
V107L	,633	,181	,176	-,085	,033
V107M	,712	,030	-,057	,051	,129
V107N	-,013	,193	,083	,269	,627
V107O	,219	,480	,359	-,163	,119
V107P	,069	,686	-,131	,209	-,055
V107Q	-,036	-,123	,197	,707	,169
V107R	,131	,020	,618	-,052	-,310

Extraktionsmethode: Hauptkomponentenanalyse.
Rotationsmethode: Varimax mit Kaiser-Normalisierung.

V107A: Bücher/Zeitschriften/Zeitungen lesen • V107B: Zeichnen/Malen/Musizieren/ Theater spielen • V107C: Musik hören • V107D: Kino/Theater besuchen • V107E: Sport • V107F: Einkaufsbummel/ Schaufenster gucken • V107G: Fernsehen (alleine) • V107H: Fernsehen (mit anderen) • V107I: Computer • V107J: in deutsche Diskotheken gehen • V107K: in ... (herkunftsspezifische) Diskotheken gehen • V107L: in Cafés, Kneipen, McDonalds, Eisdielen oder ähnliches gehen • V107M: auf Partys gehen • V107N: Familienfeste feiern • V107O: Telefonieren, SMS verschicken • V107P: Briefe, E-Mails schreiben • V107Q: Handarbeit • V107R: Faulenzen (1 „mache ich sehr oft"-5 „mache ich nie").

Index „Freizeitbeschäftigung – Partys und Kneipen"

Der Index Freizeitbeschäftigung – Partys und Kneipen setzt sich aus folgenden Variablen zusammen:

Variable	Antwortkategorien
Was machst du in deiner Freizeit – Kino/Theater besuchen?	1 = mache ich sehr oft 5 = mache ich nie
Was machst du in deiner Freizeit – in deutsche Diskotheken gehen?	1 = mache ich sehr oft 5 = mache ich nie
Was machst du in deiner Freizeit – in ... (herkunftsspezifische) Diskotheken gehen?	1 = mache ich sehr oft 5 = mache ich nie
Was machst du in deiner Freizeit – in Cafés, Kneipen, McDonalds, Eisdielen oder ähnliches gehen?	1 = mache ich sehr oft 5 = mache ich nie
Was machst du in deiner Freizeit – auf Partys gehen?	1 = mache ich sehr oft 5 = mache ich nie
Minimaler Wert = 5 • Maximaler Wert = 25	

	Häufigkeit	Prozent
oft (5-13)	235	24,7
manchmal (14-18)	467	49,2
selten (19-25)	248	26,1
Gesamt	950	100,0

Cronbach's ALPHA = .62

Index „Freizeitbeschäftigung – Mediale Kommunikation"

Der Index Freizeitbeschäftigung – Mediale Kommunikation setzt sich aus folgenden Variablen zusammen:

Variable	Antwortkategorien
Was machst du in deiner Freizeit – Musik hören?	1 = mache ich sehr oft 5 = mache ich nie
Was machst du in deiner Freizeit – Computer (Spiele, Internet)?	1 = mache ich sehr oft 5 = mache ich nie
Was machst du in deiner Freizeit – Telefonieren, SMS verschicken?	1 = mache ich sehr oft 5 = mache ich nie
Was machst du in deiner Freizeit – Briefe, E-Mails schreiben?	1 = mache ich sehr oft 5 = mache ich nie
Minimaler Wert = 4 • Maximaler Wert = 20	

	Häufigkeit	Prozent
oft (4-8)	310	32,6
manchmal (9-11)	386	40,6
selten (12-20)	254	26,7
Gesamt	950	100,0

Cronbach's ALPHA = .49

Index „Freizeitbeschäftigung – Sich treiben lassen"

Der Index Freizeitbeschäftigung – Sich treiben lassen setzt sich aus folgenden Variablen zusammen:

Variable	Antwortkategorien
Was machst du in deiner Freizeit – Einkaufsbummel/ Schaufenster gucken?	1 = mache ich sehr oft 5 = mache ich nie
Was machst du in deiner Freizeit – Fernsehen (alleine)?	1 = mache ich sehr oft 5 = mache ich nie
Was machst du in deiner Freizeit – Fernsehen (mit anderen)?	1 = mache ich sehr oft 5 = mache ich nie
Was machst du in deiner Freizeit – Faulenzen?	1 = mache ich sehr oft 5 = mache ich nie
Minimaler Wert = 4 • Maximaler Wert = 20	

	Häufigkeit	Prozent
oft (4-8)	212	22,3
manchmal (9-11)	402	42,3
selten (12-20)	336	35,4
Gesamt	950	100,0

Cronbach's ALPHA = .45

Index „Freizeitbeschäftigung – Traditionelle Felder"

Der Index Freizeitbeschäftigung – Traditionelle Felder setzt sich aus folgenden Variablen zusammen:

Variable	Antwortkategorien
Was machst du in deiner Freizeit – Bücher/Zeitschriften/ Zeitungen lesen?	1 = mache ich sehr oft 5 = mache ich nie
Was machst du in deiner Freizeit – Zeichnen/Malen/ Musizieren/Theater spielen?	1 = mache ich sehr oft 5 = mache ich nie
Was machst du in deiner Freizeit – Sport?	1 = mache ich sehr oft 5 = mache ich nie
Was machst du in deiner Freizeit – Handarbeit?	1 = mache ich sehr oft 5 = mache ich nie
Minimaler Wert = 4 • Maximaler Wert = 20	

	Häufigkeit	Prozent
oft (4-11)	170	17,9
manchmal (12-15)	452	47,6
selten (16-20)	328	34,5
Gesamt	950	100,0

Cronbach's ALPHA = .44

Dimensionen „Freizeiträume"

Rotierte Komponentenmatrix.

N = 950	Komponente 1	Komponente 2	Komponente 3	Komponente 4	Komponente 5
V105A	,000	,839	,038	-,044	,064
V105B	,009	-,112	,759	-,042	,125
V105C	,111	,806	-,006	,105	,011
V105D	,047	,117	-,008	,667	,115
V105E	,547	,154	-,001	,451	-,079
V105F	,281	,179	,311	,398	-,076
V105G	-,055	-,140	,096	,686	,022
V105H	,702	,126	-,171	,195	,083
V105I	,057	,112	,493	,231	-,239
V105J	-,130	,049	,678	,040	,185
V105K	,788	-,080	,086	-,243	-,041
V105L	,220	-,084	,218	,034	,791
V105M	-,206	,178	-,032	,086	,795

Extraktionsmethode: Hauptkomponentenanalyse.
Rotationsmethode: Varimax mit Kaiser-Normalisierung.

V105A: bei mir zuhause • V105B: in Jugendeinrichtungen • V105C: bei Freunden bzw. Freundinnen • V105D: in der Fußgängerzone, in Kaufhäusern • V105E: im Kino • V105F: beim Sport • V105G: auf dem Schulhof • V105H: in Cafés, Kneipen, Eisdielen, bei McDonalds • V105I: in Grünanlagen, Parks, auf Spielplätzen • V105J: in Einrichtungen, die speziell für Mädchen/junge Frauen sind • V105K: in der Diskothek • V105L: in kulturellen Vereinen/Zentren/Treffpunkten für ... (eigene Herkunftsgruppe) • V105M: in Einrichtungen, in denen es religiöse Angebote für ... (eigene Religionsgruppe) gibt (1 „sehr oft"-5 „nie").

Variable „Ethnische Freundschaften"

Die neu konstruierte Variable Ethnische Freundschaften setzt sich aus folgenden Variablen zusammen:

Variable	Antwortkategorien
Nationale Herkunft des/r ersten besten Freundes/in	1 = Herkunftsland 2 = Deutschland 3 = sonstiges
Nationale Herkunft des/r zweiten besten Freundes/in	1 = Herkunftsland 2 = Deutschland 3 = sonstiges
Nationale Herkunft des/r dritten besten Freundes/in	1 = Herkunftsland 2 = Deutschland 3 = sonstiges

	Häufigkeit	Prozent
ausschließlich mit eigenem ethnischen Hintergrund	392	41,3
überwiegend mit eigenem ethnischen Hintergrund	217	22,8
gleichviel mit eigenem, deutschem und sonstigem Hintergrund	200	21,0
überwiegend Deutsche	95	10,0
ausschließlich Deutsche	46	4,8
Gesamt	950	100,0

Cronbach's ALPHA = .61

Variable „Bildungsniveau"

Die neu konstruierte Variable Bildungsniveau setzt sich aus folgenden Variablen zusammen:

Variable	Antwortkategorien
	1 = gehe noch zur Schule
	2 = bin ohne Abschluss von der Schule gegangen
	3 = einfacher Hauptschulabschluss
	4 = qualifizierender Hauptschulabschluss
Welchen höchsten Bildungsabschluss hast du in Deutschland oder im Ausland erworben?	5 = einfacher Realschulabschluss
	6 = Realschulabschluss mit Qualifizierungs-vermerk
	7 = Fachhochschulreife
	8 = Gymnasialabschluss/Abitur
	9 = sonstiges
	10 = keine Angabe
	1 = gehe zur Schule und zwar zur Sonder-/Förderschule
Was machst du zurzeit hauptsächlich?	2 = mache etwas anderes (z.B. Praktikum, Gelegenheitsjobs)

Daraus ergibt sich folgende neu konstruierte Variable:

	1 = gehe zur Sonder-/Förderschule
	2 = gehe zur Förderschule für Neuzuwanderer
	3 = gehe zur Gesamt-/Mittel-/Sekundarschule
	4 = gehe zur Hauptschule
	5 = gehe zur Realschule
	6 = gehe zur Fachoberschule/Fachgymnasium
	7 = gehe zum Oberstufenzentrum
	8 = gehe zum Gymnasium
Welchen höchsten Bildungsabschluss hast du in Deutschland oder im Ausland erworben bzw. was machst du zur Zeit hauptsächlich?	9 = gehe zur griechischen Schule
	10 = bin ohne Abschluss von der Schule gegangen
	11 = einfacher Hauptschulabschluss
	12 = qualifizierender Hauptschulabschluss
	13 = einfacher Realschulabschluss
	14 = Realschulabschluss mit Qualifizierungs-vermerk
	15 = Fachhochschulreife
	16 = Gymnasialabschluss/Abitur
	17 = sonstiges
	18 = keine Angabe

Bildungsniveau	
niedrig	• bin ohne Abschluss von der Schule gegangen • gehe zur Sonderschule • *gehe zur Förderschule für Neuzuwanderer* • gehe zur Hauptschule • einfacher Hauptschulabschluss
mittel	• gehe zur Realschule • gehe zur Gesamt-/Mittel-/Sekundarschule • gehe zur griechischen Schule • qualifizierter Hauptschulabschluss • einfacher Realschulabschluss • Realschulabschluss mit Qualifizierungsvermerk
hoch	• gehe zur Fachoberschule/Fachgymnasium • gehe zum Oberstufenzentrum • gehe zum Gymnasium • Fachhochschulreife • Gymnasialabschluss/Abitur
missing	• sonstiges • keine Angabe

Unter Berücksichtigung von V27 (Welche Schultypen hast du in Deutschland besucht?) konnte den verbleibenden 19 missings ein gültiger Wert zugewiesen werden. 11 Fälle wurden der Kategorie „niedrig" und 8 Fälle wurden der Kategorie „mittel" zugeordnet.

	Häufigkeit	Prozent
niedrig	167	17,6
mittel	378	39,8
hoch	405	42,6
Gesamt	950	100,0

Cronbach's ALPHA = .36

Index „Bildungslaufbahn"

Der Index Bildungslaufbahn setzt sich aus folgenden Variablen zusammen:

Variable	Antwortkategorien
Hast du in Deutschland einen Kindergarten besucht?	1 = keinen Kindergarten besucht 2 = 1 bis 2 Jahre einen Kindergarten besucht oder weiß nicht 3 = 3 Jahre einen Kindergarten besucht
Bildungsniveau.	1 = niedrig 2 = mittel 3 = hoch
Anzahl der Klassenwiederholungen.	1 = mindestens zweimal 2 = einmal 3 = keinmal
Minimaler Wert = 3 • Maximaler Wert = 9	

	Häufigkeit	Prozent
sehr schlechter Verlauf (3-5)	217	22,8
eher schlechter Verlauf (6)	208	21,9
mittlerer Verlauf (7)	226	23,8
eher guter Verlauf (8)	193	20,3
sehr guter Verlauf (9)	106	11,2
Gesamt	950	100,0

Cronbach's ALPHA = .34

Index „Unterstützendes Klassenklima"

Der Index Klassenklima setzt sich aus folgenden Variablen zusammen:

Variable	Antwortkategorien
Meine Eltern haben mich unterstützt einen guten Schulabschluss zu schaffen.	1 = trifft voll und ganz zu 5 = trifft gar nicht zu
In der Klasse habe ich mich sehr anerkannt gefühlt.	1 = trifft voll und ganz zu 5 = trifft gar nicht zu
Ich hatte ein gutes Verhältnis zu meinen Lehrern/innen.	1 = trifft voll und ganz zu 5 = trifft gar nicht zu
Ich hatte in meiner Klasse viele Freunde.	1 = trifft voll und ganz zu 5 = trifft gar nicht zu
Minimaler Wert = 4 • Maximaler Wert = 20	

	Häufigkeit	Prozent
sehr groß (4-6)	201	21,2
groß (7-8)	231	24,3
teils-teils (9-10)	229	24,1
gering (11-12)	172	18,1
sehr gering (13-20)	117	12,3
Gesamt	950	100,0

Cronbach's ALPHA = .68

Index „Kompetenzen in der deutschen Sprache"

Der Index Kompetenzen in der deutschen Sprache setzt sich aus folgenden Variablen zusammen:

Variable	Antwortkategorien
Wie schätzt du deine deutschen Sprachkenntnisse ein – beim Verstehen?	1 = sehr gut 5 = sehr schlecht
Wie schätzt du deine deutschen Sprachkenntnisse ein – beim Lesen?	1 = sehr gut 5 = sehr schlecht
Wie schätzt du deine deutschen Sprachkenntnisse ein – beim Sprechen?	1 = sehr gut 5 = sehr schlecht
Wie schätzt du deine deutschen Sprachkenntnisse ein – beim Schreiben?	1 = sehr gut 5 = sehr schlecht
Minimaler Wert = 4 • Maximaler Wert = 20	

	Häufigkeit	Prozent
sehr gut (4)	377	39,7
gut (5)	97	10,2
mittelmäßig (6-7)	159	16,7
schlecht (8-9)	205	21,6
sehr schlecht (10-20)	112	11,8
Gesamt	950	100,0

Cronbach's ALPHA = .89

Index „Kompetenzen in der (ersten) Herkunftssprache"

Der Index Kompetenzen in der (ersten) Herkunftssprache setzt sich aus folgenden Variablen zusammen:

Variable	Antwortkategorien
Wie schätzt du deine Kenntnisse in ... (erster Herkunftssprache) ein – beim Verstehen?	1 = sehr gut 5 = sehr schlecht
Wie schätzt du deine Kenntnisse in ... (erster Herkunftssprache) ein – beim Lesen?	1 = sehr gut 5 = sehr schlecht
Wie schätzt du deine Kenntnisse in ... (erster Herkunftssprache) ein – beim Sprechen?	1 = sehr gut 5 = sehr schlecht
Wie schätzt du deine Kenntnisse in ... (erster Herkunftssprache) ein – beim Schreiben?	1 = sehr gut 5 = sehr schlecht
Minimaler Wert = 4 • Maximaler Wert = 20	

	Häufigkeit	Prozent
sehr gut (4)	208	21,9
gut (5)	85	8,9
mittelmäßig (6-7)	169	17,8
schlecht (8-9)	213	22,4
sehr schlecht (10-20)	275	28,9
Gesamt	950	100,0

Cronbach's ALPHA = .86

Index „Sprachmilieu"

Der Index Sprachmilieu setzt sich aus folgenden Variablen zusammen:

Variable	Antwortkategorien
In welchen Sprachen fühlst du dich wohl und zuhause?	1 = nur Deutsch 2 = Deutsch und andere Sprache bzw. bilingual 3 = nur andere Sprache
In welchen Sprachen würdest du deine Kinder erziehen?	1 = ausschließlich/überwiegend Deutsch 2 = zweisprachig bzw. mehrsprachig 3 = ausschließlich/überwiegend Herkunftssprache (umgepolt)
In welchen Sprachen sprichst du mit deinem Vater?	1 = ausschließlich/überwiegend Deutsch 2 = gemischt 3 = ausschließlich/überwiegend Herkunftssprache
In welchen Sprachen sprichst du mit deiner Mutter?	1 = ausschließlich/überwiegend Deutsch 2 = gemischt 3 = ausschließlich/überwiegend Herkunftssprache (umgepolt)
Welche Fernsehprogramme siehst du meistens?	1 = ausschließlich/überwiegend Deutsch 2 = zweisprachig 3 = ausschließlich/überwiegend in der Herkunftssprache (umgepolt)
Wenn du in der Freizeit Zeitschriften, Bücher und Ähnliches liest, sind diese dann ... ?	1 = ausschließlich/überwiegend Deutsch 2 = zweisprachig 3 = ausschließlich/überwiegend in der Herkunftssprache
In welchen Sprachen sprichst du mit deinem(r) ersten besten Freund(in)?	1 = ausschließlich/überwiegend Deutsch 2 = gemischt 3 = ausschließlich/überwiegend Herkunftssprache
Minimale Punktzahl = 7 • Maximale Punktzahl = 21	

	Häufigkeit	Prozent
deutsches Sprachmilieu (7-10)	104	10,9
deutsch mit bilingualer Tendenz (11-12)	211	22,2
bilinguales Milieu (13-14)	254	26,7
herkunftssprachiges Milieu mit bilingualer Tendenz (15-16)	219	23,1
herkunftssprachiges Milieu (17-21)	162	17,1
Gesamt	950	100,0

Cronbach's ALPHA = .70

Dimensionen der „Eigenschaften des zukünftigen Partners"

Rotierte Komponentenmatrix

N = 950	Komponente 1	Komponente 2	Komponente 3	Komponente 4	Komponente 5
V67A	-,058	,118	,183	,003	,591
V67B	-,087	,065	,566	-,012	,319
V67C	,128	,252	,592	,046	,008
V67D	,034	,037	-,058	,107	,781
V67E	,384	,598	,182	-,069	,230
V67F	,719	,196	,203	-,175	-,042
V67G	,796	-,004	-,109	,062	,072
V67H	-,057	,251	,178	,515	,160
V67I	,081	-,010	,711	,193	,014
V67J	,174	,018	,184	,433	,535
V67K	,622	,177	,032	,297	-,065
V67L	,489	-,142	,415	,212	,062
V67M	,193	-,136	,058	,743	,067
V67N	-,024	,413	,041	,475	,034
V67O	,214	,585	,182	,289	-,172
V67P	-,024	,739	-,003	,002	,163

Extraktionsmethode: Hauptkomponentenanalyse.
Rotationsmethode: Varimax mit Kaiser-Normalisierung.

V67A: verständnisvoll • V67B: zuverlässig • V67C: geschäftstüchtig • V67D: treu • V67E: aus guter Familie • V67F: reich • V67G: gut aussehend • V67H: kinderlieb • V67I: entschlusskräftig • V67J: liebevoll/zärtlich • V67K: sportlich • V67L: gebildet • V67M: humorvoll • V67N: häuslich • V67O: handwerklich begabt • V67P: gläubig/religiös (1 „sehr wichtig"-5 „gar nicht wichtig").

Index „Bewahrung von Erziehungstraditionen"

Der Index Bewahrung von Erziehungstraditionen setzt sich aus folgenden Variablen zusammen:

Variable	Antwortkategorien
In welchen Sprachen würdest du deine Kinder erziehen?	1 = ausschließlich/überwiegend in der Herkunftssprache 2 = alles andere bzw. sonstiges
Kann man von jemandem, der schon lange in Deutschland lebt, erwarten, dass er/sie – die eigenen Kinder überwiegend in deutscher Sprache erzieht?	1 = eher nicht/auf keinen Fall 2 = alles andere bzw. sonstiges
Es ist für mich wichtig, meine Kinder nach meinen religiösen Grundsätzen zu erziehen.	1 = auf jeden Fall/eher ja 2 = alles andere bzw. sonstiges
Minimale Punktzahl = 3 • Maximale Punktzahl = 6	

	Häufigkeit	Prozent
sehr ausgeprägt (3)	50	5,3
eher ausgeprägt (4)	196	20,6
wenig ausgeprägt (5)	414	43,6
nicht ausgeprägt (6)	290	30,5
Gesamt	950	100,0

Cronbach's ALPHA = .30

Index „Orientierung auf ein Leben im deutschen Kontext"

Der Index Orientierung auf ein Leben im deutschen Kontext setzt sich aus folgenden Variablen zusammen:

Variable	Antwortkategorien
In welchen Sprachen würdest du deine Kinder erziehen?	1 = ausschließlich Deutsch 5 = ausschließlich in Herkunfts- sprache (umgepolt)
Kann man von jemandem, der schon lange in Deutschland lebt, erwarten, dass er/sie – einen deutschen Partner wählt?	1 = auf jeden Fall 5 = auf keinen Fall
Kann man von jemandem, der schon lange in Deutschland lebt, erwarten, dass er/sie – die eigenen Kinder überwiegend in deutscher Sprache erzieht?	1 = auf jeden Fall 5 = auf keinen Fall
Minimale Punktzahl = 3 • Maximale Punktzahl = 15	

	Häufigkeit	Prozent
sehr stark (3-7)	101	10,6
stark (8)	120	12,6
mittelmäßig (9-10)	393	41,4
schwach (11)	177	18,6
sehr schwach (12-15)	159	16,7
Gesamt	950	100,0

Cronbach's ALPHA = .38

Index „Orientierung auf ein Leben im Herkunftsland"

Der Index Orientierung auf ein Leben im Herkunftsland setzt sich aus folgenden Variablen zusammen:

Variable	Antwortkategorien
Unter welchen Bedingungen kannst du dir vorstellen, einen einheimischen Deutschen zu heiraten – wenn er bereit ist, mit mir nach ... (Herkunftsland) zu ziehen?	0 = ja 1 = nein oder keine Angabe aufgrund Filterführung (umgepolt)
Kannst du dir vorstellen, jemanden zu heiraten, der bisher nicht in Deutschland lebt, sondern in ... (Herkunftsland)?	0 = ja, auf jeden Fall/ möglicherweise 1 = nein, wahrscheinlich nicht/auf keinen Fall oder keine Angabe aufgrund Filterführung
Unter welchen Bedingungen kannst du dir vorstellen, jemanden zu heiraten, der bisher nicht in Deutschland lebt, sondern in ... (Herkunftsland) – wenn wir nach der Heirat zusammen in ... (Herkunftsland) leben würden?	1 = ja 0 = nein oder keine Angabe aufgrund Filterführung (umgepolt)
Minimale Punktzahl = 0 • Maximale Punktzahl = 3	

	Häufigkeit	Prozent
sehr stark (0)	42	4,4
stark (1)	117	12,3
wenig (2)	441	46,4
gar nicht (3)	350	36,8
Gesamt	950	100,0

Cronbach's ALPHA = .49

Index „Religiöse Übereinstimmung mit dem künftigen Ehepartner"

Der Index Religiöse Übereinstimmung mit dem künftigen Ehepartner setzt sich aus folgenden Variablen zusammen:

Variable	Antwortkategorien
Welche Eigenschaften soll dein zukünftiger Lebenspartner/Ehemann auf jeden Fall haben – gläubig/religiös?	0 = sehr/eher/teilweise wichtig 1 = weniger/gar nicht wichtig
Unter welchen Bedingungen kannst du dir vorstellen, einen einheimischen Deutschen zu heiraten – wenn er dieselbe Religion hat wie ich *und/oder* wenn er meine Religion annimmt?	0 = ja 1 = nein oder keine Angabe aufgrund Filterführung (umgepolt)
Ich kann mir kaum vorstellen jemanden zu heiraten, der einen anderen Glauben hat als ich.	0 = stimme voll/eher zu 1 = stimme teilweise/weniger/gar nicht zu
Es ist mir wichtig, meine Tochter taufen zu lassen/meinen Sohn beschneiden zu lassen.	0 = stimme voll/eher zu 1 = stimme teilweise/weniger/gar nicht zu
Es ist für mich wichtig, meine Kinder nach meinen religiösen Grundsätzen zu erziehen.	0 = stimme voll/eher zu 1 = stimme teilweise/weniger/gar nicht zu
Minimale Punktzahl = 0 • Maximale Punktzahl = 5	

	Häufigkeit	Prozent
stark (0-1)	260	27,4
mittel (2-3)	383	40,3
gering (4-5)	307	32,3
Gesamt	950	100,0

Cronbach's ALPHA = .64

Index „Geschlechterrolle im Hinblick auf Beruf und Familie"

Der Index Geschlechterrolle im Hinblick auf Beruf und Familie setzt sich aus folgenden Variablen zusammen:

Variable	Antwortkategorien
Eine berufstätige Frau kann ein genauso vertrauensvolles Verhältnis zu ihren Kindern haben wie eine nicht berufstätige Frau.	1 = stimme gar nicht zu 5 = stimme voll zu (umgepolt)
Es ist die Aufgabe des Mannes Geld zu verdienen und die der Frau, sich um Haushalt und Familie zu kümmern.	1 = stimme voll zu 5 = stimme gar nicht zu
Haushalt und Kinder sind für Frauen wichtiger als einen Beruf zu haben.	1 = stimme voll zu 5 = stimme gar nicht zu
Ein Kind, das noch nicht zur Schule geht, wird wahrscheinlich darunter leiden, wenn seine Mutter berufstätig ist.	1 = stimme voll zu 5 = stimme gar nicht zu
Es ist nicht gut, wenn der Mann zuhause bleibt und sich um die Kinder kümmert, während die Frau außer Haus arbeitet.	1 = stimme voll zu 5 = stimme gar nicht zu
Minimale Punktzahl = 5 • Maximale Punktzahl = 25	

	Häufigkeit	Prozent
stark konventionelle Rolle (5-13)	128	13,5
konventionelle Rolle (14-16)	236	24,8
sowohl als auch (17-18)	218	22,9
egalitäre Rolle (19-20)	181	19,1
stark egalitäre Rolle (21-25)	187	19,7
Gesamt	950	100,0

Cronbach's ALPHA = .63

Index „Körperbild"

Der Index Körperbild setzt sich aus folgenden Variablen zusammen:

Variable	Antwortkategorien
Ich fühle mich wohl in meinem Körper.	1 = trifft genau zu 5 = trifft gar nicht zu
Ich fühle mich zu dick.	1 = trifft gar nicht zu 5 = trifft genau zu (umgepolt)
Ich finde meinen Körper schön.	1 = trifft genau zu 5 = trifft gar nicht zu
Minimale Punktzahl = 3 • Maximale Punktzahl = 15	

	Häufigkeit	Prozent
sehr positiv (3-5)	147	15,5
positiv (6-7)	243	25,6
mittel (8-9)	258	27,2
negativ (10-11)	182	19,2
sehr negativ (12-15)	120	12,6
Gesamt	950	100,0

Cronbach's ALPHA = .76

Index „Körperpflege"

Der Index Körperpflege setzt sich aus folgenden Variablen zusammen:

Variable	Antwortkategorien
Ich achte darauf, körperlich fit zu bleiben.	1 = trifft gar nicht zu 5 = trifft genau zu (umgepolt)
Ich benutze gerne Körperpflegeprodukte.	1 = trifft gar nicht zu 5 = trifft genau zu (umgepolt)
Ich schminke mich gerne.	1 = trifft gar nicht zu 5 = trifft genau zu (umgepolt)
Minimale Punktzahl = 3 • Maximale Punktzahl = 15	

	Häufigkeit	Prozent
gar nicht wichtig (3-8)	68	7,2
nicht wichtig (9-10)	191	20,1
teils wichtig (11-12)	343	36,1
eher wichtig (13-14)	253	26,6
sehr wichtig (15)	95	10,0
Gesamt	950	100,0

Cronbach's ALPHA = .43

Index „Freizeit im deutschen Kontext"

Der Index Freizeit im deutschen Kontext setzt sich aus folgenden Variablen zusammen:

Variable	Antwortkategorien
Mit wem verbringt du deine Freizeit – in einer Gruppe von Deutschen?	0 = manchmal/selten/nie 1 = meistens/häufig
Was machst du in deiner Freizeit – in deutsche Diskotheken gehen?	0 = mache ich manchmal/selten/nie 1 = mache ich sehr oft/oft
Nationale Herkunft der drei besten Freunde/innen?	0 = sonstiges bzw. alles andere 1 = ausschließlich/überwiegend deutsche Freunde
Sprache mit den drei besten Freunden/innen?	0 = sonstiges bzw. alles andere 1 = ausschließlich/überwiegend Deutsch mit den drei besten Freunden
Minimale Punktzahl = 0 • Maximale Punktzahl = 4	

	Häufigkeit	Prozent
wenig (0)	554	58,3
mittel (1)	222	23,4
viel (2-4)	174	18,3
Gesamt	950	100,0

Cronbach's ALPHA = .54

Index „Freizeit im (eigen-)ethnischen Kontext"

Der Index Freizeit im (eigen-)ethnischen Kontext setzt sich aus folgenden Variablen zusammen:

Variable	Antwortkategorien
Mit wem verbringt du deine Freizeit – in einer Gruppe von Ausländern/Aussiedlern?	0 = manchmal/selten/nie 1 = meistens/häufig
Was machst du in deiner Freizeit – in ... (herkunftsspezifische) Diskotheken gehen?	0 = manchmal/selten/nie 1 = sehr oft/oft
Nationale Herkunft der drei besten Freunde/innen?	0 = sonstiges bzw. alles andere 1 = ausschließlich nationale Freunde
Sprache mit den drei besten Freunden/innen?	0 = sonstiges bzw. alles andere 1 = ausschließlich/überwiegend Herkunftssprache
Minimale Punktzahl = 0 • Maximale Punktzahl = 4	

	Häufigkeit	Prozent
wenig (0)	286	30,1
mittel (1)	305	32,1
viel (2-4)	359	37,8
Gesamt	950	100,0

Cronbach's ALPHA = .42

Index „Eigenethnische Identifikation"

Der Index Eigenethnische Identifikation setzt sich aus folgenden Variablen zusammen:

Variable	Antwortkategorien
Ich fühle mich als Angehörige der Herkunftsgruppe.	1 = gar nicht 3 = sehr stark (umgepolt)
Ich fühle mich wohl unter Angehörigen der Herkunftsgruppe in Deutschland.	1 = gar nicht 3 = voll (umgepolt)
Ich fühle mich im Herkunftsland wohl.	1 = gar nicht 3 = voll (umgepolt)
Ich fühle mich im Herkunftsland fremd.	1 = voll 3 = gar nicht
In welchem Land planst du in Zukunft zu leben?	1 = Deutschland 2 = mal im Herkunftsland, mal in Deutschland oder sonstiges 3 = Herkunftsland
Minimale Punktzahl = 5 • Maximale Punktzahl = 15	

	Häufigkeit	Prozent
sehr geringe Identifikation (5-7)	56	5,9
geringe Identifikation (8-9)	120	12,6
mittlere Identifikation (10-11)	205	21,6
starke Identifikation (12-13)	387	40,7
sehr starke Identifikation (14-15)	182	19,2
Gesamt	950	100,0

Cronbach's ALPHA = .66

Index „Zufriedenheit"

Der Index Zufriedenheit setzt sich aus folgenden Variablen zusammen:

Variable	Antwortkategorien
Inwieweit bist du mit dem zufrieden, was du bisher schulisch und beruflich erreicht hast?	1 = sehr zufrieden 5 = gar nicht zufrieden
Wie würdest du deine derzeitige finanzielle Situation beschreiben?	1 = richtig gut 5 = überhaupt nicht gut
Wie zufrieden bist du mit deiner Wohnsituation?	1 = sehr zufrieden 5 = überhaupt nicht zufrieden
Wie zufrieden bist du mit der Menge an Freizeit, die du hast?	1 = sehr zufrieden 5 = gar nicht zufrieden
Minimale Punktzahl = 4 • Maximale Punktzahl = 20	

	Häufigkeit	Prozent
sehr zufrieden (4-7)	164	17,3
zufrieden (8-9)	287	30,2
teilweise zufrieden (10-11)	271	28,5
weniger/nicht zufrieden (12-13/14-20)	228	24,0
Gesamt	950	100,0

Cronbach's ALPHA = .44

Index „Konzentrations- und Schlafstörungen"

Der Index Konzentrations- und Schlafstörungen setzt sich aus folgenden Variablen zusammen:

Variable	Antwortkategorien
Ich kann mich nicht konzentrieren, kann nicht lange aufpassen.	1 = sehr oft 5 = nie
Ich habe Schlafstörungen.	1 = sehr oft 5 = nie
Ich kaue Findernägel.	1 = sehr oft 5 = nie
Minimale Punktzahl = 3 • Maximale Punktzahl = 15	

	Häufigkeit	Prozent
stärker vorhanden (sehr stark/stark) (3-8/9-10)	227	23,9
etwas vorhanden (mittelmäßig) (11-12)	282	29,7
kaum vorhanden (weniger/gar nicht) (13-14/15)	441	46,4
Gesamt	950	100,0

Cronbach's ALPHA = .40

Index „Psychische Stärke"

Der Index Psychische Stärke setzt sich aus folgenden Variablen zusammen:

Variable	Antwortkategorien
Ich fühle mich meist ziemlich fröhlich.	1 = stimme voll zu 5 = stimme gar nicht zu
Ich sehe im Allgemeinen mehr die guten Seiten im Leben.	1 = stimme voll zu 5 = stimme gar nicht zu
Ich bin selten so richtig gut drauf.	1 = stimme gar nicht zu 5 = stimme voll zu (umgepolt)
Ich halte mich für eine glückliche Person.	1 = stimme voll zu 5 = stimme gar nicht zu
Verglichen mit meinen Freunden/innen denke ich weniger positiv über das Leben.	1 = stimme gar nicht zu 5 = stimme voll zu (umgepolt)
Ich fühle mich oft einsam.	1 = stimme gar nicht zu 5 = stimme voll zu (umgepolt)
Ich habe viel Power.	1 = stimme voll zu 5 = stimme gar nicht zu
Ich bin oft traurig.	1 = stimme gar nicht zu 5 = stimme voll zu (umgepolt)
Minimale Punktzahl = 8 • Maximale Punktzahl = 40	

	Häufigkeit	Prozent
sehr stark (8-15)	252	26,5
stark (16-18)	240	25,3
mittelmäßig (19 -20)	139	14,6
schwach (21-24)	191	20,1
sehr schwach (25-40)	128	13,5
Gesamt	950	100,0

Cronbach's ALPHA = .82

Index „Selbstverantwortung"

Der Index Selbstverantwortung setzt sich aus folgenden Variablen zusammen:

Variable	Antwortkategorien
Ich übernehme gerne Verantwortung.	1 = stimme voll zu 5 = stimme gar nicht zu
Ich finde es besser Entscheidungen selbst zu treffen als mich auf das Schicksal zu verlassen.	1 = stimme voll zu 5 = stimme gar nicht zu
Bei Problemen finde ich meist Mittel und Wege, um sie zu lösen.	1 = stimme voll zu 5 = stimme gar nicht zu
Minimale Punktzahl = 3 • Maximale Punktzahl = 15	

	Häufigkeit	Prozent
sehr stark (3-4)	210	22,1
stark (5-6)	347	36,5
eher schwach (7-8)	281	29,6
sehr schwach (9-15)	112	11,8
Gesamt	950	100,0

Cronbach's ALPHA = .50

Dimensionen der „Belastung durch kritische Lebensereignisse"

Rotierte Komponentenmatrix

N = 950	Komponente					
	1	2	3	4	5	6
MV23A12	,096	,074	,093	,527	-,111	,426
MV23B12	-,069	,117	,571	,334	-,232	,012
MV23C12	,227	,071	-,111	,534	,038	-,199
MV23D12	,073	,612	-,013	,115	,038	,190
MV23E12	,078	,739	,090	,027	,008	-,044
MV23F12	-,014	,584	,062	,226	-,149	-,038
MV23G12	,028	,726	,000	-,165	,230	,006
MV23H12	,106	-,089	,732	-,068	,013	,213
MV23I12	,019	,042	,303	,325	,317	,158
MV23J12	-,013	,091	,105	-,122	,188	,766
MV23K12	,070	,059	,091	,648	,298	-,068
MV23L12	-,078	,039	-,005	,182	,713	,137
MV23M12	,028	,161	,575	-,053	,373	-,345
MV23N12	,461	,209	,441	-,021	,071	,065
MV23O12	,616	,037	,010	,120	-,147	-,008
MV23P12	,744	-,017	-,057	,128	,078	,070
MV23Q12	,559	,056	-,061	-,043	,376	-,069
MV23R12	,616	,048	,208	,075	-,136	-,023

Extraktionsmethode: Hauptkomponentenanalyse.
Rotationsmethode: Varimax mit Kaiser-Normalisierung.

MV23A12: Trennung vom festen Freund/Partner • MV23B12: Umzug innerhalb Deutschlands • MV23C12: Sitzen bleiben in der Schule, Zurückstufung • MV23D12: Abbruch der Schulausbildung • MV23E12: Schwierigkeiten, einen Ausbildungs- bzw. Arbeitsplatz zu finden • MV23F12: Veränderungen im Ausbildungs- bzw. Arbeitsverhältnis • MV23G12: Arbeitslosigkeit • MV23H12: Ausreise nach Deutschland • MV23I12: Verlust einer für mich wichtigen Bezugsperson • MV23J12: Längerer Aufenthalt in ... (Herkunftsland) • MV23K12: Streitigkeiten in der Familie • MV23L12: Scheidung oder Trennung der Eltern • MV23M12: Arbeitslosigkeit der Eltern • MV23N12: Wegen meiner Herkunft im Geschäft/auf dem Amt schlechter behandelt zu werden • MV23O12: In der Schule verboten zu bekommen, ... (Herkunftssprache) zu sprechen • MV23P12: Wegen meiner Herkunft in Bus/Bahn oder auf der Straße körperlich angemacht zu werden • MV23Q12: Wegen meiner Herkunft in Bus/Bahn oder auf der Straße körperlich angegriffen zu werden • MV23R12: Wegen meiner Herkunft in der Schule bzw. Ausbildung schlechter behandelt zu werden (1 „nicht erlebt und erlebt und sehr geringe Belastung"-5 „erlebt und sehr starke Belastung").

Variablen „Belastung durch kritische Lebensereignisse"

Die neu konstruierten Variablen Belastung durch kritische Lebensereignisse, exemplarisch an der „Trennung vom festen Freund/Partner" (siehe MV23A12) illustriert und daran „Wegen der Herkunft in der Schule bzw. Ausbildung schlechter behandelt zu werden" (siehe MV23R12), setzen sich jeweils aus folgenden Variablen zusammen:

Variable	Antwortkategorien
Welche der folgenden Ereignisse hast du bisher erlebt – Trennung vom festen Freund/Partner?	0 = nicht erlebt 1 = erlebt
Trennung vom festen Freund/Partner bereits erlebt und die Belastung war ...	1 = sehr gering 5 = sehr stark
....	....
Welche der folgenden Ereignisse hast du bisher erlebt – Wegen meiner Herkunft in der Schule bzw. Ausbildung schlecht behandelt zu werden?	0 = nicht erlebt 1 = erlebt
Wegen meiner Herkunft in der Schule bzw. Ausbildung schlecht behandelt zu werden bereits erlebt und die Belastung war ...	1 = sehr gering 5 = sehr stark

Variable Trennung vom festen Freund/Partner

	Häufigkeit	Prozent
nicht erlebt und erlebt und sehr geringe Belastung	453	47,7
erlebt und geringe Belastung	66	6,9
erlebt und mittelmäßige Belastung	168	17,7
erlebt und starke Belastung	136	14,3
erlebt und sehr starke Belastung	127	13,4
Gesamt	950	100,0

Variable Wegen meiner Herkunft in der Schule bzw. Ausbildung schlecht behandelt zu werden

	Häufigkeit	Prozent
nicht erlebt und erlebt und sehr geringe Belastung	764	80,4
erlebt und geringe Belastung	26	2,7
erlebt und mittelmäßige Belastung	57	6,0
erlebt und starke Belastung	47	4,9
erlebt und sehr starke Belastung	56	5,9
Gesamt	950	100,0

Dimensionen „Religiöse Orientierungen"

Rotierte Komponentenmatrix

N = 950	Komponente										
	1	2	3	4	5	6	7	8	9	10	11
V67P	,605	,453	,136	-,043	-,110	,002	,031	,160	,066	-,006	-,019
V86C	,568	,418	,139	,000	-,039	,073	,186	,102	,084	,002	-,073
V89_3	-,011	,036	,036	-,020	,009	,056	,061	-,029	,051	,008	,875
MV92ABC	,712	,279	,109	,081	,011	-,020	,066	,018	-,004	-,208	-,070
V92D	,735	,141	,042	,070	,106	-,013	,028	,018	-,069	-,281	-,139
V92E	-,076	,063	,108	,125	,707	-,009	-,040	-,142	,150	-,035	-,128
V92F	,124	-,003	,049	,714	-,101	,017	,225	-,174	,105	,051	-,089
V92G	-,020	-,046	-,053	,812	,135	,022	-,027	,098	-,101	-,007	,042
V92H	,088	,074	-,029	,529	,490	-,016	-,047	,226	-,147	-,026	,009
V92I	-,058	-,101	-,007	-,037	,649	-,052	,067	,073	-,182	,116	,135
V92J	,037	-,054	,026	,218	,139	-,045	,619	-,128	-,084	,031	,129
V95A	,767	,348	,147	,012	-,068	,007	,060	,126	,102	-,078	-,050
V95B	-,193	-,441	,015	-,016	,176	,063	,302	,122	-,116	,006	-,130
V95C	,469	,464	-,088	,077	,140	,230	-,075	,055	,074	-,014	-,091
V95D	,413	,419	-,035	,095	,284	,095	,092	,070	-,271	-,086	-,084
V95E	,262	-,005	-,066	-,054	,208	-,211	-,090	,211	-,297	,381	-,141
V95F	,387	,186	,000	-,012	,023	,578	,268	,117	,068	,015	-,161
V95G	-,376	-,646	-,175	,179	-,062	,002	,040	,063	,045	,033	,019
V95H	-,069	,059	,151	-,036	,083	-,778	,025	,005	,033	,097	-,134
V95I	,627	,406	,102	-,065	-,020	,052	,147	,063	-,013	,042	-,040
V95J	,689	,084	,132	-,089	,072	-,021	,051	-,039	-,152	-,142	-,094
V95K	,003	-,060	,150	,034	-,003	,042	-,027	,805	,041	,021	-,040
V95L	,309	,544	,146	-,127	,100	,159	,017	-,087	-,050	,044	,081
V95M	-,356	-,117	,027	-,041	,074	,124	,090	-,068	-,087	,690	,078
V96A	,599	,437	,035	,048	-,104	-,020	,258	,150	,158	,128	-,059
V96B	,303	,087	,265	,041	,097	,012	-,450	,260	,061	,172	-,017
V96C	,232	,153	,089	-,041	-,124	,193	,640	,201	,109	-,061	-,040
V96D	-,151	,008	-,072	,118	-,029	-,343	-,167	,039	,092	,555	-,036
V96E	-,182	-,585	-,025	-,129	,080	,108	-,016	,000	-,148	,103	,006
V98A	,226	,216	,606	,142	,062	-,005	-,141	,211	-,076	-,167	,039
V98B	,300	,152	,608	-,078	-,071	-,231	-,051	,253	-,148	-,073	,124
V98C	,017	-,083	,715	,033	,141	,127	,058	-,113	,193	,029	-,096
V98D	,310	,122	,730	-,052	-,008	-,010	,014	,001	,117	,048	-,010
V98E	,197	,048	,600	-,088	-,060	-,305	,105	,131	-,080	,002	,080

V99	,783	,224	,067	,033	-,025	,079	,065	,032	,190	-,068	-,014
V100A	,839	,122	,172	,016	-,039	,047	-,091	,049	-,031	-,013	,014
V100B	,730	,205	,246	,059	-,086	,036	-,083	-,003	-,031	,090	,005
V100C	,842	,044	,124	,072	-,005	,095	-,070	-,067	,023	-,095	,029
V100D	,618	,351	,253	,162	-,014	,035	,082	,006	-,181	,032	,043
V100E	,777	,052	,201	,051	-,143	,133	-,054	-,027	-,037	,087	,075
V100F	,832	,089	,161	,026	-,108	,071	-,093	,047	,052	,041	,070
V101A	,518	,066	,160	-,115	-,064	-,049	-,104	,085	,574	-,054	,073
V101B	,511	,181	,280	-,097	-,054	-,055	-,035	,188	,362	-,041	,113
V101C	,568	,252	-,055	-,058	-,119	,094	,021	-,008	,450	,003	-,029
V101D	,637	,196	-,061	-,009	,198	-,049	,122	,131	,226	-,061	,123
V101E	,682	,013	-,008	-,037	,166	-,073	,048	-,058	,222	-,199	,100
MV102	,386	,446	,242	-,063	,044	-,224	,098	,328	-,106	-,126	,128

Extraktionsmethode: Hauptkomponentenanalyse.
Rotationsmethode: Varimax mit Kaiser-Normalisierung.

V67P: Welche Eigenschaften soll dein zukünftiger Lebenspartner/Ehemann auf jeden Fall haben – gläubig/ religiös? • V86C: Ich fühle mich als ... (Angehörige einer Religionsgruppe) • V89_3: Welche/n Vornamen würdest du deinem eigenen Kind am liebsten geben – einen Vornamen aus ... (Herkunftsland), der in Deutschland bekannt ist • MV92ABC: Grad der Identifikation mit einer religiösen Gruppierung (Christentum, Islam oder Alevilik) • V92D: Wenn du an dich denkst, wie stark glaubst du an folgende Dinge – Gott? • V92E: Wenn du an dich denkst, wie stark glaubst du an folgende Dinge – Übersinnliche/übernatürliche Phänomene? • V92F: Wenn du an dich denkst, wie stark glaubst du an folgende Dinge – Liebe? • V92G: Wenn du an dich denkst, wie stark glaubst du an folgende Dinge – Glück? • V92H: Wenn du an dich denkst, wie stark glaubst du an folgende Dinge – Schicksal? • V92I: Wenn du an dich denkst, wie stark glaubst du an folgende Dinge – Macht des Geldes? • V92J: Wenn du an dich denkst, wie stark glaubst du an folgende Dinge – Mich selbst? • V95A: Religion hat in meinem Leben eine große Bedeutung • V95B: Es ist mir egal, ob meine Freunde/Freundinnen religiös sind • V95C: Eine Ehe ist nur mit religiöser Trauung eine richtige Ehe • V95D: Es ist mir wichtig, meine Kinder taufen zu lassen/meinen Sohn beschneiden zu lassen • V95E: Gott ist in erster Linie eine strafende Macht • V95F: Als Mädchen/ Frau fühle ich mich in meiner Religion akzeptiert • V95G: Welche Religion mein Partner hat, ist mir egal • V95H: Als Mädchen/Frau fühle ich mich in meiner Religion unterdrückt • V95I: Es ist für mich wichtig, meine Kinder nach meinen religiösen Grundsätzen zu erziehen • V95J: Gott ist in erster Linie eine vergebende Macht • V95K: Die Stellung der Frau ist in meiner Religion genauso gut oder schlecht wie in anderen Religionen auch • V95L: Ich kann mir kaum vorstellen, jemanden zu heiraten, der einen anderen Glauben hat als ich • V95M: Gott ist eine Erfindung von Menschen für etwas, was sie sich nicht erklären können • V96A: Meine Eltern haben mich religiös erzogen • V96B: Ich wäre lieber stärker religiös erzogen worden • V96C: Ich finde es gut, wie meine Eltern mich in religiöser Hinsicht erzogen haben • V96D: Ich wäre lieber weniger religiös erzogen worden • V96E: In unserer Familie ist der Glaube Privatsache jedes Einzelnen • V98A: Ich hätte in der Schule gerne mehr über meine Religion erfahren • V98B: Ich wünsche mir von den einheimischen Deutschen mehr Verständnis für meine Form des Glaubens • V98C: Ich möchte mehr über die anderen Religionen erfahren • V98D: Ich wünsche mir von Menschen anderer Religionen, dass sie mehr über meine Religion wissen • V98E: Ich wünsche mir von ... (Angehörigen der Herkunftsgruppe in Deutschland) mehr Verständnis für meine Haltung zur Religion • V99: Würdest du von dir sagen, dass du eher religiös/gläubig oder nicht religiös bist? • V100A: Der Glaube gibt mir Selbstvertrauen • V100B: Der Glaube verstärkt mein Gefühl, einer Gemeinschaft anzugehören • V100C: Der Glaube hilft mir, in schwierigen Situationen nicht zu verzweifeln • V100D: Durch den Glauben fühle ich mich meiner Herkunftskultur näher • V100E: Der Glaube gibt mir das Gefühl von Freiheit • V100F: Der Glaube hilft mir, den richtigen Weg für mein Leben zu finden • V101A: Welche der folgenden Tätigkeiten übst du aus und wie oft tust du das – In Koran/Bibel/Evangelium lesen? • V101B: Welche der folgenden Tätigkeiten übst du aus und wie oft tust du das – Bücher über meine Religion lesen? • V101C: Welche der folgenden Tätigkeiten übst du aus und wie oft tust du das – Gottesdienst/Gemeinschaftsgebet besuchen? • V101D: Welche der folgenden Tätigkeiten übst du aus und wie oft tust du das – Feste Gebete sprechen • V101E: Welche der folgenden Tätigkeiten übst du aus und wie oft tust du das – Frei beten? • MV102: Fastest du aus religiösen Gründen oder verzichtest du aus religiösen Gründen in der Fastenzeit auf bestimmte Dinge?

Index „Religiosität"

Der Index Religiosität setzt sich aus folgenden Variablen zusammen:

Variable	Antwortkategorien
Welche Eigenschaften soll dein zukünftiger Lebenspartner/Ehemann auf jeden Fall haben – gläubig/ religiös?	1 = sehr wichtig 5 = weniger wichtig
Ich fühle mich als ... (Angehörige einer Religionsgruppe).	1 = sehr stark 5 = gar nicht
Grad der Identifikation mit einer religiösen Gruppierung (Christentum, Islam oder Alevilik).	1 = sehr stark 5 = gar nicht
Wenn du an dich denkst, wie stark glaubst du an folgende Dinge – Gott?	1 = sehr stark 5 = gar nicht
Religion hat in meinem Leben eine große Bedeutung.	1 = stimme voll zu 5 = stimme gar nicht zu
Es ist für mich wichtig, meine Kinder nach meinen religiösen Grundsätzen zu erziehen.	1 = stimme voll zu 5 = stimme gar nicht zu
Gott ist in erster Linie eine vergebende Macht.	1 = stimme voll zu 5 = stimme gar nicht zu
Meine Eltern haben mich religiös erzogen.	1 = stimme voll zu 5 = stimme gar nicht zu
Würdest du von dir sagen, dass du eher religiös/gläubig oder nicht religiös bist?	1 = sehr religiös 5 = gar nicht religiös
Der Glaube gibt mir Selbstvertrauen.	1 = stimme voll zu 5 = stimme gar nicht zu
Der Glaube verstärkt mein Gefühl, einer Gemeinschaft anzugehören.	1 = stimme voll zu 5 = stimme gar nicht zu
Der Glaube hilft mir, in schwierigen Situationen nicht zu verzweifeln.	1 = stimme voll zu 5 = stimme gar nicht zu
Durch den Glauben fühle ich mich meiner Herkunftskultur näher.	1 = stimme voll zu 5 = stimme gar nicht zu
Der Glaube gibt mir das Gefühl von Freiheit.	1 = stimme voll zu 5 = stimme gar nicht zu
Der Glaube hilft mir, den richtigen Weg für mein Leben zu finden.	1 = stimme voll zu 5 = stimme gar nicht zu
Welche der folgenden Tätigkeiten übst du aus und wie oft tust du das – Bücher über meine Religion lesen?	1 = sehr oft 5 = nie
Welche der folgenden Tätigkeiten übst du aus und wie oft tust du das – Gottesdienst/Gemeinschaftsgebet besuchen?	1 = sehr oft 5 = nie
Welche der folgenden Tätigkeiten übst du aus und wie oft tust du das – Feste Gebete sprechen?	1 = sehr oft 5 = nie
Welche der folgenden Tätigkeiten übst du aus und wie oft tust du das – Frei beten?	1 = sehr oft 5 = nie
Minimale Punktzahl = 19 • Maximale Punktzahl = 95	

	Häufigkeit	Prozent
sehr stark (19-34)	128	13,5
stark (35-49)	250	26,3
teils-teils (50-64)	262	27,6
wenig (65-79)	184	19,4
gar nicht (80-95)	126	13,3
Gesamt	950	100,0

Cronbach's ALPHA = .96

Index „Religion in engen Beziehungen"

Der Index Religion in engen Beziehungen setzt sich aus folgenden Variablen zusammen:

Variable	Antwortkategorien
Es ist mir egal, ob meine Freunde/Freundinnen religiös sind.	1 = stimme gar nicht zu 5 = stimme voll zu (umgepolt)
Eine Ehe ist nur mit religiöser Trauung eine richtige Ehe.	1 = stimme voll zu 5 = stimme gar nicht zu
Es ist mir wichtig, meine Kinder taufen zu lassen/meinen Sohn beschneiden zu lassen.	1 = stimme voll zu 5 = stimme gar nicht zu
Welche Religion mein Partner hat, ist mir egal.	1 = stimme gar nicht zu 5 = stimme voll zu (umgepolt)
Ich kann mir kaum vorstellen, jemanden zu heiraten, der einen anderen Glauben hat als ich.	1 = stimme voll zu 5 = stimme gar nicht zu
In unserer Familie ist der Glaube Privatsache jedes Einzelnen.	1 = stimme gar nicht zu 5 = stimme voll zu (umgepolt)
Minimale Punktzahl = 6 • Maximale Punktzahl = 30	

	Häufigkeit	Prozent
sehr wichtig (6-10)	85	8,9
eher wichtig (11-15)	291	30,6
teils-teils (16-20)	305	32,1
eher unwichtig (21-25)	180	18,9
gar nicht wichtig (26-30)	89	9,4
Gesamt	950	100,0

Cronbach's ALPHA = .72

Index „Interreligiöser Austausch"

Der Index Interreligiöser Austausch setzt sich aus folgenden Variablen zusammen:

Variable	Antwortkategorien
Ich hätte in der Schule gerne mehr über meine Religion erfahren.	1 = stimme voll zu 5 = stimme gar nicht zu
Ich wünsche mir von den einheimischen Deutschen mehr Verständnis für meine Form des Glaubens.	1 = stimme voll zu 5 = stimme gar nicht zu
Ich möchte mehr über die anderen Religionen erfahren.	1 = stimme voll zu 5 = stimme gar nicht zu
Ich wünsche mir von Menschen anderer Religionen, dass sie mehr über meine Religion wissen.	1 = stimme voll zu 5 = stimme gar nicht zu
Ich wünsche mir von ... (Angehörigen der Herkunftsgruppe in Deutschland) mehr Verständnis für meine Haltung zur Religion.	1 = stimme voll zu 5 = stimme gar nicht zu
Minimale Punktzahl = 5 • Maximale Punktzahl = 25	

	Häufigkeit	Prozent
sehr wichtig (5-9)	119	12,5
eher wichtig (10-13)	216	22,7
teils-teils (14-17)	294	30,9
eher unwichtig (18-21)	221	23,3
gar nicht wichtig (22-25)	100	10,5
Gesamt	950	100,0

Cronbach's ALPHA = .77

Dimensionen der „Bewertung von Einrichtungen für Jugendliche"

Rotierte Komponentenmatrix

N = 950	Komponente 1	Komponente 2
V106A	-,475	-,285
V106B	-,017	,663
V106C	,542	-,361
V106D	,091	,719
V106E	,757	,054
V106F	,305	,693
V106G	,789	,083
V106H	,661	,298

Extraktionsmethode: Hauptkomponentenanalyse.
Rotationsmethode: Varimax mit Kaiser-Normalisierung.

V106A: Finde ich gut • V106B: Dafür fühle ich mich zu alt • V106C: Das erlauben meine Eltern nicht • V106D: Ich verbringe meine Freizeit lieber privat • V106E: Dort werden Dinge getan, die ich nicht mag • V106F: Es gibt dort keine interessanten Angebote für mich • V106G: Sind kein Ort für Mädchen • V106H: Ich mag die Jugendlichen nicht, die dort sind (1 „stimme voll zu"-5 „stimme gar nicht zu").

Index „Milieu der Einrichtung als Hindernis"

Der Index Milieu der Einrichtung als Hindernis setzt sich aus folgenden Variablen zusammen:

Variable	Antwortkategorien
Was hältst du von Jugendzentren, Jugendhäusern oder Jugendgemeinschaftswerken – Dort werden Dinge getan, die ich nicht mag?	1 = stimme voll zu 5 = stimme gar nicht zu
Was hältst du von Jugendzentren, Jugendhäusern oder Jugendgemeinschaftswerken – Sind kein Ort für Mädchen?	1 = stimme voll zu 5 = stimme gar nicht zu
Was hältst du von Jugendzentren, Jugendhäusern oder Jugendgemeinschaftswerken – Ich mag die Jugendlichen nicht, die dort sind?	1 = stimme voll zu 5 = stimme gar nicht zu
Minimale Punktzahl = 3 • Maximale Punktzahl = 15	

	Häufigkeit	Prozent
sehr starkes Hindernis (3-6)	70	7,4
starkes Hindernis (7-8)	106	11,2
teils-teils (9-10)	190	20,0
geringes Hindernis (11-12)	271	28,5
kein Hindernis (13-15)	313	32,9
Gesamt	950	100,0

Cronbach's ALPHA = .71

Index „Fehlen adäquater Angebote"

Der Index Fehlen adäquater Angebote setzt sich aus folgenden Variablen zusammen:

Variable	Antwortkategorien
Dafür fühle ich mich zu alt.	1 = stimme voll zu 5 = stimme gar nicht zu
Ich verbringe meine Freizeit lieber privat.	1 = stimme voll zu 5 = stimme gar nicht zu
Es gibt dort keine interessanten Angebote für mich.	1 = stimme voll zu 5 = stimme gar nicht zu
Minimale Punktzahl = 3 • Maximale Punktzahl = 15	

	Häufigkeit	Prozent
sehr stark registriert (3-5)	177	18,6
stark registriert (6-7)	201	21,2
teilweise registriert (8)	122	12,8
nicht registriert (9-10)	250	26,3
gar nicht registriert (11-15)	200	21,1
Gesamt	950	100,0

Cronbach's ALPHA = .57

Index „Wunsch nach organisierten Freizeitangeboten"

Der Index Wunsch nach organisierten Freizeitangeboten setzt sich aus folgenden Variablen zusammen:

Variable	Antwortkategorien
Was wünschst du dir in deiner Wohngegend an Einrichtungen und Möglichkeiten – Sportmöglichkeiten?	0 = ich wünsche mir (mehr) davon 1 = ich wünsche mir nicht (mehr) davon
Was wünschst du dir in deiner Wohngegend an Einrichtungen und Möglichkeiten – Diskothek?	0 = ich wünsche mir (mehr) davon 1 = ich wünsche mir nicht (mehr) davon
Was wünschst du dir in deiner Wohngegend an Einrichtungen und Möglichkeiten – Jugendeinrichtungen?	0 = ich wünsche mir (mehr) davon 1 = ich wünsche mir nicht (mehr) davon
Was wünschst du dir in deiner Wohngegend an Einrichtungen und Möglichkeiten – Kulturelle Vereine, Zentren, Treffpunkte für ... (eigene Herkunftsgruppe)?	0 = ich wünsche mir (mehr) davon 1 = ich wünsche mir nicht (mehr) davon
Was wünschst du dir in deiner Wohngegend an Einrichtungen und Möglichkeiten – Religiöse Angebote für ... (eigene Religionsgemeinschaft)?	0 = ich wünsche mir (mehr) davon 1 = ich wünsche mir nicht (mehr) davon
Was wünschst du dir in deiner Wohngegend an Einrichtungen und Möglichkeiten – Spezielle Angebote für Mädchen/junge Frauen?	0 = ich wünsche mir (mehr) davon 1 = ich wünsche mir nicht (mehr) davon
Minimaler Wert = 0 • Maximaler Wert = 6	

	Häufigkeit	Prozent
sehr starker Wunsch (0-2)	123	12,9
starker Wunsch (3)	113	11,9
teils-teils (4)	146	15,4
geringer Wunsch (5)	199	20,9
kein Wunsch (6)	369	38,8
Gesamt	950	100,0

Cronbach's ALPHA = .68

Index „Wunsch nach mädchenspezifischen Angeboten"

Der Index Wunsch nach mädchenspezifischen Angeboten setzt sich aus folgenden Variablen zusammen:

Variable	Antwortkategorien
Welche Angebote und Einrichtungen, die speziell für Mädchen sind, wünschst du dir – Mädchencafé, Mädchenzentrum?	0 = ich wünsche mir (mehr) davon 1 = ich wünsche mir nicht (mehr) davon (umgepolt)
Welche Angebote und Einrichtungen, die speziell für Mädchen sind, wünschst du dir – Mädchengruppe?	0 = ich wünsche mir (mehr) davon 1 = ich wünsche mir nicht (mehr) davon (umgepolt)
Welche Angebote und Einrichtungen, die speziell für Mädchen sind, wünschst du dir – Mädchensportgruppe?	0 = ich wünsche mir (mehr) davon 1 = ich wünsche mir nicht (mehr) davon (umgepolt)
Welche Angebote und Einrichtungen, die speziell für Mädchen sind, wünschst du dir – Mädchentag im Jugendzentrum?	0 = ich wünsche mir (mehr) davon 1 = ich wünsche mir nicht (mehr) davon (umgepolt)
Welche Angebote und Einrichtungen, die speziell für Mädchen sind, wünschst du dir – Beratung für Mädchen?	0 = ich wünsche mir (mehr) davon 1 = ich wünsche mir nicht (mehr) davon (umgepolt)
Welche Angebote und Einrichtungen, die speziell für Mädchen sind, wünschst du dir – Selbstbehauptungskurse für Mädchen?	0 = ich wünsche mir (mehr) davon 1 = ich wünsche mir nicht (mehr) davon (umgepolt)
Welche Angebote und Einrichtungen, die speziell für Mädchen sind, wünschst du dir – Selbstverteidigungskurse für Mädchen?	0 = ich wünsche mir (mehr) davon 1 = ich wünsche mir nicht (mehr) davon (umgepolt)
Minimaler Wert = 0 • Maximaler Wert = 7	

	Häufigkeit	Prozent
sehr stark (0-3)	141	14,8
stark (4)	64	6,7
teils-teils (5)	80	8,4
wenig (6)	144	15,2
gar nicht (7)	521	54,8
Gesamt	950	100,0

Cronbach's ALPHA = .83

Dimensionen der „Inanspruchnahme von Hilfen"

Rotierte Komponentenmatrix

N = 950	Komponente 1	Komponente 2	Komponente 3
V116A	,066	,124	,842
V116B	,102	,207	,810
V116C	,573	,080	,493
V116D	,743	,146	,033
V116E	,124	,800	,151
V116F	,114	,850	,135
V116G	,656	,265	-,153
V116H	,456	,525	,067
V116I	,419	,495	,278
V116J	,693	,203	,104
V116K	,692	-,001	,210
V116L	,558	,248	,279

Extraktionsmethode: Hauptkomponentenanalyse.
Rotationsmethode: Varimax mit Kaiser-Normalisierung.

V116A: Wenn ich Ärger mit meinen Eltern habe • V116B: Wenn ich Probleme mit meinem festen Freund/Partner/Ehemann habe • V116C: Wenn mein Partner/Ehemann mich schlägt • V116D: Wenn ich Probleme mit Drogen oder Alkohol habe • V116E: Wenn ich Schulprobleme habe • V116F: Wenn ich Probleme mit der Arbeit habe • V116G: Wenn ich Essstörungen habe • V116H: Wenn ich finanzielle Probleme habe • V116I: Wenn ich wegen meiner Herkunft/Nationalität diskriminiert werde • V116J: Wenn ich psychische Probleme habe • V116K: Wenn ich ungewollt schwanger werde • V116L: Wenn ich Schwierigkeiten mit der Sexualität und meinem Körper habe (1 „auf jeden Fall"-5 „auf keinen Fall").

Index „Bereitschaft zur Inanspruchnahme von Hilfen"

Der Index Bereitschaft zur Inanspruchnahme von Hilfen setzt sich aus folgenden Variablen zusammen:

Variable	Antwortkategorien
Ich würde zu einer solchen Stelle gehen, wenn ich Ärger mit meinen Eltern habe.	1 = auf jeden Fall 5 = auf keinen Fall
Ich würde zu einer solchen Stelle gehen, wenn ich Probleme mit meinem festen Freund/Partner/Ehemann habe.	1 = auf jeden Fall 5 = auf keinen Fall
Ich würde zu einer solchen Stelle gehen, wenn mein Partner/Ehemann mich schlägt.	1 = auf jeden Fall 5 = auf keinen Fall
Ich würde zu einer solchen Stelle gehen, wenn ich Probleme mit Drogen oder Alkohol habe.	1 = auf jeden Fall 5 = auf keinen Fall
Ich würde zu einer solchen Stelle gehen, wenn ich Schulprobleme habe.	1 = auf jeden Fall 5 = auf keinen Fall
Ich würde zu einer solchen Stelle gehen, wenn ich Probleme in der Arbeit habe.	1 = auf jeden Fall 5 = auf keinen Fall
Ich würde zu einer solchen Stelle gehen, wenn ich Essstörungen habe.	1 = auf jeden Fall 5 = auf keinen Fall
Ich würde zu einer solchen Stelle gehen, wenn ich finanzielle Probleme habe.	1 = auf jeden Fall 5 = auf keinen Fall
Ich würde zu einer solchen Stelle gehen, wenn ich wegen meiner Herkunft/Nationalität diskriminiert werde.	1 = auf jeden Fall 5 = auf keinen Fall
Ich würde zu einer solchen Stelle gehen, wenn ich psychische Probleme habe.	1 = auf jeden Fall 5 = auf keinen Fall
Ich würde zu einer solchen Stelle gehen, wenn ich ungewollt schwanger werde.	1 = auf jeden Fall 5 = auf keinen Fall
Ich würde zu einer solchen Stelle gehen, wenn ich Schwierigkeiten mit der Sexualität und meinem Körper habe.	1 = auf jeden Fall 5 = auf keinen Fall
Minimale Punktzahl = 12 • Maximale Punktzahl = 60	

	Häufigkeit	Prozent
sehr große Bereitschaft (12-25)	148	15,6
große Bereitschaft (26-31)	198	20,8
mittlere Bereitschaft (32-37)	265	27,9
niedrige Bereitschaft (38-43)	177	18,6
sehr niedrige Bereitschaft (44-60)	162	17,1
Gesamt	950	100,0

Cronbach's ALPHA = .85